D0199913

Der ›dtv-Atlas Weltgeschichte‹, dessen erster Band von den Anfängen bis zur Französischen Revolution reicht, wird mit dem vorliegenden zweiten Teil abgeschlossen. Über Band 1 urteilte die Presse: »Auf knappen 296 Seiten, davon 128 meist farbigen Kartenseiten ... ist ein vorzüglicher Abriss geografischer Weltgeschichte entstanden ...« (Stuttgarter Zeitung)
»Dieser dtv-Atlas zur Weltgeschichte ist eine großartige Sache, eine überaus gelungene verlegerische, editorische und kartografische Leistung.« (Die Welt)
»Das voller Selbstbescheidung gesteckte Ziel, ein informationsreiches Nachschlagewerk und zugleich ein Hilfsmittel für Unterricht und Studium zu schaffen, ist sicher erreicht, wenn nicht übertroffen worden.« (Frankfurter Allgemeine Zeitung)

Für die 25. Auflage wurden die weltgeschichtlichen Ereignisse bis 1990/91 fortgeführt.

Für die 38. Auflage wurden die weltgeschichtlichen Ereignisse bis Ende 2004 berücksichtigt. Für die Auswahl der Fakten wurden das ›Archiv der Gegenwart‹, der ›Fischer Weltalmanach‹, der ›Große Ploetz‹ und das ›Jahrbuch‹ von dtv/Spiegel herangezogen.

In der Reihe ›dtv-Atlas‹ sind bisher erschienen:

Weitere dtv-Atlanten sind in Vorbereitung

Hermann Kinder/Werner Hilgemann/
Manfred Hergt

dtv-Atlas Weltgeschichte

Band 2
Von der Französischen Revolution
bis zur Gegenwart

Mit 138 Abbildungsseiten in Farbe

Grafische Gestaltung der Abbildungen
Harald und Ruth Bukor
Werner Wildermuth

Deutscher Taschenbuch Verlag

Übersetzungen
Bulgarien: Lettera Publishers Nadja Furnadjieva, Plovdiv
Dänemark: Munksgaard International Publishers, Kopenhagen
Estland: Avita Publ., Tallinn
Frankreich: Librairie Academique Perrin, Paris
Großbritannien: Penguin Books Ltd., London
Italien: Garzanti Libri, Mailand
Japan: Heibonsha Limited, Publishers, Tokio
Lettland: Zvaigzne ABC Publ., Riga
Libanon: Librairie Orientale, Beirut
Litauen: Alma Littera, Wilna
Niederlande: HB Uitgevers, Baarn
Polen: Prószyński i S-ka, Warschau
Rumänien: Enciclopedia RAO, Bukarest
Russland: Rebary Ltd., Moskau
Schweden: Tiden, Stockholm
Spanien: Ediciones Istmo, Madrid
Tschechische Rep.: The Lidové Noviny Publ. House, Prag
Türkei: Metu Press, Ankara (in Vorb.)
Ukraine: Znannia-Press Publ. House Ltd., Kiew
Ungarn: Athenaeum 2000 Kiadó, Budapest
USA: Doubleday & Co. Inc., New York

Originalausgabe
In neuer Rechtschreibung
1. Auflage September 1966
12., erweiterte Auflage September 1977
25., unter Mitarbeit von Wolfgang Pöppinghaus erweiterte Auflage Oktober 1991
38., von Manfred Hergt überarbeitete und erweiterte Auflage Juli 2005
Dieses Werk ist urheberrechtlich geschützt. Sämtliche,
auch auszugsweise Verwertungen bleiben vorbehalten.
© 1966, 1991, 2005 Deutscher Taschenbuch Verlag GmbH & Co. KG, München
www.dtv.de
Umschlagkonzept: Balk & Brumshagen
Umschlagbilder im Uhrzeigersinn von li. o. n. li. u. © akg-images; © Corbis/Bettmann;
© ullstein bild/AP; © akg-images
Satz: C. H. Beck, Nördlingen
Druck und Bindung: Appl, Wemding
Printed in Germany · ISBN 3-423-03002-X

Aus dem Vorwort zur 1. Auflage

Der zweite Band des ›dtv-Atlas zur Weltgeschichte‹ möchte – wie sein erster Teil – eine möglichst objektive und umfassende Orientierungshilfe sein. Der Text will nicht als eine Erläuterung der Karten oder graphischen Darstellungen verstanden werden, vielmehr sollen chronologischer Abriß und Skizzen sich zwar ergänzen, aber ihren jeweils spezifischen Aussagewert behalten.

Je gegenwärtiger die Vergangenheit, desto umfangreicher, aber auch undurchsichtiger wird unser Wissen von ihr. Die Fülle des Stoffes und der zur Verfügung stehende begrenzte Raum zwangen zu einer strengen Auswahl und Ordnung des Geschehens.

Zu danken haben wir Herrn Günther Schulze für die Anlage des ausführlichen Registers, Herrn und Frau Bukor wiederum für die graphische Gestaltung, besonders aber Herrn Dr. Erhard Klöss für die umsichtige und verständnisvolle Gesamtredaktion.

Bielefeld, im September 1966   Die Verfasser

Vorwort zur 12. Auflage

Nach dem plötzlichen Tode meines Freundes Hermann Kinder – der den über Erwarten großen Erfolg des Atlas noch erleben durfte – oblag mir die Pflicht, die Zeitgeschichte bis zum Jahre 1977 fortzuführen: als Anhang, chronologisch gerafft, da die Gegenwart sich der historischen Wertung noch weitgehend verschließt.

Bielefeld, im April 1977   Werner Hilgemann

Vorwort zur 38. Auflage

Werner Hilgemann vertraute mir nach langjähriger Zusammenarbeit die Überarbeitung der Zeitgeschichte nach 1965 und Erweiterung nach 1990 an, die wegen der historisch bedeutenden Veränderungen nach 1989 und des offenen Zeitraums bis 2005 dringend notwendig waren. Mein Freund beriet mich in intensiven, fruchtbaren Gesprächen bis zu seinem Tod 2004.

Die umfangreiche Arbeit konnte dank der intensiven Zusammenarbeit mit meiner Lektorin, Frau Anna Coseriu, und der kompetenten Umsetzung der Grafikentwürfe durch Herrn Werner Wildermuth in relativ kurzer Zeit bewältigt werden.

Bielefeld, im April 2005   Manfred Hergt

Inhalt

Inhalt VII

Die im Text in eckigen Klammern stehenden Jahreszahlen geben die Regierungsdaten an, die in runden Klammern befindlichen verweisen auf die Lebensdaten.

Verzeichnis der Abkürzungen

Die bereits in Band 1 erläuterten Abkürzungen werden hier nicht mehr wiederholt.

AA.	Auswärtiges Amt	ESVP	Europäische Sicherheits- und
abess.	abessinisch		Verteidigungspolitik
Abg.	Abgeordneter	EURATOM	Europäische
absolutist.	absolutistisch		Atomgemeinschaft
AFL	American Federation of Labor	EVG	Europäische Verteidigungs-
afrik.	afrikanisch		Gemeinschaft
AG	Aktiengesellschaft	EZU	Europäische Zahlungsunion
all.	alliiert		
AMin.	Außenminister	FDP	Freie Demokratische Partei
ANZUS-Pakt	Pazifischer Verteidigungspakt.	finanz.	finanziell
	Mitglieder: Australien, Neu-	FLN	Front de Libération Nationale
	seeland [New Zealand], USA	FM.	Feldmarschall
auton.	autonom	Frh.	Freiherr
A.-Waffen	Atomwaffen	Fs.	Fürst
BBZ	Brit. Besatzungszone	GATT	General Agreement on Tariffs
bed.	bedeutend		and Trade
bes.	besonders	GB	Großbritannien
best.	bestimmt	geh.	geheim
Bev.	Bevölkerung	Gen.	General
Bez.	Beziehungen	Gen.-Gouv.	Generalgouverneur
BK.	Bundeskanzler	Gen.-Lt.	Generalleutnant
BR	Bundesrepublik	Gen.-Maj.	Generalmajor
BRT	Bruttoregistertonne	Gen.-Oberst	Generaloberst
BVP	Bayerische Volkspartei	Gen.-St.	Generalstab
BZ	Besatzungszone	ges.	gesamt
		Gf.	Graf
CDU	Christlich-Demokratische	Gfs.	Großfürst
	Union		
CENTO	Central Treaty Organization	HGr.	Heeresgruppe
CERN	Conseil Européen pour la	HL	Heeresleitung
	Recherche Nucléaire	Hptm.	Hauptmann
CIO	Congress of Industrial	HQ	Hauptquartier
	Organizations	Hs.	Haus
COMECON	Council for Mutual Economic		
	Assistance (Rat für gegensei-	IAEA	Internationale Atom-Energie-
	tige Wirtschaftshilfe, RGW)		Agentur
CSU	Christlich-Soziale Union	IFC	International Finance
			Corporation
D	Bundesrepublik Deutschland	internat.	international
DAC	Development Assistance	IRO	International Refugee
	Committee		Organization
DAP	Deutsche Arbeiterpartei	IWF	Internationaler Währungsfonds
DC	Democrazia Cristiana		
DDP	Deutsche Demokratische	jap.	japanisch
	Partei		
DDR	Deutsche Demokratische	Kab.	Kabinett
	Republik	Kg.	König
Div.	Division, Divisionen	KL	Konzentrationslager
DNVP	Deutschnationale Volkspartei	KMT	Kuomintang
DStP	Deutsche Staatspartei	kol.	kolonial
dt.	deutsch	Komintern	Kommunistische Internationale
Dtl.	Deutschland	komm.	kommunistisch
DVP	Deutsche Volkspartei	Konf.	Konferenz
		konserv.	konservativ
ECOWAS	Economic Community of West	konst.	konstitutionell
	African States	KP	Kommunistische Partei
EFTA	European Free Trade	KPdSU	Kommunistische Partei der
	Association		Sowjetunion/Bolschewiki
Einw.	Einwohner	KZ	Konzentrationslager

In der (Übergangs-)**Epoche des 19. Jahrhunderts** (Neuere, auch Neueste Geschichte) des letzten europäisch-abendländischen Zeitalters erfahren die Wissenschaften eine ungeahnte Steigerung. Sie werden getragen vom Bewusstsein der »Berechenbarkeit« aller Dinge (Rationalisierung), zielen auf reine (exakte) Feststellung und Erforschung von Tatsachen (Positivismus) und drängen von der Theorie zur praktischen Anwendung (Pragmatismus). Das »**technische Jahrhundert**« fördert materialistische Einstellung, Fortschrittsgläubigkeit und Nützlichkeitsdenken (Utilitarismus), es entfaltet bei zunehmender kultureller Stillosigkeit bürgerliche Lebensformen und schafft mit dem modernen Verwaltungszentralismus (**Bürokratisierung**) Voraussetzungen zur Bildung imperialer Großbereiche und zur Europäisierung der Welt.

Im Gefolge der Aufklärung wird die Welt geprägt von Revolutionen:

1. **Politische Revolutionen** überwinden den Absolutismus und begründen Staatsformen, die sich zur Sicherung persönl. Freiheit und polit. Gleichheit auf ein säkularisiertes Vernunft- bzw. Naturrecht berufen, den feudalen Ständestaat durch einen demokrat. **Klassenstaat** ablösen und im Prinzip der Volkssouveränität gipfeln. Die neue Staatsidee verwirklicht sich zuerst in Nordamerika, setzt sich seit der Franz. Rev. in Europa durch und entbindet hier im Kampf gegen die alten Mächte bzw. gegen die Herrschaft NAPOLEONS das polit. **Nationalbewusstsein** (S. 319).

2. **Die industrielle Revolution** geht von England aus, überwindet die bisherigen Produktionsmethoden (Handwerk, Verlagssystem, Manufaktur) und setzt die gewerbl. Massenproduktion durch Maschinen, priv. Unternehmer (Kapitalbesitzer) und Lohnarbeiter für den gesamten Weltmarkt frei. Techn.-wissenschaftl. Erfolge, rechtliche und soziale Befreiung des Individuums, kapitalist. Industrialisierung und sprunghafte Bevölkerungszunahme verändern das materielle, soz. und geistige Leben und finden ihren spezif. Ausdruck im **Sozialismus** (S. 344).

Die neuen Staats- und Wirtschaftstheorien

Am antik-röm. und idealisierten engl. Vorbild orientiert sich **Montesquieu** (1689–1755), der in den

1721 ›Lettres persanes‹ (Persische Briefe) den franz. Absolutismus ironisch kritisiert und in seinem Hauptwerk

1748 ›De l'esprit des lois‹ (Vom Geist der Gesetze) LOCKES Theorie von der Gewaltenteilung (S. 269) erweitert. Persönl. Freiheit garantiert nur ein »gemäßigter Staat« wie die **Konstitutionelle Monarchie**, in der eine Gewalt die andere hemmt. Die **Exekutive** (Verw.) liegt beim König; er bestimmt die Legislaturperioden und hat das Vetorecht gegen Beschlüsse der **Legislative** (Gesetzgebung). Diese wird vom Volk indirekt durch gewählte Vertreter ausgeübt (**Repräsentativsystem**), gliedert sich in zwei Kammern (aristokrat. Ober-, bürgerl. Unterhaus), kontrolliert die Exekutive und hat das Recht der Steuerbewilligung. Von geringerem Rang ist die unabhängige **Jurisdiktion** (Rechtsprechung: richterl. Gewalt).

Bedeutung: Starke Wirkung auf die Verfassungsentwicklung des 19. Jhs. (vgl. USA, S. 290–93; Franz. Rev., S. 296–99).

Jean Jacques Rousseau (1712–78; S. 257) entwirft ein demokrat. Idealbild im

1762 ›Contrat social‹ (Gesellschaftsvertrag). Da sich Menschen zur Erhaltung ihrer Freiheit und Gleichheit zum Staat zusammenschließen, ruht die Staatsgewalt beim Volk, die Regierenden sind seine Funktionäre, die Gesetze bedürfen der Zustimmung aller; denn die Volkssouveränität ist absolut, unteilbar, unveräußerlich und bekundet sich in der **Volonté général** (allg. Wille der Nation), die auf das Beste aller gerichtet, also immer richtig und mit dem Einzelwillen identisch ist. Freiheit existiert nur mit der **Gleichheit**, d. h. im Anerkennen des allg. Willens. Dieser ist

nicht identisch mit der Volonté de tous (Summe der egoistischen Einzelwillen), er kann auch von einer Minderheit für die Allgemeinheit vertreten werden.

Bedeutung: Die Utopie beeinflusst die Franz. Rev. sowie die demokrat. und nat. Bewegungen im 19. Jh. Ihre Wirkung auf die totalitäre Demokratie der Gegenwart ist umstritten.

Die Übertragung aufkl. Ideen auf Wirtschaft und Gesellschaft wirkt sich im **Wirtschaftsliberalismus** aus. Unter der Devise »**Laissez faire, laissez passer**« (Lasst machen, lasst gehen) wird eine vom Staat unbeeinflusste »natürliche Ordnung« gefordert, in der freies Eigentum und Gewerbe, freier Wettbewerb und Handel wirtschaftl. Aufschwung und Wohlstand verbürgen. Als Vertreter des **Physiokratismus** (griech. Herrschaft der Natur) sieht der Leibarzt LUDWIGS XV., **François Quesnay** (1694–1774), in Reaktion auf den Merkantilismus (S. 261) im **Boden** die einzige Quelle des Reichtums. Nur die Landwirtschaft sei wirklich produktiv, Handel und Gewerbe dagegen »steril«.

Adam Smith (1723–90) sieht die Ursache des Wohlstandes in der **Arbeit**. Aus natürlichem Selbstinteresse werden Güter für den Markt erzeugt, die ihren (Tausch-)Wert nach dem »Naturgesetz« von Angebot und Nachfrage im **Marktpreis** erhalten. Durch freie Konkurrenz und freien Handel werden sich auch soziale Harmonie und Gerechtigkeit einspielen. Dem Staat bleiben lediglich Schutzaufgaben nach außen (Verteidigung) und innen (Rechtspflege, Unterhaltung und Verw. öffentl. Einrichtungen).

Bedeutung: Das epochale, 1776 veröffentlichte Werk von A. SMITH, ›Inquiry into the Nature and Causes of the **Wealth of Nations**‹ (die »Bibel des Kapitalismus«), entwickelt erstmals ein geschlossenes Wirtschaftssystem und begründet die sog. **Klassische Nationalökonomie**, die richtungweisend für das 19. Jh. wird.

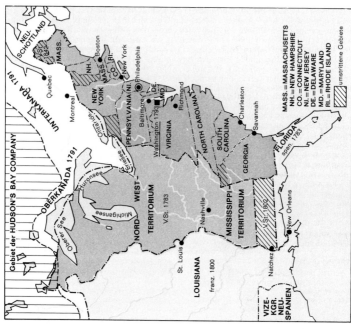

Die Vereinigten Staaten 1783

Die europäische Besiedlung Nordamerikas im 18. Jh.

Die Unabhängigkeitsbewegung

Der Pariser Friede (1763, vgl. S. 283) beseitigt für die engl. Siedler die Gefahr einer franz. Umschnürung und stärkt ihr polit. Selbstbewusstsein. Es wird jedoch verletzt durch die zentralist. Politik der »King's Friends«, einer von GEORG III. [1760–1820] abhängigen Parlamentsgruppe. Die Spannungen zwischen Mutterland und Kolonien wachsen (Siedlungsverbote westl. der Appalachen, Unterbindung des kol. Eigenhandels, Erhebung direkter Steuern zur Tilgung brit. Kriegsschulden u. a.).

1765 Stempel-Steuer-Gesetz für Urkunden, Zeitungen, Bücher. PITT D. Ä. (S. 283) und BURKE (S. 309) setzen sich für die Kolonisten ein, erreichen aber nur Teilerfolge: 1766 Rücknahme der Stempel-Steuer, dafür neue Einfuhr-(Townshend-)Zölle; deshalb seit 1770 Krawalle in Boston/Mass. und Boykott brit. Waren. Radikale wie SAMUEL ADAMS (1722–1803) und THOMAS JEFFERSON gründen in Massachusetts »Korrespondenz-Komitees« zur Organisation einer »Los-von-England-Bewegung«, die später durch die Flugschrift ›Common sense‹ (1776) von THOMAS PAINE (S. 309) starken Auftrieb erhält.

Forderungen nach Mitbestimmung im Parlament (»No taxation without representation«) werden überhört, Sondersteuern dagegen bis auf einen Tee-Zoll, der der Ost-Indien-Kompanie das Tee-Monopol sichert, aufgehoben.

1773 Bostoner Tee-Sturm (Boston Tea Party): Die Tee-Ladung von drei Schiffen wird versenkt. Die Regierung sperrt darauf den Hafen (Ausnahmezustand).

1774 Erster Kontinental-Kongress in Philadelphia: Delegierte der 13 Neu-England-Staaten (Massachusetts, New Jersey, New York, Rhode Island, Connecticut, New Hampshire, Pennsylvania, Delaware, Virginia, Maryland, North Carolina, South Carolina, Georgia) beschließen bis zur Wiederherstellung der alten Rechtslage (vor 1763) die Einstellung des England-Handels.

Der erste 18. April 1775 Zusammenstoß zwischen amerikan. Miliz und brit. Truppen bei Lexington weitet sich aus zum

1775–83 Unabhängigkeitskrieg Nordamerikas. – Den ca. 3 Mill. Siedlern fehlen ausgebildete Truppen, Geld, Kriegsmaterial und eine einheitliche Führung.

George Washington (1732–99), Gutsbesitzer aus Virginia (Mount Vernon), erhält vom zweiten Kongress den Oberbefehl. Seine Gegner sind

1. die brit. Kolonialarmee (darunter 17 000, zum Teil unzuverlässige, von ihren Landesherren verkaufte Söldner aus Hessen und Braunschweig),

2. die »Loyalists«, englandtreue Amerikaner und

3. mit England verbündete Indianerstämme.

4. Juli 1776 Unabhängigkeitserklärung der

13 Vereinigten Staaten (symbolisiert in den 13 Streifen der amerikan. Flagge): für die USA richtungweisende, erste Formulierung der **Menschenrechte** (»life, liberty and the pursuit of happiness«) und des aus ihnen abgeleiteten polit. **Widerstandsrechtes.** – Die Geburtsurkunde der neuen Nation und heutigen Weltmacht ist das Werk von **Thomas Jefferson** (1743–1826). Der 4. Juli wird zum Nationalfeiertag der USA.

1776 Brit. Niederlagen am Delaware bei Trenton und Princeton wegen Nachschubschwierigkeiten, auch wegen der ungewohnten Guerilla-Taktik der Siedler.

1777 Amerikan. Erfolg bei Saratoga.

Als erster Gesandter der USA wirbt **Benjamin Franklin** (1706–90) in Paris für die amerikan. Sache. Aristokratische Freiwillige kämpfen unter WASHINGTON (u. a. der Marquis DE LA FAYETTE [S. 297], der poln. Nationalheld KOSCIUSZKO [S. 285] und der preuß. General und Organisator der amerikan. Armee VON STEUBEN). Die absolutist. Mächte Frankreich und Spanien greifen 1778 als »Geburtshelfer der amerikan. Republik« gegen England ein: 1779–82 vergebliche Belagerung von Gibraltar, aber Eroberung von Menorca durch Spanien; brit. Seesiege in Westindien (Adm. RODNEY) bei St. Vincent 1781 und St. Domingo 1782.

Gegen den brit. Kaperkrieg beschließen Russland, Frankreich, Spanien, Holland, Schweden, Dänemark, Österreich und Preußen 1780 die bewaffnete Seeneutralität. Der Grundsatz »Neutrale Flagge schützt feindl. Gut außer Bann-(Kriegs-)ware« geht in das moderne Seerecht ein. – Unter ROCHAMBEAU landen franz. Truppen in Rhode Island. Die Briten strecken nach der

1781 Eroberung von Yorktown durch die Amerikaner die Waffen (unter den 7200 Gefangenen befindet sich auch GNEISENAU [S. 311]).

1783 Friede von Versailles: Großbritannien erkennt die amerikan. Unabhängigkeit an; Tobago/Westindien und Senegambien fallen an Frankreich, Spanien erhält Menorca und Florida.

Bedeutung – für **Großbritannien:** erste Niederlage seit dem Hundertjährigen Krieg (S. 191); Zusammenbruch des brit. Atlantik-Empires;

– für **Frankreich:** neue Kriegsschulden belasten die zerrütteten Staatsfinanzen (S. 294); die franz. Freiwilligen werden als Freiheitskämpfer gefeiert, die Kritik am Ancien Régime wächst;

– für **Nordamerika:** nach schweren Opfern (70 000 Gefallene) ist die äußere Unabhängigkeit erreicht worden, die »Loyalists« wandern nach Oberkanada aus; ungelöst bleibt das Problem der inneren Verfassung, der lockere Staatenbund (Confederation) droht zu zerfallen.

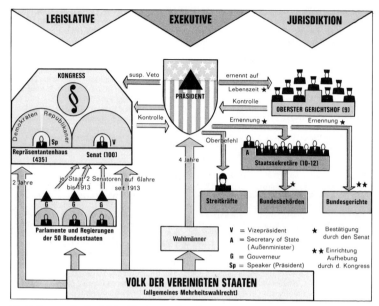

Die Verfassung der Vereinigten Staaten von Amerika

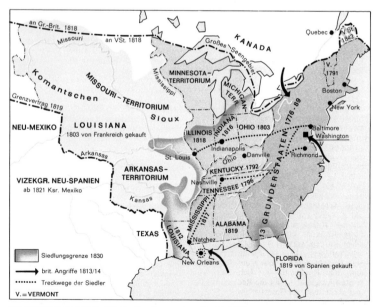

Die Entwicklung der Vereinigten Staaten von Amerika bis 1820

Die Bildung der USA
Die Einzelstaaten ersetzen – nach dem Vorbild von Virginia – ihre Kolonialstatuten durch Verfassungen. Diese garantieren
1. Volkssouveränität durch demokrat. Grundrechte: 1776 Virginia Bill of Rights (JEFFERSON);
2. Gewaltenteilung und Wahl zu allen Staatsämtern;
3. Trennung von Staat und Kirche (1785 Virginia Statute of Religious Liberty).
Geldentwertung, wirtschaftl. Nöte, Grenzkämpfe mit Indianern zwingen die Einzelstaaten zum Zusammenschluss.
1787 Verfassungskonvent in Philadelphia: im Streit zwischen zentralist. »Federalists« (ALEXANDER HAMILTON, JOHN ADAMS, GEORGE WASHINGTON) und föderalist. »Republicans« (später Democrats – JEFFERSON) vermitteln BENJAMIN FRANKLIN und JAMES MADISON. Die 55 Delegierten der 13 Gründerstaaten einigen sich auf den Kompromiss einer **präsidialen Bundesrepublik.** Ihre schriftlich festgelegte Verfassung wird nur zögernd von den Einzelstaaten anerkannt, ab 1789 jedoch rechtsgültig. – Dem »Mythos vom angestammten Herrscherhaus« in Europa entspricht die Verehrung der »Founding Fathers« (Väter der Union) in den USA. Der Konvent verabschiedet am
17. Sept. 1787 die Verfassung der Vereinigten Staaten von Amerika, das Grundgesetz der ersten modernen Demokratie. Wesentliche Merkmale: **Gewaltenteilung** (MONTESQUIEU, S. 289) und ein System gegenseitiger Kontrolle (Checks and Balances) 1. zwischen Bund und Staaten (doppelte Staatsbürgerschaft): der Bund ist zuständig für Verteidigung, Währung, Außenpolitik, Außenhandel; der Einzelstaat für Verkehr, Kultus, Justiz, Polizei u. a.; 2. zwischen den Staatsgewalten der Union. – Der
Präsident wird als Oberhaupt und Reg.-Chef von den Parteien nominiert und auf vier Jahre von Wahlmännern der Staaten indirekt gewählt (einmalige Wiederwahl möglich; Ausnahme: ROOSEVELT 1940/44). Er ernennt die Staatssekretäre (Minister), kann nur durch eine Staatsanklage abgesetzt werden, wird aber politisch vom Kongress, verfassungsrechtlich vom Obersten Gerichtshof kontrolliert. – Der
Kongress besteht aus zwei unauflösbaren Kammern: Repräsentantenhaus (auf 2 Jahre direkt gewählt) und Senat (je 2 Vertreter der Staaten auf 6 Jahre, wobei alle 2 Jahre ein Drittel der Senatoren neu gewählt wird). Präsident (suspensives Veto) und Oberster Gerichtshof überwachen die Gesetzgebung. Der
Oberste Gerichtshof (Supreme Court mit 9 unabh., vom Präsidenten auf Lebenszeit ernannten Mitgliedern) übt die Rechtsaufsicht über Verfassung und Gesetzgebung aus.
Seit 1789 wurde diese Verfassung nur durch 22 Amendments (Zusatzartikel) ergänzt.

Die Epoche der Virginia-Präsidenten
1789–97 George Washington. ALEXANDER HAMILTON (1757–1804) entwirft ein nat. Programm zur Entwicklung von Industrie, Handel und Finanzen. – Die 1793 gegr. Hauptstadt Washington wird ab 1800 Sitz des Präsidenten (Weißes Haus) und des Kongresses (Kapitol). Schon unter Präsident
1797–1801 JOHN ADAMS (Federalist) beginnen die Konflikte mit den Südstaaten (Kentucky) wegen der Fremden- und Aufruhrgesetze des Bundes (Alien Bill), so dass unter
1801–09 Thomas Jefferson (Republican) nach der Devise »möglichst wenig Staat und Regierung« eine Reaktion auf die zentralist. Bundesrepublik erfolgt. Energien und Interessen der Nation richten sich auf
»The Winning of the West«, die Ausdehnung nach Westen durch Binnensiedlung und Einwanderung aus West-, Mittel- und Nordeuropa. Die Bevölkerung steigt von 3,9 Mill. (1790) auf 7,2 Mill. (1810) und drängt über die Appalachen in das Innere des Kontinents vor. Siedler und Gesellschaften erhalten von der Regierung neues Land gegen gesetzl. Mindestpreise (ca. ein Dollar pro Morgen). Die theoret. gleichberechtigten Indianer werden bekämpft (Gen. WAYNE, ANDREW JACKSON). Sie reagieren mit grausamen Überfällen.
Ab 1787 Besiedlung der Nordwest- und Mississippi-Territorien, aus denen folgende Staaten hervorgehen: Kentucky 1792, Tennessee 1796, Ohio 1803, Louisiana 1812, Indiana 1816, Mississippi 1817, Illinois 1818 und Alabama 1819.
Außenpolitik: Seit der Gründung der USA besteht eine Tendenz zum **Isolationismus.**
1793 Neutralitätserklärung trotz des Bündnisses mit Frankreich (1778) und des Koalitionskrieges (S. 301). In seiner Abschiedsbotschaft (»Farewell Address« von 1796) warnt WASHINGTON vor »dauernden Bündnissen« mit Europa.
1803 Erwerb Louisianas, von NAPOLEON verkauft für 15 Mill. Dollar (S. 309). Das »größte Geschäft der USA« fördert die Erschließung des Kontinents durch die jetzt freie Mississippi-Schifffahrt. – Spannungen mit Großbritannien (Indianerfrage, Gebietsansprüche, Handelskonkurrenz) werden 1807 mit der Embargo-Akte (Handelssperre) beantwortet.
1809–17 Präs. JAMES MADISON (Republican) lässt sich zur Eroberung Kanadas zum
1812–14 (2. Unabhängigkeits-) Krieg mit Großbritannien verleiten, kann aber brit. Küstenüberfälle und die Zerstörung Washingtons nicht verhindern. Gen. JACKSON (»Old Hickory«, S. 373) verteidigt New Orleans.
1814 »Ewiger Friede« von Gent: mit Rücksicht auf die Lage in Europa (S. 315) begnügt sich England mit der Herstellung des Status quo ante; die Großen Seen werden neutralisiert.

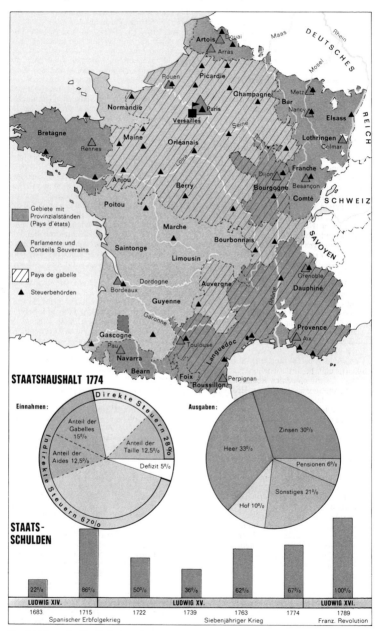

Frankreich vor der Revolution

Frankreich am Vorabend der Revolution
Der Verfall des **Ancien Régime** beruht auf der Schwäche des absolutist. Systems.
Krone: Autoritäts- und Prestigeverlust durch Unfähigkeit LUDWIGS XV. (S. 281) sowie durch kostspielige außenpolit. Misserfolge seit 1714.
Verwaltung: Das Beamtentum (Intendantur) ohne zentrale Führung; lokale Gewalten (Provinzialstände in den Pays d'états; **Parlamente** als ständ. Gerichtshöfe), kirchl. und adelige Vorrechte sowie Käuflichkeit der Ämter bleiben bestehen, Zusammenstöße der Krone mit dem **Pariser Parlament**, das die Kontrolle über kgl. Gesetze beansprucht.
Gesellschaft/Wirtschaft: Die veraltete Feudalordnung weckt in allen Ständen Unzufriedenheit und soz. Spannungen. Dem **Adel** stehen die Offiziers- und höheren Beamtenstellen zu; er stuft sich in Hochadel (auf Hofämter, kgl. Pensionen, Pachtrenten angewiesen), Landadel in den Prov. und bürgerl. Amtsadel (Noblesse de robe). Innerhalb der verschuldeten **Geistlichkeit** große Unterschiede zwischen hohem und niederem Klerus. – Die **Bourgeoisie** (Bankiers, Fabrikanten, Kaufleute, Juristen, Ärzte) wird durch den Merkantilismus (S. 260 f.) begünstigt. Der durch Zunftordnungen gebundene **Handwerkerstand** löst sich in der Metropole Paris (ca. 650 000 Einw.) auf. Hof und Heer benötigen Massengüter, die fabrikmäßig erzeugt werden und ein Industrieproletariat entstehen lassen. – Soz. und rechtl. differenziert ist der nicht durch Leibeigenschaft gebundene **Bauernstand.** Freie Grundbesitzer stehen unter dem Druck »feudaler Reaktion« (Ausweitung adeliger Besitztitel mit Hilfe der Parlamente), leben aber auskömmlich. Die Erbund Leihepächter sind trotz vieler Verpflichtungen (Abgaben, Frondienste u. a.) relativ unabhängig. Krisenanfällig ist die wachsende Schicht besitzloser **Landarbeiter** (über 50% der Bevölkerung).
Finanzpolitik: Ständige Defizite bis zu Staatsbankrotten durch überhöhte Ausgaben. Zu ihrer Deckung hochprozentige Anleihen; starre Handhabung der Einkünfte (Aides = Verbrauchssteuer), besonders auf Salz [Gabelle = Salzsteuer]) durch Steuerpächter, denen der Gewinn zufließt.
Der Adel verteidigt seine Befreiung von der Grundsteuer (Taille), der Klerus leistet nur freiw. Abgaben (Dons gratuits), so dass die Steuerlast die ärmsten Schichten trifft: bis zu 70% des bäuerl. Einkommens.
Opposition gegen das Regime wird vorbereitet von der Aufklärung: Radikale Kritik der Zustände durch die Enzyklopädisten und **Voltaire** (S. 257); Schlagworte über Freiheit und Gleichheit beeinflussen die öffentl. Meinung. – Sie wird getragen:
1. von der privilegierten Oberschicht; sie hält

zwar an den Feudalrechten fest, fordert aber zugleich die Beschränkung der absoluten Monarchie und Abschaffung der Kabinettsjustiz;
2. von der Bourgeoisie, die als **Dritter Stand** (Tiers état) soz. Gleichberechtigung und polit. Mitbestimmung beansprucht.

1774–92 Ludwig XVI., redlich, aber unbedeutend, entschließt sich zu Reformen. Er beruft den Physiokraten **Anne Robert Turgot** (1727–81) zum Finanz-Min. Nach Freigabe des Getreidehandels Revolte der Pariser Arbeiter gegen das Hochschnellen der Brotpreise. Das **Reformprogramm** (Beseitigung von Feudal- und Zunftrechten, Aufbau einer Selbstverw., Einführung einer allg. Grundsteuer) wird durch die Hofpartei der Königin MARIE ANTOINETTE (»Madame Defizit«) und durch die Parlamente zu Fall gebracht. Entsendung von Freiwilligen unter **La Fayette** (S. 297) nach Amerika (S. 291).
1778 Bündnis mit den USA gegen England. – Der Calvinist und Bankier aus Genf **Jacques Necker** (1732–1804) sucht vergeblich die Kriegskosten durch Anleihen zu decken. Er stürzt über das Wagnis, die staatl. Finanzmisere im
1781 ›Compte rendu‹ zu veröffentlichen.
1783 Friede von Versailles: Gewinn von Senegambien und Tobago, aber keine finanz. Entlastung. Der amerikan. Freiheitserfolg verstärkt noch die Kritik am Regime. Salons, Cafés, Klubs, Freimaurerlogen werden Zentren einer »patriot. Partei« lib. Adeliger, Geistlicher und Bürger (LA FAYETTE, MIRABEAU, PHILIPP VON ORLÉANS, TALLEYRAND, SIEYÈS u. a.).

1783–87 Finanz-Min. Charles Alexandre de Calonne (1734–1802) greift auf TURGOTS Pläne zurück, doch ist seine Einberufung einer Notabelnversammlung kgl. Vertrauenspersonen (erstmals seit 1626) ohne Einblick in die Finanzpolitik nicht bereit die Vorschläge anzunehmen. CALONNES Nachfolger LOMÉNIE DE BRIENNE (1727–94) scheitert am Pariser Parlament, das zur Steuerreform die
Einberufung der Generalstände (letzter Zusammentritt 1614) durchsetzt. – Seit dem
1786 Handelsvertrag mit England verschlechtern Industriekrisen (durch die intl. Konkurrenz), Unruhen, Hungersnöte (Missernten) die innere Lage.
1788 Staatsbankrott und die Rückberufung NECKERS, der eine Verdoppelung der Abgeordneten des Dritten Standes erreicht. – Nach radikalem Wahlkampf Bildung der Generalstände: mit den »Cahiers« (ein Katalog von Wünschen und Beschwerden) für eine beschränkte Monarchie. In der Flugschrift ›Was ist der Dritte Stand?‹ verlangt der Abbé **Emanuel Joseph Sieyès** (1748–1836) die Beteiligung der Repräsentanten der Nation an der Regierung.

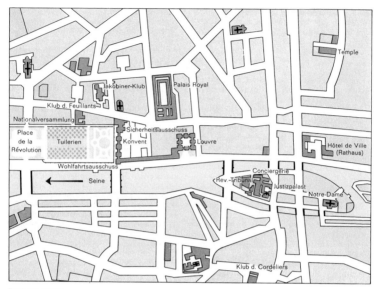

Paris um 1789

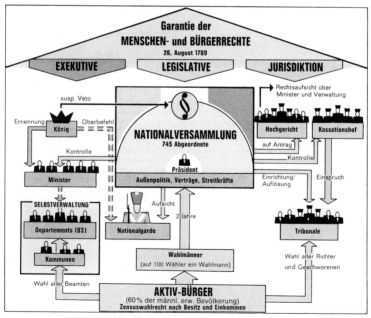

Die französische Verfassung von 1791

Die Französische Revolution (1789–92)
5. Mai 1789 Eröffnung der Generalstände (S. 295) in Versailles. Der 3. Stand fordert Abstimmung nach Köpfen statt nach Ständen. Mit der Erklärung zur **Nationalversammlung** (17. Juni) und dem Schwur im Ballhaus (20. Juni), »sich niemals zu trennen, bis die Verfassung errichtet ist« (BAILLY, Präs. der Nat.-Vers.), und »nur der Gewalt der Bajonette« zu weichen (MIRABEAU), beginnt die Revolution.

Die Konstituante (1789–91)
Der König erkennt die neue Lage an, aber die Entlassung NECKERS (S. 295) und Truppenkonzentrationen um die Stadt veranlassen die Massen von Paris zum
14. Juli 1789 Sturm auf die Bastille (als polit. Gefängnis Symbol des Despotismus). Das Volk siegt über den Absolutismus (franz. Nationalfeiertag); das Heer löst sich auf: **La Fayette** (1757–1834) bildet eine Nationalgarde (Bürgermiliz mit blauweißroter Kokarde).
Folgen: Bauernerhebungen in ganz Frankreich; erste Emigrationswelle des Adels: Zusammenbruch der staatl. Verw.; nach Pariser Vorbild entstehen auton. Gemeinden (Kommunen). Die Nat.-Vers. beschließt am
4./5. August 1789 Abschaffung der Feudalordnung und Bauernbefreiung. Aus dem Ständestaat wird ein **Klassenstaat** mit Ämter- und Gewerbefreiheit.
26. August 1789 Erklärung der Menschenrechte (in Anlehnung an die Virginia Bill, S. 293): Proklamation von Liberté, Égalité, Fraternité (persönl. Freiheit, Rechtsgleichheit, Weltbürgertum). – Hungersnot und Furcht vor Gegenrev. treiben die Massen von Paris zu neuen Gewaltakten.
5. Okt. 1789 Zug der Marktweiber nach Versailles. König und Nat.-Vers. werden nach Paris (Tuilerien: kgl. Stadtschloss) gezwungen, unter dem Druck von »Galerie und Straße«. Die Kleidung des Volkes, »phryg. Mütze« und lange Hose, setzt sich wie die neue Anrede »Citoyen« statt »Monsieur« allg. durch. – Zur Behebung der Finanznot beantragt der (1791 gebannte) Bf. **Talleyrand-Périgord** (1754–1838) die
10. Okt. 1789 Einziehung der Kirchen-, Kron- und Emigranten-Güter. Darauf ausgegebene **Assignaten** (seit 1790 gesetzl. Zahlungsmittel) führen zur Inflation; doch bildet sich durch Ankauf der Nationalgüter eine neue Klasse von Besitzbürgern.

Nach engl. Vorbild entstehen in Paris polit. Klubs: gemäßigte **Feuillants** (BAILLY, LA FAYETTE) und radikale **Cordeliers** (DANTON, DESMOULINS, MARAT). Die
Jakobiner (nach dem aufgelösten St.-Jakobs-Kloster) fühlen sich als »hl. Liga gegen die Feinde der Freiheit« und als »Auge der Rev.« (ROBESPIERRE, SAINT-JUST). Sie tagen

geschlossen und organisieren sich straff in ganz Frankreich.
Juli 1790 Zivilverfassung des Klerus: Verstaatlichung der Kirche; Aufhebung der Klöster und Orden; Wahl der Priester. Die meisten Geistlichen lehnen den verlangten Eid auf die Verfassung ab, ein Konflikt zwischen Staat und Kirche entsteht. Mit dem Tod **Mirabeaus** (1749–91) wird die Verbindung des Königtums mit der Rev. unmöglich.
Juni 1791 Fluchtversuch LUDWIGS XVI.: der König wird in Varennes erkannt, nach Paris zurückgebracht und polit. völlig entmachtet (»Automat der Verfassung«).
3. Sept. 1791 Verkündung der neuen Verfassung (Vorbild aller bürgerl. Verfassungen im 19. Jh.).
Charakter: Konstitut. Monarchie; schwache Exekutive und legislative Volksvertretung (Zensuswahl der »Aktiv-Bürger« mit Vermögen); Wahl aller Beamten, Richter und Geschworenen; öffentl. Gerichte; Einteilung des Staates in 83 Departements mit selbst. Verw. – Menschenrechte, Rechtsgleichheit und Privateigentum werden garantiert.

Die Legislative (1791–92)
Den neugewählten 745 Abg. der **Gesetzgebenden Versammlung** (über 50 Prozent Advokaten) fehlt polit. Erfahrung. Parteien: königstreue **Feuillants** (ca. 20 Mitgl.; März 1792 aufgelöst); **Girondisten** (ca. 250 Mitgl.; als Vertreter der Besitzbürger Republikaner und Föderalisten); **Jakobiner** (ca. 30 Mitgl.; radikale Zentralisten, die durch Agitation und Zeitungen [MARAT: ›Ami du Peuple‹, HÉBERT: ›Père Duchesne‹] die Massen beeinflussen und die Pariser Kommune beherrschen); **Indépendents** ohne klares polit. Programm.
Zur Ablenkung von innerer Not, aber auch aus Furcht vor der Emigrantenhetze im Ausland und vor Habsburg
April 1792 Kriegserklärung an Österreich: Beginn der Koalitionskriege. Hptm. ROUGET DE LISLE dichtet und komponiert die **Marseillaise**, Kampflied der Rev. und franz. Nationalhymne. Einsprüche des Königs (»Monsieur Veto«) gegen Dekrete zur Verfolgung eidverweigernder Priester; milit. Misserfolge, die das »Vaterland in Gefahr« bringen. Vor allem das von Emigranten verfasste
25. Juli 1792 Manifest des Herzogs von Braunschweig zur Befreiung des Königs treibt die Revolutionäre zum
10. August 1792 Sturm auf die Tuilerien. Die kgl. Familie wird im »Temple« interniert; die Girondisten fordern Beseitigung des Königtums und Neuwahl eines republ. **Nationalkonvents.** Justiz-Min. **Danton** (1756–94), **Marat** (1743–93) und die Kommune veranlassen die
2.–7. Sept. 1792 Septembermorde zur »Gefängnisreinigung«. Eine 2. Welle adeliger Emigranten verlässt das Land (u. a. LA FAYETTE, der in österr. Gefangenschaft gerät).

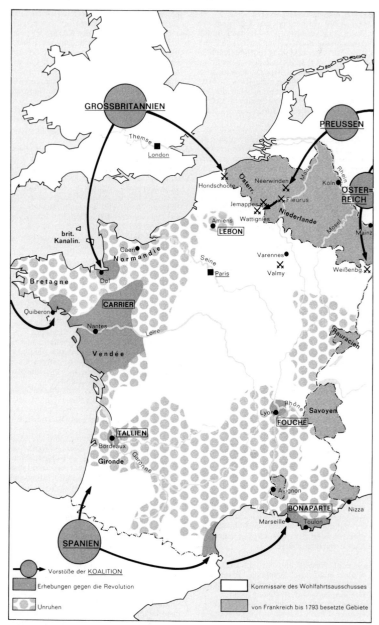

Die Krise der Revolution 1793

Der Konvent (1792/93)
Sept. 1792 Frankreich wird zur Rep. erklärt (BRISSOT: Das Volk will es!). Ein neuer republ. Kalender tritt mit dem Jahr 1 in Kraft.
Im Konvent bilden sich neue Parteien:
Die Ebene (auch Marais = Sumpf; untere Ränge im Konvent) oder Girondisten treten für Rechtsgleichheit, Privateigentum und Selbstverwaltung ein (BRISSOT, VERGNIAUD, ROLAND).
Der Berg (obere Ränge im Konvent; ca. 110 von 749 Abgeordneten) oder Jakobiner fordern zentrale Verw. und Verfügung über Privateigentum zur Linderung der Volksnot (DANTON, ROBESPIERRE, MARAT).
Im Schauprozess gegen den Bürger CAPET (LUDWIG XVI.) wird auf Antrag ROBESPIERRES die
17. Jan. 1793 Todesstrafe mit 361 : 360 Stimmen angenommen. Der König wird am
21. Jan. 1793 durch die Guillotine (von dem Arzt GUILLOTIN befürwortetes Fallbeil zur Humanisierung der Hinrichtung) enthauptet. Großbritannien und andere europ. Mächte treten nun in den Krieg ein (S. 301). Milit. Niederlagen, Hungersnöte, Inflation, royalist. Bauernaufstände gefährden die Revolution.

Die Schreckensherrschaft (1793/94)
Dem Staatsnotstand wird mit Fanatismus und Härte erfolgreich begegnet.
Juni 1793 Verkündung der (Konvents-)Verfassung: die absolute Volksherrschaft (nach ROUSSEAU) sieht Plebiszite für jedes Gesetz vor und hebt die Gewaltenteilung auf, lässt sich aber praktisch nicht verwirklichen. Unter dem Eindruck milit. Misserfolge stürzen die Jakobiner im
Juli 1793 die Girondisten. Der Advokat **Robespierre** (1758–94) und seine »Schwertträger« (SAINT-JUST, MARAT – ermordet von CHARLOTTE CORDAY und als Märtyrer verherrlicht) errichten eine Diktatur. DANTON beantragt, den im April gegr. **Wohlfahrtsausschuss** (9 vom Konvent gewählte Mitgl.) als provisor. Reg. mit absoluter Vollmacht einzusetzen.

Terror in Paris: Radikale Gesetze und Justizterror durch das **Revolutionstribunal** (polit. Gerichtshof) setzen praktisch die Menschenrechte außer Kraft. Bis Juli 1794 werden in Paris 1251 »Verdächtige« guillotiniert, u. a. BAILLY, der Chemiker LAVOISIER, PHILIPP VON ORLÉANS (»Bürger Égalité«), Königin MARIE ANTOINETTE.

Terror in den Departements: Kommissare des Wohlfahrtsausschusses ersticken Aufstände (Massenliquidierungen); die Generale LA HOCHE und KLÉBER führen einen Ausrottungskrieg gegen die Royalisten unter CHARETTE DE LA CONTRIE in der **Vendée** und gegen die Chouans (nach dem Anführer COTTEREAU) in der **Bretagne.**

Zugleich steigert sich der Atheismus der sog. Hébertisten (nach dem Jakobiner HÉBERT, 1757–94). Die »als Kirchen bekannten Gebäude« werden geschlossen, Notre-Dame zum »Tempel der Vernunft« geweiht. ROBESPIERRE, der »Unbestechliche«, lässt extreme Hébertisten (März) und auch gemäßigte Indulgenten (DANTON und seine Anhänger) hinrichten (April).
Mai 1794 Abschaffung des Christentums durch den »**Kult der Vernunft**« mit neuer Zeitrechnung (Monat mit 3 Wochen zu je 10 Tagen). – ROBESPIERRE zelebriert das »Fest des höchsten Wesens« (Juni).
Der Terror gipfelt in der »großen Reinigung« der Jakobiner.
Die Reform des Rev.-Tribunals (»moralische Beweise« genügen zur Verurteilung) führt zur Vereinigung aller Gegengruppen im Konvent:
27./28. Juli 1794 Sturz Robespierres: wird mit 21 seiner Anhänger (darunter SAINT-JUST) hingerichtet.
Sept. 1794 Schließung des Rev.-Tribunals und der polit. Klubs; Verbot der Marseillaise. Eine Jugendbewegung (Muscadins) säubert die Pariser Kommune; »weißer Terror« der Royalisten löst den der Jakobiner und Sansculotten vor allem in Südfrankreich ab.

Das Direktorium (1795–99)
Als Reaktion auf Terror und »Volksdiktatur« erhält die
Sept. 1795 neue Verfassung eine schwache Exekutive: 5 Direktoren; die Abg. für die beiden Kammern der Legislative (Rat der Alten [250 Mitgl.] und Rat der 500) werden in indirekter Zensuswahl gewählt. Das Besitzbürgertum (Gironde) hat seine Ziele durchgesetzt.
Während die Luxus- und Vergnügungssucht der Pariser Gesellschaft in ihren Salons den klassizist. Modestil des **Directoire** entwickelt, ist das Direktorium zu schwach, um Unruhen von rechts (Royalisten) und links (Frühkommunisten, im »Klub der Gleichen« des »Volkstribuns« FRANÇOIS NOEL BABEUF, 1760–[hingerichtet] 1797) zu verhindern. Entscheidend von NAPOLEON BONAPARTE (S. 301) unterstützt, schlägt BARRAS (1755–1829) den
5. Okt. 1795 Royalisten-Aufstand der Pariser Sektionen (vom 13. Vendémiaire) im Auftrag des Direktoriums nieder.
Versuche zur Lösung der Wirtschafts- und Finanzkrise halten den Staatsbankrott nicht auf.
4. Sept. 1797 Staatsstreich vom 18. Fructidor zur Reinigung des Staates von royalist. Korruption durch Gen. AUGEREAU.
Der Organisator der Rev.-Armee, CARNOT (S. 301), und der General PICHEGRU fliehen; das Direktorium (sog. Triumvirat unter BARRAS) gerät in Abhängigkeit von NAPOLEON BONAPARTE.

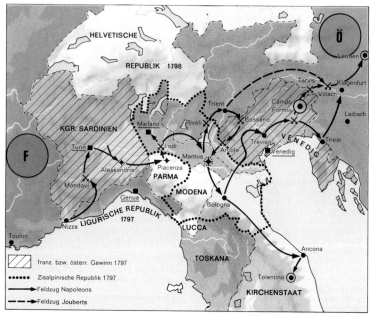

Oberitalien 1796/97

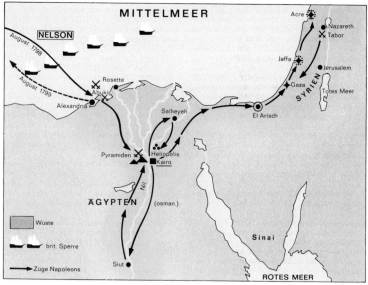

Der Feldzug Napoleons in Ägypten 1798/99

April 1792 Kriegserklärung Frankreichs an Österreich (S. 297), veranlasst durch Invasionsdrohungen und ein österr.-preuß. Schutzbündnis (Febr.), zur Befreiung von Absolutismus und Feudalismus, für die »natürlichen Grenzen Alpen und Rhein«.

Der Erste Koalitionskrieg (1792–97)
Der Vormarsch der Koalition und das Manifest ihres Oberbefehlshabers (S. 297) entfachen das franz. Nat.-Gefühl.
20. Sept. 1792 Kanonade von Valmy: Wende des Krieges, Rückzug der preuß. Armee. Gen. DUMOURIEZ siegt bei Jemappes, erobert Belgien; Savoyen wird annektiert.
Febr. 1793 Kriegseintritt Großbritanniens u. a. Die Krise der Rev. (S. 299) wirkt sich auch auf die franz. Kriegführung aus.
März 1793 Niederlage bei Neerwinden (DUMOURIEZ); österr. Rückeroberung Belgiens, neue Bedrohung von Paris. Die brit. Flotte greift im Mittelmeer ein. Frankreich antwortet mit totaler Mobilmachung (Levée en masse).
Carnot (1753–1823) reformiert und verstärkt das Heer auf 1 Mill. (4 Prozent der Bevölkerung); politische Kommissare kontrollieren die Führung.
Erfolg der Neuorganisation: 2. Eroberung Belgiens durch JOURDAN (Siege bei Wattignies 1793 und Fleurus 1794); Holland wird zur **Batavischen Rep.** erklärt. Brit. Invasionsversuche bei Toulon und Quiberon scheitern, jedoch brit. Besetzung der ndl. Kolonien (Ceylon, Kapstadt).
1795 Sonderfriede zu Basel: Um Handlungsfreiheit in Polen zu gewinnen (S. 285), verzichtet Preußen auf das linke Rheinufer gegen Entschädigung auf dem rechten; eine Demarkationslinie sichert die Neutralität Norddeutschlands bis 1806. Spanien schließt Frieden und tritt im
1796 Vertrag von Ildefonso in den Krieg gegen Großbritannien ein, das die span. Flotte bei Kap Saint Vincent vernichtet. Österreich führt den Krieg mit brit. Finanzhilfe weiter. Franz. Vorstöße (JOURDAN, MOREAU) nach Süddeutschland wehrt Ehz. KARL (1771–1847) bei Amberg und Würzburg ab. Eine Versorgungskrise lähmt die franz. Armee in Oberitalien.

Die Revolution des Kriegs- und Heerwesens
Die Bindung des Volkes an die Nation (Patriotismus) wandelt Wehrverfassung und Kriegführung grundlegend; sie leitet die **Epoche des Nationalismus** im 19. Jh. ein.
1. Der totale **Volkskrieg** mit allg. Wehr- und Arbeitspflicht löst den Kabinettskrieg mit geworbenen Söldnern ab.
2. Der Masseneinsatz von Soldaten erlaubt offensive **Entscheidungsschlachten.** Die Ermattungsstrategie durch Märsche zur Schonung der Truppe und Ermüdung des Gegners wird wirkungslos.

3. Bewegl. Operationen in lockerer Schützenlinie **(Tirailleurtaktik)** sind dem Angriff in geschlossener Front (Lineartaktik zur Vermeidung von Desertionen) überlegen.
4. Selbstversorgung der kämpfenden Truppe **(Requirierung)** statt Magazinverpflegung.
5. Befördert wird nach Tapferkeit und Leistung, nicht mehr nach dem (adeligen) Geburtsstand des Offiziers.
Das neue franz. Nationalheer wird unschlagbar in der Hand **Napoleon Bonapartes** (1769–1821). In Ajaccio/Korsika (bis 1768 zu Genua) geboren, schließt sich der Artillerieoffizier (seit 1785) und Jünger ROUSSEAUS früh der Rev. an. Er wird nach der Belagerung von Toulon 1793 jüngster Rev.-Gen., als Jakobiner nach dem Sturz ROBESPIERRES verhaftet, doch von BARRAS mit der Niederwerfung des Pariser Aufstandes (S. 299) betraut und zum OB in Oberitalien ernannt.

Der Feldzug in Oberitalien (1796/97)
Der »kleine Korporal« NAPOLEON erobert in einem »Blitzkrieg« die Lombardei.
1797 Kapitulation Mantuas; Friede von Tolentino mit PIUS VI. (Febr.); Vorstoß nach Kärnten und Vorfrieden von Leoben (April).
– Kontributionen der »befreiten Italiener« stützen das bankrotte Direktorium (S. 299) und fördern den **»Napoleon-Mythos«** (ital. Kunstwerke in den Louvre). Der »Retter Frankreichs« diktiert den
Okt. 1797 Frieden von Campo Formio: Österreich muss der Abtretung des linken Rheinufers zustimmen (63 000 qkm mit 3,5 Mill. Einw.), es tauscht Belgien und Mailand gegen Venedig (Untergang der über tausendj. Rep.). – Ausbau des franz. Satellitensystems durch **Tochterrepubliken:**
1797 Gründung der **Zisalpinischen** (Mailand) und der **Ligurischen Rep.** (Genua);
1798 Bürgerkrieg und Umbildung der Schweiz zur **Helvetischen Rep.;** der Kirchenstaat wird nach der Besetzung Roms und Gefangennahme des Papstes zur **Römischen,** Neapel 1799 zur **Parthenopäischen Rep.** erklärt.

Der Feldzug in Ägypten (1798/99)
NAPOLEON erhält den Oberbefehl gegen England, das indirekt im Mittelmeer getroffen werden soll. Er besetzt Malta, landet in Alexandria (mit 232 Transportschiffen, 2000 Kanonen, 32 300 Soldaten sowie 175 Ingenieuren und Gelehrten zur Erschließung des Landes), schlägt die Mamelucken bei den Pyramiden, erobert Kairo.
1798 Brit. Seesieg bei Abukir (NELSON, S. 309). Die franz. Armee wird von Frankreich abgeschnitten. Ein Vorstoß nach Syrien misslingt 1799 vor Acre (Akkon), der Landsieg bei Abukir rettet das Unternehmen. Mit Russland und den Osman. Reich verbünden sich; Malta und das Mittelmeer geraten unter brit. Kontrolle. – Die franz. Herrschaft dauert bis 1802.

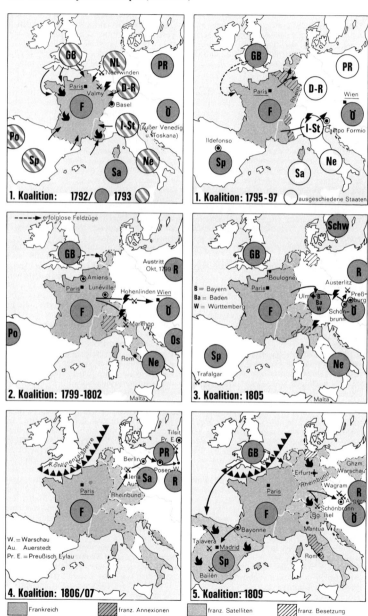

1. Koalition: 1792/1793

1. Koalition: 1795-97 ausgeschiedene Staaten

2. Koalition: 1799-1802

3. Koalition: 1805

B = Bayern
Ba = Baden
W = Württemberg

4. Koalition: 1806/07

W. = Warschau
Au. Auerstedt
Pr. E = Preußisch Eylau

5. Koalition: 1809

Frankreich — franz. Annexionen — franz. Satelliten — franz. Besetzung

Die Koalitionen gegen Napoleon 1792–1809

Die Koalitionskriege
In wechselnden Verbindungen kämpfen die europ. Mächte gegen die Verbreitung rev. Ideen und die Expansion der franz. Rep., die seit 1799 von NAPOLEON geführt wird. Die Kriege verändern das polit. Gleichgewicht zu Gunsten einer napoleon. Vorherrschaft auf dem Kontinent; sie wecken zugleich den nat. Widerstand der europ. Völker und die Bereitschaft zu Reformen, die den Grundstein zu modernen Staatswesen legen (S. 311). Zentren des Widerstandes sind **Österreich**, seit 1805 unter polit. Leitung von Gf. STADION (1763–1824), und **Großbritannien** (PITT D. J., S. 309), das seine See- und Kolonialherrschaft ausbaut und trotz eines Wirtschaftskrieges (Kontinentalsperre, S. 305) zur stärksten Handels- und Industrienation der Welt aufsteigt.
Nach dem
1792–97 Ersten Koalitionskrieg (S. 301) gewinnt PITT D. J. unter dem Eindruck der franz. Besetzung Maltas Österreich und den Großmeister des Malteserordens, Zar PAUL I. [1796–1801].
Ein Angriff Neapels auf die Röm. Rep. löst den
1799–1802 Zweiten Koalitionskrieg aus. – Anfangserfolge der Verbündeten: Ehz. KARL besiegt JOURDAN bei Osterach und Stockach (März); Gen. MASSENA bei Zürich (Juni); Gen. SUWOROW schlägt MOREAU bei Cassano (April); JOUBERT unterliegt bei Novi (Aug.). Die ital. Tochter-Rep. brechen zusammen.
Russ. Operationen in der Schweiz und eine brit.-russ. Invasion bei Alkmaar/Holland bleiben erfolglos. Verärgert über die brit. Besetzung Maltas, verlässt PAUL I. die Koalition (Okt.).
NAPOLEON hat sein Heer in Ägypten verlassen (Aug.), landet in Frankreich, stürzt das Direktorium (S. 305) und errichtet eine Militärdiktatur.
1800 Siege bei Marengo (NAPOLEON) und Hohenlinden (MOREAU).
Febr. 1801 Friede von Lunéville: Österreich muß sein Heer die Bedingungen von Campo Formio (S. 301) bestätigen.
1801 Nordische Koalition zum Schutz des neutralen Handels (Russland, Schweden, Dänemark, Preußen), gegen die sich Großbritannien durch einen Überfall auf Kopenhagen (NELSON) wehrt. Es ist nach dem Friedensschluss Russlands isoliert; PITT wird gestürzt.
März 1802 Friede von Amiens – erster Höhepunkt der Politik NAPOLEONS: brit. Verzicht auf alle kol. Eroberungen (außer Ceylon und Trinidad) gegen franz. Aufgabe von Ägypten.
1802 Neuordnung Italiens durch NAPOLEON: Wiederherstellung des Kirchenstaates (ohne die Romagna) und des bourb. Kgr. Neapel. Das Ghzm. Toskana wird zum Kgr. Etrurien, die Zisalpin. Rep. zur Rep. Italien (mit NAPOLEON als erstem Konsul) erklärt; Piemont bleibt unter franz. Militärverw.

Neue brit.-franz. Spannungen ergeben sich aus Versuchen zur Erneuerung des franz. Kolonialreiches (Erwerb Louisianas von Spanien 1800; Landungen auf Haiti und Martinique); aus der franz. Besetzung Hannovers 1803 unter Bruch des Friedens von Basel (S. 301); aus franz. Schutzzollmaßnahmen und aus
1804 Invasionsvorbereitungen im Lager von Boulogne (NAPOLEON: »Beherrschen wir auf 6 Stunden den Kanal, so sind wir die Herren der Welt!«). England behält Malta; PITT D. J. schließt mit Zar ALEXANDER I. [1801–25] eine neue Koalition; Österreich, Schweden, Neapel treten bei.
1805 Dritter Koalitionskrieg. – Einschluss und Kapitulation der österr. Armee bei Ulm; NAPOLEON zieht in Wien ein.
21. Okt. 1805 Seeschlacht bei Trafalgar sichert die brit. Seeherrschaft. Nach Erfolgen in Oberitalien (Caldiero) zieht sich Ehz. KARL zurück; vorher
2. Dez. 1805 Dreikaiserschlacht bei Austerlitz: glänzender Sieg NAPOLEONS. Die preuß. Vermittlung kommt zu spät. Im
12. Dez. 1805 Vertrag zu Schönbrunn erhält Preußen gegen Kleve, Neuenburg, Ansbach-Bayreuth das Kfsm. Hannover. Es gliedert sich durch ein Beistandsbündnis in das napoleon. System ein.
25. Dez. 1805 Friede von Preßburg: Österreich verliert an die **Rep. Italien** Venetien und Dalmatien; an **Bayern** Tirol, Vorarlberg, Lindau; an **Baden** und **Württemberg** den Breisgau mit Konstanz. Es gewinnt Salzburg und erkennt die Rangerhöhungen deutscher Fürsten (S. 307) an.
Nach dem Tod seines Gegners PITT bietet NAPOLEON England (unter Bruch seines Vertrages mit Preußen) Hannover an. Preußen reagiert mit dem
1806/07 Vierten Koalitionskrieg (S. 307); auf sich allein gestellt, bricht Preußen völlig zusammen.
1806 Verkündung der Kontinentalsperre in Berlin, »da England die Grundsätze des Völkerrechts nicht anerkenne und das Blockaderecht missbrauche«.
1807 Friede von Tilsit (zweiter Höhepunkt der Politik NAPOLEONS). Der preuß. Reststaat (östl. der Elbe) wird nur durch russ. Eingreifen gerettet.
Als Bündnispartner NAPOLEONS (Aufteilung Europas in eine franz. und eine russ. Interessensphäre) schließt sich Russland der Kontinentalsperre an.
Auch die nat. Erhebung Österreichs im
1809 Fünften Koalitionskrieg schlägt fehl. Der Friede von Schönbrunn (S. 307) schneidet die Donaumonarchie vom Meer ab. Als Nachfolger STADIONS bemüht sich Fürst Metternich (S. 317) mit Erfolg um Anlehnung an **Napoleon**. – Preußen und Österreich werden durch Hilfsverträge in das napoleon. System einbezogen.

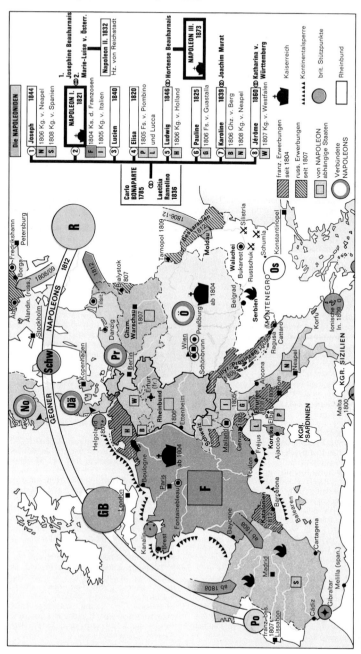

Die Umgestaltung Europas durch Napoleon I. 1812

Das Konsulat (1799–1804)
1799 Staatsstreich vom 18. Brumaire (9. 11.):
Mit Hilfe des Militärs und seines Bruders
LUCIEN löst NAPOLEON das unfähige Direktorium auf, sprengt den »Rat der Fünfhun-
dert« und bildet eine provisor. Reg. u. a. mit
FOUCHÉ (1759–1820) und TALLEYRAND als
Polizei- bzw. AMin. SIEYÈS schreibt die neue
Konsularverfassung: Beraten von 2 Konsuln
und dem **Staatsrat,** ernennt der **Erste Konsul**
(alleinige Gesetzesinitiative) alle Offiziere,
Beamten, Richter und die 80 Mitgl. des **Senats.** Diese schlagen die Notabeln vor, durch
die indirekt in allg. Wahl die Kandidaten des
Tribunats (nur Diskussion) und des **Corps
Législatif** (nur Abstimmung der Gesetze)
vom Volk gewählt werden. – Die demokrat.
eingekleidete Militärdiktatur wird durch Plebiszit (gegen nur 1562 Stimmen) angenommen, **Napoleon als Erster Konsul** auf 10 Jahre gewählt.
Verwaltung: Spezialisierung der Bürokratie
(Berufsbeamte) und Angleichung der
Rechtsinstanzen an die Verw.
Erziehungswesen: Die Ausbildung wird einheitl. in untere, mittlere und höhere Schulen
gestuft, staatl. kontrolliert und reglementiert.
Betont werden formallogische Bildungsstof-
fe (Latein, Mathematik) und angewandte
Naturwissenschaften. Verw.- und Schulzen-
tralismus charakterisieren Frankreich bis zur
Gegenwart.
Kirche: PIUS VII. [1800–23] verzichtet »um
des Friedens willen« auf Rückgabe der Kirchengüter (S. 297). Das
1801 Konkordat (bis 1905 gültig) bindet Klerus
und kath. Bevölkerung an den Staat (Ernennung der Bischöfe; Besoldung und Treueid
der Priester).
1811 Nationalkonzil. Es ergeben sich erneut
Konflikte (Schließung kirchl. Schulen und
Priesterseminare).
Wirtschaft und Recht: Mit der
1800 Gründung der Bank von Frankreich klingt
die Inflation ab. Durch Schutzzölle, Straßen-
bau, Heeresaufträge erholen sich Gewerbe
und Industrie.
1804 Code civil (Napoléon): garantiert persönl.
Freiheit, Rechtsgleichheit, priv. Eigentum,
Zivil-Ehe, Ehescheidung.
Sozialordnung: Führend bleibt das (Groß-)Bür-
gertum; der emigrierte Adel wird zur Rückkehr aufgefordert; staatl. Laufbahnen stehen
allen offen.
1802 Stiftung des Ordens der Ehrenlegion. Das
Regime stützt sich auf Pressezensur, Spitzel
und einen Polizeiapparat (FOUCHÉ). Kritiker
(Mme. DE STAËL, CHATEAUBRIAND) werden
nicht geduldet.
Heerwesen: Konskriptionen (Rekrutenaushebungen) mit Freistellungsmöglichkeiten erfassen zwischen 1806 und 1812 ca. 1,3 Mill.
Soldaten (41 Prozent der Wehrpflichtigen).
Versorgung der Truppe leidet unter Spekula-
tionen priv. Kreditgeber.

1802 Auf Grund seiner Erfolge verlängert ein
Plebiszit das Konsulat NAPOLEONS auf Lebenszeit.
FOUCHÉ deckt eine
1804 royalist. Verschwörung auf: der nicht beteiligte, aus dem bad. Ettenheim entführte
bourb. Hz. von ENGHIEN wird das Opfer
eines Justizmordes. – NAPOLEON veranlasst
den Senat das erbl. Kaisertum durch ein
Plebiszit zu beantragen.

Das Kaiserreich (Empire) Napoleons
1804 Krönung NAPOLEONS I. zum Kaiser der
Franzosen. Seine Familienmitglieder erhalten Prinzentitel, Minister und Generäle werden zu Großwürdenträgern und Marschällen
erhoben.
1807 Einrichtung eines mit Majoraten und alten Titeln ausgestatteten Neuadels (bis 1814
31 Herzöge, 451 Grafen, 1500 Barone). Das
Ksr. wächst durch ständige Annexionen
(S. 302).
Das System des Empire: Die rational aufge-
baute **Hegemonie über Europa** gliedert sich
seit 1807 in Familienstaaten (Napoleoni-
den), abhäng. Vasallenstaaten und Verbündete. – Wahl des franz. Marschalls BERNA-
DOTTE (KARL XIV.) zum schwed. Thronfolger (1810). – Zur Rechtfertigung seiner
Politik verweist NAPOLEON auf hist. Paralle-
len (röm. und karoling. Imperium).
Staaten, die das
1807 Mailänder Dekret zur Verschärfung der
Kontinentalsperre nicht befolgen, werden
besetzt: Portugal 1807; Etrurien, Rom 1808/
09, Norddeutschland 1810.
Folgen für das kontinentale Europa:
1. Verbreitung liberaler Ideen, Überwindung
des Feudalismus und Einführung moderner
Rechtsprechung (Code civil);
2. Entstehung von Staaten mit zentraler Bürokratie und staatl. Schulwesen;
3. franz. Fremdherrschaft und die Zusammenfassung staatl. bisher zersplitterter Gebiete
fördern den Nationalismus;
4. Bevorzugung der franz. Wirtschaft; Ausweitung der Textilindustrie; Mangel an Kolo-
nialwaren durch die Kontinentalsperre, deshalb Teuerung, Ersatzstoffe (Rübenzucker),
Schmuggel, Schwarzhandel und Korruption;
5. **Russland** gewinnt als Partner NAPOLEONS
1807 Bialystok, 1809 Tarnopol; **Finnland** im
1809 Frieden von Fredrikshamn; **Bessarabien**
durch den
1806–12 russ.-türk. Krieg.
1808 Fürstentag zu Erfurt: Begegnung NAPO-
LEONS mit ALEXANDER I.

Zur Aufwertung der eigenen Dynastie und
zur Verpflichtung Österreichs heiratet NAPO-
LEON
1810 MARIE-LUISE, Tochter FRANZ' I.
1812 Größte Ausdehnung des Empires:
152 Departemente mit 50 von 175 Mill.
Einw. Europas.

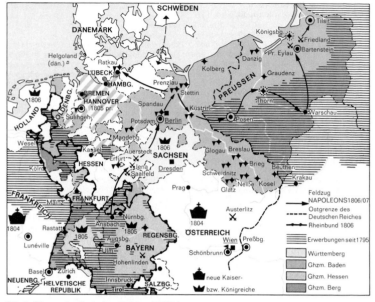

Die Auflösung des Deutschen Reiches 1804/06

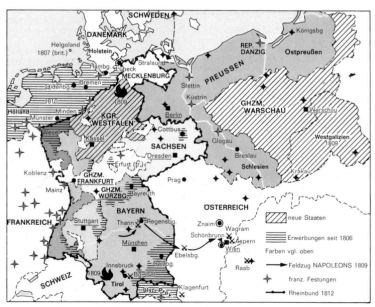

Der Rheinbund 1812

Die Auflösung des Deutschen Reiches
Im Frieden von Lunéville (S. 303) erzwingt NAPOLEON die im 1797–99 Kongress zu Rastatt gescheiterte Umgestaltung Deutschlands zur Entschädigung linksrhein. Verluste deutscher Fürsten. – NAPOLEONS Ziele: 1. Auflösung des Reiches; 2. Bildung dt. Mittelstaaten als polit. Gegengewichte zu Österreich; 3. Verpflichtung deutscher Fürsten zu Vasallen durch Territorialgewinne.
Polit. Neuordnung in vier Stufen:
1. Säkularisation des Kirchengutes nach frz. Vorbild (S. 297) durch einen vom RT. eingesetzten Ausschuss (Deputation), der an frz.-russ. Entschädigungspläne gebunden ist.
1803 Reichsdeputationshauptschluss: Aufgeteilt werden alle geistl. Gebiete außer Mainz; 45 der 51 Reichsstädte sowie kleinere Fsm. und Gft.; insgesamt 112 Reichsstände mit 3 Mill. Einw. – Hauptgewinner sind **Baden** 738% Fläche (F) / 948% Bevölkerung (B); **Preußen** 489% F / 438% B; **Württemberg** 414% F / 857% B und **Bayern** 144% F / 142% B.
2. Mediatisierung (Verlust der Reichsunmittelbarkeit) von 350 Reichsritterschaften (1804).
3. Rangerhöhungen deutscher Fürsten mit Zustimmung NAPOLEONS unter Verletzung des Reichsrechts:
1804 FRANZ II. [1792–1806] nimmt den Kaisertitel für Österreich an (regiert als Franz I. bis 1835).
1805 Bayern und Württemberg werden Kgr., 1806 Baden, Hessen-Darmstadt, Berg Ghzm.
4. 16 süd- und westdt. Fürsten begehen offenen Reichsverrat durch die
1806 Gründung des Rheinbundes unter dem Protektorat NAPOLEONS. Verpflichtung zur Heeresfolge; Fürstprimas wird KARL THEODOR FRH. VON DALBERG (1744–1817), Ebf. von Mainz und seit 1810 Ghz. von Frankfurt.
6. Aug. 1806 FRANZ II. verzichtet unter dem Druck NAPOLEONS auf die Kaiserkrone: **Ende des »Hl. Röm. Reiches Deutscher Nation«** als Ergebnis der 1232 (S. 173) begonnenen, 1356 (S. 195), 1555 (S. 235) und 1648 (S. 255) fortgesetzten Reichsauflösung. Diese »Flurbereinigung« wird zu einer der Voraussetzungen für die Entstehung des dt. Nationalstaates (S. 310). – Die Demütigung der Nation wird zwar schmerzlich empfunden, aber vom Volk hingenommen. Einziger Märtyrer ist der Buchhändler PALM aus Nürnberg, der 1806 wegen seiner Schrift ›Dtl. in seiner tiefsten Erniedrigung‹ von den Franzosen erschossen wird.

Der Zusammenbruch Preußens
Durch verfehlte Kabinettspolitik des Grafen HAUGWITZ (1752—1832) gerät Preußen in Abhängigkeit von NAPOLEON. Gegen dessen Willkür schließt Preußen eine Koalition mit Russland und Sachsen. Ein Ultimatum auf Abzug aller franz. Truppen rechts des Rhei-

nes und Auflösung des Rheinbundes entzündet den
1806/07 Vierten Koalitionskrieg. Die veraltete preuß.-sächs. Armee erleidet in der
Okt. 1806 Doppelschlacht bei Jena und Auerstedt eine vernichtende Niederlage. Preußen bricht milit. und moral. zusammen: Verlegung der Residenz nach Königsberg; kampfloser Einzug NAPOLEONS in Berlin; Auflösung preuß. Heeresgruppen bei Prenzlau und Ratekau (BLÜCHER); Widerstand leisten nur die Festungen Kolberg (GNEISENAU, NETTELBECK), Graudenz (COURBIÈRE) und Glatz.
Dez. 1806 Friede zu Posen mit Sachsen, das dem Rheinbund beitritt.
Febr. 1807 Schlacht bei Preuß.-Eylau: SCHARNHORST verhindert die Ausnutzung des franz. Sieges; FRIEDRICH WILHELM III. [1797–1840] flieht nach Memel.
Juni 1807 Russ. Niederlage bei Friedland.
Juli 1807 Friede zu Tilsit: Preußen entgeht nur durch russ. Einspruch der Auflösung (S. 303); es verliert westelb. Besitz und die ehem. poln. Gebiete außer Westpreußen; Danzig wird Republik mit franz. Garnison. Bis zur Ableistung hoher Kontributionen bleibt Preußen unter franz. Besatzung, sein Heer wird auf 42 000 Mann beschränkt. – Neu entstehen: **Kgr. Westfalen** unter NAPOLEONS Bruder JÉRÔME, **Ghzm. Warschau** (Pers.-U. mit Sachsen).

Die Erhebung Österreichs (1809)
Die span. Erhebung (S. 313) ist für den Grafen STADION Signal zum nat. Widerstand. Ehz. KARL ruft ein Manifest an die »deutschen Völker«, ohne Erfolg. Preußen wird durch franz. Besatzung und Zar ALEXANDER I. am Eingreifen gehindert. – NAPOLEON drängt die österr. Armee nach Böhmen zurück. Die
Mai 1809 Schlacht bei Aspern endet unter schweren Verlusten mit der ersten Niederlage NAPOLEONS durch Ehz. KARL. Die poln.-russ. Bundesgenossen rücken darauf »mit aller Schonung« bis Krakau vor. – Erfolglose Einzelaktionen in Norddeutschland **(Freikorps Schill)**.
Volkskrieg in Tirol: Unter Führung von ANDREAS HOFER und JOSEF SPECKBACHER siegreiche Kämpfe am **Berg Isel** gegen Bayern und Franzosen. HOFER wird verraten und 1810 in Mantua erschossen.
Juli 1809 Österr. Niederlage bei Wagram. Ehz. KARL und STADION treten zurück.
Okt. 1809 Friede von Schönbrunn: Österreich wird ein Binnenstaat; es verliert
– an **Bayern** Salzburg, das Innviertel und Nordtirol;
– an **Italien** Südtirol;
– an **Frankreich** die Illyr. Prov.;
– an **Warschau** Westgalizien mit Krakau;
– an **Russland** Tarnopol (insgesamt 100 000 qkm mit 3,5 Mill. Einw.); das Heer wird auf 150 000 Mann begrenzt.

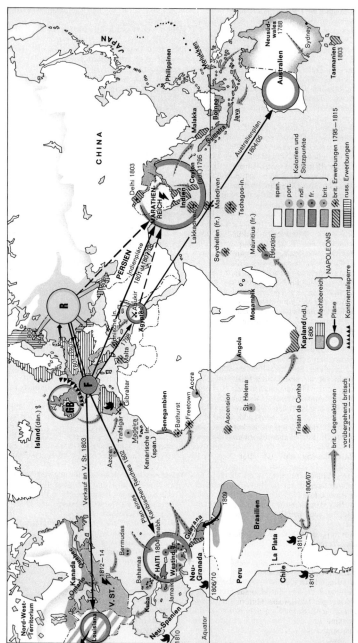

Napoleons weltpolitischer Machtkampf mit Großbritannien

Die inneren Verhältnisse Großbritanniens
Das parlament. System: Der Rückschlag des amerikan. Krieges stürzt das autokrat. Regiment GEORGS III. [1760–1820). Abhängig vom Parlament, führt der Premierminister die Reg. Im Parlament streiten sich kleine polit. Cliquen einer Adelsoligarchie von Grundbesitzern, die durch hohen Wahlzensus gesichert sind. Beteiligung an der Reg. bringt gut bezahlte Ämter, das **Patronatsrecht** (Ämterverleihung) geht vom König auf den Premier über und bleibt eine Quelle der Bestechung in den Wahlbezirken. Die **Tories** stützen sich auf die anglik. Staatskirche, die **Whigs** vertreten stärker die **Dissenters** (prot. Andersgläubige). Wirtschaftl. führend, erstreben diese eine Parlamentsreform durch Abschaffung der **»rotten boroughs«** (entvölkerte alte Orte mit Wahlrecht) zu Gunsten der neuen Industriestädte ohne Parlamentssitze. Die **Katholiken** erreichen 1779 die Aufhebung des Verbots, öffentl. Gottesdienste abzuhalten, aber nicht ihre Emanzipation.
Radikale demokrat. Ideen (Volkssouveränität, Abschaffung der Monarchie) verkündet **Thomas Paine** (1737–1809). Mit seinen ›Rights of Man‹ (1792) bekämpft er **Edmund Burke** (1729–97), dessen konservative Kritik in den ›Reflections on the Revolution in France‹ (1790) stark auf England und Europa wirkt.
Industrialisierung und Agrarrevolution: Trotz innerer Missstände (Ämterpatronage, veraltete Strafjustiz, Armenpflege und Erziehung) wandelt sich England auf der Grundlage kapitalist. Wirtschaftsordnung zur »Werkstatt der Welt« (S. 321). Flurbereinigung und neues Fruchtwechsel-System erhöhen die Felderträge. Dennoch entsteht ein Nahrungsmitteldefizit, da die Bevölkerung von 1750 bis 1820 von 7,8 auf 14,3 Mill. wächst (bes. in den Städten). Maschinen, Fabrikstädte und Lohnarbeit drängen Handwerk, Kleinstadt und Landarbeit zurück. Neue Straßenbaumethoden (METCALFE, MACADAM) verbessern Transport und Verkehr. Die Ausfuhr von Industriewaren stärkt den brit. Welthandel. Soz. Probleme bleiben ungelöst.

Mit Unterbrechung 1801–04 leitet der »Boy minister«
1783–1806 William Pitt d. J. (24 J.) als Premier den Staat, der unter der Schuldenlast des amerikan. Krieges leidet.
1785 Abbau aller Zölle zwischen England und Irland, das nach der Rebellion von 1797/98 in dem
1801 Vereinigten Kgr. Großbritannien und Irland aufgeht.

Neue Festigung des brit. Kolonialreiches
Kanada: Die Bindung der frz. Siedler an England gelingt durch die
1791 Teilung in das frz. **Unterkanada** (Quebec) und das engl. **Oberkanada** (Ontario).
Australien: Von Sydney (Botany Bay) aus
1788 Beginn der Besiedlung durch Weiße (zunächst Sträflinge).

Indien: Durch die
1784 East India Bill geht die Kontrolle der Ostind. Komp. vom Parlament (Regulating Act 1773) auf die Reg. über (S. 367).

Der Kampf um die brit. Weltmacht
PITTS größte Leistung besteht in der Führung des brit. Existenzkampfes gegen die Franz. Rev. und NAPOLEON. Zum
1793 Eingriff in den Ersten Koalitionskrieg (S. 301) zwingen 1. der brit.-franz. Kolonialdualismus; 2. das bedrohte europ. Gleichgewicht; 3. die franz. Besetzung des Rheindeltas. – Als Oppositionsführer der Whigs fordert CHARLES JAMES FOX (1749–1806) Abbruch des Kampfes, trägt 1801 zum Sturz PITTS und zum
1802 Frieden von Amiens (S. 303) bei.

Napoleons Pläne gegen den brit. Gegner:
1798/99 Feldzug nach Ägypten (S. 301).
1801 Erster Indienplan im Bündnis mit PAUL I. Er wird mit der Ermordung des Zaren hinfällig. – RICHARD WELLESLEY erobert im Zweiten Marathen-Krieg (1803–05) die ind. Ostküste. Den
1802 Plan zur Errichtung eines Karibischen Reiches fängt die brit. Kriegsflotte ab. – Um die USA zu gewinnen,
1803 Verkauf Louisianas (S. 293). Aufgegeben werden der
1804/05 Plan zur Eroberung Südaustraliens und die Invasion der Insel. Ein
1807/08 Zweiter Indienplan scheitert am Zögern Zar ALEXANDERS I. Ohne Ergebnis endet der
1812–14 brit.-amerikan. Krieg (S. 293).
Brit. Abwehrmaßnahmen: Bildung neuer Koalitionen (S. 303); Lieferung von »wenig Truppen und viel Geld«; **Seekrieg** unter Leitung des Adm. **Nelson** (1758–1805): sichert die brit. Seeherrschaft und den Seeweg nach Indien. Die **Blockade** franz. Häfen mit Kaperei auch neutraler Schiffe verstärkt die brit. Flotte jährl. um ca. 2000 Schiffe. NAPOLEON antwortet mit der
1806 Verkündung der Kontinentalsperre (S. 303), die nach der brit.
1807 Beschießung Kopenhagens und der Wegnahme der dän. Flotte verschärft wird. ARTHUR WELLESLEY errichtet eine
1808 »Zweite Front« in Portugal (S. 313).
Folgen für Großbritannien: Steuererhöhungen, Getreidesubventionen, Verlust europ. Märkte in Übersee (Südamerika). Die steigende Industrieproduktion verursacht seit 1810 Absatzkrisen (Arbeitslosigkeit, Hungersnöte).
1811/12 Erste »Maschinenstürme« (Ludditen). Die Goldreserven der brit. Banken fangen einen Zusammenbruch der Preise ab. – Der Wirtschaftskrieg bringt keine Entscheidung, beide Seiten sind auf Lizenzen (Ausnahmeregelungen für wichtige Mangelgüter) angewiesen.

Entstehung des deutschen Nationalgefühls
Im Verlauf der Franz. Rev. werden sich die westeurop., staatl. bereits geeinten Völker durch aufkl. Freiheitsideen (England, Frankreich) bzw. durch gemeinsame Tradition (Spanien) als **polit. Nationen** bewusst. Kleinstaaterei, Zerfall des »Reiches«, Obrigkeitsdenken erschweren dem deutschen Volk diesen Weg. Seit Mitte des 18. Jhs. fühlen sich Dichter, Gelehrte und Gebildete zunehmend als Glieder einer **Kultur-Nation;** sie sind Träger der zunächst unpolit. sog. **Deutschen Bewegung: Lessing** (S. 257) bekämpft die franz. »Überfremdung« der Literatur; JUSTUS MÖSER (1720–94) preist altdt. Art und Sitte, **Klopstock** (1724–1803) die Liebe zum Vaterland.
Der **Sturm und Drang** (um 1760–80, nach einem Drama von KLINGER, beeinflusst von Pietismus und von ROUSSEAU, S. 257) setzt in Opposition zur Aufklärung freies Gefühl gegen Vernunft, beruft sich auf SHAKESPEARE, auf die dt. Vergangenheit und auf das schöpfer. Natur- bzw. Original-**Genie.** Er sammelt sich in Straßburg um den jungen **Goethe** (›Götz von Berlichingen‹, 1773). 1770 entscheidende Begegnung mit **Joh. Gottfried Herder** (1744–1803), der Volkssprache und -lieder als Ausdruck des unbewusst schaffenden »Volksgeistes« und in den ›Ideen zur Philosophie der Geschichte der Menschheit‹ (1784–91) die nat. Eigenart der Völker zur »Beförderung der Humanität« entdeckt. Seine Anregungen befruchten Klassik, Romantik und die nat. Selbstbesinnung vor allem der slaw. Völker.
Die **Klassik (Johann Wolfgang Goethe,** 1749–1832; **Friedrich Schiller,** 1759–1805) ist kosmopolit. eingestellt. KANTS Sittengesetz, die **Pflicht** zur Achtung der Menschenwürde, verbindet SCHILLER mit innerer **Neigung.** Am Ideal klass.-griech. Menschlichkeit, in »edler Einfalt und stiller Größe« (WINCKELMANN) soll sich die sittl. freie Persönlichkeit bilden **(Neuhumanismus).** Der Künstler überbrückt in ästhet. Harmonie die Spannung zwischen »Ideal und Leben«, sie besitzt deshalb moral. Wert.
Auch der **Deutsche Idealismus** knüpft an KANT an, indem er versucht über die Welt, »wie sie ist« (S. 257), spekulative Aussagen zu machen. **Joh. Gottlieb Fichte** (1762–1814) führt in der ›Wissenschaftslehre‹ (1794) alles Sein auf eine ewige geistige Kraft (das »Ich«) zurück, die sich in freier, subjektiver Tat in der Realität entfaltet. Nach **Friedr. Wilh. Schelling** (1775–1854) sind Natur als sichtbarer Geist und Geist als unsichtbare Natur identisch. Der Künstler steht über dem Denker, da sein Werk den Schöpfungen der »Weltseele« näher kommt.
Beide Philosophen wirken stark auf die **Romantik:** Die ältere, rein literar. Richtung (Jena, Berlin um die Gebr. SCHLEGEL, TIECK, NOVALIS u. a.) strebt nach Auflösung der Gegensätze Natur – Geist, Gefühl – Vernunft, Endliches – Unendliches durch subjektive Verinnerlichung (Phantasie, Traum, myst. Schau). Sie ist sich bewusst, dass die ersehnte »Entgrenzung der Dinge« (»blaue Blume«) nicht erreicht werden kann (romant. Ironie).
In der **Jüngeren Romantik** (Heidelberg, BRENTANO, VON ARNIM, VON EICHENDORFF u. a.) Hinwendung zu den Kräften des Volkstums (Volkslieder, Märchen, Sagen), die sich organ. entwickeln, ihren geschichtl. Eigenwert besitzen (Historismus) und sich jeder Vernunftgesetzlichkeit entziehen. Übertragung romant. Grundsätze auf Musik, Kunst, Literatur etc., dadurch Begründung der histor. **Geisteswissenschaften:** Geschichte (NIEBUHR, RANKE); Recht (SAVIGNY); Literatur (GEBR. SCHLEGEL); Germanistik (GEBR. GRIMM, UHLAND); Romanistik (DIEZ); Religion (BACHOFEN); Staat (S. 319).
Verbreitung romant. Ideen in Europa (Madame DE STAËL, ›De l'Allemagne‹, 1813) und Entfaltung zur allg. Geistesbewegung u. a. in England (BYRON, SHELLEY, KEATS), Frankreich (VICTOR HUGO, LAMARTINE, GEORGE SAND), Italien (LEOPARDI, MANZONI), Dänemark (ANDERSEN), Polen (MICKIEWICZ), Russland (LERMONTOW, PUSCHKIN).

Durchbruch des deutschen Nat.-Bewusstseins
Unter dem Eindruck der franz. Herrschaft werden die unpolit. Freiheitsideen der »Deutschen Bewegung« auf die Nation bezogen (SCHILLER: ›Jungfrau von Orleans‹, 1801; ›Wilhelm Tell‹, 1804). **Friedrich Hölderlin** (1770–1843) verherrlicht das »freie Volk der Griechen« und den Tod fürs Vaterland. In den ›Reden an die deutsche Nation‹ (1807/08) fordert FICHTE geistige Freiheit zur polit. Erneuerung und setzt in nat. Übersteigerung das »deutsche Wesen« mit wahrer Sittlichkeit und Kultur gleich. Der Theologe **Schleiermacher** (1768–1834) weckt in patriot. Predigten das nat. Gemeinschaftsgefühl; in der ›Hermannsschlacht‹ (1808) entwirft **Heinrich von Kleist** (1777–1811) ein Vorbild nat. Erhebung. **Joseph Görres** (1776–1848) begründet mit dem ›Rhein. Merkur‹ die schärfste Kampfzeitschrift gegen NAPOLEON. **Ernst Moritz Arndt** (1769–1860) übersetzt das nat. Ziel (»ein Volk zu sein ist die Religion unserer Zeit«) in die Volkssprache. Nat. Lieder verbreiten u. a. TH. KÖRNER und MAX VON SCHENKENDORF. **Friedr. Ludwig Jahn** (1778–1852) begründet die nat. Turnbewegung. – Unklar bleibt die inhaltl. Bestimmung der nat. Freiheit. Die Nation wird aufgefasst
1. unter dem Einfluss der Klassik in Verbindung mit aufkl. Ideen als **geistige Kulturgemeinschaft;**
2. unter Einwirkung romant. Volks- und mittelalterlicher Reichsidee als **völkische Schicksalsgemeinschaft;**
3. nach dem Vorbild des frz. Nationalstaates als eine **polit. Gemeinschaft** freier Menschen.
Die unterschiedl. nat. Vorstellungen werden zunächst dem gemeinsamen Ziel, die frz. Fremdherrschaft abzuschütteln, untergeordnet. Insofern wird NAPOLEON der »Einiger des dt. Volkes«. Nach seinem Sturz brechen die polit. Gegensätze auf.

Innere Umgestaltung Deutschlands (1807–14)
Preußen: Schon vor dem Zusammenbruch von
1806 kritisieren leitende Beamte das absolutist. Staatssystem. Die Reformer wünschen
eine »Revolution von oben« zur Bildung eines ständ. Volksstaates durch Befreiung und
Erziehung der Untertanen zu mitverantwortl.
Staatsbürgern. Führend wird Reichsfreiherr
vom und zum Stein (1757–1831) aus Nassau/
Lahn. Der Jurist im preuß. Dienst lernt als
Oberbergrat (1796 Oberpräs.) in Westfalen
Formen ständ. Selbstverw. kennen, wird als
»Jakobiner« 1807 entlassen, nach dem Tilsi-
ter Frieden erneut berufen, 1808 wieder ent-
lassen (beide Male auf Drängen NAPO-
LEONS). Als polit. Berater des Zaren wirbt er
bis 1815 für die nat. Einigung (»Ich habe nur
ein Vaterland, das heißt Deutschland!«). –
Traditionsbewusstsein verbindet sich bei
STEIN mit lib. (frz.) und demokrat. (engl.)
Ideen zu einem konserv. Denken eigener
Prägung. Seine Reformpläne (›Nassauer
Denkschrift‹, 1807) verwirklicht seit
1810 Staatskanzler Freiherr **Karl August von**
Hardenberg (1750–1822; 1778 Graf, 1814
Fürst). Der gewandte Diplomat und lib. Ra-
tionalist zielt in seiner ›Rigaer Denkschrift‹
(1807) auf »demokrat. Reformen im monarch. Staat« ohne Betonung ständ. Selbstverw.
Sozialreformen zur Auflösung der Standes-
schranken:
1807 Edikt zur Bauernbefreiung: Abschaffung
der Erbuntertänigkeit; Garantie der Freiheit
der Person, des Besitzes, des Berufes und
der Rechtsgleichheit.
1808 Städteordnung: Selbstverw. der Besitzbürger durch gewählte Stadtverordnete (Ma-
gistratsverfassung).
1810/11 Aufhebung der Zünfte mit einge-
schränkter Gewerbefreiheit.
1811 Regulierungsedikt: Ablösung der Frondienste durch die Abgabe eines Drittels des
Bauernlandes an den Gutsherrn (S. 325).
1812 Judenemanzipation.
Verwaltungsreformen mit Trennung von Justiz
und Verwaltung:
1808 Einrichtung von Fachministerien (Krieg,
Inneres, Verwaltung [Finanzen], Justiz, Äu-
ßeres).
Unter HARDENBERG: zentrale Verw.-Eintei-
lung in Provinzen (Oberpräs.), Reg.-Bezirke
(Präs.) und Kreise (gewählter Landrat, seit
dem Gendarmerie-Edikt von 1812 ein vom
König ernannter Kreisdirektor). – Nur An-
sätze einer von STEIN erstrebten ständ. Mit-
Verw. durch Kreis- und Landtage sowie Na-
tionalrepräsentation.
Gegen die Reformen stellt sich eine konserv.
Adelsopposition um VON DER MARWITZ in
Verbindung mit der »Christl.-Dt. Tischge-
sellschaft« und den ›Berliner Abendblättern‹
(HEINRICH VON KLEIST). Sie sieht in der
Auflösung altpreuß. Patrimonialordnung
eine Gefährdung des Staates (vgl. S. 318).

Heeresreformen zur Entwicklung eines patriot.
Volksheeres durch **Scharnhorst** (1755–
1813), **Gneisenau** (1760–1831) und ihre Mitarbeiter BOYEN (1771–1848), GROLMAN
(1777–1843) und **Clausewitz** (1780–1831),
den Schöpfer der modernen Kriegstheorie
(›Vom Kriege‹, entstanden zwischen 1816
und 1830). – Trotz der von NAPOLEON ver-
fügten Beschränkung aktiver Truppen (Linie) Bildung von Reserven nach dem
»Krümpersystem« (milit. Kurzausbildung);
Beförderung nach Verdienst, Abschaffung
entehrender Prügelstrafen und Aufbau einer
neuen Führung (Kriegsakademie).
1814 Wehrgesetz mit Einführung der allg.
Wehrpflicht.
Bildungsreformen in neuhumanist. Geist durch
den Staatsmann und Wissenschaftler **Wil-**
helm von Humboldt (1767–1835, 1809/10
Unterrichtsmin., 1815, zusammen mit
HARDENBERG, Vertreter Preußens beim Wiener Kongress).
1810 Gründung der **Berliner Universität** als
Stätte »akadem. Freiheit« und »Einheit des
Forschens, Lehrens und Lernens« aller Wissenschaften. Berufen werden u. a. FICHTE,
SCHLEIERMACHER, NIEBUHR und SAVIGNY.
1812 Staatl. Gymnasialordnung nach dem Prinzip der allg. Bildung mit bes. Pflege klass.
Sprachen; Staatsprüfung der Philologen und
Schüler (Abitur). – Reform der Volksschule
zur Entwicklung der natürl. Anlagen im
Sinne des Schweizers **Joh. Heinrich Pesta-**
lozzi (1746–1827): ›Wie Gertrud ihre Kinder
lehrt‹ (1803).
Der neue preuß. Staat wird die Hoffnung der
deutschen Patrioten.

Österreich: Stärkere Widerstände gegen die
Reformen unter
1805–09 AMin. **Joh. Philipp Gf. Stadion**
(1763–1824). Nationalitätenprobleme, un-
gleicher Bildungs- und Entwicklungsstand
der Landesteile zwingen zur Schonung des
staatstragenden Adels. Dennoch Vorbereitung der nat. Erhebung gegen NAPOLEON
(S. 307).
Heeresreformen der Ehz. **Karl** (S. 301) und JO-
HANN (1782–1859).
1808 Einführung der allg. Wehrpflicht.

Rheinbundstaaten: Nach franz. Vorbild werden
– bes. in **Bayern** von MONTGELAS (1759–
1838) und in **Baden** von REITZENSTEIN
(1766–1846) – die Grundlagen des modernen Einheitsstaates geschaffen durch 1. einheitl. Behörden (zentrale Bürokratie), Fachministerien und Fachbeamte; 2. Auflösung
ständ. Selbstverw. in den Kommunen; 3. Garantie bestimmter Freiheiten (Gewerbe, Arbeit, Religion), Steuer- und Rechtsgleichheit; 4. Staatl. Kirchen- und Schulaufsicht.
Bedeutung: Die konstitutionellen Ansätze fördern – vor allem in Süddeutschland – lib. und
demokrat. Staatsdenken.

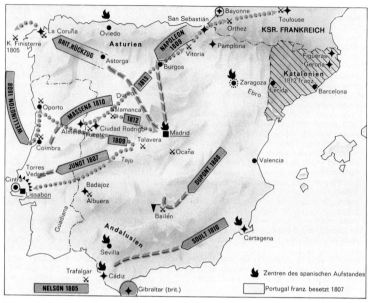

Der spanische Aufstand gegen Napoleon 1808–1814

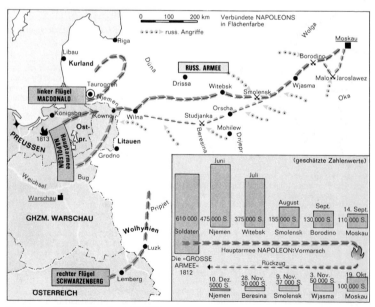

Der Russlandfeldzug Napoleons 1812/13

Die nationale Erhebung in Spanien

Für den Angriff auf Portugal, dessen Markt dem brit. Handel noch geöffnet ist, sichert sich NAPOLEON im

Okt. 1807 Vertrag von Fontainebleau milit. Stationierungs- und Durchmarschrechte in Spanien. **Junot erobert Portugal** (1807), das Königshaus (JOHANN VI.) flieht nach Brasilien. – Marschall

Febr. 1808 Murat (1767–1815) führt die zum »Küstenschutz gegen England« verstärkten franz. Truppen gegen Madrid. Nach einem Aufstand in Aranjuez, der sich gegen den frankreichfreundl. Günstling der Königin, GODOY, richtet, muss KARL IV. zu Gunsten seines Sohnes FERDINAND VII. abdanken. Da er seine Interessen gefährdet sieht, greift NAPOLEON ein und zwingt in Bayonne KARL IV. [1788–1808] und FERDINAND VII. [1808–33] zur Abdankung zu Gunsten seines Bruders JOSEPH (Mai); MURAT wird Kg. von Neapel.

Volksreg. (Cortes) in Oviedo und Cartagena proklamieren den nat. Widerstand. Asturien und Andalusien erheben sich, in Sevilla wird eine Zentral-Junta (provisor. Reg.) für FERDINAND VII. gebildet.

Juli 1808 Kapitulation eines franz. Korps von 23 000 Mann in Bailén; JOSEPH flieht, der brit. Gen. ARTHUR WELLESLEY (1769–1852, seit 1809 Lord, seit 1814 **Hz. von Wellington**) landet in Portugal und drängt JUNOT zurück. Der Kaiser greift nun selbst mit 300 000 Mann ein.

1808/09 Spanienfeldzug Napoleons: Madrid wird besetzt, Zaragoza erobert, Kg. JOSEPH kehrt zurück. Die österr. Erhebung (S. 307) unterbricht die Aktion. In kaiserl. Auftrag wirft SOULT die brit. Hilfsarmee unter MOORE auf La Coruña zurück.

Der vom Adel und Klerus geführte **Guerillakrieg** schwelt aber weiter und bindet starke franz. Kräfte. Die

1809 Annexion des Kirchenstaates und Gefangennahme des Papstes versteifen den Widerstand des kirchentreuen span. Volkes. – WELLINGTON wehrt den

1810 Angriff MASSENAS auf Lissabon an der Festungslinie von Torres Vedras ab. Während des Russlandfeldzuges NAPOLEONS gelingt ihm die

1812 Befreiung Madrids. Im belagerten Cádiz verkündet die Zentral-Junta die »**Konstitution des Jahres Zwölf**«, die zwar die Monarchie beibehält, die Rechte des Königs jedoch stark beschneidet.

1813/14 WELLINGTONS letzte Offensive befreit Spanien endgültig durch den Sieg von Vitoria; sie führt bis zur Einnahme von Toulouse. Noch von NAPOLEON erhält FERDINAND VII. im

Dez. 1813 Vertrag von Valençay die Krone zurück. Er verwirft die lib. Verfassung und regiert als absoluter Herrscher. Sein reaktionäres Regime reizt die Liberalen zu innerem Widerstand und Aufständen (S. 323).

Der Russlandfeldzug Napoleons von 1812

Wirtschaftskrisen nötigen Zar ALEXANDER I. zur **Aufgabe der Kontinentalsperre** (Dez. 1810); Vorzugszölle begünstigen den brit. Handel mit dringend benötigten Industrieerzeugnissen.

Die Absetzung des HZ. VON OLDENBURG, eines Verwandten des Zaren, sowie die Missachtung russ. Interessen in Polen und der Türkei verschärfen die franz.-russ. Spannungen.

NAPOLEON will durch eine direkte milit. Aktion dem »System von Tilsit« (S. 303) Geltung verschaffen. Militärbündnisse mit Preußen (Febr.) und Österreich (März) sichern den Aufmarsch der »**Großen Armee**«, des bisher größten Heeres der Geschichte. Da NAPOLEON sich mit Rücksicht auf Dänemark BERNADOTTES (S. 305) Wünschen versagt hat (Angliederung Norwegens an Schweden als Kompensation für den Verlust Finnlands), kann sich Russland mit Schweden verbünden (April). Es beendet seinen Krieg mit der Türkei.

Im Juni 1812 überschreiten die napoleon. Truppen ohne Kriegserklärung den Njemen. Der linke Flügel operiert zur Flankensicherung in Kurland (Preußen unter MACDONALD), der rechte in Wolhynien/Litauen (Sachsen und Österreicher unter SCHWARZENBERG). NAPOLEON stößt mit der Hauptarmee über Wilna nach Moskau vor, das nach Siegen bei **Smolensk** (Aug.) und **Borodino** (Sept.) ohne Widerstand besetzt wird.

Der Führer des »**Großen Vaterländischen Krieges**« und russ. Nationalheld Kutusow (1745–1813) rechnet mit der Weite des Raumes, entschließt sich zur bewegl. Verteidigung und weicht Entscheidungsschlachten aus. Seine »Parthertaktik« wird zum Symbol der Unbesiegbarkeit des russ. Landes.

Nach dem **Fall Moskaus** drängen die FRH. VOM STEIN, Berater des Zaren, und der russ. Adel auf Fortführung des Kampfes. Friedensangebote NAPOLEONS werden ausgeschlagen. Nachschubschwierigkeiten, der **Brand Moskaus** (mit Zerstörung des Kreml) und der einbrechende Winter zwingen NAPOLEON zum verspäteten Rückzug (Okt.). Die Armee, von russ. Truppen verfolgt, muss Smolensk als Winterquartier aufgeben.

Der **Übergang über die Beresina** bei Studjanka (Nov.) wird zur Katastrophe. Hunger, Kälte und Krankheiten lösen die zusammengeschrumpfte »Große Armee« (30 000 Mann) vollends auf.

NAPOLEON verlässt die Truppen und taucht nach einer Eilfahrt unvermutet in Paris auf, um sein wankendes Regime (Putschversuch des Gen. MALET im Okt.) zu festigen und neue Armeen aufzustellen.

Ende 1812 erreichen die Trümmer der Hauptarmee die preuß. Grenze (angeblich 1000 Mann mit 60 Pferden und 9 Geschützen). Die Katastrophe wird weithin als Gottesurteil empfunden (»Mit Mann und Ross und Wagen hat sie der Herr geschlagen!«).

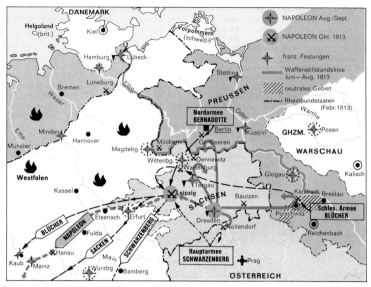

Der Herbstfeldzug 1813

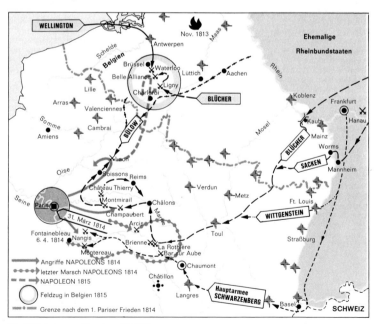

Die Feldzüge gegen Napoleon 1814/15

Die Befreiungskriege (1813–15)
Die Katastrophe der Großen Armee ent-
flammt den nat. Widerstand in Europa.
Die Erhebung Preußens: Gen. **Yorck** (VON
WARTENBURG, 1759–1830) verpflichtet sich
aus eigener Verantwortung in der
Dez. 1812 Konvention von Tauroggen dem
russ. Gen. DIEBITSCH (beraten von dem seit
1812 in russ. Dienst stehenden CLAUSEWITZ)
zur Neutralität der preuß. Hilfstruppen und
öffnet damit der russischen Armee Ostpreu-
ßen. Im Auftrag des Zaren stellen die Frh.
VOM STEIN, YORCK und die ostpreußischen
Landstände Landwehreinheiten (Volksmiliz)
zusammen.
Febr. 1813 Vertrag von Kalisch, Russland sichert sich Polen gegen Wiederherstellung
Preußens (mit Eingliederung Sachsens).
Durch preuß. Patrioten (SCHARNHORST,
HARDENBERG) gezwungen, erklärt FRIED-
RICH WILHELM III. Frankreich den Krieg
(März). Die Stiftung des Eisernen Kreuzes
und der Aufruf »An mein Volk« lösen spon-
tane Opferbereitschaft im Volk aus.
Freie Jägerverbände (u. a. das **Freikorps Lüt-
zow** mit den Farben Schwarz-Rot-Gold) ent-
stehen; Geld- und Sachspenden zur Aufstel-
lung von Linientruppen. Ausbildung des
Volksheeres (SCHARNHORST).
Preußen trägt neben Russland die Hauptlast
der Befreiungskriege (6% der Bevölkerung
leisten aktiven Wehrdienst). Im
Frühjahrsfeldzug prallen die improvisierten
preuß. und frz. »Rekrutenheere« bei Groß-
görschen (tödl. Verwundung SCHARN-
HORSTS) und Bautzen aufeinander.
NAPOLEON drängt die Verbündeten nach
Schlesien ab, doch landen schwed. Truppen
in Pommern (Mai). Großbritannien tritt der
Koalition bei (Juni).
Der Beitritt Österreichs: Die Rheinbundfürsten
halten sich zunächst zurück, trotz der von
STEIN verfassten
März 1813 Kalischer Proklamation zum An-
schluss an die Befreier und zur Bildung einer
deutschen Nationalverfassung. METTERNICH
verhandelt nach beiden Seiten und vermittelt
den
Juni 1813 Waffenstillstand von Poischwitz
(NAPOLEON: »Die größte Dummheit meines
Lebens!«).
Erst nach erfolglosen Friedensverhandlungen in Prag tritt Österreich in den Krieg ein
(Aug.). Im
Herbstfeldzug gehen die drei Koalitionsarmeen
konzentrisch, aber elastisch vor. NAPOLEONS
Sieg bei Dresden (Aug.) und andere Teilerfolge verhindern nicht die Einkreisung der
franz. Armee.
16.–19. Okt. 1813 Völkerschlacht bei Leipzig
(über 100 000 Tote und Verwundete): Sieg
der Koalition, aber geordneter Rückzug NA-
POLEONS über den Rhein.
Folgen: Zusammenbruch des napoleon. Systems; Auflösung des Rheinbunds; Befreiung

Dtl.s, Hollands, Oberitaliens; Abfall Neapels
(MURAT); Dänemark muss Norwegen im
1814 Frieden von Kiel an Schweden abtreten,
Preußen gewinnt Vorpommern.

Der Feldzug in Frankreich 1814
Blücher (1742–1819) und SCHWARZENBERG
überschreiten im Winter bei Kaub bzw. Basel den Rhein. NAPOLEON besiegt BLÜCHER
bei Brienne, wird von ihm bei La Rothière
geschlagen, behält jedoch durch energische
Offensiven (u. a. bei Champaubert, Montmi-
rail) Handlungsfreiheit, zumal die Kriegführung der Koalition unter polit. Hemmungen
leidet. Der auf Betreiben METTERNICHS einberufene, schleppend geführte Friedenskongress von Châtillon (Febr./März) endet er-
gebnislos. Im Vertrag von Chaumont (März)
einigt sich die Koalition erneut.
31. März 1814 Einzug der Verbündeten in Paris; eine provisor. Reg. (TALLEYRAND) setzt
NAPOLEON ab.
6. April 1814 Die Armee zwingt den Kaiser in
Fontainebleau zur Abdankung. NAPOLEON
erhält die Insel Elba als Fsm. und eine Eh-
rengarde von 800 Mann. – Mit
1814–24 Ludwig XVIII. kehren die Bourbonen
zurück: lib. Verfassung, aber Begünstigung
von Adel und Klerus.
Mai 1814 Erster Pariser Friede mit maßvollen
Bedingungen für Frankreich auf der Grundlage des Besitzes von 1792.

Die Herrschaft der Hundert Tage
Die Spannungen auf dem Wiener Kongress
(S. 317) verführen NAPOLEON zur
März 1815 Landung bei Cannes. Er sammelt
die franz. Kerntruppen, verspricht radikale
demokrat. Reformen und zieht in Paris ein.
LUDWIG XVIII. flieht nach Gent. – Murat,
der die Krone Italiens erstrebt, ergreift Partei
für NAPOLEON, wird aber in der
Mai 1815 Schlacht bei Tolentino von Öster-
reich (NEIPPERG) besiegt. FERDINAND I.
[1816–25] wird »König beider Sizilien«.
Die beiden Hauptarmeen der Sieger unter
WELLINGTON und BLÜCHER/GNEISENAU
stoßen nach Süden bzw. Westen vor.
NAPOLEON eröffnet den
Feldzug in Belgien mit nur 120 000 Soldaten.
BLÜCHER wird bei **Ligny** geschlagen, verei-
nigt aber seine Truppen noch rechtzeitig mit
der Armee WELLINGTONS.
Juni 1815 Schlacht bei Waterloo (auch bei Belle
Alliance): Das letzte napoleon. Heer wird
vernichtet; zweiter Einzug der Koalition in
Paris. NAPOLEON stellt sich unter brit.
Schutz. Er wird auf die Atlantikinsel St. He-
lena deportiert, wo er 1821 stirbt (1840 im
Invalidendom beigesetzt).
Nov. 1815 Zweiter Pariser Friede: Frankreich
verliert Saarbrücken an Preußen, Landau an
Bayern, Savoyen an Sardinien. Es muß 700
Mill. Fr. Kriegsentschädigung zahlen; 17 Fes-
tungen werden auf 5 Jahre besetzt.

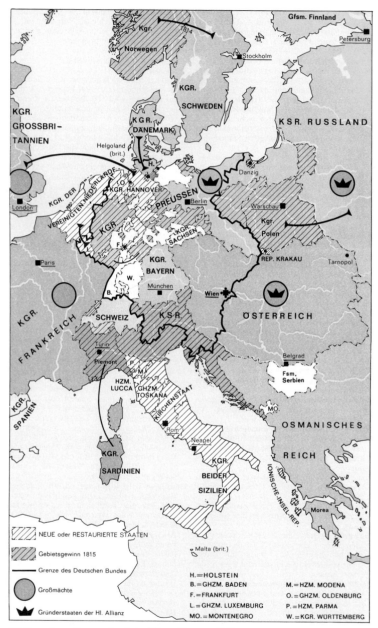

Die Neuordnung Europas durch den Wiener Kongress 1815

Der Wiener Kongress (1814/15)
Der 3. große Friedenskongress (vgl. S. 255,
269) der Neuzeit zur **Neuordnung Europas** ist
in erster Linie das Werk Fürst **Metternichs**
(1773–1859), der die lib. und nat. Ideen der
Zeit als staatsgefährdend ablehnt. – Polit. Prinzipien des Kongresses: **Restauration** (Wiederherstellung des polit. Zustandes von 1792); **Legitimität** (TALLEYRANDS Prinzip zur Rechtfertigung der Ansprüche der Dyn. des Ancien
Régime); **Solidarität** (gemeinsame Interessenpolitik legitimer Fürsten zur Abwehr rev. Ideen
oder Bewegungen).
An den Kongress nehmen fast alle Staaten und
Fürsten Europas teil, als Vertreter der 5 Großmächte: METTERNICH für Österreich, CASTLE-
REAGH (1769–1822) für Großbritannien, Zar
ALEXANDER I. und NESSELRODE (1780–1862)
für Russland, HARDENBERG und W. V. HUM-
BOLDT (S. 311) für Preußen, TALLEYRAND für
Frankreich.
Verlauf: Die poln.-sächs. Frage führt an den
Rand eines Krieges. Besorgt um die Erhaltung
des europ. Gleichgewichtes wehren sich MET-
TERNICH und CASTLEREAGH gegen die Anne-
xion Polens durch Russland, Sachsens durch
Preußen (Vertrag von Kalisch, S. 315). **Talleyrand** (S. 297), Außenminister unter BARRAS,
NAPOLEON und LUDWIG XVIII., nutzt die Krise
zur polit. Aufwertung Frankreichs, das dem
brit.-österr. Geheimabkommen gegen Russland
und Preußen (Jan. 1815) beitritt. – Vor allem
wegen der Rückkehr NAPOLEONS von Elba einigen sich die Mächte auf einen Kompromiss.
Juni 1815 Wiener Kongressakte. Sie stellt das
Gleichgewicht der 5 Großmächte (»Pentar-
chie«) wieder her.
Frankreich bleibt in seinem Besitzstand von
1792, zusätzlich kontrolliert durch einen
»Kranz mittlerer Staaten«: Schweden in
Pers.-U. mit Norwegen; das neue Kgr. der
Verein. Niederlande; das um Savoyen ver-
größerte Kgr. Sardinien-Piemont.
Großbritannien in Pers.-U. mit dem neuen Kgr.
Hannover und im Besitz von Malta, Ceylon,
der Kapkolonie und Helgoland ist der **eigent-
liche Sieger.**
Russland gewinnt »Kongresspolen« (mit eige-
ner Verfassung) und steigt zur führenden
Kontinentalmacht auf.
Österreich verzichtet auf die habsburgischen
Niederlande (Belgien) und Vorderösterreich
zu Gunsten einer Abrundung in Galizien,
Oberitalien und Dalmatien. Es übt über das
restaurierte Italien einen polit. Primat aus,
wächst als Vielvölkerstaat aus Deutschland
heraus, beansprucht aber die Führung im
Deutschen Bund.
Preußen begnügt sich mit der Teilung Sachsens
und wird mit der Rheinprovinz und Westfalen entschädigt, dadurch aber in zwei wirtschaftlich und konfessionell unterschiedliche Teile gespalten. Es übernimmt die
»Wacht am Rhein« gegen Frankreich und
»wächst in Deutschland hinein«.

Der **Schweiz** wird »immerwährende Neutralität« garantiert. Nach dem neuen Grundgesetz (Aug. 1815) besteht der Staatenbund
aus 22 Kantonen mit eigenen (zunächst reaktionären) Verfassungen.

Die Neuordnung Deutschlands
Die Patrioten um den Freiherrn VOM STEIN,
E. M. ARNDT und JOSEPH GÖRRES (S. 310)
wünschen ein nat. Deutsches Reich. Der
preuß.-österr. Dualismus und der fürstl. Sou-
veränitätsanspruch (Partikularismus) lassen
keine starke Reichsgewalt zu; infolgedessen
wird weder das Kaisertum erneuert noch das
Prinzip der Restauration beachtet, sondern
die Säkularisation (S. 307) bestätigt.
METTERNICH verwirklicht seine Vorstellungen in der
Juni 1815 Deutschen Bundesakte »zur Erhaltung der inneren und äußeren Sicherheit
Dtl.s und der Unabhängigkeit und Unverletzlichkeit der dt. Staaten« (Art. 2). Der
1815–66 Deutsche Bund besteht aus 39 Mitgl.
(35 Fürsten, darunter die Könige von Großbritannien [Hannover], von Dänemark [Hol-
stein] und der Niederlande [Luxemburg]).
Österreich und Preußen gehören nur mit einem Teil ihres Staatsgebietes dem Bund an.
– Der **Bundestag in Frankfurt** (ständiger Ge-
sandtenkongress unter österr. Vorsitz) kann
für wichtige Entscheidungen zur **Bundesversammlung** erweitert werden. Keine Volksvertretung. Bundesbeschlüsse (mit Zwei-
Drittel-Mehrheit oder Einstimmigkeit) binden die Reg., nicht ihre Untertanen. Im
Kriegsfall übernimmt ein **Bundesheer** (aus
Kontingenten der Einzelstaaten) den Schutz.
– Als liberales Zugeständnis sieht Art. 13
»Landständ. Verfassungen« vor.

Das System der Solidarität der Mächte
Unter Einfluss pietist.-romant. Kreise entwirft Zar ALEXANDER I. ein Programm zum
Schutz von Religion, Frieden und Gerechtigkeit.
Sept. 1815 Stiftung der Hl. Allianz: die Monarchen des griech.-orth. Russland, des kath.
Österreich und des prot. Preußen verpflichten sich zur christl. patriarchal. Reg. nach
innen »gemäß den Worten der Hl. Schrift«
(Art. 1) und zur Solidarität nach außen. Aus
ihrer Verantwortung vor Gott (**Gottesgnadentum**) leiten sie ihr Recht zur **Intervention**
gegen alle nat. und liberalen Bestrebungen
ab. – Der Allianz treten alle europ. Monarchen bei (mit Ausnahme des Papstes, des
engl. Prinzregenten und des Sultans).
Bedeutung: Der polit. unklar formulierte »**Bund
von Thron und Altar**« begründet die erste
übernat. Friedensorganisation der Neuzeit.
METTERNICH benutzt die Hl. Allianz als
wirksames Machtinstrument einer konservativen Politik. Das brit. Parlament lehnt
jedes Interventionsrecht ab; England wird
zum Hort lib. Demokraten.

Politische Grundideen nach 1815
Fließende Übergänge zwischen konserv., liberalen, demokrat. und soz. Ideen sind ebenso charakteristisch für das 19. Jh. wie die »Zwischenform« der Konstitutionellen Monarchie.

Konservativismus: Aus dem Bewahren überkommener Lebensformen in Ehrfurcht vor dem Gewordenen (**Traditionalismus**) entsteht die polit. Gegenbewegung zur Franz. Rev. (vgl. **Edmund Burke**, S. 309). Staat, Gesellschaft, Recht, Kultur werden in ihrer geschichtl. Mannigfaltigkeit als organisch sich entwickelnde Gebilde geachtet, die sich nicht nach Ideen, Theorien, Verfassungen künstlich ändern lassen. Einrichtungen und Autoritäten, die die überlieferte, gottgewollte Ordnung verbürgen, werden verteidigt: Monarchie, Kirchen, Berufsstände, Familie, Besitz. Der Einzelne gilt als Glied einer gestuften Gemeinschaft, die der Obrigkeit ebenso verpflichtet ist wie Stände und Genossenschaften; zentralist. Staatsallmacht wird zu Gunsten eines Förderalismus verworfen.
Gefahren: Die Tendenz zur Erstarrung konservativer Prinzipien führt zur **Reaktion** (Entwicklungshemmung), zu Abschließung privilegierter Gruppen (Adel), kritiklosem Obrigkeitsdenken, relig. Orthodoxie, geistiger und kultureller Sterilität.
Adel, Geistlichkeit, Beamte, Bauern sind Träger der konserv. Bewegung, die Mitteleuropa (Österreich, Preußen) bis zur Mitte des 19. Jhs. beherrscht (System METTERNICH).
Konservative Denker: Aus Patriotismus hält **F. L. von der Marwitz** (1777–1837) an einer patriarchalisch-ständischen Ordnung fest und lehnt die preuß. Reformen (S. 311) ab, die egoistische Gewinnstreben freisetzen und die Staatsgemeinschaft auflösen würden. – Der Preuße **Friedrich Gentz** (1764–1832) übersetzt die Schriften BURKES und wandelt sich zum Verfechter konserv. Ideen, die allein das europ. Gleichgewicht garantierten. Als Vertrauter METTERNICHS unterstützt er dessen restaurative Politik. – Auch der Politiker und Dichter RENÉ CHATEAUBRIAND (1768–1848) entsagt im ›Essai sur les révolutions‹ (1797) den rev. Ideen und findet zu einem subjektivistisch gefärbten Christentum wie der Romantiker FRIEDR. VON HARDENBERG, gen. **Novalis** (1772–1801), der in ›Christenheit oder Europa‹ (1799) ein verklärtes Bild mittelalterl. Weltordnung entwirft.

Die **Staatstheorie der Romantik** formuliert **Adam Müller** (1779–1829) in den ›Elementen der Staatskunst‹ (1808/09): Der gottgewollte, organisch gewachsene christl. Ständestaat umfasst alle menschl. Bereiche. Seine Gewalt ist weder naturrechtlich gebunden noch teilbar; seine vielfältigen histor. Formen haben ein Recht zur Selbstbehauptung. – Der Schweizer **Karl Ludwig von Haller** (1768–1854) gibt durch seine ›**Restauration** der Staatswissenschaften‹ (1816–34) der Epoche ihren Namen:

In reaktionärer Übersteigerung ist der Staat für ihn privatrechtl. Eigentum (Patrimonium) des nur Gott verantwortlichen Fürsten; dem Untertanen steht kein Recht, nur Unterordnung zu. Aufgabe des **Patrimonialstaates**, in seiner Autorität gestützt durch die Kirche, ist Erhaltung des Bestehenden. Den **Legitimismus** begründen DE BONALD und **de Maistre** (1753–1821), der das göttl. Herrschaftsrecht der Dyn. unabhängig vom Volkswillen (**Gottesgnadentum**) betont, die Ziele der Hl. Allianz (S. 317) rechtfertigt und im ›Du Pape‹ (1819) den kath. Glauben und den päpstl. Primat als Grundlage staatl. Lebens anspricht (**Ultramontanismus**).
Die von **Friedr. Julius Stahl** (1802–61) entwickelte christl. Staats- und Rechtslehre wirkt zusammen mit HALLERS Ideen auf konserv. Kreise in Preußen (S. 325): Zum Schutz vor Willkür seien zwar ständische Verfassung und Gewaltenteilung nötig, doch bedürfen Recht und sittl. Ordnung der Legitimität und der Monarchie.

Liberalismus: Er wurzelt geistig in der Vertrags- und Naturrechtslehre des westeurop. Aufklärung (LOCKE, MONTESQUIEU) und kommt mit der Franz. Rev. zum Durchbruch.
Auf den **Fortschritt** der Vernunft vertrauend, zielt er auf Verwirklichung **individueller Freiheit** und versteht darunter
1. **Freiheit der Person,** geschützt durch **Grund-** oder **Menschenrechte:** Glaubens-, Presse-, Meinungsfreiheit, Rechtsgleichheit, jedoch nicht Besitz- und Bildungsgleichheit;
2. einen **Verfassungsstaat,** der seine Macht durch **Gewaltenteilung** und **Grundgesetze** (Konstitutionen) bindet, als **Rechtsstaat** den Bürger schützt und auf Machtpolitik verzichtet;
3. Mitwirkung des polit. mündigen Bürgers am Staat durch **Wahl** einer Vertretung (Repräsentation) im **Parlament,** das Gesetze beschließt und die Regierung kontrolliert;
4. **freie Wirtschaft** mit Gewerbe-, Handels-, Unternehmer-, Koalitions-, Wettbewerbsfreiheit und Freizügigkeit.
Der Liberalismus wird vom Besitz- und Bildungsbürgertum vertreten, setzt sich vor allem in England durch und erlebt seine Blüte Mitte des 19. Jhs.
Gefahren: Neigung zur **Anarchie,** also zur Auflösung staatl. Autorität zu Gunsten individ. Freiheit. Deshalb auch keine Entwicklung geschlossener polit. Systeme, dagegen häufige Partei-Umgruppierungen.
Lib. Denker: Darstellung des polit. Liberalismus im ›Staatslexikon‹ (1834–48) der badischen Prof. VON ROTTECK und WELCKER. Von Einfluss ist die engl. Philosophie: **Jeremy Bentham** (1748–1832; ›Introduction to the Principles of Morals and Legislation‹, 1780) und **John Stuart Mill** (1806–73; ›On Liberty‹ 1859), auch **Herbert Spencer** (1820–1903), der den Fortschrittsprozess durchdenkt, vertreten die Prinzipien der Erfahrung und der »Nützlichkeit« (**Utilitarismus),** die in lib. Reformen und

in einer Politik des »Laissez faire« (S. 289) das »größte Glück der größten Zahl« sichern würden.

Ein von LACORDAIRE, MONTALEMBERT und **Lamennais** (1782–1854) erstrebter Ausgleich zwischen Liberalismus und kirchl. Autorität durch **Freiheit der Kirche vom Staat** wird von dem reaktionären GREGOR XVI. [1831–46] als Indifferentismus **(Laizismus)** verworfen.

Demokratische Bewegung: Von den Liberalen heben sich die Demokraten (Radikale, Republikaner) durch die Betonung der **Gleichheit** und der **Volkssouveränität** (ROUSSEAU) ab. Vor dem Recht des Einzelnen rangiert das **Recht der Mehrheit**, das der Staat, die Einheit von Regierenden und Regierten, zu schützen hat. Gefordert werden als Vorbedingung einer demokrat. Ordnung das **allg. Wahlrecht**, unter Einwirkung frühsozialistischer franz. Theorien auch gerechtere Verteilung des Eigentums, Beseitigung der Klassengegensätze und Bildungsvorrechte. Die Bewegung gewinnt Anhang unter Kleinbürgern und Arbeitern (Proletariat). Sie setzt im Laufe des 19. Jhs. in den Industriestaaten Wahlrechtserweiterungen, im 20. Jh. die **Massendemokratie** durch.

Gefahren: Ausartung des Mehrheitsrechtes in eine **Mehrheitsdiktatur**, die durch Volksführer zur Diktatur einzelner Personen, Parteien oder Gruppen umgebogen werden kann (vgl. Jakobiner, ROBESPIERRE, S. 299) und totalen Herrschaftsanspruch erhebt (totalitäre Demokratie).

Nationale Bewegung: Entstanden in der Franz. Rev., wird das moderne National- bzw. Vaterlandsgefühl **(Patriotismus)** zu einer der stärksten polit. Kräfte im 19. Jh. Erstrebt wird der souveräne **Nationalstaat** durch das Selbstbestimmungsrecht der **Nation**, ein Begriff, der sich nicht eindeutig definieren lässt. Nat. Merkmale können natürliche Gegebenheiten, kulturelle Faktoren oder subjektiv-irrationale Momente (Schicksalsbewusstsein, Gefühl, Wille) sein. Voraussetzungen der modernen Nationalidee sind die rationalen und irrationalen Lehren der Zeit: u. a. Volkssouveränität, romant. Volkstumsauffassung. Infolgedessen kann sich die nat. Bewegung mit allen polit. Richtungen verbinden und entfaltet sich am stärksten dort, wo noch keine staatl. Einheit der Gesamtnation erreicht ist: in Deutschland, Italien, Polen, Ungarn, bei den Balkanvölkern, in Belgien und Irland. Sie sprengt die übernat. Staatsgebilde (Span. Kolonialreich, Osman. Reich, Donaumonarchie) und erfasst im 20. Jh. die afro-asiat. Völker (S. 539). Andererseits integriert sie neue Staatsgebilde zu Nationen (USA).

Gefahren: Selbstüberschätzung und nat. Machtwille steigern sich im **Nationalismus** zum Überlegenheitsgefühl über andere »minderwertige« Völker oder Nationalitäten, die unterdrückt oder in Kolonialreiche eingegliedert werden **(Chauvinismus, Imperialismus).**

Geschichtsphil. Grundanschauungen
Grundlegender Denker der Epoche, der aufklärerische, romantische und neuhumanistische Gedanken zu einem System der Weltdeutung verbindet und den Deutschen Idealismus abschließt, ist

G. W. Friedrich Hegel (1770–1831): Vernunft (Geist, Denken) und Wirklichkeit (Sein) sind identisch mit dem »absoluten Geist«. Sichtbar wird die Selbstentfaltung des »absoluten Weltgeistes« in der Geschichte, die **dialektisch** in stetem »Aufheben« der geistigen Gegensatzspannungen (von Thesis und Antithesis) zu höheren Formen (Synthesis) der Vernunft und Freiheit aufsteigt. Jedes histor. Ereignis (Person, Name, Epoche) hat seinen bestimmbaren »Stellenwert« innerhalb des Geschichtsprozesses. Große Persönlichkeiten glauben in eigenem Interesse zu handeln, sind aber tatsächlich nur Werkzeuge der »List der Vernunft«. Höchste Vollendung erfährt der »objektive Geist« (die Realität) im überzeitl. Staat, der allein Freiheit, Gerechtigkeit, Kultur ermöglicht. Als sittl. Größe ist er dem Individuum übergeordnet und erzieht es zu seinem eigentl. Wesen. Vollkommenste Staatsform ist der **monarchische Rechtsstaat**, in dem der objektive Staatswille in der subjektiven Gestalt des Monarchen erscheint, der Freiheit der Person, des Eigentums, der Gesellschaft und durch Gesetze geregelte Verw. garantiert.

Bedeutung: HEGELS idealist. Auffassung vom Staat und vom Sinn der Geschichte wirkt stark auf seine Zeitgenossen, beeinflusst die rev. Denker Russlands (S. 347) und schlägt bei den »Junghegelianern« BRUNO BAUER, LUDWIG FEUERBACH, **Karl Marx** (S. 342) in radikale Kritik der bestehenden Zustände um.

Historismus, ein von FRIEDRICH MEINECKE (1862–1954) herausgearbeiteter Begriff, bezeichnet das Bewusstsein, dass alles Leben und alle Wirklichkeit geschichtlich bedingt ist. Nach MEINECKE kulminiert der Historismus im Werk Leopold von Rankes (1795–1886), der, vom Einzelnen, Besonderen ausgehend, die allgemeinen Ideen zu erkennen sucht: jede Epoche sei unmittelbar »zu Gott«, jedes geschichtliche Ereignis müsse aus sich selbst verstanden und geschildert werden.

Durch den Fehlschlag der Revolution von 1848 gewinnt der Pessimismus von **Arthur Schopenhauer** (1788–1860) an Boden. In der ›Welt als Wille und Vorstellung‹ (1819, Bd. 2 1844) wird der Geschichte kein zielstrebiger Sinn mehr unterlegt, vielmehr sei der irreale Weltgrund nur blinder Wille, ein »Tummelplatz von Leidenschaften«, die sich sinnlos im Kreise drehen. Zu den Kritikern des Historismus gehört ferner FRIEDRICH NIETZSCHE (S. 342), der die Geschichte als gefährlich ansieht, da sie die Fähigkeit zum Handeln schwäche (›Unzeitgemäße Betrachtungen‹, 1873–76).

INDUSTRIEPRODUKTION in Mill. Pfund Sterling

1840: GB 387, F 264, D 150, R 40
1820: GB 290, F 220, D 85, R 20
1800: GB 230, F 190, D 60, R 15

400 Mill.
300
200
100

INDUSTRIEPRODUKTION WELTANTEILE in Prozent

GB 30 %, F 20 %, D 12 %, R 3 %/4 %
GB 34 %, F 25 %, D 10 %, R 2 %
GB 35 %, F 29 %, D 9 %, R 2 %

Gewerbe- und Industriegebiete
keine Bauernbefreiung vor 1848
Kohlenbergbau
Eisenindustrie
Textilindustrie
Seidenindustrie
Banken
Arbeiterunruhen (bis 1848)

Bevölkerung in Mill.
1820
1840

Großstädte
1820
1840

NORWEGEN
SCHWEDEN
DÄNEMARK
GROSSBRITANNIEN
DEUTSCHLAND
PREUSSEN
SACHSEN
SCHWEIZ
FRANKREICH
SPANIEN
ITALIEN
ÖSTERREICH-UNGARN
BÖHMEN
SCHLESIEN
POLEN
GALIZIEN
SIEBENBÜRGEN
SERBIEN
RUSSLAND (europ. Teil)
FINNLAND
LIVLAND
KURLAND
OSMANISCHES REICH

Oslo
Stockholm
Kopenhagen
Petersburg
Warschau
Berlin
Breslau
Langenbielau
Reichenb.
Prag
Wien
Budapest
Hamburg
Köln
Amsterdam
Brüssel
London
Edinburgh
Glasgow
Liverpool
Manchester
Bradford
Leeds
Sheffield
Birmingham
Bristol
Nottingham
Lancashire
Paris
Lyon
Bordeaux
Marseille
Schaffhsn.
Uster
München
Mailand
Venedig
Genua
Turin
Florenz

16 27
11 14
27 34
24 31
24 30
18 22
29 38
5

Gewerbe und Industrie in Europa 1820–1840

Die Industrialisierung Englands
Im 18. Jh. verändern sich die wirtschaftl. und soz. Strukturen und schaffen Voraussetzungen für die
Industrielle Revolution (von BLANQUI 1837 bzw. F. ENGELS 1845 eingeführter Begriff).
Auslösend wirkt eine Reihe von Faktoren, die sich wechselseitig bedingen:
Seit die Testakte (1673) Puritaner bzw. Nonkonformisten von der Politik ausschließen und auf das Erwerbsleben verweisen, prägt die calvinist. Ethik (S. 238) eine neue
Arbeitsauffassung: Fleiß, Sparsamkeit, nüchternes Gewinnstreben über den Eigenbedarf hinaus schaffen **Privatkapital** für Investitionen zur Produktionsausweitung im Großgewerbe, dessen Beschränkungen im 18. Jh. praktisch fallen (seit 1814 Gewerbefreiheit).
Theoretisch begründet wird der
Kapitalismus von ADAM SMITH (S. 289) und der klass. Nationalökonomie (DAVID RICARDO, 1772–1823), die aus den Grundfaktoren Arbeit, persönl. Gewinnstreben und Freiheit den wirtschaftl.
Liberalismus ableiten: am entschiedensten vertreten durch die **Manchesterschule,** einen Kreis von Textilfabrikanten um RICH. COBDEN (1804–65).
Die engl. Aufklärung verbreitet die Ansicht BACONS (S. 256), dass empirisches Wissen durch Beobachtung und Experimente den Reichtum mehre.
Naturwissenschaft verbindet sich mit prakt. Nutzanwendung.
Auch Handwerkern ohne Schulbildung gelingen grundlegende
technische Erfindungen (vgl. S. 279):
Fliegendes Weberschiffchen – KAY (1733), Eisengewinnung mit Koks – DARBY (1735), Dampfmaschine – **Watt** (1769), Mule-Spinnmaschine – CROMPTON (1779), Mech. Webstuhl – CARTWRIGHT (1785).
1789 Antrieb einer Arbeits- mit einer Kraftmaschine:
Beginn der **Mechanisierung der Arbeit** und damit der industriellen Rev.
Wirtschaftl. ist Großbritannien seit 1707 (Vereinigung Schottlands mit England) das größte europ.
Freihandelsgebiet mit ausgebildetem Kreditwesen (Bank von England, 1694), starker Flotte und profitreichem Handel. – Der Kapitalreichtum bewirkt eine
Agrarrev. (S. 309): Aufteilung offener Feldfluren, Bauernlegen, Landeinhegungen durch aristokrat. Großunternehmer mit Hilfe des Parlaments. Pächter wirtschaften mit neuen Methoden und setzen Arbeitskräfte frei.
Steigende Bodenerträge und med. Erfolge verursachen eine sprunghafte Bevölkerungszunahme mit.
Übervölkerung. In der Not und Verelendung der Massen sieht der Nationalökonom **Thomas Robert Malthus** (1766–1834) ein Naturgesetz, da die Bevölkerung in geometr., der Bodenertrag nur in arithmet. Reihe wachse.
Auswanderung, Landflucht und Bildung eines großstädt. Proletariats sind Folgen der Übervölkerung. Sie begünstigen zudem die
Entfaltung der Industrie: Das neue **Fabriksystem** verlangt selbstbewusste Initiative, Kapital für Maschinen und Rohstoffe, Arbeitskräfte und Absatzmärkte für maschinelle Massenproduktion. – Aus allen Schichten entwickeln sich die
neuen Klassen: Unternehmer (priv. Kapitalbesitzer) und ungelernte **Proletarier.** Beide Gruppen sind ohne Grundbesitz und ohne Parlamentsvertretung und daher Gegner der Gentry und der Großkaufleute, dennoch miteinander verfeindet. Überangebot an Arbeitern, überlange Arbeitszeit, Frauen- und Kinderarbeit erzwingen die neue, noch ungewohnte Arbeitsdisziplin in der Fabrik. Die Hungerlöhne rechtfertigen RICARDOS Lohntheorie, nach der Arbeit und Ware dem gleichen Gesetz von Angebot und Nachfrage unterliegen.
Günstige Bedingungen zur Industrialisierung bietet die
Baumwollverarbeitung (Zentrum in Manchester/Lancashire). Spinnereien (ab 1790) und Webereien (nach 1815) erfordern geringes Anfangskapital und sichern hohe Profite durch den Kreislauf: Sklaventransport in amerikan. Baumwollplantagen, Import von Rohbaumwolle, Export von Baumwollwaren nach Afrika und in die Plantagenländer. Zwischen 1785 und 1840 steigt der Import von 11 Mill. auf 366 Mill. Pfund bei einer Preissenkung für Garne um 95 Prozent. Die Kontinentalsperre (S. 303) bringt der
Textilindustrie neue Absatzmärkte in Südamerika und Indien. Konjunkturkrisen drücken die Löhne. Der ungeheure Kapitalgewinn bildet die Grundlage für neue kapitalintensive Industriezweige: **Bergbau** und **Schwerindustrie.** Sie kommen mit der
Verkehrsrev. durch Dampfschiff (FULTON, 1807) und Lokomotive (STEPHENSON, 1814) um 1840 zum Durchbruch.
1830 Erste Eisenbahn Stockton–Darlington; die Schienenlänge umfasst 1848 bereits 5000 Meilen.
Folgen: England bleibt bis Ende des 19. Jhs. industriell führend. Nach engl. Vorbild, aber mit örtl. Abweichungen entstehen europ. Industriestaaten: Belgien, Holland, Schweiz, Frankreich (ab 1825), Deutschland (ab 1850), Schweden (ab 1880). Die Industrialisierung führt zu Ballungszentren in **Industriegebieten** (Verstädterung), entwickelt eine demokrat. Klassengesellschaft, hebt Nationaleinkommen und Lebensstandard und begründet mit Ausbildung eines **Weltmarktes** eine Epoche techn. Zivilisation. – Handwerk und Kleinbauerntum gehen zurück, die Klassenunterschiede verschärfen sich, die **soz. Frage** wird zum drängenden Problem.

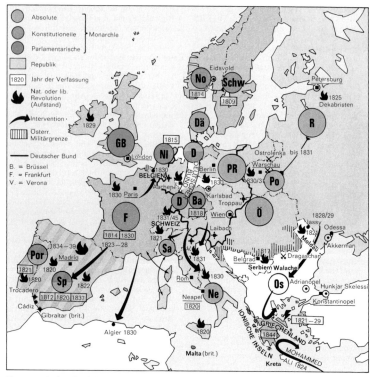

Europa zwischen Reaktion und Fortschritt 1815–1848

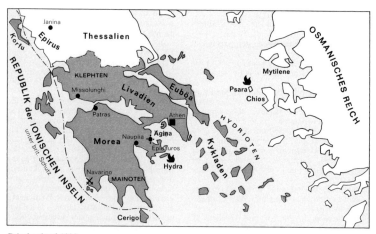

Griechenland 1829

Die Politik der Kongresse (1815–22)
Zur Sicherung des Wiener Friedens (S. 317) versuchen METTERNICH und auch Zar ALEXANDER I. eine Zusammenarbeit der europ. Großmächte durch Konferenzen. CASTLEREAGH unterstützt diese Gleichgewichtspolitik trotz brit. Zurückhaltung. – Das »Konzert der Mächte« wird im
1818 Kongress von Aachen durch Aufnahme Frankreichs in die Hl. Allianz erweitert. Gegen brit. Protest setzt METTERNICH im
1820 Kongress von Troppau das Interventionsprinzip (S. 317) durch. Großbritannien löst sich langsam aus den polit. Bindungen an Europa (Splendid isolation) und fördert als Schutzmacht der kleinen Nationen unter AMin. CANNING [1822–27] deren lib. Bewegungen. Die Solidarität der Mächte zerfällt in einen lib. Westblock (England, Frankreich) und einen konserv. Ostblock (Russland, Österreich, Preußen).

Nat. und lib. Erhebungen in Südeuropa
Spanien: Truppenrevolte in Cadiz sind
1820 Rev. der Liberalen. Die Servilen (Anhänger der absolutist. Monarchie) unterliegen. Die Siegergruppe spaltet sich in Exaltados und Moderatos. Gegen brit. Einspruch (WELLINGTON) beauftr. der
1822 Kongress von Verona Frankreich mit der milit. Intervention: Einnahme Madrids und der Festung Trocadero 1823. Unter franz. Besatzung übt FERDINAND VII. harte Vergeltung. Nach seinem Tod brechen die Gegensätze erneut in den
1834–39 Karlistenkriegen auf.
Portugal: Die von den Cortes proklamierte
1821 Verfassung wird von JOHANN VI. nach seiner Rückkehr aus Brasilien (S. 313) anerkannt. CANNING verhindert Unruhen, indem er gegen DOM MIGUEL, den Kandidaten der Reaktion, die Nachfolge der Enkelin JOHANNS, MARIA II. DA GLORIA, betreibt. Sie kann sich 1834 als Königin durchsetzen, aber Unruhen bis 1847 nicht verhindern. England gilt seither als Vorkämpfer der Liberalen.
Neapel: Der Geheimbund der **Carbonari** (seit ca. 1769) wirkt für eine nat. Rev. Die
1820 Revolte in Nola zwingt FERDINAND I. eine Verfassung ab. Während sich Sizilien (Geheimbund der Mafia) aus dem Kgr. zu lösen versucht, greift die ital. Nationalbewegung nach Sardinien-Piemont und Oberitalien über. Der
1821 Kongress von Laibach billigt das österr. Eingreifen. Die Erhebung bricht zusammen; ihre Führer werden in polit. Prozessen zu Festungshaft verurteilt oder emigrieren. Hass gegen Habsburg.
Serbien: Das auf Erinnerungen an das Groß-Serb. Reich (S. 204 f.) gegründete, durch orth. Kirche und Volksdichtung bewahrte und im Partisanenkampf der Hajduken gefestigte Nationalgefühl verbindet sich mit modernen Freiheitsideen.

1804–12 Erster Volksaufstand gegen das Osman. Reich unter KARA GEORG PETROVIĆ, GEN. KARADJORDJE. Eigene polit. Ordnung aus Senat und Skupschtina (Volksvertretung). Im
1815–17 zweiten Aufstand erringt MILOŠ OBRENOVIĆ (1780–1860) die innere Autonomie. Das tributpflichtige Fsm. behält seine Unabhängigkeit durch Lavieren zwischen Russland und der Türkei trotz ständiger Machtkämpfe der KARADJORDJEVIĆ und OBRENOVIĆ.
Griechenland: Eingedenk ihrer klass. Vergangenheit bilden griech. Patrioten 1814 **Hetairien** (Geheimbünde) in Athen (Gf. KAPODISTRIAS) und Odessa (Fs. YPSILANTI). Von griech. Kaufleuten in Konstantinopel (Fanarioten) und der orth. Kirche unterstützt, organisieren sie Volkserhebungen auf dem Festland (Klephten, Mainoten) und den Ägäis-Inseln (Hydrioten).
1821–29 Griech. Freiheitskampf. Die von griech. Gen. in russ. Diensten Fs. ALEXANDER YPSILANTI (1792–1828) geführte
1821 Erhebung der Moldau und Walachei misslingt (Niederlage von Dragaschan). Dennoch proklamiert der griech.
1822 Nationalkongress in Epidauros die Selbstständigkeit, begeistert gefeiert von konserv. und liberalen »Philhellenen« (LUDWIG I. VON BAYERN, CHATEAUBRIAND u. a.). Freiwillige (BYRON) sammeln sich in Genf. Vergeltungsaktionen (Türkengreuel auf Chios) drohen den Kampf jedoch zu ersticken.
1824 Intervention der ägypt. Flotte MOHAMMED ALIS (S. 375);
1826 Missolunghi fällt nach hartnäckigem Widerstand. – Während METTERNICH die Insurrektion als rev. verurteilt, begünstigt Zar NIKOLAUS I., aus orth. Verwandtschaft, Türkenfeindschaft und polit. Interesse die Erhebung. Im
1827 Londoner Vertrag treten England, Frankreich, Russland für griech. Autonomie ein.
1827 Vernichtung der türk.-ägypt. Flotte bei **Navarino** durch ein vereinigt. brit.-franz.-russ. Geschwader. Gf. KAPODISTRIAS wird Regent und baut von Nauplia aus die griech. Verw. auf. Ein franz. Hilfskorps befreit Morea.
1828/29 russ.-türk. Krieg.
1829 Friede von Adrianopel (durch preuß. Vermittlung): Russland erhält die Donaumündung und Schutzrechte über Griechenland, dessen Souveränität in der
1830 Londoner Konferenz anerkannt wird. Nach Ermordung KAPODISTRIAS' wird
1832 OTTO I. VON WITTELSBACH als König gewählt. Seine absolutist. Herrschaft endet trotz Einführung einer
1844 Verfassung mit seiner Absetzung (1862).
Ergebnis: Auflösung der Hl. Allianz wegen des russ.-österr. Gegensatzes in der »orientalischen Frage«. Die rev. Bewegungen in Europa erhalten neuen Auftrieb durch die franz. Juli-Rev. (S. 329).

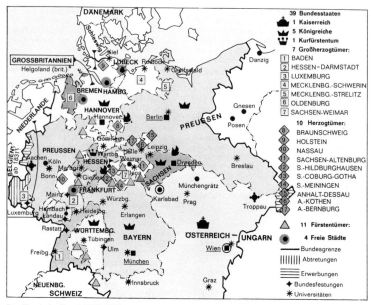

Der Deutsche Bund 1815–1848

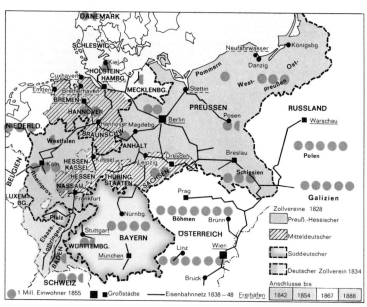

Die wirtschaftliche Einigung Deutschlands 1828–1888

Reaktion und nationale Opposition
Die Restaurationspolitik des Bundestages und der (35) Fürsten garantiert eine Periode äußerer Ruhe (Biedermeierzeit). Adel, konserv. Beamten- und Bürgertum lehnen liberale Ideen ab.
1815 **Gründung der Deutschen Burschenschaft** in Jena als Reaktion auf das »System Metternich« (unter den »Reichsfarben« Schwarz-Rot-Gold und der Devise »Ehre, Freiheit, Vaterland«). Das zur Erinnerung an die Reformation und die Leipziger Völkerschlacht gefeierte
1817 Wartburgfest endet mit Verbrennung der Bundesakte, reaktionärer Schriften und Symbole. Radikale Gruppen (KARL FOLLEN) drängen zur Tat. Der Student K. L. SAND wird nach
1819 Ermordung des Dichters KOTZEBUE (vermeintlicher Agent des Zaren) hingerichtet. Auf METTERNICHS Veranlassung reagiert eine Ministerkonf. mit den
1819 Karlsbader Beschlüssen: Errichtung einer Zentraluntersuchungskommission in Mainz; Verbot der Burschenschaft; Verfolgung der »Demagogen«; Überwachung der Presse und Universitäten. Diese Beschlüsse werden Bestandteil der
1820 Wiener Schlussakte und damit der Bundesverfassung. Mit polizeistaatl. Mitteln wird die nat. Bewegung unterdrückt.

Die Anfänge politischer Richtungen
Ehem. Rheinbundfürsten gewähren nach franz. Muster **Verfassungen** (Betonung des monarch. Prinzips, Volksvertretungen in zwei Kammern), so in Nassau 1814; Sachsen-Weimar 1816; Bayern, Baden 1818; Württemberg 1819; Hessen-Darmstadt 1820. – Die (beschränkte) polit. Mitwirkung des Volkes fördert vor allem in **Baden** den **süddeutschen Liberalismus:** Pazifist. und nat. Ideen (WELCKER) verbinden sich mit Forderungen nach Selbstverw., Schwurgerichten, Volksmiliz und nat. Wirtschaft (FRIEDR. LIST). – Unter stärkerem Druck der Reaktion entfaltet sich nur langsam der mehr an England orientierte **norddeutsche Liberalismus** mit besonderer Betonung der nat. Einheit (DAHLMANN). Der Historiker JOH. GUST. DROYSEN wie der Süddt. PAUL PFIZER befürworten die preuß. Führungsrolle. – Erste Zentren des **polit. Katholizismus** bilden sich in München (LUDWIG I., GÖRRES), Frankfurt und am Rhein. Unter dem Eindruck von Verhaftungen hoher Geistlicher (Ebf. DROSTE ZU VISCHERING, 1837) in den
1836–40 Kölner Wirren (Mischehenstreit mit dem preuß. Staat) schließen sie sich enger zusammen. – Der frühe **Konservatismus** findet seine stärkste Stütze im Kreis um den preuß. Kronprinzen und die Gebr. GERLACH. Sein Publikationsorgan wird ab 1848 die ›Kreuzzeitung‹.

Preußen und der deutsche Zollverein
1797–1840 FRIEDRICH WILHELM III. hält starr an den Grundsätzen der Hl. Allianz fest. »Demagogen« werden verfolgt, Männer wie STEIN, GNEISENAU, SCHLEIERMACHER verdächtigt. Die innere Ref. wird eingestellt, die ländl. Selbstverw. nicht verwirklicht, die Bauernbefreiung gehemmt. Durch das
1816 Regulierungsedikt zur Entschädigung der Gutsherren entsteht ein **Großgrundbesitz** mit rationeller Betriebsweise, aber auch ein **Proletariat** (Tagelöhner), Landflucht und Auswanderung.
1817 Union der luth. und ref. Kirche. – Verfassungspläne W. VON HUMBOLDTS und BOYENS scheitern, eingerichtet werden nur
1822 Provinzialstände (Landtage der 8 Prov.; Übergewicht des konserv. Offiziers-, Beamten- und Grundadels). – Hauptaufgabe bleibt die Verschmelzung älterer prot., konserv. Agrargebiete und neuer kath., gewerbl.-lib. Landesteile (Rheinprov., Westfalen). Den Güteraustausch fördert das neue
1818 Steuer- und Zollgesetz (MAASSEN): Grenzzölle und Verbrauchssteuern ersetzen die Akzise. – Zur Überwindung der 38 deutschen Zollsysteme gründet der Schwabe **Friedrich List** (1789–1846) den
1819 Handels- und Gewerbeverein.
1828 Einrichtung begrenzter Zollvereine gegen den Widerstand METTERNICHS. Sie verbinden sich auf Initiative des preuß. Finanzmin. MOTZ (1775–1830) zum
1834 **Deutschen Zollverein** unter preuß. Führung. Er wird zur Vorstufe der polit. Einigung und der Industrialisierung (S. 338). – Der Aufbau des Eisenbahnwesens nach Plänen von FRIEDR. LIST beginnt mit der
1837–39 Bahnlinie Leipzig-Dresden.

Der Vormärz (1830–48)
Die Auswirkungen der Juli-Rev. (S. 329) verschärfen sich den
1834 **Wiener Ministerialkonferenzen** wieder die Reaktion mit Demagogenverfolgungen und Pressezensur. Emigranten sammeln sich in Paris und in der Schweiz. – Nach Auflösung der Pers.-U. mit England bricht Kg. ERNST AUGUST VON HANNOVER die Verfassung:
1837 Protest und Amtsenthebung der »**Göttinger Sieben**« (u. a. J. und W. GRIMM).
1840 Die franz. Forderung der Rheingrenze (S. 327) löst Proteststürme in ganz Deutschland aus. Patriot. Lieder entstehen (›Die Wacht am Rhein‹, Deutschlandlied). – Nat. Erwartungen knüpfen sich an
1840–61 FRIEDRICH WILHELM IV., der die »Demagogen« amnestiert, die Kölner Wirren beendet und den Kölner Dombaufest 1842 und den »Tausendjahrfeier der Reiches« 1843 nat. Symbole setzt. Er verweigert jedoch eine Verfassung. Zögernd entschließt er sich zur
1847 Berufung des Vereinigten Landtages (beratende ständische Vertretung).

Die brit. Innenpolitik konzentriert sich um 4 Grundprobleme: 1. Anpassung des parlamentarischen Systems (S. 309) an die neuen sozialen Verhältnisse; 2. Durchsetzung des wirtschaftl. Liberalismus; 3. Forderung der Arbeiter nach sozialer Sicherheit und polit. Anerkennung; 4. Lösung der irischen Frage.

Die konservative Periode (1815–30)
Das Ansehen der Krone sinkt durch Eheskandale des »Dandy«
1820–30 GEORG IV., Regent seit 1811. – Nach den Kriegen gegen NAPOLEON schwere wirtschaftl. Depressionen. Vom
1812–27 Tory-Kabinett LIVERPOOL erreichen die Grundbesitzer das Einströmen des billigen Übersee-Getreides
1815 Getreideschutzzölle (Corn Laws). Die hart betroffenen Arbeiter finden in dem Journalisten Cobbett (1762–1835) einen Anwalt und demonstrieren für dessen radikale Forderungen. Auf die
1819 Unruhen in (»Peterloo«) Manchester antworten die »old stupid Tories« oder »Ultras« mit den »Six Acts«: Knebelgesetze gegen Presse- und Versammlungsfreiheit. Doch gewinnen gem. Jung-Tories um Rob. Peel (1788–1850) Einfluss. Mit
1822 AMin CANNING (1770–1827) Abwendung von der Restaurationspolitik (S. 323), Milderung des Strafrechts, Gewährung der Koalitionsfreiheit.
1824 Gesetzl. Anerkennung von Trade Unions (örtl. Gewerkschaften).
Unter dem Druck der nat. »Irish Catholic Association«, 1825 reaktiviert von O'Connell (1775–1847), und auf Betreiben des »Verräters« PEEL hebt das Kabinett WELLINGTON die Testakte auf:
1829 Katholikenemanzipation.
O'CONNELL setzt im Parlament die Milderung der irischen Steuerlasten durch und fordert die Aufhebung der Union mit Irland von 1801 (»Repeal«).

Die liberale Reformperiode (1830–48)
1830–37 WILHELM IV.; die Neuwahl zum Regierungsantritt bringt unter dem Eindruck der franz. Juli-Rev. (S. 327) das
1830 Whig-Kabinett GREY an die Macht. Es kämpft die Reformpläne von Lord Russell (1792–1878) gegen Tories und Oberhaus durch.
1832 Parlamentsreform: 143 von 200 Mandaten der »rotten boroughs« fallen an neue städt. Wahlkreise; durch die Wahlrechtserweiterung auf Hausbesitzer nimmt die Stimmenanzahl um etwa die Hälfte zu.
Folgen: Regelmäßige Wahlen, Bindung der Reg. an Parlamentsmehrheit, Änderung der Parteinamen in Konservative und Liberale.
1833 1. Fabrikgesetz: Begrenzung der Kinderarbeit auf täglich 8 Stunden; staatl. Inspektionen.

1833 Aufhebung der Sklaverei; neue Armengesetze mit Arbeitszwang in Armenhäusern; Städteordnung mit verstärkter Selbstverw. (1835). – Sozialkritik übt Charles Dickens (1812–70) in seinen Romanen.
1837–1901 Viktoria. Beliebt wie ihr Gemahl PRINZ ALBERT VON SACHSEN-COBURG (1819–61), beachtet die Königin loyal die Verfassung und wird zum Symbol der »viktorianischen Ära« (S. 382). – Enttäuscht über die Parlamentsreform und das Scheitern einer nat. Gewerkschaft (1834) von Rob. Owen (S. 344), THOMPSON u. a., gründet der Tischler Lovett (1800–77) die
1836 Working Men's Association. Er formuliert in der ›People's Charter‹ (mit Bezug auf die Magna Charta von 1215) die Volkswünsche: allg. Wahlrecht, Diäten für Abgeordnete, jährl. Wahlen, Sozialreformen. Die Petition wird nach
1838 Ablehnung durch das Parlament zum Programm der Chartisten, der ersten polit. Arbeiterbewegung. Der radikale O'CONNOR drängt LOVETT aus der Führung und ruft zu Streiks auf, die zu lokalen Aufständen (Birmingham, Newport) führen. Zugleich verbindet sich die Manchesterschule (S. 321) aus gemeinsamem Interesse am Freihandel mit der Arbeiterschaft. COBDEN und BRIGHT (1811–89) veranlassen die
1838 Gründung der Anti-Corn-Law League, treten für Volksbildung, Pazifismus, Wahlreform ein, unter Ablehnung aller Sozialgesetze (Prinzip des »Laissez faire«). Ihre Massenagitation hat Erfolg:
1842 Erster Versuch eines Generalstreiks. – Mit friedl. Mitteln führt die von OWEN inspirierte
1844 erste Konsumgenossenschaft der »Pioniere von Rochdale«. Die soziale Krise wird verschärft durch die
1845/46 Hungerkatastrophe in Irland infolge einer Kartoffelkrankheit. Sie fordert etwa eine Mill. Tote, die Bevölkerung von 8,3 Mill. sinkt bis 1851 auf 6,6 Mill. (Massenauswanderung über einer Mill. nach Nordamerika). Die Terrorwelle der nat. Bewegung »Junges Irland« wird 1848 niedergeschlagen. – Das konserv. Kabinett Peel entschließt sich in letzter Stunde« gegen den rechten Parteiflügel (DISRAELI) zur
1846 Aufhebung der Getreidezölle und damit zur Freihandelspolitik. Der Sieg der Manchesterschule spaltet die konserv. Partei und beseitigt die letzte Schranke auf dem Weg zum reinen Industrie- und Handelsstaat. Die Landwirtschaft verfällt.
1847 Übergang zum Zehn-Stunden-Tag in den Fabriken; die Chartistenbewegung läuft aus. Die Revolution von 1848 geht an Großbritannien vorüber trotz unruhiger Außenpolitik PALMERSTONS »Lord Firebrand«, 1784–1865), dessen Politik der »Splendid isolation« vom Volk, weniger von der Königin und dem Kabinett RUSSELL geteilt wird.

Die Restauration der Bourbonen (1814–30)
1814–24 Ludwig XVIII., aus dem Exil (Verona)
»mit der weißen Fahne im Gepäck« zurückgekehrt, oktroyiert die
1814 **Charte constitutionelle:** Zweikammernsys-
tem nach brit. Vorbild (erbl. Pairs- und nach
hohem Zensus gewählte Deputiertenkammer); Gesetzesinitiative allein bei der Exekutive, ausgeübt durch dem König verant-
wortliche Minister. Die Neuverteilung der
Nationalgüter, Rechtsgleichheit (Code civil)
und bürgerl. Freiheiten werden anerkannt.
Das Besitzbürgertum wird zur polit. stärksten Schicht.
Parteien: Ultraroyalisten (KARL X., POLIGNAC,
VILLÉLE) für Restaurierung der alten Adelsprivilegien;
Independenten (CONSTANT DE REBEQUE) für
die lib. »Prinzipien von 1789«;
Doktrinäre (GUIZOT) für eine konstitutionelle Monarchie. – Nach dem Zwischenspiel
der »Hundert Tage« (S. 315)
1815 Zweite Restauration: »Weißer Terror« gegen Jakobiner und Bonapartisten; Wahl der
ultraroyalist. »Chambre introuvable« (1816
aufgelöst); »Reinigung« der Behörden
(70 000 Verhaftungen); Erschießung napoleon. Generale (Marschall NEY). Der König
sucht auszugleichen. Die Kab. RICHELIEU
(1815) und DECAZES (1818) erreichen im
1818 Kongress von Aachen Abzug der Besatzung und Wiederaufnahme in das Konzert
der Großmächte. – Nach
1820 Ermordung des Hz. VON BERRY (Sohn
KARLS X.) verschärft sich die Reaktion; Revision des Wahlrechts (Doppelstimmen für
Höchstbesteuerte). Die lib. Opposition organisiert sich nach ital. Vorbild in Geheimbün-
den der **Charbonnerie** (LA FAYETTE); Lieder
und Veteranenkult um NAPOLEON (gest.
1821) verbreiten die **Bonapartisten-Bewe-
gung.** – Zur Ablenkung
1823 Intervention in Spanien (S. 323) auf Betreiben des AMin. CHATEAUBRIAND (1768–
1848), des franz. Restaurationspolitikers im
Geiste der Hl. Allianz.
1824–30 KARL X. regiert mit der Kirche und
den Ultras (Kabinett VILLÈLE, 1821–28). Sa-
krileg- und Pressegesetze, kirchl. Schulaufsicht, Rückkehr der Jesuiten, Auflösung der
Nationalgarde und Bewilligung der »Milliarde der Emigranten« zu deren Entschädigung
reizen die Opposition. Seit 1828 lib. Kammermehrheit. Die Ablösung des gemäßigten
Kabinetts MARTINAC durch das reaktionäre
Kabinett POLIGNAC (ab 1829) bringt den
Staat in eine Krise trotz
1830 Eroberung Algiers. Die »Juliordonnan-
zen« (Auflösung der Kammer, Pressezensur,
Wahlrechtsänderung) führen zur
1830 Juli-Revolution, vorbereitet u. a. durch
den Historiker und Redakteur des ›National‹
Adolphe Thiers (1797–1877). Nach Barrika-
denkämpfen in Paris dankt KARL X. ab und
flieht nach England.

Das Juli-Königtum (1830–48)
Die den Republikanern polit. überlegene
Partei der Bourgeoisie (LA FAYETTE, LA-
FITTE, THIERS, GUIZOT) lässt
1830–48 LUDWIG PHILIPP I., Hz. von Orléans
(57 J.), unter Annahme der Trikolore zum
»König der Franzosen« proklamieren. Mit
der Revision der Verfassung (Ministerver-
antwortlichkeit, Senkung des Wahlzensus)
beginnt die »goldene Zeit« des Großbürger-
tums; das Land kapitalisiert und industriali-
siert sich (Bergbau und Eisenbahnen).
Der »Bürgerkönig« laviert zwischen den
Parteien des »Mouvement« (liberal) und der
»Résistance« (konserv.), behauptet sich gegen Aufstände von rechts und links (1831/
34 Lyon; 1832/34 Paris) und festigt bis 1840
seine Stellung durch autoritäre Kabinette
(Bankier PÉRIER).
Mit Hilfe des Historikers **François Guizot**
(1787–1874) setzt ein konserv.-persönl.
Regime durch. Das Finanzbürgertum (pays
légal) wird mit der Parole »Enrichisse-
vous« (Bereichert euch!) gewonnen. Die Regierung gleicht (nach TOCQUEVILLE) einer
korrupten Aktiengesellschaft, die ihre Wähler mit materiellen Vorteilen besticht (1842
Privatisierung der Eisenbahn).
Außenpolitik: Zusammen mit England (TAL-
LEYRAND und PALMERSTON: Entente cordiale 1830) zunächst Unterstützung der lib.
Bewegungen in Portugal, Spanien, Belgien.
Während der Orientkrise (S. 365), die seinen
Sturz veranlasst, sucht
1840 MP. THIERS Prestigeerfolge in Ägypten
und am Rhein, die einen nat. Entrüstungs-
sturm in Deutschland auslösen (S. 325).
1840–47 AMin. GUIZOT bemüht sich wieder
um eine Allianz mit England.
1843 Staatsbesuch Königin VIKTORIAS, Erweiterung des Kol.-Besitzes in Afrika und Ozeanien; Marschall BUGEAUD schließt die Eroberung Algeriens ab (S. 385). – Ab 1846 Annäherung an die Ostmächte (METTERNICH). –
Die Opposition (Intelligenz, Studenten) verstärkt sich. Gefährlicher als die **Legitimisten**
(Landadel) werden **Republikaner** unter LE-
DRU ROLLIN (1807–74) und **Bonapartisten.**
1840 Feierliche Überführung der Gebeine NA-
POLEONS in den Invalidendom; Putschversuche des Prätendenten LOUIS NAPOLEON 1836
von Straßburg, 1840 von Boulogne aus. Er
flieht 1846 aus dem Gefängnis nach England.
1846/47 Wirtschaftskrisen (Kartoffelkrankheit,
Überproduktion) radikalisieren das neue
Proletariat. Die in Gruppen zersplitterten
Kleinbürger und Arbeiter (vgl. Frühsozialis-
ten S. 344) sammelt **Louis Blanc** (1811–82)
mit der Forderung nach staatl. Arbeitssiche-
rung.
1847 Reformbankette (LAMARTINE) mit Forderungen zur Änderung des Wahlrechts und
des Parlaments werden von GUIZOT verboten. Sie veranlassen den Ausbruch der Feb-
ruarrevolution (S. 333).

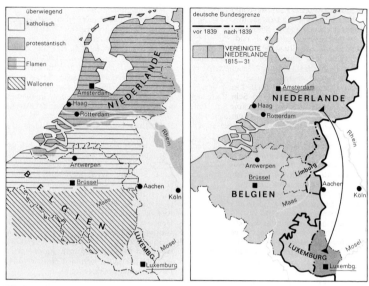

Die Entstehung Belgiens 1831–1839

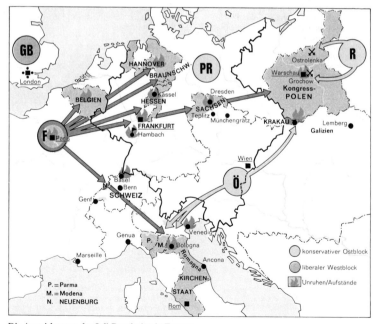

Die Auswirkungen der Juli-Revolution in Europa

Die Auswirkungen der Juli-Revolution
Die Juli-Rev. (S. 327) eröffnet in **Westeuropa**
die Epoche der bürgerl. Vorherrschaft in den
konst. Monarchien; in **Mittel-** und **Südeuropa**
erhält die nat.-lib. Bewegung neuen Auftrieb.
Ein dadurch drohender Konflikt der Großmächte wird vermieden durch Vermittlung
Preußens, durch Bindung Russlands in Polen
und die Verständigung Frankreichs mit England in der belg. Frage. Die Scheidung der
Mächte in einen reaktionären (konserv.) Ostblock (Erneuerung der Hl. Allianz: Monar-
chentreffen zu Münchengrätz und Teplitz
1833) und einen lib. Westblock (Quadrupelalli-
anz 1834) vertieft sich.
Belgien: Der kath. und lib. Widerstand gegen
die Verein. Niederlande ist Ausdruck der
Gegensätze in dem 1815 gegr. Staatsgebilde
(S. 317). Zudem wird Belgien vom ndl.
Nordteil bevormundet: prot. Schulpolitik,
Einführung der ndl. Amtssprache.
1830 Aufstand in Brüssel nach erfolglosen Petitionen; Beschießung Antwerpens. Provisor.
Regierung und Nat.-Kongress erklären die
Unabhängigkeit Belgiens (Nov.). Die europ.
Großmächte garantieren dem neuen Staat im
1831 Londoner Protokoll Selbstständigkeit und
ewige Neutralität (vgl. Schweiz, S. 317).
König wird der brit.-franz. Kompromisskan-
didat
1831–65 LEOPOLD I. VON SACHSEN-COBURG
(41 J.). Er achtet die liberale
1831 belg. **Verfassung** (Volkssouveränität,
Grundrechte, parlamentar. System).
1831/32 Angriff der Niederlande. Er wird mit
franz. Hilfe (Fall Antwerpens) abgeschla-
gen. Teilung Luxemburgs im
1839 Londoner Vertrag. Der größte Teil fällt an
Belgien. Limburg verbleibt z. T. den Niederlanden, die Belgien anerkennen.
Schweiz: In der Zufluchtsstätte polit. Flüchtlinge aus ganz Europa wächst die demokrat.
Bewegung (Regeneration). Ab
1830 Ablösung aristokrat. Verfassungen durch
demokrat. (indirektes) Wahlrecht in 10 Kantonen. Keinen Erfolg haben
1831 republ. Erhebungen in Fsm. Neuenburg.
Italien: Eine Rev.-Welle erfasst 1831 Modena,
Parma, die Romagna, aber die erhoffte franz.
Hilfe bleibt bis auf die
1831–38 Besetzung von Ancona aus. Österr.
Truppen ersticken den zweiten Hauptherd
der revolg. Krise. – In seinem Exil (Marseille) gründet der Genuese **Giuseppe Mazzini** (1805–72) den
1832 Geheimbund **»Giovane Italia«** (Junges Italien) zur nat. Einigung und inneren Erneuerung. Unter der Devise »Italia farà da se« (I.
befreit sich selbst) verfolgt er drei Zie-
le:1. Aufrüttelung der Massen; 2. Erneuerung der Staatsidee; 3. Zusammenarbeit in
einem demokrat. Völkerbund; dazu
1834 Gründung des »Jungen Europa« in Bern.
– Von Piemont aus Aufbau eines Verschwö-
rernetzes.

Deutschland: Unruhen erzwingen
1830/31 Verfassungen in Sachsen, Hannover,
Braunschweig, Hessen-Kassel. Mit dem polit. Interesse des Volkes wächst der Druck
der öffentl. Meinung (Presse). Die Dichter
des **»Jungen Deutschland«**, BÖRNE, HEINE,
GUTZKOW u. a. verkünden im neuen Stil des
polit. Journalismus ihre Ideale. Der rev.
Geist äußert sich in Kundgebungen auf dem
1832 Hambacher Fest und im
1833 Frankfurter Wachesturm. Der von Studenten angezettelte Putschversuch verstärkt
wieder die Reaktion (S. 325).

Polen: Wirtschaftl. Aufstieg unter Finanzmin.
Fs. LUBECKI. Seit NIKOLAUS I. (S. 347) meh-
ren sich russ. Eingriffe in die (von CZARTO-
RYSKI entworfene) Verfassung.
Die Absicht des Zaren, die poln. Armee gegen die franz. und belg. Rev. einzusetzen,
entfacht den
1830 Aufstand in Warschau; der russ. Gfs.
KONSTANTIN flüchtet. Fs. **Czartoryski**
(1770–1861) bildet eine nat. Regierung; der
Reichstag setzt die russ. Dyn. ab.
1831 Niederlagen bei Grochow (gegen DIE-
BITSCH) und Ostrolenka. **Paskjewitsch**
(1782–1856) erobert Warschau. Als Statthalter führt er nach harter Bestrafung der
Insurgenten eine rücksichtslose Russifizierung durch. Das
1832 Organische Statut gibt Polen den Rang
einer russ. Prov. – Tausende poln. Freiheitskämpfer fliehen ins Ausland. Zentrum der
»Großen Emigration« wird Paris, doch spalten sich die Exil-Polen in aristokrat. »Weiße« (CZARTORYSKI) und demokrat. »Rote«
(LELEWEL), die sich an allen rev. Kämpfen
beteiligen.
1846 Aufstand in Krakau, der zur österr. Annexion der Freien Stadt führt. – In Polen bemüht sich Gf. ZAMOYSKI um Hebung des
Bauernstandes; der Marquis **Wielopolski**
(1803–77) errichtet unter ALEXANDER II.
(S. 347) wieder die poln. Autonomie. Seinen
Verzicht auf nat. Selbstständigkeit lehnt die
patriot. Bewegung (TRAUGUTT) ab. Wieder
von Europa (NAPOLEON III.) im Stich gelas-
sen, endet die durch Rekrutenaushebungen
veranlasste, neue
1863 Poln. Aufstand in einer nat. Katastrophe.
Eine Volkserhebung bleibt aus; »Weiße« und
»Rote« bekämpfen sich; wirkungslose
franz.-brit., österr. Protestnoten angesichts
der preuß.-russ. Zusammenarbeit (S. 353)
bei der Unterdrückung. Hinrichtung der nat.
Führer; Deportationen; Gütereinziehungen.
Großzügige
1864 Bodenreform, geleitet von Gf. MILJUTIN,
Aufteilung des »Weichselgebietes« in
10 Gouvernements (totale Russifizierung:
Entlassung von 14 000 poln. Beamten, Verbot der poln. Sprache). Der poln. Nat.-bewe-
gung bleibt als letzte Zuflucht Galizien
(Univers. Krakau und Lemberg).

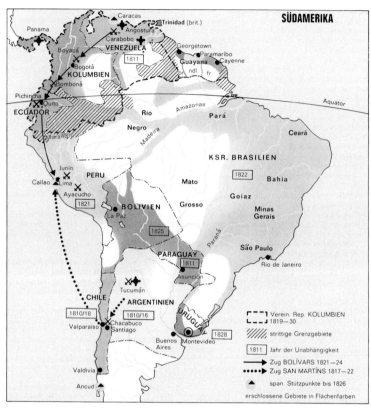

SÜDAMERIKA

Panama · Caracas · Trinidad (brit.)
Angostura
Carabobo
Boyacá · VENEZUELA
Georgetown
Paramaribo
Bogotá · 1811 · Guayana · Cayenne
KOLUMBIEN · ndl. · fr.
Bombóná
Pichincha
Quito
ECUADOR
Marañon
Rio · Amazonas · Äquator
Negro · Pará
Madeira · Ceará
Junín
Callao · PERU · KSR. BRASILIEN
Lima · 1822 · Bahia
Ayacucho
1821 · Mato · Goiaz
La Paz · BOLIVIEN · Grosso · Minas Gerais
1825 · Paraná · São Paulo
PARAGUAY · 1811 · Rio de Janeiro
Asunción
Tucumán
CHILE · ARGENTINIEN
1810/18 · 1810/16 · URUGUAY
Valparaíso · Chacabuco · Santiago
Valdivia · Buenos Aires · Montevideo · 1828
Ancud

Legend:
- Verein. Rep. KOLUMBIEN 1819—30
- /// strittige Grenzgebiete
- 1811 Jahr der Unabhängigkeit
- → Zug BOLÍVARS 1821—24
- ••••▶ Zug SAN MARTÍNS 1817—22
- ▲ span. Stützpunkte bis 1826
- erschlossene Gebiete in Flächenfarben

MITTELAMERIKA

Texas 1836 unabh. · V. St. · New Orleans
Florida bis 1819 span.
Bahamas (brit.)
MEXIKO · Tampico
Kuba (span.)
1821 · Vera Cruz · REP.
Mexiko · YUCATÁN · HAITI · Puerto Rico (span.) · Guadeloupe (fr.)
1821—68 · 1822—44 · Martinique (fr.)
Belize (brit.) · Jamaika
GUATEMALA
HONDURAS
EL SALVADOR · NICARAGUA · Curaçao (ndl.) · Barbados (brit.)
COSTA RICA · VEREIN. PROV. von NEU-GRANADA · Caracas · VENEZUELA
Panama · 1811—19 · Angostura

- Verein. Prov. von ZENTRALAMERIKA 1823—39

Die Bildung neuer Staaten in Süd- und Mittelamerika

Das Ende des span.-port. Kolonialreiches
»Geistige Mutter der Rev.« ist die aufkl. Freimaurerbewegung. Gegründet von dem Venezolaner FRANCISCO DE MIRANDA (1754–1816), verbreiten sich die Freimaurerlogen (Lautaros) über den Kontinent. Der Kampf richtet sich zunächst nur gegen die koloniale Ausbeutung (S. 277), wird aus Handelsinteressen von England gefördert und von **Kreolen** (Criollos bzw. Naturaes: Kolonialspanier bzw. -portugiesen, 10–40 Prozent der Bevölkerung) getragen. Während der napoleon. Herrschaft im span. Mutterland bilden Stadträte und Kongresse (Junten) selbst. Regierungen. Milit. Aktionen FERDINANDS VII. (S. 323) zur Restaurierung des alten Systems radikalisieren die gemäßigten Wünsche der lib. weißen Oberschicht (Blancos) zu demokrat. Unabhängigkeitsforderungen der farbigen Proletariats (Colorados: Mestizen, Mulatten = Mischlinge). Freiheitsführern wie **Simón Bolívar** (1783–1830) und **José de San Martín** (1778–1850) gelingt die Loslösung durch die Gunst der polit. Lage. US-Präs. JAMES MONROE verwahrt sich in der
1823 Monroe-Doktrin gegen Interventionsabsichten der Hl. Allianz (»Amerika den Amerikanern!«). Belastet durch Rassenprobleme, Unbildung der Massen und wirtschaftl. Unterentwicklung entstehen wenig stabile Republiken unter milit. oder polit. Führern (Caudillos).
Die USA und Großbritannien erkennen die neuen Staaten sofort an. (CANNING: »Ich rief die neue Welt ins Leben, um das Gleichgewicht wiederherzustellen.«)
1826 Kongress in Panama: BOLÍVARS »südamerikan. Union« verwirklicht sich nicht.

Vize-Kgr. Neu-Spanien (seit 1535): Nach ersten Versuchen (Aufstände der Priester HIDALGO Y COSTILLO 1810 und MORELOS 1815) erkämpft Oberst AUGUSTÍN DE ITURBIDE (1783–1824) die Freiheit.
1821 Unabhängigkeitserklärung **Mexikos: ITUR-BIDE** ernennt sich zum Kaiser, wird aber von General SANTA ANA (1797–1876) ins Exil geschickt und später erschossen. Unter General VICTORIA (1768–1843)
1823 Errichtung einer Republik; die **Vereinigten Provinzen von Zentral-Amerika** trennen sich von Mexiko. Trotz innerer Kämpfe zwischen Föderalisten und Zentralisten schlägt SANTA ANA 1829 eine span. Invasionsarmee und errichtet 1833 ein diktatorisches Regime (bis 1855).

Vize-Kgr. Neu-Granada (seit 1718): Ein
1811 Kongress in Caracas ruft die Unabhängigkeit **Venezuelas** aus. FRANCISCO DE MIRANDA erhält den Oberbefehl, wird aber von span. Truppen geschlagen (1812). Auch BOLÍVAR – 1813 zum Diktator ernannt – scheitert, organisiert aber in Haiti eine neue Armee aus Steppenreitern, brit. und dt. Legionären; befreit 1817–20 Venezuela und Kolumbien.

1819 Kongress von Angostura: Proklamation **Groß-Kolumbiens,** BOLÍVAR wird Präsident. Er schlägt mit seinem Freund SUCRE nach mühsamen Anden-Märschen die Spanier in Ecuador. Zerfall
1830 Groß-Kolumbiens in **Ecuador, Venezuela** und die Verein. Staaten von Neu-Granada (ab 1861 **Kolumbien**).

Vize-Kgr. La Plata (seit 1776): In den um 1810 beginnenden Freiheitskämpfen rufen Junten die Unabhängigkeit von
1811 **Paraguay** unter JOSÉ FRANCIA (Diktator 1814–40) und in Tucumán die
1816 Verein. Staaten am Rio de la Plata (**Argentinien**) aus. SAN MARTÍN wird
1814 OB. der argentin. Freiheitstruppe und bildet eine Armee zur Befreiung Perus aus.

Vize-Kgr. Peru (seit 1542): Die Befehlshaber der patriotischen Streitkräfte in Chile, O'HIGGINS und sein Rivale CARRERA, werden von den Spaniern 1814 besiegt. O'HIGGINS flieht zu SAN MARTÍN, der nach dem
1817/18 Wintermarsch über die Anden **Chile** freikämpft. O'HIGGINS wird zum Diktator ausgerufen. 1820 setzt der brit. Abenteurer Lord COCHRANE die Befreiungs-Armee mit seiner Privat-Flotte nach Callao über. Als letzter Staat wird
1821 Peru unabhängig unter dem Protektor SAN MARTÍN, der seine Truppen mit denen BOLÍVARS vereinigt. Die
1824 Siege bei Junin und Ayacucho brechen den letzten span. Widerstand in Südamerika. Wegen Differenzen mit BOLÍVAR tritt SAN MARTÍN zurück und stirbt im europ. Exil. Unter dem Präsidenten SUCRE (1795–1830) erklärt sich Südperu zur
1825 Republik **Bolivien.**

Brasilien löst sich als einziger Staat ohne Kämpfe vom port. Mutterland. Der im Lande aufgewachsene port. Thronfolger PEDRO kehrt nach NAPOLEONS Sturz nicht nach Portugal zurück.
Eine von PEDRO einberufene Nationalversammlung ruft
1822 das unabhängige Kaiserreich Brasilien unter PEDRO I. aus. Ein Krieg mit Argentinien um das 1817 annektierte **Uruguay** endet mit dem
1828 Frieden von Montevideo. **Uruguay** wird selbstständig.
Der Kaiser dankt
1831 zu Gunsten seines Sohnes PEDRO II. ab.

Westindien: Das seit 1697 franz. **Haiti** befreit sich 1804 unter dem farbigen »Kaiser« JEAN JACQUES DESSALINES und bildet 1806 eine Republik. Durch einen Aufstand span. Siedler schält sich 1808 der Ostteil der Insel ab und kommt wieder unter span. Herrschaft.
1821 Unabhängigkeitserklärung der **Dominikan. Rep.** (1822–44 von Haiti besetzt).

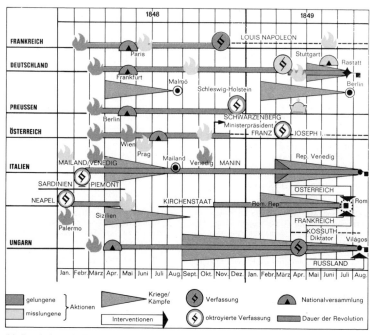

Die Revolutionen in Europa 1848/49

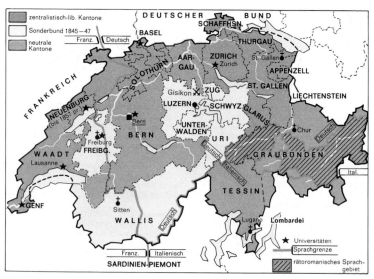

Die Schweiz bis 1848

Die **Revolution von 1848** erfasst mit Ausnahme Englands und Russlands alle großen europ. Staaten. Die lib., nat. und soz. Kämpfe enden in Niederlagen, die den Glauben an die Macht der Idee über die Wirklichkeit (HEGEL) erschüttern und eine Epoche realist. Machtpolitik einleiten.

Vorspiel der Rev.: Schweiz (1847/48)
Seit 1838 Auftrieb der demokrat. Bewegung (Revision der Kantonsverfassungen); dadurch Gegensatz zwischen lib. Kantonen, die einen unitar. Bundesstaat erstreben, und konserv.-kath. Kantonen, die am Staatenbund festhalten.
1844/45 Freischarenzüge gegen Luzern.
1845 Bildung einer »Schutzvereinigung« (Sonderbund), deren Auflösung die Tagsatzung (allg. Bundesbeschluss) beschließt.
1847 Sonderbunds-Krieg: Rascher Sieg des Tagsatzungs-Heeres (Gen. DUFOUR) bei Gisikon. Eine Intervention der Schweizer Schutzmächte von 1815 verzögert PALMERSTON (S. 326).
1848: Neue Bundesverfassung (amerikan. Vorbild): Nationalrat (Parlament) und Ständerat (Kantonsvertretung) bilden die Bundesvers. (Legislative); diese wählt den Bundesrat (7 Mitgl.) mit dem Bundespräs. (Exekutive), kontrolliert durch das Bundesgericht. Der **Bund** ist zuständig für Außenpolitik, Miliz, Zoll-, Bahn- und Münzwesen; der **Kanton** für Kirche, Schule, Gerichts- und Pressewesen.

Frankreich: Die Zweite Rep. (1848–52)
Das Verbot eines Reformbanketts in Paris (S. 327) löst die
22.–24. 2. 1848 Februar-Rev. aus: Barrikadenkämpfe; Studenten, Arbeiter und Nationalgarde erzwingen die Abdankung des »Bürgerkönigs« und rufen die Rep. aus. Bildung einer provisor. Reg.: Der Dichter LAMARTINE (1790–1869) rettet als AMin. die Trikolore vor der »Roten Fahne« der Sozialisten. Arbeits-Min. **Louis Blanc** (S. 327) errichtet **Nationalwerkstätten** zur Arbeitslosenversorgung.
Unter Innen-Min. **Ledru-Rollin** (1807–74)
April erste allg. Wahl zur Nat.-Vers., die eine bürgerl. Mehrheit bringt.
Mai Massenaufmärsche radikaler Sozialisten (LOUIS AUGUSTE BLANQUI).
Juni Schließung der unrentablen Nationalwerkstätten. Darauf **Pariser Juni-Aufstand** der Arbeiter. Kriegs-Min. **Eugène Cavaignac** (1802–57) erhält diktator. Vollmacht; er lässt die »rote Gefahr« zusammenschießen (ca. 10 000 Tote).
Nov. Verfassung der Zweiten Rep. mit einer Kammer und direkter Wahl des Präs. (Haupt der Exekutive, 4-jähr. Amtszeit ohne Wiederwahl). – Gegen CAVAIGNAC und LEDRU-ROLLIN gibt das um Sicherheit besorgte Bürgertum 75 Prozent der Stimmen dem Neffen NAPOLEONS I.:

Dez. 1848 Louis Napoleon (40 J.) wird Prinz-Präsident. Er regiert antiparlament., gewinnt das Vertrauen von Volk und Kirche.
1849 Röm. Expedition zur Erhaltung des Kirchenstaates (s. u.) gegen den Protest der Republikaner, die er mit Hilfe der Monarchisten (zwei Drittel der Kammer) ausschaltet. Ein republikan. Aufstand (LEDRU-ROLLIN) schlägt fehl (Juni). Das
1850 Gesetz zur Wahlrechtsbeschränkung nutzt er zur Stimmungsmache gegen die Kammer, die eine Verfassungsänderung zu seiner Wiederwahl ablehnt. Darauf
Dez. 1851 Staatsstreich: Auflösung der Kammer und Verhaftungen (THIERS, CAVAIGNAC). Ein Plebiszit genehmigt die
Jan. 1852 Neue Verfassung (10-jähr. Präsidentschaft, Senat, Gesetzgebende Körperschaft [vgl. S. 305]; Kontrolle der Presse und Nationalgarde). Senatsbeschluss und neues Plebiszit (97 Prozent Zustimmung) bringen das erbliche
Dez. 1852 Kaisertum für Napoleon III.
»Kaiser der Franzosen durch die Gnade Gottes und den Willen der Nation«.

Die Revolution in Italien (1848/49)
Die patriot. Bewegung (MAZZINI, GIOBERTI) hofft auf
1846–78 PIUS IX., den vermeintlich lib. Papst. Seine Amnestie polit. Vergehen und seine Ref. wirken auf andere Fürsten. KARL ALBERT VON SARDINIEN [1831–49] entlässt reaktionäre Minister. **Massimo d'Azeglio** verkündet das »Prinzip der offenen Verschwörung«.
1847 Aufstände in Messina und Reggio; österr. Besetzung von Ferrara:
1848 Unruhen in Palermo, Mailand, Venedig. Verfassungen nach belg. Vorbild erhalten Neapel (auf brit. Druck), Sardinien, die Toskana und der Kirchenstaat.
März–Aug. 1848 »Guerra Santa« KARL ALBERTS und ital. Freiwiliger (S. 337); nach Anfangserfolgen Uneinigkeit der Fürsten über eine polit. Neuordnung. Kapitulation päpstl. Truppen bei Vicenza (Juni); ital. Niederlage.
Garibaldi (S. 351) entkommt in die Schweiz.
März 1849 Wiederbeginn des Krieges.
Neapel: FERDINAND II. [1830–59], »Re Bomba«, unterdrückt lib. Erhebungen und erobert Sizilien zurück (bis Sept.).
Kirchenstaat: PIUS IX. flieht vor der Volksbewegung nach Gaeta;
Febr. 1849 Proklamation der **Röm. Rep.** Vom »idealen Zentrum der Nation« aus entwirft **Mazzini** ein Erneuerungsprogramm, während der Papst Österreich, Frankreich und Neapel zu Hilfe ruft. **Garibaldi** hält die franz. Intervention auf und besiegt Neapel bei Velletri.
Juli 1849 Einzug franz. Truppen in Rom; GARIBALDI schlägt sich abenteuerlich nach San Marino durch. – Die
Aug. 1849 Kapitulation Venedigs nach heroischem Widerstand (MANIN, S. 337) beendet die erfolglose Revolution.

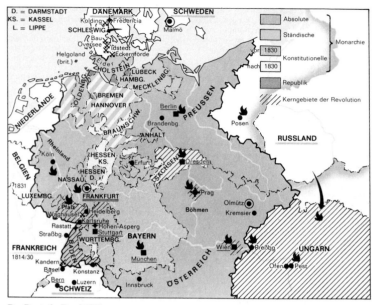

Der Deutsche Bund 1848

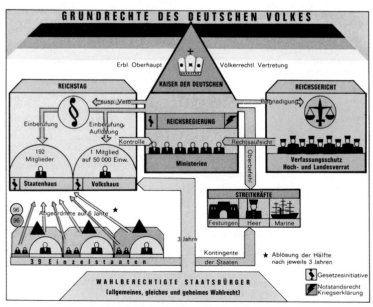

Die Reichsverfassung der Frankfurter Nationalversammlung von 1849

Die Märzrevolution (1848)
Die franz. Februarunruhen (S. 333) greifen auf
Deutschland über. In Demonstrationen werden
Vereins- und Pressefreiheit, Schwurgerichte
und Volksmiliz gefordert. Während die **Radikalen** (Kleinbürger, Bauern am Rhein, in **Baden,**
Sachsen, Schlesien) eine demokrat. Rep. anstreben, begnügt sich das lib. Besitz- und Bildungsbürgertum mit gemäßigten Petitionen;
gemeinsam ist der Wunsch nach nat. Einheit.
Die Fürsten berufen lib. »Märzministerien«;
der Bundestag hebt die Zensur auf, aber seine
Reformpläne kommen zu spät. – Die Rev. erfasst die Großstaaten **Österreich** und **Preußen.**
Studenten entfachen den
13. März Ersten Aufstand in Wien (S. 337); er
veranlasst den preuß. König zu lib. Zuge-
ständnissen. Bei der Dankeskundgebung fallen zwei Schüsse der Schlosswache, das
Volk glaubt an Verrat.
18. März Barrikadenaufstand in Berlin:
Friedr. Wilhelm IV. zieht die Truppen aus
der Stadt ab, beruft ein lib. Ministerium
(Camphausen), huldigt unter Druck des
Volkes den 230 »Märzgefallenen«, verspricht eine Nat.-Vers. zur Beratung einer
Verfassung (S. 339). Preußen soll fortan in
Deutschland aufgehen.
20. März München: Ludwig I. dankt zu Gunsten seines Sohnes Maximilian II. ab (Skandal um die Tänzerin Lola Montez).

Der deutsche Einigungsversuch
Febr. Anträge im bad. Landtag auf Berufung
eines deutschen Parlaments.
5. März Heidelberger Versammlung: 51 Mitgl.
süddeutscher Landtage laden Vertreter aus
ganz Deutschland zur Vorbereitung einer
Nat.-Vers. ein. Das
31. März – 4. April **Frankfurter Vorparlament**
(ca. 500 Mitgl.) beschließt Aufnahme
Schleswigs, Ost- und Westpreußens in den
Bund und allg. freie Wahlen (1 Abg. auf
50 000 Einwohner). Der radikale Antrag auf
Permanenzerklärung des Vorparlaments
(Struve) wird abgelehnt (H. v. Gagern).
Darauf ruft **Hecker** (1811–81) in Konstanz
die Rep. aus. Bad. Bundestruppen (F. v. Gagern) ersticken die
April Erhebungen demokrat. Freischaren in Baden und im Elsass (Herwegh).
Der Bundestag stimmt Wahl einer Volksver-
tretung zu, nichtdeutsche Nationalitäten
Österreichs lehnen Teilnahme ab (Palacky).
**18. Mai Eröffnung der Verfassunggebenden Na-
tionalversammlung** in der Frankfurter Pauls-
kirche: aller (ins. 586) Abgeordneten
(223 Juristen, 106 Prof., 46 Industrielle,
4 Handwerker, kein Bauer) Arndt, Jahn,
J. Grimm, Uhland, Döllinger, Bf. Ketteler. – Präs. wird der hess. »Märzmin.«
Heinrich von Gagern (1799–1880). Ohne
Vereinbarung mit den Fürsten setzt er die
Wahl des volkstüml. Ehz. Johann zum
Reichsverweser durch, der eine prov. **Reichs-**

regierung bildet (Juni). – Das »Parlament
der Professoren« beginnt mit der
Juli-Okt. Beratung der **Grundrechte** (Beseler),
die im Dez. verkündet werden (Vorbild für
alle demokrat. dt. Verf.). – Es bilden sich
polit. Gruppen, nach ihren Tagungslokalen
genannt:
Konserv. Rechte (Café Milani, Steinernes Haus:
Gf. Schwerin, Fs. Lichnowsky, v. Radowitz; föderalistisch);
Lib. Mitte, gespalten in **Rechtes Zentrum** (Ka-
sino, Landsberg: Dahlmann, Droysen;
konstitutionell-föderalistisch) und **Linkes
Zentrum** (Württemberger bzw. Augsburger
Hof, Westendhall; v. Mohl; parlamenta-
risch-unitarisch);
Demokrat. Linke (Dt. Hof, Donnersbg.: Rob.
Blum, Ruge; republik.-zentralist.). Soz.-
rev. Gärungen (Marx, Engels), Bildung erster Arbeiter-Vereine (Stephan Born),
wachsender Widerstand Österreichs und
Preußens (S. 337) und der Druck auswärtiger Mächte in der schlesw.-holstein. Frage
erschweren die polit. Arbeit.

Schleswig-Holstein: Während die »Eiderdänen«
den Anschluss Schleswigs an Dänemark be-
treiben, beharrt die deutsche Partei auf Real-
union mit Holstein (seit 1460, S. 199).
März Angliederung Schleswigs an Dänemark,
Erhebung in Schleswig-Holstein;
Mai Feldzug Preußens in Dänemark (Gen.
Wrangel) im Auftrag des Deutschen Bun-
des; doch erzwingt Russland, England und
Frankreich den
Aug. Waffenstillstand von Malmö. Der nat.
Entrüstung schließt sich die Nat.-Vers.
(Dahlmann) an, muss aber später zustim-
men. Der »Verrat« veranlasst die Radikalen
zum
Sept. Aufstand in Frankfurt gegen die Nat.-
Vers. Ihre Katastrophe stärkt die Reaktion
(S. 339). Lib. Zentrum und Bürgertum sind
seit der »Junischlacht« in Paris (S. 333) eher
geneigt sich mit alter »Autorität und Regie-
rung« zu verbinden als demokrat. Revolutionären.

Okt. 1848 – März 1849 Beratung der Verfassung: Das
konstitutionelle Problem wird zu Gunsten einer
Gewaltenteilung zwischen **Reichstag** und
Erbkaisertum entschieden (März 1849 mit
267 : 263 Stimmen).
Die Lösung des
bundesstaatl. Problems betont die Zentralgewalt (Außenpolitik, Heer, Gesetzgebung)
unter Schonung der Bundesländer. – Das
nat. Problem spaltete die Nat.-Vers. in **Großdeutsche** – föderalist. Richtung (Bundesstaat
mit Gesamt-Österreich unter [kath.] habsbg.
Dyn.); – unitarisch-demokrat. Richtung
(Rep. aus mit Deutsch-Österreich); und in
Kleindeutsche (Nat.-Staat unter Führung der
[prot.] Dyn. Preußens ohne Österreich).

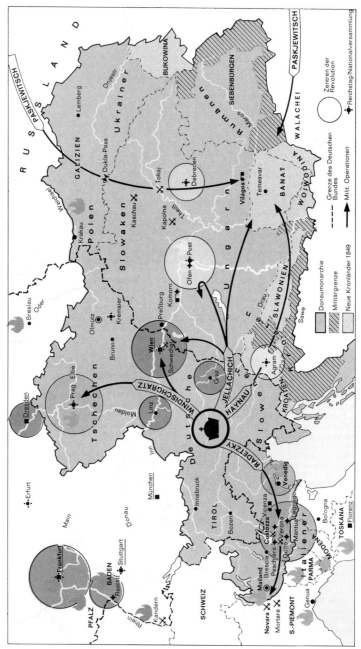

Die Donaumonarchie 1848/49

Die Donaumonarchie (1848/49)

März 1848 Erster Aufstand in Wien (Studenten, Bürgerwehr): METTERNICH flieht nach England. Sein Sturz fordert in allen Reichsteilen nat. Erhebungen; der Hof verspricht eine Verfassung, die jedoch allgemein abgelehnt wird.

Mai Zweiter Aufstand: Einberufung eines verfassunggebenden **Reichstages,** der die endgültige Bauernbefreiung beschließt (HANS KUDLICH, 1823–1917).

Okt. Dritter Aufstand durch meuternde, gegen Ungarn bestimmte Truppen: Ermordung des Kriegs-Min. LATOUR. Der Hof flieht nach Olmütz; die Truppen räumen Wien (AUERSPERG), doch bricht FM. **Alfred Fs. zu Windischgrätz** (1787–1862) den Widerstand der Nat.-Garde. Ihre Führer, auch ROBERT BLUM (S. 335) als Vertreter der Paulskirche, werden erschossen. JOSEPH JELLACHICH (1801–59) schlägt ung. Hilfskontingente bei Schwechat.

Nov. Verlegung des RT. nach Kremsier. Der neue **MP. Felix Fs. zu Schwarzenberg** (1800–52) betreibt die

Dez. Abdankung des schwachsinnigen FERDINAND I. zu Gunsten seines Neffen

1848–1916 Franz Joseph I.

März 1849 Oktroyierung einer zentralist. Verfassung. – Militär und russ. Hilfe retten die Monarchie.

Böhmen: Geleitet von dem Historiker **František Palacky** (1798–1876), tritt der

Juni 1848 **Slawenkongress** in Prag für nationale Gleichberechtigung innerhalb der Donaumonarchie ein (Austro-Slawismus). Die Führer der tschech. Bewegung (PALACKY, RIEGER) sind gegen den Pfingstaufstand, den WINDISCHGRÄTZ niederwirft.

Kroatien: Angesichts des ung. Drucks gibt der RT. in Agram den Plan eines südslaw. Reiches auf. JELLACHICH wird zum Ban von Kroatien ernannt und setzt seine Truppen für die Monarchie ein.

Oberitalien: Märzaufstände in Mailand und Venedig zur nat. Befreiung durch Piemont.

März–Aug. 1848 »Guerra Santa« gegen Österreich (S. 333): FM. **Radetzky** (1766–1858) zieht sich zurück, siegt aber bei Custozza (Juli) über Kg. KARL ALBERT, nimmt Mailand und schließt Waffenstillstand. – Venedig ruft die Rep. aus und wählt **Daniele Manin** (1804–57) zum Diktator. – Nach erneuten

März 1849 Niederlagen bei Mortara und Novara Abdankung des Königs. **Victor Emanuel II.** [1849–78] schließt den

Aug. Frieden von Mailand; Venedig kapituliert. Österreich behält Lombardo-Venetien und die Hegemonie über Italien.

Ungarn: Aufstände zwingen eine Nat.-Reg. (MP. BATTHYÁNY) zur Pers.-U. mit Habsburg unter dem Palatin (Stellvertr.) Ehz. STEPHAN. Die Konservativen unterliegen den Liberalen (EÖTVÖS, 1813–71; **Ludwig Kossuth**, 1802–94; **Franz Deák**, 1803–76): Bauernbefreiung

und Abschaffung der Adelsprivilegien; Aufbau der **Honvéd** (Freiwilligentruppe).

Sept. 1848 Ermordung des Kgl. Kommissars LAMBERG in Pest. Die von Wien verfügte Auflösung des RT. wird nicht befolgt, FRANZ JOSEPH I. nicht anerkannt (Dez.). Eine oktroyierte Verf. führt zur

April 1849 Absetzung der HABSBURGER und Erhebung KOSSUTHS zum Reichsverweser. Kämpfe gegen nat. Minderheiten (Serben). Gen. GÖRGEY und BEM verdrängen die österr. Armee.

Mai 1849 Kaisertreffen in Warschau: Zar NIKOLAUS I. sagt Hilfe zu. Zwei russ. Heere unter PASKJEWITSCH schlagen die Ungarn im Osten; Gen. HAYNAU und JELLACHICH greifen von Westen an (Temesvar). Der Freiheitsdichter **Alexander Petöfi** (1823–49) fällt; KOSSUTH flieht in die Türkei (dort bis 1851 interniert).

Aug. Kapitulation von Világos (Gen. GÖRGEY); die Festung Komorn hält sich bis Okt. – Österr. Strafgericht (Gen. HAYNAU): Erschießung ung. Freiheitskämpfer (BATTHYÁNY); BEM und ANDRASSY (S. 361) entkommen. Aufteilung Ungarns in 5 Prov. unter Milit.-Verw.

Das Ende der Nationalversammlung (1849)

SCHWARZENBERG lehnt den Vorschlag eines »engeren im weiteren Bund« ab (GAGERN) und fordert Aufnahme Gesamt-Österreichs; darauf siegt die **kleindeutsche Richtung.** Mit 290 : 248 Stimmen

März 1849 Wahl des preuß. Königs zum Erbkaiser. FRIEDRICH WILHELM IV. lehnt jedoch die ihm angetragene (»mit dem Ludergeruch der Rev. behaftete«) Würde ab. – Rücktritt GAGERNS, Abberufung der österr. und preuß. Abgeordneten; Auflösung der »Paulskirche«; Bildung des Stuttgarter Rumpfparlaments (Mai), das im Juni durch Militär gesprengt wird. – Radikale **Volkserhebungen** am Rhein, in Berlin, Dresden (RICH. WAGNER, BAKUNIN), vor allem in **Baden** und der **Pfalz.** – Der Ghz. von BADEN erbittet preuß. Truppenhilfe. Der »Kartätschenprinz« WILHELM schlägt bad. Truppen und Freischaren. Nach dem Fall der Festung Rastatt (Juli) Standgerichte mit Massenerschießungen.

Dez. 1849 Abdankung Ehz. JOHANNS als Reichsverweser.

Ergebnis: Die Revolution misslingt wegen der Angst der Bürger vor rev. Radikalismus, aus Mangel an polit. Erfahrung, wegen der Obrigkeitstreue des Heeres und Beamtentums und durch das Eingreifen des Auslands (in Ungarn und Schleswig-Holstein).

Folgen: Der nat. Wunsch nach Einheit bleibt lebendig, doch wendet sich das polit. enttäuschte Bürgertum der Wirtschaft zu (S. 339); **Massenauswanderungen** (u. a. CARL SCHURZ, KINKEL, FREILIGRATH, HECKER; allein 80 000 Badener) schwächen die demokrat. Bewegung.

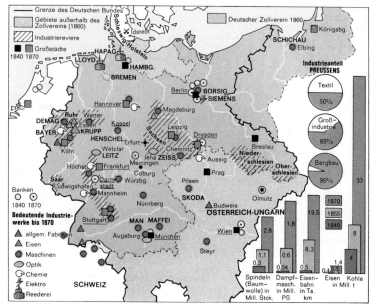

Die Industrialisierung Deutschlands 1840–1870

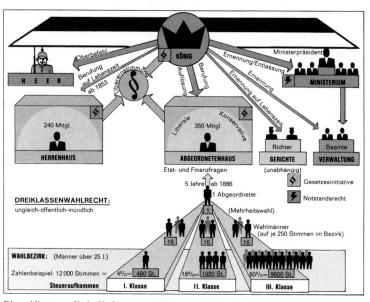

Die revidierte preußische Verfassung vom 31. Januar 1850

Preußen: Rev. und Unionspolitik (1848–50)
Mai 1848 Nat.-Versammlung in Berlin: Im Kampf zwischen Linksmehrheit (Volkssouveränität) und Krone entsteht die **Konservative Partei** (Gebr. GERLACH, BISMARCK) zur Erhaltung der Standesprivilegien und der kgl. Autorität. – Die Erstürmung Wiens (Okt., S. 337) stärkt die Reaktion: Verlegung der Nat.-Vers. nach Brandenburg und Auflösung durch Gen. WRANGEL (1789–1877).
Dez. 1848 Oktroyierte Verfassung: Der Entwurf WALDECKS wird im konserv. Sinne geändert **(Dreiklassen-Wahlrecht)**.
April 1849 Ablehnung der Kaiserkrone (S. 337); der König plant zur Lösung der nat. Frage eine Fürstenunion.
1849 Dreikönigsbündnis mit Sachsen und Hannover;
1850 Erfurter Unionsparlament zur Beratung einer Verfassung. Gegen die **Unionspolitik** (v. RADOWITZ) gewinnt SCHWARZENBERG (S. 337) die Mittelstaaten (u. a. Bayern, Sachsen).
Preuß.-österr. Konflikt um das preuß. Durchmarschrecht in Kurhessen. Als Schiedsrichter entscheidet Zar NIKOLAUS I. (S. 347) für Österreich.
1850 Vertrag von Olmütz: Wiederherstellung des Deutschen Bundes in Frankfurt unter österr. Führung.

Schleswig-Holstein: Die Dänen erneuern den Krieg (Febr. 1849); Preußen gibt im
1850 Frieden von Berlin ein Hzm. auf. Daraufhin dän. Sieg über die Schl.-Holsteiner bei Idstedt.
1852 Londoner Protokoll: Pers.-U. der autonomen Hzm. mit Dänemark.

Die Reaktionszeit (1850–62)
1850/51 Dresdener Konferenzen zur Reform des Bundestages: Einrichtung eines Reaktions-Ausschusses zur Kontrolle lib. Staaten wie **Baden** (lib. »Musterland« unter Ghz. FRIEDRICH [1856–1907]). Eine selbst. »Trias-Politik« neben Österreich und Preußen verfolgen **Sachsen** (MP. BEUST) und **Bayern** unter
1848–64 Maximilian II. (MP. V. D. PFORDTEN, 1811–80).

Wirtschaft: Lib. Großunternehmer, Aktien- und Kommanditgesellschaften entwickeln den Bergbau, die Eisen- und Maschinenindustrie, Ausbau des Banken-, Versicherungs-, Verkehrs- und Nachrichtenwesens, der Elektro- und optischen Industrie.
1847 Gründung der Hapag, 1851 der Diskonto-Gesellschaft (D. HANSEMANN), 1853 der Darmstädter Bank, 1857 des Norddt. Lloyd. Durch die von **Justus Liebig** (1803–73) entwickelten künstl. Düngungsverfahren wird der Ertrag gesteigert; die synthet. Farbenherstellung (1856) begründet die chem. Großindustrie. – Unbeschadet einer ersten

1857 Wirtschaftskrise treibt die Übervölkerung (trotz Auswanderung) die wirtschaftl. Expansion voran; Hauptgewinner ist Preußen (vgl. Grafik, S. 338). – Wirtschaftskreise verlangen stärkere polit. Mitbestimmung und nat. Einheit. Den Patriotismus fördern polit. engagierte Historiker wie GUSTAV DROYSEN (1808–84), HEINRICH VON SYBEL (1817–85), THEODOR MOMMSEN (1817–1903), ebenso Sänger-, Turn- und Schützenvereine, Schiller-Gedenkfeiern (1859), auch einzelne Fürsten (»Schützen-Hz.« ERNST VON COBURG-GOTHA). Der mit Sitz in Coburg 1859 gegr. **Nationalverein** (BENNIGSEN, SCHULZE-DELITZSCH) findet 1862 sein großdt. Gegenstück in Österreich und Süddeutschland im **Reformverein**.

Preußen: Großgrundbesitz, prot. Kirche und Beamte unterstützen das Polizei-Syst. des Min. MANTEUFFEL. Dem neuen
1850 konstituierten Oberkirchenrat (F. J. STAHL, S. 318) wird 1854 die Volksschule unterstellt. Gegen die prot. Kulturpolitik (RAUMER) wendet sich die
1852 Kath. Fraktion (REICHENSPERGER), seit 1859 unter dem Namen **Zentrum**. – RUDOLF VON DELBRÜCK (1817–1903) behauptet in der
1852–54 Krise des Zollvereins (Aufnahme des hannov. Steuervereins; großdeutsche Zollpolitik Österreichs) die preuß. Führung. – Dagegen außenpolit. Unsicherheit: Kamarilla (Hofpartei des Königs) und Kreuzzeitungs-Partei verhindern eine stärkere Anlehnung an die Westmächte. **Bismarck** (S. 353), Gesandter am Bundestag, erstrebt Gleichstellung mit dem österr. Präsidialgesandten.

Österreich: Nach dem Sieg der dynast. Restauration
1851 Aufhebung der Verfassung; **Neoabsolutismus** des Ministeriums BACH: zentralist. Bürokratie, Militärdiktatur in Ungarn und Italien. Das
1855 Konkordat sichert der Kirche Aufsicht über Unterricht, Kultus und Eherecht. – Erfolgreiche Wirtschaftspolitik des Handels-Min. **Bruck** (1798–1860). Seine Zollpolitik scheitert an der wirtschaftl. Rückständigkeit des Donaustaates. – Dauernde Finanzkrise, milit. Schwäche, Opposition der Liberalen und der Nationalitäten, dennoch polit. Führungsanspruch in Deutschland und Italien.
1859 Zusammenbruch der Hegemonie über Italien (S. 351); Aufgabe des Neoabsolutismus. Gegensätze zwischen Zentralgewalt, Reichsländern, Nationalitäten erschweren die Verfassungsbildung. Ungarn und Deutsche lehnen das föderalist.
1860 Oktober-Diplom ab. MP. SCHMERLING (1805–93) entwirft das
1862 Februar-Patent: Teilung der Legislative zwischen Krone und **Reichsrat** (Herren- und Abgeordnetenhaus), den Ungarn, Kroaten, Tschechen und Tiroler boykottieren.

Die Emanzipation der Juden im 19. Jh. (in deutschen Einzelstaaten teilweise schon vor 1871)

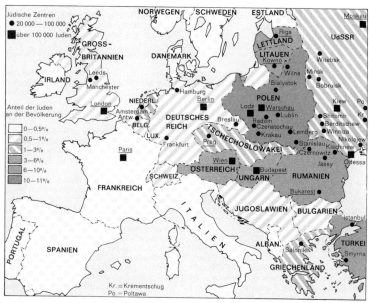

Die jüdische Bevölkerung in Europa 1930

Emanzipation

Die Emanzipation der Juden, die Umwandlung vom geduldeten, rechtl. beschränkten Bevölkerungsteil zum gleichberechtigten Staatsbürger, wird vorbereitet durch die stark alttestamentarisch bestimmte Art der Puritaner in den engl. Kolonien Nordamerikas und die Aufklärung (S. 257).

Geistige Wegbereiter der Emanzipation in Dtl. sind GOTTHOLD EPHRAIM LESSING (›Die Juden‹ [1749], ›Nathan der Weise‹ [1779], vgl. S. 257), ferner der Kriegsrat CHRISTIAN W. DOHM, der in seinem Buch ›Über die bürgerl. Verbesserung der Juden‹ (1781) die These vertritt, dass die den Juden vorgeworfenen Fehler auf ihrer Entrechtung beruhen und die Gewährung gleicher Rechte sie zu guten Staatsbürgern mache, und MOSES MENDELSSOHN (S. 257), der in seiner Abhandlung ›Jerusalem oder über religiöse Macht und Judentum‹ (1783) zwischen dem geistigen Gehalt der jüd. Rel. (dogmenlose Vernunftrel.) und dem Judentum als dem Inbegriff best. Gebote und Gesetze, die auf der Offenbarung beruhen (Gesetzesverkündigung auf dem Sinai: nat. Grundlage), unterscheidet.

Mit der ›Virginia Bill of Rights‹ (S. 293) und den ›Déclarations de droits de l'homme et du citoyen‹ (S. 297) beginnt die Gewährung gleicher Rechte an die Juden.

Einen Höhepunkt bildet die

1791 Verleihung des Bürgerrechts an die Juden, die den Bürgereid leisten, durch die franz. Nat.-Vers.: die jüd. Rel. wird als Konfession anerkannt, die Juden verlieren den Charakter einer »Nation«. Einen Rückschlag bildet die

1807 Errichtung des »großen Synedrion«, einer höchsten jüd. Staatsautorität, durch NAPOLEON I.: keine Autonomie, sondern Schaffung einer zentralist. Ordnung.

Das Dekret von 1808 (›Décret infâme‹) schränkt die Freizügigkeit der Juden im franz. Herrschaftsbereich wieder ein (wird von den Bourbonen aufgehoben).

In **Westeuropa** erhalten die Juden im 19. Jh. mit wenigen Ausnahmen volle Gleichberechtigung (in Portugal erst 1910).

In **Osteuropa** (Polen und Russland) wird die jüd. Bevölkerung häufig unterdrückt (Pogrome), in Russland eine Betätigung in der Landwirtschaft verboten und die Freiheit der Ausbildung eingeschränkt.

In **Südosteuropa** herrscht mit Ausnahme Rumäniens und der Türkei Toleranz. 1917 werden die Juden in der Sowjetunion, dann in den neuen osteurop. Staaten gleichberechtigt. Der Aufhebung des äußeren Gettos folgt die des inneren, in der **Assimilation** (Lösung von der Tradition und Übernahme der kulturellen Werte der Wirtsvölker) und der **Reformbewegung** (rel. Liberalismus) ihren Ausdruck findet.

Nach dem Ersten Weltkrieg bringt die Berührung des westeurop. lib. Judentums mit den Juden der ehem. westl. Teile Russlands eine Neubesinnung auf die jüd. traditionelle Form

(MARTIN BUBER, 1878–1965; FRANZ ROSENZWEIG, 1886–1929).

Antisemitismus

Der Antisemitismus richtet sich gegen die Juden, nicht gegen die Semiten, und hat religiöse, polit. und wirtschaftl. Gründe (S. 155). Im 19. Jh. tritt der **rass. Antisemitismus** hinzu. Wegbereiter sind der franz. Gf. GOBINEAU (S. 343), der in seinem Werk über die Ungleichheit der Menschenrassen (›Essay sur l'inégalité des races humaines‹, 1853–55) die Überlegenheit der »arischen« Rasse vertritt und die Weltgeschichte rass. deutet, und H. ST. CHAMBERLAIN (S. 343). Unter den Epigonen kommt es dann zu der Gleichsetzung: arisch = germ. = deutsch.

Die Lehre von der Rasse (primär zoologischer Begriff) und die aus der pervertierten Lehre DARWINS hervorgegangenen Vorstellungen des Sozialdarwinismus (S. 342) bilden die Grundlagen für den biolog. Naturalismus im »Dritten Reich« in Deutschland.

Zionismus

Als Folge der **Pogrome in Russland** (1881/82) fordert der Arzt LEO PINSKER aus Odessa in seiner Schrift ›Autoemanzipation‹ (1882) eine Heimat für die bedrängte Judenheit. Die nach 1882 entstandenen **Vereine der »Chowewe Zion«** (Zionsliebende), denen sich PINSKER anschließt, erstreben eine Kolonisation Palästinas durch die Juden. Unter dem Eindruck der franz. »Dreyfus-Affäre« (seit 1894, S. 383) verfasst

Theodor Herzl (1860–1904) seine Schrift ›Der Judenstaat‹ (1896) und begründet unabhängig von den Bewegungen des Ostjudentums die **zionistische Bewegung.** Die Judenfrage wird zur einer von den Juden zu lösenden nationalen Frage.

Auf dem ersten zionist. Weltkongress in Basel (1897) wird eine straffe polit. Organisation geschaffen und als Ziel des Zionismus im **Baseler Programm** »für das jüdische Volk die Schaffung einer öffentlich-rechtlich gesicherten Heimstätte in Palästina« verkündet.

Der **Kultur-Zionismus** will durch polit., kolonisator. und kulturelle Kleinarbeit aus Palästina ein geistiges Zentrum machen. Er kann im Gegensatz zum polit. Zionismus auf die staatl. Verwirklichung warten. CHAIM WEIZMANN (1874–1952) bemüht sich um eine Synthese beider zionist. Richtungen. Praktisch verwirklicht wird sie durch die Errichtung des zionist. Palästinaamtes in Jaffa (1907) und der hebräischen Universität (1918).

Als Reaktion auf die zionist. Bewegung erscheinen die

1905 ›Protokolle der Weisen von Zion‹. Die in Moskau entstandene Fälschung verstärkt den Antisemitismus.

1917 Zusage Lord Balfours für die Errichtung einer nationalen Heimstätte der Juden in Palästina (S. 536).

Zur geistigen Situation Europas im 19. Jh.
Dem herrschenden Glauben an **Fortschritt** und (Natur-)**Wissenschaft** entspricht ein **Relativismus,** der allg. ethische Werte leugnet und das Erkennen abhängig macht vom Stand der Forschung oder der geschichtl. Situation (Historismus, S. 319), von der individuellen Verfassung, der Gesellschaft oder der Klassenzugehörigkeit. Wissenschaftl. Haltung (vorurteilsloses krit. Denken, method. Disziplin) gilt als Ideal des mündigen Menschen (geistiger Liberalismus); wissenschaftl. Ergebnisse oder Theorien werden zum Inhalt von Weltanschauungen (Ideologien) gemacht, die Anspruch auf Religionsersatz erheben.

Positivismus: Nach **Auguste Comte** (1798–1857) folgt der Fortschritt dem »Dreistadiengesetz«: im theol. Stadium wird die Welt übernatürlich gedeutet, im philos. mit Hilfe abstrakter Ideen und Kräfte. Erst im positiven Stadium gelingt die Zusammenfassung der Erscheinungen in Gesetze. Gelehrte und Industrielle vereinigen wissenschaftl. Theorie und Praxis zur Steuerung der Welt (wissen, um vorauszusehen, voraussehen, um vorzubeugen).
Der ›Cours de philosophie positive‹ (1830–42) bringt ein System der Wissenschaften, in dem jede Disziplin auf der vorhergehenden aufbaut: Mathematik – Astronomie – Physik – Chemie – Biologie – **Soziologie.**
   Die »Sozialingenieure« können der Gesellschaft ein glückliches Leben sichern durch eine Menschheitsreligion, die sich selbst zum Gegenstand hat.
Die Lehre beeinflusst u. a. Mill und Spencer (S. 318); H. Thomas Buckle (1821–62) sucht durch Tatsachenforschung exakte Gesetze der Geschichte, H. Taine (1828–93) begründet die **Milieutheorie;** E. Renan (1823–92) stellt das ›Leben Jesu‹ (1863) menschlich-naturalist. dar. In Dtl. wertet **D. F. Strauß** (1808–74) in seinem ›Leben Jesu‹ (1835 f.) die Evangelienberichte als Mythen; B. Bauer (1809–82) bestreitet die histor. Existenz Jesu; **Ludwig Feuerbach** (1804–72) erklärt im ›Wesen des Christentums‹ (1841) die Religion zur Illusion des Menschen, dessen Ideen nur Abbilder der Wirklichkeit sind und dessen Unsterblichkeit nur in seinen Werken bzw. Kindern liegt.

Materialismus: Ludwig Büchner (1824–99) formuliert einen vulgären Glauben, dass alle Erscheinungen auf ›Kraft und Stoff‹ (1855) beruhen; Moleschott (1822–93) führt das Denken auf chem. Prozesse zurück. – Von größter Bedeutung wird der
Histor. Materialismus von **Karl Marx** (1818–83), umrissen in der ›Kritik der polit. Ökonomie‹ (1859): Der Geschichtsablauf vollzieht sich nach exakten Gesetzen (Determinismus). Vom »Unterbau« des Menschen und der Geschichte (dem Sein = ökonom. und soz. Verhältnisse) hängt der »ideolog. Überbau« (das Bewusstsein = Kunst, Wissenschaft, Religion,

Recht, Staat) ab. Innerhalb der Basis entwickeln sich dialektisch (vgl. Hegel, S. 319) **Produktivkräfte** (Werkzeuge, menschl. Arbeitsfertigkeit) und **Produktionsverhältnisse.** Eigentumsbildung und Arbeitsteilung bedingen den Produktionsfortschritt, entfremden aber zugleich die Menschen von ihrer Arbeit bzw. von sich selbst. **Klassenkämpfe** treiben die Geschichte voran und führen notwendig zu **Revolutionen,** die die Basisspannungen ausgleichen, den Überbau ändern und eine qualitativ höherwertige Periode einleiten. Die Geschichte spannt sich vom Urkommunismus bis zum klassenlosen Endkommunismus, in dem Ausbeutung und Selbstentfremdung des Menschen aufgehoben sein werden (vgl. S. 345).

Evolutionismus: Nach Lamarck (1744–1829) sind Umweltanpassung und Vererbung erworbener Eigenschaften Faktoren der biolog. Entwicklung. Die Deszendenz-Theorie erweitert **Charles Darwin** (1809–82) in seinem Werk über die ›Entstehung der Arten durch natürliche Zuchtwahl‹ (1859). Auf Grund seines 1831–36 im pazifischen Raum gesammelten Materials erkennt er als Entwicklungsprinzipien: Variation, Vererbung und Überproduktion an Nachkommen. Dies führt im »Kampf ums Dasein‹ zur Auslese (Selektion) starker, lebensfähiger Exemplare und Arten, die keiner Teleologie (geplanter Zweckabsicht) unterliegen. – Zur Verbreitung der Theorie trägt Ernst Haeckel (1834–1919) bei. Seine ›Natürl. Schöpfungsgeschichte‹ (1868) führt alles Leben über das »biogenet. Grundgesetz« auf einen Urgrund zurück. Den biolog. Monismus verallgemeinern die ›Welträtsel‹ (1899) zu einer materialist. Weltanschauung, die als (Sozial-)**Darwinismus** auf Gesellschaft und Politik einwirkt.

Kritiker der Zeit: Unberührt vom Fortschrittsglauben sind die Gedanken des Historikers **Tocqueville** (1805–59) über die Gefahren egalitärer Massendemokratien, die der Kulturhistoriker **Jacob Burckhardt** (1818–97) als Symptome einer neuen Zivilisations-Barbarei wertet. – Der dän. Theologe **Sören Kierkegaard** (1813–55) greift christl. Anpassung an und verlangt rücksichtslose Annahme des Glaubens bis zum Märtyrertum. Dialekt. Theologie und Existenzphilosophie greifen auf seine Gedanken zurück. – Ebenso radikal wie genial deckt **Friedrich Nietzsche** (1844–1900, vgl. S. 319) in den ›Unzeitgemäßen Betrachtungen‹ (1873–76) geistige Krise und Kulturverfall auf. Sein Hass gilt dem Christentum (dem »Schandfleck der Menschheit«), den biolog. Schwachen mit ihrer »christl. Sklavenmoral«, dem »Bildungsphilister« und satten Bürgertum. Gehört wird nicht seine Warnung, sondern seine Lebensphilosophie, die dem »Un-Sinn« des Lebens, dem Pessimismus und Nihilismus den Übermenschen im ›Zarathustra‹ (1883–85) entgegensetzt als Inbegriff des »Willens zur Macht« und einer Moral ›Jenseits von Gut und Böse‹ (1886).

Wissenschaftl. und technischer Fortschritt
Wissenschaftl. Forschung und techn. Auswertung ihrer Ergebnisse bedingen einander.

Physik:

1808 Polarisation des Lichts	MALUS
1815 Wellentheorie des Lichts	FRESNELL
1827 Ohmsches Gesetz	OHM
1831 Elektr. Induktions-Gesetz	FARADAY
1833 Elektrolyse	FARADAY
1859 Spektral-Analyse	KIRCHHOFF/BUNSEN
1888 Elektromagn. Wellen	HERTZ
1895 Röntgen-Strahlen	RÖNTGEN
1895 Elektronen-Theorie	LORENTZ
1896 Uran-Strahlen	BECQUEREL
1900 Quanten-Theorie	PLANCK
1903 Radioaktivität	RUTHERFORD
1905 Relativitäts-Theorie	EINSTEIN
1911 Atom-Modell	RUTHERFORD
1913 Atom-Modell	BOHR

Biologie:

1841 Samenfäden	KÖLLIKER
1842 Period. Eireifung	BISCHOFF
1852 Zellteilung	REMAK
1865 f. Vererbungsregeln	MENDEL
1901 Mutations-Lehre	DE VRIES
1904 Chromosomen	BOVERI

Chemie:

1818 Atom-Gewichte	BERZELIUS
1828 Harnstoff-Synthese	WÖHLER
1831 Elementar-Analyse	LIEBIG
1833 Phenol, Anilin aus Kohle	RUNGE
1841 Agrikultur-Chemie	LIEBIG
1856 Teer-Farbstoff	PERLIN
1865 Benzol-Ring	KEKULÉ
1869 Period. System	MEYER/MENDELEJEFF
1878 Indigo-Synthese	BAYER
1898 Radium	CURIE
1909 Synth. Kautschuk	HOFMANN
1913 Ammoniak-Synthese	HABER/BOSCH

Medizin:

1846 Äther-Narkose	MORTON
1848 Blinddarm-Operation	HAUCOCK
1858 Zellularpathologie	VIRCHOW
1861 Kindbettfieber	SEMMELWEIS
1867 Antisept. Wundbehandlung	LISTER
1882 Tuberkelbazillus	KOCH
1883 f. Diphteriebazillus	KREBS/LÖFFLER
1885 Asepsis	BERGMANN
1893 Diphtherie-Serum	BEHRING
1894 Pesterreger	KITASATO
1909 Salvarsan	EHRLICH/HATA

Verkehrstechnik:

1834 Elektromotor	JACOBI
1867 Dynamo-Maschine	SIEMENS
1876 Viertaktmotor	OTTO
1879 Elektro-Lokomotive	SIEMENS
1884 Benzin-Motor	DAIMLER/MAYBACH
1885 Kraftwagen	DAIMLER/BENZ
1897 Diesel-Motor	DIESEL
1900 Luftschiff	ZEPPELIN
1903 Motor-Flug	GEBR. WRIGHT

Nachrichtentechnik:

1837 Schreib-Telegraf	MORSE
1861 Fernsprecher	REIS
1876 Telefon	BELL/GRAY
1877 Sprech-Maschine	EDISON
1897 Drahtlose Telegrafie	MARCONI
1902 Bild-Telegrafie	KORN

Drucktechnik:

1812 Schnellpresse	KOENIG/BAUER
1881 Autotypie	MEISENBACH
1884 Setzmaschine	MERGENTHALER

Optik/Fotografie:

1839 Fotografie	DAGUERRE
1871 Bromsilber-Platte	MADDOX/EASTMAN
1895 Kinematograf	LUMIÈRE

Kriegstechnik:

1835 Revolver	COLT
1836 Zündnadel-Gewehr	DREYSE
1850 Tauchboot	BAUER
1866 Torpedo	WHITEHEAD
1867 Dynamit	NOBEL
1883 Maschinen-Gewehr	MAXIM
1911 Tank (Panzer)	BURSTYN

Techn. Verfahren:

1867 Eisenbeton	MONIER
1885 Nahtlose Röhren	MANNESMANN
1907 Betonguss	EDISON

Neue Wissenschaften entfalten sich in Abhängigkeit zu herrschenden Denkrichtungen.

Soziologie: Während SPENCER (S. 318) die Gesellschaft als Organismus betrachtet, sehen Gf. GOBINEAU (1816–82) und H. ST. CHAMBERLAIN (1855–1927) im **Rassenkampf**, KARL MARX und seine Schule im **Klassenkampf** die treibenden Kräfte der Gesellschaft. Die Soziologie als Wissenschaft entwickeln LORENZ VON STEIN (1815–90), FERD. TÖNNIES (1855–1936), ÉMILE DURKHEIM (1858–1917) u. a.; **Max Weber** (1864–1920) sucht soziolog. Grundstrukturen mit Hilfe »ideal-typ. Begriffe« zu erfassen.

Psychologie: JOH. FRIEDRICH HERBART (1776–1841) bahnt mit Einführung wissenschaftl. Methoden die »Psychophysik« an, vertreten von GUSTAV THEODOR FECHNER (1801–87), HERMANN VON HELMHOLTZ (1821–94) u. a., zur »experimentellen« Psychologie ausgebaut von WILH. WUNDT (1832–1920) und THÉODULE RIBOT (1839–1916). **Wilh. Dilthey** (1833–1911) setzt der erklärenden die verstehende Psychologie entgegen. Die Charakterologie erneuert LUDWIG KLAGES (1872–1956); **Gustave Le Bon** (1841–1931) untersucht die Psychologie der Masse. Wegweisend wird die Psychoanalyse von **Sigm. Freud** (1856–1939).

Theologie: FERD. CHRISTIAN BAUR (1792–1860) und die Tübinger Schule betreiben Bibelforschung mit hist.-krit. Methoden. ALBRECHT RITSCHL (1822–89) führt sie weiter, aber mit Betonung der Eigenständigkeit der Religion. ADOLF VON HARNACK (1851–1930) trennt im ›Wesen des Christentums‹ (1900) die Religion Jesu vom altkirchl. Dogma. – Kath. Kirche und prot. Orthodoxie wehren sich gegen die lib. Theologie; PIUS X. verpflichtet 1910 den Klerus zum »Antimodernisten-Eid«. Aufschwung der äußeren Mission, aber kirchl. Entfremdung in Europa. – Mod. Verkündigungsformen sucht die 1878 von WILLIAM BOOTH gegr. **Heilsarmee.**

Der Sozialismus im 19. Jh.
Der Sozialismus (lat. socius; Genosse; 1832 in Frankreich auftretender Begriff, bis ins 20. Jh. gleichbed. mit Kommunismus), die Gegenbewegung zum Liberalismus bzw. Kapitalismus, erstrebt eine gerechte Eigentums- und Gesellschaftsordnung, Gleichberechtigung und Wohlstand auch für soz. schwache Klassen (**Proletarier**), allg. Frieden und Völkerversöhnung. Durch **Sozialreformen**, **Klassenkampf** oder **Revolutionen** sollen diese Ziele erreicht werden. – Vor dem 19. Jh. finden sich sozialist. Gedanken in den **Utopien** von MORUS (S. 212), CAMPANELLA (S. 256), HARRINGTON (›Oceana‹, 1656), MORELLI u. a.

Utopischer (Früh-)Sozialismus: Er entwirft sozialkrit. Idealvorstellungen und hofft auf ihre Verwirklichung durch Appelle an Einsicht und Gewissen der Besitzenden. ÉTIENNE CABET (1788–1856) und WILHELM WEITLING (1808–71) werben für eine komm. Ordnung, wie sie schon BABEUF (S. 299) in der Franz. Rev. mit Gewalt durchsetzen will. – Gf. **Claude Henri de Saint Simon** (1760–1825) sieht – wie COMTE (S. 342) – im ökonom. Fortschritt die Triebkraft der Geschichte; Industrialisierung, Kapitalismus und Arbeit sollen durch eine neue relig. Gesinnung gefördert und technokrat. organisiert werden. Das soz. Problem liegt in der Eingliederung der »Müßiggänger« (Adelige, Militärs, Priester) in den Kreis der »Producteurs« (Unternehmer, Arbeiter, Bauern, Gelehrte, Künstler). SAINT SIMONS Schüler ENFANTIN und BAZARD erwarten von der Aufhebung des Erbrechtes eine Verstaatlichung des Kapitals. Die Güter sollen nach Fähigkeit und Leistung für das Gesamtwohl verteilt, die Menschen durch eine Diesseitsreligion geführt und erzogen werden. – **Charles Fourier** (1772–1837) glaubt an eine Befreiung der Arbeit von Zwang und Ausbeutung durch Phalanstères: freiwillige Genossenschaften mit Landwirtschaft und Industrie. – Nach **Louis Blanc** (S. 327) wird der volle Arbeitsertrag durch »Produktiv-Assoziationen« (Nat.-Werkstätten, S. 333) garantiert. In ihnen verfügen die Arbeiter in demokrat. Selbstverw. über Produktion und Profit, der in Dividende, Sozialausgaben und Investitionen geteilt werden soll. – Als erster sieht **Moses Hess** (1812–75) im Proletariat die Macht der Zukunft.

Anarchismus (griech. Herrschaftslosigkeit): MAX STIRNER (1806–56) und **Pierre Joseph Proudhon** (1809–65) erwarten von einer Abschaffung jeder Zwangsordnung (Staat, Gesetze) durch friedl. Mittel ein genossenschaftl., sozial gerechtes Zusammenleben (Mutualismus). Ohne Arbeitsleistung oder durch Ausbeutung gewonnenes »Eigentum ist Diebstahl« für PROUDHON. – **Bakunin** (S. 391) will die Anarchie mit Attentaten, Georges Sorel (1847–1922) durch »direkte Aktionen« proletar. Eliten (Generalstreik) erreichen.

Wissenschaftl. Sozialismus: Im ›Komm. Manifest‹ (1847) verkünden **Karl Marx** (Hauptwerk: ›Das Kapital‹, 1867 f.) und **Friedrich Engels** (1820–95) die Prinzipien des **histor. Materialismus** (S. 342) mit ihrer Auswirkung auf Wirtschaft und Gesellschaft und zeigen Strukturgesetze auf, nach denen sich der Kapitalismus entwickelt: Die Ausbeutung des Lohnarbeiters trägt dem Besitzer von Produktionsmitteln einen **Mehrwert** (Profit) ein, der zur **Akkumulation** (Ansammlung) seines Kapitals führt und den techn.-industriellen Fortschritt ermöglicht. Dieser bewirkt aber 1. die Freisetzung von Arbeitern, die die »industrielle Reservearmee« verstärken, den Lohndruck erhöhen und die allg. **Verelendung** fördern; 2. durch den Konkurrenzkampf eine Abnahme der Kapitalisten, eine Zunahme des klassenbewusst werdenden Proletariats und damit 3. eine **Kapitalkonzentration** (Monopolbildung); 4. **Überproduktionskrisen** zur Steigerung der Profitrate oder durch sinkende Kaufkraft (Verelendung). Innere Widersprüche treiben das kapitalist. System in die sozialist. **Revolution: Diktatur des Proletariats** mit »Expropriation der Expropriateure«. Enteignung (**Sozialisierung**) der Produktionsmittel hebt den Klassengegensatz auf; Planung und Verteilung der Produktion durch die Produzenten garantieren im Endzustand des **Kommunismus** Gerechtigkeit, Freiheit und Humanität. **Bedeutung:** Der **Marxismus** wird zur »Ersatz-Religion« der Arbeitermassen, die sich den Kirchen entziehen, und zur polit. Ideologie sozialist. Parteien (S. 379); er wandelt den »Lumpenproleten« zum selbstbewussten »Proletarier«.

Christ. Sozialismus: In Anlehnung an sozialist. Theorien appellieren vor allem in England Theologen wie **Maurice** (1805–72) und Schriftsteller wie **Kingsley** (1819–75), CARLYLE (S. 381) u. a. an Besitzende, das Elend der Massen überwinden zu helfen. Christl.-soz. Gedanken vertreten in Frankreich LAMENNAIS (S. 319) und LEROUX (1791–1871), in Deutschland **Adolf Wagner** (1835–1917), STOECKER (S. 355), FRIEDRICH NAUMANN (S. 388). – Die **kath. Sozlallehre**, verbindlich niedergelegt in der Sozialenzyklika ›**Rerum novarum**‹ (1891) LEOS XIII. [1878–1903], betont das Recht auf Privateigentum, auf **Solidarität** (Verantwortung aller für den Einzelnen und des Einzelnen für alle) und **Subsidiarität** (Privatinitiative unter Mithilfe größerer Gemeinschaften bzw. des Staates bei soz. Überforderung des Einzelnen). – Der Bf. von Mainz, **Wilh. Emanuel Frh. von Ketteler** (1811–77) tritt für staatl. Sozialreformen aus christl. Verantwortung ein. – Staatl. Eingriffe fordern auch die sog. **Kathedersozialisten**, undoktrinäre lib. Nationalökonomen um **Gustav von Schmoller** (1838–1917). Sie knüpfen an staatssozialist. Ideen des Genfers SISMONDI (1773–1841), von **Karl Rodbertus** (1805–75) bzw. an die Lehre vom soz. Königtum des LORENZ VON STEIN (S. 343) an.

Die Anfänge der Arbeiterbewegung
Ohne Besitz von Produktionsmitteln ist die Arbeiterklasse (»Vierter Stand«) in der lib. Industriewirtschaft auf den Verkauf ihrer Arbeitskraft (Lohnarbeit) angewiesen und wird als soz. schwache Schicht ausgebeutet (**soz. Frage**). Existenzunsicherheit und Verelendung wecken das Gefühl der **Solidarität**. Die Arbeiter schließen sich zusammen (MARX: »Proletarier aller Länder vereinigt euch!«) zum Kampf um polit. und wirtschaftl. Macht (»Vereint sind auch die Schwachen mächtig!«). Formen und Stärke der Arbeiterbewegung richten sich nach Struktur und Entwicklungsstand der Industriestaaten. Führend wird England (S. 321).
Gewerkschaften (engl.: Trade Unions, franz.: Syndicats): Nach Berufen gegliederte örtl. Arbeiter- oder Gewerkvereine erstreben mit wirtschaftl. Mitteln (Verhandlungen, Streiks) bessere Arbeits- und Lohnbedingungen durch **Kollektiv-Verträge** über Löhne (Tarife), Arbeitszeit und Arbeitsschutz. – Einrichtung von Hilfskassen für Notfälle und von Vereinen zur **Arbeiterfortbildung**. Mit dem erkämpften **Koalitionsrecht** – 1824 in England, 1864 in Frankreich, 1869 in Deutschland – fällt das Verbot von Gewerkschaften: sie entwickeln sich zu regionalen und nat. Zentralverbänden und werden seit Ende des Jhs. von Staat und Unternehmer als **Sozialpartner** anerkannt. Nach dem Vorbild der Industriearbeiter organisieren sich Angestellte, Beamte, Land- und Heimarbeiter.

Genossenschaften: Förderer von Einrichtungen zur **Selbsthilfe** gegen die Konkurrenz der Großbetriebe ist **Robert Owen** (1771–1858), der in seinem Musterbetrieb New Lanark wegweisende Sozialreformen durchführt (10½-Stunden-Tag, Kranken- und Altersversicherung). Experimente mit komm. **Produktiv-Genossenschaften** (1825–29 in New Harmony/USA) scheitern ebenso wie franz. Versuche zur Verwirklichung von Phalanstères (S. 344) und Nat.-Werkstätten (S. 333), seit 1844 auch von amerikan. Gruppen. – Zu einem Wirtschaftsfaktor dagegen entwickeln sich die aus OWENS Ideen seit 1844 gegr. **Konsumvereine** (S. 326) mit niedrigen Preisen (Ausschaltung des Zwischenhandels), Rabatt- und Dividendenvergütung. In Deutschland nur zögernde Verbreitung, da **Lassalle** (S. 378) die Lösung der soz. Frage von Produktions-Genossenschaften erwartet. Er bekämpft den Liberalen **Hermann Schulze-Delitzsch** (1808–93), den Begr. der gewerbl. Genossenschaften (Einkaufs-, Verkaufs-, Vorschussvereine für Handwerker), und **Friedrich Wilh. Raiffeisen** (1818–88), der die bäuerl. Genossenschaftshilfe anregt: Ab 1854 Spar- und Darlehenskassen zur Finanzierung von Saatgut, Maschinen u. a.
Folgen: Verbände und ihre Funktionäre vertreten mehr und mehr die Interessen des Einzelnen, der in der **Verbandsdemokratie** eigene Initiative zu Gunsten von »**Pressure groups**« (auf Staat und Gesetzgebung) aufgibt.

Die soz. Tätigkeit der Kirchen
England: Christl. Sozialismus (S. 344), auch die Oxford-Bewegung (»Ritualismus«: EDWARD PUSEY, 1800–82) wandeln das »Sonntagschristentum«. Gründung von (weibl.) Pflegeorden.
1844 Christl. Jugendvereine (YMCA) leisten Arbeit in den Slums. Gründung von Arbeiterheimen. In Ostlondon wirkt seit
1865 William Booth (1829–1912, S. 343).
Deutschland: THEODOR FLIEDNER (1800–64) eröffnet in Kaiserswerth die erste Diakonissenanstalt (1836), **Johann Hinrich Wichern** (1808–81) ein Heim für verwahrloste Jugendliche (Rauhes Haus, 1833) sowie ein Brüderhaus für männl. **Diakonie** (1843). Zusammen gründen sie die
1848/9 Innere Mission zur Jugend-, Alters-, Kranken-, Gefährdetenhilfe. **Friedrich von Bodelschwingh** (1831–1910) übernimmt
1872 die Betheler Anstalten (Krankenfürsorge, Diakonie, Arbeiterkolonien).
1877 Zentralverein für Sozialreform (WAGNER, S. 344), von STOECKER (S. 355) 1890 im Evang. Soz.-Kongress weitergeführt. Seit 1882 Evang. Arbeitervereine. – LEO XIII. (S. 344) empfiehlt seit
1884 Errichtung von kath. Arbeitervereinen nach dem Vorbild der
1846 f. Kath. Gesellenvereine des Priesters **Adolf Kolping** (1813–65).

Die staatl. Sozialpolitik
England: Schon soz. Missstände in der Textilindustrie zwingen das klass. Land des Liberalismus (S. 321) zu Schutzgesetzen:
1833 1. Fabrikgesetz (S. 322); 1842 Verbot der Untertagearbeit für Frauen; 1847 10-Stunden-Tag für Frauen und Jugendliche (ab 1850 allg. verbindlich).
Frankreich führt in der Sozialpolitik auf dem Kontinent:
1813 Verbot von Kinderarbeit in Bergwerken.
Preußen: Seit 1828 setzen sich die Milit.-Behörden für Schutzgesetze ein (Sorge um die Gesundheit der Rekruten).
1839 Verbot von Kinderarbeit, zunächst unter 9 J., seit 1854 unter 12 J.
Deutschland wird nach 1871 führend in der Sozialgesetzgebung.
1872 Verein für Sozialpolitik der Kathedersozialisten (S. 344); er beeinflusst mit den Sozialpol. des Zentrums (VON HERTLING, F. HITZE) und der christl.-soz. Bewegung die
1883 f. Sozialversicherungsgesetzgebung (S. 355) – seit 1894 von Frankreich, 1908 von England (S. 382) nachgeahmt.
1891 Fortführung der Schutzgesetzgebung (Sonntagsruhe, Lohnschutz) durch den Handels-Min. HANS FRH. VON BERLEPSCH (1843–1926).
Folgen: Sozialpolitik und -fürsorge wandeln die Freiheitsstaat zum **Wohlfahrtsstaat**. Eine anonyme **Bürokratie** verwaltet die ständig wachsenden Steuern, Soziallasten und Sozialbeiträge.

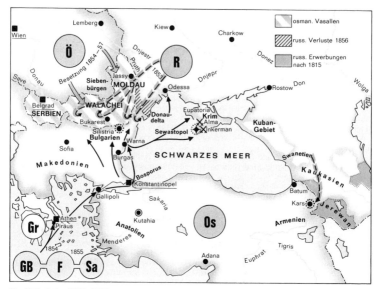

Der Krimkrieg 1853–1856

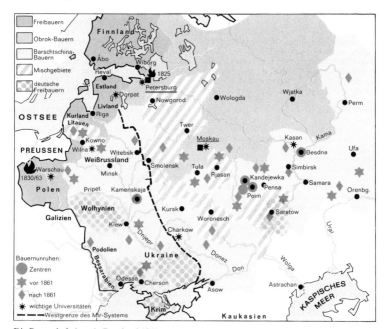

Die Bauernbefreiung in Russland 1861

Die Reaktionsperiode (1815–55)
1801–25 Alexander I. beginnt mit lib. Verw.-
und Rechtsreformen.
1802 Einrichtung von Ressortministerien, seit
1811 dem Staatsrat verantwortlich. Im Auftrag des Zaren entwirft der Staatssekretär
SPERANSKI (1772–1839) ein
1808/09 Verfassungsprojekt mit Gewaltenteilung, Reichsrat und gewählter Reichsduma
(Parlament). 1812 wird SPERANSKI gestürzt.
– Als Sieger über NAPOLEON öffnet sich
ALEXANDER I. christl.-myst. und konserv.
Ideen (METTERNICH). Er wird unter dem
Eindruck rev. Bewegungen (S. 323) zum
Vorkämpfer der Reaktion. Im Innern
herrscht der Günstling ARAKTSCHEJEW mit
bürokrat. Despotismus (Anlage von zucht-
hausähnl. Militärkolonien).
Kultur: Seit den napoleon. Kriegen nimmt die
Europäisierung des Adels (Offizierskorps)
zu. Dt. Idealismus (HEGEL, SCHELLING) und
franz. utop. Sozialismus wirken auf Intellektuelle, die Romantik auf die Dichtung
(PUSCHKIN [1799–1837], GOGOL [1809–
52], LERMONTOW [1814–41]); GLINKA
(1804–57) komponiert die Nat.-hymne. **Geheimbünde** (seit 1816) erstreben für ein freies russ. Volk Verfassung, Bauernbefreiung
und Landaufteilung. Den Tod des Zaren nutzen gemäßigter Nordbund (MURAWJOW) und
radikaler Südbund (PESTEL) zum
1825 Dekabristenaufstand, der rigoros erstickt,
aber den revolutionären Jugend zum Vorbild
wird.
Dem »Befreier Europas« folgt der »Gen-
darm Europas«,
1825–55 Nikolaus I., dessen Autokratie sich auf
orth. Kirche und großruss. Nationalismus
stützt, Gf. BENCKENDORFF organisiert die
geh. Staatspolizei durch die
1826 Einrichtung der »Dritten Abteilung« zur
Kontrolle von Schulen, Univ., Presse.
Außenpolitik: Sie zielt auf **Unterdrückung** rev.
Bewegungen in Europa (Polen, S. 329; Un-
garn, S. 337; Deutschland, S. 339); **Expansion** im mittleren Osten (S. 391); **Aufteilung**
der Türkei. Deshalb zunächst erfolgreiches
Lavieren zwischen den konserv. Großmäch-
ten und dem lib. Westen; dennoch Bruch der
Hl. Allianz (Unterstützung der Griechen).
1829 Friede von Adrianopel (S. 323). Ausgleich mit Preußen und Österreich. Eine
Spaltung der Westmächte in der
1839–41 Orientalischen Krise (S. 365) und
eine Bindung Österreichs durch die russ.
Hilfe (S. 337) revidiert der
1853–56 Krimkrieg. Anlass: Streit griech. und
röm. Mönche um die hl. Stätten in Jerusalem, in den sich NIKOLAUS I. und NAPOLEON
III. einschalten. Von England gestärkt, lehnt
die Pforte das russ. Ultimatum (Fs. MEN-
SCHIKOW), das Schutzrechte für orth. Christen fordert, ab.
1853 Einmarsch russ. Truppen in die Donau-
Fsm.

Okt. 1853 Kriegserklärung der Türkei und
1854 Eingriff der Westmächte (Jan. 1855
Anschluss Sardiniens). Österreich besetzt
die Donau-Fsm. Moldau und Walachei.
Sept. 1854 Brit.-franz. Landung auf der Krim;
Belagerung von Sewastopol (erster mod.
Stellungskrieg). Alliierte Siege an der Alma
und bei Inkerman, aber 118 000 Mann Verluste durch Cholera und Winterkälte. **Flo-
rence Nightingale** (1820–1910) begründet
die moderne Verwundetenfürsorge. – Der
Krieg wird von
1855–81 Alexander II. weitergeführt bis zum
Sept. 1855 Fall Sewastopols. Die Russen er-
obern Kars (Nov.).
1856 Friede von Paris: Russland verliert das
Donaudelta; Neutralisierung des Schwarzen
Meeres; »europ. Protektorat« über die türk.
Christen mit Garantie des Osman. Reiches
und der Donau-Fsm. – Die Pariser See-
rechtsdeklaration legt internat. Regeln zur
Seekriegführung fest.
Folgen: Umordnung des europ. Staatensystems
durch Übergang der russ. Hegemonie auf
Frankreich (S. 349); Beginn des österr.-russ.
Gegensatzes auf dem Balkan; Öffnung des
Weges zur nat. Einigung Italiens (S. 351).

Die Reformära (1856–74)
Die Niederlage offenbart die Rückständigkeit
von Verw., Armee und Wirtschaft. Die Leibeigenschaft hemmt jeden Fortschritt, ob in der
milderen Form des Leibzinses (Obrok-Bauern)
oder der oft willkürlichen des Frondienstes
(Barschtschina-Bauern). ALEXANDER II. entschließt sich zu einer autokrat. Rev. von oben,
um den »Pulverkeller im Staat« zu beseitigen.
1856 Auflösung der Militärkolonien. Nach Unruhen und langer Vorbereitung
1861 Aufhebung der Leibeigenschaft für über
40 Mill. Bauern unter Beibehaltung des **Mir-
Systems** (kollektive Feldflur, Haftung der
Dorfgemeinde). Förderung der Gymnasial-
und Volksbildung, Universitätsstatut mit
akadem. Autonomie (GOLOWNIN, 1863), Erleichterung der Pressezensur (1865).
1864 Selbstverw. (**Semstwo**) für Gouvernements und Kreise; **Gerichtsreform:** unabh.
Richter, öffentl. Verfahren, Milderung der
Strafjustiz.
1870 Städteordnung: Selbstverw. durch gewählte Stadträte aus dem Bürgertum.
1874 Einführung der allg. Wehrpflicht mit
sechsjähr. Dienstzeit (MILJUTIN).
Ergebnisse: Die erhoffte soz. Entspannung
bleibt aus. Der stark anwachsende Bauernstand leidet unter unzureichender Landzuteilung und hoher Verschuldung; er besitzt
keine Vorbildung zu selbst. Wirtschaftsfüh-
rung, deshalb geringe Bodenerträge bei stei-
gendem Steuerdruck.
1863 Poln. Aufstand (S. 329). Ein
1866 Attentat auf den Zaren verschärft zugleich die autokrat. Reaktion und die rev.
Bewegung der Intelligenz (S. 389).

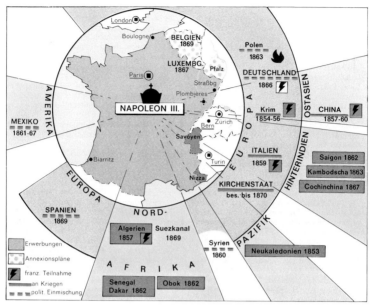

Die Politik Napoleons III. 1852–1870

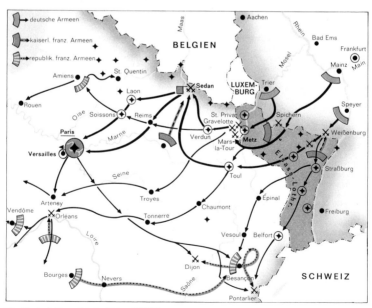

Der Deutsch-Französische Krieg 1870/71

Das Zweite Kaiserreich (1852–70)
Napoleon III. (1808–73, verh. mit der span. Gräfin EUGÉNIE DE MONTIJO) zielt mit seinem demokrat. Caesarismus (plebiszitäre Diktatur) auf Ausgleich der Klassengegensätze. Aus Furcht vor neuen sozialist. Unruhen fügt sich das Volk dem autoritären Regime, das sich nach dem
1858 Orsini-Attentat (S. 351) verschärft.
Sozialpolitik: Arbeitsbeschaffung durch großzügige Bauprogramme. Zwischen
1852 und 1865 Neugestaltung von Paris zur »Kapitale der Welt« nach Plänen des Präfekten HAUSSMANN: ca. 60 000 Neubauten, Boulevards, Befestigungsanlagen. – Trotz Arbeiterfürsorge (Hilfskassen, Wohnungsbau, Volksbüchereien) zwölfstündige Arbeitszeit; kein Streikrecht; bis 1864 Verbot der Bildung von Arbeiterkoalitionen.
Wirtschaft: Durch Finanzkapital (Gebr. PÉREIRE) und Ausbau der Großindustrie wächst der Handel in 12 Jahren um 300%. **Kapitalexport** macht Frankreich zum Gläubiger- und Rentnerland. Die
1855, 1867 Pariser Weltausstellungen werden zum Symbol der Prosperität.
Kolonialpolitik: Kornkammer und Kernstück »Frankreichs über dem Meer« ist **Algerien;** Einwanderung franz. Siedler.
1854–65 Gouverneur FAIDHERBE vergrößert Senegal und gründet Dakar. – »Zum Schutze der Religion« Einmischung in China (Lorcha-Krieg S. 369) und Syrien (Landung in Beirut 1860); Aufbau des hinterind. Kolonialreiches (S. 385).
1857 Eroberung der Kabylei (Algerien).
1859–69 Bau des Suezkanals durch FERDINAND DE LESSEPS unter franz. Förderung; deshalb Ankauf von Obok (1862).
Außenpolitik: NAPOLEON III sucht durch Unterstützung der nat. Bewegungen (Balkan, Italien, Dtl.) Erfolge zur Revision der Verträge von 1815. Unter Ausnutzung des brit.-russ. Konfliktes gewinnt Frankreich im
1854–56 Krimkrieg (S. 347) eine neue Machtstellung. Der Kaiser vermittelt auf dem
1856 Pariser Friedenskongress. – Seit der
1858 Begegnung mit CAVOUR in Plombières wird eine Lösung der **ital. Frage** geplant.
1859 Ital. Einigungskrieg (S. 351): NAPOLEON III. drängt auf schnellen Ausgleich mit Österreich. Friede von Zürich: der Gewinn (Lombardei) wird im
1860 Vertrag von Turin mit Sardinien-Piemont gegen **Nizza** und **Savoyen** getauscht. – Unter BAZAINE (1811–88)
1861 Mexikan. Expedition (S. 371). – Prestigeverlust in der **deutschen Frage.**
1865 Begegnung in Biarritz: BISMARCK überspielt den »Undurchdringlichen«, dessen unklare Kompensationswünsche auf Belgien, Luxemburg und die Pfalz zu Gunsten einer preuß. Machterweiterung (»Trinkgeldpolitik«) im österr.-preuß. Konflikt (S. 353) durch die österr.

1866 Niederlage von Sadowa fehlschlagen. – Das »Unglücksjahr« 1867 bringt weder Kompensationen noch Luxemburg (das NAPOLEON von Holland kaufen will); das »Mexikan. Abenteuer« scheitert am Einspruch der USA; das Festhalten am milit. Schutz des Kirchenstaates (in Rücksicht auf die kath. Opposition) trübt die Freundschaft mit Italien.
Der Übergang zum »Empire libéral« wird herbeigeführt durch die zunehmende Kritik am diktator. Regime, außenpolit. Misserfolge und den Zweifel am
1860 Cobden-Vertrag mit England (Freihandelspolitik). Der kranke Kaiser muss im
1864 Programm der »notwendigen Freiheiten« (der Person, Presse, Kammer, Ministerverantwortung) die von THIERS verlangten lib. Zugeständnisse machen.
1869 Wahlsieg der Opposition: polit. Amnestie und Bildung des Kab. OLLIVIER zur Erarbeitung einer freiheitl. Verf.
1870 Plebiszit: 83% für lib. Kaisertum.

Der Deutsch-Franz. Krieg (1870/71)
Ursache: Franz. Prestigepolitik, Furcht vor preuß.-dt. Hegemoniastreben (AMin. GRAMONT).
Anlass: Span. Thronkandidatur, »Emser Depesche« (S. 353); Kriegserklärung an Preußen (19. Juli).
BISMARCK erreicht die Neutralität Englands, Österreichs (russ. und ungar. Druck) und Italiens (röm. Frage).
Verlauf: Offensive der überlegenen dt. Truppen (Chef des GenSt.: HELMUTH VON MOLTKE); nach heftigen Kämpfen Einschluss und Kapitulation (Oktober) der Armee BAZAINE in Metz.
1. Sept. 1870 Schlacht bei Sedan: Kapitulation der Armee MACMAHON, Gefangennahme NAPOLEONS III. – Auf Initiative der gem. Republikaner Favre (1809–80) und **Gambetta** (1838–82)
4. Sept. 1870 Proklamation der Dritten Republik und Bildung einer Regierung der nat. Verteidigung.
Sept. Belagerung von Paris: GAMBETTA entkommt im Freiballon und organisiert den **Volkskrieg** mit **Franctireurs** (bewaffneten Zivilisten). Die neu aufgestellten Entsatzheere werden geschlagen bzw. über die Schweizer Grenze gedrängt. Paris kapituliert (Jan. 1871). – Die
Febr. 1871 Nat.-Versammlung in Bordeaux wählt THIERS (S. 383) zum »Chef der Exekutive«. – Vorfriede von Versailles: Frankreich verliert **Elsass-Lothringen;** Kriegsentschädigung (5 Milliarden Francs) und Besetzung Ostfrankreichs.
10. Mai 1871 Friede von Frankfurt a. M.
Ergebnis: Erweiterung des europ. Staatensystems um **Italien** und **Deutschland,** an das die franz. Vormachtstellung übergeht; Vertiefung des deutsch-franz. Gegensatzes.

Italien seit 1860

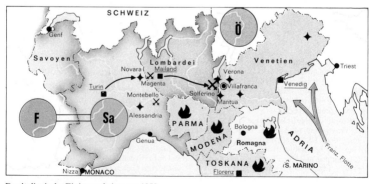

Der italienische Einigungskrieg von 1859

Die nationale Einigung (1850–71)
Die Konsequenzen aus dem Fehlschlag von 1848/49 (S. 333) zieht **Camillo Graf Benso di Cavour** (1810–61), der – »angelsächsisch in den Ideen und gallisch in der Sprache« (GIOBERTI) – als Realist der neuen Zeit aufgeschlossen gegenübersteht. Mitherausgeber der Zeitung ›Il Risorgimento‹ (1847), die der Epoche ihren Namen gibt. CAVOUR, seit 1850 Min. im Kabinett D'AZEGLIO, wird 1852 MP. von Sardinien-Piemont, das er durch Freihandelspolitik, Justizreform und Kirchengesetzgebung (»Freie Kirche im freien Staat«) zum lib. Musterland entwickelt. Sein Programm zur nat. Einigung unter Führung Sardiniens: 1. Verzicht auf rev. Umsturz und Selbstbefreiung (MAZZINI); 2. Abbau des Absolutismus durch lib. Evolution und Befreiung Italiens mit auswärtiger Hilfe; 3. Sammlung aller Patrioten gegen Österreich (1857 Gründung der »Società nazionale Italiana« [Nat.-Verein]).
1855/56 Teilnahme Sardiniens am Krimkrieg zur Einschaltung der ital. Frage in die europ. Politik. CAVOUR gewinnt die Unterstützung der Westmächte. Meisterhafte Ausnutzung eines Attentats des ital. Nationalisten ORSINI auf NAPOLEON III.
1858 Begegnung in Plombières: der Kaiser verspricht zur Errichtung eines ital. Staatenbundes unter päpstl. Vorsitz milit. Hilfe gegen Österreich (»Italien frei bis zur Adria«). Aufrüstung reizt Wien zur Kriegserklärung an Sardinien.
1859 Sard.-franz. Krieg gegen Österreich: Siege der Verbündeten bei Magenta und Solferino (Juni). Erhebungen in Mittelitalien und Furcht vor preuß. Eingreifen am Rhein drängen NAPOLEON III. zum Waffenstillstand von Villafranca (Juli).
Nov. 1859 Friede von Zürich: Entgegen dem franz. Versprechen bleibt Venetien bei Österreich, die **Lombardei** fällt an Frankreich, CAVOUR tritt aus Protest zurück (bis Jan. 1860). Gegen die Bildung einer ital. Konföderation Plebiszite zu Gunsten des Anschlusses an Sardinien in Bologna, der Toskana, Parma und Modena. NAPOLEON lenkt ein. Er gewinnt im
1860 Vertrag von Turin **Nizza** und **Savoyen** gegen die Lombardei.
Unteritalien: Mazzinisten und demokrat. Aktionspartei wie Crispi (1819–1901) organisieren Unruhen. Nach erfolglosem
1860 Aufstand in Palermo landen Freischaren (»Rothemden«) unter **Giuseppe Garibaldi** (1807–82) in Marsala.
Mai–Sept. 1860 »Zug der Tausend« durch Sizilien und Kalabrien. Zur Verhinderung einer Anarchie und eines Angriffs auf das von Frankreich (seit 1849) geschützte Rom greift Sardinien ein und schlägt bei Castelfidardo päpstl. Truppen, die in Ancona kapitulieren (Sept.). Niederlage der bourb. Armee am Volturno und gegen GARIBALDI bei Caserta.

Begegnung VIKTOR EMANUELS II. mit GARIBALDI (Okt.), der nach Plebisziten in Umbrien, den Marken und den Beiden Sizilien zu Gunsten eines Anschlusses an Sardinien seine Diktatur niederlegt.
1861 Kapitulation von Gaeta (Febr.): Sturz der Bourbonen, FRANZ II. VON NEAPEL entkommt nach Rom. – Das gesamt-ital. Parlament in Turin erklärt Rom zur Hauptstadt und bestätigt
März 1861 Victor Emanuel II. (bis 1878) als **König von Italien.**
Schulden, nord-südl. Kultur- und Wirtschaftsgefälle (im Süden 75% Analphabeten, Bandenwesen), Widerstand gegen Zentralismus und polit. Übergewicht Piemonts (»piemontismo«) belasten den neuen Staat.
Zur Befreiung Venetiens
1866 Militär-Bündnis mit Preußen und **Krieg gegen Österreich** mit Niederlagen bei Custozza und Lissa (S. 353).
Dank franz. Unterstützung und preuß. Siege in Böhmen fällt im
Okt. 1866 Frieden von Wien **Venetien** an Italien, das auf Südtirol (Trentino) und Istrien, die Hauptziele der **Irredenta** (nat. Bewegung zur Angliederung »unerlöster ital. Volkstumsgebiete«), verzichtet. – In der **röm. Frage** erhofft sich die »Consorteria« (Hofpartei des Königs) im Gegensatz zu Opposition (Republikaner, Mazzinisten) und öffentl. Meinung eine Lösung in Übereinkunft mit Frankreich.
Kirchenstaat: Reaktionärer Flügel der Kurie, kath. Partei in Frankreich und FRANZ II. VON NEAPEL hintertreiben lib. Reformen und Verständigung mit dem neuen Kgr. – GARIBALDI sammelt Freischaren, sein Angriff (»Rom oder der Tod!«) endet aber bereits in Kalabrien mit der
1862 Niederlage von Aspromonte.
1864 September-Konvention zwischen Piemont und Frankreich: Abzug franz. Truppen gegen Verteidigung des Kirchenstaates. Unruhen wegen Verlegung des Regierungssitzes von Turin nach Florenz (Kabinett LA MARMORA), was als Verzicht auf Rom als Hauptstadt gewertet wird.
PIUS IX. [1846–78] verwirft im
1864 ›Syllabus errorum‹ lib. Irrlehren und verlangt Unterordnung von Staat und Wissenschaft unter kirchl. Autorität.
1867 Dritter Marsch GARIBALDIS auf Rom, der nach erneuter Landung franz. Truppen im Gefecht von Mentana endet.
1869 Erstes Vatikanisches Konzil mit Verkündung des Dogmas von der
1870 Unfehlbarkeit des Papstes in Lehrmeinungen (ex cathedra). – Ital.
Sept. 1870 Besetzung des Kirchenstaates (Gen. CADORNA); die
1871 »Garantie« der päpstl. Unabhängigkeit weist PIUS IX. zurück. Dem Papst verbleibt die Hoheit über den **Vatikanstaat. Rom** wird Hauptstadt Italiens.

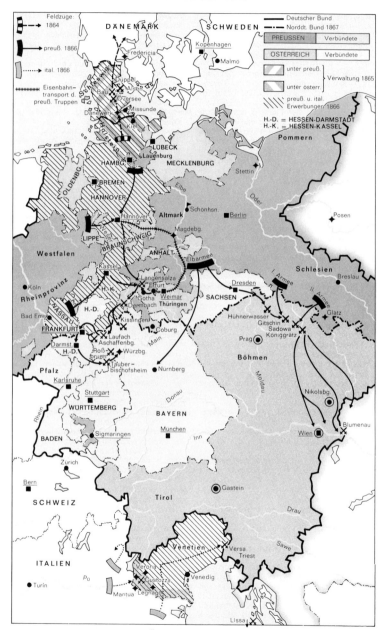

Preußens Kriege mit Dänemark und Österreich 1864 und 1866

Die Neue Ära in Preußen (1859–62)
1861–88 Wilhelm I. (61 J.), seit 1858 Regent für den geistig erkrankten FRIEDR. WILH. IV., beruft ein lib. Ministerium.
1859 Heeresreform des Kriegs-Min. **von Roon** (1803–79) zur Verstärkung der **Linie** (aktive Truppen) und **Reserve** entsprechend der seit 1814 gestiegenen Bev. Die lib. Landtagsmehrheit sieht in der Reform (dreijähr. Dienstpflicht) einen Machtzuwachs der Krone und lehnt sie ab.
1861 Gründung der lib. **Fortschrittspartei** (WALDECK); Auflösung des Landtags, aber erneuter Wahlsieg der Liberalen. Im
1862 Verfassungskonflikt beruft den König auf Vorschlag ROONS **Otto von Bismarck (1815–98) zum MP.** Er verhindert die Abdankung des Königs und ist bereit, auch gegen Verf. und Landtag (Lückentheorie) zu regieren. Die Armee wird verstärkt, prägt auch die zivilen Lebensformen (Beginn des preuß-dt. Militarismus).

Das preuß. Hegemonialstreben (1862–66)
Ziele der Realpolitik BISMARCKS (unter Vorrang der Außenpolitik): Festigung der Monarchie zur Stärkung Preußens; preuß. Führung im Dt. Bund mit oder gegen Österreich. – Im poln. Aufstand (S. 329) deckt BISMARCK das russ. Vorgehen durch die
1863 Militär-Konvention Alvensleben: Erneuerung der Freundschaft mit Russland. Österreich (MP. SCHMERLING) will die anti-preuß. Stimmung zur Bundesreform nutzen. Der Plan scheitert auf dem
1863 Fürstentag in Frankfurt (Vorsitz Ks. FRANZ JOSEPH) da WILHELM I. auf Wunsch BISMARCKS fernbleibt. – Dagegen erzwingt BISMARCK die österr. Mitwirkung im **dän. Konflikt**, entstanden durch die dän. Nov.-Verfassung (1863): Annexion Schleswigs und Trennung von Holstein. Die nat. Bewegung verlangt Unabhängigkeit für die Hzm.; BISMARCK betont nur den Bruch des Londoner Protokolls (S. 339) und sichert sich dadurch die Neutralität der Großmächte.
1864 Deutsch-Dän. Krieg: Erstürmung der Düppeler Schanzen. Nach der Besetzung von Alsen tritt Dänemark im Frieden von Wien (Okt.) Schleswig, Holstein und Lauenburg an Preußen und Österreich ab. – Die gemeinsame Verwaltung des Kondominiums verschärft den preuß.-österr. Gegensatz, der vorübergehend im
1865 Vertrag von Gastein beigelegt wird: Österreich verwaltet Holstein, Preußen Schleswig. Als Schiedsrichter erhofft NAPOLEON III. (S. 349) Kompensationen am Rhein. Er begünstigt das preuß. Bündnis mit Italien. – Der preuß. Antrag auf Bundesreform durch ein gewähltes Parlament trifft Österreich, das den Bundestag zur Entscheidung der schlesw.-holst. Frage anrufft. Preußen beantwortet diesen Bruch des Gasteiner Vertrages mit Einmarsch in Holstein und

Austritt aus dem Dt. Bund, der gegen Preußen mobilisiert.
1866 Deutscher Krieg: Kapitulation der hannov. Armee bei Langensalza; Entscheidungssieg der Preußen (Chef des GenSt.: **Helmuth von Moltke,** 1800–91) bei **Königgrätz.** BISMARCK beschwört den König zum Verzicht auf milit. Ausnutzung des Sieges und drängt zum Vorfrieden von **Nikolsburg,** um der franz. Einmischung zuvorzukommen. Franz. Gebietsforderungen veranlassen die süddeutschen Staaten zu »Schutz- und Trutzbündnissen« mit Preußen.
1866 Ital.-Österr. Krieg (S. 351). – Friede von Prag (mit Preußen), von Wien (mit Italien): Österreich verliert nur **Venetien.** Auflösung des Deutschen Bundes; Preußen annektiert alle gegnerischen Staaten nördlich der Mainlinie außer Sachsen und Hessen-Darmstadt. Bildung des
1866/67 Norddeutschen Bundes.

Die nationale Einigung (1866–71)
Beilegung des preuß. Verfassungskonfliktes durch den Landtag:
Sept. 1866 Annahme der **Indemnitätsvorlage** (mit 250:75 Stimmen nachträgl. Billigung der verfassungswidrigen Reg. BISMARCKS). Der »demokrat. Sündenfall« spaltet die Liberalen. Während die Fortschrittspartei in Opposition bleibt, beugt sich die neue
1867 Nationalliberale Partei (V. BENNIGSEN, MIQUEL) dem polit. Erfolg und arbeitet mit BISMARCK und der
1867 Freikonserv. Partei (linker Flügel der Alt-Konservativen) zusammen.
1867 Verfassung des Norddt. Bundes: preuß. **Bundes-Präsidium** (WILHELM I.), **Bundeskanzler** (BISMARCK), **Bundesrat,** gewählter **Reichstag.** Erneuerung des Zollvereins durch das Deutsche Zollparlament. – NAPOLEON III. fühlt sich um Kompensationen geprellt (S. 349). Im
1867 Londoner Vertrag wird die Neutralität Luxemburgs garantiert. – Frankreich (AMin. GRAMONT) befürchtet eine preuß. Hegemonie über Europa. Die span. Thronkandidatur führt trotz Verzicht des Prinzen LEOPOLD VON HOHENZ.-SIGMARINGEN zur Krise:
NAPOLEON III. fordert aus Prestigegründen eine Garantie des Verzichts (Unterredung BENEDETTIS mit WILHELM I. in Bad Ems). Auf BISMARCKS Veröffentlichung der gekürzten »Emser Depesche« hin franz. Kriegserklärung.
1870/71 Deutsch-Franz. Krieg (S. 349) unter von Frankreich unerwarteter Beteiligung der süddt. Staaten. BISMARCK nützt die nat. Kriegsbegeisterung zur
1871 Gründung des (zweiten) deutschen Kaiserreiches nach Verträgen mit den Einzelstaaten. Durch LUDWIG II. VON BAYERN [1864–86] im Namen der Fürsten
18. Jan. 1871 Proklamation WILHELMS I. zum Dt. Kaiser im Spiegelsaal von Versailles.

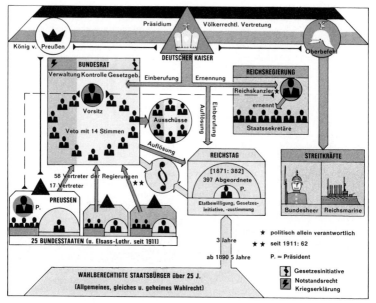

Die Verfassung des Deutschen Reiches vom 16. April 1871

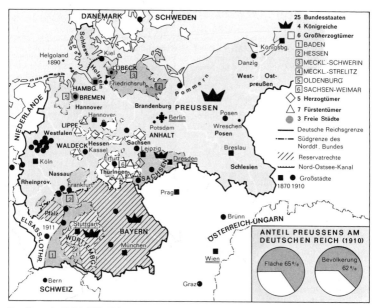

Das Deutsche Reich 1871–1914

Das Deutsche Reich (1871–90)
Verfassung: Bundesstaat unter **Hegemonie Preußens** (nach dem Modell des Norddt. Bundes, S. 353). Das
Reich kontrolliert die Streitkräfte, Zoll, Handel, Verkehr, Post; nach Bedarf Zuschüsse der Einzelstaaten (Matrikularbeiträge). – Den
Bundesstaaten unterstehen Verw., Justiz, Kultur. – Reservatrechte für Bayern und Württemberg im Militär-, Post-, Steuerwesen. – Wichtigstes Reichsorgan ist der
Bundesrat mit Gesetzgebungs-, Verordnungs- und Aufsichtsrechten; Veto-Recht der 17 preuß. Vertreter. – Das erbl.
Präsidium (Krone Preußens) mit dem Titel »Deutscher Kaiser« vertritt den Bund nach außen, führt den milit. Oberbefehl, ernennt und entlässt den
Reichskanzler (RK.), der zugleich preuß. MP., Vorsitzender des Bundesrates und Vorgesetzter der Staatssekretäre (Leiter der Reichsämter) und der Reichsbeamten ist. – Als demokrat. Zugeständnis der
Reichstag (RT.): Abstimmung über Gesetzesvorlagen; Bewilligung des jährl. Reichshaushaltes (Budgetrecht).
Reichstagsparteien: In Opposition zur autoritären Staatsführung BISMARCKS nutzen sie ihre parlament. Möglichkeiten nicht aus. Das Budgetrecht wird entwertet im
1874 Kampf um den »Eisernen Etat« für das Heer durch den Kompromiss des **Septennats** (Etatbewilligung für jeweils 7 Jahre). Bis 1878 arbeiten mit BISMARCK zusammen – als stärkste Fraktion – die
Nationalliberalen (S. 353) und die
Freikonservativen (Deutsche Reichspartei); nach dem Kurswechsel von 1878 die
Deutsch-Konserv. Partei (gegr. 1876), zum Teil auch das
Zentrum, geführt von **L. Windthorst** (1812–91). – Gegner BISMARCKS bleiben die **Alt-Konservativen;** die lib.-demokrat.
Fortschrittspartei (ab 1884 Freisinnige) unter E. RICHTER (1838–1906); die 1875 durch das Gothaer Programm geeinten
Sozialdemokraten (A. Bebel; W. Liebknecht, S. 378); die nat. Minderheiten, dazu die Welfen.
Innerer Reichsausbau: Vereinheitlichung des Rechts und der Wirtschaft auf lib. Grundlage (R. VON DELBRÜCK, S. 339).
1872 Strafgesetzbuch (StGB).
1873 Maß-, Gewichts-, Münzgesetze; 1875 Reichsbank; Aufschwung des Postwesens unter H. VON STEPHAN (1831–97). Bis 1879 einheitl. Rechtspflege und Gerichtsorganisation.
1900 Bürgerl. Gesetzbuch (BGB).
Kulturkampf: Der Konflikt des preuß. Staates (Kultus-Min. FALK bis 1879) mit der kath. Kirche ist Ausdruck des Gegensatzes von Staatsanspruch, unterstützt von der lib. Bewegung (R. VIRCHOW, 1821–1902), und

dem polit. Katholizismus (**Ultramontanismus**) seit dem
1870 Unfehlbarkeitsdogma (S. 351) und der Abspaltung der Altkatholiken. Der Versuch, Geistliche als Beamte dem Staat zu unterstellen, ihre Verbindung zu Kurie und »poln. Reichsfeind« zu stören, scheitert am passiven Widerstand von Klerus, Zentrum und Kirchenvolk.
1871 »Kanzelparagraph« gegen polit. Missbrauch des geistl. Amtes.
1872 Schulaufsichtsgesetz; Verbot des Jesuitenordens.
1873/74 Maigesetze: staatl. Vorschriften für die Ausbildung von Geistlichen und über die kirchl. Disziplinargewalt.
1874/75 Zivilehe; »Sperrgesetze« (Gehaltssperre) u. a. – Die Reglementierungen bleiben erfolglos. Anbahnung eines Ausgleichs unter
1878–1903 LEO XIII. Abbau der meisten Kampfgesetze bis 1886, doch bleibt ein kath. Misstrauen gegen das prot. Reich.
Schutzzollpolitik: Stürmische Entfaltung von Industrie, Handel, Großbanken in den »Gründerjahren«; die franz. Kriegsentschädigung (S. 349) heizt das »Gründungsfieber« an (1870–73: 1018 neue AG.), das mit dem Wiener Börsenkrach in eine
1873 Wirtschaftskrise umschlägt. Kritik am Freihandel, brit. Industriekonkurrenz, russ. und amerik. Preisdruck auf Getreide führen zur Forderung nach gesetzl. Schutz. Konservative und Zentrum unterstützen den
1878 Übergang zum Schutzzoll. BISMARCK verspricht sich vom
1879 Steuer- und Zollgesetz Unabhängigkeit vom RT. Spaltung der Nationalliberalen und »Bündnis zwischen Schwerindustrie und Großgrundbesitz«.
Sozialpolitik: Attentate auf den Kaiser legt BISMARCK der SPD zur Last.
1878 Sozialistengesetz: Verbot der Parteipresse und -organisation. Gegen Verhaftung, Ausweisung wehrt sich die SPD durch straffe Disziplin, Parteitage in London und der Schweiz, illegale Zeitungen. Die
1878 Christl.-Soz. Arbeiterpartei (gegen Liberalismus und Judentum) des Hofpredigers A. STOECKER (1835–1909) hat keinen Erfolg. – Positive Bekämpfung der Sozialisten durch
Sozialgesetze zur Kranken- (1883), Unfall- (1884), Alters- und Invalidenversicherung (1889): größte innenpolit. Leistung BISMARCKS, Mitarbeit TH. LOHMANN (1831–1905). Die SPD wächst trotzdem.
1888 FRIEDRICH III. (56 J.), die Hoffnung der Liberalen, stirbt nach kurzer Reg.
1888–1918 Wilhelm II. – Zunehmende Differenzen zwischen Kaiser (29 J.) und Kanzler (75 J.) enden mit der
1890 Entlassung Bismarcks (gest. 1898).
Gründe: Ehrgeiz des Kaisers; Festhalten des Kanzlers am Kampf gegen die Sozialisten und außenpolit. an Russland.

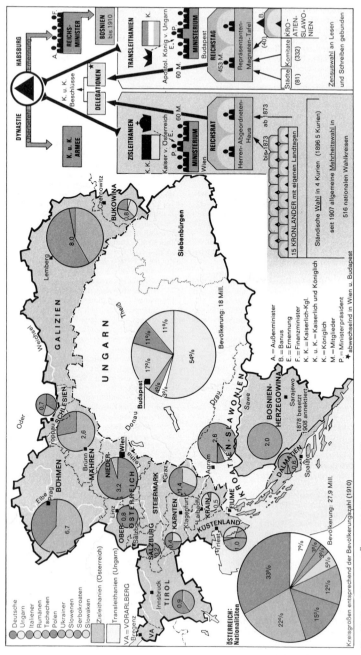

Der Nationalitätenstaat Österreich-Ungarn um 1910

Die Krise der Donaumonarchie (1867–1914)
Die Niederlage von 1866 bewirkt den von
Ungarn geforderten (S. 339)
1867 Ausgleich: Begründung des österr.-ung.
Dualismus mit gemeinsamer (k. u. k.) Au-
ßen-, Finanz- und Heerespolitik bei getrenn-
ter Verf., Verw., Gesetzgebung; österr. (k. k.)
Landwehr und ung. (k.) Honved-(Landwehr). Vereinbarungen (Ausgleiche) auf je
10 Jahre über Handels-, Steuer-, Währungs-,
Verkehrsfragen. Zolleinnahmen und Beiträge (österr. ca. 70%) zur Deckung gemeinsamer Ausgaben.
1867 Krönung Franz Josephs I. (S. 337) zum
Kg. von Ungarn. Er hält mit Heer und Bürokratie den Vielvölkerstaat zusammen, setzt
aber keine Ref. durch. Schicksalsschläge
treffen den Kaiser: Erschießung seines Bruders MAXIMILIAN in Mexiko 1867 (S. 371);
Selbstmord des Kronprinzen RUDOLF 1889;
Ermordung der Kaiserin ELISABETH 1898
und des Thronfolgers FRANZ FERDINAND
(S. 400). – **Außenpolitik** (vgl. S. 361, 399).

Österreich (Zisleithanien: 8 Nationen, 15
Kronländer, 17 Parlamente) leidet unter zu-
nehmendem **Nationalitätenstreit.**
1867 Dez. – Verfassung mit Verordnungsrecht
der Reg. nach Auflösung des Reichsrates.
1867–78 Liberale Ära (Großkapital, Deutsch-
Lib. Verfassungspartei: PLENER).
1868 Die Maigesetze beenden das Konkordat
(S. 339); 1869 allg. Wehrpflicht und Reichs-
volksschulgesetz. – Die konserv. Alt-Tsche-
chen (PALACKÝ, RIEGER, S. 337) verbinden
sich mit dem russ. Panslawismus. Aus
Furcht vor Stärkung der Slawen lehnen die
Deutsch-Liberalen die
1871 »Fundamentalartikel« des böhm. Landtages zum Ausbau einer autonomen Verfassung ebenso ab wie die Balkanpolitik der
Monarchie (Bosnien, S. 359).
1879–93 »Kaiser-Min.« Gf. EDUARD TAAFFE
(1833–95) regiert mit dem »eisernen Ring«,
einer kath.-konserv.-slaw. Koalition. Polizei-
staatmethoden und die »Politik des Fortwurs-
telns« unterhöhlen die Verfassung. – In Zusammenarbeit mit der Reg. erhalten die **Polen** eine Art Autonomie für Galizien (poln.
Amtssprache).
Im Süden zielt die **Irredenta**-Bewegung auf
Vereinigung mit Italien bzw. Autonomie
Südtirols und Triests.
Erfolge der **Tschechen** im Volkstumskampf
(Anwachsen des tschech. Bürgertums in den
Städten). 1880 amtlich Zulassung beider
Sprachen; 1882 Gründung der tschech. Uni-
versität Prag; seit 1883 tschech. Mehrheit im
Landtag. –
1882 Wahlref. (Fünfgulden-Wahlrecht). Sie ak-
tiviert das Kleinbürgertum: Entfaltung der
Jungtschech. (GREGR), der Deutsch-Völki-
schen (SCHÖNERER) und der antisemit.
Christl.-Soz. Bewegung (VOGELSANG). Der
Deutschnat. Verein fordert im

1882 »Linzer Programm« Umbildung Galiziens, der Bukowina und Dalmatiens in autonome Gebiete zur Erhaltung einer deutschen
Mehrheit in Österreich. – Die **sozialist. Bewegung** wird durch
1884 Ausnahmegesetze behindert. – Nach Einigung ihrer Gruppen
1889 Gründung der Sozialdemokrat. Partei mit
starken nat. Akzenten (S. 379).
1890 Deutsch-tschech. Ausgleich, sabotiert
von den panslawist. **Jungtschechen** (KRA-
MÁŘ, MASARYK).
Dauerkrise seit der
1897 Sprachenverordnung des MP. Gf. BADENI
für Böhmen und Mähren. Obstruktion dt.
Extremisten legt den Reichsrat lahm. Die
Alldeutsche Partei GEORG VON SCHÖNERERS
(1842–1921) entfacht die
1897 »Los-von-Rom-Bewegung« zum engeren
Anschluss an Dtl., während die **Christl.-Soz.
Partei** des Wiener Bürgermeisters **Karl Lueger** (1844–1910) für die Dyn. eintritt.
1899 Nat. Pfingstprogramm aller Parteien,
Rücknahme der Sprachenverordnung; jetzt
tschech. Obstruktion. Die
1900–08 Kabinette KOERBER und BECK versuchen vergeblich auf die Wirtschaft abzulen-
ken. Ein Ausgleich mit Mähren gelingt
1905, aber das
1907 Allg. Wahlrecht besiegelt die slaw. Mehrheit im arbeitsunfähigen Reichsrat (233
deutsche:265 slaw. Stimmen bei 28 Fraktio-
nen). Seit 1909 wird autoritär mit Verordnungsrecht regiert. 1913 Auflösung des
böhm. Landtags;
1914 Vertagung des Reichsrates.

Ungarn (Transleithanien) gewinnt die außenpolit. Hegemonie im Gesamtreich durch
**1867–71 [AMin. bis 1879] MP. Gf. Gyula An-
drassy** (1823–90).
1868 Kroatien erhält Autonomie. Die Macht in
Ungarn bleibt bei den »histor. Klassen«
(Adel, Klerus). Gegen das tolerante
1868 Nationalitätengesetz und die Opposition
der Unabhängigkeitspartei (1874) unter
1875–90 MP. Kálmán Tisza (1830–1902) kon-
sequente **Magyarisierung.**
1876 Aufhebung der Selbstverw. Siebenbürgens. Gestützt vom geheimen Rumän. Nat.-
Komitee (1869), drängen die Rumänen den
ung. und dt. Grundbesitz in Siebenbürgen
zurück. – Gegen Obstruktion im Reichsrat,
südslaw. Bewegung und ung. Extremisten
setzt MP. **István Tisza** [1903–05/13–17] eine
»Politik der harten Hand«: Gewalt gegen
Opposition, Ablehnung des allg. Wahlrechts.
Südslaw. Frage: Magyarisierung und anti-serb.
Handelspolitik (S. 359) wandeln den serb.-
kroat. Gegensatz seit 1904 in eine »jugoslaw. Solidarität«. Zur Abwehr ung. und
großserb. Ansprüche entstehen Pläne zur Erweiterung des österr.-ung. Dualismus durch
einen slaw. Reichsteil (**Trialismus**, vertreten
durch Ehz. FRANZ FERDINAND).

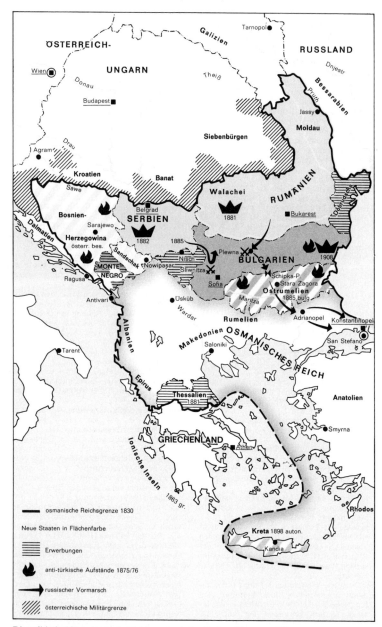

Die politische Neuordnung des Balkans durch den Berliner Kongress 1878

Die Balkankrise (1875–78)
Während des Deutsch-Franz. Krieges (S. 349) kündigt Russland den Pariser Frieden von 1856 (S. 347). Es erhält auf der
1871 Pontuskonferenz in London das Recht zur freien Fahrt durch die Meerengen.
1875/76 Aufstände der türk. Vasallen verschärfen sich zum serb.-türk. Krieg. Die Pforte lehnt Reformen ab. Russland beginnt zur Befreiung der Balkan-Christen den
1877–78 **russ.-türk. Krieg** (erster polit. Erfolg des Panslawismus S. 391). Nach Besetzung des Schipka-Passes russ. Vormarsch auf Konstantinopel und im Kaukasus.
März 1878 Friede von San Stefano: Vergrößerung der Balkanstaaten (Bulgarien) auf Kosten der europ. Türkei. Gegen den zunehmenden russ. Einfluss protestieren Österreich und England. BISMARCK vermittelt als »ehrlicher Makler« am
Juni/Juli 1878 Berliner Kongress: Rumänien, Serbien, Montenegro werden selbstständig; **Bulgarien** bleibt als selbst. Fsm. tributpflichtig, verliert aber **Makedonien** an die Türkei und **Ostrumelien,** das innere Autonomie gewinnt. Russland erhält **Bessarabien** und Teile Armeniens (Kars); England **Zypern;** Österreich das Recht zur Verw. **Bosniens** und der **Herzegowina.**
Ergebnis: Erhaltung des Friedens, aber deutsch-russ. Entfremdung und Verschärfung des russ.-österr. Balkangegensatzes; infolgedessen deutsch-österr. Annäherung. Ungelöst bleiben die nat. Probleme.

Die Balkanstaaten (bis 1908)
Bulgarien: In Anlehnung an Russland bekämpfen Hajduken (Freischärler) und Geistliche die türk. Fremdherrschaft und die Bevormundung der griech.-orth. Kirche. Die
1870 Errichtung des bulg. Exarchats erkennt der Patriarch von Konstantinopel nicht an (bis 1945). Sozialrevolutionäre wie ROKOVSKI und **Christo Botev** (1848–76) führen den polit. Kampf. Das
1872 Zentrale Bulg. Rev.-Komitee in Bukarest plant allg.,
1875/76 blutig unterdrückte Volkserhebungen. Die »Türkengreuel« veranlassen den russ. Angriff (s. oben). – Die bulg. Nat.-Vers. gibt sich entgegen russ. Wünschen eine lib. Verfassung nach belg. Muster, wählt aber den Neffen der Zarin
1879–86 ALEXANDER VON BATTENBERG (Hs. Hessen-Darmstadt) zum Fürsten. Er regiert mit russ. Beratern das unterentwickelte Agrarland. Brit. und österr. Importe ruinieren das Handwerk, die Verschuldung wächst. Erst durch den
1885 Anschluss Ostrumeliens gegen russ. und serb. Proteste gewinnt der Fürst die Nation. Abzug der russ. Berater. Ohne Militärhilfe im Krieg gegen Serbien
1885 Sieg bei Sliwnitza. Russ. Intrigen zwingen ALEXANDER zur Abdankung.

1887–1918 FERDINAND I. (Hs. Sachsen-Coburg). MP. **Stambulov** (1854–95), europäisiert gegen russophile Umtriebe. Nach seiner Entlassung söhnt sich FERDINAND mit Russland aus.
Griechenland: Die Nat.-Vers. wählt
1863–1913 GEORG I. (Hs. Glücksburg) zum »König der Hellenen«. Seit der
1863 brit. Übergabe der Ion. Inseln beansprucht die Enosis-Bewegung (Zusammenschluss aller Griechen) Vorrang vor der wirtschaftl. Erschließung. Ein Aufstand in Kreta misslingt (1866). **Makedonien** wird nach dem Anschluss Thessaliens (1881) zum griech.-bulg. Streitobjekt. – Eine zweite Erhebung in Kreta endet im
1897 griech.-türk. Krieg mit griech. Niederlagen in Thessalien. Trotzdem gewinnt **Kreta** durch Eingriff der Großmächte polit. Autonomie unter türk. Hoheit. Der Führer der Enosis, **Venizelos** (1864–1936), proklamiert 1905 den Anschluss.
1908 Vereinigung Kretas mit Griechenland.
Rumänien: Die Fsm. Moldau und Walachei vereinigen sich 1858 unter dem mold. Bojaren CUZA (1820–73).
1861 Proklamation des Staates Rumänien. Verstaatlichung des kirchl. Besitzes, Bauernbefreiung, Gesetzesreformen. Ein Putsch stürzt CUZA; gewählt wird auf Empfehlung NAPOLEONS III.
1866–1914 Carol I. (Hs. Hohenzollern-Sigmaringen). Seit
1881 Aufbau einer Armee nach preuß. Vorbild; Eisenbahnbau; Erschließung des Erdöls.
1883 Anschluss an den Zweibund (S. 361).
Serbien: Bevölkerungszunahme ohne Auswanderungsmöglichkeiten nötigt zur Bodenparzellierung. Folge: Verarmung der Bauern, Auflösung der Großfamilie.
1860–68 MICHAEL OBRENOVIĆ stützt sich auf die groß-serb. Omladina-Bewegung zur Vereinigung aller Südslawen, in Kroatien vertreten durch den Bf. von Djakovo, STROSSMAYER (1815–1905).
1862 Abzug der letzten Türkenbesatzungen.
1868–89 MILAN OBRENOVIĆ (14 J.) herrscht autokratisch trotz
1869 Einführung einer lib. Verfassung. Gegen die Opposition der Radikalen Partei, geführt von **Nikola Pašić** (1846–1926), enge Anlehnung an Österreich.
1882 Proklamation eines serb. Kgr.; erfolgloser Krieg gegen Bulgarien (1885). Seit
1903 Ermordung ALEXANDERS I. durch nationalist. Offiziere wächst die südslaw. Bewegung (Jugoslawismus). Unter
1903–18 (bzw. 21) PETER I. KARADJORDJEVIĆ führt die Radikale Partei mit PAŠIĆ als MP. Seine anti-österr. Politik beantwortet Wien 1906 mit einer Viehimport-Sperre (83% der serb. Ausfuhr).
Der »Schweinekrieg« wird mit franz. Kapitalhilfe überstanden.

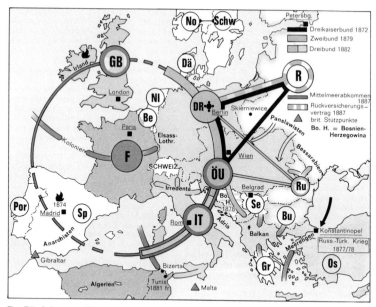

Das Bündnissystem Bismarcks

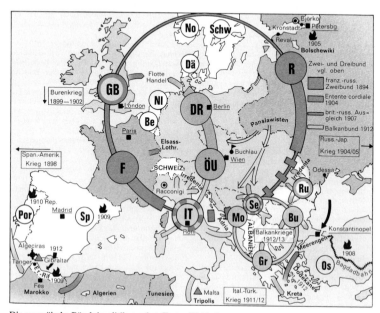

Die europäische Bündnispolitik vor dem Ersten Weltkrieg

Das Bündnissystem Bismarcks (1871–90)
BISMARCK begegnet der erwarteten franz. Revanche-Politik durch 1. Auskreisung (Isolierung) Frankreichs; 2. Förderung der franz. Republik und Kolonialpolitik.
1872 Dreikaiser-Bund zur Abwehr rev. Gefahren. In der
1875 »Krieg-in-Sicht«-Krise (franz. Aufrüstung) brit. und russ. Schritte (AMin. GORTSCHAKOW bis 1882) in Berlin gegen angebl. Präventivkriegsabsichten; dagegen österr. Annäherung (AMin. ANDRASSY bis 1879).
Nach dem
1878 Berliner Kongress (S. 359) schließen Berlin und Wien den
1879 Zweibund. – Nach russ. Einlenken
1881 Erneuerung des Dreikaiserbundes; Neutralität bei Angriff einer 4. Macht. – Italien (CRISPI) treibt zum
1882 Dreibund-Vertrag, der die ital. Spannungen mit Österreich-Ungarn (S. 397) jedoch nicht beseitigt.
1883 Beitritt Rumäniens.
1884 Dreikaiser-Treffen in Skierniewice. Es gleicht die russ./öster.-ungar. Balkangegensatz (S. 399) nicht aus. Die
1885–87 Krise des Vertragswerks (Bulgarien-Konflikt, S. 359; franz. BOULANGER-Bewegung, S. 383) sucht BISMARCK durch den
1887 »Rückversicherungs-Vertrag« mit Russland zu überwinden (im geh. Zusatzprotokoll dt. Unterstützung der russ. Meerengen-Politik). BISMARCK fördert das
1887 Mittelmeerabkommen (Orient-Dreibund) zum Schutz der Türkei bzw. des Status quo im Mittelmeer. Ein direktes Bündnis mit Berlin lehnt England (SALISBURY) 1887/89 ab.

Der neue Kurs Deutschlands (1890–1904)
Nach BISMARCKS Sturz (S. 355) Verschärfung der internat. Lage durch
1. imperiale Machtpolitik;
2. impulsive Handlungen WILHELMS II.;
3. »Politik der freien Hand« in Überschätzung der deutschen Machtposition (VON HOLSTEIN, »Graue Eminenz« des AA. bis 1906).
Infolge der
1890 Nichterneuerung des Rückversicherungsvertrages franz. Annäherung an Russland (Flottenbesuch in Kronstadt).
1894 franz.-russ. Zweibund; Ausbau der russ. Industrie und Eisenbahn mit franz. Kapital; Beginn der russ. Ostasienpolitik. Gleichzeitig dt.-brit. Abkühlung durch verfehlte dt. »Festlandsblock-Politik«, Handelskonkurrenz, Krüger-Depesche des Kaisers (1896); Ostasienpolitik (Tsingtao);
1898 Flottenbauprogramm (TIRPITZ); Bagdadbahn-Konzession (1899). – Angesichts der franz. Expansion in Afrika und des
1898 Faschoda-Konfliktes (S. 385) brit. **Aufgabe der »Splendid isolation«.**
1898–1901 Ablehnung brit. Bündnisangebote, da eine brit. Verständigung mit Frankreich oder Russland unmöglich erscheint. – Bu-renkrieg, Boxeraufstand (1900), brit. Ausgleich mit den USA (Panama, S. 395) bestärken den Eindruck brit. Isolierung. Die Aufweichung des Dreibundes durch die
1902 franz-ital. Einigung (Marokko gegen Tripolis) wird verharmlost.
1902 Brit.-jap. Bündnis und
1904/05 russ.-jap. Krieg leiten die russ. Rückschwenkung nach Europa (Balkan) ein. Zugleich baut Frankreich (AMin. DELCASSÉ) den brit.-franz. Gegensatz (Marokko, Ägypten) ab.

Die Politik der Entente (1094–14)
Weder Krisen noch Entspannungsversuche halten die Spaltung in zwei Machtblöcke auf; das Deutsche Reich steht zu Österreich-Ungarn, England zu Frankreich bzw. Russland. Die franz.-brit.
1904 Entente cordiale bewährt sich in der
1905/06 1. Marokkokrise; dt. Protest (Besuch WILHELMS II. in Tanger) gegen »friedl. Durchdringung« des Landes durch Frankreich. – Wirkungsloses dt.-russ. Kaisertreffen in Björkö.
Über Marokko entscheidet die
1906 Konferenz in Algeciras: Bestätigung der »Politik der offenen Tür« (seit 1880); Prestigeerfolg, aber Isolierung Berlins und Festigung der Entente.
1907 Brit.-russ. Interessenausgleich auf Kosten Persiens (S. 365), gefördert durch die
1907 2. Haager Konferenz: Klärung der allg. Landkriegsordnung; Deutschlands Ablehnung der Abrüstung verstärkt das internat. Misstrauen. – Ergebnislose
1908 Versuche zur deutsch-brit. Regelung der Flottenfrage (BÜLOW); neue Vorlagen zur deutschen Flottenverstärkung. – Staatsbesuch EDUARDS VII. in Reval, Bildung der Triple-Entente. – Russland (AMin. ISWOLSKI) fühlt sich in der
1908 Bosnischen Krise (S. 399) überspielt.
1909 Russ.-ital. Geheimvertr. von Racconigi: Erhaltung des Status quo auf dem Balkan.
1911 2. Marokkokrise (nach frz. Besetzung von Fes u.a. »Pantherspung« nach Agadir, S. 385), beigelegt durch Abkommen über franz. Protektorat in Marokko gegen dt. Entschädigung in Kamerun. Italien besetzt Tripolis und den Dodekanes.
1912 Flottenverhandlungen zwischen Berlin (KIDERLEN-WÄCHTER) und London (LORD HALDANE) scheitern erneut. Brit.-franz. Absprache über gemeinsamen Flotteneinsatz im Kanal und Mittelmeer. – Franz. Staatsbesuch (MP. POINCARÉ) und Marinevereinbarung in Petersburg.
1912/13 Balkankrise durch Aufteilung der europ. Türkei (S. 399).
1913 Heeresverstärkungen in Deutschland und Russland; 3-jähr. Dienstpflicht in Frankreich. – Durch den
1914 Mord von Sarajewo (S. 400) Auslösung des Ersten Weltkriegs.

Skandinavien im 19. Jh.
Die kult., später unter eiderdän. Führung auch polit. Einigungsbewegung des **Skandinavismus** scheitert prakt. 1864 an der schlesw.-holst. Frage (S. 353).

Dänemark (1800; 0,9, 1900: 2,5 Mill. Einw. = Anstieg um 177%):
1814 Friede von Kiel. Verlust **Norwegens**, Helgoland wird brit. – Staatsbankrott und Agrarkrise, aber erst nach 1830 lib. Opposition. Die »Eider-Dänen« wünschen eine Verf. unter Trennung Schleswigs von Holstein (schlesw.-holst. Frage).
1844 Volkshochschul-Bewegung des Theologen GRUNDTVIG (1783–1872). – Das von
1848–63 FRIEDRICH VII. berufene »Eider-dän. Kabinett« entfacht eine schlesw.-holst. Volkserhebung und den
1848–50 1. deutsch-dän. Krieg (S. 339).
1852 Londoner Protokoll: Wiederherstellung des Gesamtstaates.
1849 Juni-Verfassung (allg. Wahlrecht, Gewerbefreiheit). Die führenden Nat.-Liberalen erneuern die Eider-Politik.
1863 Nov.-Verfassung und deutsch-dän. Thronstreit um
1863–1906 CHRISTIAN IX. – Lösung der schlesw.-holst. Frage im
1864 2. deutsch-dän. Krieg (S. 353). – Konservative Reaktion unter der
1875–94 Reg. ESTRUP bei einer lib. und bäuerl. Mehrheit im Folkething (Unterhaus), geführt von **Bajer** (1837–1922).
1879 BISMARCK verweigert das zugesagte Selbstbestimmungsrecht, doch hält sich das Dänentum durch nat. Vereine.
1901 Systemwechsel: Reg. CHRISTENSEN [1905–09] mit bäuerl. Reformprogramm.
1903 Autonome Verfassung für **Island**. – Unter CHRISTIAN X. [1912–47] erreichen Radikale und Sozialisten eine
1915 parlament. Verfassungsreform.

Schweden (1800: 2,3, 1900: 5,1 Mill. Einw. = Anstieg um 122%):
1818–44 KARL XIV. (BERNADOTTE, S. 305).
1844–59 OSKAR I. fördert unter Anlehnung an England den Skandinavismus.
1848 Schwed.-dän. Militärkonvention im deutsch-dän. Konflikt.
1855 Brit.-franz. Garantie der Grenzen.
1859–72 KARL XV. überlässt die Reg. MP. DE GEER (1818–96), der die polit. Vorrechte von Adel und Kirche durch eine
1866 Reichstags-Reform beseitigt. Die neue »Landmann-Partei« gewinnt die Mehrheit, stellt aber nicht die Reg. – Deutschfreundliche Neutralitätspolitik unter
1872–1907 OSKAR II. – Der Holz- und Eisenreichtum wird mit Wasserkraft industriell erschlossen, doch zwingen Agrarkrisen zur **Massenauswanderung** in die USA und zur Umstellung auf Viehzucht.

1888 Schutzzölle für Getreide, 1892 für Industrieprodukte.
1901 Allg. Wehrpflicht.
1905 Auflösung der Union mit Norwegen. – Unter
1907–50 GUSTAV V. setzt sich der Parlamentarismus durch. Gegen die konserv. »Fortschrittspartei« (1906) erreichen Sozialisten (1889) und lib.»Sammlungs-Partei« das
1909 allg. Wahlrecht.
1914 Heeres- und Flottenverstärkung.

Norwegen (1800: 0,9, 1900: 2,2 Mill. Einw. = Anstieg um 144%):
1814 Konvention von MOSS: **Pers.-Union mit Schweden,** aber Opposition des Storting (Volksvertretung) gegen das Vetorecht des schwed. Königs. –
1884–89 Ministerium SVENDRUP der bäuerl. Linken führt prakt. das parlament. System ein; allg. Wahlrecht seit 1898. Der Storting verlangt zur Vertretung norw. Schifffahrtsinteressen eine unabh. Außenpolitik. Ein Gesetz zur Errichtung eigener Konsulate erkennt OSKAR II. nicht an. Darauf
1905 Auflösung der Union. Proklamation des Prinzen KARL VON DÄNEMARK als
1905–57 HAAKON VII. – Die europ. Großmächte anerkennen 1907 das neue Kgr. Die dän. Sprache wird z. T. durch das von
IVAR AASEN (1813–96) entwickelte Landsmal (Neu-Norwegisch) ersetzt.

Finnland (1800: 0,8, 1900: 2,6 Mill. Einw. = Anstieg um 225%):
1809 Landtag zu Borga: dem auton. Gfsm. unter russ. Hoheit werden die finn. Grundgesetze von 1772/89 bestätigt. Wahl des Senats (Reg.) unter Mitwirkung des Landtages; Vertretung des Zaren durch einen Gen. Gouverneur; Komitee zum Vortrag finn. Angelegenheiten beim Zaren. – Unter NIKOLAUS I. (S. 347) keine Einberufung des Landtags, doch entwickelt sich das finn. Nationalgefühl. ELIAS LÖNNROT (1802–84) schafft das Nat.-Epos ›Kalevala‹. Eine Bewegung zur Vorbereitung eines Staates gründet JOHAN VILHELM SNELLMAN (1806–81) trotz der Gegensätze zwischen »Schwedenfinnen« (Oberschicht) und »Volksfinnen«. – Wehrpflicht und
1878 Bildung einer finn. Armee. – Rückschlag der finn. Bewegung durch das
1899 Februar-Manifest NIKOLAUS' II. Der Landtag verliert die Legislative. Unter
1899–1904 Gen.-Gouverneur BOBRIKOW Auflösung des Heeres. Einführung des Russ. als Amtssprache. Die »Altfinnen« wollen durch Nachgeben ihre Sonderrechte behalten; die »Jungfinnen« leisten passiven Widerstand. – Während der russ. Rev.
1905 Widerruf der Zaren-Verordnung. Die Reg. MECHELIN demokratisiert den Landtag. STOLYPIN (S. 389) verschärft erneut den Gegensatz: die Bereitschaft zur Lösung von Russland wächst.

Die iberischen Staaten (1840–1914)
In Spanien und Portugal bekämpfen Liberale, Republikaner und Sozialisten Monarchisten (Moderatos) und Katholiken. Wirtschaftl. Rückständigkeit, polit. und finanz. Schwäche gefährden den Kolonialbesitz.

Spanien (1800: 11,5, 1900: 18,6 Mill. Einw. = Anstieg um 62%):
1843 ISABELLA (1830–1904) wird für mündig erklärt. Putsche,
1847–49 2. Karlistenkrieg und republikan. Aufstände schwächen das lib. System. MP. O'DONNELL [1858–63] sucht durch
1859/60 Krieg gegen Marokko und Teilnahme an der mexikan. Expedition (S. 371) außenpolit. Ablenkung.
1868 Sturz ISABELLAS; die Gen. SERRANO und PRIM betreiben die Kandidatur LEOPOLDS VON HOHENZOLLERN (S. 353).
1872–76 3. Karlistenkrieg enden gegen den zum König proklamierten AMADEUS VON SAVOYEN; zugleich sozialist. Unruhen.
1873 Ausrufung der ersten **Republik,** aber Restauration der Bourbonenherrschaft durch MARTÍNEZ DE CAMPOS (1831–1900).
1874–85 ALFONS XII.
1876 Neue Verf.: Vereins- und Pressefreiheit, aber Stärkung der kath. Kirche. Attentate, Meutereien, Autonomiebewegung in Katalonien, Spannungen mit Gewerkschaften (Syndikaten, S. 378).
1886–1931 ALFONS XIII., bis 1902 unter Regentschaft der Königinwitwe MARIA CHRISTINA VON ÖSTERREICH. Der von den USA unterstützte Aufstand in Kuba (1895) weitet sich aus zum
1898 Span.-Amerikan. Krieg (S. 395), der mit Auflösung bzw. Verkauf des Kolonialreiches (außer in Afrika) endet. – Krit. Selbstbesinnung in der Lit. (UNAMUNO, MARTÍNEZ RUIZ, ORTEGA Y GASSET u. a.)
1904 Marokko-Vertrag mit Frankreich.
1909 Feldzug gegen die Rifkabylen; anarchist. Arbeiteraufstand in Barcelona.
1910–12 CANALEJAS; lib. Kulturpolitik, aber keine soz. bzw. wirtschaftl. Reformen. Starke Auswanderung nach Amerika.

Portugal (1800: 2,9, 1900: 5,4 Mill. Einw. = Anstieg um 86%):
1834–53 MARIA II. DA GLORIA. Ständige Parteikämpfe konserv. und lib. Gruppen, nach
1848 Republikaner. – Unter PEDRO V. [1853–61] regiert der Diktator SALDANHA, 1857 gestürzt von DE LOULÉ (1804–75).
1890 Prestigeverlust: Brit. Ultimatum verlangt Aufgabe der Kolonialexpansion zur Verbindung Angolas mit Mosambik. Dafür brit. Garantie der Kolonien im
1899 Windsor-Vertrag.
1906–08 Diktatur von João FRANCO.
1910 Proklamation der Republik. Der erste antiklerikale MP. BRAGA (1843–1924) kann die Anarchie jedoch nicht beseitigen.

Die mitteleurop. Kleinstaaten (1848–1914)
Schweiz (1800: 1,7, 1900: 3,3 Mill. Einw. = Anstieg um 94%):
1856/57 Brit.-franz. Vermittlung im Konflikt um Neuenburg mit Preußen.
1859 Verbot des Söldnerdienstes. – Die Schlacht von Solferino (S. 351) veranlasst den Genfer **Henri Dunant** (1828–1910) zur
1864 Gründung des Roten Kreuzes: Schutz des Sanitätswesens und Pflege aller Verwundeten im Krieg.
1874 Gründung des Weltpostvereins in Bern.
1874 Verfassungs-Revision zu Gunsten des Bundes: Referendum (Volksentscheid) für Gesetze, einheitl. Militär- und staatl. Schulwesen, deshalb Kulturkampf bis 1884. – Abhängig vom Weltmarkt und deshalb krisenanfällig ist die hochentwickelte Industrie. Sozialdemokraten (1887) und Bauernbund (1897) nehmen auf Kosten der Lib.-Radikalen und der konserv. kath. Volkspartei (1894) zu.

Niederlande (1800: 2,1, 1900: 5,2 Mill. Einw. = Anstieg um 148%):
1848 Parlament. Verfassung mit Minister-Verantwortung, Finanzkontrolle und Kolonial-Verw. durch die Volksvertretung (Generalstaaten), entworfen von dem Führer der Liberalen, Thorbecke (1798–1872), dem der Staat eine lib. Entwicklung unter
1849–90 WILHELM III. verdankt. – Im
1866–68 Konflikt mit der Krone um den Verkauf Luxemburgs an NAPOLEON III. (S. 353) siegt das Parlament.
1890 Verselbstständigung **Luxemburgs.**
1890–1948 WILHELMINA hält sich loyal an die 1887 ref. Verfassung. Unter wechselnden lib. und konserv.-kath. Ministerien Fortsetzung der soz. Gesetzgebung. – Kämpfen mit den Atjeh (Sumatra) folgt die »ethische Kolonialperiode«, die Eingeborenen polit. Einfluss gewährt.

Belgien (1800: 3,0, 1900: 6,7 Mill. Einw. = Anstieg um 123%): Zu den lib.-klerikalen Spannungen tritt der fläm.-wallon. Gegensatz. Industrie und Handel blühen auf.
1865–1909 LEOPOLD II. – Annexionspläne NAPOLEONS III. bedrohen das Land. Schulpolit. Kämpfe führen zum Abbruch der Beziehungen zu Rom 1880. – Der König erwirbt als Privatbesitz den
1885 Kongo-Staat und vererbt ihn dem Staat.
1885 Brüsseler Kongress: Gründung der marxist. Arbeiterpartei. Sie gewinnt als »dritte Kraft« an Stimmen durch das
1894 allg. Wahlrecht.
1898 Gleichstellung von fläm. und franz. Sprache. – Brit. Klagen über »Kongogreuel« beschleunigen
1908 Übernahme des Kongo durch den Staat.
1909–34 ALBERT I., Anlehnung an England seit Bekanntwerden des Schlieffen-Plans (S. 403).

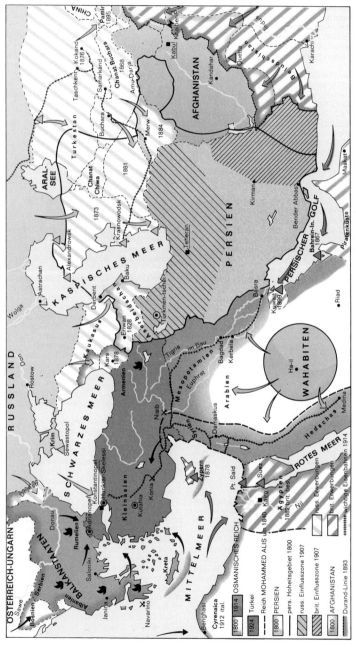

CHINA

Pamir
1895

Indus

Khaiber-P.

Kabul ■

AFGHANISTAN

Quetta ◤

Karachi ●

Taschkent
1876 ▪

Kokand

Samarkand

Chanat Buchara
1868

Amu-Darja

Kandahar

Buchara

Turkestan

Merw ●
1884

ARAL
SEE

Chanat
Chiwa

1881

Maskat ●

1873

Krasnowodsk

P E R S I E N

Bender Abbas

Alexandrowsk

Astrachan ●

K A S P I S C H E S   M E E R

Baku ●

Derbent ●

Kirman ●

PERSISCHER   GOLF

Bahrain-In.
1867

Piratenküste

Wolga

Don

Rostow ●

Kaukasus

Eriwan
1828

Aserbeidschan

Turkmen-tschai

Basra ●

Kuwait
1899

Riad ●

R U S S L A N D

Kars
1878

Armenien

Tigris

Mesopotamien

im Bau

Bagdad ●
Kerbela ●

Hail ●

W A H A B I T E N

Krim

Sewastopol

S C H W A R Z E S   M E E R

Nisib ✕

Euphrat

A r a b i e n

Dnjestr

Adrianopel ◉
Konstantinopel ◎

Buukar-Skelessi

Kleinasien

Kutahia

Konia ✕

Syrien

Damaskus ●

Medina ●

Hedschas

R O T E S   M E E R

Donau

Rumelien

O S T E R R E I C H - U N G A R N

Sawe

Bosnien / Serbien

BALKANSTAATEN

Albanien

Saloniki ●

Janina ✕

Navarino

Kreta

Zypern
1878

Pt. Said

Suez ◤

Ägypten
1882 brit. bes.

Kairo ■

Nil

M I T T E L M E E R

Benghasi ●

Cyrenaica
1912 ital.

russ. Eisenbahnen 1914

Westasien im 19. Jh.

OSMANISCHES REICH
1800 [ ] 1914 [ ] Türkei
Reich MOHAMMED ALIS um 1840

PERSIEN
1800 [ ] pers. Hoheitsgebiet 1800
[ ] russ. Einflusszone 1907
[ ] brit. Einflusszone 1907

AFGHANISTAN
1800 [ ]
Durand-Linie 1893

russ. Erwerbungen [ ]   brit. Erwerbungen [ ]
wichtige Eisenbahnen 1914

Der Zerfall des osman. Reiches (1788–1914)
Veralteter **Staatsaufbau** (Sandschaks als zentrale Verw.-Bez. neben auton. Vasallen und halbstaatl. Stammesverbänden); korrupte **Verw.-Methoden;** schwaches Janitscharen-**Heer** und relig. gestufte **Sozialordnung** kennzeichnen das islam. Großreich. Seit den russ. Türkenkriegen (S. 285) **Dauerkrise,** Abfall von Reichsteilen, Teilungsabsichten europ. Mächte (Oriental. Frage); nat. Bewegungen auf dem Balkan und **Wahabiten**-Aufstände in Arabien (Sekte zur Erhaltung des »reinen Islam«).

1789–1807 SELIM III. – Reformansätze unterbindet der

1798–1801 ägypt. Krieg gegen NAPOLEON (S. 301). Nach dem

1803 Abzug der Franzosen (Gen. KLÉBER) usurpiert der Albaner **Mohammed Ali** (1769–1849) die Macht in Ägypten (S. 375).

1808–39 MAHMUD II. (24 J.) unterwirft die Dere-Beis (wörtl. »Tal«-Fürsten in Kleinasien und Rumelien); erleidet dann schwere Verluste gegen Russland 1812 (S. 305) und im griech. Aufstand (S. 323). – Im Auftrag der Pforte führt IBRAHIM PASCHA, Stiefsohn und Feldherr MOHAMMED ALIS, in Mekka und Medina

1813–15 Krieg gegen die Wahabiten. – Ihr neues Reich von Riad (1820) erliegt den Stammesfürsten von Ha-il.

1826 Heeresreform und Vernichtung unbotmäßiger Janitscharen.

1831 Angriff MOHAMMED ALIS: er siegt bei Konia und gewinnt im

1833 Vertrag von Kutahia **Syrien.** Sein

1839 Verstoß nach Nisib führt zur

1839–41 Orientalischen Krise: Eine brit.-russ.-preuß. Konvention nötigt Frankreich (THIERS), die Unterstützung Ägyptens aufzugeben. Syrien fällt an die Türkei zurück; MOHAMMED ALI wird erbl. Statthalter von Ägypten. – Russ. Verstimmung über den

1841 Dardanellen-Vertrag von London zur **Schließung der Meerengen** für nicht-türk. Kriegsschiffe.

1839–61 ABD UL-MEDSCHID I. erlässt auf Drängen der Westmächte »nützliche Verordnungen« (Tanzimat) zur Rechts- und Verw.-Reform, kann aber die Vorrechte europ. Konsulate nicht beseitigen.

1853–56 Krimkrieg (S. 347) und

1856 Friede von Paris liefern die Türkei der »Eroberung durch westl. Kapital« aus. Handelsverträge mit niedrigem Einfuhrzoll, Verpfändung von Staatseinnahmen usw.,

1875 Staatsbankrott, seit 1881 internat. Verw. der Staatsschulden. Neue Reformen (Abschaffung der Folter) gipfeln im

1876 »Staatsgrundgesetz«, der ersten oktroyierten Verfassung mit Gleichstellung der Religionen und Nationen.
Doch setzt

1876–1909 ABD UL-HAMID II. die Verfassung außer Kraft und regiert despotisch.

1878 Berliner Kongress (S. 359).

1890–97 Aufstände und »Christengreuel« in Armenien. Dtl. lehnt den brit.

1895 Aufteilungsplan (SALISBURY) ab und handelt dafür Eisenbahnkonzessionen ein (Anatol. und **Bagdad-Bahn**). Im

1896/97 griech.-türk. Krieg um Kreta siegt die Türkei.

Jungtürk. Bewegung: Seit 1860 sammelt sich die Opposition gegen Autokratie und ausländ. Bevormundung. Offiziersgruppen wie das Komitee »Freiheit und Fortschritt« (1891) und der in Damaskus 1905 gegr. Geheimbund MUSTAFA KEMALS (ATATÜRK, S. 445) verbinden sich zur **Jungtürk. Partei.** Aus Sorge vor Aufteilung und für die Verfassung von 1876

1908 Milit.-Aufstand in Saloniki (Enver Pascha, 1881–1922). Krisen (S. 399), Erhebungen (Albanien, Arabien), Gegenaufstand, Absetzung des Sultans. Unter

1909–18 MOHAMMED V. erobern die Jungtürken

1911–13 die Macht im Tripoliskrieg (S. 397) und in den Balkankriegen (S. 399).

1913 Heeresreform unter deutscher Leitung, Flottenaufbau mit brit. Hilfe.

1914 Deutsch-türk. Defensivbündnis (Aug.), Nov.: Alliierte Kriegserklärung.

Persien, Afghanistan (1736–1909)
1736 Eroberung Persiens durch den Turkmenen NADIR; in den Nachfolgekämpfen Aufstieg der **Kadscharen-Dyn.** und

1747 Begründung Afghanistans durch ACHMED SCHAH DURRANI. – In Persien regiert 1797–1834 FATH ALI SCHAH: Verluste gegen Russland bis zum

1828 Frieden von Turkman-tschei.

1838 Revolte und Flucht des Führers der Ismailiten-Sekte, AGA CHAN, nach Indien. Die Schiiten beeinflussen das Volk. Ansätze zu europ. Reformen durch

1848–96 NASSIR ED-DIN. Westl. Presse und Schulen verbreiten lib. Ideen. Ein Volksaufstand erreicht die

1906 Verkündung einer Verfassung, die Schah MOHAMMED ALI [1907–09] aufhebt. Aufstände und Unruhen veranlassen England und Russland zum

1907 Vertrag von Petersburg: Aufteilung Persiens in Interessenzonen unter Verzicht auf Expansion in Afghanistan und Tibet. Nach Ablehnung russ.-brit. Forderungen

1909 russ.-brit. Besetzung und Wiederherstellung der Verfassung.

Afghanistan: Vergebl. brit. Versuche, die »Drehscheibe des asiat. Schicksals« zu gewinnen (Afghanenkriege, S. 367).

1818/34 Versuch der östl. Indusgebiete; die Herrscher nutzen die russ.-brit. Rivalität zur Erhaltung ihrer Autonomie.

1880–1901 ABD UR-RAHMAN überlässt England Schutz- und Kontrollrechte. Zur Sicherung gegen Indien wird die

1893 Durand-Linie festgelegt.

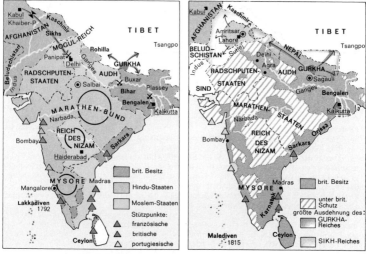

Indien um 1795

Indien um 1818

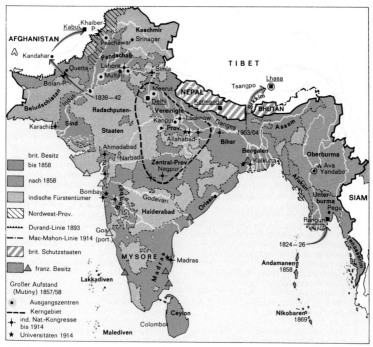

Die britische Kronkolonie Indien um 1914

Die brit. Herrschaft (1750–1858)
Zur Sicherung des Handels mischt sich die **Ostind. Kompanie** (S. 275) in die Machtkämpfe ind. Fürsten. Bestechungen, Pensionen, milit. Hilfe erbringen Steuer- und Verw.-Rechte (Diwani) bzw. polit. Kontrolle durch »Residenten« oder »Agenten«. – Begründung der brit. Herrschaft durch **Robert Clive** (S. 283).

1757 Sieg bei Plassey und 1764 bei Buxar: Entmachtung der Nawabs von Bengalen und von Audh. – Der Großmogul tritt die
1765 »Diwani« über Bengalen und Bihar ab.

1773 Regulating Act (S. 309): Umwandlung der Ostind. Kompanie in eine brit. Verw.-Behörde. – Der erste brit. Gen.-Gouv.

1773–85 Warren Hastings ordnet Recht und Verw. und besiegt die Koalition der drei Hauptgegner: den **Marathen-Bund,** den **Nizam von Haiderabad** und **Haidar Ali** [1761–82], Usurpator von **Mysore.**
1795–1815 Eroberung von Ndl.-Ceylon.

1798–1805 Gen.-Gouv. Lord Wellesley: Entwaffnung des Nizam (1798); Mysore wird Vasall (1799); Annexion des Karnatak (1801). Der Marathen-Bund geht zu Grunde.
1803 Eroberung von Delhi und Agra.

Nepal: Seit 1768 breitet sich das Bergvolk der **Gurkha** aus. Der
1814–16 Gurkha-Krieg endet mit dem Vertrag von Sagauli: Nepal wird Schutzstaat Englands, das Gurkha-Krieger (ind. Elite-Truppen) anwerben darf.

Zentralindien: Bürgerkriege, Freibeuter, afghan. Raubhorden zwingen zum Eingreifen.
1817/18 3. Marathen-Krieg; Unterwerfung der Marathen- und Radschputen-Staaten.

Burma: Die Rivalität zwischen Ober- (Ava) und Unterburma (Pegu) überwindet Kg. ALAUNGPAYA [1753–60]. Übergriffe nach Bengalen (1813) und Assam (1822) veranlassen den
1824–26 1. Burma-Krieg: brit. Landung in Rangun. Im Vertrag von Yandabo fallen Tenasserim, Arakan und Assam an Brit.-Indien. – Im 2. Burma-Krieg
1852 Annexion Unterburmas.
1885/86 3. Burma-Krieg: Eingliederung des Reststaates (1891).

Afghanistan: Die Sorge um russ. Expansion in Zentralasien (S. 391) verführt zum Eingriff in Thronwirren im
1839–42 1. Afghan.-Brit Krieg. Nach dem Überfall auf die brit. Garnison in Kabul räumen die Briten das Land.

Sikh-Reich (vgl. S. 229): Ausbreitung des Militär-Staates unter
1799–1839 RANDSCHIT SINGH.
1809 Vertrag von Amritsar: Der Fluss Sutlej bildet die Grenze mit Brit.-Indien.
1849 Brit. Annexion des Pandschab.

Ausbau des Kolonialreiches: Die ind. Fsm. ohne Erben werden eingezogen.
1835 Einführung des höheren brit. Schulwesens. – Das Missbehagen gegen die Überfremdung explodiert im

1857/58 Großen Aufstand: Meutereien, Massaker und Anfangserfolge der **Sepoys** (ind. Truppen): Ausrufung des letzten Moguls BAHADUR SHAH II. zum »Kaiser von Indien« in Delhi. Brit. Verstärkungen, Sikhs, Gurkhas vernichten die Rebellen.
1858 Auflösung der Ostind. Kompanie; Indien wird brit. Vize-Kgr.

Die Brit. Kronkolonie (1858–1914)
1877 Königin VIKTORIA (S. 381) nimmt den Titel »Kaiserin von Indien« an. Zur Sicherung des ind. Besitzes Bildung abhängiger »Pufferstaaten«: **Nepal** 1816; **Bhutan** 1865; **Sikkim** 1890.
1876–87 Eingliederung **Beludschistans.** Afghan. Grenzstämme befriedet
1898–1905 Vize-Kg. Lord Curzon: Bildung der Nordwest-Prov. (1901).
1903/04 Expedition nach **Tibet.**
1904 Handelsvertrag von Lhasa; die Konferenz von Simla erstrebt die Autonomie Tibets von China.

Wirtschaft: Erschließung des Landes. Brit. Industriewaren vernichten die autarke Dorfwirtschaft und das ind. Baumwollgewerbe. Arbeitslose und Übervölkerung. Anlage großer Jute-, Tee- und Indigoplantagen mit brit. Kapital.

Ind. Nationalbewegung: An Colleges und Universitäten bildet sich eine europäisierte ind. Oberschicht. Ihre bewusste Pflege nat. Traditionen gegen soz. Zurücksetzung und kult. Unbehagen bleibt zunächst ohne Breitenwirkung infolge polit. Apathie bzw. relig. Standesvorurteile (Kastenwesen). Relig. Ref. sind Voraussetzungen zur inneren Erneuerung: RAM MOHAN ROY (1772–1833) lehrt den
1828 Brahma Samaj (Verschmelzung ind. und christl. Religion). DAYANAND SARASVATI (1824–83) ruft in ›Arya Samaj‹ 1875 zur Rückbesinnung auf die Urlehre (Veda) auf. Der Dorfheilige **Ramakrishna** (1836–86) verbindet westl. Bildung mit hinduistischer Frömmigkeit.
1885 Gründung des ind. Nat.-Kongresses zur Beteiligung an der Reg. – Die Briten schüren die ind. Gegensätze, gewähren aber seit
1892 bedingtes Wahlrecht für das Zentral-Parlament und lassen höhere ind. Beamte in Stadt-Verw. und im Rat der Vize-Kgs. bzw. der Prov. zu. Hungersnöte und Pestepidemien (1896/97). bes. der jap. Sieg über Russland (S. 393) stärken die »Neue Partei« der Extremisten unter TILAK (1856–1920). – Nat. Unzufriedenheit über die
1905 Teilung Bengalens (Neubildung einer Prov. mit Moslem-Mehrheit). – Die **Moslem-Liga** (gegr. 1906) meldet die islam. Minderheit ihre Interessen an. – Trotzdem Rücknahme der Teilung, dafür
1911 Zentralreg. nach Mogul-Stadt Delhi.
1916 Pakt von Lucknow: Hindus und Moslems fordern gemeinsam die Autonomie.

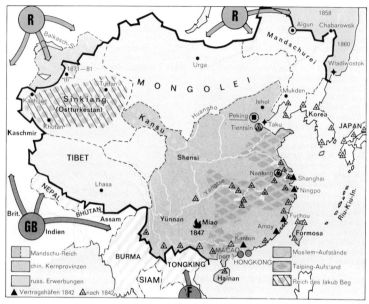

China um 1860

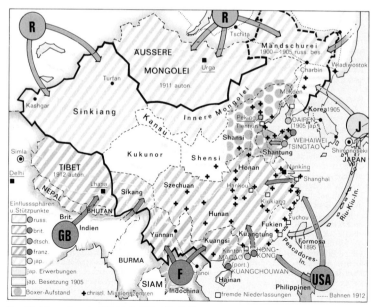

Das Eindringen fremder Mächte in China bis 1912

Japan: Das Tokugawa-Shogunat

In strenger Absperrung von der Außenwelt sichert der Shogun seine Macht mit polizeistaatl. Methoden und polit. Entmachtung des nur als relig. Oberhaupt zu verehrenden Tenno. Feudalordnung: Hofadel (Kuge), Lehnsherren mit Residenzpflicht (Daimyo), Beamte und Vasallen (Samurai), Volk (Heimin) und Parias (Eta; Hinin). – Unter dem »Hunde-Shogun«

1680–1709 TSUNAYOSHI Blütezeit der Lyrik, des Theaters, später auch der Malerei (farbiger Holzschnitt).

1716–45 YOSHIMUNE hebt den Bauernstand und steuert dem Luxus der Samurai-Kaste. Seit 1720 Zulassung europ. Bücher.

1761–86 IEHARU: Verschuldung und sinkende Moral der Daimyos und Samurais, hohe nat. Bauern, Naturkatastrophen. – Vorbereitet durch den »Romantiker« KAMO MABUCHI (1697–1769) erneuern die »vier großen Männer« (AZUMA-MARO, 1768–1830, und seine Schüler) die nat. **Shinto-Bewegung:** Aufwertung des Tenno-Kultes bzw. Abwertung des Shogunats.

1853/54 Öffnung Japans (S. 393).

Der Einbruch europ. Mächte in China

Bis zur ersten Hälfte des 19. Jhs. staatl. kontrollierter Außenhandel über Hong-Kaufleute (S. 275). Der gegen den unerlaubten brit. Opiumhandel geführte

1840–42 Opiumkrieg beweist die Überlegenheit europ. Waffen.

1842 Friede von Nanking: Abtretung von **Hongkong;** Handelskonzessionen für 5 Vertragshäfen. Seit 1844 ähnliche »ungleiche Verträge« über exterrit. Niederlassungen mit eigener Verw., Gerichts-, Polizei- und Zollhoheit. Wegen Missbrauchs der brit. Flagge durch eine Dschunke (Lorcha) brit./franz.-chin.

1856–58 Lorcha-Krieg: Einnahme der Taku-Forts. Nach Bruch des Vertrags von Tientsin (1858) wird Peking besetzt.

1860 Vertrag von Peking: Einrichtung europ. Gesandtschaften; Freigabe des Handels und der christl. Mission. – Festlegung der russ.-chin. Grenze im

1858 Vertrag von Aigun; Abtretung der Küstenprov. 1860.

1870 Aufruhr in Tientsin: Ermordung des franz. Konsuls und europ. »Sühnemission«; 1885 Anerkennung des franz. Protektorats über Tonking; 1886 Abtretung Burmas an England. Im

1894/95 chin.-jap. Krieg (S. 393) Verlust Formosas. Als Repressalie auf die Ermordung zweier Missionare deutsche Besetzung von Tsingtao (1897); Konzession für die Shantung-Bahn und

1898 Pachtvertrag (Erwerb von Kiautschou für 99 Jahre). Ähnl. Verträge mit Russland (Dairen), England (Weihaiwei) und Frankreich (Kuangchouwan). – Hass gegen die »fremden Teufel« entlädt sich im

1900 **Boxeraufstand:** Christenmassaker, Ermordung des dt. Gesandten; darauf Strafexpedition unter dt. Kommando (Gf. WALDERSEE). Im

1901 Boxerprotokoll chines. Sühneleistungen. – Misstrauen verhindert die Aufteilung Chinas; die Kolonialmächte einigen sich auf eine **»Politik der offenen Tür«** (gemeinsamer Markt).

Der Verfall des Mandschu-Reiches

Der Opiumkrieg öffnet China der westl. Welt. Kaum Erfolge der christl. Mission. Dagegen bed. Wirkungen der christl. Karitas (Waisen-, Krankenhäuser), Missionsschulen verbreiten europ. Zivilisation. Sie stellen die traditionelle Struktur in Frage und verändern sie in rev. Erschütterungen.

1850–64 Taiping-Aufstand: komm. Sekte zur Errichtung eines christl.-taoist. »Himmelsreiches«; Bodenreform. 1853 Eroberung Nankings. – Von Yünnan aus greifen

1864–78 Moslem-Aufstände um sich.

1865–77 JAKUB BEG, Chan von Kashgar, gründet ein Türkenreich zur Vereinigung aller Moslems. Kanzler **Li Hung-chang** (1823–1901) restauriert die kaiserl. Ordnung, teils mit europ. Hilfe (Abenteurertruppe Major GORDONS). Den Regentschaftsrat für die unmündigen Kaiser TUNG-CHICH [1861–74] und KUANG-HSU [1875–1908] entmachtet die Kaiserin-Witwe

1881–1908 Tzu-hsi, praktisch Alleinherrscherin.

Einbruch des westl. Kapitalismus: billige Industriewaren zerstören Handwerk und Gewerbe bei soz. Verfall und sinkendem Lebensstandard in den dicht besiedelten ländl. Gebieten.

In den wachsenden Hafenstädten entsteht ein Proletariat und eine rev. Intelligenz. Übersetzer (YU-FU, 1853–1921) vermitteln ihr mod. westl. Denken. Reformer wie KANG YÜ-WI (1858–1927) beeinflussen den Kaiser.

1898 Staatsstreich der Reaktion (TZU-HSI): Internierung des Kaisers, Hinrichtung der Reformer, Förderung der »Boxer«. Ausländ. Druck und innenpolit. Ohnmacht zwingen

1905 zur Abschaffung des alten Prüfungssystems (S. 177) und zur Erneuerung des Heeres (Gen. **Yuan Shih-kai,** 1859–1916).

1905 Gründung der T'ung meng-hui, später Kuomintang (Nat. Volkspartei) durch den Arzt **Sun Yat-sen** (1866–1925). Sein Programm der »Drei Prinzipien« (nat. Eigenleben, Demokratie, Existenzsicherung für alle) wird von Studenten und Missionsschülern verbreitet.

1911 Rev. der Jungchinesen zur radikalen Erneuerung Chinas; Abdankung der Mandschu-Dyn. 1912; SUN YAT-SEN ruft in Nanking die Republik aus, überlässt aber YÜAN SHIH-KAI die Präsidentschaft, um das Militär zur Erhaltung der Reichseinheit zu gewinnen. Die Mongolei und Tibet erklären ihre Unabhängigkeit.

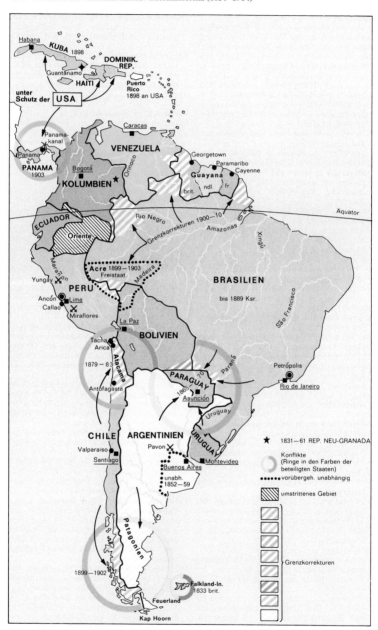

Südamerika im 19. Jh.

Mit der Einführung mod. Verfassungen festigen sich die neuen Staaten nicht. Klassen-, Partei- und Rassenkämpfe, Gegensätze zwischen Unitariern und Föderalisten äußern sich in ständigem Wechsel von Rev. und Gegenrev., Anarchie und Militärdiktatur. Caudillos, die durch Pronunciamentos (Putsche) zur Macht kommen, bilden den Typ der autoritären Demokratie aus. Die alte kreol. Aristokratie wandert z. T. nach Europa zurück. Farbige und Mischlinge entwickeln eigene Führungsschichten. In klimatisch gemäßigten Staaten hält sich ein weißes Großbürgertum. Es lassen sich unterscheiden

– weiße Staaten: Argentinien, Uruguay;
– Mischlings-Staaten: Brasilien, Chile, westind. und mittelamerikan. Staaten;
– indianische Staaten: Bolivien, Venezuela, Kolumbien, Peru, Ecuador, Paraguay.

Durch brit. und nordamerik. Kapitalzufluss wird gegen Ende des 19. Jhs. eine neue Phase eingeleitet: Anstieg europ. Einwanderung; Eisenbahnbau, Entwicklung der Getreide-, Viehund Plantagenwirtschaft, Rohstoffgewinnung (Salpeter, Zinn, Kupfer). In Argentinien, Süd-Brasilien, Chile (ABC-Staaten) entstehen ein weißes Kleinbürgertum und eine Arbeiterklasse. Polit. Spannungen und Kriege ergeben sich aus Grenzforderungen.

Brasilien: Unter der lib. Regierung von
1831–89 PEDRO II. festigt sich die Wirtschaft durch Binnenkolonisation, europ. Einwanderung, Kaffee- und Kautschukexport. Die
1888 Abschaffung der Sklaverei vereinigt Pflanzer und Liberale zum Sturz der Monarchie (1889). Das Territorium der **Rep. der Verein. Staaten von Brasilien** wird durch kluge Verträge bis 1910 erweitert.
Paraguay verliert durch die überspannte Großmachtpolitik des Diktators F. SOLANO LÓPEZ [1862–70] im
1865–70 Dreiländerkrieg über 70% der Bev.
Argentinien: Präs. Juan Manuel de Rosas [1829–52] beendet die inneren Wirren. Großbritannien erzwingt die
1833 Abtretung der Falkland-Inseln.
1868–74 Präs. SARMIENTO fördert Schulen und Universitäten, Einwanderung, Bahn- und Nachrichtenwesen.
Den Kampf gegen die Pampas-Indianer beendet
1880–86/98–1904 Präs. ROCA, der
1902 Patagonien durch Schiedsspruch gewinnt. Der Staat entwickelt sich zur ersten Wirtschaftsmacht Lateinamerikas.
Peru: Marschall CASTILLA (1797–1867) setzt sich als Diktator im
1842–46 Bürgerkrieg durch. Niederlage im
1879–83 Salpeterkrieg; dann folgen wechselnde Mil.-Reg.
Bolivien verliert durch den Salpeterkrieg der Prov. Atacama und damit den Zugang zum Meer, wird aber wegen der reichen Zinnvorkommen kaum geschädigt.

Chile gewinnt im Salpeterkrieg die Seeherrschaft und behauptet die Eroberungen im Frieden von Ancón.
1891 Rev. des Kongresses; parlament. Reg.
Kolumbien (Neu-Granada): Ständige Bürgerkriege zwischen Unitariern und Föderalisten, Liberalen und Klerikalen. Nach der Konföderation von 8 Staaten (1858)
1861 Proklamation der Verein. Staaten von Kolumbien. Auf Betreiben der USA
1903 Lösung Panamas (S. 395).
Venezuela: Die föderalist. Verf. wird im
1861–68 Föderationskrieg verteidigt, doch setzen sich Diktatoren durch.
1902 Seeblockade gegen Eingriffe Präs. CASTROS [1899–1908] in Rechte von Ausländern.
Ecuador: Betont kirchenfreundlich regiert
1860–65/69–75 Präs. MORENO. Nach seiner Ermordung Kämpfe zwischen lib. und klerikalen Gruppen.

Mittelamerika: Einigungsversuche schlagen fehl; finanz. Abhängigkeit von den USA wirkt sich in polit. Bevormundung aus.
Mexiko gerät durch den Abfall von Texas (1836) und den
1846–48 Texaskrieg gegen die USA in eine schwere Krise. Durch den
1853 Verkauf Südarizonas kommt Nordmexiko an die USA. In Reaktion auf das 1855 gestürzte klerikale Regime des Diktators SANTA ANA (S. 331) verstaatlicht
1858–72 Benito Juárez den Kirchenbesitz und schafft alle Privilegien ab:
1858–61 Bürgerkrieg zwischen Klerikalen und Liberalen mit Intervention brit., span. und franz. Truppen.
1863 Franz. Eroberung von Puebla und Einzug in Mexiko. Auf Betreiben NAPOLEONS III. proklamiert eine Notabelnvers. das Ksr. und trägt dem österr. Ehz. MAXIMILIAN die Krone an. Auf Protest der USA (Bruch der Monroe-Doktrin) muss Frankreich seine Truppen zurückziehen.
1867 Einnahme von Queretaro durch die Republikaner; MAXIMILIAN wird auf Befehl JUÁREZ' erschossen.
1877–80 und 1884–1911 Präs. PORFIRIO DÍAZ lehnt sich an Japan und England an. Erneute Unruhen nach seiner Abdankung.
Westindien: Die Hauptumschlagplätze des Sklavenhandels verlieren mit dem Verbot der Sklaverei (1838 in den brit., erst 1883 in den span. Kolonien) an Bedeutung. Die ehemaligen Sklaven werden Plantagenarbeiter oder verstärken das städt. Proletariat.
1844 Neugründung der Dominikan. Rep., seit 1861 unter span. Schutz, seit 1865 Einfluss der USA (1905/07 Finanzaufsicht).
Kuba: Der Aufstand gegen Spanien (1895), von den USA unterstützt, führt zum
1898 Span.-Amerik. Krieg (S. 395). Als Protektor der neuen Rep. Kuba pachten die USA Flottenstationen (Guantánamo).

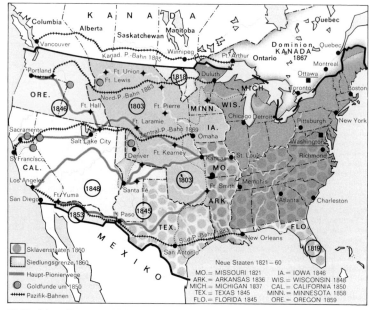

Neue Staaten 1821–60

MO. = MISSOURI 1821	IA. = IOWA 1846
ARK. = ARKANSAS 1836	WIS. = WISCONSIN 1848
MICH. = MICHIGAN 1837	CAL. = CALIFORNIA 1850
TEX. = TEXAS 1845	MINN. = MINNESOTA 1858
FLO. = FLORIDA 1845	ORE. = OREGON 1859

Sklavenstaaten 1860
Siedlungsgrenze 1860
Haupt-Pionierwege
Goldfunde um 1850
Pazifik-Bahnen

Die Vereinigten Staaten um 1850

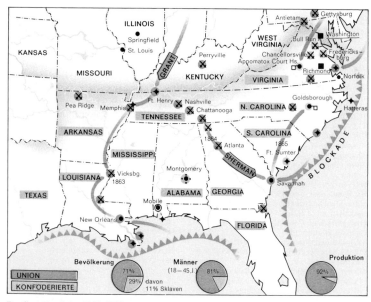

Bevölkerung   Männer (18–45 J.)   Produktion
71%   81%   92%
29%   davon 11% Sklaven

UNION
KONFÖDERIERTE

Der Sezessionskrieg 1861–1865

Die Erschließung des Westens
Die Bev. wächst 1820–60 von 9,6 Mill. in 23 Staaten auf 31,3 Mill. in 33 Staaten (um 226%).
Das Vordringen nach Westen bringt den USA territoriale Gewinne.
1819 Ankauf Floridas von Spanien.
1823 **Monroe-Doktrin** (S. 331): Verbot jeder Einmischung europ. Staaten in amerikan. Angelegenheiten.
1845 Aufnahme von Texas in die Union.
1848 Friede von Guadalupe-Hidalgo: Mexiko verliert alle Gebiete nördl. des Rio Grande. Die USA werden zur pazifischen Macht. – Seit dem
1846 Oregon-Vertrag bildet der 49. Breitengrad die Grenze mit Kanada.
Zwischen 1830 und 1860 wächst die Einwanderung auf 4,6 Mill. Führend bleiben die »Angloamerikaner« (16%); der Zahl nach stärker sind Iren (39%) und Deutsche (30%), unter ihnen enttäuschte Demokraten wie CARL SCHURZ (1829–1906).
Die Siedlungsgrenzen (Frontiers) verlagern sich nach Westen. Geregelt nach dem Heimstättengesetz (1862), erfolgt die freie Landnahme in drei Wellen: dem Squatter (wildem Siedler), Pionier und Trapper (Jäger und Viehzüchter) folgt der Grenzer (Farmer), diesem der Händler, Spekulant und Handwerker. Indianer werden bekämpft und in Reservationen verwiesen. Mineral- und Goldfunde beschleunigen die Westwanderung (vor allem der »Gold Rush« nach Kalifornien [1848/49]). Der Boden wird rücksichtslos ausgebeutet; Arbeitskräftemangel fördert Landmaschinenbau und schafft neue industr. Absatzmärkte. Straßen (Trails) und Eisenbahnen überbrücken gewaltige Entfernungen (1862–69 Bau der ersten Pazifik-Bahn).
Der **Westen**, »Land der unbegrenzten Möglichkeiten« und »Melting Pot« für alle Einwanderer, prägt das typische Amerikanertum der »Kleinen Leute«. Mit dem »Selfmademan« Gen. **Andrew Jackson** [1829–37] beginnt die polit. Führung der **Demokratischen Partei.** Der »Held von New Orleans« (S. 293) einigt Farmer und Arbeiter im Kampf gegen das Kapital und führt das »Spoils System« ein (»Dem Sieger die Beute«: Besetzung der Beamtenstellen mit Parteianhängern). Auch seine Gegner (Whigs) bedienen sich der Methoden der »Jacksonian Democracy«.

Der nordamerikan. Bürgerkrieg (1861–65)
Den Ost-West-Gegensatz überlagert die Spannung zwischen Nord und Süd, zwischen Industrie- und Plantagenstaaten, demokrat. **Yankees** und aristokrat. Pflanzern, Schutzzoll und Freihandel. Unter Berufung auf die Menschenrechte (S. 291) fordert der Norden die Abschaffung der Sklaverei (Abolition), der Süden fürchtet um sein Baumwollweltmonopol (»Cotton is King«). Der
1820 Missouri-Kompromiss trennt zwischen sklavenhaltenden und sklavenfreien Staaten,

bringt aber keinen Ausgleich. W. GARRISON führt seit 1831 mit dem ›Liberator‹ den Pressefeldzug gegen die Sklaverei an; die »American Anti Slavery Society« verhilft Schwarzen zur Flucht aus dem Süden.
1847 Gründung des afrik. Freistaates **Liberia** für rückgeführte Schwarze. Zur Verhinderung einer Sezession (Abspaltung) überlässt der
1850 Clay-Kompromiss die Sklavenfrage auch Einzelstaaten (Utah, New Mexico). Doch stärkt u. a. der Welterfolg des Romans von HARRIET BEECHER STOWE ›Onkel Toms Hütte‹ (1852) die Abolitionisten. Im
1854 Kansas-Nebraska-Konflikt um Einführung der Sklaverei im Westen gründen sie die **Republikanische Partei.** Ihr Wahlsieg spaltet die Union. South Carolina und weitere 10 Südstaaten bilden die
1861 **Konföderierten Staaten von Amerika** (Hauptstadt Richmond) unter dem Präs. J. DAVIS (1808–89). Sein Gegner ist
1861–65 **Abraham Lincoln** (1809 in Kentucky geb., Advokat, Abg. von Illinois, 16. Präs.). Gemäßigt in der Sklavenfrage, setzt er sich im
1861–65 **Sezessionskrieg** entschlossen für die Erhaltung der Union ein. Gekämpft wird zunächst mit Freiwilligen unter Einsatz moderner Waffen (Eisenbahngeschütze, Repetiergewehre, Panzerschiffe). Eine Seeblockade unterbindet Kriegslieferungen an den Süden, der von England und Frankreich anerkannt wird, während Russland den Norden zuneigt. Die Konföderierten leisten trotz finanz. und industr. Unterlegenheit erbitterten Widerstand. Sie siegen unter den besten Strategen des Krieges, Gen. ROBERT LEE (1807–70), bei Bull Run 1861/62, Fredericksburg 1862 und Chancellorsville 1863, ohne das nördl. Übergewicht an Menschen und Material brechen zu können. Entscheidend wird das
1863 Ringen um Gettysburg: Gen. LEE wird zum Rückzug gezwungen. Die
1863 Proklamation LINCOLNS zur Befreiung aller Sklaven.
Verwüstungszüge Gen. SHERMANS durch Georgia und Carolina. LEE kapituliert vor dem OB, Gen. GRANT,
April 1865 bedingungslos bei Appomatox Court House. Wenig später wird LINCOLN im Washingtoner Ford-Theater von einem fanatischen Südstaatler ermordet.
Der Bürgerkrieg hat beiden Seiten schwere Opfer abverlangt (über 600 000 Tote, zumeist durch Epidemien in Hospitälern und Gefangenenlagern):
die Kriegskosten übersteigen 8 Mrd. Dollar; der Süden ist ruiniert.
Bedeutung: Die Einheit der Union bleibt erhalten; unter Führung des Nordens wandeln sich die USA zur industr. Wirtschaftsmacht. Einfluss und wirtschaftl. Bedeutung des Südens sinken (Verlagerung der Baumwollproduktion nach Ägypten und Indien), die Sklavenfrage wird zum Rassenproblem.

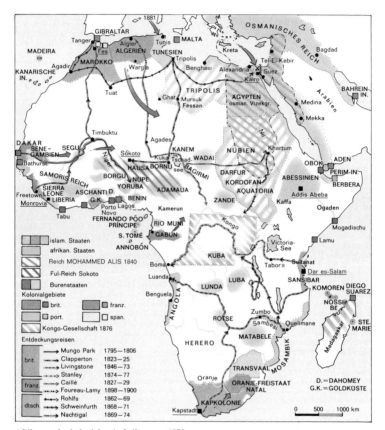

Afrika vor der kolonialen Aufteilung um 1870

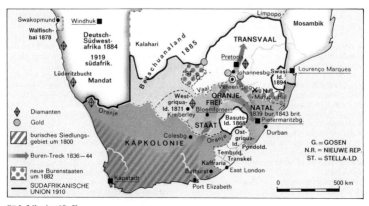

Südafrika im 19. Jh.

Auflösung der osman. Herrschaft
Ägypten: MOHAMMED ALI (S. 365) festigt nach 1811 Ausrottung der Mamelucken seine Macht: Landesausbau mit franz. Hilfe.
1820–22 Unterwerfung Nubiens, 1823 Gründung Khartums. Eine europ. Intervention verhindert die Lösung von osman. Hoheit.
1859–69 Bau des Suezkanals (S. 349).
1863–79 ISMAIL PASCHA erobert Darfur (1874), bekämpft Abessinien, verschwendet aber Gelder für Reformen. Deshalb 1875 Verkauf ägypt. Suezkanal-Aktien an England. Der Sturz ISMAILS rettet das Land nicht vor internat. Finanzkontrolle.
1881 Nat. Aufstand (Kriegs-Min. ARABI PASCHA) in Alexandria und brit. Eingriff.
1882 Protektorat über Ägypten (S. 381).
Ostsudan (S. 396): MOHAMMED ACHMED (1843–85) predigt als **Mahdi** (arab. der »Geführte«) den hl. Krieg gegen Ägypten.
1881–83 Mahdi-Aufstand.
1885 Erstürmung Khartums. EMIN PASCHA (EDUARD SCHNITZER), Gen.-Gouv. von Äquatoria, behauptet sich und wird 1888 von STANLEY befreit. – Brit. Gegenangriff unter Lord **Kitchener** (1850–1916).
1898 Sieg über die Mahdisten bei Omdurman. – Der Sudan wird
1899 anglo-ägypt. Kondominium.
Berberstaaten: Osman. Statthalter, Janitscharen, Korsaren und europ. Konsuln ringen um die Macht. – Seit 1830 franz. Eroberung **Algeriens** (S. 385).
1880 Konferenz von Madrid zur Regelung der Rechte europ. Staaten im Sultanat **Marokko** (Dyn. der ALIDEN).

Afrika vor der imperialen Aufteilung
Islam. Staaten: Feudalgebilde im Sudan beherrschen die lokalen Stammesverbände. – Im Westsudan begründet
El Hadj Omar (gest. 1864) eine Theokratie. 1854 Zusammenstoß mit franz. Expansion am oberen Niger; 1861 Eroberung von Segu, das OMARS Sohn AHMANDU behauptet.
Samori Turé (gest. 1900) übt harte Justiz, verfügt über ein wirksames Steuersystem und gut organisierte Truppen.
1887 Protektionsvertrag mit Frankreich.
Ful-Reiche: Die Fulbe-Nomaden, deren Herkunft umstritten ist, erobern unter **Usman dan Fodio** (1754 bis um 1815) die Stadtstaaten der Hausa bis auf Bornu und Kanem. MOHAMMED BELLO (gest. 1837), Herr von Sokoto, gewinnt die Oberhoheit über die Ful-Reiche. Unter brit. Protektorat wird die Macht der Emire nicht angetastet.
Rabeh (gest. 1900), der »Napoleon Afrikas«, dehnt seine Herrschaft (S. 396) über Bornu und Bagirmi aus, bis er von franz. Truppen um 1900 besiegt wird.
Ostafrika: Zentrum des Sklavenhandels ist das Sultanat Sansibar; afrik. Häuptlinge schließen Schutzverträge mit Briten (JACKSON) und Deutschen (PETERS).

Afrik. Staaten: Feudale Despotien (Aschanti) nutzen afrik. Stämme für den Sklavenhandel. Kg. **Geso von Dahomey** (1818–58) stellt Frauenregimenter auf und greift **Yoruba**, das »Land der großen Städte«, an. Hochentwickelt sind Kunst (Bronzeguss) und Verw. auch in **Benin**.
Liberia: Aus der 1822 gegr. Siedlung befreiter und rückgeführter Sklaven aus Amerika bildet sich 1847 eine unabh. Rep.
Abessinien: Der Usurpator RAS KASA eint unter dem Namen
1853 THEODORUS II. das kopt.-christl. Ksr.
1867/68 Brit. Strafexpedition (Lord NAPIER).
1872–89 JOHANNES IV., brit. Prätendent, wehrt ägypt. Angriffe ab (1875–79).
1889–1910 MENELIK II. erklärt sich mit ital. Hilfe zum **Negus Negesti** (S. 397).
Südafrika: Der »südafrik. Attila« **Tschaka** (gest. 1828) erfindet eine neue Nahkampftechnik und bildet aus Bantus (Kaffern) den Kriegerstaat der **Zulus**. Sein Vorstoß nach Natal bringt alle südafrik. Bantu-Völker (Herero, Matabele) in Bewegung.
Europ. Kolonialmächte: Brit. Verbote des Sklavenhandels (1807), der Sklaverei (1833), der Sklavenausfuhr (1841) lähmen den Handel. Aufgabe der dän. und ndl. Faktoreien. Nur Frankreich baut seit Mitte des 19. Jhs. von Algerien, Senegambien, Gabun ein Kolonialreich auf (S. 385). **Christl. Missionen** gründen Stationen, Hospitäler, Schulen. Mit der Erforschung Innerafrikas nimmt das Kolonialinteresse zu. LEOPOLD II. VON BELGIEN (S. 363) erkennt als erster die neuen Ausbeutungsmöglichkeiten. Im Auftrag der von ihm gegr. Kongo-Gesellschaft erforscht **Stanley** (1841–1904) das Kongogebiet, das LEOPOLD II. auf der
1884/85 Kongo-Konferenz in Berlin gegen brit.-port. Ansprüche gewinnt.

Die südafrik. Burenstaaten (1842–1902)
Innere Gegensätze und Sklavenbefreiung in der brit. Kapkolonie (seit 1806/14) veranlassen ca. 10 000 konserv. Buren zum
1836–44 »Großen Treck« in das Landesinnere. Nach Kämpfen mit Zulus und brit. Annexion von **Natal** gründen sie den
1842 Oranje-Freistaat (bis 1854 brit.) und
1853 Transvaal (Südafrik. Rep.). Goldfunde ziehen Einwanderer (Uitlanders) an.
1877 Brit. Annexion Transvaals. Deshalb
1880/81 Burenaufstand und brit. Niederlage.
1883–1902 Präs. »Ohm« Krüger leitet die unabh. Rep. Goldlager bei Johannesburg (gegr. 1886) wecken brit. Interessen. Deshalb Einkreisung durch Kol. (Betschuana-, Swasiland, Rhodesien).
1899–1902 Burenkrieg: Anfangserfolge der Gen. **Smuts,** BOTHA und HERTZOG, aber milit. Überlegenheit (KITCHENER) und harte brit. Kriegführung (Konzentrationslager) brechen den Widerstand.
1902 Frieden von Vereeniging (S. 381).

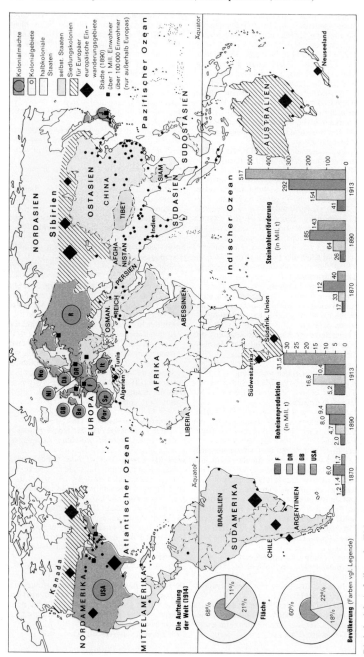

Die koloniale Aufteilung der Welt 1914

Der moderne Imperialismus
(Lat. imperium: Befehlsgewalt). Indem sie die Kolonialpolitik des 16.–18. Jhs. (S. 225, 275 f.) fortführen, kämpfen seit 1880 die Großmächte um **Aufteilung der Welt.** Sie glauben damit für alle Zeit über »Gleichgewicht«, Reichtum und Macht der Nationen zu entscheiden.
Bis ins 19. Jh. entstehen zwei Formen von Kolonien:
1. **Siedlungskolonien,** gegr. von Auswanderern, die aus relig. oder polit. Gründen oder aus Existenzbedrohung (Übervölkerung) ihre Heimat verlassen;
2. **Handelskolonien** (z. T. Stützpunkte mit Konzessionen) als Rohstoffquellen (Indien und Afrika).
Nutznießer sind private Handelskomp., die zum Schutz ihrer Interessen den Staat anrufen. Die Bildung imperialer **Kolonialreiche** oder wirtschaftl. Interessenräume (Dollarimperialismus, S. 395) hat versch. Ursachen (s. u.).

Die Blüte des Hochkapitalismus
Steiler wirtschaftl. Aufstieg der Industriestaaten: USA, England, Deutschland; mit Abstand Frankreich, Japan; im Aufbau Italien, Russland.
Techn. und wissenschaftl. Fortschritte (S. 343) erschließen neue Energiequellen (Elektrizität, Erdöl) und Industriezweige (Elektro-, Chemotechnik); **Verkehrs- und Nachrichtenwesen** (Telegrafie, Telefon) schaffen die Voraussetzungen für Welthandel und -wirtschaft. – **Steigende Kapitalinvestitionen** für neue Produktionsverfahren, Verkehrs- und Versorgungsanlagen verändern die Wirtschaftsstrukturen.
Monopolkapitalismus (Verbindung bzw. Konzentration von Betrieben zu **Großunternehmen**): Aktiengesellschaften (AG), Konzerne zur Rationalisierung des Einkaufs und Absatzes, horizontal (gleicher Wirtschaftszweig) oder vertikal (verschiedene Produktionsstufen, z. B. Bergwerk, Hüttenbetrieb, Maschinenbau) gegliedert; **Kartelle** mit Produktions- und Preisbindung; **Syndikate;** gemeinsame Verkauforganisation; **Trusts:** Monopol-Diktat zur Marktbeherrschung.
Finanzkapitalismus: Ausbildung von **Großbanken** zur Kreditbeschaffung. Kapitalexport und internat. Kapitalintegration verstärken die Macht der **Hochfinanz,** die polit. Einfluss gewinnt.
Folgen: Produktion und Sozialprodukt steigen, der allg. Lebensstandard auch der Arbeiter hebt sich. Landflucht, Großstädte, neue Berufe (Angestellte) verändern Sozialstrukturen und Lebensformen. Verbände und Parteien fördern die **Demokratisierung** der Massen. – **Zunehmende Verflechtung von Staat und (Finanz-) Wirtschaft** durch Verstaatlichung von Verkehrs- und Versorgungsbetrieben (Eisenbahn, Post, Wasser- und Gaswerke) und staatl. Kontrolle des Finanzwesens (**Notenbank** zur Regelung des Geldumlaufs und der Währung). Wirtschaftl. Probleme (internat. Ringen um Rohstoffe, Ab-

satzmärkte, Kapitalanlagen) werden zu politischen.
Kolonialpolitik: Von den Kolonien, deren Bedeutung überschätzt wird, verspricht man sich **Autarkie** (Unabhängigkeit von Weltkonkurrenz und Wirtschaftskrisen durch Rohstoffquellen) und die Erhaltung des Lebensstandards, der durch **Übervölkerung** (vgl. medizin. Fortschritte, S. 343) und steigende Ansprüche bedroht erscheint.»Volk-ohne-Raum«-Vorstellungen beherrschen mit der Theorie von MALTHUS (S. 321) das Denken der Zeit. Auswanderung wird durch Gesetze (USA) erschwert, die Möglichkeit der Intensivierung des Binnenmarktes durch Kaufkraftstärkung noch nicht erkannt. Zur Erhaltung der Nation wird deshalb wirtschaftl. und koloniale Expansion gefordert.
Schutzzollpolitik (Neumerkantilismus) zur Absicherung der Autarkie und des Handels mit bilateralen Handelsverträgen, Kampfzöllen und Zollkriegen. Sie begünstigt die eigenen Großunternehmen.
Den ökonom. Charakter betont HOBSON (›Imperialism‹, 1902), **Lenin** versteht den ›Imperialismus als höchstes Stadium des Kapitalismus‹ (1915, S. 418).

Geistige Wurzeln des Imperialismus
Nationalismus: Die Erfolge realer **Machtpolitik** bei der Bildung neuer Nat.-Staaten (Deutschland, Italien) bestärken die Auffassung, dass nur große Nationen mit dem Willen zur Macht (NIETZSCHE, S. 340) und zum Kampf ums Dasein (Sozialdarwinismus, S. 342) zur Herrschaft über minderwertige (farbige) Völker (Rassismus, S. 342) bestimmt seien. Nat. Prestige und Selbsterhaltung erforderten eine Weltpolitik, die auf Machteinsatz und Krieg basiere (**militarist. Denken**) und deshalb **Aufrüstung** verlange, vor allem zur See, denn die Kontrolle der Meere bedeute Weltherrschaft (**Navalismus:** MAHAN: ›Influence of sea-power upon history‹, 1890). – Eine ideolog. Variante des Nationalismus ist das **Sendungsbewusstsein** (S. 381), nach dem die weiße Rasse, die Nation oder Großnation (Panslawismus, S. 391; Pangermanismus) zur Führung und **Europäisierung der Welt** berufen sei.
Getragen von Militär und Wirtschaft, Groß- und Kleinbürgertum, verbreitet den Imperialismus westl. Zivilisation über die Welt; er entwickelt die **Infrastrukturen** (Eisenbahnen, Verw., Häfen, Schulen, Krankenhäuser) und erschließt die Wirtschaft der Kolonien (Plantagen, Industrien, Märkte), indem er die Kolonialvölker ausbeutet bzw. ausrottet und ihre Traditionen zerstört.
In den Kolonialvölkern werden neue Bedürfnisse geweckt, aber auch Ressentiments und Hassgefühle, die zum »**Erwachen der farbigen Nationen«,** zu inneren, oft religiös betonten Erneuerungsbewegungen, zum Entdecken eigener Geschichte (Nationalbewusstsein) und vor allem seit dem Zweiten Weltkrieg zu Emanzipationskämpfen führen (S. 539).

Die Arbeiterbewegung (1860–1914)
Gewerkschaften: Durch die Industrialisierung organisieren sich die Gewerkschaften in ihrer großen **Aufbauperiode:** Zentralverbände mit eigenen Kassen, Verw., Heimen, Presseorganen, Funktionären. Je nach weltanschaulich-polit. Einstellung entstehen Richtungen: freie (sozialist.), rev.-syndikalistische, friedliche (gelbe, Ablehnung des Streiks), lib. und christl. Gewerkschaften. Seit
1901 internat. Konferenzen mit ständigem Sekretariat (1903) in Berlin unter **Carl Legien** (1861–1920).
1908 Allg. Christl. Internationale (Sekretär: STEGERWALD).
1913 Internat. Gewerkschaftsbund (Amsterdam). – Trotz gewerkschaftl. Erfolge verbreitet sich die Auffassung, dass der Kapitalismus nur durch polit. Kampf zu überwinden sei (MARX).
Arbeiterparteien: Die Frage nach der polit. Taktik führt zu Gruppen- und Parteibildungen: **Revolutionäre** (orthodoxe Marxisten), Anarchisten (S. 344), Mutualisten (Proudhonisten, die eine genossenschaftl. Ordnung anstreben) und Reformisten (aktive sozialpolit. Mitarbeit). – Die von **Karl Marx** (S. 344) angeregte, in London gegr.
1864–76 I. Internationale aller Sozialisten scheitert an inneren Kämpfen (Marxisten – Anarchisten), persönl. Kontroversen zwischen MARX und BAKUNIN (S. 391) und durch Abrücken der engl., ital. und schweizerischen Linksdemokraten seit dem
1871 Aufstand der Pariser Kommune (S. 383). – Zur Hundertjahr-Feier der Franz. Rev. wird in Paris die
1889 II. Internationale gegründet (ständiges Büro in Brüssel). Seit
1890 Maifeiern. Ausschluss der Anarchisten 1896, Ablehnung des Reformismus 1904, Gen.-Streik als Waffe gegen den Krieg und Demonstration für den Frieden (Basel 1912). Die Internationale zerfällt jedoch bei Ausbruch des Weltkriegs.

England: Vorherrschend bleiben die Ortskartelle der unpolit. Trade Unions (S. 345). Als ihre Dachorganisation wird der
1868 Trades Union Congress (TUC) bis 1895 ausgebaut. Um Vertrauensleute der Lib. Partei ins Parlament zu bringen, bilden Trade-Unionisten die
1869 Labour Representation League. Keinen Anklang findet die
1881 Soz.-demokrat. Föderation des Marx-Übersetzers HYNDMAN. Sozialist. Intellektuelle um SIDNEY WEBB (1859–1947) und G. B. SHAW (1856–1950) vereinigen sich in der
1883 Fabian Society (S. 382). Ihre Ideen über Staatssozialismus übernimmt die
1893 Independent Labour Party, gegr. von **Keir Hardie** (1856–1915). Aus dem Arbeitervertretungs-Komitee aller Gruppen (Sekretär: **MacDonald,** S. 382) geht die

1900 Labour Party (ab 1906 heutiger Name) hervor, die zunächst die Lib. Partei unterstützt. Nach ihrem Vorbild werden u. a. in **Neuseeland** seit 1910 Arbeiterparteien gegründet; in **Australien** bereits 1891 gegr.
USA: Der Kampf gegen das Kapital wird gewerkschaftl. geführt, zunächst von den
1869 »Knights of Labor« und in der Landwirtschaft von der
1873 National Farmers' Alliance. Dagegen löst sich die
1877 Socialist Labor Party nach Spaltungen auf, das Programm der People's Party (1891) übernehmen die Demokraten. – S. **Gompers** (1850–1924) führt die
1886 American Federation of Labor (AFL), die starken Auftrieb erhält.
Deutschland: Ferdinand Lassalle (1825–64) gründet den
1863 Allg. Deutschen Arbeiterverein (Leipzig) als erste sozialist. Partei. Sein nat. Programm erwartet die Lösung der soz. Frage vom allg., gleichen Wahlrecht und vom staatl. geförderten Produktiv-Genossenschaften (S. 344). Während BISMARCK mit LASSALLE sympathisiert, lehnt MARX den »Staatssozialismus« scharf ab. Seine Anhänger **Wilh. Liebknecht** (1826–1900) und **August Bebel** (1840–1913) gründen in Eisenach die
1869 Sozialdemokrat. Arbeiterpartei. Beide Parteien vereinigen sich durch das **Gothaer** (Kompromiss-)**Programm** zur
1875 Sozialist. Arbeiterpartei. Ihre Unterdrückung durch das
1878 Sozialistengesetz (S. 355) mit Aufhebung der Gewerkvereine (S. 345), Ausweisung der Funktionäre und Presseverbot gelingt nicht. Untergrundarbeit zwingt zu straffer Organisation und Disziplin, die zum Kennzeichen der
1890 Sozialdemokrat. Partei Deutschlands (SPD) wird. Ihr rein marxist. **Erfurter Programm** entwirft **Karl Kautsky** (1854–1938), der es gegen Linksradikale wie LEDEBOUR (1850–1947) und **Rosa Luxemburg** (S. 427) sowie Revisionisten verteidigt. Seit
1890 Neuaufbau der Gewerkschaften: in Industrieverbänden organisieren sich die **Freien sozialist. Gewerkschaften.**
1892 Kongress in Halberstadt: Wahl einer Gen.-Kommission. Sie bewährt sich unter CARL LEGIEN im
1896/97 Streik der Hamburger Hafenarbeiter und bei der Ablehnung der
1899 »Zuchthaus«-Vorlage (S. 388).
1905 Kölner Kongress: Betonung parteipolit. Neutralität. – **Christl. Gewerkschaften** bilden sich aus den kirchl. Arbeitervereinen (S. 345).
1900 Zusammenschluss zum Gesamtverband (seit 1902 Gen.-Sekretär **Adam Stegerwald,** 1874–1945). – Nach franz. Vorbild
1905 Gelbe Gewerkschaften. – Die aus England importierten älteren lib. Hirsch-Dunckerschen Gewerkvereine (gegr. 1869) werben vor allem Facharbeiter.

Revisionismus: Gewerkschaftl. Erfolge, die Hebung des allg. Lebensstandards und Ideen der engl. Fabier veranlassen **Eduard Bernstein** (1850–1932) zur kritischen Überprüfung der marxist. Verelendungs- und Rev.-Theorie (S. 344). Obwohl offiziell abgelehnt, gewinnt die reformerische Richtung in der SPD praktisch an Bedeutung.
1914 Annahme der Kriegskredite.
Frankreich: Anarchist. Führung des Arbeitskampfes. Der **Syndikalismus** ist unpolit., staatsfeindlich und antimilitaristisch. Er lehnt Arbeitsverträge, Sozialref. und Parlamente ab in der Hoffnung, durch spontane »direkte Aktionen« (S. 344) die klassenlose Gesellschaft zu erreichen. Aus »Arbeitsbörsen« (Ortskartellen), seit 1882, und berufl. Landesverbänden bildet sich die
1895 **Confédération Générale du Travail (CGT)**; an ihre Spitze tritt 1909 **Léon Jouhaux** (1879–1954). Daneben entstehen christl.-demokrat. und gelbe Syndikate (um 1899 in den Schneider-Creusot-Werken). – Der Marxist **Guesde** führt die
1879 Franz. Arbeiterpartei. 1882 Absplitterung der gemäßigten Possibilisten, 1890 der Allemanisten. – Seit
1890 Parti Socialiste Révolutionnaire der Anhänger von **Blanqui** (1805–81), Inspirator des Kommune-Aufstandes von 1871. Einigungsversuche von **Jaurès** (S. 383) scheitern u. a. an der
1899 Reg.-Beteiligung des »Ministeriellen« **Millerand** (S. 425), bekämpft von den Extremen unter **Guesde** (1845–1922).
1904 Kongress von Amsterdam: Auf Druck der II. Internationale (Antrag **Bebel**) bildet sich die vereinigte
1905 **Section française de l'internationale ouvrière (S. F. I. O.).** Sie regelt ihre Beziehungen zu den Syndikalisten (Charta von Amiens, 1906), erreicht keine radikale Änderung, aber Einfluss auf Sozialpolitik.
Italien: Genossenschaften und Syndikate schließen sich in der
1889 Mailänder Arbeitskammer zusammen. Ihr Vorbild wird nachgeahmt, doch bleibt die Gewerkschaftsbewegung zersplittert.
1891 Sozialenzyklika ›Rerum novarum‹ Leos XIII. (S. 344): kath. Verbände in der »Confederazione Italiana dei Lavoratori«; auch anarcho-syndikalist. Gruppen. – Nach Anfängen (»Fasci operai« in Bologna u. a.) und Spaltungen in der marx. Arbeiterpartei bildet sich der
1892 **Partito Socialista Italiano (PSI).** Gegen die Marxisten unter **Labriola** (1843–1904) setzen sich Integrale und Reformisten (**Bisso-**la) durch, vereinigt seit dem
1906 Parteitag in Rom. Sie gewinnen über 20% der Wähler. – In der
1906 Confederazione Generale del Lavoro wird eine lockere Organisation von gewerkschaftl. Industrie- und Berufsverbänden erreicht.

Österreich: Der »Hofrat der Rev.« **Victor Adler** (1852–1918) einigt die sozialist. Gruppen. – Die
1889 **Sozialdemokrat. Partei Österreichs (SPÖ)** mit marxist. Programm (**Kautsky**) erringt schon 1897 14 Reichsrat-Sitze, gliedert sich aber in nat. Sondergruppen. V. Adler hält sie zusammen durch das
1899 **Brünner Programm:** Forderung eines demokrat. Bundesstaats autonomer Völker. – Mit Max Adler (1873–1937) entwickelt **Otto Bauer** (1882–1932) den **Austromarxismus** (Anerkennung der nat. Selbstbestimmung). Seit 1913 wirbt er für den Anschluss an Deutschland unter Aufgabe des Habsburger Reiches. – Nach 1907 (allg. Wahlrecht) wird die SPÖ zweitstärkste Partei. – Sonst nur kleinere deutsch-nat. Berufsvereine, sozialist. und christl. Gewerkschaften.
Polen: Unter den sozialist. Gruppen **Galiziens** übernimmt das
1892 Poln. Sozialist. Partei (PPS) durch ihren nat.-poln. Kampf unter **Pilsudski** (S. 433) die Führung. – Seit
1908 Aufbau einer poln. Armee (als Schützenvereine getarnt). Die »Sozialdemokrat. Partei des Kgr. Polen« führt bis 1897 Rosa Luxemburg (S. 427).
Russland: In die um 1860 entstandene rev. Bewegung (Nihilisten, Narodniki, S. 389) führt **Plechanow** den Marxismus ein. Die
1898 **Sozialdemokrat. Arbeiterpartei (SDAPR)** spaltet sich auf dem
1903 **Parteitag in London** in **Menschewiki** und **Bolschewiki,** die, von **Lenin** geführt (S. 389), eine eigene Partei auf dem
1912 Parteitag in Prag gründen, sich in der
1917 **Oktober-Rev.** durchsetzen und die Führung im Weltkommunismus übernehmen (III. Internationale, S. 419).

Der Pazifismus
Die radikal-idealist. Bewegung lehnt aus ethisch-relig. Gründen jede Gewaltanwendung, auch die milit. Friedenssicherung bzw. den Verteidigungskrieg ab. Sie entwickelt sich in **Friedensgesellschaften** (1816 Peace Society in England, 1830 in Genf), die seit 1848 internat. Kongresse veranstalten.
1869 Gesellschaft der Friedensfreunde.
1891 Friedensbüro in Bern. Führende Vertreter: **Elihu Burrit** (1810–1879), **Cobden** (S. 326), **Bertha von Suttner** (1843–1914; ›Die Waffen nieder‹), A. H. Fried, der Pädagoge F. W. Foerster, der Sozialist **Jaurès** (S. 383), der Arzt **H. Dunant** (S. 363). Einfluss auf die Politik in der Zeit der
1899/1907 **Haager Friedenskonferenzen** über Abrüstung, friedl. Beilegung internat. Streitigkeiten und der Landkriegführung (S. 361). Maßgebliche Beteiligung von Prof. **Lammasch** (1853–1920) am
1901 Haager Schiedsgerichtshof. – Weder pazifist. Bewegung noch II. Internationale wirken mäßigend auf die Kriegspolitik (S. 377).

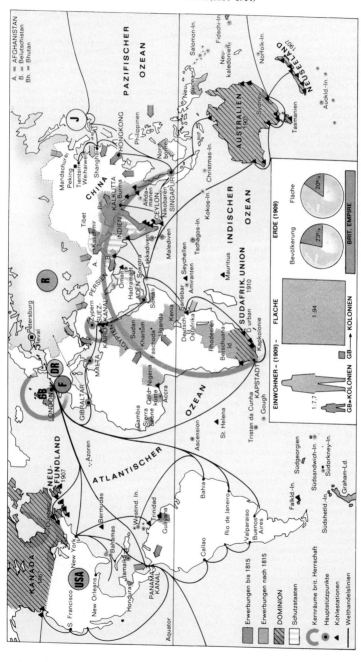

Das Britische Empire bis 1914

Das Britische Kolonialreich (1814–75)
Seit dem Sklavenhandelsverbot schwindet das
Interesse an afrik. Kolonien (Gambia, Sierra
Leone, Goldküste), um 1865 wird sogar deren
Aufgabe erwogen. Handel und Industrie suchen
Absatzmärkte in Südamerika, Indien und China.
Die mehr zufälligen Neuerwerbungen dienen zur Sicherung der Seehandelswege (Singapur 1819, Falkland-In. 1833, Aden 1839),
zur Öffnung von Märkten (Hongkong 1841)
oder, nach dem Verlust Neuenglands, zur
Aufnahme brit. Auswanderer:
1806/14 Kapkolonie, ab 1824 Straits Settlements (Karte S. 384), ab 1829 Westaustralien; 1814/40 Neuseeland.
Gedanken einer Selbstverw. der »weißen«
Siedlungskolonien vertreten »Klein-Engländer« wie WAKEFIELD (1796–1862) in Neuseeland und Lord DURHAM (1792–1840), dessen
1839 ›Bericht über Kanada‹ die Vereinigung
und Selbstverw. kanad. Prov. einleitet. Die
Idee der Treuhandschaft des Mutterlandes
für die Kolonien bis zu ihrer polit. Selbstständigkeit wird Leitsatz der brit. Kolonialpolitik. Das erste
1867 Dominion Kanada erhält im North America Act volle polit. Autonomie.

Das »British Empire« (1875–1914)
Wirtschaft: England hält trotz zunehmender
Konkurrenz (USA, Dtl., Japan) am Freihandel fest, stellt 1880 46 Prozent der Welthandelstonnage und verdoppelt bis 1913 den
Außenhandel bei passiver Handels-, aber aktiver Zahlungsbilanz dank internat. Versicherungs- und Bankgeschäfte. Das Anlagekapital steigt, die brit. Führung auf dem
Weltmarkt wird durch imperialen Reichsausbau gesichert.
Brit. Sendungsbewusstsein: Wirtschaftl. und
machtpolit. Interessen verbinden sich mit einer vom Puritanismus (S. 267) beeinflussten
Überzeugung, Fortschritt und Zivilisation in
der Welt fördern zu müssen. **Thomas Carlyle**
(1795–1881) begründet die brit. Weltmission (Auserwähltheit der Nation), Sir **Charles
Dilke** (1843–1911) entwirft das Bild vom
1868 ›Greater Britain‹ in einer »tägl. englischer
werdenden Welt«; **Robert Seeley** (1834–95)
fordert eine planmäßige
1883 ›Expansion of England‹; **Rudyard Kipling**
(1865–1936) kündet von der brit. Sendung.
Imperialist. Reichspolitik: Disraeli (S. 382)
greift in seiner
1872 Kristallpalastrede über die kolon. Indifferenz
der Liberalen (GLADSTONE) an. – Zur Sicherung des Seeweges nach **Indien**
1875 Ankauf der ägypt. Suezkanal-Aktien. Königin VIKTORIA, seit
1877 Kaiserin von Indien, unterstützt DISRAELIS Politik.
1878 Erwerb Zyperns (S. 359).
1882 Besetzung Ägyptens. Unter brit. Schutz
(1914 Protektorat) erholt sich das Land.

Afrika: Im Wettlauf um die Aufteilung (S. 375)
gewinnt der brit. Imperialismus Richtung
und Ziel im **Kap-Kairo-Plan.** Während CROMER (1841–1917) von Norden zum **Sudan**
vordringt und auf den Widerstand der Mahdisten (S. 375) stößt, setzt im Süden **Cecil
Rhodes** (1853–1902) Macht und Reichtum,
gewonnen durch das Monopol über südafrik.
Diamanten- und Goldfelder, nach dem
1879 Zulu-Krieg zur brit. Expansion ein. Die
von ihm geführte Südafrik. Kompanie gewinnt Betschuanaland (1885) und
1888–91 Rhodesien.
Brit. werden Somaliland (1884), Uganda
(1895), Kenia (1886), nach der Faschoda-Krise (S. 385) auch das
1899 anglo-ägypt. Kondominium Sudan.
1890–96 RHODES wird MP. der Kapkolonie. Er
bereitet die Eroberung der Burenstaaten vor,
die nach dem Jameson-Einfall in Transvaal
(1895/96) im
1899–1902 Burenkrieg (S. 375) vollzogen wird.
Nach dem brit. Sieg erhalten die Buren
Selbstverw., Niederländ. wird Amtssprache
(Afrikaans seit 1923).
Asien: Die ind. Randgebiete (S. 367) werden
ausgebaut, noch freie Inselteile und Inseln
im Pazifik besetzt.
1885–92, 1895–1902 MP. Salisbury (1830–
1903) betreibt unter Ablehnung an den Dreibund (Mittelmeerabkommen, S. 361) konsequent die Politik der **»Splendid isolation«**
(koloniale Spannungen mit Frankreich [Afrika] und Russland [Asien]).
1895–1903 Kol.-Min. Joseph Chamberlain
(1836–1914). Die Konkurrenzgefahren für
das brit. Weltreich sucht er zu bannen durch
Expansion in noch »freie« Räume; **Aufrüstung** bis zur Flottenüberlegenheit über die
beiden nach England stärksten Seemächte
(Two Power Standard), **Festigung des Empires** durch Aufgabe des Freihandels zu Gunsten einer Reichsföderation »weißer« Kolonien, verbunden durch Krone, Sprache und
wirtschaftl. Vorteile (Vorzugszölle, Sterling-Goldwährung); **Ausgleich mit den USA** in der
Panamafrage (S. 395) und durch den Versuch, die »Splendid isolation« aufzugeben.
1898–1901 Bündnisverhandlungen mit dem
Deutschen Reich (S. 387). CHAMBERLAINS
Plan einer brit. Wehr- und Wirtschaftsunion
führt zu seinem Sturz, doch verhilft er der
Entente-Politik und dem Commonwealth-Gedanken zum Durchbruch.
1886 Kolonialausstellung in London.
1887 Herkunftsmarkengesetz: die Herkunftsländer müssen auf den Waren verzeichnet sein
(Made in Germany). Das gegen dt. Erzeugnisse gerichtete Gesetz erweist sich als Fehlschlag. – Seit
1887 Kolonial-Konferenzen (ab 1907: Reichskonf.). Dominion-Status erhalten
1901 Commonwealth of Australia; 1907 Neuseeland und Neufundland sowie die
1910 Südafrik. Union.

Die Viktorianische Ära (1848–86)
Der Manchester-Liberalismus beschränkt die Aufgaben des Staates auf Rechtsschutz und innere Sicherheit. Modernisiert werden Verwaltung, Beamten-, Polizei- und Postwesen.
1840 Einführung der Briefmarke, später auch der Postkarte und der Paketpost.
Außenpolitik: Unter **Henry John Temple Palmerston** [MP. 1855–65] Bereitschaft zur Unterstützung lib. Kräfte in Italien, Dänemark und Polen. Abgesehen vom Krimkrieg (S. 347) und dem Indischen Aufstand (S. 367) lange Friedenszeit.
1851 Erste Weltausstellung der brit. Industrie im Londoner Kristallpalast. – Das wachsende Sozialprodukt hebt den Lebensstandard. Den **Reformismus** der Gewerkschaften fördern Bewegungen aus relig.-moral. Gründen (KINGSLEY): Reform der Armen- und Gefängnisverw.; staatl. Gesundheitswesen, Fabrikgesetze. – Umformung der Adels- in demokrat. Massenparteien durch die polit. Repräsentanten der Epoche: **Benjamin Disraeli** (1804–81) und **William Ewart Gladstone** (1809–98), der sich vom Anhänger PEELS (S. 326) zum lib. Pazifisten wandelt und die Innenpolitik betont: Finanz- und Verw.-Reform.
1860 Cobden-Vertrag mit Frankreich: Ausbau des Freihandels. DISRAELI, als Gegner PEELS zum Führer der Konservativen aufgestiegen, lehnt die Freihandelspolitik ab und wirbt mit dem Programm der »Tory-Demokratie« um die Arbeiter.
1867 Wahlreform mit Stimmrecht für Kleinbürger und Facharbeiter. Nutznießer ist GLADSTONE (vier Kabinette bis 1894).
1884 Dritte Wahlreform: auch ländl. Wohnungsbesitzer erhalten das Stimmrecht (über 4 Mill. aktive Wähler).
1874–80 2. Kabinett DISRAELI: Beginn der imperialist. Politik (S. 381); dagegen versucht GLADSTONE eine Lösung der
Irischen Frage: Auswanderer gründen in den USA den radikalen
1858 Geheimbund der **Fenier** zur Errichtung einer eigenen Republik. Terrorakten und Bauernrevolten begegnet GLADSTONE wenig erfolgreich mit der
1869 Entstaatlichung der Hochkirche (Disestablishment) und Landgesetzen zur Hilfe irischer Pächter. Die Parlamentsgruppe unter STEWART PARNELL (1846–91) erstrebt mit legalen Mitteln **Home Rule** (Autonomie), gründet dazu die
1879 Irische Landliga. Passiver Widerstand gegen **Boykott**, einen engl. Gutsverwalter, dessen Name zum Begriff wird.
1882 Ermordung brit. Staatssekretäre (CAVENDISH, BURKE) in Dublin. Obstruktion der Iren im Parlament. – GLADSTONES
1886/92 Home Rule Bills spalten die lib. Partei und führen zum Sturz der Reg. – Den Freiheitskampf setzt die
1900 United Irish League fort.

Innenpolitische Krisen (1886–1914)
Zersetzung der lib. Partei und fast 20-jähr. Herrschaft der Konservativen sind Ausdruck soz. Strukturwandlungen:
1. In Reaktion auf die Home-Rule-Politik verbinden sich lib. »Unionisten« (CHAMBERLAIN, S. 381) mit den Konservativen.
2. Die Liberale Partei verliert den Mittelstand: symptomatisch ist die »unheilige Allianz von Bibel und Bier«, von Hochkirche und Bierbrauern, die ein Alkoholverbot befürchten.
3. Die verarmte Landaristokratie geht Eheverbindungen mit Industriefamilien ein; die zur »Society« zugelassenen lib. Kreise wechseln zur Hochkirche bzw. Konservativen Partei, die Parteiunterschiede werden verwischt. Die Arbeiter verlieren ihr Vertrauen zu den Konservativen.
4. »Great Depression« der Wirtschaft (bedingt durch Konkurrenz der Schutzzollstaaten wie USA, Deutschland, auch Japan) und kapitalist. Großunternehmen (S. 377) zwingen die Arbeiterbewegung zu polit. Selbstbesinnung: Aufbau gewerkschaftl. Industrieverbände. Wenig Einfluss gewinnt die
1881 Marxist Social-Democratic Federation im Vergleich zur
1883 Fabian Society (S. 378). Beide gründen zusammen mit der
1893 Independent Labour Party das Labour Representation Committee, aus dem die
1906 Labour Party hervorgeht (Vorsitzender: **Ramsay MacDonald**, S. 424).
1901–10 EDUARD VII. (60 J.) zeigt außenpolit. Interessen.
1905 Lib. Wahlsieg mit Hilfe des Labour Representation Committee, Sozialmaßnahmen (Altersrente 1908, Kranken- und Arbeitslosenversicherung 1911), Flottenaufrüstung (S. 381) und Heeresreform des
1905–11 Kriegs-Min. **Richard Burdon Viscount Haldane** (1856–1928) belasten den Etat. Das Oberhaus lehnt das »Budget von 1909« des Schatzkanzlers **David Lloyd George** (1863–1945) im Kabinett ASQUITH [1908–16] ab. Im **Verfassungskampf** bemüht sich
1910–36 GEORG V. um Vermittlung.
1911 Parliament Act: Das Oberhaus verliert sein Vetorecht in Finanzfragen. – Die innere Krise hält an:
Suffragetten unter **Emmeline Pankhurst** (1858–1928) demonstrieren für Frauenemanzipation und Frauenwahlrecht.
Bahn-, Hafen- und Bergarbeiterstreiks erschüttern die innere Ordnung.
Irland: Zwar erlaubt das Landgesetz von 1903 auch irischen Pächtern Grundeigentümer zu werden, doch organisiert die 1905 gegr. Sinn-Féin (»Wir selbst«)-Partei den nat. Aufstand. Dem
1912 Home-Rule-Gesetz widersetzen sich Konservative, das prot. Ulster, Oberhaus und Armee.
Der Ausbruch des Weltkriegs überdeckt die Bürgerkriegsgefahr.

Die Dritte Republik (1870–1914)
Noch vor dem Friedensvertrag mit Deutschland (S. 349)
März–Mai 1871 Aufstand der Pariser Kommune. Die radikale Machtergreifung der Kommunisten und Sozialisten (Communards) wird von MACMAHON in der »Blutigen Woche« niedergeschlagen (30 000 Tote).
1871–73 Präs. THIERS (S. 327) erreicht nach Abzahlung der Kriegsentschädigung vorzeitigen Abzug der deutschen Besatzung, doch wählt die konserv. Mehrheit (gespalten in Legitimisten, Orléanisten, Bonapartisten)
1873–79 Marschall MacMahon (1808–93) als »Platzhalter der Monarchie« zum Präs. der Rep. Eine monarchist. Restauration scheitert an der Weigerung des Gf. VON CHAMBORD, des letzten Prätendenten der Bourbounen, die Trikolore anzuerkennen. – Mit nur 353 : 352 Stimmen
1875 Proklamation der Dritten Republik.
Verfassung: Allg. Wahlrecht für die **Deputiertenkammer.** Sie bildet mit dem **Senat** der **Nationalversammlung** (Legislative), die den **Präsidenten** (Exekutive) auf 7 Jahre wählt, das Ministerium kontrolliert und die Verfassung ändern kann. Durch Zersplitterung der Kammer in persönlich gefärbte Parteien ohne feste Programme schwankende Mehrheiten und »instabile« Regierungen (50 Kabinette bis 1914). Dank einer unpolit. Verw. dennoch langsame Festigung der »Republik der Kameraden« (DE JOUVENEL).
Außenpolitisch gewinnt der »Staat der Advokaten, Schriftsteller und Professoren« rasch an Ansehen.
1876 Republik. Wahlerfolg der großbürgerl. **Opportunisten** (GAMBETTA, FERRY, S. 385), bekämpft von den kleinbürgerl. **Radikalen** unter **Georges Clemenceau** (1841–1929).
Im Streit um freie Ministerernennung Auflösung der Kammer, aber der
1877 »Staatsstreich« MACMAHONS stärkt nur die Republikaner; seither parlamentarische Kabinettsbildungen nach der jeweiligen Kammermehrheit.
1879–87 Präs. JULES GRÉVY (1807–91) verfolgt eine Politik der »inneren Sammlung« mit laizistisch-antiklerikalen Reformen:
1880 Amnestie der »Communards«, Beschränkung kirchl. Orden (Jesuiten), 1881 Versammlungs- und Pressefreiheit; 1882 Verstaatl. der Volksschulen, 1884 Zivil-Ehe, lib. Munizipalordnung. Der Ärger über korrupte Politiker, Verlangen nach einer »starken Reg.« und Revancheforderungen der von DÉROULÈDE (1846–1914)
1882 gegr. Patrioten-Liga führen zum
1885 Wahlerfolg der Monarchisten. Kriegs-Min. **Georges Boulanger** (1837–91) sammelt Konservative, Radikale, Bonapartisten in der autoritär-nationalistischen Bewegung des
1886–89 Boulangismus. Ein republikan. Wahlsieg verhindert die Diktatur; Flucht BOULANGERS und Selbstmord in Brüssel.

1889 Pariser Weltausstellung (mit dem 300 m hohen Eiffelturm).
1892 Schutzzollpolitik; LEO XIII. empfiehlt Katholiken Zusammenarbeit mit der Rep.
1892/93 Panama-Skandal: Bankrott der von LESSEPS gegr. Aktien-Ges. (S. 395), Einstellung des 1881 begonnenen Kanalbaues.
1894 Anarchisten-Attentat auf Präs. CARNOT [seit 1887]: die **Sozialisten** organisieren sich in Syndikaten (S. 378), im
1895 Allg. Arbeiterverband (CGT), in der Rev. Arbeiterpartei (1890) bzw. in der Partei der Radikalsozialisten (1893). Der Kampf zwischen links und rechts in der
1894–1906 Dreyfus-Affäre spaltet die Nation. Gegen die militärgerichtl. Verurteilung des jüd. Offiziers ALFRED DREYFUS (1859–1935) auf Grund gefälschter Dokumente (lebenslängl. Verbannung wegen Spionage) bildet sich der
1898 Bloc républicain: **Émile Zola** (›J'accuse‹, 1898), CLEMENCEAU, der Sozialist JEAN JAURÈS (1859–1914 [ermordet]) fordern Wiederaufnahme des Verfahrens. – CHARLES MAURRAS (1868–1952) predigt »integralen Nationalismus« gegen Deutsche, Protestanten, Juden, gegen Romantik (ROUSSEAU), Menschenrechte und Republik. Er gründet mit LÉON DAUDET (1867–1942) die nationalist.
1898 Action française und schürt dadurch den antiklerikalen Kurs der linksradikalen Gegner. Unter dem
1902–05 Kabinett COMBES Aufhebung von Orden, Klöstern, Einziehung des Kirchengutes, Bruch mit dem Vatikan.
1905 Trennung von Kirche und Staat, durchgeführt von dem unabh. Sozialisten **Aristide Briand** (1862–1932) im
1906–09 Kabinett CLEMENCEAU. Mit der Rehabilitierung von DREYFUS siegt die zivile Gewalt über die Armee. Ausbau der Sozialgesetze, aber autoritäres Vorgehen gegen Streiks. Das
1909 Kabinett BRIAND verspricht »Entspannung und Befriedung«, doch setzen sich die Radikalsozialisten durch. Unter
1911/12 MP. CAILLAUX deutsch-franz. Marokko-Abkommen (S. 361), aber antideutscher Nationalismus (BARRÈS) und Zerfall der Sozialisten in Ministerielle (BRIAND) und Einheitspartei (S. F. I. O., 1905 von JAURÈS gegr.) begünstigen das konserv.
1912 Große Ministerium unter **Raymond Poincaré** (1860–1934), [Staatspräsident 1913–20]. Der Revanche-Politik des »Vorbereitetseins auf den Krieg« stimmt CLEMENCEAU zu, während der Pazifist JAURÈS für Verständigung eintritt.
1913 Heeresverstärkung durch 3-jähr. Dienstpflicht (Kabinett BARTHOU), bekämpft von den Sozialisten.
Wahlsieg der
1914 S. F. I. O.; nach Kriegsausbruch bemühen sich MP. VIVIANI und POINCARÉ um eine »Union Sacrée« aller Parteien.

Legend:

- Franz.-Indochina ab 1887
- brit. Kolonien u. Protektorate
- Straits Settlements 1867
- Niederl.-Indien
- franz. / brit. Interessengebiete
- 1867 Jahr der Erwerbung

- Zinn
- Kautschuk
- Reis
- Tee
- Tabak
- Elfenbein
- Gewürze
- Seide

Hinterindien vor 1914

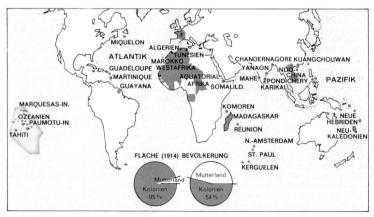

Das französische Kolonialreich vor 1914

Gründung des 2. Kol.-Reiches (1830–70)
Obwohl Kolonialpolitik wenig populär ist, fühlt sich die Nation seit Aufklärung und Franz. Rev. als Vorkämpfer europ. Kultur und Zivilisation. Assimilierung der farbigen Elite in den kolon. Restbesitzungen: Senegambien, Réunion, Miquelon, Guadeloupe, Guayana (1818), ind. Stützpunkte. – Zur Ablenkung innenpolit. Schwierigkeiten
1830 Besetzung von Algier, gesichert durch die 1831 gegr. **Fremdenlegion.** Das franz. Vordringen bekämpfen Berberstämme unter Emir ABD EL-KADER. – Die ägypt. Prestigepolitik (THIERS) scheitert in der
1839–41 Orientkrise (S. 365). – Planlose Erwerbungen in Afrika (Gabun 1843/44) und Ozeanien (Marquesas-In., Tahiti 1842). Despot. regiert in **Algerien**
1840–47 Gen.-Gouv. BUGEAUD (1784–1849).
1844 Sieg am Oued Isly über den Sultan von Marokko; ABD EL-KADER kapituliert 1847. »Frankreich jenseits des Meeres« wird zur franz. Kornkammer, der Anteil europ. Siedler steigt bis 1906 auf 13 Prozent der Bevölkerung. Gen. **Faidherbe** (1818–89) reorganisiert
1854–65 Senegal, gründet 1857 Dakar und bildet afrik. Truppen (Senegalesen) für Expeditionen in das Landesinnere aus. Pflege der Beziehungen zu **Ägypten,** das seit dem Bau des Suezkanals (S. 375) als franz. Protektorat betrachtet wird.
Annam: Der Kaiser steht nominell unter chin. Hoheit und wird religiös verehrt. Die polit. Macht üben die Verwalter von Tongking (TRINH-Dyn.) und Cochinchina (NGUYEN-Dyn.) aus. Im
1787 Vertrag von Tourange gewinnt NGUYEN ANH gegen die Insel Pulo Condor franz. Hilfe, die ihm die Herrschaft als Kaiser
1802–20 GIA LONG VON VIETNAM (Residenz Hué) einbringt. – Wegen Christenverfolgungen Flottendemonstration und
1858/59 Einnahme von Tourane und Saigon. 1862 Annexion der östl., 1867 der westl. Prov. von Cochinchina.
Kambodscha: Um das Restreich der Khmer kämpfen Siam und Annam. NORODON [1859–1904] erbittet franz. Schutz (1863).

Das »Empire français« (1871–1914)
Durch die Niederlage von 1871 empfindlich getroffen, verfolgen Reg., Generalität und Hochfinanz eine imperiale Politik zur Sicherung der franz. Geltung in Europa. Eine zentrale Kol.-Bürokratie erstrebt kulturelle Angleichung und milit. Rekrutierung der »farbigen Franzosen«. In Opposition stehen Kleinbürger und Radikale (CLEMENCEAU).
Wirtschaft: Schutzzölle (1892) begünstigen bäuerl. Landwirtschaft und Schwerindustrie (Briey, Nancy, Longwy). Infolge des Bevölkerungsstillstandes und geringer Kohlenförderung sinkt jedoch der Anteil an der Weltproduktion von Stahl und Eisen. Dagegen wird Frankreich

durch seine Sparer (Rentner-Kapitalisten) zum »Bankier der Welt«. Kapitalanlagen im Ausland (Kolonien, Russland) kontrollieren Großbanken. – Die neue Kolonialpolitik leitet
ab 1880 MP. Ferry ein. Die polit. Isolierung in Europa löst sich nach BISMARCKS Entlassung auf. Weitere Kolonialexpansion unter Präs. FAURE [1895–99].
Afrika: Bildung eines kol. Großreiches. Das
1881 Protektorat über Tunesien verstimmt Italien (S. 397); Ägypten geht an England verloren (S. 381). Von Algerien und Senegal aus Durchdringung der Sahara und »Pazifizierung« des westl. Sudans.
1904 Einrichtung des Gen.-Gouv. **Westafrika** (A. O. F.). – Die unblutige Erwerbung von **Äquatorialafrika** (Gen. Gouv. A. E. F., 1910) ist das Verdienst von **Brazza** (1852–1905), der Franz.-Kongo erforscht, Verträge mit afrik. Häuptlingen schließt und sich der Ausbeutung des Gebiets durch priv. Gesellschaften widersetzt.
1895/96 Unterwerfung und Annexion von **Madagaskar:** Gen. GALLIÉNI passt das Kolonialregime dem Land an. – Der Plan einer Umfassung Ägyptens bzw. eines Sudanreiches führt zur
1898 Faschoda-Krise mit England (S. 361). Gen. KITCHENER verlangt den Abzug der franz. Expedition MARCHAND. Der verletzte franz. Nationalstolz fordert Genugtuung; doch ruft
1898–1905 AMin. Delcassé MARCHAND zurück und sucht einen Ausgleich.
1902 Geheimvertrag mit Italien über Tripolis (S. 83); Sudanvertrag 1899, Verständigung über Marokko bzw. Ägypten und
1904 Entente cordiale mit England (S. 361). Während der 1. Marokkokrise lässt MP. ROUVIER DELCASSÉ fallen.
1906 Konferenz von Algeciras: Deutsche Anerkennung der franz. »Ausnahmestellung« in **Marokko.** Besetzung von Fes und
1911 2. Marokkokrise, beigelegt im deutschfranzös. **Kongoabkommen.** Gen. **Lyautey** (1854–1934) reg. das Sultanat absolut, ohne polit. und soz. Strukturen anzutasten.
Indochina: Das 2. Zentrum des Empire wächst
1873–86 Kämpfen mit den »Schwarzflaggen« (Reste der chin. Taiping-Rebellen) und mit China um **Tongking.**
1883 Protektorat über Annam (Vertrag von Hué), das China im
1885 Frieden von Tientsin bestätigen muss.
1887 Indochines. Union. – Weitere Abrundungen auf Kosten von
Siam, das sich seit 1880 durch europ. Reformen zum modernen Staat umgestaltet.
1868–1910 Kg. CHULALONGKORN. Er erkennt das frz. Protektorat über **Laos** im
1893 Vertrag von Bangkok an. England und Frankreich garantieren die
1896 Neutralität Siams. Grenzfestlegung gegen Franz.-Indochina 1907.

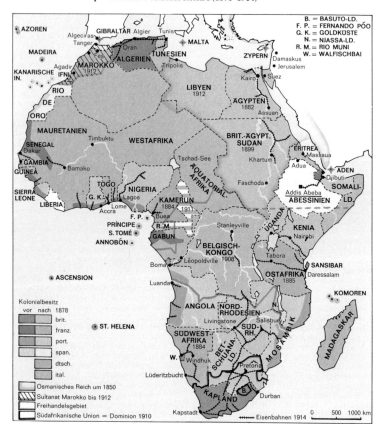

Die koloniale Aufteilung Afrikas vor 1914

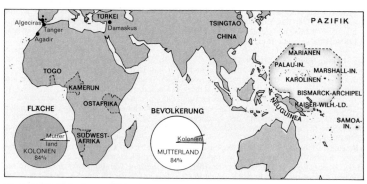

Die deutschen Kolonien vor 1914

Die Kolonialpolitik Bismarcks (1871–90)
1882 Gründung des Kolonialvereins (BENNIG-
SEN, ROHLFS) und der
1884 Gesellschaft für deutsche Kolonisation
durch **Carl Peters** (1856–1918). Abschluss
privater Verträge mit Eingeborenen in Süd-
(LÜDERITZ, 1883), West- (WOERMANN) und
Ostafrika (PETERS, Gf. PFEIL), in der Südsee
(Haus GODEFFROY). BISMARCK scheut Wag-
nisse, die die europ. Politik gefährden könnten. Auf der
1884/85 Kongo-Konferenz in Berlin vermittelt
er die Bildung eines neutralen Kongostaates
unter Hoheit LEOPOLDS II. VON BELGIEN
(S. 363) mit Handelsfreiheit für alle Nationen. – In Ausnutzung der günstigen Lage
(brit.-franz. Bindung in Ägypten, Freundschaft mit Österreich, Italien, Russland; Absprache mit Frankreich) lässt BISMARCK zögernd die »Flagge dem Handel« folgen.
Deutsche Schutzgebiete werden:
1884 Deutsch-Südwestafrika: Vertragl. Abgrenzung gegen Angola 1886, zum Kapland
1890, Schutztruppen (1889) bekämpfen
1889–1906 Herero- und Hottentotten-Aufstän-
de. 1907 Selbstverw.
1884 Kamerun, Togo: Reichskommissar **Nach-
tigal** gewinnt die brit. Anerkennung durch
Aufgabe von Ansprüchen (Nigeria).
1884/85 Südsee-Kolonien: Kaiser-Wilhelm-Ld.,
1880 von der Neu-Guinea-Ges. erworben;
Marshall-In., Bismarck-Archipel.
1885 Deutsch-Ostafrika: Aufbau einer Schutztruppe (WISSMANN) mit Afrikanern (Askari)
gegen aufständ. Araber 1889/90.

Das Streben nach Weltgeltung (1890–1914)
Wilhelm II. (S. 388) beansprucht für Deutschland einen »Platz an der Sonne« im kolonialen
Wettlauf. Die Maxime »Weltpolitik als Aufgabe, Weltmacht als Ziel, Flotte als Instrument«
wird geräuschvoll vertreten vom
1891 Alldeutscher Verband (HUGENBERG,
S. 429) und beeinflusst vom Leiter der polit.
Abt. des AA. **Friedrich von Holstein** (1837–
1909). In Überschätzung der eigenen Kraft
beginnt eine ziellos-schwankende Außenpolitik (Zick-Zack-Kurs).
Wirtschaft: Aufstieg zur stärksten europ. Industrienation; Außenhandel und Handelsflotte
(Hamburg-Amerika-Linie: ALBERT BALLIN,
1857–1918) konkurrieren mit England,
Schwer-, Elektro- und chem. Industrie
konzentrieren sich in **Konzernen: Stinnes,
Krupp, Stumm, Siemens, AEG, IG-Farben.**
Die Überzeugung wächst, dass Industrie,
Handel und Versorgung der Bevölkerung imperiale Politik verlangen.
1890–94 Kge. Leo von Caprivi (1831–99) und
ADOLF MARSCHALL VON BIEBERSTEIN,
1890–97 Leiter des AA., zeigen Skepsis.
1890 Sansibar-Vertrag: Der Tausch Sansibars
gegen Helgoland unter Preisgabe Ugandas
wird heftig kritisiert. Die
1890 Kündigung des Rückversicherungsvertra-

ges entgegen den russ. Wünschen bahnt die
franz.-russ. Verständigung an.
1895 Deutsch-russ. Vorgehen gegen Japan
(S. 393) und vor allem die Krüger-Depesche
(S. 381) verstimmen England. Dennoch
glaubt **Bernhard v. Bülow** (1849–1929; seit
1897 Staatssekr., 1900–09 RK.) als Leiter
der Außenpolitik »freie Hand« zu haben,
Admiral **Alfred von Tirpitz** (1849–1930) begeistert Kaiser und öffentl. Meinung für
seine **Flottenpolitik.**
1898 Flottenbauprogramm begründet er mit
dem Risiko für mögliche Angreifer. Popula-
risierung durch den
1898 Flottenverein. – Risiko-Theorie und »Lu-
xusflotte« (CHURCHILL) belasten zunehmend das deutsch-brit. Verhältnis.
Nahost-Politik: Besuche des Kaisers und seine
1898 Damaskus-Rede wecken brit. und russ.
Misstrauen. Die Deutsche Bank erwirbt Eisenbahnkonzessionen in der Türkei; ab
1903 Bau der Bagdad-Bahn.
Kolonialpolitik: Gemessen am Krafteinsatz nur
geringe Erfolge.
1897/98 Besetzung von Tsingtao, Pachtvertrag
mit China (S. 369).
1899 Ankauf der Karolinen, Marianen und der
Palau-In. von Spanien. Teilung der Samoa-
In. mit den USA; nach dem Boxeraufstand
(S. 369) zur Sicherung der »offenen Tür« in
China Yangtse-Abkommen mit England,
doch scheitern die
1898–1901 Bündnisverhandlungen am brit. Zögern (SALISBURY) und an der Fehleinschät-
zung der polit. Lage (HOLSTEIN). BÜLOW
besteht auf Anschluss an den Dreibund
im Glauben an Wahlfreiheit zwischen »russ.
Bär und brit. Walfisch«. Die franz.-brit. Entente sucht er während der **1. Marokkokrise**
zu sprengen.
1905 Tanger-Landung des Kaisers, der den Sultan zum freien Souverän erklärt. Die
1906 Algeciras-Konferenz offenbart die deutsche Isolierung. Die Verschärfung der dt.-
brit. Flottenrivalität durch den Bau von
Großkampfschiffen begünstigt den Ausgleich mit Russland (S. 391). – Prestigeerfolg in der
1908 Bosnischen Krise. Die »Nibelungentreue«
zu Österreich beschränkt die Handlungsfreiheit. **Theobald von Bethmann Hollweg** (seit
1909 RK.) und AA. (KIDERLEN-WÄCHTER)
suchen die Verständigung mit England
(GREY), das sich aber nach
1911 Entsendung des Kanonenbootes »Pan-
ther« (Panthersprung) nach Agadir in der
2. Marokkokrise auf die Seite Frankreichs
stellt. Preisgabe Marokkos gegen frz. Abtretung von Neu-Kamerun. Zusammenarbeit
mit England im Balkankrisen, aber TIR-
PITZ torpediert die
1912 Ausgleichsverhandlungen mit Lord HAL-
DANE in Berlin, da er Konzessionen in der
Flottenfrage von einer brit. Neutralitätserklärung abhängig macht.

Die »Wilhelminische Ära« (1890–1914)
Wilhelm II. (1859–1941), geltungsbedürftig und unausgeglichen, ist überzeugt von einem myst. Gottesgnadentum. Nach BISMARCKS Entlassung (S. 355) bestimmt er, beeinflusst von Vertrauten wie PHILIPP ZU EULENBURG (1847–1921) den »Neuen Kurs«. – Reichsbürokratie (HOLSTEIN), staatstreue Politiker und Historiker (O. HINTZE, H. DELBRÜCK, FR. MEINECKE u. a.) kritisieren zwar das persönl. Regiment des Kaisers, tasten aber die »starke Monarchie« als »gesundes Erbe BISMARCKS« nicht an.
Der Wirtschaftsaufschwung überdeckt die Probleme:
1. **Finanz. Abhängigkeit des Reiches** von den Einzelstaaten;
2. **Lähmung der Reichspolitik** durch Verfassungsgegensätze. Während das Dreiklassen-Wahlrecht (S. 339) Preußen einen reaktionär-konserv. Kurs sichert, muss das Reich (allg. Wahlrecht) zunehmend auf nicht-konserv. Kräfte Rücksicht nehmen.
3. **Keine parlament. Verfassungsref.:** Von der polit. Verantwortung ausgeschlossen, neigen die Parteien zu Zersplitterung (Liberale), zu doktrinärem Denken (SPD) oder zum Opportunismus (Konservative).
4. **Militarist. Tendenzen,** gefördert durch die obrigkeitliche Beamtenstruktur des Reiches, bestimmen auch das zivile Leben.
5. **Verhinderung einer Demokratisierung:** Am Bündnis agrarischer, industr. und bürgerl. Besitzinteressen scheitern am Revisionismus innerhalb der SPD (S. 379) ebenso wie der 1896 von **Friedrich Naumann** (1860–1919) gegr. Nationalsoziale Verein und andere Versuche (MAX WEBER) zur Eingliederung der Arbeiter in den Staat.
6. **Ungeschickte preuß. Polen-(Ostmark-)Politik:** Unterdrückung poln. Proteste und Schulstreiks (1906), prodeutsche Ansiedlungs- und Enteignungsgesetze.

1890–94 RK. Leo von Caprivi (S. 387), preuß. MP. bis 1892, sucht einen korrekten Weg »über den Parteien«, gerät aber in Schwierigkeiten.
1890 Aufhebung der Sozialistengesetze.
1890/91 Arbeiterschutzgesetze. Enttäuscht über die negative Reaktion der SPD (BEBEL), wendet sich der Kaiser von den »vaterlandslosen Gesellen« ab.
1891–94 Zollsenkungs-Politik durch Handelsverträge (besonders mit Russland) gegen den Widerstand der »Agrarier«. Der
1893 Bund der Landwirte wandelt die Konservativen zur Interessenpartei ostelb. Großgrundbesitzer (OLDENBURG-JANUSCHAU). – Freisinnige, Zentrum und SPD verwerfen die Heeresvorlage. Trotzdem nach Auflösung des RT.
1893 Heeresverstärkung um 83 000 Mann. Kritik BISMARCKS; seine
1894 (Schein-)Aussöhnung mit WILHELM II. brüskiert den RK.: er stürzt über die vom Kaiser gewünschte Repressions-Politik gegen die SPD (Anarchistengesetze). Innenpolit. Lähmung auch unter

1894–1900 Chlodwig Fürst zu Hohenlohe-Schillingsfürst (75 J.), bayer. MP. 1866–70, seit 1885 Statthalter von Elsass-Lothringen. Umsturz- (1894) und »Zuchthaus«-Vorlage (1899) lehnt der RT. ab, Kämpfe um die Flottengesetze (S. 387).
1895 Eröffnung des Nord-Ostsee-Kanals. – POSADOWSKY, Staatssekr. des Inneren, leitet mit der Versicherungsreform (1899) eine neue Phase der Sozialpolitik ein.
1900 Einführung des Bürgerl. Gesetzbuches (BGB). – Protegiert von EULENBURG und HOLSTEIN, gewinnt
1900–09 RK. Bernhard von Bülow (1849–1929) die Sympathie des Kaisers und der Konservativen durch die
1902 Revision der Handelspolitik mit Einführung neuer Zolltarife; der »Brotwucher« bringt der SPD jedoch neue Stimmen. – Nach Ablehnung der Kolonialpolitik durch Zentrum und SPD seit
1906 konserv.-lib. »Block-Politik«, aber Spannungen, da die Liberalen eine Änderung des preuß. Wahlrechtes fordern. Die
1908 »Daily-Telegraph«-Affäre (unqualifiziertes Interview des Kaisers über das deutschbrit. Verhältnis) entfesselt Proteststürme in allen Parteien. Der mitschuldige Kanzler gibt den Kaiser der Kritik preis, dessen polit. Selbstbewusstsein zusätzlich durch Skandal-Enthüllungen des Journalisten MAXIMILIAN HARDEN aus dem kaiserl. Freundeskreis getroffen wird. BÜLOW stürzt über eine
1909 Niederlage in der Reichsfinanzref.
1909–17 RK. Theobald von Bethmann Hollweg (1856–1921), preuß. Innen-Min. seit 1905, erkennt die Problematik der Reichspolitik, doch fehlen ihm Entschlusskraft und Aktivität zu Änderungen).
1910 scheitert der Versuch, das preuß. Wahlrecht zu reformieren, an der starren Haltung der Konservativen. Die neue
1911 Verfassung für Elsass-Lothringen, das innere Autonomie erhält, kommt zu spät.
1911 Reichsversicherungsordnung (RVO), die den Sozialschutz auf den Mittelstand ausdehnt.
1912 Aufstieg der polit. einflusslosen SPD zur stärksten Fraktion im RT. und Linksruck des Zentrums unter **Matthias Erzberger** (1875–1921 [ermordet]). – Die Grenzen ziviler Macht zeigt der
1913 Zabern-Zwischenfall: Die Volkserregung über Verspottung der Elsässer durch einen Offizier wird milit. unterdrückt, eine Interpellation des RT. ist wirkungslos.
1913 Heeresverstärkung auf 780 000 Mann angesichts des allg. »Rüstungsfiebers« (S. 361). Die innere Zersetzung des Reiches wird nach Kriegsausbruch durch den
1914 »Burgfrieden« der Parteien zunächst aufgehalten.

Der Niedergang des Zarismus (1874–1914)
Die Erschütterungen der Reformära (S.
347), Industrialisierung und Verarmung der Bauern
erzeugen permanente **rev. Gärung.** Wie HER-
ZEN (S. 391) und Gf. **Leo Tolstoi** (1828–1910)
vom myst. Glauben an den »einfachen Bauern«
erfüllt, gehen die
Narodniki (Volkstümler) als Lehrer, Pfleger,
Schreiber ins Volk, das ihnen aber misstraut
und an der kirchl. Lehre von gottgewollter
Zarenautokratie festhält. – Einen wirksamen
Kampf gegen Zarismus und soz. Ungerech-
tigkeit versprechen sich die
Nihilisten (nach TURGENJEWS Roman ›Väter
und Söhne‹, 1862) von BAKUNINS Anarchismus (S. 391). TSCHERNYSCHEWSKI in
1863 ›Was tun?‹, TKATSCHOW (1844–85) u. a.
durchdenken Theorie und Taktik des Um-
sturzes durch Terror (übernommen von LE-
NIN), Geheimbünde wie »Land und Freiheit«
(1877) und »Volkswille« (1879) verteilen
Flugblätter, organisieren Kampfgruppen, Sabotageakte und Attentate.
1877–81 Nihilistenprozesse: Verbannungen
und Todesurteile verstärken den Radikalismus und die Unsicherheit der Justiz.
1878 Attentat und Freispruch der VERA SASSU-
LITSCH (1851–1910);
1881 Ermordung ALEXANDERS II.
Sozialisten: Gegen Terrormethoden wendet sich
Plechanow (1856–1918), der den Marxismus
einführt und die erste
1883 sozialdemokrat. Gruppe »Befreiung der
Arbeit« gründet.
1881–94 Alexander III. steht unter dem Einfluss
seines Lehrers POBEDONOSZEW (1827–1907),
der eine absolute Autokratie errichtet. Die
1881 gegr. **Ochrana** (polit. Polizei) kontrolliert
mit Hilfe eines Agenten- und Spitzelsystems
Schulen, Universitäten, Presse und Justiz.
Bauern und Arbeiter bleiben dem Großgrundbesitzer und Industriekapital ausgeliefert. Scharfe Russifizierung in den Grenzge-
bieten; in
1881/82 Judenpogromen (S. 341) macht sich
die allg. Unzufriedenheit Luft.
1894–1917 Nikolaus II. hält am Bund von Autokratie und Orthodoxie fest. Das Moskauer
Krönungsfest endet mit über tausend Toten
in der
1896 Katastrophe auf dem Chodynkafeld. Unruhen in Finnland, Polen, der Ukraine und
im Baltikum gegen die Russifizierung;
Streiks, Sozial- und Agrarrevolten. Die Polizei zerschlägt die in Minsk gegr.
1898 Soz.-Demokrat. Arbeiter Partei (SDAPR),
die sich im Ausland neu sammelt. In Schriften und der Zeitung ›Iskra‹ (Funke, 1900)
verbreitet **Wladimir Iljitsch Uljanow, gen.
Lenin** (1870–1924) seine rev. Ideen
(S. 407). Der in Simbirsk geb. Rechtsanwalt
agitiert für die Befreiung der Arbeiterklasse,
studiert in sibir. Verbannung den Marxismus
und lebt von 1900–1905 in der Emigration
(London, München, Genf).

1902 Innen-Min. PLEHWE (1846–1904) beseitigt die Reste einer Selbstverw., durchsetzt
die von TSCHERNOW (1876–1952) und SA-
WINKOW (1879–1922) geführten
1902 Sozialrevolutionäre (SR) mit Spitzeln
(ASEF) und will ihren Terror mit Arbeitervereinen »von oben«, u. a. des Priesters GA-
PON (1873–1906 [ermordet]) auffangen (Po-
lizei-Sozialismus).
1903 Judenpogrome (Kischinew). – Im
1903 »Bund der Befreiung« (Konstitutionelle
Demokraten = KD = »**Kadetten**«) organisiert
sich das Bürgertum. – In Brüssel und London
1903 Zweiter Kongress der SDAPR: Spaltung
in **Menschewiki** (Minderheitler), die als »legale Marxisten« die Entwicklung des Kapitalismus und des Proletariats abwarten wollen (MARTOW, PLECHANOW, **Leo Bronstein,
gen. Trotzki,** 1879–1940 [ermordet]), und in
Bolschewiki (Mehrheitler) unter **Lenin,** der
die Diktatur des Proletariats durch eine Eli-
tepartei auch für das agrar. Russland fordert.
Der
1904/05 »Kleine Krieg gegen den jap. Zwerg«
(S. 391) löst die
1905 erste russ. Revolution aus: In Petersburg
schießt am
9. [22.] Jan. »Blutigen Sonntag« Militär einen
Petitionszug GAPONS zum Zaren zusammen;
darauf Streiks und Revolten in ganz Russland, Meuterei in Odessa (Panzerkreuzer
»Potemkin«) und der Garnison in Kronstadt.
Die Bolschewiki beschließen in London den
bewaffneten Umsturz, Bildung von Arbeiterräten (Sowjets) u. a. durch LENIN und
TROTZKI; nat. Aufstände in Finnland und
Polen. Der Zar verspricht im Aug. eine **Duma** (Parlament) und erlässt im
Oktobermanifest eine von WITTE (S. 391) aus-
gearbeitete Verfassung. Generalstreik und
Dezemberaufstand in Moskau werden milit.
gebrochen. Reaktion und Polizei gewinnen
in der
1906–17 Ära des Scheinkonstitutionalismus unter
1906 MP. Stolypin (1862–1911 [ermordet])
wieder die Oberhand (Standgerichte). Ein
Reichsrat tritt neben die 1. lib. »Duma der
Volkshoffnung«. – Zur Bildung eines bäuerl.
Mittelstandes (Kulaken) bzw. zur Hebung
der Kaufkraft
1906/10 Agrarreformen. Durch Auflösung des
Mir-Systems (S. 347), Flurbereinigung und
Siedlungsprojekte (Sibirien) wächst das
ländl. Proletariat; die Einflüsse der sozialist.
Parteien in der
1907 2. »Duma des Volkszorns« werden stärker. Nach einer Wahlrechtsänderung
1907–12 3. »Duma der Herren, Popen und La-
kaien«, permanente Unruhen und Streikwel-
len, starke Auswanderung nach Übersee (Polen) und Deutschland (Balten).
Den Zarenhof beherrscht als Wundertäter
und »Gottesmann« der sibir. Bauer **Rasputin**
(1872–1916 [ermordet]).

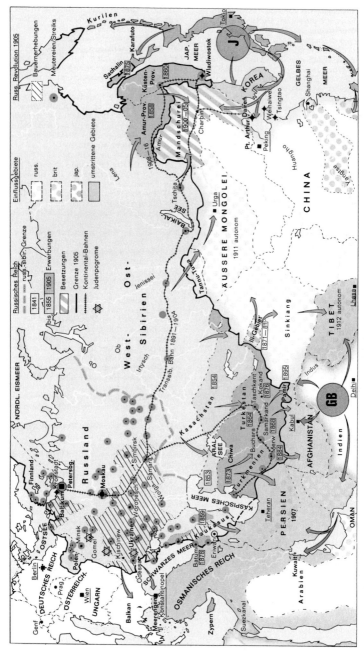

Russland vor 1914

Die russ. Expansion in Asien (19. Jh.)
Antriebe liegen im Machtwillen des Zaren, in der »Jagd nach einer Grenze« im geograf. ungegliederten Zentralasien und seit PETER D. GR. im Wunsch, durch eisfreie Häfen Zugang zu den Weltmeeren zu finden.
Naher Osten: Das Streben nach **Beherrschung der Meerengen** verbindet sich mit dem relig. Sendungsbewusstsein, Konstantinopel und die griech.-orth. »Brudervölker« auf dem Balkan von türk.-islam. Herrschaft zu befreien. Versuche (1828/29, S. 323; Krimkrieg, S. 347; 1877/78, S. 359) scheitern am brit. oder österr. Einspruch.
1878 Berliner Kongress (S. 359): Abkühlung der russ.-dt. Freundschaft.
Mittlerer Osten: Seit NIKOLAUS I. (S. 347) schiebt sich die Grenze gegen Persien, Indien und China vor.
1830–59 Kleinkriege gegen kaukas. Bergvölker. Das gute Verhältnis zu Preußen verschafft der russ. Außenpolitik unter Fs. **Gortschakow** (1789–1883) Rückendeckung in Europa; mit der
1864 Annexion von Turkestan nimmt die brit.-russ. Rivalität zu.
Ferner Osten: Mit China Verträge zur
1858 Abtretung des Amurgebietes und 1860 der Küsten-Prov.;
1860 Gründung des Hafens **Wladiwostok.** – Gegen England richtet sich der
1867 Verkauf Alaskas an die USA (S. 395).
1875 Erwerb Sachalins gegen Abtretung der Kurilen an Japan.

Imperialismus und Balkanpolitik (1878–1914)
Wirtschaft: Industrialisierung seit 1881; aus milit. Gründen Ausbau des Bahnnetzes:
1883–86 Transkaspische Bahn; 1891–1904 **Transsibirische Bahn.**
1892–1903 Finanz-Min. Gf. **Witte** (1849–1915) verwandelt Russland in ein »Treibhaus des Kapitalismus«. Die in Großbetrieben konzentrierte Schwerindustrie entwickelt sich bes. durch frz. Kapital (Revancheanleihen) an amerikan. Tempo. Zur geringe Kaufkraft und Staatsschulden zwingen zum Export (z. B. 1891 von Getreide trotz Hungersnot); die Gewinne fließen ins Ausland ab; Rüstungsaufträge fangen Krisen (1899–1903) auf. Das riesige kirchl. Vermögen liegt brach; die befreiten Bauern sind hoffnungslos verschuldet. Zur geringe Landzuteilung, Steuern, Bevölkerungsanstieg (98 Mill. 1880; 175 Mill. 1914) bewirken die Bildung eines **Proletariats.**
Russ. Messianismus: In literar. Zirkeln der Universität Moskau wird über Aufgaben und Sinn Russlands (S. 347) diskutiert; es bildet sich ein russ. Sendungsbewusstsein:
Westler: BELINSKI, TSCHAADAJEW, SOLOWJEW fordern Übernahme westl. Technik, polit. Einrichtungen, lib. und sozialist. Ideen. Der Anarchist **Michail Bakunin** (1814–76) glaubt an eine bessere Zukunft nach Zerstörung

staatl. und kirchl. Autorität. Er flieht aus sibir. Verbannung und trifft in London MARX und den russ. Emigranten **Alexander Herzen** (1812–70), dessen 1857 gegr. Blatt ›Kolokol‹ auf die öffentl. Meinung in Russland wirkt. Enttäuscht von europ. »Krämer-Religion« und Profitsucht, sieht HERZEN im Mir-System (S. 347) Keime zu moral. Gesundung.
Slawophile: Heil und Erlösung von abendl. Egoismus erwarten CHOMJAKOW, **Konstantin Aksakow** (1817–60) u. a. von Rechtgläubigkeit, Intuition und Leidensfähigkeit der russ. Seele.
Panslawisten: MICHAIL POGODIN (1800–75) verbindet slawophiles mit westlichem Denken zur Idee einer polit. Einigung aller Slawen. Auch **F. M. Dostojewski** (1821–81) vertritt auf dem
1867 2. Panslawist. Kongress in Moskau diese Überzeugung. Als neues Evangelium verkündet **Nikolai Danilewski** (1822–85) in
1871 ›Russland und den Niedergang des dekadenten Europa‹, dessen Führung dem moral. überlegenen Russland zufallen wird. – **Michail Katkow** (1818–87) propagiert in den ›Moskauer Nachrichten‹ einen autokrat. **Panrussismus,** dem die öffentl. Meinung zuneigt. – AMin. NIKOLAI GIERS [1882–95] hält jedoch am
1881 Dreikaiserbündnis fest. Erst nach
1890 Kündigung des Rückversicherungsvertrages kommt es zur Verständigung mit Frankreich (Zweibund, S. 361).
Ostasien: WITTE treibt zu imperialist. Wirtschaftsexpansion, warnt aber vor dem Kriegs-Min. KUROPATKIN [1898–1904] vor polit. Abenteuern gegen Japan.
1896 Intervention zu Gunsten Chinas, das dafür Bahnkonzessionen vergibt.
1898 Pachtvertrag über **Port Arthur;**
1900 Besetzung der Mandschurei (Boxeraufstand). In Überschätzung der eigenen Kräfte Provokation jap. Interessen in Korea. Der
1904/05 Russ.-Jap. Krieg (S. 393) erschüttert des innere Gefüge des Zarismus (S. 389).
1905 Friede von Portsmouth/USA. WITTE erreicht maßvolle Bedingungen (Verzicht auf Korea, Port Arthur, Süd-Sachalin). Der
1905 Defensiv-Vertrag von Björkö zwischen WILHELM II. und NIKOLAUS II. bleibt ohne Wirkung.
AMin. ISWOLSKI [1906–10] beendet die russ.-brit. Rivalität durch das
1907 Abkommen über Persien (S. 365), schwenkt auf eine **Balkan- und Meerengenpolitik** zurück, unterstützt den serb. Panslawismus (S. 359), trifft auf eine verstärkte österr.-ung. Balkan-Aktivität (AMin. AEHRENTHAL) und erleidet in der
1908 Bosnischen Krise (S. 399) eine Niederlage. AMin. SASONOW [1910–16] entgleitet die polit. Führung in den
1912/13 Balkankriegen.
1912 Flottenkonvention mit Frankreich.

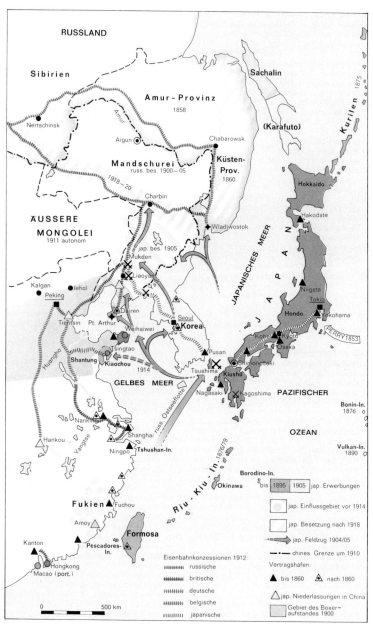

RUSSLAND

Sibirien

Sachalin

Amur – Provinz
1858

(Karafuto)

Nertschinsk

Amur

Aigun

Chabarowsk

Mandschurei
russ. bes. 1900–05

Küsten-
Prov.
1860

1918–20

Charbin

Hokkaido

Hakodate

Wladiwostok

ÄUSSERE
MONGOLEI
1911 autonom

jap. bes. 1905

Mukden

Kalgan   Jehol

Liaoyan

Peking

Niigata

Dairen

Tokio

Tientsin   Pt. Arthur

Seoul

Yokohama

Weihaiwei

Korea

Hondo

Tsingtao

Pusan

Kobe   Kyoto

PERRY 1853

Kiaochou
1914

Shantung

Osaka

Huangho

Tsushima

Shimonoseki

Kiushu

GELBES MEER

russ. Ostseeflotte

Nagasaki

Kagoshima

PAZIFISCHER

Bonin-In.
1876

Nanking

Shanghai

OZEAN

Hankou

Yangtse

Ningpo   Tshushan-In.

Vulkan-In.
1890

Riu-Kiu-In. 1876/79

Borodino-In.

Okinawa

bis 1895 1905 jap. Erwerbungen

Fukien   Fuchou

jap. Einflussgebiet vor 1914

Amoy

jap. Besetzung nach 1918

Formosa

jap. Feldzug 1904/05

Kanton

chines. Grenze um 1910

Pescadores-
In.

Vertragshäfen:

Hongkong
Macao (port.)

Eisenbahnkonzessionen 1912:

bis 1860   nach 1860

russische

britische

jap. Niederlassungen in China

deutsche

0   500 km

belgische

Gebiet des Boxer-
aufstandes 1900

japanische

Die japanische Expansionspolitik seit 1875

Das europ. Interesse für Japan erwacht mit EN-GELBERT KAEMPFERS Bericht über seine Japan-reise (1690–92). Walfänger wünschen Kohle-und Wasserstationen in jap. Häfen; seit 1804 vergebl. russ. und amerik. Versuche bis zur endgültigen
1854 Öffnung Japans: Commodore PERRY kreuzt vor Tokio auf und erzwingt für die USA den
1854 Vertrag von Kanagawa (bei Yokohama) mit Konzessionen (Zölle, eigenes Gericht, Beamte) für zwei Häfen. Handelsverträge mit europ. Mächten folgen; fremdenfeindl. Reaktionen führen zu Demütigungen (Be-schießung jap. Häfen). Das Shogunat verliert sein Ansehen.
1867 Abdankung des letzten Shoguns KEITI.

Die Meiji-Ära (1868–1912)
1867–1912 MUTSUHITO. Während der »er-leuchteten Regierung des Kaisers« **(Meiji Tenno)** entsteht das moderne Japan. Es er-kennt, dass sein Bestand gefährdet ist, solan-ge es sich nicht Europa anpasst. Der Wandel vollzieht sich in Abschnitten:
1. Die Überwindung der alten Feudalstruktur: Die südl. Daimyos übertragen ihre Macht frei-willig dem Kaiser, der das »Programm der Neuen Ära« (1869) verwirklicht.
1871 Abschaffung der Feudalordnung; Erset-zung der Lehen durch neue Verw.-Bezirke; Staatspensionen zur Abfindung des Adels. Aufhebung des Ausreiseverbots; staatl. För-derung des Auslandsstudiums; Berufung eu-rop. Berater.
1872 allg. Wehrpflicht und Neuorganisation des Heeres nach franz. und preuß. Vorbild; allg. Schulpflicht; Polizei-, Presse-, Rechts-, Post-, Eisenbahn-, Gesundheits- und Finanz-wesen (Yen-Währung nach dem amerik. Münzsystem; Gründung der Bank von Ja-pan). – Die Aufhebung der Samurai-Pensio-nen und des alten Schwertrechtes treibt die Opposition zum letzten
1877 Aufstand unter SAIGO TAKAMORI. Auflö-sung der Samurai-Kaste nach der Niederlage bei Kagoshima.
2. Die innere Verarbeitung der Reformen: In der neuen Bürokratie bilden sich Gruppen (Clans): die konserv. Militärpartei (Teiseito) lehnt westl. Einflüsse ab; sie hält ein Übergrei-fen auf das Festland für dringender als soz. und wirtschaftl. Reformen. – Die Fortschrittspartei (Kaishinto) verfolgt zwar auch die Ausweitung des Wirtschaftsraumes, aber erst nach westl. Reformen. – Die radikale Partei (Siyuto) for-dert eine parlament. Ordnung, die sich aber weder gegen den »Rat der alten Staatsmänner« (Genro: die »unsichtbare Macht hinter dem Thron«) noch gegen das Gottkaisertum des Tenno richtet.
1878 Einrichtung von Prov.-Parlamenten.
1884 Bildung eines Oberhauses aus Mitgl. des Hofadels (Kuge) und der Daimyo-Familien, die neue Adelstitel in 5 Rangstufen erhalten.

1885 Einberufung des ersten vom Kaiser er-nannten Ministeriums, 1888 des Geh. Staats-rates (Sumitsuin). Fs. **Ito Hirobumi** (1841–1909) entwirft die neue
1889 Verfassung (konst. erbl. Monarchie) mit unabsetzbarem Kaiser als Spitze der Staats-gewalt, Ober- und Abgeordnetenhaus (je 300 Mitgl.), Selbstverw. der Städte und Ge-meinden nach preuß. Muster. Die polit. Macht liegt weiterhin bei den großen Fami-lienclans. Sie prägen die um 1900 gegr. Seiyukai-Partei (ITO) und die Kenseihonto-Partei.
3. Aufstieg zur imperialen Großmacht: Ein starker Bevölkerungsanstieg (1867/26 Mill.; 1913/52 Mill.) fördert die Industrialisierung. Der Anschluss an die Weltwirtschaft gelingt schneller als erwartet. Familientrusts (u. a. die MITSUI, YASUDA, SUMITOMO) kontrollieren In-dustrie, Handel, Banken. Ihr Interesse richtet sich auf auswärtige Rohstoffe (Kohle) und Ab-satzmärkte.
Imperiale Ziele verfolgt der CHOSHU-Clan (Ar-mee) und der SATSUMA-Clan (Marine); ihrem Wettstreit ist die Reg. ausgeliefert.
1875 Abkommen mit Russland über Sachalin (russ.) und die Kurilen; 1876 Besetzung der Bonin- und Riu-Kiu-In. Das Eingreifen jap. und chin. Truppen im koreanischen Tong-hak-Aufstand veranlasst den
1894/95 chin.-jap. Krieg. Die überlegenen jap. Streitkräfte erobern u. a. Dairen, Weihaiwei, Shantung, Seoul.
1895 Friede von Shimonoseki: China tritt For-mosa und die Pescadores-In. ab, leistet Kriegsentschädigung und erkennt die Unab-hängigkeit Koreas an (1897 Ksr. unter russ. Schutz). Ab
1895 Aufbau einer Kriegsflotte (4 Panzerkreu-zer, 8 Schlachtschiffe); Teilnahme am Bo-xeraufstand (S. 369). Dem russ. Vordringen in Ostasien begegnet das
1902 Schutzbündnis mit Großbritannien. Ver-suche zur Interessenabgrenzung in Korea und der Mandschurei enden im Überfall auf Pt. Arthur: Vernichtung der russ. Ostasien-Flotte.
1904/05 Russ.-Jap. Krieg. Führungsmängel und innenpolit. Schwächen (S. 391) erschweren die russ. Kriegführung. Die jap. Armeen zwingen Pt. Arthur zur Kapitulation, beset-zen Korea, stoßen in die Mandschurei vor.
1905 Sieg bei **Mukden** zu Lande, bei **Tsushima** zur See: Adm. TOGO vernichtet die veraltete russ. Ostsee-Flotte nach ihrer Fahrt um die halbe Welt.
1905 Friede von Portsmouth/USA: Japan ge-winnt Süd-Sachalin (Karafuto), Pt. Arthur, dazu das Protektorat über Korea und die Süd-Mandschurei. Es wird als **neue Groß-macht** internat. anerkannt:
1907 Freundschaftsverträge mit Frankreich und Russland; die USA beschränken die jap. Einwanderung.
1910 Annexion Koreas (Chosen).

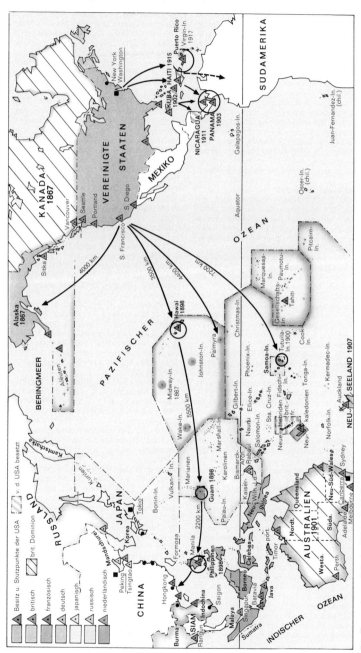

Die Expansionspolitik der USA seit 1867

»Reconstruction-(Wiederaufbau-)Periode«
1865–69 Andrew Johnson setzt die gemäßigte Politik LINCOLNS fort, wird aber von radikalen Republikanern zu einem Machtkampf gedrängt, der bis zu seiner Anklage wegen Hochverrats führt. Die Schwarzen erhalten 1868 das Bürger-, 1870 das Wahlrecht. Unter **1869–77 Präs. Grant** erleben die USA ihre dunkelste Korruptionsperiode. – Eine Militärdiktatur über die »Rebellen« des Südens (bis 1877) schützt Agenten aus dem Norden (»Carpetbaggers«), die fragwürdige Reg. bilden, Farbige aufwiegeln und öffentl. Gelder vergeuden. Die Pflanzer leiden unter Steuer- und Schuldenlasten. Gegen die Anarchie greifen sie zur Selbsthilfe (Geheimbünde: Ku-Klux-Klan, Lynchjustiz). Wahlrechtsklauseln (Intelligenztests) und Rassentrennung degradieren die Schwarzen wieder. – Die abgespaltenen Liberal-Republikaner (CARL SCHURZ) wenden sich zwar gegen die Verfilzung von Geschäft und Politik, doch können die Präs. HAYES, GARFIELD, ARTHUR, CLEVELAND 1877–89 das »Beutesystem« nur langsam abbauen. Seit dem Civil Service Act (1883) Eignungsprüfungen für Beamte.

Aufstieg zur wirtschaftl. Großmacht
Staatl. Ohnmacht fördert zwar Profitgier und Gangsterunwesen, aber auch Mut zum Risiko, Energie und Privatinitiative. Trotz Krisen (1873, 1907) Expansion der Industrie, Technik, Wirtschaft und des Kapitals. Von 1860 bis 1914 wächst die Bevölkerung von 31,3 auf 91,9 Mill. bei 21 Mill. Einwanderern. Die Arbeiterzahl steigt um 700, die Produktion um 2000, das Investitionskapital um 4000 Prozent. In der Produktion von Eisen, Kohle, Erdöl, Kupfer, Silber stehen die USA an der Spitze; Dampfkraft weicht der Elektrizität; Schutzzölle begünstigen Monopolbildungen. Aus oft kleinsten Anfängen entstehen Trusts und Riesenkonzerne der »Big-Business-Könige« ASTOR (Pelzhandel), **John Rockefeller** (Standard Oil), CARNEGIE (Steel Corp.), **Morgan,** VANDERBILT (Eisenbahn-Ges.) u. a. – 1913 verdienen 2% Amerikaner 60% des Volkseinkommens; MORGAN und ROCKEFELLER allein kontrollieren 20% des Volksvermögens (341 Großunternehmungen mit 22 Milliarden Dollar Kapital). Trotz Gefährdung von Gleichheit (Rassendiskriminierung) und Freiheit (Kapitalkonzentration) macht die allg. Demokratisierung Fortschritte. Massengüter heben den Wohlstand; Industriemagnaten stiften Universitäten, Museen, Fürsorgeeinrichtungen. Arbeiterorganisationen (American Federation of Labor [AFL], 1886; Industrial Workers of the World [IWW], 1905) führen harte Lohnkämpfe (über 1000 Streiks jährl.). Die Reg. nimmt den Kampf gegen Monopole und Ausbeutung auf.
1901–09 Theodore Roosevelt reformiert Verwaltung und Eisenbahntarife.

1909–13 Taft setzt Antitrust-Gesetze durch.
1913–21 Woodrow Wilson verkündet ein Programm der »Neuen Freiheit«, baut Schutzzölle ab, führt progressive Steuern ein und drängt Trusts weiter zurück.

Der Eintritt in die Weltpolitik
1891 Aufhebung des Heimstätten-Gesetzes (S. 373), damit Ende des Binnenimperialismus. Finanz- und Wirtschaftskreise beeinflussen die Außenpolitik. Die neue imperiale Machtpolitik wird wegen der öffentl. Meinung moral. kaschiert und vor allem mit wirtschaftl. Mitteln (**Dollarimperialismus**) betrieben. Der
1867 Ankauf Alaskas von Russland für 7,2 Mill. Dollar stößt noch auf Kritik (Pelzhandel und Goldfunde bringen 1913 81 Mill. Dollar Gewinn). Im
1895 Kubanischen Aufstand gegen Spanien, unterstützt von amerik. Freiwilligen, bearbeitet die Pulitzer- und Hearst-Presse die öffentl. Meinung so, dass der »Maine-Zwischenfall« von Habana (Explosion eines amerik. Kriegschiffes) den
1898 Krieg mit Spanien auslöst (Besetzung Kubas). Im Frieden von Paris gewinnen die USA Guam und Puerto Rico. Den Streit zwischen Imperialisten und ihren Gegnern (CARL SCHURZ) um Hawaii und die Philippinen entscheidet MCKINLEY [1897–1901] nur zögernd zu Gunsten einer Annexion unter Verweis auf gleiche jap., russ. und deutsche Absichten. **Th. Roosevelt, Taft** und **Wilson** bekennen sich dagegen voll zur imperialen Politik.
Unter Interventionsdrohungen werden Kapitalinvestitionen zu Finanzprotektoraten über Mittel- und Südamerika ausgebaut (Big-Stick-Politik).
1910 Gründung der Panamerik. Union. Die guten Beziehungen zu Deutschland (1889 Streit um Samoa, seit 1899 geteilt; Handelskonkurrenz) und Russland (Betonung der Politik der »offenen Tür« in Ostasien, S. 369; Vermittlung im Russ.-Jap. Krieg, S. 393) kühlen sich ab. Anders entwickelt sich das Verhältnis zum traditionellen brit. Gegner. Im Ringen um die **Panamakanal-Frage** sieht der
1850 Clayton-Bulwer-Vertrag noch einen internat. Kanalbau vor. Die von LESSEPS (S. 383) 1879 gegründete Panama-Gesellschaft endet durch Skandale. Im
1895–97 Venezuela-Grenzstreit mit Brit.-Guayana beugt sich England der amerik. Forderung nach einem Schiedsgericht. Beginn der brit.-amerikan. Annäherung. Der Kanalbau wird den USA überlassen (1901), die Grenze zwischen Alaska und Kanada festgelegt (1903). – Eine von den USA provozierte
1903 Rev. in Panama löst das Land von Kolumbien. Nach 10-jähr. Bauzeit
1914 Eröffnung des Panamakanals.

Das italienische Kolonialreich 1914

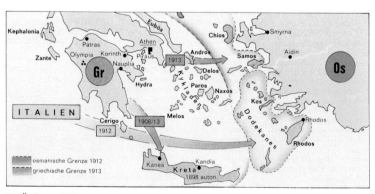

Die Ägäis vor 1914

Nach der Einigung Italiens folgt eine Periode der Erschöpfung. Traditionen und Personen der bürgerl. Parteien (Radikale, Links- und Rechtslib.) sind wichtiger als Programme, verwischt durch das System des »Trasformismo« (»Überformung« der Opposition durch Mitbeteiligung, Bestechung, Terror). – Seit 1876 linkslib. Regierungen (Kabinett DEPRETIS). Unter Opfern Förderung von Landwirtschaft, Industrie, Armee und Flotte, deshalb ständige Haushaltsdefizite und Neigung zur Flucht vor inneren Nöten in die Irredenta-Politik (S. 351):

1878 Gründung des Bundes »Italia Irredenta«.
1879 Volksschulpflicht (Kinder von 6–9 J.).
1882 Wahlrechtserweiterung (auf ca. 20% der männl. Bevölkerung, da an Schulzeugnisse gebunden).

Die Ära der »Großen Politik« (1882–1900)
1878–1900 HUMBERT I. – Aus Besorgnis über die franz. Besetzung von Tunis (S. 385)
1882 Beitritt zum Dreibund (S. 361), der jedoch belastet ist durch Irredenta-Ansprüche an Österreich (Südtirol, Istrien, Adria). Das franz. Vorgehen in Nordafrika verleitet seit
1887 MP. Crispi (S. 351) zu kol. Expansion unter Anlehnung an den Dreibund und Unterdrückung nat. Irredenta-Wünsche. – Gegen abess. Widerstand
1887–90 Erweiterung Massauas (1885) zur Kolonie **Eritrea.**
1889 Vertrag von Uccialli: **Abessinien** wird Protektorat, MENELIK II. als Negus anerkannt (S. 375).
1889 Annexion von **Ital. Somaliland.** – In Überschätzung der Kraft Italiens beginnt CRISPI nach Aufkündigung des Protektorats-Vertrages durch MENELIK II. den
1894 Krieg gegen Abessinien.
1896 Niederlage von Adua: Auslösung einer schweren Krise: Sturz CRISPIS. Der Plan eines abess. Kol.-Reiches wird im Vertrag von Addis Abeba aufgegeben. Angestrebt wird eine Balance zwischen den europ. Bündnisblöcken durch Abschwächung des ital.-franz. Gegensatzes.
1902 Geheimabkommen zur Klärung der beiderseitigen Interessen in Nordafrika (Frankreich: Marokko; Italien: Libyen).
Innere Verhältnisse: Bevölkerungszunahme bei steigender **Auswanderung** (1914 lebt jeder 4. Italiener im Ausland).
1887 Schutzzollpolitik fördert die Industrialisierung im Norden (ausl. Kapital). Im Süden Wirtschaftskrisen, Skandale.
1888–98 Handelskrieg mit Frankreich. – Sparmaßnahmen und Steuererhöhungen der »starken Reg.« CRISPIS gleichen die überhöhten Verw.- und Rüstungsausgaben nicht aus; geringe Löhne, lange Arbeitszeiten, Kinderarbeit, Teuerung.
1882/83 Gründung der Sozialist. Partei (BISSOLATI, TURATI u. a.). Formen genossenschaftl.

Selbsthilfe und örtl. Gewerkschaften entstehen.
1894 Auflösung der Sozialisten-Vereine. Anarchist. Attentate, Geheimbünde im Süden (Mafia, Camorra) untergraben die Staatsautorität. In Sizilien
1893/94 Hungerrevolten der »Fasci«-Arbeiterbünde.

Die Ära Giolitti (1900–15)
1900–46 VICTOR EMANUEL III.
1903–05/06–09/11–14 MP. Giolitti (der »starke Mann« der Liberalen) spielt Parteien und Interessengruppen gegeneinander aus, gewinnt die kath. »Populari«-Partei und gem. Sozialisten für Reformen:
1905/06 Verstaatlichung der Eisenbahnen; Arbeiterschutz und Sozialversicherung, Anerkennung der Gewerkschaften:
1906 Gründung des »Generalverbandes der Arbeit«. – Wirtschaft und Finanzen erholen sich. Dennoch verliert der »Giolittismus« an Kraft zu Gunsten eines neuen »integralen **Nationalismus«.** – Der Dichter und Nietzsche-Verehrer **Gabriele d'Annunzio** (1863–1938) inspiriert die
1910 Nationalisten-Partei, die statt Klassenkampf den »Kampf der Nationen« will und eine Irredenta-Politik fordert. Die
1912 Einführung der allg. Wahlrechts zersetzt das bürgerl.-lib. System vollends.
1912 Spaltung der Sozialisten: die »Reformisten« (BISSOLATI) unterliegen den »Revolutionären« unter **Benito Mussolini** (S. 460), seit 1907 Arbeitersekretär, 1912 Schriftleiter des ›Avanti‹. Er wiegelt die unzufriedenen Massen, vor allem in der
Juni 1914 »Roten Woche«, zu Streiks auf.
Außenpolitik: Ausgleich mit Frankreich im
1902 Neutralitätsabkommen und Lockerung des Dreibundes in den Krisen um Marokko (S. 387) und Bosnien (S. 399). Nationalist. Druck und franz. Marokko-Erfolg treiben zur Wiederaufnahme der Irredenta-Tradition (Befestigung der Alpengrenze) und der kol. Eroberungspolitik.
1911 Annexion von **Tripolis,** deshalb
1911/12 Krieg gegen die Türkei, milit. erschwert durch den Widerstand der Senussi, polit. durch den Vorstoß in die Ägäis (Dodekanes).
1912 Friede von Lausanne: **Libyen** wird autonom und fällt de facto an Italien; die **Dodekanes** bleibt umstritten.
1912 Neutralitätsversprechen an Frankreich. Bei Ausbruch des Weltkrieges
1914 Neutralitätserklärung (3. Aug.). Im Ringen zwischen Neutralisten (GIOLITTI) und Interventionisten (D'ANNUNZIO, MUSSOLINI) vertritt MP. Salandra den »Sacro egoismo per Italia«.
AMin. SONNINO stellt territ. Ansprüche an Österreich. Im
1915 Londoner Vertrag (April) erreicht er größere Zugeständnisse von der Entente. Kündigung des Dreibunds (3. Mai).

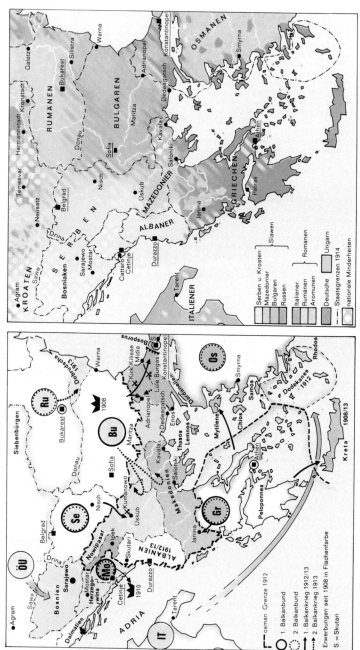

Die Balkanvölker vor 1914

Die Aufteilung der europäischen Türkei 1908–1913

Die Krisen auf dem Balkan (1908–13)

Der Verfall des Osman. Reiches und die jungen Nationalstaaten mit hochgesteckten nat. Zielen bei differenzierten Volkstums-, Kultur- und Religionsgrenzen (Minderheiten- und Irredenta-Probleme) halten den Balkan in ständiger Unruhe:

Hochspannungsraum der Weltpolitik, in den die Großmächte direkt (Österreich-Ungarn, Italien, Russland) oder indirekt (Deutschland, Frankreich, Großbritannien) verwickelt sind. Die **1908/09 Bosnische Krise** wird durch die 1908 Jungtürk. Rev. (S. 365) zur Umwandlung des Osman. Reiches in einen Verfassungsstaat mit Gleichberechtigung und Wahlrecht für alle Untertanen ausgelöst.

Sept. Anschluss Kretas an Griechenland. VENIZELOS (S. 359) aktiviert als Führer der lib. Partei die groß-griech. Bewegung.

Okt. FERDINAND I. (S. 359) erklärt sich zum Zaren des unabh. Kgr. **Bulgarien. – Österreich Ungarn** befürchtet eine Rückforderung der seit dem Berliner Kongress von ihm verw. türk. Reichsteile. Nach österr.-russ. Balkan-Vereinbarungen im

Sept. Außenminister-Treffen von Buchlau (zwischen dem österr. AMin. AEHRENTHAL und dem russ. AMin. ISWOLSKI) österr.

Okt. 1908 Annexion Bosniens und der Herzegowina unter türk. Protest. Entrüstung in **Serbien,** das seine groß-serb. Reichspläne durchkreuzt sieht und mobilisiert. – **Russland** stößt in der **Meerengenfrage** (Öffnung des Bosporus und der Dardanellen) auf brit. Widerstand, glaubt sich von Österreich überspielt und stellt sich hinter Serbien. **England** (AMin. GREY) bestärkt Russland und fordert eine internat. Konferenz zur Klärung der bosn. Frage, die von Österreich abgelehnt wird. **Italien** gegen österr. Machterweiterung; zur Erhaltung des Status quo auf dem Balkan 1909 Geheimvertrag von Racconigi mit Russland (S. 361). – **Frankreich** hält sich zurück, da es einer milit. Kraftprobe noch nicht gewachsen zu sein glaubt. – **Deutschland** (RK. VON BÜLOW) steht in »Nibelungentreue« fest zu Österreich. Es lehnt zwar die Präventivkriegsabsichten des österr. Generalstabschefs Franz Frh. **Conrad von Hötzendorf** (1852–1925) zur »Abrechnung« mit Serbien ab, lässt aber ein Ultimatum zu und warnt Russland vor Unterstützung Serbiens in der als Demütigung empfundenen

März Petersburger Note. ISWOLSKI tritt zurück und wird als Botschafter in Paris entschiedener Gegner der Mittelmächte.

Ergebnis: Erfolg der dt. Politik (BÜLOW), die den österr. Ausgleich mit der Pforte vermittelt: Räumung des Sandschak-Nowipasar (türk. Verw.-Bezirk) und finanz. Entschädigung. Deutschland gerät in stärkere Abhängigkeit von Österr.-Ungarn. Die Entente lockert sich nicht; die Spannungen auf dem Balkan bleiben:

1910 NIKITA I. VON MONTENEGRO nimmt den Königstitel an;

1911 Gründung der groß.-serb. Geheimorganisation »Vereinigung oder Tod« (Schwarze Hand) durch Oberst DIMITRI-JEVIĆ-APIS.

1912/13 Balkankrise. Unruhen in Albanien (ESSAD PASCHA), innere Wirren und Schwächung der Türkei durch den

1911/12 Tripolis-Krieg mit Italien (S. 397) verbinden Serbien und Bulgarien. Ermutigt durch russ. Diplomaten Zusammenschluss der beiden Staaten zum

März 1912 1. Balkanbund (gegen österr. Ausdehnung bei einer fälligen Aufteilung der europ. Türkei). Griechenland und Montenegro treten dem Bündnis bei.

Okt. 1912 1. Balkankrieg: Die vier Bündnispartner erklären der Türkei den Krieg. Schwere Niederlagen der Türken bei Kirk Kilisse, Lüle Burgas und vor Adrianopel (durch Bulgarien), bei Kumanowo (durch Serbien). Als Folge entwickelt sich eine **kritische internat. Lage: Serbien,** gestärkt von Russland, beansprucht Zugang zur Adria, dem sich **Italien** widersetzt. Italien wünscht die Annexion Albaniens und sucht um Verlängerung des Dreibundes nach. – **Griechenland** protestiert gegen die ital. Besetzung der Dodekanes (1912). **Österreich-Ungarn** lehnt jedoch serb. und ital. Machtzuwachs ab und deckt **Bulgarien.** Dessen Druck auf Serbien und die Türkei befürchtet **Russland** (AMin. SASONOW) aus Sorge um den letzten befreundeten Balkanstaat und die eigene Meerengenpolitik. – **Deutschland** (RK. BETHMANN HOLLWEG) und **England** (GREY) bemühen sich in der

Dez. Londoner Botschafterkonferenz gemeinsam um den

Mai 1913 Frieden von London: Abtretung aller türk. Gebiete westl. der Enos-Midia-Linie und aller ägäischen Inseln. – Im Streit um den Gewinn greift **Bulgarien,** das seine Kräfte überschätzt, Serbien an.

Juni 1913 2. Balkankrieg: Die Intervention **Rumäniens, Griechenlands, Montenegros** und der **Türkei** zu Gunsten Serbiens verwirrt die Lage vollends. Abkühlung der österr.-rumän. Beziehungen, da Österreich-Ungarn zur Rettung Bulgariens einzugreifen droht, aber von Deutschland und Italien daran gehindert wird.

Aug. 1913 Friede von Bukarest: Bulgarien verliert Mazedonien und die Dobrudscha; Kreta fällt endgültig an Griechenland; **Albanien** wird selbst. Fsm. (unter Prinz WILHELM ZU WIED, der von ESSAD PASCHA ausgespielt wird). –

Ergebnis: Enttäuschung, vor allem in **Serbien,** das – durch Österreich-Ungarn gehindert – die Adria nicht erreicht hat.

Die bisherigen Freundschafts- und Bündnispositionen verstiefen sich; die Lage auf dem Balkan, dem »Pulverfass Europas«, bleibt labil und entzündet sich bis zur

Julikrise 1914 den Ersten Weltkrieg (S. 400).

Kriegsursachen

Machtpolit. Gegensätze im europ. Staatensystem (Dtl.-England, Dtl.-Frankreich); **Rüstungswettlauf der großen Mächte** (dt. und frz. Heeresvorlagen 1913, S. 383, 388); **Deutschengl. Rivalität** im Flottenbau (frz.-brit. Flottenabkommen 1912); **Schwierigkeiten des österr.-ungar.** Vielvölkerstaates (Autonomiebestrebungen der Tschechen, slaw. Problem); **Verlust des defensiven Charakters der europ. Bündnisse; Russlands Balkanpolitk** (S. 399); **überstürzte Mobilmachungen und Ultimaten** (bedingt auch durch die milit. Operationspläne).

Geringere Bedeutung haben der Nationalismus innerhalb Frankreichs (»Revanche«-Politik) und Deutschlands (Alldeutscher Verband) sowie die dt.-engl. Wirtschaftsrivalität (Trade rivalry).

Kriegsschuldfrage

Gegenseitiges Misstrauen, der bes. auf dt. Seite verhängnisvolle Glaube, ein begrenzter europ. Krieg sei nicht zu vermeiden, die geringe Entscheidungsfreiheit der führenden Staatsmänner und die Bereitschaft zur Aufrüstung als Gewähr für die Sicherheit lösen den Krieg aus. Kein Staat will auf seine Ziele zur Erhaltung des Friedens verzichten:

1. **Österr.-Ungarn** hält an der übernat. Kaiseridee fest;
2. **Serbien** sucht die nat. Staatsidee zu verwirklichen;
3. **Russland** fürchtet einen neuen Misserfolg seiner Balkanpolitik und steht vor der Alternative: Krieg oder Rev. im Innern;
4. **Großbritannien** schwankt zwischen Neutralität und Parteinahme (Unentschlossenheit des Kabinetts, Furcht vor einer offensiven russ. Politik);
5. **Frankreich**, durch sein Bündnis mit Russland aus der polit. Isolierung befreit, betrachtet diese Allianz als Druckmittel gegen Deutschland;
6. **Deutschland** steht zum Bündnis mit Österr.-Ungarn, um dadurch einer zunehmenden polit. Isolierung zu entgehen und der gefährdeten Donaumonarchie zu einem Prestigegewinn zu verhelfen. Der dt. Generalstab drängt auf den Kriegsausbruch 1914, da sonst die Voraussetzungen für eine rasche Niederwerfung Frankreichs (vgl. Schlieffen-Plan, S. 403) nicht mehr gegeben seien;
7. **Frankreich und Deutschland** wirken nicht mäßigend auf die Politik ihrer Bündnispartner Russland und Österr.-Ungarn ein.

Die Julikrise 1914

28. 6. Ermordung des österr. Thronfolgers, Ehz. FRANZ FERDINAND, und seiner Gemahlin durch den bosn. Studenten PRINCIP im Auftrag der Geheimorganisation »Schwarze Hand« (keine unmittelbare Beteiligung der serb. Reg.) in Sarajewo.

6. 7. Versicherung der unbedingten Bündnistreue Deutschlands (»Blankovollmacht«).

20.–23. 7. Besuch des franz. Präs. POINCARÉ und des MP. VIVIANI in Petersburg. Zusicherung der Bündnistreue. Nach ihrer Abreise stellt Österr.-Ungarn ein auf 48 Stunden befristetes

23. 7. Ultimatum an Serbien: Forderung nach Bekämpfung der gegen Österr.-Ungarn gerichteten Umtriebe unter österr. Beteiligung; Bestrafung der Schuldigen.

25. 7. Serbien macht Vorbehalte hinsichtlich seiner Souveränitätsrechte; serb. Teilmobilmachung.

25. 7. Österr.-Ungarn erklärt die Antwort Serbiens für unbefriedigend; Abbruch der diplomat. Beziehungen, österr. Teilmobilmachung.

25. 7. Kronrat zu Krasnoje Selo: Russland beschließt Serbien zu unterstützen. Trotz engl. und deutscher Vermittlungsversuche (Vorschlag einer Botschafterkonferenz und direkter Verhandlungen zwischen Russland und Österr.-Ungarn) erfolgt die

28. 7. Kriegserklärung Österr.-Ungarns an Serbien.

29. 7. Teilmobilmachung Russlands.

30. 7. Generalmobilmachung in Russland. – Der dt. Gen.St.-Chef HELMUTH VON MOLTKE (S. 403) drängt seinen österr. Kollegen FRANZ CONRAD VON HÖTZENDORF zur Generalmobilmachung und rät zum Vermittlungsversuchen ab, die der RK. BETHMANN HOLLWEG (S. 388) noch unternimmt: **Keine Zusammenarbeit zwischen polit. und milit. Führung in Deutschland.**

31. 7. Generalmobilmachung Österr.-Ungarns. – Dtl. verkündet den »Zustand drohender Kriegsgefahr« und fordert in einem auf 12 Stunden befristeten Ultimatum an Russland die Einstellung der Mobilmachung und in einem weiteren an Frankreich (Frist: 18 Stunden) die Neutralitätserklärung im Fall eines deutsch-russ. Konfliktes. Russland antwortet nicht. Darauf

1. 8. deutsche Mobilmachung und Kriegserklärung an Russland. Frankreich erklärt, dass es »gemäß seinem Interesse« handeln werde. Deshalb

3. 8. Kriegserklärung Deutschlands an Frankreich. – Das von Deutschland am 2. 8. geforderte Durchmarschrecht wird von Belgien abgelehnt. Trotzdem

3./4. 8. Einmarsch deutscher Truppen in Belgien. Darauf stellt Großbritannien (1. 8. Mobilmachung der Flotte; 2. 8. Zusicherung des Schutzes der Nordseeküste an Frankreich) ein

4. 8. Ultimatum an Deutschland, in dem die Respektierung der belg. Neutralität gefordert wird, was einer Kriegserklärung gleichkommt. – Es folgen die Kriegserklärungen Serbiens an Deutschland (6. 8.), Österr.-Ungarns an Russland (6. 8.), Frankreichs an Österr.-Ungarn (11. 8.), Großbritanniens an Österr.-Ungarn (12. 8.).

Das Werben um Bundesgenossen
Japan will einen offenen Gegensatz zur Entente und den USA vermeiden und sich in Kiaochou festsetzen: **Ausdehnung seines Einflussgebietes in Nordchina bis zum Yangtse.**
23. 8. 1914 Kriegserklärung an Deutschland.
Nach Einnahme dt. Besitzungen (S. 387) antwortet Japan auf Chinas Verlangen nach Rückgabe der Gebiete mit
1915 21 Forderungen, die China akzeptieren muss: Nordchina wird jap. Einflussgebiet.
1916 Jap.-russ. Geheimvertrag: Beide Mächte verpflichten sich zum Schutz Chinas.

Die **Türkei** erklärt nach dem Abschluss eines gegen Russland gerichteten Vertrags mit Deutschland ihre bewaffnete Neutralität (3. 8. 1914).
Okt. 1914 Beschießung russ. Küstenstädte durch die formell in türk. Besitz übergegangenen deutschen Schiffe »Göben« und »Breslau«; deshalb
2.–5. 11. 1914 russ., brit. und franz. Kriegserklärung an die Türkei.

Italien führt seine Interessenpolitik und der Gegensatz zu Österr.-Ungarn (Irredenta, Adriafrage) auf die Seite der Alliierten (S. 397).
26. 4. 1915 Londoner Geheimvertrag. Italien erreicht territ. Zugeständnisse: Alpengrenze bis zum Brenner, Istrien, den größten Teil Dalmatiens, Libyen, Eritrea, Teile Kleinasiens.
23. 5. 1915 Kriegserklärung Italiens an Österr.-Ungarn und
26. 8. 1916 an Deutschland.

Bulgarien schließt einen
6. 9. 1915 Freundschafts- und Bündnisvertrag mit Deutschland: Es erhält für seinen Kriegseintritt (14. 10. 1915) Serb.-Mazedonien. Bei einem Kriegseintritt Griechenlands und Rumäniens auf Seiten der Alliierten erhebt Bulgarien Anspruch auf Griech.-Mazedonien und die Dobrudscha.

Rumänien erklärt seine Neutralität (3. 8. 1914), schließt jedoch
1916 einen Vertrag mit den Alliierten, der Rumänien das Banat, Siebenbürgen und die Bukowina zuspricht.
27. 8. 1916 Kriegserklärung Rumäniens an Österr.-Ungarn; darauf Kriegserklärungen der Mittelmächte an Rumänien.

Griechenland bleibt zunächst neutral.
1916 Blockade der griech. Küste durch die Alliierten. Griechenland muss Zugeständnisse machen. Nach Ultimatum des franz. Oberkommissars JONNART
Juni 1917 Abdankung des griech. Königs KONSTANTIN und Bildung einer neuen Reg. unter MP. VENIZELOS.
27. 6. 1917 Kriegseintritt Griechenlands auf Seiten der Alliierten.

Kriegsziele und Geheimverträge
1. Alliierte: Großbritannien, Frankreich und Russland verpflichten sich im
Sept. 1914 Vertrag von London keinen Separatfrieden zu schließen (1915 Beitritt Italiens, 1917 Japans). Auf mehreren Konferenzen wird eine milit. Kooperation beschlossen.
1915 Großbritannien und Frankreich sichern Russland den künftigen Besitz Konstantinopels und der Meerengen zu.
1915 Konferenz von Chantilly: Korrespondierende Offensiven und Räumung der Dardanellen. – Großbritannien erstrebt den Besitz des größten Teils der deutschen Kol. (Afrika), Frankreich die Rückgewinnung Elsass-Lothringens.
1916 Sykes-Picot-Abkommen: Vereinbarungen über die Aufteilung der asiat. Türkei zwischen Frankreich und England, im Gegensatz zu Versprechungen, die England Juden und Arabern macht.
1917 Franz.-russ. Geheimabkommen: Frankreich wird eine Erweiterung »bis zu den Grenzen des ehem. Hzm. Lothringen« mit dem Saarbecken zugebilligt. Bildung eines neutralen Staates (Rheinrep.) aus den linksrhein. deutschen Gebieten. Russland soll »in voller Freiheit nach seinem Belieben seine Westgrenze festsetzen« (Zugeständnisse aus Furcht vor einem Sonderfrieden Russlands mit Deutschland).

2. Mittelmächte: Überschätzung der milit. Anfangserfolge, nat. Selbstüberheblichkeit und das Streben nach einem »dauerhaften Frieden« mit Bürgschaften und Garantien für die Zukunft sind die Gründe für eine unrealist. Kriegszielpolitik Dtl.s, die nicht nur von den Alldeutschen und LUDENDORFF (S. 403), sondern auch von den Konservativen bis zum rechten Flügel der SPD vertreten wird.
Im Einzelnen:
1. die militärische, politische und wirtschaftl. Kontrolle Belgiens (5. 4. 1916 Reichstagsrede BETHMANN HOLLWEGS) durch Annexion von Lüttich-Antwerpen, der flandr. Küste und des Erzbeckens von Briey;
2. eine wirtschaftl. Einheit »Mitteleuropas« unter Einschluss von Pufferstaaten (z. B. Polen) und wirtschaftspolit. Einflusssphären (z. B. Rumänien);
3. die Vergrößerung des Kolonialbesitzes;
4. die Beseitigung der engl. Herrschaft durch Aufstände von Marokko bis Indien;
5. einen Sonderfrieden mit Russland, zu dem es nicht kommt. Deshalb
1916 Proklamation eines selbst. Kgr. Polen (ohne Posen und Galizien). – Dtl. fördert die Revolutionierung Russlands und erhofft dadurch die Errichtung von Pufferstaaten vom Kaukasus bis Finnland.
Österr.-Ungarn verzichtet auf Polen, wünscht aber Gebietserweiterungen im Südosten: Serbien, Montenegro, Rumänien.

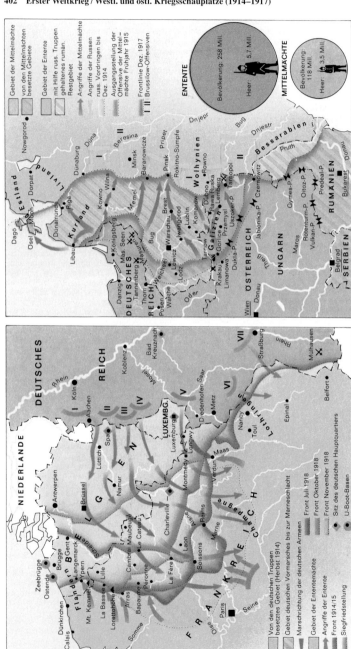

Der östliche Kriegsschauplatz 1914–1917

Der Kriegsverlauf im Westen 1914–1918

Der Krieg im Westen (1914–17)
Der dt. Kriegsplan geht zurück auf die Denkschrift des ehem. Gen.St.-Chefs Gf. ALFRED VON SCHLIEFFEN (1833–1913) über die Führung eines Zweifrontenkrieges (»Schlieffen-Plan«, 1905/06): defensive Kriegführung im Osten und rasche Entscheidung im Westen durch Umfassung des frz. Heeres mit einem starken »rechten Flügel«.
In Erwartung frz. Vorstöße nach Elsass-Lothringen wird der Plan durch den jüngeren HELMUTH VON MOLTKE (1848–1916) abgeändert: Schwächung des rechten Flügels.
Durch den Kriegseintritt Belgiens und Englands entsteht ein milit. Risiko: 80 dt. Div. stehen 104 alliierte gegenüber.
Der Bewegungskrieg 1914: Aufmarsch der 5 franz. Armeen unter Gen. JOFFRE und des brit. Expeditionskorps unter FM. FRENCH bei Le Cateau.
Aug. 1914 Schlacht von Mülhausen. Der franz. Angriff scheitert.
Aug. 1914 Schlacht in Lothringen: frz. Südgruppe wird über die Grenze zurückgeworfen. – Nach Aufmarsch von 7 dt. Armeen unter MOLTKE beginnt der
18. 8. 1914 Angriff des Schwenkungsflügels.
Sept. 1914 Fünf deutsche Armeen stehen zwischen Paris und Verdun.
6.–9. 9. 1914 Marneschlacht: Ein frz. Gegenangriff bringt den dt. Vormarsch zum Stehen. Zwischen der 1. und 2. dt. Armee entsteht eine 40 km breite Lücke. Darauf Rückzug bis zur Aisne.
14. 9. 1914 Gen. ERICH VON FALKENHAYN (1861–1922) wird Gen.St.-Chef.
Okt./Nov. 1914 »Wettlauf zum Meer«: Engl.-franz. Umfassungsversuche misslingen. Am Yserkanal und vor Ypern bleibt der Angriff stecken: **Der Bewegungskrieg wird zum Stellungskrieg.**
Febr./März 1915 Winterschlacht in der Champagne: ein franz. Durchbruchsversuch scheitert.
April/Mai 1915 Schlacht bei Ypern (Einsatz von Giftgas). Geringe dt. Geländegewinne.
Erfolglose Angriffe der Entente in der Mai-Juli 1915 Lorettoschlacht.
Sept.-Nov. 1915 Herbstschlacht in der Champagne: keine Schlachtentscheidung.
21. 2.–21. 7. 1916 Kampf um Verdun (»Hölle von Verdun«). Nach deutschen Anfangserfolgen (Toter Mann, Höhe 304, Forts Douaumont und Vaux) zwingen große Verluste zum Abbruch der Schlacht.
24. 6.–26. 11. 1916 Schlacht an der Somme: brit.-frz. Durchbruchsversuch misslingt.
24. 10.–16. 12. 1916 Rückeroberung der Festungswerke bei Verdun durch die Franzosen.
Die Misserfolge auf beiden Seiten tragen zu einem Führungswechsel bei:
Aug. 1916 HINDENBURG und LUDENDORFF treten an die Spitze der OHL.
Nov. 1916 Gen. NIVELLE löst JOFFRE als Generalissimus ab.

Febr./März 1917 Rückzug der Deutschen zwischen Arras und Soissons in die vorbereitete »Siegfriedstellung«. Ein brit. Angriff scheitert bei Arras, ein franz. an der Aisne und in der Champagne (April/Mai 1917).
Mai 1917 Gen. NIVELLE wird nach der Meuterei (S. 407) von Gen. PÉTAIN abgelöst. In Flandern scheitern brit. Durchbruchsversuche (Mai-Dez. 1917).

Der Krieg im Osten (1914–17)
Nach der Schlacht von Gumbinnen (Aug. 1914) und der Räumung Ostpreußens werden die Russen von Gen.-Oberst PAUL VON BENECKENDORF UND VON HINDENBURG (1847–1934; Chef des Gen.St.: Gen.-Maj. ERICH LUDENDORFF, 1865–1937) geschlagen.
26.–30. 8. 1914 Schlacht von Tannenberg. Einschließung der russ. Narew-Armee.
6.–15. 9. 1914 Schlacht an den Masurischen Seen. Die Russen räumen Ostpreußen.
In Galizien dringen die 1. und 4. österr.-ungar. Armee auf Lublin und über Lemberg vor, doch müssen sie nach den beiden Schlachten von Lemberg (Aug./Sept. 1914) den Kampf bei Rawa Ruska wegen der russ. Übermacht (5 Armeen) abbrechen. Verlust Ostgaliziens und Kämpfe in den Karpatenpässen. Die 9. deutsche Armee dringt von Krakau aus vor, wird aber wegen drohender Umfassung zurückgenommen.
1. 11. 1914 Ernennung Hindenburgs zum OB Ost. Der Offensive der Russen (»russ. Dampfwalze«) folgt im
Nov. 1914 die deutsche Gegenoffensive der 9. Armee. – Kämpfe bei Lodz und Lowicz und Sieg der Österreicher bei Limanova.
Febr. 1915 Winterschlacht in Masuren. Endgültige Befreiung Ostpreußens.
Dez. 1914 – April 1915 Winterschlacht in den Karpaten. Abwehr der Russen.
Mai 1915 Schlacht von Tarnów und Gorlice. Gewinn Galiziens und der Bukowina.
April 1915 Deutscher Vorstoß nach Litauen.
Ab 1. 7. 1915 Deutsch-österr. Offensive von der Ostsee bis zum San. Eroberung von Warschau (5. 8.), Kowno (18. 8.), Brest-Litowsk (25. 8.) und Wilna (19. 9.). Die Offensive bleibt in Ostgalizien in der
Sept. 1915 Schlacht von Tarnopol, später auch an anderen Frontabschnitten stecken.
Sept. 1915 An die Stelle des russ. Oberstkommandierenden, Gfs. NIKOLAI NIKOLAJEWITSCH, tritt Zar NIKOLAUS II.
Juni-Aug. 1916 1. Brussilow-Offensive. Geländegewinne in Wolhynien und Galizien, doch große Verluste und Beginn der Demoralisierung des russ. Heeres. Keinen Erfolg haben 2. (Sept./Okt.) und 3. (Okt.–Dez.) Brussilow-Offensive, 4. Brussilow- und Kerenski-Offensive.
Ab Juli 1917 deutsch.-österr. Gegenoffensive. Rückgewinnung fast ganz Galiziens und der Bukowina.
Sept. 1917 Die Deutschen erobern Riga und Okt. 1917 die Inseln Ösel, Dagö und Moon.

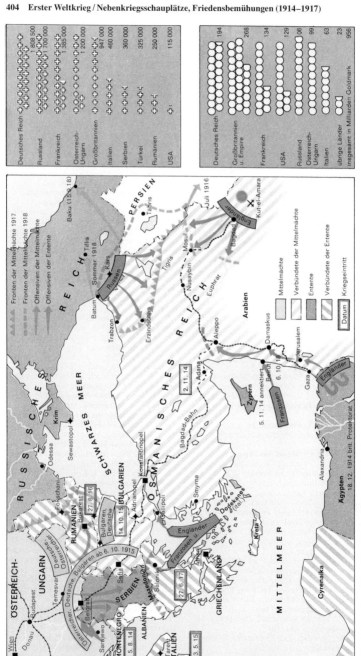

Nebenkriegsschauplätze, Menschenverluste und Kriegskosten

Seekrieg

Nordsee: 1914 und 1915 Seegefechte bei **Helgoland** und auf der **Doggerbank.**

31. 5.–1. 6. 1916 Seeschlacht vor dem Skagerrak, die wegen des Rückzugs der brit. Flotte unentschieden endet. In der Folgezeit Minen- und U-Boot-Krieg.

Ostsee: Wegen der Verluste nur einzelne Unternehmungen deutscher Einheiten.

Übersee: Nach anfängl. Erfolgen (Seegefecht vor Coronel, 1914) dt. Niederlage in der **8. 12. 1914 Schlacht bei den Falkland-Inseln** und Verlust der Kreuzer »Karlsruhe«, »Emden« und »Königsberg«. Einsatz von Hilfskreuzern.

U-Boot-Krieg: Nach der **Sept. 1914** Versenkung von 3 brit. Kreuzern erklärt Großbritannien die **Nov. 1914** Nordsee und Deutschland die **Febr. 1915** Gewässer um England zum Kriegsgebiet und den warnungslosen U-Boot-Krieg. Der deutsche Befehl zum **2. 2. 1915 U-Boot-Handelskrieg** löst nach Versenkung der »Lusitania« (7. 5. 1915) und »Arabic« (19. 8. 1915) amerikan. Proteste aus.

Seit Febr. 1916 verschärfter deutscher U-Boot-Krieg gegen bewaffn. Handelsschiffe. 4. 5. 1916 Deutsche Note an die USA: Das Reich will die völkerrechtl. Regeln des Kreuzerkriegs beachten, wenn Großbritannien sich auch dazu verpflichtet.

1. 2. 1917 Erklärung des uneingeschränkten U-Boot-Kriegs durch Deutschland.

Luftkrieg

Seit Juli 1916 (Sommeschlacht) franz.-brit. Luftüberlegenheit (ohne entscheidende Bedeutung).

Kolonialkrieg

Die geringen Schutztruppen in den dt. Kol. kapitulieren. Nur in Dt.-Ostafrika halten sie sich unter Gen. PAUL VON LETTOW-VORBECK (1870–1964) bis zum Waffenstillstand.

Nebenkriegsschauplätze

Türkei:

Nov. 1914 Brit. Annexion Zyperns.

Dez. 1914 Ägypten wird brit. Protektorat. Die **Dardanellen** bleiben nach vergebl. Kampf der Alliierten (25. 4. 1915 Landung auf Gallipoli, 9. 1. 1916 Räumung) in türk. Hand. – Nach dem Scheitern eines türk. Angriffs auf den **Suezkanal** wird dessen Ostufer 1916 von den Engländern besetzt.

Nach einem russ. Vorstoß (Jan.–Apr. 1916) in **Armenien** und **Persien** wird Türk.-Armenien zurückgewonnen (Aug. 1916).

In **Mesopotamien** endet der 1. Vorstoß der Engländer mit ihrer Kapitulation in Kut-el-Amara (April 1916), der 2. mit der Eroberung von Bagdad (März 1917).

Nach Ausbruch der russ. Revolution besetzt Großbritannien Persien.

Balkan:

Okt. 1915 Offensive der Mittelmächte gegen Serbien und Eroberung Belgrads.

Nov. 1915 Schlacht auf dem Amselfeld. Eroberung Montenegros (Dez.), Einmarsch in Albanien (Jan. 1916). Die Front in Mazedonien wird bis 1918 gehalten. – Der Feldzug gegen Rumänien (seit 28. 8. 1916) endet mit der **Dez. 1916 Einnahme von Bukarest.**

Italien:

Juni 1915 – März 1916 Vergebl. Durchbruchsversuche der Italiener in 5 Isonzoschlachten.

Ab Mai 1916 österr. Gegenoffensive. Abbruch nach Anfangserfolgen wegen der 1. russ. Brussilow-Offensive (S. 403).

Aug. 1916 6. Isonzoschlacht: Die Italiener gewinnen Görz. Die 7. bis 9. (Sept.–Nov. 1916) sowie die 10. und 11. Isonzoschlacht (Mai–Aug. 1917) bleiben unentschieden.

Okt. 1917 Durchbruch der Mittelmächte am Isonzo und Rückzug der Italiener bis hinter die Piave.

Friedensbemühungen

Im Auftrag des US-Präs. **Woodrow Wilson** (1856–1924) Besuche des Obersten HOUSE in Paris, London und Berlin (1914–16). Nach dem Sieg über Rumänien richtet Deutschland an die Alliierten über die USA ein **12. 12. 1916 Friedensangebot,** das die Entente ablehnt (30. 12. 1916).

21. 12. 1916 Note WILSONS an die kriegführenden Mächte zur Bekanntgabe ihrer Friedensbedingungen.

26. 12. 1916 Die deutsche Reg. nennt keine genauen Bedingungen, zeigt aber Bereitschaft zur Mitwirkung an einer Friedenskonferenz.

10. 1. 1917 Die Entente fordert die Rückgabe Elsass-Lothringens; die Wiederherstellung Belgiens, Serbiens, Montenegros; Durchführung des Nationalitätenprinzips; Lösung der Italiener, Tschechen, Slowaken, Rumänen, Südslawen aus Österr.-Ungarn; Vertreibung der Türken aus Europa und Befreiung der unter türk. Herrschaft stehenden Völker; Autonomie Polens innerhalb Russlands.

22. 1. 1917 WILSON proklamiert den »**Frieden ohne Sieg«.**

29. 1. 1917 Übermittlung der deutschen Friedensvorstellungen durch den Botschafter in Washington, Gf. BERNSTORFF: Sicherheitsgarantien und Grenzberichtigungen in Belgien und Frankreich, Einbeziehung Polens in den deutschen Machtbereich, keine Verteilung der Kol., Reparationen für angerichtete Schäden. – Bei den **Ententemächten** herrscht Einigkeit über die Forderungen, während bei den **Mittelmächten** nur Deutschland die Vermittlungsaktionen WILSONS beantwortet. Die österr.-ungar. Friedensbemühungen (Prinz SIXTUS VON BOURBON-PARMA, Gf. CZERNIN, 1917) und Angebote BENEDIKTS XV. (Juni/Aug. 1917) bleiben erfolglos.

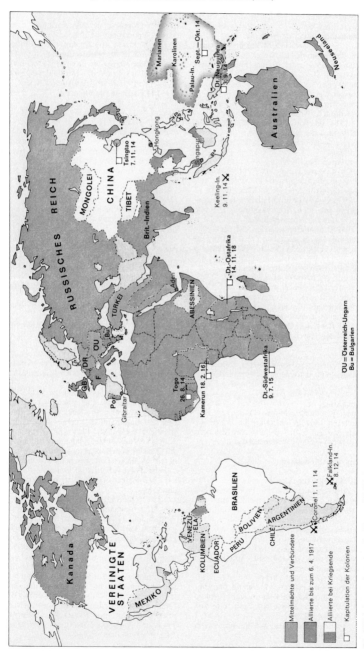

Kanada

VEREINIGTE STAATEN

MEXIKO

KOLUMBIEN
VENEZUELA
ECUADOR
PERU
BOLIVIEN
BRASILIEN
CHILE
ARGENTINIEN

Coronel 1. 11. 14
Falkland-In. 8. 12. 14

Gibraltar
Port.
F
GB
DR
OU
Bu.
TÜRKEI
Aden
ABESSINIEN

RUSSISCHES REICH

MONGOLEI
CHINA
TIBET
Brit.-Indien
Hongkong
Singapur
Tsingtao 7. 11. 14

Keeling-In. 9. 11. 14

Marianen
Karolinen
Palau-In.
Sept.–Okt. 14
Dt. Neuguinea 3. 9. 14
Neuseeland

Australien

Dt. Ostafrika 14. 11. 18
Dt.-Südwestafrika 9. 7. 15
Togo 26. 8. 14
Kamerun 18. 2. 16

OU = Österreich-Ungarn
Bu = Bulgarien

Mittelmächte und Verbündete
Alliierte bis zum 6. 4. 1917
Alliierte bei Kriegsende
Kapitulation der Kolonien

Die Mächtegruppierungen im Ersten Weltkrieg

Kriegseintritt der USA

Seit Kriegsbeginn stehen die USA auf Seiten der Alliierten. Zwischenfälle zur See und Ankündigung des uneingeschränkten U-Boot-Kriegs durch Dtl. führen zum

Febr. 1917 Abbruch der diplomat. Beziehungen. Nach Veröffentlichung des »Zimmermann-Telegramms« (19. 1. 1917: dt. Versuch, Mexiko zum Kriegseintritt zu bewegen) durch die brit. Reg. richtet WILSON eine Botschaft an den Senat (2. 4. 1917). Darauf

6. 4. 1917 Kriegserklärung der USA an Deutschland und

7. 12. 1917 an Österr.-Ungarn.

Innenpolit. Krisen der kriegführenden Staaten
Das Ende 1916 hergestellte milit. Gleichgewicht lässt die Hoffnung der kriegsmüden Völker auf ein schnelles Kriegsende schwinden. Die Parlamente kritisieren die Führung.

Großbritannien: Die lib. Reg. ASQUITH wird durch den Konservativen BONAR LAW und durch **David Lloyd George** (1863–1945), den Exponenten der Linksliberalen, gestürzt.

6. 12. 1916 Bildung eines Kriegskabinetts unter LLOYD GEORGE.

Frankreich: Das Scheitern der Frühjahrsoffensive NIVELLES und die unter dem Einfluss der Streikbewegung der Metallarbeiter in Paris und anderen Industriezentren ausbrechende, auf 16 franz. Korps übergreifende **Meuterei,** die durch Marschall PHILIPPE PÉTAIN (1856–1951) gemeistert wird, führt zur

16. 11. 1917 Bildung eines Kabinetts unter Georges Clemenceau (1841–1929), der den Defaitismus bekämpft und die Voraussetzung für den franz. Sieg schafft.

Österr.-Ungarn wird mit Hilfe des Notstandsparagraphen und des Ausnahmezustands regiert. Nach dem

21. 11. 1916 Tod Kaiser Franz Josephs wird sein Großneffe KARL (I.) Nachfolger. Neuer AMin. wird Gf. CZERNIN.

Mai 1917 Wiederzusammentritt des österr.-ungar. Parlaments (nach dreijähr. Pause). Die Versöhnungspolitik KARLS scheitert an den Autonomieforderungen der Tschechen und Südslawen.

Deutschland: Der Streit um eine demokrat. Umgestaltung der Reichsverfassung hat erbitterte innenpolit. Kämpfe zur Folge.

7. 4. 1917 Osterbotschaft Wilhelms II.: Reform des preuß. Dreiklassenwahlrechts.

April 1917 Gründung der Unabhängigen Sozialdemokrat. Partei (USPD): Kampf gegen Fortführung des Krieges, Munitionsarbeiterstreiks. – Der Zentrumsabgeordnete ERZBERGER fordert einen

Juli 1917 Verständigungsfrieden ohne Sieger und Besiegte.

14. 7. 1917 Entlassung BETHMANN HOLLWEGS.

Juli 1917 Friedensresolution der Mehrheitsparteien (SPD, Zentrum, Fortschrittl. Volkspartei) des Reichstags. Unter dem neuen RK. MICHAELIS wird der Gegensatz zwischen

Reg., Heeresleitung und RT. immer größer. Die Krise endet mit dem Zurückweichen der Mehrheitsparteien und der Schwächung der Regierungsautorität; beherrschend wird der polit. Einfluss der OHL.

Die russ. Revolution: Rev. Unruhen entstehen nach dem Scheitern der 1. Brussilow-Offensive (S. 403) und wegen der Unzufriedenheit der Massen (Dauer des Krieges, Ernährungsschwierigkeiten).

23. 2. [8. 3.] 1917 Ausbruch der Februarrev. in Petersburg (Petrograd): Übergang von Truppenteilen zu den Aufständischen, Gründung des **Provisor. Exekutivkomitees des Arbeiterdeputiertenrats.**

Febr. [März] 1917 Bildung der provisor. Reg. unter dem Fürsten LWOW.

März 1917 Abdankung NIKOLAUS' II. Doppelherrschaft der provisor. Reg., die für die Fortsetzung des Krieges eintritt, und des Petrograder Sowjets der Arbeiter- und Soldatendeputierten, der durch den Befehl Nr. 1 (1. [14.] 3. 1917) die Kontrolle über die Armee ausübt.

3. [16.] 4. 1917 Rückkehr Lenins und seiner Begleitung aus der Schweiz, vom dt. AA. mit Zustimmung der OHL veranlasst.

4. [17.] 4. 1917 Thesen vom 4. April: Forderung nach der sozialist. Rev. (»Alle Macht den Sowjets«), der Errichtung einer Sowjetrep., der Nationalisierung der Banken und des Grundbesitzes. Der

3. [16.]–4.[17.] 7. 1917 Petrograder Putsch der Bolschewisten scheitert durch das Eingreifen des Militärs. LENIN flieht nach Finnland, ALEXANDER F. KERENSKI (1881–1970) wird MP. (21. 7. [3. 8.] 1917). Nach dem Putsch des Gen. KORNILOW (Sept. 1917) wird ein polit. Büro gegründet, dem LENIN, TROTZKI, STALIN, SINOWJEW (S. 467), KAMENEW u. a. angehören.

24. 10. [6. 11.]–25. 10. [7. 11.] 1917 »Oktoberrevolution« in Petrograd. Verhaftung der Mitglieder der provisor. Reg. Flucht KERENSKIS. **Die provisor. Reg. ist gescheitert** (Gründe: Fortsetzung des Kriegs, Verweigerung der Landverteilung).

26. 10. [8. 11] 1917 II. Allruss. Sowjetkongress: Der **Rat der Volkskommissare** wird als Regierungsorgan geschaffen, das **Dekret über die Beendigung des Krieges** und das **Dekret über Grund und Boden** verkündet: Entschädigungslose Enteignung der Großgrundbesitzer (150 Mill. ha).

2. [15.] 11. 1917 Deklaration über das freie Selbstbestimmungsrecht aller Völker Russlands. Wahlen für die verfassunggebende Vers. (25. 11. [8. 12.] 1917): LENINS Partei erhält nur 9 von 36 Mill. Wählerstimmen.

5. [18.] 1. 1918 Eröffnung des Verfassungskonvents: Proklamation Russlands zur demokrat.-föderativen Rep.

6. [19.] 1. 1918 Auflösung der Verfassunggebenden Versammlung durch den Rat der Volkskommissare mit Hilfe roter Truppen.

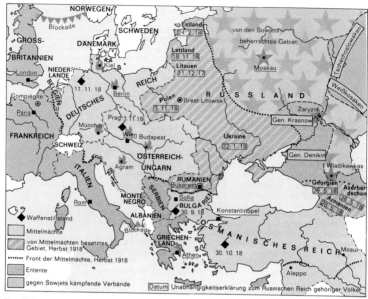

Das Kriegsjahr 1918

Die Revolution in Deutschland

Wilsons Friedenspolitik
8. 1. 1918 Verkündung der »Vierzehn Punkte«
durch den amerikan. Präs. WILSON: Abschaffung der Geheimdiplomatie; Freiheit der Meere; Freiheit der Weltwirtschaft; Rüstungsbeschränkung; Regelung der kol. Ansprüche; Räumung Russlands durch die Mittelmächte; Wiederherstellung Belgiens; Rückgabe Elsass-Lothringens; Festsetzung der italien. Grenzen nach nat. Prinzip; freie autonome Entwicklung für die Völker der Donaumonarchie; Räumung Rumäniens, Serbiens, Montenegros; Unabhängigkeit der Türkei, Öffnung der Meerengen, Autonomie der nichttürk. Völker des Osman. Reiches; Errichtung eines unabh. poln. Staates mit freiem und sicherem Zugang zum Meer; Gründung eines Völkerbunds.
9. 2. 1918 »Brotfriede« Dtl.s, Österr.-Ungarns und der Türkei mit der Ukraine: Anerkennung des ukrain. Staates, ukrain. Autonomie in Ostgalizien (für Getreidelieferungen). TROTZKI (S. 389), der die Friedensverhandlungen in Brest-Litowsk (seit 22. 12. 1917) als russ. Vertreter führt, erklärt den Kriegszustand ohne Annahme der deutschen Bedingungen für beendet und bricht die Verhandlungen ab (10. 2. 1918). Durch Wiederbeginn des Krieges (»Eisenbahnvormarsch«) erzwingen die Mittelmächte den
3. 3. 1918 Frieden von Brest-Litowsk: Verzicht Russlands auf Livland, Kurland, Litauen, Estland und Polen: Anerkennung Finnlands und der Ukraine als selbst. Staaten; Reparationen.
7. 5. 1918 Friede von Bukarest zwischen den Mittelmächten und Rumänien: Abtretung der Dobrudscha an Bulgarien, Ausnutzung der Ölquellen durch Deutschland.

Der Zusammenbruch der Mittelmächte
Deutschland: Die dt. Frühjahrsoffensiven an der Westfront (März–Juli 1918) bringen zwar geringen Geländegewinn, aber keinen entscheidenden Durchbruch.
Die Alliierten erzwingen unter Generalissimus **Ferdinand Foch** (1851–1929) durch ihre Gegenoffensive
Juli/Aug. 1918 zwischen Marne und Aisne und durch den
8. 8. 1918 Tankangriff von Amiens (»der schwarze Tag des deutschen Heeres«) die
Aug./Sept. 1918 Rückverlegung der deutschen Truppen in die »Siegfriedstellung«.
14. 8. 1918 Konferenz im Hauptquartier von Spa: Die OHL erklärt die Fortführung des Kriegs für aussichtslos. Keine Einigung zwischen Ks. KARL I. und seinem AMin. BURIAN und der deutschen Führung über die Bedingungen eines Waffenstillstands.
Sept. 1918 HINDENBURG und LUDENDORFF verlangen ein Waffenstillstandsangebot nach dem Zusammenbruch Bulgariens (s. u.)
Okt. 1918 Prinz MAX VON BADEN (1867–1929) wird RK.

3./4. 10. 1918 Waffenstillstandsangebot der dt. Reg. an Wilson (Grundlage: 14 Punkte). Die amerikan. Antwortnoten (8., 14., 23. 10. 1918) fordern das Ende des U-Boot-Krieges, Räumung der besetzten Gebiete, demokrat. Vertreter als Bevollmächtigte.
29. 10. 1918 Meuterei der dt. Hochseeflotte in Wilhelmshaven. Ausbreitung der Rev. Bildung von Arbeiter- und Soldatenräten.
7. 11. 1918 Rev. in München.
9. 11. 1918 Rev. in Berlin: **Bekanntgabe des Thronverzichts Wilhelms II.** und des Kronprinzen, **Ausrufung der Republik** durch den Sozialdemokraten PHILIPP SCHEIDEMANN (1865–1939), Übertragung der Regierungsgeschäfte an den SPD-Vorsitzenden **Friedrich Ebert** (S. 427).
10. 11. 1918 WILHELM II. geht in holl. Exil. Neue Reg.: »Rat der Volksbeauftragten« (3 SPD- und 3 USPD-Mitglieder); daneben bildet sich ein »**Vollzugsrat der Arbeiter- und Soldatenräte«.**
8.–11. 11. 1918 Waffenstillstandsverhandlungen (Vertreter der Alliierten: Generalissimus FOCH; Deutschlands: MATTHIAS ERZBERGER [S. 388]).
11. 11. 1918 Waffenstillstand auf der Basis der 14 Punkte: Räumung der besetzten Westgebiete und des linken Rheinufers, Aufhebung der Friedensschlüsse von Brest-Litowsk und Bukarest. Auslieferung des schweren Kriegsmaterials, der U-Boote.
Österreich-Ungarn: Nach dem Scheitern der letzten österr.-ungar. Offensive an der Piavemündung (Juni 1918) und der Ablehnung einer Friedenskonferenz durch WILSON (14. 9. 1918) stimmt Österr.-Ungarn dem deutschen Waffenstillstandsangebot zu (4. 10. 1918).
17. 10. 1918 Ks. KARL I. verspricht den Völkern der Donaumonarchie einen föderativen Staatsaufbau.
20. 10. 1918 WILSON fordert Anerkennung der Selbstständigkeitswünsche der Völker Österreich-Ungarns. Die Donaumonarchie löst sich nach der Rev. in Wien und der Eröffnung einer deutsch-österr. Nat.-Vers. (21. 10. 1918) auf.
28. 10. 1918 Proklamation der Tschechoslowakei.
29. 10. 1918 Lösung der jugoslaw. Völker aus dem österr.-ungar. Staatsverband.
1. 11. 1918 Bildung einer selbst. ungar. Regierung unter Gf. KÁROLYI.
3. 11. 1918 Waffenstillstand.
11. 11. 1918 KARL I. verzichtet auf jeden Anteil an der Reg.
Bulgarien: Nach erfolgreichem Durchbruch der Alliierten in Mazedonien (Sept. 1918) löst sich die bulgar. Armee auf.
30. 9. 1918 Waffenstillstand.
Türkei: Nach Durchbruch der türk. Front bei Jaffa während der Palästinaschlacht (Sept. 1918): Waffenstillstandsgesuch an WILSON (14./15. 10. 1918).
30. 10. 1918 Waffenstillstand.

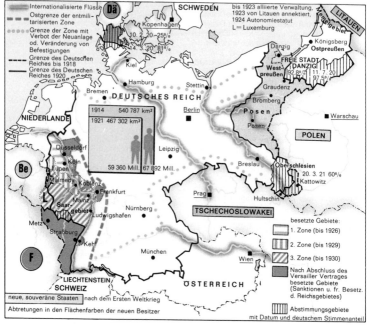

Das Deutsche Reich nach dem Frieden von Versailles

Südosteuropa und Kleinasien nach 1918

Die Friedensschlüsse (1919–20)
18. 1. 1919 Eröffnung der Friedenskonferenz im Außenministerium zu Paris mit 70 Delegierten der 27 Siegerstaaten unter Vorsitz des franz. MP. **Clemenceau** ohne Vertreter der besiegten Mächte. Während der Verhandlungen – vor allem der Sitzungen des Obersten Rates der »**Großen Zehn**« (USA: Wilson, LANSING; Großbritanien: Lloyd George, BALFOUR; Frankreich: **Clemenceau**, PICHON; Italien: **Orlando**, SONNINO; Japan: SAIONJI, MAKINO), später der »**Großen Vier**« (Wilson, Lloyd George, Clemenceau, Orlando) – treten die von WILSON als Verhandlungsgrundlage proklamierten »14 Punkte« immer mehr zu Gunsten der in Geheimverträgen festgelegten Kriegsziele der Entente zurück.
7. 5. 1919 Übergabe der Friedensbedingungen an die deutsche Delegation (AMin. Gf. BROCKDORFF-RANTZAU), der mündl. Verhandlungen verweigert werden. Sie erreicht in schriftl. Noten nur wenige Änderungen (u. a. Abstimmung in Oberschlesien).
16. 6. 1919 Alliierte fordern ultimativ die Unterzeichnung des Vertrags. Wegen der drohenden Gefahr eines Einmarschs in das Reichsgebiet gibt die dt. Nat.-Vers. unter Protest ihre Zustimmung zur Unterzeichnung (237 gegen 138 Stimmen der Demokraten, der Dt. Volkspartei und der Dt.-Nat. Partei). Rücktritt BROCKDORFF-RANTZAUS.
28. 6. 1919 Unterzeichnung des Vertrages im Spiegelsaal des Schlosses zu Versailles durch HERMANN MÜLLER (AMin.) und JOHANNES BELL (Kol.- und Verkehrsmin.).

Inhalt des Vertrages (440 Artikel):
Teil I: **Völkerbundssatzung** (S. 413) und Verwaltung der dt. Kol. im Auftrag des Völkerbunds durch die »fortgeschrittenen Nationen«.
Teil II und III: Festsetzung der **neuen Grenzen.** Dtl. tritt ab: Elsass-Lothringen, Posen, Westpreußen, das Hultschiner Ländchen und das Memelgebiet. Danzig wird Freie Stadt. In Eupen-Malmedy, Nordschleswig, Teilen Ostpreußens und Oberschlesiens finden Abstimmungen statt. Das Saargebiet wird 15 Jahre unter Völkerbundsverwaltung gestellt, die Kohlengruben fallen an Frankreich. Teil IV und V: Dtl. verzichtet auf seine **Rechte im Ausland** und auf die **Kolonien.** Überwachung der Abrüstung durch interalliierte Kommissionen: Auslieferung des ges. Kriegsmaterials. Berufsheer von 100 000 Mann, Auflösung des Großen Generalstabs, Schleifung aller Festungen bis 50 km östl. des Rheins. Entwaffnung und Überwachung durch interall. Kommissionen. Teil VI: Bestimmungen über Kriegsgefangene und Soldatengräber. Teil VII: Auslieferung der Kriegsverbrecher (WILHELM II. soll vor Gericht gestellt werden). Teil VIII: Begründung der **Wiedergutmachungen (Reparationen) durch die Feststellung der Kriegsschuld** (Art. 231: »Die verbündeten und assoziierten Reg. erklären, und Dtl. erkennt an, dass Dtl. und seine Verbündeten als Urheber für

alle Verluste und Schäden verantwortlich sind, die die alliierten und assoziierten Regierungen … infolge des Krieges, der ihnen durch den Angriff Dtl.s und seiner Verbündeten aufgezwungen wurde, erlitten haben.«). Festsetzung der Reparationen durch eine bes. Kommission. Sachlieferungen (Handelsschiffe der 1600 BRT, ein Viertel der Fischfangflotte, Vieh, Kohle, Benzol, Lokomotiven, Eisenbahnwagen, Maschinen, Unterseekabel u. a.). Die Höhe der Schulden wird auf der Konferenz von Boulogne (21. Juni 1920) festgesetzt (später aber revidiert): 269 Milliarden Goldmark, die in 42 Jahresraten gezahlt werden sollen. Teil IX bis XIV: Bestimmungen über Finanzen, Wirtschaft, Luftfahrt, Flussschifffahrt, Eisenbahnen und über die internat. Arbeitsorganisation; als Bürgschaft wird das linksrhein. Gebiet in 3 Zonen eingeteilt, die bei pünktl. Erfüllung des Vertrages nach 5, 10 und 15 Jahren geräumt werden sollen.
10. 1. 1920 Inkrafttreten des Versailler Vertrags.

10. 9. 1919 Unterzeichnung des Friedensvertrags mit Österreich in St. Germain-en-Laye: Abtretung von Südtirol bis zum Brenner, außerdem von Triest, Istrien und Dalmatien sowie Gebieten in Kärnten und Krain; Anerkennung der Selbstständigkeit Ungarns, der Tschechoslowakei, Polens und Jugoslawiens; Verbot des Namens »Dt.-Österreich« und des Anschlusses an das Dt. Reich; Berufsheer von 30 000 Mann.
27. 11. 1919 Unterzeichung des Friedensvertrags mit Bulgarien in Neuilly: Abtretung südwestthrazischer Gebiete an der Mittelmeerküste an Griechenland, doch behält Bulgarien Zugang zum Meer (Dedeagatsch). Heeresstärke: 20 000 Mann.
4. 6. 1920 Unterzeichnung des Friedensvertrags mit Ungarn in Trianon: Als Nachfolger der Donaumonarchie wird Ungarn als Kriegsanstifter angesehen: Abtretung von Slowakei und Karpato-Ukraine an die ČSR, Kroatien-Slawonien an Jugoslawien, des Banats an Jugoslawien und Rumänien, Siebenbürgens an Rumänien, des Burgenlands an Österreich; Heeresstärke: 35 000 Mann.
10. 8. 1920 Unterzeichnung des Friedensvertrags von Sèvres durch die türk. Regierung (vom Parlament nicht ratifiziert, S. 445): Internationalisierung der Meerengen, Abtretung Ostthraziens (mit Gallipoli), der ägäischen Inseln (außer Rhodos) und Smyrnas (mit Hinterland) an Griechenland; Syriens und Kilikiens an Frankreich; des Iraks und Palästinas an England, das auch die Schutzherrschaft über Arabien (Kgr. Hedschas) erhält. Die Dodekanes und Rhodos fallen an Italien. Armenien wird selbst. Die Küste von Adramyti bis Adalya fällt als Interessengebiet an Italien, Zypern und Ägypten an England. Kurdistan erhält Autonomie. Heeresstärke: 50 000 Mann.

Hauptprobleme der Nachkriegszeit in Europa

1. Verstärkung des Nationalgefühls durch das Ideal der polit. Selbstbestimmung. Folgen: Das Problem der nat. Minderheiten und die Grenzfragen bleiben vielfach ungelöst; die Volksmassen erliegen primitiven Empfindungen und demagogischen Kräften.

2. Auseinandersetzungen über die Friedensverträge: Frankreich ist bestrebt, durch Konferenzen die neue Ordnung zu bewahren (s. u.) und durch Bündnisse zu festigen (S. 443); Revisionswünsche der besiegten Mächte.

3. Verzögerung der wirtschaftl. Wiedergesundung Europas durch die Verknüpfung von Reparationen und Kriegsschulden der Sieger.

4. Frage der Staatsform: Durch das Fehlen polit. Bildung und Urteilsfähigkeit bei den Völkern der neuen Demokratien bleibt der Sieg der Demokratie kritisch. Gefahren: Vereinfachung der polit. Probleme und Beeinflussung der Massen durch Propaganda, die zum Mittel der Politik wird (ab 1920 Rundfunk).

5. Zwiespältige Haltung der europ. Mächte gegenüber der russ. Revolution und der UdSSR.

6. Versagen des Völkerbunds (S. 415).

7. Soziale Umschichtung: Die Arbeiterschaft gewinnt an Einfluss (Regierungsfunktionen, Verbesserung der wirtschaftl. Lage).

8. Ende der Vormachtstellung Europas in der Welt: Die USA und Sowjetrussland werden zu beherrschenden Staaten. Egoist. Politik und Rivalität unter den Völkern beschleunigen den Zerfall Europas:

Deutschland (S. 427 ff.) erstrebt die Revision des Friedensvertrags, der als ungerecht und unrealistisch angesehen wird.

Frankreichs (S. 425) Sicherheitsbedürfnis und der Wunsch nach hegemonialer Stellung in Europa ist ein wichtiger Grund für seine starre Haltung in der Frage der Reparationen und Abrüstung.

Großbritannien (S. 424) versucht ein europ. Gleichgewicht durch eine Politik »begrenzter Gegengewichte« zu schaffen, ist aber außenpolit. gebunden durch die mit der Umwandlung von Empire zum Commonwealth verknüpften Probleme.

Italien (S. 437) rivalisiert mit Großbritannien und Frankreich im Mittelmeerraum.

Polen (S. 433) und die **Tschechoslowakei** (S. 435), die nach franz. Wunsch zu Eckpfeilern eines »Cordon Sanitaire« gegen Sowjetrussland werden sollten, werden wegen des Streites um Teschen (S. 433) zu Gegnern; die Unterdrückung der nat. Minderheiten führt zu innenpolit. Krisen.

Sowjetrussland (S. 421) wird zu einem nat.-komm. Staat, die Idee von der Weltrevolution manifestiert sich in der Komintern.

Die Balkanstaaten zerfallen in 2 Gruppen: Jugoslawien, Rumänien und Griechenland beharren auf dem Status quo, Ungarn und Bulgarien fordern die Revision der Pariser Vorortverträge. Eine gemeinsame Balkanpolitik ist unmöglich.

9. Die allgem. Abrüstung scheitert an den Souveränitätsvorstellungen der Völker.

10. Die expansive Außenpolitik des faschist. Italien (S. 437) und des nat.-soz. Dtl. (S. 475) erhöht die Kriegsgefahr.

Außereuropäische Probleme

1. Die USA vertreten gegenüber Europa eine Politik der Isolation, schwanken in Mittel- und Südamerika zwischen »Dollarimperialismus« (S. 455) und der Verwirklichung einer panamerikan. Solidarität, die zum Ausdruck kommt im

1923 Gondra-Vertrag (Zusammenarbeit zwischen den Staaten trotz vorhandener Spannungen) und später in der »Politik der guten Nachbarschaft« ROOSEVELTS (S. 465). Engagement im pazif. Raum führt auf der

1921/22 Konferenz in Washington zu 4 Abkommen: 1. **Flottenabkommen:** Festsetzung der Flottenstärke der fünf Mächte: USA und Großbritannien je 525 000 t, Japan 315 000 t, Frankreich und Italien je 175 000 t. – 2. Das **Vier-Mächte-Abkommen** (USA, Großbritannien, Frankreich, Japan) garantiert den Besitzstand im Pazifik. Das Bündnis mit Japan (1902) wird von Großbritannien auf Druck Kanadas, Australiens und Neuseelands gekündigt. – 3. Das **Neun-Mächte-Abkommen** garantiert die chin. Unabhängigkeit und verpflichtet zur Politik der »offenen Tür« in China. – 4. **Shantung-Vertrag:** Rückgabe Shantungs und Kiaochous durch Japan an China. Rückzug der jap. Truppen aus Sibirien.

1932 Verkündung der US-Doktrin durch AMin. STIMSON: Die USA verweigern jeder durch Gewalt erzwungenen Veränderung die völkerrechtliche Anerkennung.

2. Japan: Der Versuch, Gleichberechtigung der Rassen und Freiheit der Auswanderung zu erwirken, scheitert am Widerstand der USA und der brit. Dominions Neuseeland, Australien und Südafrika.

Nach dem für Japan enttäuschenden Ergebnis der

1930 Londoner Flottenkonferenz, die das Stärkeverhältnis 5 : 5 : 3 zwischen den USA, Großbritannien und Japan beibehält, beginnt die Expansion Japans, das sich in wenigen Jahren die UdSSR (Mandschurei), Großbritannien (Vorder- und Hinterindien), Australien und Neuseeland (Südseebesitz), die USA (Aleuten, Guam, Wake, Philippinen), Frankreich (Indochina) und die Niederlande (Niederländ.-Indien) zu Gegnern macht. Mit der

1934 Kündigung des Washingtoner Flottenabkommens durch Japan beginnt das Wettrüsten.

3. Revolutionierung Chinas (S. 451).

4. Beschleunigung des Emanzipationsprozesses der beherrschten Völker in Asien (Auswirkung der russ. und chin. Rev.) durch eine intellektuelle Oberschicht, deren Nationalismus durch die Komintern (S. 419) unterstützt wird (Gründung komm. Parteien).

5. Nach der Übernahme der Macht im Vorderen Orient durch Großbritannien und Frankreich (Völkerbundsmandate, S. 446) wird die Rivalität zwischen den beiden Mächten (Ölgebiet von Mosul) durch einen Kompromiss auf der **1920 Konferenz in San Remo** (Beteiligung Frankreichs) beendet, endgültig im **1926 Vertrag von Mosul:** Die Anteile der Iraq Petroleum Company werden auf eine engl. (52,5%), eine amerikan. (21,25%) und eine franz. Gruppe von Ölfirmen (21,25%) verteilt. S. C. GULBENKIAN erhält 5% für seine Vermittlertätigkeit.

Reparationsfrage und Konferenzen (1920–33)
Im Mittelpunkt sämtl. internat. Konferenzen steht bis zur Wirtschaftskrise (S. 463) die **Reparationsfrage.** Da die USA den brit. und franz. Vorschlag ablehnen, alle Kriegsschulden zu streichen, besteht praktisch ein Junktim zwischen den Reparationsverpflichtungen der Mittelmächte und den Kriegsschulden der Alliierten. Nach mehreren Konferenzen 1920 wird auf der
1921 Konferenz in Paris die Reparationsschuld Dtl.s auf 269 Mrd. Goldmark, zahlbar in 42 Jahresraten, festgesetzt. Die
1921 Konferenz in London lehnt die deutschen Gegenvorschläge ab. Abbruch der Verhandlungen (Sanktionen, S. 427). – Das
1921 Londoner Ultimatum fordert die zügige Erfüllung des Friedensvertrags (Aburteilung der Kriegsverbrecher, Entwaffnung) und legt die Zahlungsbedingungen über eine erneut gesenkte Reparationsschuld von 132 Mrd. Goldmark fest. Sollten 1 Mrd. nicht innerhalb von 25 Tagen gezahlt werden, droht die Besetzung des Ruhrgebiets. Dtl. nimmt das Ultimatum an (11. 5.).
1922 Zweite Londoner Konferenz: Neue Vorschläge Deutschlands werden abgelehnt.
1923 Die Reparationskommission stellt fest, dass Deutschland seinen Holz- und Kohlenlieferungen nicht nachgekommen ist:
Jan. 1923 Einmarsch der Franzosen ins Ruhrgebiet (S. 427). – Nach dem Scheitern der Ruhrpolitik POINCARÉS (S. 425) beginnen positive Beziehungen durch die konziliantere Haltung Englands und die Vermittlerrolle (wirtschaftl. und finanz. Interessen) der USA. – Nach der Botschaft des US-Präs. COOLIDGE an den Kongress arbeitet eine internat. Kommission den
1924 Dawes-Plan aus: Regelung der Reparationszahlungen, doch keine Abmachungen über deren Laufzeit. Dtl. soll 5,4 Mrd. Mark bis 1928, ab 1929 jährl. 2,5 Mrd. Mark zahlen, wobei Reichseinnahmen (Zölle, indirekte Steuern und Gewinne der unter ausländ. Aufsicht gestellten Reichsbahn) verpfändet werden. Gewährung eines Darlehens von 800 Mill. Goldmark für die Rückkehr zur Goldwährung und zur Zahlung der ersten Rate. Der Plan wird durch ein Abkommen auf der Londoner Konf. bestätigt. – Die

1925 Konferenz von Locarno – auf Initiative STRESEMANNS zu Stande gekommen – trägt zur Entspannung bei. Unterzeichnung folgender Abkommen:
1. Sicherheits-, Rhein- oder Westpakt (Frankreich, Großbritannien, Italien, Belgien, Deutschland): Dtl. garantiert die Unverletzlichkeit der Westgrenze.
2. Schiedsabkommen zwischen Deutschland und Belgien und
3. Schiedsabkommen zwischen Deutschland und Frankreich.
4. Schiedsvertrag zwischen Deutschland und Polen und
5. Schiedsvertrag zwischen Deutschland und der Tschechoslowakei: keine gewaltsamen Grenzveränderungen durch Dtl. im Osten, Anerkennung der Defensivverträge Frankreichs mit Polen und der Tschechoslowakei, jedoch keine vertragliche Fixierung der Ostgrenze.
1929 BRIAND (S. 425) legt in der Völkerbundesversammlung einen Plan zur Schaffung der »Vereinigten Staaten von Europa« (Zoll- und Wirtschaftsunion) vor. – Die Verhandlungen zur Revision des Dawes-Plans führen zur Unterzeichnung des
1930 Young-Plans in Den Haag: Dtl. soll in 59 Jahren (bis 1988) 34,5 Mrd. Goldmark zahlen, erhält das Recht auf Transfer der Summen und auf zweijährige Transfer-Moratorien, muss aber ein Drittel der jeweiligen Jahresrate jedes Jahr zahlen. Die Gläubiger verabreden die Herabsetzung der Reparationslasten für den Fall einer Erleichterung in der Begleichung ihrer gegenseitigen Schulden (erste offizielle Feststellung des Zusammenhangs von Reparationen und Kriegsschulden). Diese endgültige Regelung der Reparationsfrage hat wegen der ausbrechenden Wirtschaftskrise keine Bedeutung mehr. Mit der
1932 Konferenz in Lausanne ist das Reparationsproblem gelöst: Dtl. soll eine Schlusszahlung von 3 Mrd. Reichsmark leisten. Nach dt. Berechnung sind ca. 53 Mrd., nach alliierter ca. 20 Mrd. Goldmark bezahlt worden. Fest steht, dass Dtl. mehr Geld an ausländ., vornehml. amerikan. Anleihen erhalten hat als an Reparationen bezahlt worden sind (Kreislauf des US-Geldes).

Das Abrüstungsproblem
1932 1. Internat. Abrüstungskonferenz. Sie scheitert an den Forderungen Frankreichs (Sicherheitsgarantien, Völkerbundsarmee) und Deutschlands (Gleichberechtigung).
1933 2. Internat. Abrüstungskonferenz. Der brit. Vorschlag (Verminderung der Heeresstärken, Erweiterung der Reichswehr auf 200 000 Mann) wird nicht angenommen. Der brit. AMin. SIMON verhindert eine rasche Lösung der Frage des Rüstungsausgleichs. Dtl. verlässt die Konferenz (Okt.) wegen Verweigerung der prakt. Gleichberechtigung.

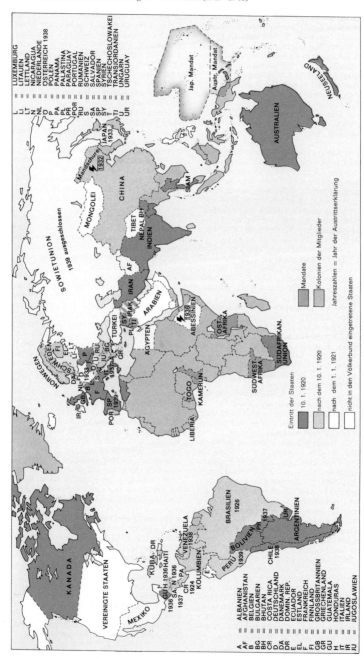

Der Völkerbund

Vorgeschichte und Gründung

Als Antwort auf die »soz. Revolution« der Bolschewiken (S. 407) verkündet WILSON am **8. 1. 1918 die 14 Punkte (»Demokrat. Weltrev.«)**, über die er in seinen Reden vor dem Kongress (11. 2.), in Mount Vernon (4. 7.) und New York (27. 9.) weitere Ausführungen macht. WILSON fordert u. a. einen Völkerbund zur Erhaltung des Weltfriedens und zur Sicherung der territorialen Unverletzlichkeit und polit. Unabhängigkeit aller Staaten. Die Hegemonie eines Staates soll nicht mehr durch das Gleichgewicht der Mächte, dem Ordnungsprinzip der europ. Staaten vom Westf. Frieden bis zum Ersten Weltkrieg, verhindert werden, sondern durch die Gründung des Völkerbunds (Staatenvereinigung), durch den künftige Kriege zum völkerrechtl. Unrecht erklärt werden. Während der Friedenskonferenz stützt man sich auf Pläne und Vorschläge von MILLER-HUT, WILSON, SMUTS und LORD PHILLIMORE. **28. 4. 1919 Annahme der Satzung des Völkerbundes durch die Vollversammlung der Versailler Friedenskonferenz.**

28. 6. 1919 Unterzeichnung der aus 26 Artikeln bestehenden Satzung durch die Gründerstaaten, die auch Unterzeichner des Friedensvertrages sind. Die Satzung wird **Bestandteil des Versailler Vertrages.**

Jan. 1920 Der Völkerbund nimmt seine Tätigkeit auf (Genf).

Nov. 1920 Erster Zusammentritt der Völkerbundsversammlung.

1928 Briand-Kellogg-Pakt (Ächtung des Kriegs als Mittel zur Lösung zwischenstaatl. Streitigkeiten), der in Paris durch Vertreter von 15 Nationen (STRESEMANN, S. 429, für Dtl.) unterzeichnet wird und dem 54 Staaten bis Ende 1929 beitreten.

Die Anregung, den Kriegsächtungspakt abzuschließen, geht von dem amerikan. AMin. KELLOGG aus; sie wird von dem franz. AMin. BRIAND unterstützt.

Organisation

Die **Völkerbundsversammlung,** die einmal jährl. tagt und in der jedes Mitglied eine Stimme hat, besteht aus den Vertretern aller Bundesmitglieder, der **Völkerbundsrat** aus 4–6 ständigen und später 9 nichtständigen Mitgl., die von der Völkerbundsversammlung gewählt werden. Unter den ständigen Mitgliedern befinden sich die Vertreter Großbritanniens, Frankreichs, Italiens und Japans, später auch Dtl.s, dessen Sitz nach seinem Austritt (1933) an die UdSSR fällt (1934). Beide Organe haben die gleiche Zuständigkeit (Streitschlichtung, Vermittlung), doch übt der Völkerbundrat eine stärkere polit. Tätigkeit aus und tagt mehrmals jährlich. Der Völkerbundsrat muss seine Beschlüsse einstimmig fassen, die Völkerbundsversammlung mit wenigen Ausnahmen gleichfalls. Streitende Parteien müssen sich der Stimme enthalten.

Unterstützt werden diese Organe durch das **Ständige Generalsekretariat** unter einem Generalsekretär mit Sitz in Genf.

Dem Völkerbund assoziiert ist der **Haager Ständige Internationale Gerichtshof** (Schiedsspruch bei Streitigkeiten) und das Internat. Arbeitsamt (Arbeitsgesetzgebung).

Aufgaben und Zweck

Der Völkerbund als Weltorganisation der Freien Völker dient der Sicherung des Friedens und Förderung der internat. Zusammenarbeit durch Beschränkung der traditionellen einzelstaatl. Gewaltpolitik und Geheimdiplomatie, an deren Stelle die kollektive Gewaltanwendung aller Staaten (wirtschaftl. und militär. Sanktionen) gegen eine Angreifernation (⅔ aller Mitgl. können Sanktionen beschließen) und die freie Diskussion der Staatsmänner vor der Weltöffentlichkeit tritt. Der Bund ist aber nicht zuletzt durch die Koppelung mit den Pariser Verträgen für die Erhaltung des 1919/20 geschaffenen neuen polit. Systems verantwortlich, das wegen des Prinzips der Einstimmigkeit kaum auf friedl. Weise verändert werden kann. Die Mitgl. verpflichten sich zu friedl. Lösung aller Streitigkeiten und rufen bei Nichteinigung den Völkerbund an, dessen Entscheidung sie bei Einstimmigkeit aller Mitglieder (ohne Stimme der Parteien) anerkennen müssen. – Beteiligt ist der Völkerbund bei der Durchführung der Friedensverträge (Grenzsicherung, Abrüstung, Aufsicht über Danzig, Kontrolle der Mandatsgebiete, Verwaltung des Saargebiets), beim Schutz der nat. Minderheiten, bei der wirtschaftl. Hilfe für einige Länder (Österreich u. a.) und bei der Flüchtlingshilfe. Mit Erfolg schlichtet und vermittelt er im Streit um Wilna (1920), in den Konflikten um Korfu (1923) und Mosul (1924), doch bleibt er bei seiner Bemühung um Friedenssicherung (Genfer Protokoll 1924) und Abrüstung [1932–38]) erfolglos. Positiv wirkt er bei der wirtschaftl. und techn. Zusammenarbeit, auch leisten seine Nebenorganisationen erfolgreiche Arbeit.

Das Versagen des Völkerbunds

Der Völkerbund ist durch das Fehlen der USA, die den Versailler Vertrag nicht ratifiziert hatten, und weiterer Großmächte geschwächt. Von 63 Mitgliedstaaten treten 14 bis 1939 aus, zwei werden annektiert, einer ausgeschlossen (UdSSR wegen des Angriffs auf Finnland) und der Völkerbund versagt bei seinem

1931 Einfall Japans in die Mandschurei und **1935 Überfall Italiens auf Abessinien.** Der Völkerbund erklärt Italien zum Aggressor;

Nov. 1935 Beginn der Wirtschaftssanktionen, doch liefern die USA Öl, Dtl. Kohle.

1937 Austritt Italiens.

Nichts unternimmt der Völkerbund gegen die Expansionspolitik der nationalsozialistischen Regierung in Deutschland.

18. 4. 1946 Auflösung des Völkerbundes durch Beschluss der Völkerbundsversammlung.

Die Demokratie in der Defensive 1919–1933

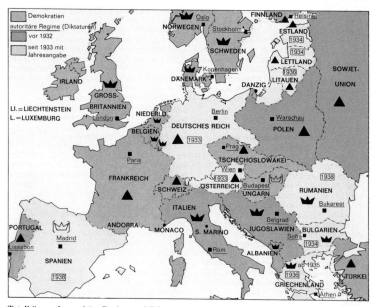

Totalitäre und autoritäre Regime und Diktaturen 1933–1939

Der Sieg der Demokratie
Während des Ersten Weltkriegs gewöhnen sich viele Völker – selbst in den westl. Demokratien – nicht nur an eine starke Exekutivgewalt zur Lösung der Aufgaben, sondern werden auch durch den Krieg in ihrem Glauben an die Gewalt zur schnellen Erreichung polit. Ziele bestärkt. Viele Völker erwarten nun auch bei der Bewältigung der Nachkriegsaufgaben (Demobilisierung, Arbeitsbeschaffung, Kriegsschulden, Reparationen, Wiederaufbau u. a.) Lösung und Rettung durch eine kraftvolle Regierung, die schnelle Entscheidungen trifft – vor allem in den Ländern ohne eine lib. und parlament. Tradition.
Zunächst folgt dem Sieg der Waffen der Sieg der Demokratie. In Europa scheint das Kriegsziel der USA 1919 verwirklicht: die »demokrat. Weltrevolution«. Die Dynastien der HABS-BURGER und ROMANOWS, der HOHENZOLLERN und der OSMANEN verschwinden. Europa, das 1914 aus 17 Monarchien und 3 Republiken (Schweiz, Frankreich, Portugal) besteht, hat 1919 13 Republiken und 13 Monarchien. In manchen Ländern wird die Monarchie zeitweise durch die republikanische Staatsform abgelöst (Spanien, Griechenland).

Der Beginn der Krisen
Wesentlich für die Krisen nach dem Ersten Weltkrieg wird der **Gegensatz von Demokratien und Diktatur.** Die russ. Revolution und die Errichtung der bolschewist. Diktatur (S. 409) lässt in den zwanziger Jahren die Gefahren, die von den Faschismen drohen, gering erscheinen, zumal sich die Diktatoren zum Teil auf eine straffe Führung der Regierungsgeschäfte zur Meisterung vorübergehender Krisen beschränken und oft einen Großteil der Bevölkerung hinter sich wissen. Erst die »Machtübernahme« der Nationalsozialisten in Dtl. lässt die Gefahr, die von den Rechtsdiktaturen droht, erkennen. 1939 gibt es noch 12 demokrat. regierte Staaten in Europa (6 bzw. 7 [Ungarn: »vakanter Thron«] Monarchien und 5 Republiken).

Ursachen für die Krise der Demokratie
1. Soziale Veränderungen: Anerkennung der polit. Gleichberechtigung der Massen (allgem. Stimmrecht, Frauenwahlrecht).
2. Psycholog. und soziolog. Auswirkungen des Krieges: Glaube an die Macht, Umschichtung des Bürgertums; Organisation und zentralisierte Führung der Massen; Entwurzelung weiter Bevölkerungsschichten.
3. Enttäuschung über die Friedensschlüsse.
4. Neue Konflikte: Zerrüttung der Weltwirtschaft und der Währung. Weltwirtschaftskrise (S. 463).
5. Innerstaatl. Machtkämpfe: Staatsvolk in den neu gegründeten Vielvölkerstaaten (Tschechoslowakei, Jugoslawien) gegen die nat. Minderheiten.
6. Einführung des Verhältniswahlrechts bei vielen kontinentaleurop. Staaten. Folge: Bildung von Splittergruppen und Verhinderung klarer parlament. Mehrheitsbildung. Viele Nationen sind deshalb bereit, sich einem »Führer« anzuvertrauen.

Voraussetzung für die Errichtung der Diktatur ist die moderne Massendemokratie. Die Massen werden gewonnen durch Berufung auf die große nat. Vergangenheit, opportunist. Programme, die die widersprechenden Elemente in sich verschmelzen, und durch geschickte Propaganda, die den Glauben an den eigenen Sieg einhämmert. Kennzeichen des Diktaturstaats sind gelenkte Publizistik, Scheinwahlen (Kandidaten nur der herrschenden Partei), Ausschaltung der Opposition, brutale Unterdrückung jeglichen Widerstands, Aufgabe des Rechtsstaates zum »Wohl des Volkes«, Missachtung des Individuums.
Der ital. Faschismus (S. 460) und der dt. Nationalsozialismus (S. 461) werden vor allem durch ihre antimarxist. Parolen und ihren hypertrophen Nationalismus zu Vorbildern in vielen Ländern Europas.

Die europ. Diktaturen (1922–36)
Okt. 1922 »Marsch auf Rom« BENITO MUSSO-LINIS in **Italien.**
Juni 1923 Bildung der Reg. ZANKOFF nach einem Offiziersputsch in **Bulgarien.**
Sept. 1923 Gen. PRIMO DE RIVERA errichtet nach einem Militärputsch in **Spanien** die Militärdiktatur.
Okt. 1923 GAZI MUSTAFA KEMAL PASCHA (seit 1934 KEMAL ATATÜRK) wird zum 1. Präsidenten der **Türkei** gewählt.
Jan. 1925 ACHMED ZOGU wird in **Albanien** Präsident mit weit gehenden Vollmachten.
Mai 1926 Militärputsch PILSUDSKIS in **Polen.**
Mai 1926 Militärputsch des Gen. GOMES DA COSTA in **Portugal,** der durch den Gen. CARMONA verdrängt wird.
Dez. 1926 Diktaturregime SMETONA/VOLDE-MARAS in **Litauen.**
Jan. 1929 Staatsstreich Kg. ALEXANDERS in **Jugoslawien.**
Febr. 1930 Persönl. Regiment Kg. CAROLS II. in **Rumänien,** das durch Staatsstreich 1938 Königsdiktatur wird.
Juli 1932 Bildung der Reg. SALAZAR in **Portugal.**
Dez. 1932 **Litauen** wird autoritärer Einparteienstaat.
Jan. 1933 »Machtergreifung« HITLERS in **Deutschland.**
März 1933 Staatsstreich in **Österreich** durch DOLLFUSS: Austrofaschist. Diktatur.
März 1934 KONSTANTIN PÄTS errichtet die Diktatur in **Estland.**
Mai 1934 Errichtung der Präsidialdiktatur in **Lettland:** Staatsstreich von K. ULMANIS.
Aug. 1936 Staatsstreich des Gen. METAXAS in **Griechenland.**
Sept. 1936 Gen. FRANCO wird »Caudillo« National-Spaniens.

Der Marxismus-Leninismus
Die sozialist. Theorien von MARX und ENGELS (S. 344) sucht Lenin (S. 389) auf die polit. Wirklichkeit Russlands zu übertragen. Dabei legt er bes. Wert auf den Ausbau einer starken Parteiorganisation.
In seinen ideologischen Überlegungen sind bedeutsam:
1. **Die »Imperialismustheorie«** in seiner Schrift ›**Der Imperialismus als höchstes Stadium des Kapitalismus**‹ (1915), in der er sich auf I. A. HOBSONS ›The Evolution of Modern Capitalism‹ (1902) und auf R. HILFERDINGS ›Das Finanzkapital‹ stützt. **Hauptmerkmale des Imperialismus:** Das Wirtschafts- und Finanzmonopol ist auf wenige Besitzer konzentriert, ein normaler Warenaustausch wird durch den Kapitalexport ersetzt. Die imperialist. Politik kontrolliert die internat. Verhältnisse, die Welt wird weiterhin in Interessen- und Kolonialgebiete aufgeteilt.
Polit. Folgerungen Lenins:
a. Imperialistische Kriege, die nur durch von Bündnissen bewirkte »Atempausen« unterbrochen werden.
b. Erfolgreiche Durchführung einer proletarischen Revolution auch in einem industriell rückständigen Land, einem schwachen Glied in der »Kette des Weltkapitalismus«, wie z. B. Russland, und späteres **Übergreifen der Weltrev. auf die Industrieländer.**
c. Gefahr der Entstehung einer »Arbeiteraristokratie« in den imperialist. Ländern durch »Bestechung« von Seiten der herrschenden Klasse, wodurch ein nat. und opportunist. Denken der Arbeiterklasse und ein **Kleinbürgertum** entstehe.
d. Verschiebung des Klassenkampfes auf die internat. Ebene durch Bündnis der rev. Arbeiterschaft mit dem ausgebeuteten Proletariat der kolonialen und halbkolonialen Länder.
2. **Die Lehre von der »Partei neuen Typs«** (in: ›Was tun?‹ [1902] und ›Ein Schritt vorwärts – zwei Schritte zurück‹ [1904]): Schaffung einer gut geschulten **Kaderpartei aus Berufsrevolutionären** (»Avantgarde der Proletariats«), eines **»Offizierskorps der Bürgerkriegsarmee«** zur Bildung eines politischen Klassenbewusstseins und Führung des Proletariats, aufgebaut nach dem Prinzip des **»demokrat. Zentralismus«:** Wahl der leitenden Organe der Partei von unten nach oben; zentralistische Führung. **Aufgaben der Partei:** »Kampf für die Reinheit der marxist.-leninist. Weltanschauung«, Kampf gegen »Abweichungen«, Abschluss von Klassenbündnissen (»Einheitsfronten«, »Volksfronten« u. a.) zur Herbeiführung der Rev. nach der »Lehre von Strategie und Taktik«, praktische Verwirklichung der in »wissenschaftl. Analyse« gewonnenen »Generallinie« der Partei für einen best. Zeitraum. Herrschaft der Partei durch Macht über Staatsverwaltung und gesellschaftl. Massenorganisationen.

3. **Lehre von der »Diktatur des Proletariats«** (in: ›Staat und Revolution‹ [1917]), einer »Macht, die an keinerlei Gesetze gebunden ist«, unterdrückt die Bourgeoisie in der Übergangsperiode vom Kapitalismus zum Sozialismus und zur klassenlosen Gesellschaft (Kommunismus).
4. **Ausbau des histor. Marxismus (S. 345) zum dialektischen Materialismus (Diamat),** der »Weltanschauung der marxist.-leninist. Partei« (in: ›Materialismus und Empiriokritizismus‹ [1908]). Hauptbestandteile:
a) Der philosph. Materialismus (erkenntnistheoret. Realismus), nach dem sich die versch. Bewegungsformen der Materie unabhängig vom menschl. Willen vollziehen, sich aber im menschl. Bewusstsein »widerspiegeln« (Widerspiegelungstheorie). Die Materie bildet die einzige Wirklichkeit dieser Welt.
b) Dialektische Methode: Verbindung und wechselseitige Bedingtheit der Dinge, Entstehung der Bewegungen aus dem »Kampf der Gegensätze« (These – Antithese), die in jeder Wirklichkeit als »innere Widersprüche« vorhanden sind und zu Veränderungen (Synthese) führen.

Der Stalinismus
Stalin (S. 467) ergänzt den Marxismus-Leninismus. Seine wichtigsten ideolog. Thesen:
1. **Theorie vom »Aufbau des Sozialismus in einem Land«** (im Gegensatz zu TROTZKIS Lehre von der »permanenten Revolution«): Errichtung der sozialist. Wirtschaft ohne Hilfe der hochentwickelten westl. Länder aus eigener Kraft.
2. **Theorie von der »Revolution von oben«** auf »Initiative der Staatsmacht« (Partei) mit direkter »Unterstützung von unten« (Proletariat) auf dem Wege allmählicher Änderungen. Keine Konterrevolution und »Sturz der bestehenden Macht« (1938).
3. **Dogmatische Vereinfachungen** des Marxismus-Leninismus im 4. Kapitel der ›Geschichte der KPdSU‹ (1938).
4. **Pflege des russischen Patriotismus** durch »Liebe zur Union der Sowjetrepubliken«, der »Heimat der Werktätigen«, dadurch Sicherung und Erhaltung des »sozialist. Vaterlandes«. Die UdSSR wird zur »Völkerfamilie« unter der Führung des »großen russ. Brudervolkes«. Sie ist gleichzeitig die »Trägerin des Fortschritts«.
5. **Ideolog. Rechtfertigung des Nationalismus** in den ›Sprachbriefen‹ (1950). Die Sprache wird zum Symbol der historischen Kontinuität des russ. Volkes und der »schöpferischen Rolle« des russ. Volkes bzw. Sowjetstaates (Begründung des Führungsanspruches der UdSSR über andere Völker).
Der internat. Anspruch des Bolschewismus wird trotz der Betonung des Nationalen auch während des »Großen Vaterländ. Krieges« (S. 485) aufrechterhalten.

Die Kommunistische Internationale
Der **Weltkommunismus will durch die Kommunistische Internationale (Komintern)** die komm. Ideologie nach einem best. Organisationsprinzip und einer best. Verhaltensweise zur polit. Herrschaft bringen. Universales Ziel ist die **Weltrevolution** unter der Führung komm. Parteien in allen Ländern. **Übernahme des Handlungsprogramms der KPdSU (Bolschewiki)** durch alle komm. Parteien. Auf Initiative LE-NINS wird die Gründung einer III. Internationale geplant.
Gründe:
1. Versagen der sozialdemokrat. orientierten II. Internationale (gegr. 1889) im Ersten Weltkrieg;
2. Machtergreifung der Bolschewiken in Russland (S. 407). – In den ›Aprilthesen‹ (S. 407) fordert LENIN 1917 bereits die Errichtung einer neuen Internationale, die im betonten Gegensatz zur II. Internationale stehen soll. Nach den ›Offenen Briefen‹ an die Arbeiter Europas und Amerikas:
Jan. 1919 Einladung zu einem Kongress in Moskau.

März 1919 Gründung der III. Internationale in Moskau durch Delegierte komm. und sozialist. Parteien zur Stützung der durch Bürger- und Interventionskriege gefährdeten Sowjetreg. und als »Vorstufe der internat. Rep. der Sowjets, des Weltsiegs des Kommunismus« (LENIN).
Wahl SINOWJEWS (S. 467) zum Präs.

Juli–Aug. 1920 II. Kongress der Komintern in Petrograd und Moskau (Delegationen aus 37 Ländern): Beratung über die Methode zur Verbreitung komm. Propaganda, Plan für die Errichtung geheimer komm. Zentralen zur Vorbereitung von proletar. Rev. bei gleichzeitiger Tätigkeit der offiziellen komm. Parteien und Annahme der **»21 Punkte«** LENINS: Verpflichtung aller komm. Parteien auf die verbindl. Vorbild der russ. KP, Verteidigung Sowjetrusslands, strengste Disziplin, Unterordnung unter die Befehle der Zentrale, Kampf gegen die Sozialdemokratie, die sich in einen revolutionären und einen reformist. Flügel spaltet. An die Spitze des ständigen Exekutivkomitees (Sitz Moskau), zwischen den Kongressen mit der takt. Führung beauftragt, tritt SINOWJEW als Vors., KARL RADEK (1885–1939 [?]) als Sekretär, beide Mitgl. des ZK der KPdSU (Pers.-U. von Komintern und Sowjetreg.). Nach dem »Wunder an der Weichsel« (S. 433), dem Aufstand in Kronstadt (S. 421) und dem Zusammenbruch des Generalstreiks in Dtl. (März 1921) setzt auf dem

Juni-Juli 1921 III. Kongress der Komintern die Diskussion über die »Einheit von oben« (Zusammenarbeit mit den sozialdemokrat. Führern) ein, die durch das Exekutivkomitee als »Generallinie« beschlossen wird.

Nov.-Dez. 1922 IV. Kongress der Komintern: Wegen der »Defensive der rev. Kräfte« Versuch einer polit. Zusammenarbeit mit Sozialisten, Unterstützung der dt. Forderungen gegenüber den Westmächten und der nat. Kräfte in Dtl. Folge: Angebot wohlwollender Neutralität durch Sowjetrussland im Falle eines dt.-franz. Krieges (übermittelt von RA-DEK) und Anweisung an die dt. Kommunisten zur Beteiligung an nat. Widerstand (SI-NOWJEW) während der Ruhrkrise. Die rev. Situation in Dtl. wird durch STRESEMANN (S. 427) beseitigt. Ein letzter Versuch zur Revolutionierung des Reiches misslingt mit der Niederwerfung des Aufstandes in Sachsen und Thüringen (S. 427). Dieser Misserfolg und die Revolutionsversuche in Bulgarien (1922) und Estland (1924) zwingen zum Rückzug und zum Übergang zu vorsichtigeren Methoden.

Febr.-März 1924 V. Kongress der Komintern: Schaffung einer »Einheitsfront von unten« (Zusammengehen mit den sozialist. Arbeitern) und einer »Internat. Gewerkschaftseinheit«. Folge: Generalstreik in England (S. 424).

Im Gegensatz zu LENIN und TROTZKI, die die Weltrevolution als Resultat der rev. Bewegungen in versch. Ländern auffassen (Abhängigkeit des Schicksals Sowjetrusslands von der Weltrevolution), findet nach STALIN die Geschichte und Entfaltung der Weltrevolution im Kampf zwischen einem Zentrum des Imperialismus mit kapitalistischen Ländern und einem Zentrum des Sozialismus (UdSSR) mit Sowjetländern statt (Abhängigkeit des Schicksals der Weltrevolution von der UdSSR), deshalb Machtkonsolidierung in einem Land (»Sozialismus in einem Lande«, S. 418).

Juli-Sept. 1928 VI. Kongress der Komintern: Herausgabe bindender Richtlinien: ›Programm der Komm. Internationale‹ (Herrschaft der proletar. Diktatur der UdSSR, Pflicht zur Verteidigung Sowjetrusslands); ›Die Resolutionen über die komm. Tätigkeit in den abhängigen Kolonialgebieten und den Kampf gegen den imperialist. Krieg‹ (Unterstützung von nat. Befreiungsbewegungen, Umwandlung von imperialist. Kriegen in Bürgerkriege).

Juni-Aug. 1935 VII. Kongress der Komintern: Bekämpfung des **Faschismus** durch die Kommunisten im Bunde mit den Sozialdemokraten (»**Volksfront**«) und Zusammenarbeit mit den bürgerl. Parteien. Die »Volksfront-Politik« scheitert, da die NS-Außenpolitik erfolgreich ist, STALIN seine Gegner liquidieren lässt (»Moskauer Schauprozesse«, S. 467) und im Span. Bürgerkrieg (S. 439) die komm.-antifaschist. Reg. unterliegt.

Mai 1943 Auflösung der Komintern: Der Plan, eine Weltrevolution herbeizuführen, wird scheinbar aufgegeben; die UdSSR bemüht sich fortan um eine verharmlosende Darstellung ihrer Macht (Voraussetzung für die sowjet. Nachkriegspläne).

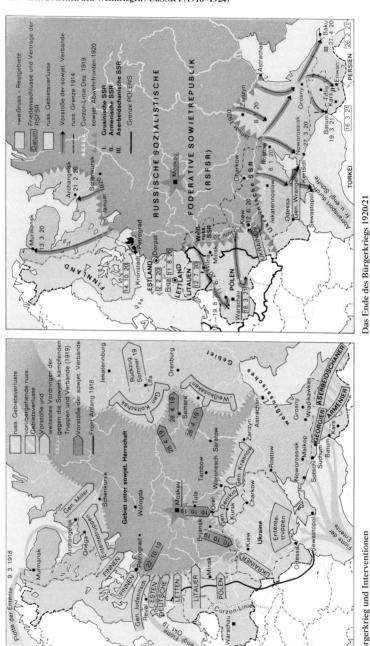

Bürgerkrieg und Interventionen

Das Ende des Bürgerkriegs 1920/21

Die Bildung der Sowjetunion (1918–24)
Folgen des Friedens von Brest-Litowsk:
1. **Unabhängigkeitserklärungen** Weißrusslands, Georgiens, Armeniens und Aserbeidschans (1918);
2. **Soz.-Rev.** Umsturzversuche in einigen Städten.
Die Sowjets reagieren mit der Unterdrückung nichtruss. Nationalitäten.
März 1918 VII. Parteikongress: Das Zentralkomitee erhält Vollmacht für die Entscheidung über Krieg und Frieden mit den »bürgerl. und imperialist. Staaten«.
Juli 1918 Konstituierung der **Russ. Sozialist. Föderativen Sowjetrep. (RSFSR)**. Annahme einer provisor. Verfassung, die auf dem Sowjetprinzip und dem Grundsatz der Diktatur des Proletariats beruht.
Juli 1918 Ermordung der Zarenfamilie in Jekaterinburg.
1919 VIII. Parteikongress: Polit. Büro (Politbüro), Organisationsbüro (Orgbüro) und Parteisekretariat werden höchste Exekutivorgane.

1918–20 Russischer Bürgerkrieg:
1918 Bildung von polit. und soz. versch. antibolschewist. Gruppen (»Weiße«). Sie kämpfen gegen die von TROTZKI (S. 389) [seit April 1918 Volkskommissar für Landesverteidigung] organisierte Rote Armee in Sibirien und dem Ural-Wolga-Gebiet (Adm. KOLTSCHAK, Tschech. Legion), in Südrussland (Gen. DENIKIN, KRASNOW, WRANGEL), in Estland (Gen. JUDENITSCH) und Nordrussland (Gen. MILLER). – Zur Wahrnehmung ihrer Interessen landen die Alliierten in Wladiwostok, Murmansk, Archangelsk und den Schwarzmeerhäfen.
1919 Die »Weißen« lehnen den Vermittlungsvorschlag des US-Präs. WILSON zu einer Konferenz aller russ. Parteien ab (Febr.). Der Kreuzzugsplan des franz. Marschalls FOCH wird vom Großen Rat der Alliierten abgelehnt. Deshalb Abzug der Alliierten. – Die Bedrohung Petrograds (JUDENITSCH), Moskaus (DENIKIN) und der Wolga (KOLTSCHAK) wird durch den Gegenangriff der Roten Armee beseitigt.
1919–20 Poln.-russ. Krieg (S. 433).
1920 Einschiffung der letzten »weißen« Truppen auf der Krim (Nov.).
Gründe für den Zusammenbruch der »Weißen«:
1. Mangelnde Zusammenarbeit und reaktionär-restaurative Tendenzen;
2. gegensätzliche Auffassungen der Alliierten über die Interventionspolitik.
Kriegsfolgen: Bedrohung des leninist. Zentralismus durch den
1921 Arbeiterstreik in Petrograd und den **Matrosenaufstand in Kronstadt**, der durch den Sturmangriff der Roten Armee unter Gen. MICHAIL TUCHATSCHEWSKI (1893–1937 [hingerichtet]) niedergeworfen wird.
1917–21 Zusammenbruch des Wirtschaftssystems des »Kriegskommunismus«: Die So-

zialisierung (Nationalisierung) aller Produktionsmittel und die zentrale Planung der Wirtschaft führt zu einer Wirtschaftskrise. Sie zwingt LENIN nach
1921 **Errichtung der »Staatl. Plankommission« (GOS-Plan: Koordinierung der Wirtschaft)** auf dem
1921 X. Parteikongress zur **»Neuen Ökonomischen Politik« (NEP).** Rückkehr zu kapitalist. Wirtschaftsformen (»Staatskapitalismus«): Naturalsteuer der Bauern, freier Binnenhandel, Zulassung privater Unternehmer und ausländ. Kapitals. Außenhandel, Großindustrie und Großbauten bleiben weiterhin im staatl. Besitz.
1921 Freundschaftsvertrag mit Persien (S. 446), Handelsverträge mit Großbritannien und Deutschland;
1922 Rapallo-Vertrag (S. 443). Es folgen Dejure-Anerkennungen durch Großbritannien, Italien und Frankreich (1924).
Die Diktatur der komm. Partei wird gefestigt durch das
1921 **Verbot aller Oppositionsgruppen** innerhalb der Partei. Die Gewerkschaften werden »gleichgeschaltet« und verlieren ihre Kontrollfunktion über die Wirtschaft.
1922 **Umwandlung der Tscheka in »Staatl. polit. Verwaltung« (GPU)** (Febr.). – **Stalin** (S. 467) **wird Generalsekretär** mit der Aufgabe, die Partei von oppositionellen Elementen zu säubern und zuverlässige, d. h. dem Politbüro genehme Sekretäre einzusetzen: Ablösung der Revolutionäre durch Funktionäre. – Schauprozess gegen Soz.-Revolutionäre.

Dez. 1922 X. Allruss. Sowjetkongress (1. Allunionskongress der Sowjets): Gründung der Union der Sozialist. Sowjetrepubliken (UdSSR), die aus der R(uss.) S(ozialist.) F(öderativen) S(owjet-)R(epublik) mit der T(ranskaukas.) SFSR, der U(krain.) SSR und der W(eißruss.) SSR besteht. Später treten auch die Usbek., Turkmen. (1924) und Tadschik. SSR (1929) der Union bei.
1923 Neue Verfassung der UdSSR, ratifiziert durch den 2. Allunionskongress. Sie unterscheidet zwischen den Instanzen der Union (Außenpolitik, Landesverteidigung, Wirtschaftsplanung, Landesverteidigung, Volksversicherung u. a.) und denen der Unionsrep., die das offizielle Recht des freien Austritts besitzen. Oberstes Staatsorgan ist der Allunionskongress aus den Delegierten der versch. Sowjets, der als seiner Mitte als permanente Reg.-Instanz das Exekutivkomitee unter einem Vors., dem personellen Repräsentanten der Union [1923–46: M. J. KALININ], wählt. Erledigung der Reg.-Geschäfte durch den Rat der Volkskommissare. Keine Erwähnung der Partei in der Verfassung, deren zentralist. Organisation der dezentralisierten Staatsverwaltung gegenübersteht.
21. 1. 1924 Tod Lenins, der noch gegen die Machtfülle STALINS Stellung nimmt.

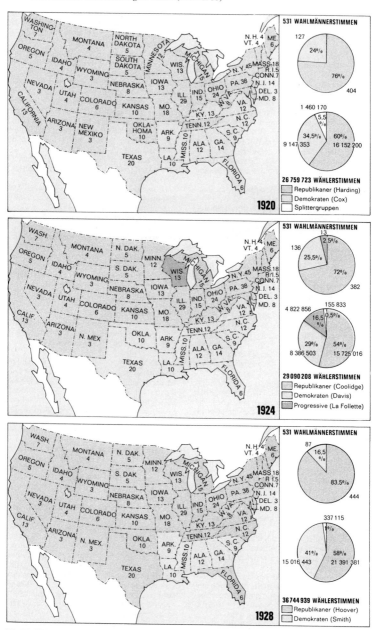

1920

531 WAHLMÄNNERSTIMMEN

127
24%
76%
404

1 460 170
5,5%
34,5%   60%
9 147 353   16 152 200

26 759 723 WÄHLERSTIMMEN
Republikaner (Harding)
Demokraten (Cox)
Splittergruppen

1924

531 WAHLMÄNNERSTIMMEN

13
2,5%
136
25,5%
72%
382

4 822 856   155 833
0,5%
16,5%
29%   54%
8 386 503   15 725 016

29 090 208 WÄHLERSTIMMEN
Republikaner (Coolidge)
Demokraten (Davis)
Progressive (La Follette)

1928

531 WAHLMÄNNERSTIMMEN

87
16,5%
83,5%
444

337 115
1%
41%   58%
15 016 443   21 391 381

36 744 939 WÄHLERSTIMMEN
Republikaner (Hoover)
Demokraten (Smith)

Die Wahlsiege der Republikaner (die Ziffern unter den Namen der Bundesstaaten geben die
Zahl der Wahlmänner an)

Die »Big Business«-Periode (1919–29)

Kennzeichen der Zeit der beiden ersten republ. Präsidenten:

1921–23 Warren Harding (1865–1923),Wahlparole:»Back to Normalcy«, und

1923–29 Calvin Coolidge (1872–1933) sind

1. **Reaktion** gegen die Regierung des Demokraten WILSON, dessen moralisch gefärbtes Reformertum (»Progressive Movement«) abgelehnt wird,
2. **Isolationismus** in der Außenpolitik, da man sich durch den Frieden von Versailles im Erfolg betrogen sieht,
3. **Auseinandersetzung** der ländl., überwiegend angelsächs.-prot. Bevölkerung und der modernen städt.-industriellen Gesellschaft unter Führung von Intellektuellen, Technikern und Wirtschaftlern.

1919–20 Umsturzpsychose (»Red Scare«): Streiks, Bombenattentate, Gewalttaten; Haussuchungen, Verhaftungen, Deportationen verdächtiger Elemente.

Die Methode der republ. Präsidenten, möglichst wenig zu regieren, zieht Korruptionsskandale nach sich. Das »Big Business« steht im Vordergrund. Hauptvertreter dieser »Bewegung« ist der Multimillionär ANDREW W. MELLON [1921–32 Finanz.-Min.], der die Großverdiener bevorzugt.

Die Einwanderung wird durch die von »nordischen« Rassentheorien beeinflussten Gesetze (1921, 1924) gedrosselt.

1920 Alkoholverbot [bis 5. 12. 1933] (XVIII. Verfassungszusatz). Die Prohibition spaltet die Bevölkerung und Parteien in zwei Lager (»Wet« und »Dry«) und fördert Schmuggel, Gangsterunwesen, Gesetzlosigkeit.

1924–26 Der 1915 neu begründete Ku-Klux-Klan wütet im Süden und Mittelwesten (1924 5 Mill. Mitglieder: Kampf im Namen der Moral gegen Schwarze, Katholiken, Juden, Intellektuelle und »Nasse«, die Gegner der Prohibition).

Seit 1920 Frauenwahlrecht. Es ist Ausdruck für die veränderte Stellung der Frau in der amerikan. Gesellschaft (Gleichberechtigung von Mann und Frau); die Zahl der berufstätigen Frauen wächst von 2 (1914) auf 10 Mill. (1930).

Scharfe Zollgesetze (1921, 1922, 1930) sind Ausdruck des traditionell-republ. Protektionismus. **Vernachlässigung der Farmer,** die sich verschulden und durch das Überangebot an Agrarerzeugnissen und durch Erosionsschäden (Dust bowl) verarmen. Daneben wirtschaftl. Prosperität der Industrie durch Produktionssteigerung, Massengüterproduktion, Verbesserung des Arbeitsprozesses (Fließband); Verdoppelung der Industrieproduktion 1921–29 durch techn. Neuerungen (vor allem Konsumgüter, Bau- und Autoindustrie: 1913 15 Mill., 1929 26 Mill. Autos). Starke Konzentration im Autogeschäft, in der Versorgungsindustrie, bei den Banken und im Einzelhandel (»Chain stores«).

Die Wirtschaftskrise (1929–32)

1929–33 Herbert C. Hoover (1874–1964).

Die Wirtschaftsdepression ist die Folge der Aufblähung des Kreditmarktes.

25. 10. 1929 »Schwarzer Freitag«: Der Zusammenbruch der New Yorker Börse (23.–29. 10. 1929) leitet die Wirtschaftskrise ein. Industriepapiere fallen von 452 (1929) auf 58 (1932), die Industrieprodukion sinkt 1929–32 um 54%. HOOVER scheitert am fehlenden guten Willen der Geschäftswelt. Getreide- und Baumwollvorräte wachsen, die landwirtschaftl. Anbaufläche verringert sich. Die Reg. erhöht die Schutzzölle und gründet die **Wiederaufbau-Finanzierungs-Gesellschaft** (RFC = Reconstruction Finance Corporation), die der deflationist. Politik der Banken entgegenwirken soll, aber zur Konsolidierung der Großbanken missbraucht wird. Die Wirtschaftskrise bleibt nicht auf Amerika beschränkt: Der internat. Zahlungsverkehr in Europa bricht zusammen. Die Zahl der Arbeitslosen in den USA steigt bei kaum ausreichender Arbeitslosenfürsorge auf 15 Mill.

20. 6. 1931 Hoover-Moratorium: Stundung aller Kriegsschulden der europ. Regierungen durch die USA.

Die amerikan. Außenpolitik (1920–33)

19. 3. 1920 Der Senat verweigert die Ratifizierung des Versailler Vertrags (S. 411).

25. 8. 1921 Abschluss eines Separatfriedens mit dem Deutschen Reich ohne Aufnahme der Völkerbundsatzung und des Kriegsschuldartikels.

Nov. 1921 – Febr. 1922 Washingtoner Abrüstungskonferenz: 1. Festsetzung der Flottenstärke der 5 Großmächte USA, Großbritannien, Japan, Frankreich und Italien im Verhältnis 5 : 5 : 3 : 1,75 : 1,75.
2. Das Vier-Mächte-Abkommen (USA, Großbritannien, Japan und Frankreich) garantiert den Besitzstand im Pazifik.
3. Das Neun-Mächte-Abkommen erklärt die Souveränität Chinas und die Politik der »offenen Tür«. 4. Rückgabe Shantungs und Kiaochous an China (S. 401).

1924 Dawes-Plan (S. 413).

Juni/Juli 1927 Erfolglose Drei-Mächte-Konferenz (USA, Großbritannien, Japan) über die Seeabrüstung.

Aug. 1928 Unterzeichnung des Briand-Kellogg-Paktes (S. 415).

1929 Young-Plan (S. 413): die USA setzen sich für eine Regelung des Reparationsproblems ein.

Jan.-Febr. 1930 Flottenkonferenz in London zwischen USA, Großbritannien, Japan, Frankreich und Italien, da alle Mächte – außer Großbritannien – eine Ausdehnung der Seerüstung wünschen: Verzicht auf Bau neuer Schlachtschiffe bis 1936, Beschränkung im U-Boot-Bau. Die USA, Großbritannien und Japan einigen sich über den Bau von Kriegsschiffen.

Die britische Nachkriegspolitik
Fünf Merkmale kennzeichnen die Politik:
1. **die wirtschaftl. Lage** (Kriegsanleihen, Sicherung und Steigerung der Produktion, Welthandelskonkurrenz);
2. **die soz. Umschichtung** (Nivellierung der Gesellschaft durch Streben nach höherem Einkommen und Lebensstandard);
3. **die volle Demokratisierung des Parlamentswahlrechts** (1918 Wahlrecht für Männer vom 21., für Frauen vom 30. Lebensjahr an; seit 1928 Wahlrecht für Frauen vom 21. Lebensjahr an);
4. **der Niedergang der Liberalen Partei und der Aufstieg der Labour Party;**
5. **die außenpolit. Schwierigkeiten** (engl.-franz. Spannungen am Rhein und im Vorderen Orient, Gegensatz zur faschist. und NS-Außenpolitik. **Grundtendenz der brit. Außenpolitik:** kein Engagement auf dem Kontinent, aber engere Beziehungen zu den Dominions und Kolonien.
Dez. 1918 Khaki-Wahlen (»Coupon-Wahl«), aus denen die Koalition der Liberalen unter LLOYD GEORGE (S. 382) und der Konservativen unter ANDREW BONAR LAW (S. 407) als Sieger hervorgeht.
1919–22 Streikwelle der Bergleute: Eisenbahner, Hafen- und Transportarbeiter verlangen Lohnerhöhungen; sie wird beeinflusst von der russ. Rev., doch beendet durch die maßvolle Haltung der Gewerkschaftsführer SMILLIE, HODGES, THOMAS und **Ernest Bevin** (1881–1951), dem 1922 die Verschmelzung von 32 Gewerkschaften zur »Transportarbeiter-Gewerkschaft«, der größten Gewerkschaft der Welt, gelingt, sowie durch die soz.-polit. Maßnahmen der Reg. (1919 Addison Act, 1920 Arbeitslosenversicherungs-Gesetz)
Abbau der kriegsbedingten Regierungsaufsicht und Sparaktion in den Ministerien (»Geddes axe«).
Die liberale Wirtschaftspolitik scheitert (hohe Arbeitslosigkeit); die Konservativen plädieren für eine Schutzzollpolitik, die Labour Party für ein gemäßigtes Sozialisierungsprogramm.
Außenpolit. Misserfolge in Irland, mit dem, gegen den Willen des rechten Flügels der Konservativen, ein
1921 ausgleichender Vertrag geschlossen wird (S. 448). Die
1922 Konferenz von Cannes beseitigt die brit.-franz. Differenzen im Vorderen Orient (S. 413) nicht. Auf der
1922 Konferenz in Genua wird die Wiedereinbeziehung der UdSSR in das Weltwirtschaftssystem nicht erreicht.
1921/22 Konferenz in Washington (S. 412). Großbritannien verliert als Weltmacht an Rang und muss auf seine Vorherrschaft zur See verzichten. – Nach der
1922 Aufgabe des Protektorats über Ägypten (S. 457) und Misserfolgen in Indien (S. 447) kommt es zur

Okt. 1922 Tagung der Konservativen im Carlton Club. Mit 187 Stimmen der Gruppe um BONAR LAW, STANLEY BALDWIN (1867–1947), LORD CURZON (1859–1925) gegen 87 Stimmen der Gruppe der Regierungsanhänger um AUSTEN CHAMBERLAIN (1863–1937) und LORD BIRKENHEAD (1872–1930) Austritt aus der Koalition.

Die Politik der Konservativen (1922–29)
1922 Bildung eines konserv. Kabinetts unter BONAR LAW, das in den Wahlen im Nov. bestätigt wird (Verluste der Liberalen und Gewinne der Labour Party, die stärkste Oppositionspartei wird [His Majesty's Opposition]). Nach Rücktritt BONAR LAWS (aus Krankheitsgründen) wird
1923 STANLEY BALDWIN Premierminister. Einigung der konserv. Partei. Das Parlament wird jedoch aufgelöst, da BALDWIN Vollmacht zur Einführung eines Schutzzolltarifs als Mittel gegen die Arbeitslosigkeit fordert. – Neuwahlen (Dez.) gewinnen die Konservativen. Sie senden 258, die Labour Party 191 und die Liberalen 158 Abgeordnete ins Unterhaus. Trotzdem
1924 1. Labour-Kabinett unter James Ramsay MacDonald (1866–1937), das von den Liberalen unterstützt wird; deshalb kaum Neuerungen in der Innenpolitik. MACDONALD trägt auf der Konferenz in London (Dawes-Plan, S. 413) zur Regelung der Reparationsfrage und zur Beendigung des Ruhrkonflikts (S. 427) bei. Auf die
Febr. 1924 De-jure-Anerkennung der UdSSR folgen Verhandlungen über Handelsabkommen, die nach der **»Campbell-Affäre«** (Freilassung des verhafteten komm. Schriftleiters von ›The Worker's Weekly‹) und
Okt. 1924 Veröffentlichung des ›Sinowjew-Briefes‹ (angebl. Verbindung zwischen Komintern und Umsturzbewegungen in Großbritannien) abgebrochen werden. Auflösung des Parlaments nach Misstrauensvotum.
Okt. 1924 Wahlsieg der Konservativen.
1924–29 2. konservatives Kabinett Baldwin.
1925 Stabilisierung des Pfundes.
1926 Ein Bergarbeiterstreik, unterstützt durch einen Generalstreik der Gewerkschaften, bricht nach 7 Monaten zusammen. Die Freiheit der Gewerkschaften wird durch das Gewerkschaftsgesetz (1927) eingeschränkt.
1926 Vertrag mit dem Irak: die Unabhängigkeit des Staates wird anerkannt. Der Konflikt mit Frankreich um das Erdölgebiet wird im Vertrag um Mosul (S. 413) beendet.
1927 Abbruch der diplomat. Beziehungen zur UdSSR (Gründe: Unterstützung des Bergarbeiterstreiks durch die russ. Gewerkschaftsbewegung und Entdeckung einer Propaganda- und Spionagezentrale [Haussuchung in den Räumen der brit.-sowjet. Handelsgesellschaft »Arcos«]).
1928 Vertrag mit China: Anerkennung der Nanking-Reg.

Hauptprobleme der Nachkriegszeit
Durch die in den Pariser Vorortverträgen zuge-
sprochenen Gebiete (Elsass-Lothringen, Mandate in Afrika und im Vorderen Orient) gewinnt
Frankreich eine Hegemonialstellung in Europa,
an deren Aufrechterhaltung Belgien, Dänemark, Polen, Rumänien, Jugoslawien und die
Tschechoslowakei interessiert sind, da auch sie
ehemals deutsche Gebiete erhalten haben.

Die franz. Innenpolitik ist – außer den durch
das proportionale Wahlsystem verursachten inneren Machtkämpfen – weiteren starken Belastungen ausgesetzt:
1. Die vom Krieg verwüsteten Gebiete müssen
   wiederaufgebaut werden (Kosten: über
   100 Mrd. Francs).
2. Wegen der hohen Kriegsschulden bei den
   USA und Großbritannien (5 Mrd. Dollar)
   tritt eine Abwertung des Franc ein, die durch
   die Verschuldung der Bevölkerung (Ende
   1925: 300 Mrd. Francs) verstärkt wird. Nach
   dem Satz: »L'Allemagne paiera tout« verlässt man sich auf die deutschen Reparationszahlungen, die jedoch in der erwarteten
   Höhe ausbleiben.
3. Verarmung des bürgerl. Mittelstands durch
   Verlust der bewegl. Vermögen, durch Krieg,
   Währungszerfall, Steuerlasten.
4. Starker Bevölkerungsschwund und Förderung der Einwanderung (1931: 3 Mill.) sowie verstärkte Landflucht beschleunigen die
   soz. Umschichtung.

Außenpolit. Probleme:
1. Der Abschluss von Garantieverträgen mit
   Großbritannien und den USA scheitert.
2. Spannungen mit Großbritannien wegen der
   Rheinpolitik und der Reparationen.

Die franz. Politik (1919–31)
1919 Wahlsieg des »Nationalen Blocks« (CLE-
MENCEAU, POINCARÉ, S. 383) über das
Linkskartell unter Edouard Herriot (1872–
1957). Niederlage CLEMENCEAUS in der Präsidentenwahl; Präs. wird PAUL DESCHANEL
[Febr.–Sept. 1920].
1920 Kabinett MILLERAND [Jan.–Sept.]: Unterstützung Polens durch Munitionslieferungen
und Entsendung des Gen. WEYGAND im
russ.-poln. Krieg (S. 433). Militärkonvention mit Belgien.
1920–24 ALEXANDER MILLERAND (1859–
1943) wird Präs. Er übt starken Einfluss auf
das Kab. BRIAND [1921–22] aus, ebenso auf
die
1922–24 Reg. Poincaré, die wegen der »Kon-
zessionspolitik« und der Reparationsfrage
das gemäßigtere Kabinett BRIAND ersetzt.
Gegnerin gegen POINCARÉ wegen der
1923 Ruhrbesetzung (S. 427), die trotz des Widerstands Englands durchgeführt wird. Die
Zustimmung zum Dawes-Plan und seine Finanzpolitik (Sparmaßnahmen) fördern POIN-
CARÉS Unbeliebtheit. Furcht vor allzu starker

Präsidialgewalt sowie Änderung in der Kulturpolitik (Abschaffung der weltl. Schulen):
1924 Wahlsieg des Linkskartells. MILLERAND
muss zurücktreten, Präs. wird GASTON DOU-
MERGUE [1924–31].
1924–25 Kabinett Herriot. Es erkennt die
UdSSR an. Annahme des Dawes-Plans.
1925 Pakt von Locarno (S. 413). – Der Versuch
der antiklerikalen Reg. HERRIOT, die Beziehungen zum Vatikan abzubrechen, misslingt,
ebenso die Durchführung der Laisierungsge-
setze in den Départements Elsass und Lothringen, die noch dem Konkordat unterstan-
den. Die Reg. scheitert an der **Finanzpolitik**
[April 1925] und auch die folgenden Kabinette PAINLEVÉ, BRIAND, BRIAND-CAILLAUX
und HERRIOT sind nur kurzlebig. Von den
1925/26 Aufständen in Marokko (ABD EL-
KRIM, S. 457) und im Libanon (Drusen,
S. 446) gefördert, droht eine innenpolit.
Krise (Machtkämpfe vor allem der Linken,
Katholiken und »Action française«
[S. 383]).
1926–29 MP. Poincaré bildet zunächst eine Reg.
der »Union nationale« (AMin. BRIAND), später versch. Koalitionskabinette. **Überwindung der Finanzkrise** (Ausgleich des Haus-
halts, Stabilisierung des Franc).
1927 Autonomiebestrebungen im Elsass und in
Lothringen innerhalb der franz. Rep. Der
Elsass-Lothring. Heimatbund fordert einen
eigenen Landtag mit eigenem Budget. Stren-
ges Vorgehen gegen die Autonomisten. –
Nach den
1928 Kammerwahlen Krönung der Sanierung
durch das Währungsgesetz (Abwertung des
Franc), aber Austritt der radikalen Minister
aus dem Kabinett. Nach dem
Juli 1929 Rücktritt Poincarés aus Krankheitsgründen folgen kurzlebige Kabinette. **Aristide Briand bleibt AMin.** bzw. MP. Seine
Politik der deutsch-franz. Annäherung, in
Locarno begonnen, interpretiert in den Gesprächen von Thoiry (Sept. 1926) und Luga-
no (Aug. 1928) mit STRESEMANN (S. 429),
scheitert an der innenpolit. Situation beider
Länder.
Die Animosität der beiden Völker gegeneinander wird auch nach der Zustimmung
Frankreichs zur Räumung des Rheinlands
(1929) nicht beseitigt. Die Franzosen beginnen den Bau der Maginotlinie. BRIAND muss
schließlich als AMin. zurücktreten (1932).
Der Plan einer deutsch-österr. Zollunion
(S. 471) verschärft das franz. Misstrauen gegen Dtl. ebenso wie das Anwachsen des
Rechtsextremismus. BRIANDS Vorschlag zur
Gründung der »**Vereinigten Staaten von Europa**« wird kaum zur Kenntnis genommen.
1930 Die franz. Besatzungstruppen verlassen
das Rheinland (S. 429).
1931–32 Präs. PAUL DOUMER (von russ. Emigranten im Mai 1932 ermordet).
1931 Beginn der Wirtschaftskrise. – (Bündnisse
S. 443).

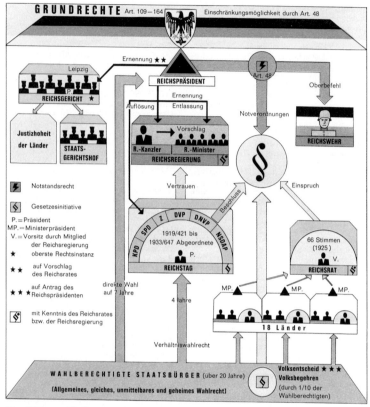

Die »Weimarer Verfassung« 1919

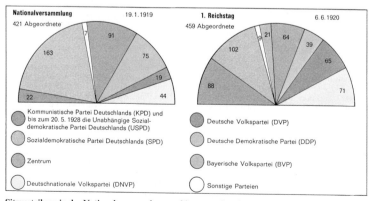

Sitzverteilung in der Nationalversammlung und im ersten Reichstag

Die Konstituierung der Republik (1918–19)

Die Übernahme des russ. Rätesystems und die Errichtung einer Diktatur des Proletariats wird verhindert durch den Nov. 1918 Pakt zwischen dem SPD-Vorsitzenden **Friedrich Ebert** (1871–1925) und dem Nachfolger LUDENDORFFS, Gen. WILHELM GROENER (1867–1939), sowie durch das Stinnes-Legien-Abkommen (Zusammenarbeit zwischen Gewerkschaften und Unternehmern). – Beschluss zur Durchführung von Wahlen zu einer Nat.-Vers. auf dem Berliner Kongress der Arbeiter- und Soldatenräte (Dez.). Die USPD tritt daraufhin aus dem Rat der Volksbeauftragten aus. Die extreme Linke sammelt sich in der KPD (Nov. 1918–Jan. 1919 Spartakusbund). Sie inszeniert den **Spartakusaufstand** (»Rote Wache«) in Berlin. Die Führer der KPD, **Rosa Luxemburg** (geb. 1870) und **Karl Liebknecht** (geb. 1871), werden von Freikorpsangehörigen ermordet (Jan. 1919).

1919 Eröffnung der Nat.-Vers. in Weimar (Febr.).

1919–25 Friedrich Ebert wird von der Nat.-Vers. zum Reichspräs. gewählt. MP wird PHILIPP SCHEIDEMANN (S. 409), der die »Weimarer Koalition« aus SPD, Zentrum und DDP bildet. – Unterzeichnung des Friedensvertrages (S. 411). – Annahme der von HUGO PREUSS (1860–1925) konzipierten Reichsverfassung durch die Nat.-Vers. (262 gegen 75 Stimmen, Juli) und Unterzeichnung durch den Reichspräs. (11. Aug.).

Die Weimarer Verfassung: Das Deutsche Reich, an dessen Spitze der vom Volk gewählte **Reichspräsident** steht, ist eine **parlament.-demokrat. Republik.** Das Parlament besteht aus dem **RT.** (vom Volk gewählte Abg.) und dem **Reichsrat** (Ländervertretung). Neben dem RT., dessen polit. Einfluss gegenüber dem Kaiserreichs beträchtlich erweitert wird, besitzt der Reichspräs., den der RK. ernennt, eine durch den Art. 48 (»Notstandsartikel«) gesicherte große Machtfülle.

Verhältniswahlrecht (Zersplitterung der Parteien), Plebiszit, Notstandsartikel und Eindämmung des Föderalismus erweisen sich als starke Belastungen.

Die Krisenjahre (1919–23)

Das nat. gesinnte Bürgertum und die »unpolit.« Reichswehr (Chef der Heeresleitung 1920–26: HANS VON SEECKT, 1866–1936) stehen der Rep. ebenso ablehnend gegenüber wie extreme Rechte und Linke (komm. Unruhen im Ruhrgebiet, Mitteldtl., Hamburg; Räterep. in München). Der Radikalismus enttäuschter Rechtsextremisten, die sich auf die »Dolchstoßlegende« berufen, äußert sich in polit. Morden an KURT EISNER (1867–1919), MATTHIAS ERZBERGER (S. 388) und AMin. WALTER RATHENAU (1867–1922), nach dessen Tod die Verordnung des Reichspräs. zum Schutz der Republik erlassen wird (1922), sowie in Putschversuchen: Kapp-Putsch (1920) und Putsch der »Schwarzen Reichswehr« in Küstrin (1923).

Vor allem SPD und Zentrum, aber auch die gemäßigten bürgerl. Parteien stehen zur Republik. Dauernde Angriffe der oppositionellen Kräfte schwächen die »Weimarer Koalition«: »Erfüllungspolitik« (Reparationsleistungen [Annahme des Londoner Ultimatums, 1921], Gebietsverluste, [Nordschleswig fällt nach Abstimmung an Dänemark, Eupen und Malmedy werden Belgien zugeschlagen, 1920; Festlegung der deutsch-poln. Grenze 1921]).

1920 Reichstagswahlen. Die »Weimarer Koalition« verliert Stimmen. RK. FEHRENBACH bildet eine Reg. aus Zentrum, DDP und DVP [1920–21].

1921–22 RK. JOSEF WIRTH (1879–1956) regiert mit Zentrum, SPD und DDP.

1922 Beginn des Währungszerfalls. – RK. WIRTH scheitert an der Reparationsfrage.

1922–23 RK. WILHELM CUNO (1876–1933). Die Inflation erreicht ihren Höhepunkt. Die Alliierten drängen auf Erfüllung der deutschen Verpflichtungen (S. 413).

1923 Einmarsch franz. und belg. Truppen ins Ruhrgebiet (Politik der »produktiven Pfänder«) und Besetzung des Memellandes durch Litauen. CUNO fordert zum passiven Widerstand an der Ruhr auf. Das

Aug.–Nov. 1923 »Kabinett der großen Koalition« unter RK. Gustav Stresemann (1878–1929) bricht den passiven Widerstand ab.

1923 Kommun. Unruhen in Hamburg (Okt.); Beseitigung der Koalitionsreg. aus KPD und SPD in Sachsen und Thüringen durch »Reichsexekution«. Liquidierung des Hitler-Putsches (S. 461). Der Putsch ist der Höhepunkt der Spannungen zwischen Bayern und dem Reich: Der bayer. Generalstaatskommissar GUSTAV RITTER VON KAHR (1862–1934 [ermordet]) unterstützt die nat. Kräfte in München und stellt sich in Gegensatz zu RK. STRESEMANN. Verhängung des Ausnahmezustands über das Reich (Sept. 1923). Der ›Völk. Beobachter‹, Organ der NSDAP, bringt einen gegen RK. und Chef der Heeresleitung gerichteten Artikel. KAHR weigert sich das Blatt zu verbieten. Erst nach dem Putsch HITLERS, der von Polizei und Reichswehr niedergeschlagen wird, wird der Konflikt zwischen Bayern und dem Reich beendet (Rücktritt KAHRS, 1924). – Die Konstituierung der separatist. »Rhein. Rep.« und des »Autonomen Pfalzstaats« scheitert.

Nov. 1923 Stabilisierung der Währung. Der US-Dollar hat inzwischen den Wert von 4,2 Billionen Papiermark erreicht. Nach einem Ermächtigungsgesetz gelingt es HELFFERICH, HILFERDING und dem Finanz-Min. LUTHER sowie dem Reichswährungskommissar **Hjalmar Schacht** (1877–1970) die Finanzen neu zu ordnen.

Außenpolitische Erfolge:
1921 Friedensvertrag mit den USA (S. 423).
1922 Vertrag von Rapallo (S. 443).

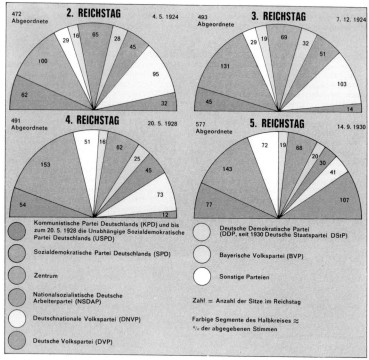

Ergebnisse der Reichstagswahlen 1924–1930

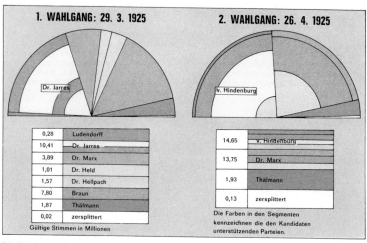

Die Reichspräsidentenwahl 1925

Die innenpolit. Entwicklung (1923–30)
Nov. 1923 Das Kabinett STRESEMANN scheitert am Misstrauensvotum der SPD (ungleiches Vorgehen gegen das linksradikale Sachsen und das rechtsradikale Bayern).
1923–24 Der Zentrumspolitiker WILHELM MARX (1863–1946) bildet das neue Kabinett (AMin. STRESEMANN).
Mai 1924 Reichstagswahlen. Bildung des 2. Kabinetts MARX. Auflösung des RT. (Okt. 1924) nach Abstimmung über die Dawes-Plan-Gesetze, die angenommen werden. Zur Schaffung klarer Fronten
Dez. 1924 Reichstagsneuwahlen. RK. MARX tritt zurück, sein Nachfolger wird der parteilose
1925–26 HANS LUTHER (1879–1962). Die Koalition besteht aus Zentrum, BVP, DVP, DNVP (AMin. STRESEMANN).
28. 2. 1925 Tod Friedrich Eberts.
1925–34 Reichspräs. von Hindenburg (S. 403, im 2. Wahlgang gewählt).
Jan.–Mai 1926 2. Kabinett LUTHER (AMin. STRESEMANN), da die DNVP-Min. wegen der Unterzeichnung der Locarno-Verträge zurückgetreten sind (Wiedereintritt der DDP-Min.). LUTHER stürzt über die
Mai 1926 Flaggenverordnung des Reichspräs. (Hissen der Handelsflagge [Schwarz-Weiß-Rot] neben der Reichsflagge [Schwarz-Rot-Gold] durch die konsular. Vertretungen im Ausland).
Mai–Dez. 1926 3. Kabinett MARX (AMin. STRESEMANN). Unter seiner Reg. wird der
Juni 1926 Volksentscheid über die entschädigungslose Enteignung der Fürsten durchgeführt, der keine Mehrheit bringt.
Okt. 1926 Rücktritt des Gen. VON SEECKT (Nachfolger: Gen. HEYE). – Der SPD-Abgeordnete SCHEIDEMANN kritisiert die Zusammenarbeit zwischen Reichswehr und Roter Armee. Der Regierung wird das Vertrauen entzogen.
1927–28 4. Kabinett MARX (AMin. STRESEMANN). Die »stille Koalition« mit der SPD wird aufgegeben, die Rechte dominiert.
Jan. 1928 Rücktritt des Reichswehrmin. GESSLER (1875–1955) wegen der Finanzgeschäfte der Reichswehr (Nachfolger Gen. GROENER, S. 427). – Länderkonferenz in Berlin zur Vereinheitlichung der Verwaltung. Die »Reichsreform« scheitert an den föderalist. Interessen. – Der RT. verabschiedet Notprogramme, zerstreitet sich aber wegen des Baus des »Panzerkreuzers A«; die Reg. stürzt wegen des Schulgesetzes.
Mai 1928 Reichstagswahlen. SPD und KPD erringen 42 Prozent aller Mandate.
1928–30 RK. HERMANN MÜLLER SPD (1876–1931) bildet ein Kabinett der »Großen Koalition«. STRESEMANN bleibt AMin.
Juli 1929 Reichsausschuss für das deutsche Volksbegehren »gegen den Young-Plan«: Bündnis des DNVP-Vorsitzenden ALFRED HUGENBERG (1865–1951) mit HITLER. Der Volksentscheid (Dez. 1929) bleibt erfolglos.

– **Ausbruch der Wirtschaftskrise** und Rücktritt des Finanz-Min. HILFERDING (1929) sowie des Reichsbankpräsidenten H. SCHACHT (1930). – Der
März 1930 Sturz der Reg. Müller über die Frage der Beiträge zur Arbeitslosenversicherung markiert das **Ende der parlamentarischen Republik.**

Gründe für das Scheitern der Republik:
1. **Bedenkliche Urteile der Justiz** gegenüber Gegnern der Weimarer Verfassung (Schonung der Rechtsradikalen).
2. **Rechtswendung des Bürgertums:** Reichspräs. wird 1925 mit HINDENBURG ein Vertreter der Monarchisten. Die Wahl HUGENBERGS zum Vors. der DNVP und des Prälaten KAAS zum Vors. des Zentrums sowie die Erfolge der NSDAP sind Indizien der Rechtstendenz, die durch radikale Agitation gegen das »System«, die dt. »Schwindelrepublik«, verstärkt wird. Die Linke verfolgt mit umgekehrten Vorzeichen das gleiche Ziel einer obstruktiven Politik.
3. Die Wirtschaft wird durch ausländ. Kapitalzufuhr nicht stabilisiert; Wirtschaftskrise.
4. Regierungskrisen und geringe Kompromissbereitschaft der Parteien führen zur permanenten Krise des Parlamentarismus.
5. Zunehmende Politisierung der Reichswehr.

Die Außenpolitik (1923–29)
Gustav Stresemann (S. 427) sieht als AMin. sein polit. Ziel in der Rückgewinnung der nat. Machtstellung Deutschlands durch Revision des Versailler Vertrags auf dem Wege der Verhandlung und Verständigung. **Entspannung der deutsch-franz. Beziehungen** (Dawes-Plan, Londoner Konferenz, S. 413). HERRIOT (S. 425) stimmt der **Räumung des Ruhrgebiets** zu (1925). Befriedigung des franz. Sicherheitsbedürfnisses durch die
1925 Unterzeichnung der Locarno-Verträge (S. 413). Sinn der Verträge nach STRESEMANN: »Erhaltung der Rheinlande«.
1926 Räumung der Kölner Zone. – STRESEMANN erstrebt die Revision der deutschpoln. Grenze und schließt deshalb ab
1926 deutsch-russ. Freundschaftspakt (Neutralitätspakt, S. 443) ab. – **Eintritt Deutschlands in den Völkerbund** (Sept.).
1927 Auflösung der interalliierten Militärkommission MICUM und damit **Ende der Abrüstungskontrolle.**
1928 Briand-Kellogg-Pakt (S. 415). Vorläufige Lösung des Reparationsproblems auf den
1929–30 Haager Konferenzen: Der Young-Plan wird angenommen. – Räumung der 2. Zone des Rheinlands (Nov. 1929), aus denen die alliierten Truppen bis zum 30. 6. 1930 abziehen. – In seiner letzten Völkerbundsrede (9. 9. 1929) unterstützt STRESEMANN den Plan BRIANDS eines polit. Zusammenschlusses Europas (Hinweis auf die wirtschaftl. Gesichtspunkte).

Die Kurie
1914–22 Papst Benedikt XV. versucht eine Frie-
densvermittlung (S. 405). Unter
1922–39 Pius XI. werden trotz seiner Stellungnahme gegen die antikirchlichen Bewegungen seiner Zeit die
1929 Lateranverträge mit Italien (Anerkennung
der »Città del Vaticano« unter der Souveränität des Papstes gegen Abfindung von
4 Mrd. Lire) und das
1933 Konkordat mit dem Deutschen Reich abgeschlossen (S. 475).
1931 Stellungnahme zur soz. Frage in der Enzyklika ›Quadragesimo anno‹.
1939–58 Pius XII. bewahrt im Zweiten Weltkrieg strikte Neutralität.

Schweiz
1920 Eintritt in den Völkerbund nach der **Londoner Erklärung** (Febr.), die den Neutrali-
tätsstatus der Schweiz festlegt. Keine Beteiligung an milit. Sanktionen.
1937 Rätoromanisch wird 4. Landessprache.
**Mai 1938 Anerkennung der absoluten Neutrali-
tät** durch den Völkerbund.

Luxemburg
Dez. 1918 Abstimmung der Kammer: 29 gegen
11 Stimmen für den Fortbestand des
Ghzms.: Scheitern der von Lib. und Sozialisten unternommenen Versuche zum Anschluss an Belgien. Ghz. CHARLOTTE wird
regierende Fürstin.
1922 Zollanschluss an Belgien.
1925 Abzug der franz. Besatzung.

Belgien
1919 Erwerbung von Ruanda und Urundi
(Deutsch-Ostafrika). – Infolge des Vertrags
von Versailles Aufgabe der Neutralität.
1920 Militärkonvention mit Frankreich (deshalb Teilnahme an der Ruhrbesetzung 1923).
– Durch Entscheidung des Völkerbundes
fällt Eupen, Malmedy und Moresnet an Belgien. Charakteristisch für die
Innenpolitik sind die Koalitionsreg. der 3 großen Parteien (Katholiken, Sozialisten, Liberale). Die fläm. Frage wird gemildert durch
das Prinzip der Gleichsprachigkeit Flan-
derns und Walloniens im öffentl. Sprachge-
brauch (1931/32).
1934–51 Leopold III.
**1934–37 Kabinett der nat. Konzentration van
Zeeland,** unter dem die Rexisten LÉON DE-
GRELLES Wahlerfolge (1936) erringen.
1936 Kündigung des Militärbündnisses mit
Frankreich und **Rückkehr zur Neutralität.**
Das Deutsche Reich, Frankreich und Großbritannien garantieren Besitz und Unverletzlichkeit Belgiens (1937).

Niederlande
1933–39 Krisenkabinett H. Colijn (Wirtschaftskrise, Arbeitslosigkeit). Stabilisierung erfolgt durch Arbeitsbeschaffung, erfolgreiche
Bekämpfung der Finanzkrise, Niederhaltung
radikal-polit. Bewegungen, Schutzzollpolitik. Keine Guldenabwertung.

Dänemark
Verlust von 21,7% (0,3 Mill. BRT) der Handelsflotte im Ersten Weltkrieg. Nach Abstimmung in der 1. Zone (1920, 75% für Dänemark) fällt **Nordschleswig** an Dänemark. Die
Innenpolitik wird bestimmt durch die
1920–42 Sozialdemokraten (TH. STAUNING).
Das Angebot Deutschlands zu einem
1939 Nichtangriffspakt wird angenommen
(von Norwegen, Schweden und Finnland abgelehnt).

Norwegen
Trotz seiner Englandfreundlichkeit bleibt Norwegen im Ersten Weltkrieg neutral, verliert
aber 49,3% (1,24 Mill. BRT) seines Handels-
schiffsraums. Der Einfluss der radikalen Elemente in der Arbeiterpartei, der von Russland
ausgeht (Bildung von Arbeiter- und Soldatenräten), lässt nach. Auf die gemäßigte sozialist.
Partei folgt die
1935–45 Arbeiterpartei (J. NYGAARDSVOLD).
1920 Spitzbergen wird vom Völkerbund Norwegen zugesprochen.
1931 Besetzung der ostgrönländ. Küste, doch
entscheidet der Haager Gerichtshof (1933)
für Dänemark.

Schweden
Trotz Aufforderung zum Kriegseintritt durch
die USA und Hilfsgesuch der finn. Reg. gegen
die Bolschewiken bewahrt Schweden seine
Neutralität. Auf die Sozialdemokraten unter
H. BRANTING [1920, 1921–23, 1924–26] folgen konserv. und lib. Reg. Die
1932 Sozialdemokraten (P. A. HANSSON) bekämpfen die Weltwirtschaftskrise und führen Sozialreformen durch (seit 1936, »Wohlfahrtsstaat«).

Island
1918 Anerkennung Islands als selbst. Staat in
Pers.-U. mit Dänemark. Nach der Staatsver-
fassung (1920) wird die Außenpolitik von
Dänemark geführt, doch bleibt das Land auf
ewige Zeiten neutral (keine Wehrmacht);
Reg. durch das Parlament (Althing mit Ober-
und Unterhaus).

Die Zusammenarbeit der nord. Staaten auf polit. Gebiet ist gering (bündnisfreie Neutralität),
doch vollzieht sich eine Annäherung nach dem
Versagen des Völkerbunds.
1930 Oslo-Pakt: Vorbereitung zu einer Wirtschaftsunion zwischen Norwegen, Schweden, Dänemark, Niederlande, Belgien und
Luxemburg (1933 Finnland).
Jan. 1932 Treffen der Außenminister Dänemarks, Norwegens und Schwedens in Kopenhagen (Wiederbelebung der nord. Au-
ßenministerkonferenzen).

Finnland
1917 Anerkennung der finn. Autonomie innerhalb einer russ. Föderation.
Dez. 1917 Proklamation der staatl. Unabhängigkeit Finnlands.
Jan.–Mai 1918 Freiheits- und Bürgerkrieg: Kampf der »weißen« Truppen unter Gen. **Carl Gustav Frh. von Mannerheim** (1867–1951) gegen die »roten« Truppen des aufständ. Volksausschusses.
Dez. 1918 General Mannerheim wird Staatsoberhaupt.
1920 Friedensvertrag von Dorpat mit der UdSSR: Grenzen von 1914, Angliederung des Petsamo-Gebiets, Ostkarelien an die UdSSR.
1921 Anerkennung der Souveränität Finnlands über die Ålandinseln durch den Völkerbund, Neutralisierung der Inseln.
Der innenpolit. **Kampf** zwischen Rechts- und Linksgesinnten fördert eine antikomm. Volksbewegung (Lapua-Bewegung). Verbot der KP (1930). Koalitionsreg. führen Soz.-Ref. durch, darunter die Agrarreform (1922), die die Grundbesitzer (alte schwed. Oberschicht) enteignet. Der frühere Reichsverweser **1931 Svinhufvud wird Staatspräsident,** ihm folgt KALLIO (Bauernpartei) im Febr. 1937.
1932 Nichtangriffspakt mit der UdSSR.

Estland
Febr. 1918 Proklamation der Unabhängigkeit.
Nov. 1918 Amtsantritt der Reg. PÄTS. Abwehr der bolschewist. Vorstöße (1918/19) und Befreiung des Landes durch die neugebildete Armee unter LAIDONER.
1920 Friede von Dorpat mit der UdSSR. – Neue parlament. Verfassung (Aug. 1920), Anerkennung durch die Alliierten, **radikale Agrarreform,** die die beherrschende Stellung des deutsch-balt. Adels beseitigt, und Abwehr bolschewist. Putschversuche. Die rechtsstehende **Freiheitskämpferbewegung** setzt eine **1933 Präsidialverfassung** durch, die das Parlament entmachtet, doch schaltet ein **1934 Staatsstreich des Staatsältesten Päts** die Freiheitskämpferbewegung aus; Beginn der autoritären Staatsform.
1937 Annahme einer 3. Verfassung mit parlament. und korporativ-autoritären Elementen von einer manipuliert gewählten Nat.-Vers. – Nichtangriffspakte mit der UdSSR (1932) und Deutschland (1939).

Lettland
Nov. 1918 Proklamation der Unabhängigkeit durch die Reg. ULMANIS; Zusammenstoß der nat.-lett. mit den dt. Interessen (Gründung eines dt.-bestimmten Livland). Rückeroberung des von den Bolschewisten eingenommenen Riga mit Hilfe dt. Freikorps und dt.-balt. Landwehr.
ULMANIS kann mit estn. und poln. Hilfe Lettgallen erobern.

1922 Annahme der endgültigen Verfassung. Ausschaltung der dt.-balt. Oberschicht.
Nach der Regierungsbildung durch den Bauernverband:
1930 KVIESIS wird Staatspräsident.
Mai 1934 Staatsstreich des MP. Ulmanis, der mit einem »Kabinett der nat. Einheit« autoritär regiert: Neubildung der Kammer, aber keine Verfassungsreform.
1936 ULMANIS wird Staatspräsident. Nichtangriffspakte mit der UdSSR (1932) und Deutschland (1939).

Litauen
Dez. 1917 Proklamation eines mit dem Deutschen Reich verbundenen lit. Staats. Bildung der Reg. VOLDEMARAS (1918).
Nov. 1918 Litauen wird Freistaat. In Dünaburg bildet sich nach Abzug der deutschen Truppen eine komm. Gegenreg. Die komm. Bedrohung wird jedoch durch die Offensive der deutschen Truppen im März 1919 und durch den poln. Vorstoß auf Wilna ausgeschaltet (April 1919), das an Litauen fällt (Dez. 1919).
1920 Friede von Moskau mit der UdSSR, die Wilna an Litauen zurückgibt.
1920 Abkommen von Suwalki mit Polen, doch Handstreich des Gen. ZELIGOWSKI und Verlust Wilnas (1922).
1922 Ausschaltung der alten poln. Herrenschicht durch die Bodenreform.
1922 Verfassung (demokrat. Republik).
1926 Russ.-lit. Neutralitätsvertrag.
Dez. 1926 Militärputsch. SMETONA wird Staatspräsident. Seine Partei, die Nationalisten (Tautininkai), übt bis 1939 unter Ausschaltung des Parlaments die Alleinherrschaft aus.
März 1939 Abtretung des Memelgebietes an das Deutsche Reich.

Der Untergang der balt. Staaten ist eine Folge des deutsch-sowjet. Nichtangriffspakts (S. 475). In Beistandsverträgen werden Estland, Lettland und Litauen (1939) zur Einräumung von Stützpunkten für die Rote Armee gezwungen. Von sowjet. Beauftragten geführte Kabinettsbildungen und gelenkte Wahlen führen zur »erbetenen« Aufnahme der balt. Staaten in die UdSSR
Aug. 1940 als 14., 15. und 16. SSR.

Memelgebiet
1920 Bildung eines Staatsrats mit franz. Präfekten.
1923 Einfall lit. Freischaren. Die Botschafterkonferenz erkennt die Annexion an (1924).
1924 Memelstatut: Autonomie unter lit. Staatshoheit.

Freie Stadt Danzig
Ohne Volksabstimmung wird Danzig Freie Stadt unter Kontrolle und Aufsicht des Völkerbunds.
1933 Absolute Mehrheit für die NSDAP.

Die Nationalitäten 1914

Polen 1916

Die Republik Polen 1918–1939

Die vierte polnische Teilung 1939

Polen unter deutscher Besetzung 1941–1944

Die Volksrepublik Polen seit 1945

Die Neugründung Polens

Aug. 1914 Der Zar verspricht den Polen Autonomie.

1916 Proklamation eines Kgr. Polen durch die Mittelmächte (S. 401). **Josef Pilsudski** (1867–1935) erhält im neu gebildeten Staatsrat einen Sitz, wird aber nach seinem Austritt (2. 7. 1917) in Magdeburg inhaftiert (bis Nov. 1918).

Aug. 1917 Gründung des »Poln. Nationalkomitees« in Paris unter Vorsitz des Nationaldemokraten ROMAN DMOWSKI (1864–1939).

1917 Einsetzung eines »Regentschaftsrats« als poln. Reg. unter deutscher Kontrolle.

3. 11. 1918 Proklamation der poln. Rep. und Rücktritt des Regentschaftsrats und seines Vorsitzenden PILSUDSKI.

Die innenpolit. Entwicklung (1919–37)

1. Nationalitätenfrage. Auseinandersetzung mit den nat. Minderheiten: 100 000 Litauer, 1 Mill. Deutsche, 1,5 Mill. Weißruthenen, über 3 Mill. Juden, 4 Mill. Ukrainer.

2. Agrarfrage. Die Agrarref. (28. 12. 1925) vernichtet vor allem den deutschen Großgrundbesitz, behandelt den poln. schonend. Die Agrarfrage bleibt ungelöst.

3. Die Krise der Rep. Überwindung der Gegensätze zwischen »Legionären« (Anhänger PILSUDSKIS) und Nationaldemokraten.

1919 Bildung der Koalitionsreg. PADEREWSKI unter Staatschef PILSUDSKI. Nach

1921 Annahme der parlament. Verfassung und dem

1922 Wahlsieg der Nationaldemokraten tritt PILSUDSKI zurück.

Auf den bald ermordeten Präs. G. NARUTOWICZ folgt

1922–26 STANISLAW WOJCIECHOWSKI (Sozialist) als Präs.

Beginn einer Wirtschafts- und Finanzkrise, Kämpfe gegen die nat. Minderheiten und der Parteien untereinander.

Mai 1926 Staatsstreich Pilsudskis.

1926–39 Staatspräs. Ignaz Mościcki (1867–1946). Ohne das Parlament (Sejm) völlig zu entmachten, führt als MP. [1926–28 und Aug.–Nov. 1930], KriegsMin. und Gen. St.-Chef PILSUDSKI, gestützt auf »Legionäre«, Heer und Beamtenschaft, den Staat.

1930 Sieg des Regierungsblocks bei den Sejmwahlen durch Terror.

1935 Neue autoritäre Verfassung (»gelenkte Demokratie«), die das parlament. demokrat. System aufhebt. Neben den Präs. tritt nach dem Tod PILSUDSKIS Gen. (später Marschall) **Eduard Rydz-Śmigly** (1886–1941), der 1936 zur leitenden Persönlichkeit des Staates erklärt wird. – Der Tod PILSUDSKIS schwächt das »Obristenregime«, dem seit 1932 auch Oberst **Josef Beck** (1894–1944) als AMin. angehört.

1937 Gründung des »Lagers der nat. Einigung« durch Oberst KOC, der die Staatsideologie (antisemit., konserv.) stärken will.

Die Außenpolitik Polens (1918–39)

Polen, dessen Staatsgebiet sich im Nov. 1918 auf Kongresspolen und Westgalizien erstreckt, gewinnt

1918 Ostgalizien (Einnahme Lembergs),

1919 den »Korridor« (den größten Teil der preuß. Prov. Westpreußen) und die Prov. Posen (seit 1918 poln. besetzt) durch den Vertrag von Versailles (S. 411) sowie

1920 einen Teil des Teschener Industriegebiets.
– Während PILSUDSKI für eine lit.-weißruth.-ukrain. Föderation unter poln. Führung eintritt und die Nationaldemokraten die »Grenzen von 1772« (S. 284) fordern, setzen die Alliierten die

1919 »Curzon-Linie« fest, eine den Minderheitsverhältnissen entsprechende Demarkationslinie.

April-Okt. 1920 Russ.-poln. Krieg. Nach einem Bündnis mit der antikomm. ukrain. Reg. unter PETLJURA stößt PILSUDKSI auf Kiew vor. Der Gegenstoß der Roten Armee wird durch den poln. Vormarsch von Süden mit Hilfe des franz. Gen. MAXIME WEYGAND (1867–1965) vor Warschau aufgehalten (»Wunder an der Weichsel«).

Nach Militärbündnissen mit Frankreich und Rumänien (1921) erfolgt der

18. 3. 1921 Frieden von Riga: Die poln. Grenze liegt ca. 250 km östl. der Volkstumsgrenze.

Okt. 1920 Besetzung Wilnas durch Freischaren unter Gen. ZALIGOWSKI. Die Bevölkerung votiert 1922 für Polen.

1921 Polen erhält den wertvollen Teil des oberschles. Industriegebiets trotz des Abstimmungsergebnisses (60% für Dtl.). Nach poln. Versuchen zu Präventivaktionen wird der Dtl. (1932/33) wird der

1934 Nichtangriffspakt Deutschland-Polen geschlossen, dem Wirtschafts- und Kulturabkommen folgen. Der

1934 sowjet.-poln. Nichtangriffspakt von 1932 wird verlängert. Unter Ausnutzung der durch HITLER herbeigeführten Krisen erreicht Polen

März 1938 die Anerkennung der Wilnagrenze in einem Ultimatum an Litauen.

Okt. 1938 Annexion des Olsagebiets nach dem Münchner Abkommen (S. 475).

März 1939 Die Polen lehnen die deutschen Forderungen vom Okt. 1938, Jan. und Febr. 1939 ab, die den Anschluss Danzigs an das Reich, eine exterritoriale Auto- und Bahnverbindung durch den Korridor und eine engere deutsch-poln. Zusammenarbeit vorsehen. Dagegen Annahme der brit.-franz. Garantieerklärung für Polen, Abschluss eines Militärabkommens mit Frankreich und eines brit. Anleihevertrags.

April 1939 Kündigung des deutsch-poln. Freundschaftspakts durch HITLER. – Der Versuch Polens, eine unabhängige Großmachtpolitik zu treiben und zwischen Russland, Frankreich und Deutschland zu lavieren, ist damit gescheitert.

Aug. 1939 Poln.-brit. Beistandspakt.

Die Republik Österreich

Die Provisorische Nat.-Vers. erklärt
1918 »Deutsch-Österreich« zur Republik und
zum **»Bestandteil der Deutschen Republik«**.
Nach dem sozialdemokrat. Wahlsieg in den
Wahlen zur Konstituierenden Versammlung
(Febr. 1919) wird K. SEITZ [1919–20] zum
Bundespräs. gewählt (1920–28: MICHAEL
HAINISCH).   Sozialdemokrat./christl.-soz.
Koalition unter **Karl Renner** (1870–1950).
1919 Ausweisung der HABSBURGER und **Friede
von St. Germain-en-Laye** (S. 411).
1920 tritt die neue Verfassung in Kraft: Neben
den direkt gewählten Nationalrat tritt eine
Ländervertretung (Bundesrat). Beide bilden
die Bundesvers., die den Bundespräs. wählt.
– Ernährungsschwierigkeiten, zentrifugale
Bestrebungen der Bundesländer, Friedensbe-
dingungen der Entente und Ansprüche der
»Nachfolgestaaten« gefährden die Rep.

Die bürgerl. Koalitionsregierung (1920–32)
1920 Christl.-soz. Wahlsieg. Bildung des Kabinetts M. MAYR [bis 1921]. Österreich tritt in
den Völkerbund ein (1920). Nach ersten An-
schlussabstimmungen in Tirol (98,8% für
Dtl.) und Salzburg (99,3%) werden weitere
Abstimmungen verhindert. Frankreich droht
mit Einstellung der Hilfsmaßnahmen (Le-
bensmitteltnot).
1921 Ödenburg fällt nach der Abstimmung zurück an Ungarn.
1922–24 Univ.-Prof. Prälat Dr. Ignaz Seipel
(1876–1932) saniert und stabilisiert als BK.
Finanzen und Wirtschaft.
1922 Internat. Kredite unter Garantie des Völkerbundes: Österreich muss die Einsetzung
einer Friedenskontrollkommission dulden
und für 20 Jahre auf den Anschluss an das
Reich verzichten. – **Die Spannungen** zwischen   Bürgerlichen   (Christl.-Soziale,
Großdt., Landbündler) und SPÖ arten durch
Eingreifen der Wehrverbände, des sozialist.
Republ. Schutzbundes sowie der Frontkämpfer, Heimwehr- und Selbstschutzverbände,
in einen latenten Bürgerkrieg aus.
1927 Sozialisten-Aufruhr (Brand des Justizpa-
lastes).
1928–38 Bundespräs. Prof. Wilhelm Miklas
(1872–1956). Das Amt des Bundespräs.
wird durch die Verfassungsref. (1929) gestärkt (Wahl durch das Volk).
1931 Projekt einer Zollunion mit Deutschland
(SCHOBER, CURTIUS, S. 475). Durch den vor
allem von der franz. Reg. ausgeübten Druck
bricht die Österr. Credit-Anstalt zusammen.
Die Auswirkungen der Wirtschaftskrise
(S. 463) versucht die Reg. BURESCH [1931–
32] durch ein Sanierungsprogramm zu beseitigen.
Fortschreitende Zerrüttung durch Kämpfe
der vom Ausland (Frankreich, Dtl. u. a.) unterstützten Wehrverbände.
Sept. 1931 Scheitern des Heimwehrputsches in
der Steiermark.

Die »Austrofaschist. Diktatur« (1932–38)
1932–34 BK. Engelbert Dollfuß (1892–1934
[ermordet]) regiert demokrat. – gestützt auf
Christl.-Soz. Landbund und Heimatblock –
ein Jahr gegen die Opposition (SPÖ, Großdeutsche) und setzt das
1932 Lausanner Abkommen durch: Verlängerung der Völkerbundsanleihe unter Verzicht-
erklärung des Anschlusses an das Deutsche
Reich bis 1952.
**März 1933 Errichtung eines autoritären Regi-
mes.**
Aufhebung der parlament. Verfassung, Reg.
mit Hilfe des »Kriegswirtschaftl. Ermächti-
gungsgesetzes« von 1917.
Den innenpolit. Zweifrontenkrieg gegen die
Nationalsozialisten und die Sozialdemokraten beendet DOLLFUSS mit dem **Verbot der
Nationalsozialist. Partei** und – nach Straßenkämpfen in Wien und anderen Städten – mit
dem
**1934 Verbot der Sozialdemokraten und aller
anderen Parteien.**
Zugelassen ist nur noch die **»Vaterländische
Front«,** eine 1933 gebildete Einheitsbewe-
gung. – Annahme einer berufsständischen
Verfassung.
Nationalsozialist. Putsch (25. 7.). DOLLFUSS
wird ermordet. Das Reich distanziert sich
von der Aktion, als ital. Truppen am Brenner
aufmarschieren.
1934–38 BK. Kurt Schuschnigg (1897–1977).
Die Befestigung des Regimes gelingt nicht.
1936 Abkommen mit dem Dt. Reich (Ausgleich mit HITLER). Die habsburg. Restaura-
tionsbestrebungen stoßen auf den Widerstand HITLERS und der Kleinen Entente.
1938 Besuch SCHUSCHNIGGS bei HITLER in
Berchtesgaden (12. 2.): Amnestie für Nationalsozialisten und Aufnahme ARTHUR
SEYSS-INQUARTS (1892–1946 [hingerichtet])
als Innen-Min. ins Kabinett. Die von
SCHUSCHNIGG am 9. für den 13. 3. anbe-
raumte Volksabstimmung scheitert am dem
Ultimatum des Dt. Reiches (11. 3.). Rücktritt
SCHUSCHNIGGS. Bildung einer Reg. des
Nat.-Soz. SEYSS-INQUART und Einmarsch dt.
Truppen in Österreich. **Anschluss Öster-
reichs an das Deutsche Reich** (13. 3.).

Außenpolitik
Der Einfluss des faschist. Italien auf die Innenpolitik setzt ein mit dem Freundschaftsvertrag
(1930), verstärkt durch den
1934 Abschluss der »Röm. Protokolle«
(S. 443). Nach dem Scheitern der Zollunion
mit Dtl. versucht Frankreich (TARDIEU) eine
Einbeziehung Österreichs in einen wirtschaftl. und polit. neu geordneten Donauraum unter franz. Führung, doch Österreich
lehnt ab. SCHUSCHNIGGS Versuch, Österreich
an Italien zu binden, muss wegen der Annäherung Rom-Berlin scheitern. Er ist deshalb
gezwungen, den »dt. Weg« zu beschreiten,
der zur Annexion Österreichs führt.

Ungarn
1918 Ausrufung der Republik (16. 11.). MP.
[seit 30. 10.] Gf. MICHAEL KÁROLYI (1875–1955) wird Staatspräs. (1919). Er tritt aus Protest gegen die Waffenstillstandsbedingungen (Abtretung Kroatiens, Siebenbürgens, des Banats und der Slowakei) zurück.
1919 Rätereg. aus Sozialisten und Kommunisten unter **Béla Kun** (1885–um 1938 [wahrscheinl. in der UdSSR ermordet]). Eine ung. »Rote Armee« besetzt Teile der Slowakei. Sie löst sich nach dem Gegenangriff der Rumänen auf.
Eine Gegenregierung unter MP. PÁL TELEKI VON SZÉK [1920–21, 1939–41] ernennt Admiral **Nikolaus Horthy** (1868–1957) zum OB des ung. Heeres. BÉLA KUN flieht (1. 8.), Budapest wird von Rumänien besetzt (Aug.–Nov.).

1920–44 Nikolaus Horthy Reichsverweser.
1920 Proklamation Ungarns zur Monarchie mit »vakantem Thron«. Im
1920 Frieden von Trianon (4. 6.) verliert Ungarn 67,8% des Staatsgebiets und 59% der Bevölkerung. Es wird durch die Zurückdrängung der Staatsgrenzen hinter die Volksgrenzen ein magyar. Kleinstaat. Zwei Rückkehrversuche Kaiser KARLS I. als König von Ungarn (1921) scheitern unter dem Druck der Kleinen Entente.
Innenpolitik: Durch Aufrechterhaltung der feudalen Herrschaftsordnung, die Unzulänglichkeit einer Agrarref., die Unterdrückung der Judentums (1938 Restriktionsgesetze: Behinderung im Wirtschaftsleben) und das starke Anwachsen nat.-radikaler Gruppen, darunter der »Pfeilkreuzler« unter Major FÉRENC SZÁLASI (1897–1946 [hingerichtet]), die sich zur Ungar. Nat.-soz. Partei zusammenschließen (Okt. 1937), ist der Staat Belastungen ausgesetzt. Reparationsschulden und die Weltwirtschaftskrise (S. 463) bringen Ungarn in eine Finanzkrise (1931).
Außenpolitik (Bündnisse, S. 443): Die Revisionsforderungen werden von Italien unterstützt (seit 1927). Die Pläne Frankreichs (Zusammenfassung des Donauraums) werden von Ungarn abgelehnt. Nach einer Annäherung an das Deutsche Reich unter
1932–36 MP. Gyula Gömbös (1886–1936), der Rechtsradikaler und Antisemit ist, verschlechtern sich die ung.-franz. Beziehungen (Zusammenarbeit mit Österreich). Im
1938 Abkommen von Bled verzichtet Ungarn auf Gewaltanwendung gegenüber der Kleinen Entente. Der Besuch HORTHYS und des MP. BÉLA VON IMRÉDY [1938–39] in Berlin (Aug. 1938) besiegelt die deutsch-ungar. Freundschaft.
1938 Erster Wiener Schiedsspruch (2. 11.): Ungarn erhält nach dem Abkommen von München (s. u.) slowak. Gebiete (u. a. die Städte Neuhäusl, Lewenz, Kaschau).
1939 Besetzung der Karpato-Ukraine.

Tschechoslowakei
Nach dem Vertrag von Pittsburgh (1918) zwischen Amerikatschechen und Amerikaslowaken (Zusicherung der Autonomie für die Slowakei)
1918 Bildung einer Reg. in Paris: Tomas Garrigue Masaryk (1850–1937) wird Staatspräs., **Eduard Beneš** (1884–1948) AMin. [MP. 1921–22, Staatspräs. 1935–38, 1945–48]. – Ausrufung der Republik in Prag (Okt.) durch den Nationalausschuss, der die Reg. KAREL KRAMÁŘ [MP. 1918–19] und MASARYK als Präsident [1918–35] bestätigt. Der neue Staat (Längenausdehnung 930 km) ist ein polit. und konfessionell heterogenes Gebilde mit einer Bevölkerung, die bes. aus dem tschech. Staatsvolk (46%), Slowaken (13%), Deutschen (28%), Magyaren (8%) und Ukrainern (3%) besteht. Der Anschluss der Deutschen an »Deutsch-Österreich« gelingt nicht (Ablehnung einer Volksabstimmung durch die Alliierten und Einmarsch tschech. Truppen [Nov./Dez. 1918]).
1920 Annahme der Verfassung durch den erweiterten Nationalausschuss, nicht durch das gewählte Parlament.
Innenpolitik: Der neue Staat, gestützt auf die tschech. Beamtenschicht, ist eine parlament. Demokratie (bis 1939). **Die nat. Minderheiten** werden integriert, nicht zuletzt durch ein Gesetz zur Bodenreform (1919), das den Großgrundbesitz enteignet. – Wegen der **Gründung einer romfreien tschechoslowak. Kirche** (1920) und der Erhebung des Hus-Tages zum Staatsfeiertag (1925) kommt es zum Konflikt mit dem Vatikan (bis 1927). – Bekämpfung der versprochene Autonomie fordernden **Slowaken** (Verurteilung des slowak. Führers Prof. VOJTĚCH TUKA, 1880–1946, zu 15 Jahren Zuchthaus, 1929) und der **Sudetendeutschen** (vor allem nach 1933). Mit HITLER im Hintergrund stellt KONRAD HENLEIN (1898–1945 [Selbstmord]), der Führer der »Sudetendeutschen Heimatfront« (seit 1935 »Sudetendeutsche Partei«), das **»Karlsbader Programm«** auf (1938): Gleichberechtigung, Autonomie und Wiedergutmachung der seit 1918 erlittenen Benachteiligung.
1938 Abkommen von München (29. 9.): Anschluss des Sudetenlandes an das Dt. Reich. Die Slowakei und die Karpato-Ukraine werden autonom. Das Versagen des franz. Bündnispartners und die Schwäche der Kleinen Entente (S. 443) führen zum Rücktritt des Präs. BENEŠ. Unter seinem Nachfolger
1938–45 EMIL HÁCHA (1872–1945) Errichtung des **Protektorats Böhmen und Mähren** (1939).
Die Außenpolitik unter EDUARD BENEŠ (AMin. bis 1935) ist profranz. Sie richtet sich in erster Linie gegen Ungarn (Restauration der HABSBURGER, Revisionsforderungen) und Deutschland (Anschlusspläne), auch gegen Polen (S. 433).
(Bündnisse siehe S. 443).

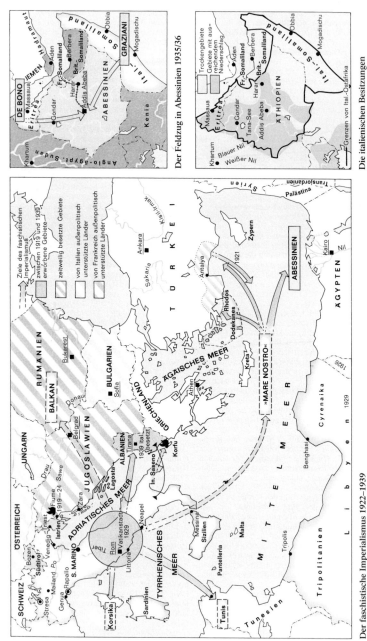

Der Feldzug in Abessinien 1935/36

Die italienischen Besitzungen in Ostafrika

Der faschistische Imperialismus 1922–1939

Die Krise der demokrat. Reg. (1919–22)
Enttäuschung über den Ausgang der Friedens-konf. (S. 411) spaltet die Nation in einen gemä-ßigten und einen nationalist. Flügel. **Polit. Aktivität entfalten die Verbände der Frontkämpfer und Kriegsversehrten,** in denen sich Verherrlichung der Gewalt, Heimatlosigkeit und nat. Ressentiments verbinden, und die
1919 Sammlung der ersten **»Fasci di combattimento«** (Squadri) unter der Führung **Benito Mussolinis** (S. 460).
1919 Handstreich **Gabriele D'Annunzios** (S. 397) gegen Fiume. – Gegenüber Wirtschaftskrise und Inflation versagen die Regierungen NITTI [Juni 1919–Juni 1920] und GIOLITTI [Juni 1920–Juni 1921].
1920 Streiks der Sozialisten in Mailand und Turin. Mit Terror bekämpfen die **Faschisten,** die die Funktionen der ohnmächtigen Staatsorgane usurpieren, die Sozialisten.
1920 Vertrag von Rapallo mit Jugoslawien: Fiume wird Freie Stadt.
1921 Gründung des Partito Nazionale Fascista (PNF): die rev. Bewegung wird zur Partei. Während der ohnmächtigen Reg. BONOMI [1921–22] und FACTA [Febr.–Okt. 1922] gehen die Faschisten zur »direkten Aktion« über:
Drohungen, Gewaltanwendungen, Ausschaltung der Provinzialbürokratie in Oberitalien. Industrie und Heer sympathisieren mit dem Faschismus.
Proklamierung der Rev. und Bildung eines Viermännerkomitees (Quadruumvirat): ITALO BALBO (1896–1940), EMILIO DE BONO, CESARE DE VECCHI und MICHELE BIANCHI.
28. 10. 1922 »Marsch auf Rom«. – Der König beauftragt MUSSOLINI mit der Bildung eines Kabinetts, das aus Faschisten und gesinnungsverwandten Angehörigen anderer Parteien besteht.

Die Konsolidierung des Faschismus (1922–26)
Nov. 1922 Gewährung unbeschränkter Vollmachten durch das Parlament (bis 1924).
1923 Bildung der Milizia Volontaria per la Sicurezza Nazionale (Parteimiliz) aus Squadri und Fasci ohne Treueid auf den König: Institutionalisierung der Gewalt. – Durch das neue Wahlgesetz, das die Nationalisten begünstigt (⅔ aller Mandate),
1924 Wahlsieg der Faschisten (65 Prozent). – Nach der Ermordung des sozialist. Abgeordneten GIACOMO MATTEOTTI (geb. 1885) wegen seiner Rede über die »Herrschaft der Gewalt« im Parlament (30. 5.) erfolgt der symbol. Auszug der oppositionellen Abg. »auf den Aventin« (15. 6.).
1925/26 Maßnahmen zur Vollendung der Diktatur: Kampf gegen die »antifaschist. Verschwörung«, gegen Freimaurer und Emigranten; Verhaftungen, Verbannungen, »Säuberung« des Beamtentums, Auflösung der oppositionellen und Gründungsverbot für neue Parteien (Nov. 1926).

Der faschistische Staat (1926–38)
1. Neben den König (Capo dello stato) tritt der »Duce del Fascismo« als Reg.-Chef (Capo del governo), mehr zu- als untergeordnet durch das Gesetz »über die Befugnisse und Vorrechte des Reg.-Chefs« (1925) und das Gesetz »über die Befugnisse der vollziehenden Gewalt zum Erlass von Rechtsnormen«: **unbeschränkte Führungsgewalt** des Reg.-Chefs (S. 460).
2. Ausbau des syndikal-korporativen Systems (Hierarchie [Gerarchia] der Arbeit und Berufe) durch das Gesetz über kollektive Arbeitsbeziehungen (Streiks und Aussperrung), das die Grundlage für die faschist. geführten Syndikate bildet (1926).
1927 »Carta del Lavoro«: Zusammenfassung der Syndikate in Korporationen (S. 460), die im Staatsinteresse Produktionsplanung betreiben.
1928 Neues Wahlgesetz: Aufstellung einer Liste von 400 von den verschiedenen Körperschaften vorgeschlagenen Deputierten und Auswahl durch den **»Großen Faschistischen Rat«** (Gran Consiglio).
1930 Gesetz über die Neugestaltung des Nationalrats der Korporation (seit 1929).
1934 Gesetz über die Bildung und Aufgaben der Korporationen und Einberufung der 1. Nat.-Vers.
1938 Bildung der Kammer der »Fasci und Korporationen«: aus dem Duce dem Mitgl. des Großen Faschist. Rats, den 150 Mitgl. des Nationalrats der Faschist. Partei, den 500 Mitgl. des Nationalrats und den Räten der 22 Korporationen.

Der faschist. Imperialismus (1923–39)
MUSSOLINI erstrebt die Adriaherrschaft, die Hegemonie im Mittelmeerraum und die Erweiterung der ital. Kolonien in Afrika. Im
1923 Frieden von Lausanne (S. 445) erhält Italien die Dodekanes. Nach der Besetzung von Korfu (1923) misslingt trotz der Abtretung Fiumes – (1924) die Verständigung mit Jugoslawien. – (Verträge s. S. 443).
1929 Lateran-Verträge (S. 430).
1934 »Röm. Protokolle« (S. 443). – Der großd. Revisionismus im Donauraum führt MUSSOLINI nach dem ersten Treffen mit HITLER in Venedig (1934), dem Wiener Juli-Putsch und dem Zugeständnis der Reg. LAVAL in die
1935 »Stresa-Front« gegen Deutschland.
Okt. 1935 Ital. Einfall in Abessinien: Unter dem Oberbefehl Marschall DE BONOS, später BADOGLIOS (S. 489) dringen 2 ital. Armeen von Somaliland und Eritrea aus ein.
1936 Annexion Abessiniens. VICTOR EMANUEL wird »Kaiser von Äthiopien«. – Die wirtschaftl. und propagandist. Hilfe Deutschlands, die gemeinsame Politik im
1936–39 Span. Bürgerkrieg (S. 439) bereiten die **»Achse Berlin-Rom«** (S. 475) vor.
1939 Besetzung Albaniens (S. 441).
1939 Bündnispakt mit Deutschland (S. 475).

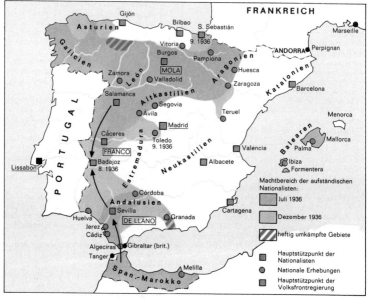

Das »Alzamiento nacional« 1936

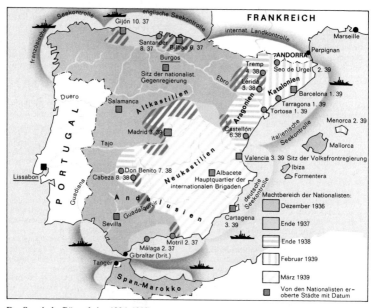

Der Spanische Bürgerkrieg 1936–1939

Spanien

Im Ersten Weltkrieg erfährt Spanien wegen seiner Neutralität einen wirtschaftlichen Aufschwung.

Dennoch dauernde Staatskrise: Schwäche der konstitutionellen Monarchie, häufiger Wechsel der Reg. (1917–23: 13 Kabinette), Autonomiebestrebungen Kataloniens (Barcelona), Spannungen zwischen einer konservativen feudal bestimmten Oberschicht (Großgrundbesitz, unterstützt von Kirche und Armee) und einer radikalisierten Arbeiterschaft, Aufstand der Rifkabylen unter ABD EL-KRIM (1880–1962) in Marokko.

1923 Militärputsch des Generalkapitäns von Barcelona, **Miguel Primo de Rivera** (1870–1930), der mit Einverständnis des Königs ALFONS XIII. (S. 363) ein Militärdirektorium (8 Gen., 1 Adm.) bildet, die Verfassung von 1876 suspendiert und unpolit. Fachminister einsetzt.

1925 Umwandlung der Militärreg. in ein ziviles Kabinett unter MP. PRIMO DE RIVERA: Ordnung der Verwaltung (Beamtenabbau), Versuch einer Agrarref. (1929), soz. Ref.-Politik, wirtschaftl. Gesundung durch öffentl. Bauvorhaben (Straßen, Eisenbahnen, Bewässerungsanlagen) und nach Abkommen mit Frankreich (1925) Liquidierung des Marokko-Krieges (1926). Die Annexion Tangers, das neutralisiert wird (Tanger-Abkommen, 1924), misslingt. Von der Diktatur distanzieren sich wegen der reaktionären Kulturpolitik die Intellektuellen, wegen der Einschränkung ihrer Privilegien die Adeligen, wegen der soz. Ref. die Geschäftswelt und wegen der Heeresref. die Offiziere.

1930 Rücktritt Primo de Riveras, der in der Verbannung in Paris stirbt (16. 3. 1930).

1931 Gemeindewahlen: Sieg der Republikaner: ALFONS XIII. verlässt ohne Verzicht auf seine Thronrechte das Land.

Die **Zweite Republik**, unterstützt von lib. Bürgertum und den sozialist. Arbeitern (Katalonien, Baskenland, Asturien), gibt sich nach den Wahlen zur verfassunggebenden Nat.-Vers. eine liberal-fortschrittl. Verf. (Dez. 1931): repräsentative Demokratie; Trennung von Staat und Kirche; Einheitsstaat, doch regionale Autonomie für Katalonien (1931) und das Baskenland (1936).

Die Koalition der republikan. Parteien wird bedroht durch

die radikalen Sozialisten unter FRANCISCO LARGO CABALLERO (1869–1946), dem »spanischen Lenin«, die Anarcho-Syndikalisten und – infolge des radikalen Vorgehens gegen die Kirche (1933 antikirchl. Gesetzgebung: Zivilehe, Nationalisierung der Kirchenbesitzes) – durch

die Sammlung aller konservativen Kräfte gegen die Republik (Confederación Española de Derechas Autónomas = CEDA, gegr. 1932 von GIL ROBLES).

1933 Sieg der Rechten. Bis 1936 häufige Kabinettskrisen schwere Unruhen, die zur Auflösung des Parlaments führen.

1936 Sieg der Volksfront (Republikaner, Sozialisten, Kommunisten, Syndikalisten). MANUEL AZAÑA (1880–1940) wird Staatspräs. Bürgerkriegsähnl. Zustände. – Nach der Ermordung des monarchist. Abg. CALVO SOTELO (13. 7.) beginnt der

1936–39 Spanische Bürgerkrieg.

Juli 1936 Militäraufstand der Gen. JONJURJO, GODED, **Francisco Franco** (1892–1975), MOLA, QUEIPO DE LLANO, die sich auf Monarchisten, Katholiken und die von JOSÉ ANTONIO PRIMO DE RIVERA (1903–36), dem Sohn des Diktators, 1933 gegr. faschist. **Falange** stützen. Die Aufständischen werden von Dtl. (»Legion Condor«), Italien und Portugal milit. unterstützt. Die republ. Reg. (Sept. 1936) Volksfrontreg. LARGO CABALLEROS, Mai 1937 Kabinett JUAN NEGRÍN) erhält Hilfe von Frankreich, der UdSSR und durch internat. Freiwilligen-Brigaden (60 000 Mann).

Juli 1936 Einsetzung der obersten militär. Kommandostelle (Junta de Defensa Nacional), die **Sept. 1936 Gen. Franco zum Regierungschef** des span. Staates und zum OB der Truppen ernennt.

1937 Vereinigung der Falange Española und der Traditionalisten zur Falange Española Tradicionalista unter dem »Caudillo« Franco. – Die Reg. FRANCO wird von Dtl., Italien (1936), von Frankreich, England und den USA (1939) anerkannt.

Trotz Beitritt zum Antikominternpakt (April 1939) bleibt Spanien im Zweiten Weltkrieg neutral.

Portugal

Nach Abschaffung der Monarchie (1910) kann sich wegen der radikalen Durchführung des demokrat.-parlament. Systems keine feste Regierungsgewalt bilden. Zwischen 1911 und 1926 amtieren 8 Präsidenten und 44 Regierungen, finden 20 Revolutionen und Staatsstreiche statt.

1926 Militäraufstand des Gen. Gomes da Costa (Mai): »Nat. Revolution« ohne weltanschaul. Programm. Auflösung des Parlaments und Aufhebung der Verfassung.

1928 Wahl des Gen. Carmona zum Staatspräs. Finanz-Min. der neuen Reg. wird **Prof. Antonio de Oliveira Salazar** (1889–1970). SALAZAR bringt ohne Hilfe des Auslandes die zerrütteten Finanzen mit drakonischen Maßnahmen in Ordnung.

1932 Salazar wird MP.

1933 Bestätigung der neuen Verfassung durch Volksabstimmung. Der »Neue Staat« (Estado Novo) ist ein Ständestaat nach faschist. Vorbild.

Im Zweiten Weltkrieg bleibt Portugal, das freundschaftl. Beziehungen zu England und enge Verbindung zu Spanien (»Iberischer Block«) hat, neutral.

Die osteuropäische Schütterzone

Rumänien
Durch den Gewinn der Bukowina, Siebenbürgens und Bessarabiens (1918) sowie von zwei Dritteln des Banats (1919), von Sathmar, Großwardein und Arad im Kampf gegen Ungarns »Rote Armee« verdoppelt Rumänien sein Staatsgebiet und seine Bevölkerung, wandelt sich aber von einem National- zu einem Nationalitätenstaat und gerät in Gegnerschaft zur UdSSR, zu Ungarn und Bulgarien.
Die **Innenpolitik** bestimmt IONEL BRĂTIANU (1864–1927), Führer der Liberalen und Schöpfer Großrumäniens.
1928 Iuliu Maniu (1873–1951), Führer der Nationalen Bauernpartei (Nat.-Zaranisten), wird nach innenpolit. Kämpfen MP. Freie Wahlen, doch keine Befriedigung der Bauern. – Nach Rückkehr beginnt
1930–40 Carol II. als König von Rumänien, gestützt auf die Liberalen, sein persönl. Regiment: Ausschaltung MANIUS, Kampf gegen antisemit., rechtsstehende Gruppen (»Eiserne Garde« unter CORNELIU CODREANU, 1899–1938 [ermordet]; »Christl.-Nat. Partei«).
Trotz Anwachsen der »Eisernen Garde« bei den Wahlen 1937 erfolgt die
1938 Kabinettsbildung des Patriarchen Miron Cristea (1868–1939) (»Nationale Konzentration«): Die Aufhebung der Verfassung, das Verbot aller Parteien, das Gesetz zur »Aufrechterhaltung der Ordnung im Staate« und die Verurteilung CODREANUS vollenden die **Königsdiktatur.**
Die **Außenpolitik** bleibt westl. orientiert durch die Stellung gegen die UdSSR und Bulgarien (Bündnisse, S. 443), doch muss unter dem anwachsenden nationalist. Druck AMin. TITULESCU 1936 zurücktreten.
1939 Handelsvertrag mit dem Deutschen Reich (S. 475).

Jugoslawien
Die Politik zur Vorbereitung des südslaw. Staates ist durch 2 gegensätzl. Zielsetzungen belastet: **Bildung eines Groß-Serbien** (PAŠIĆ) und **Schaffung einer südslaw. Föderation** (TRUMBIĆ). Überbrückung der Gegensätze in der
1917 Deklaration von Korfu: Errichtung eines Kgr. nach den Grundsätzen des Selbstbestimmungsrechts.
1918 Gründung des Königreichs der Serben, Kroaten und Slowenen.
1921 Verabschiedung der »Vidovdan« (Veithstags-)Verfassung: im Einheitsstaat erhalten die Minderheiten keine Autonomie. Wegen der innenpolit. Krisen (Gegensatz zwischen Serben und Kroaten, Ermordung von STEFAN RADIĆ [geb. 1871] und Eröffnung eines separatist. kroat. Landtags in Agram [Aug. 1928]) verkündet Kg. ALEXANDER [1921–34, ermordet] die
1929 Königsdiktatur: Suspension der Verfassung, Verbot der Parteien, Auflösung des Parlaments (Skupština). Das neue »Jugosla-

wien« wird in 9 Banate ohne Rücksicht auf histor. und ethnograf. Einheiten geteilt.
1931 Aufhebung der Diktatur. Neue Verfassung mit Zweikammersystem und öffentl. Parlamentswahlen (Einheitslisten der Reg.). Unruhen der kroat. Bauern (Ustascha). Unter dem Prinzregenten PAUL [1934–41] und nach Rücktritt des MP. STOJADINOVIĆ [1935–39] nimmt
1939 der neue MP. CVETKOVIĆ 5 kroat. Minister in die Reg. auf.

Albanien
1921 Festsetzung der Grenzen von 1913 durch die Botschafterkonferenz. Es folgen innenpolit. Machtkämpfe.
1925 Präs. Achmed Zogu (1895–1961) wird
1928 König. – Durch das Bündnis von Tirana (1927) und ein zinsloses Darlehen (1932) Abhängigkeit von Italien.
1939 Besetzung Albaniens, Pers.-U. mit Italien.

Bulgarien
Innenpolitik: Der Friedensvertrag von Neuilly (S. 411), die Aufnahme von Vertriebenen, der Anspruch auf Mazedonien, eine latente Bauernrev. und der Versuch, ein Groß-Südslawien unter dem Bauernführer STAMBULIJSKI zu schaffen, belastet das Land. Ein
1923 Offiziersputsch bringt die Auflösung der Bauernpartei (MP. STAMBULIJSKI wird erschossen) und der KP. Nach dem
1934 Staatsstreich zweier nationalist. Organisationen (»Zveno«, Verband der Reserveoffiziere) wird ein autoritäres Regime eingeführt: **Oberst Georgiew.** Nach seinem Rücktritt (Jan. 1935) regiert **Zar Boris III.** [1918–43] weithin autoritär.

Griechenland
Höhepunkt der Politik des MP. **Eleutherios Venizelos** (S. 359) während des Weltkriegs bildet der Gewinn West- und Ostthraziens (1919) und Smyrnas (1920). Durch den
1920–22 griech.-türk. Krieg (S. 445) verliert Griechenland im
1923 Vertrag von Lausanne Ostthrazien bis zur Maritza.
Agrarreform: Verteilung des Großgrundbesitzes an die Bauern, griech. Umsiedler aus der Türkei und Flüchtlinge aus den Balkanstaaten und der UdSSR.
1924–35 Griechenland ist Republik. Innenpolit. Kämpfe zwischen Venizelisten und Royalisten, doch Stabilität unter dem erneuten
1928–32 VENIZELOS: Aussöhnung mit der Türkei durch die griech.-türk. Übereinkunft und den Vertrag von Ankara (1930). Nach dem Versuch eines Staatsstreichs durch VENIZELOS
1935 Ausrufung der Monarchie. Rückkehr Kg. GEORGS II. [1922–24, 35–47].
1936 Gen. Metaxas wird MP.: Ausschaltung des Parlaments, Abschluss der Agrarref. (Bündnisse siehe S. 443).

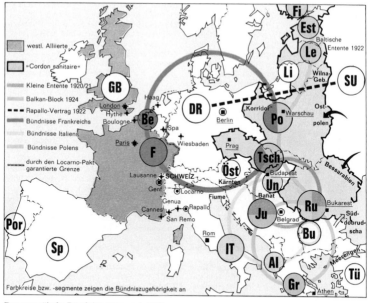

Das europäische Bündnissystem nach 1920

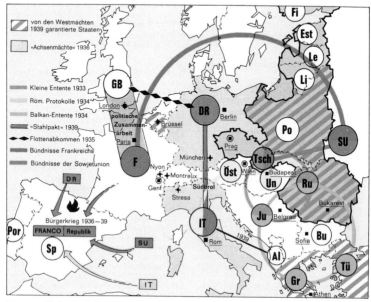

Das europäische Bündnissystem 1933–1939

Europ. Bündnisse (1918–30)
Frankreich: Wegen der Bestimmungen über das linke Rheinufer im Vertrag von Versailles, die den franz. Sicherheitsbedürfnis nicht genügen, und dem Rückzug Englands von seinen Beistandsversprechen (franz.-brit. Garantievertrag, 1919) wird eine
1920 belg.-franz. Militärkonvention abgeschlossen. Frankreich verliert außerdem Russland als Bündnispartner, weshalb es seine Stellung in Osteuropa durch Bündnisse mit Polen (1921), mit der Tschechoslowakei (1924) und mit Rumänien (1926) festigt. Der rum.-franz. Pakt wird Grundpfeiler der großrumänischen Außenpolitik.
Kleine Entente: Aus Furcht vor einer Revisionspolitik Ungarns und einer Restauration der HABSBURGER wird mit franz. Unterstützung das
1920 Defensivbündnis zwischen der Tschechoslowakei und Jugoslawien geschlossen. Nach dem ersten Rückkehrversuch Ks. KARLS schließt die Tschechoslowakei ein
1921 Defensivbündnis mit Rumänien, dem Hauptgegner des ungar. Revisionismus.
1921 Bündnis Rumäniens mit Jugoslawien, das gegen Bulgarien gerichtet ist.
Im
1921 Vertrag zwischen Polen und Rumänien sagen sich die Mächte Hilfe gegen einen Angriff Sowjetrusslands zu, das auf Bessarabien nicht verzichtet.
Deutsch-russ. Annäherung: Hintergrund ist der Wunsch Dtl.s und Sowjetrusslands, Beziehungen auf polit., milit. und wirtschaftl. Gebiet aufzunehmen. Dtl. wünscht die Ausbildung dt. Panzeroffiziere und Flieger auf sowjet. Gebiet, Sowjetrussland die Hilfe dt. Sachverständiger beim Aufbau seiner Rüstungsproduktion.
Nachdem die Briten auf der
1922 Wirtschaftskonferenz zu Genua mit der sowjet. Reg. nicht zu Vereinbarungen gelangen und die Gefahr droht, Sowjetrussland zur Bezahlung seiner Schulden der Vorkriegszeit mit Beitritt zum Artikel 116 des Versailler Vertrags (Reparationen) zu entschädigen, kommt es zwischen Dtl. und Russland zum
1922 Vertrag von Rapallo, der die dt.-russ. Beziehungen regelt: keine Kriegsentschädigung, Aufnahme diplomat. Beziehungen, Meistbegünstigung im Handel. Der
1926 Berliner Vertrag setzt die in Rapallo eingeschlagene Linie fort: Verständigung über polit. und wirtschaftl. Fragen, Neutralität eines Partners, wenn einer der beiden von einem Dritten angegriffen wird.
Baltische Entente: Zum Schutz vor Sowjetrussland schließen sich Polen, Estland, Lettland und Finnland einen
1922 Nichtangriffs- und Konsultativpakt, der von den finn. Parlament wegen des Risikos einer poln.-sowjet. Auseinandersetzung nicht ratifiziert wird. Kein Beitritt Litauens wegen des Handstreichs Polens auf Wilna (S. 433).

Nur das estn.-lett. Bündnis (1923) ist von Dauer.
Italien schließt nach dem
1924 Adria-Pakt, in dem MUSSOLINI die Aufrechterhaltung des Status quo zusichert,
1926 Freundschaftsverträge mit Rumänien (Anerkennung der Zugehörigkeit Bessarabiens zu Rumänien) und
1927 mit Albanien, das in Abhängigkeit gerät, sowie mit Ungarn (gegen Jugoslawien und zur Unterstützung des ung. Revisionismus).
1930 Freundschaftsvertrag mit Österreich. – Durch die Heirat Zar BORIS' III. mit der Prinzessin GIOVANNA werden die bulg.-ital. Beziehungen verbessert.

Europ. Bündnisse (1930–39)
Frankreich: Die Vertragspolitik der UdSSR in Osteuropa zur Rückendeckung in Ostasien und die polit. Verhältnisse in Deutschland bilden die Voraussetzungen für das
1932 Schlichtungsabkommen und für den Nichtangriffspakt zwischen der UdSSR und Frankreich: Verpflichtung der Partner zu Waffenhilfe im Falle eines Angriffs durch eine dritte Macht. Abkühlung des deutsch-sowjet. Verhältnisses. Nach Scheitern des »Ost-Locarno« wird der
1935 franz.-sowjet. Beistandspakt geschlossen, der sich gegen Dtl. richtet und ergänzt wird durch einen Beistandspakt zwischen der UdSSR und der Tschechoslowakei.
Kleine Entente: Vor allem gegen Ungarn richtet sich der
1933 Organisationspakt der Kleinen Entente (Tschechoslowakei, Rumänien, Jugoslawien).
Italien verstärkt in dem
1934 Dreierpakt der »Röm. Protokolle« (Italien, Ungarn, Österreich) seinen Einfluss in Südosteuropa und tritt für einen totalen Revisionismus ein, der es in Gegensatz zu England bringt und an das NS-Dtl. heranführt.
Balkanentente: Die Angst vor den Balkaninteressen der Sowjetunion, die NS-Politik, Revisionswünsche Bulgariens und Frankreichs System der kollektiven Sicherheit führen zum
1934 Balkanpakt zwischen Jugoslawien, Griechenland, Rumänien und der Türkei. – (Bündnisse Deutschlands, S. 475).
1939 Engl.-franz. Garantieerklärungen für Polen, Rumänien, Griechenland, die Türkei und Belgien nach der Rede CHAMBERLAINS über das Ende der Appeasement-Politik (17. 3.).
Großbritannien bemüht sich nach der »Erledigung der Rest-Tschechei«, der Kündigung des dt.-brit. Flottenabkommens und des dt.-poln. Nichtangriffspakts (S. 475) um eine gemeinsame Abwehrfront gegen HITLER.
Die Verhandlungen Großbritanniens und Frankreichs mit der UdSSR scheitern u. a. am Widerstand Rumäniens und Polens, die das von den Russen gewünschte Durchmarschrecht verweigern.

Die Türkei nach dem Friedensvertrag von Sèvres 1920

Der türkisch-griechische Krieg 1920–1922

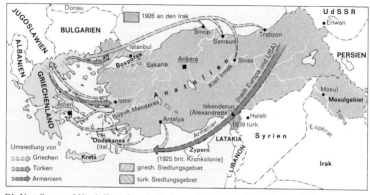

Die Verteilung und Umsiedlung der griechischen und türkischen Minderheiten 1919

Die nationale Erhebung (1918–20)

1918 Nach dem Waffenstillstand von Mudros (S. 409) läuft die »Große Flotte« der Alliierten im Bosporus ein.

1918–23 als Reaktion auf die alliierte Besetzung von Istanbul, der Gebiete von Antalya und Konia durch die Italiener (1919), des Gebiets um Smyrna durch die Griechen (1919), Kilikiens durch die Franzosen (1919), die Gefahren durch die kurdische Separatistenbewegung und den neu gegründeten Staat Armenien (1919) entsteht die **türk. Nationalbewegung unter Gen. Mustafa Kemal Pascha** (1881 [?]–1938), der auf den

1919 Nationalkongressen von Erzerum und Sivas einen türk. Staat in nat. Grenzen fordert. Wahl eines Repräsentativkomitees als »federführende Stelle der Nation«. Ankara wird Sitz der Nationalbewegung. – Unterzeichnung des »Nationalpakts« durch das letzte osman. Parlament (1920), Widerstand gegen Franzosen und Griechen.

April 1920 Zusammentritt der »Großen Nat.-Vers.« in Ankara: Die osman. Reg. reagiert mit Todesurteilen gegen MUSTAFA KEMAL und seine Mitarbeiter.

Aug. 1920 Friedensvertrag von Sèvres (S. 411). MOHAMMED VI. [1918–22] und Nat.-Vers. verweigern die »provisor.« Ratifikation.

Die Befreiung der Türkei (1920–22)

Osten: Der Sieg KÂZIM KARABEKIRS zwingt Armenien zu dem

1920 Frieden von Gümrü. Nach der russ. Besetzung der armen. Hauptstadt Eriwan fällt der russ. Teil Armeniens an Sowjetrussland, das einen Freundschaftsvertrag mit der Türkei schließt. Im

1921 Vertrag von Kars zwischen der Türkei und der Russ., Aserbaidschan., Armen. und Georg. SSR, wird die Kaukasusgrenze anerkannt.

1920/21 Mit Terror und Grausamkeit werden die Armenier von den National-Türken unterdrückt; Tausende kommen um.

Westen: Der Oberste Kriegsrat erteilt dem griech. MP. VENIZELOS (S. 359) ein »Mandat« zur Wiederherstellung der »Ordnung in Anatolien«: Besetzung Bursas (1920) und Adrianopels (1920), Vordringen des griech. Heeres bis zum Sakaria.

1921 Schlachten bei Inönü und am Sakaria (Zusammenbruch der griech. Offensive).

1922 Durchbruch MUSTAFA KEMALS bei Dumlupinar und Einzug in Smyrna.

Okt. 1922 Waffenstillstand von Mudanya: Räumung Ostthraziens (Adrianopel).

Süden: 1921 Vertrag von Ankara: Abzug der Franzosen.

Die Republik (1923–45)

Nach Abschaffung des Sultanats (1922):

1923 Frieden von Lausanne. Die Türkei erhält Ostthrazien bis zur Maritza, die Inseln Imbros und Tenedos, das Gebiet um Smyrna

und Westarmenien zurück. Entmilitarisierung der Meerengen (internat. Meerengenkommission). Aufhebung der Kapitulationen und Verzicht auf Reparationen. Abzug der Besatzungen. Etwa 1,35 Mill. Griechen und ca. 430 000 Türken werden umgesiedelt.

1923–38 Mustafa Kemal (seit 1934 Kemal Atatürk) wird Präs. der türk. Republik. Regierungssitz: Ankara. Einzige Partei bis 1946 ist die Republ. Volkspartei (gegr. 1923), deren Mitgl. sich zur republ. Staatsform, zum Nationalismus, zum soz. Frieden, zur staatl. Wirtschaftsleitung, zur Führung einer von relig. Überzeugungen freien Politik bekennen müssen. – Voraussetzung für die **Reformen** (Tanzimat) ist die Ausschaltung des relig. islam. Rechts aus Verwaltung, Verfassung, Justiz und Erziehung (**Laizismus**).

1924 Abschaffung des Kalifats und Schließung der geistl. Gerichte und

1925 Auflösung der Derwischorden.

Recht: Grundlage wird das Schweizer Zivil- (1926), das ital. Straf- (1926) und das Schweizer Obligationsrecht (1926).

1928 Beseitigung aller relig. Formeln aus der Verfassung.

Erziehung: Einführung des lat. Alphabets und Verbot der arab. Schrift (1928). Der Pflichtunterricht für arab. und pers. Sprache an den höheren Schulen wird abgeschafft (1929). – Gründung neuer Schulen (1936: Universität Ankara).

1934 Einführung von Familiennamen.

1938–50 Ismet Inönü (1884–1973) wird zweiter Präs. der Türkei. Unter ihm setzt eine stärkere Demokratisierung ein: Gründung neuer Parteien, Zulassung des Religionsunterrichts in den Schulen.

Wirtschaft: Aufbau des Handels und der Industrie mit staatl. Hilfe, Ausbau von Eisenbahnen und Straßen.

Außenpolitik:

1925 Nichtangriffspakt mit der UdSSR.

1926 Mosul-Vertrag (S. 413).

1930 Freundschaftspakt mit Griechenland.

1934 Balkanpakt (S. 443).

1936 Meerengenkonferenz von Montreux: Die Türkei erhält das Recht auf Wiederbefestigung der Meerengen; das Verhältnis zur UdSSR wird gespannter. Der

1937 Pakt von Saadabad (Türkei, Iran, Afghanistan, Irak) festigt das Verhältnis zu den Staaten im Osten und Südosten. Die Annäherung an die Westmächte (seit 1930) führt zur

1939 Rückgewinnung des Sandschaks von Alexandrette (vom **brit.-franz.-türk. Beistandspakt.** Im Zweiten Weltkrieg bleibt die Türkei neutral, schließt aber

1941 Freundschaftsvertrag mit Deutschland unter Vorbehalt der den Alliierten gegenüber bestehenden Verpflichtungen.

1945 Kriegserklärung an Deutschland.

Der Nahe Osten
Die Übernahme der europ. Ideen von Nation, Freiheit und Selbstbestimmungsrecht stärken den **arab. Nationalismus** und das **Streben nach nat. Selbstständigkeit.** Die **heterogenen Verpflichtungen Großbritanniens** während des Ersten Weltkriegs erschweren eine konstruktive Lösung der Nachkriegsprobleme.
1916 Abkommen zwischen dem brit. Oberkommissar McMahon und dem Scherif Husein von Mekka (1853–1931), der sich nach der brit. Zusage für die Unabhängigkeit Arabiens an Engländern anschließt.
1916 Sykes-Picot-Abkommen: Aufteilung der ehemals türk. Gebiete zwischen Großbritannien (Mesopotamien, Palästina, Jordanien) und Frankreich (Syrien). Endgültige Regelung auf der Konf. von San Remo (S. 413).
1917 Balfour-Declaration (S. 341).

Syrien
1918–20 Emir Feisal (1883–1933), durch den Nationalkongress zum König von Syrien proklamiert, wird nach Zuteilung des Mandats Syrien an Frankreich (1919) und blutigen Aufständen vertrieben. Aufteilung Syriens in die weitgehend autonomen Bezirke Damaskus, Aleppo, Alaouiten- und Drusengebiet (1925 Aufstand).
1926 Bildung des Libanon. – Durch die
1939 Abtretung des Sandschaks von Alexandrette (S. 445) an die Türkei wird das franz.-arab. Verhältnis belastet.
1941   Kämpfe   zwischen   Vichy-Truppen (S. 477) und Verbänden des »Freien Frankreich«, deren OB, Gen. CATROUX, den franz. Mandatsgebieten die Unabhängigkeit verspricht. **Syrien und der Libanon werden autonom** (April bzw. Dez. 1941).

Irak
1919 Errichtung des brit. Mandats Mesopotamien. Die folgenden schweren Aufstände werden nach
1921 Ausrufung des Emirs Feisal zum König des Irak beendet. FEISAL, Kampfgefährte des brit. Obersten THOMAS E. LAWRENCE (1888–1935), errichtet 1925 eine konst. Monarchie. Im
1926 Mosulvertrag (S. 413) erhält der Irak das umstrittene Ölgebiet.
1930 Brit.-irak. Vertrag: Anerkennung der Unabhängigkeit, Errichtung von Luftbasen.
1932 Aufnahme Iraks in den Völkerbund.
1933–39 König Ghasi I. (1912–39).
1937 Vertrag von Saadabad (s. u.).

Transjordanien
1921 Abdallah ibn Husein (1882–1951 [ermordet]) wird **Emir von Transjordanien.**
1923 Trennung von Palästina. Als Pufferstaat gegenüber Zentralarabien Bündnispartner Großbritanniens im Nahen Osten. Aufstellung der Arab. Legion unter dem brit. Gen. GLUBB PASCHA (1897–1986).

Palästina (vgl. S. 537)
1920 Errichtung eines brit. Mandats über Palästina trotz der »Balfour-Declaration«.
Dauernde Kämpfe zwischen Arabern und Juden.

Zentralarabien
1896–1924 Scherif Husein von Mekka, der König des Hedschas (Vater König FEISALS und des Emirs ABDALLAH) gerät in Rivalität zu dem Herrscher von Nedschd,
1902–53 Abd el Asis Ibn Saud (1880–1969).
1924 Proklamation HUSEINS zum Kalifen. IBN SAUD, Repräsentant der Sekte der Wahabiten, erklärt HUSEIN den Krieg, der mit der Einnahme Mekkas und Medinas endet. HUSEIN muss abdanken, sein Sohn
1925 ALI verzichtet auf Land und Krone.
1926 Proklamation Ibn Sauds zum König von Hedschas und Nedschd. Die Länder werden
1932 zum Kgr. Saudi-Arabien vereinigt.
1934 Krieg gegen den Jemen, der durch den 1936/37 Vertrag von Taif beendet wird.

Persien, ab 1935 Iran
Der Kosakenführer RESA CHAN wird als
1925–41 Resa Schah Pahlewi (1878–1944) **erblicher Schah von Persien.** Er führt **Reformen** durch, aber der Plan, die Nomaden sesshaft zu machen und einen Ausgleich zwischen Volk und Oberschicht herbeizuführen, misslingt.
Außenpolitik:
1921 Vertrag mit der RSFSR, die gegen das Versprechen der iran. Neutralität auf alle russ. Rechte und Konzessionen verzichtet.
1927 Aufhebung der Kapitulationen (Sonderrechte für Europäer).
1933 Vertrag mit der Anglo-Persian (seit 1935 **Anglo-Iranian**) **Oil Company:** Beschränkung des Konzessionsgebiets und Erhöhung der Abgaben an die Reg.
1937 Vertrag von Saadabad: Aussöhnung zwischen schiitischem Iran und den sunnitischen Staaten Türkei, Irak, Afghanistan.
1941 Einmarsch russ. und brit. Truppen. RESA SCHAH dankt zu Gunsten seines Sohnes MOHAMMED (1919–80) ab.

Afghanistan
Nach Ermordung des Emirs HABIB ULLAH [1901–19] erhebt sich sein Sohn
1919–29 Aman Ullah zum Emir. »Afghan. Unabhängigkeitskrieg« (3. Afghanenkrieg) gegen Brit.-Indien,
1919 Frieden von Rawalpindi.
1921 Vertrag von Kabul: Anerkennung der polit. Unabhängigkeit durch Großbritannien. Proklamation AMAN ULLAHS zum König (1926).
Soz. Ref. verursachen Unruhen, die zur Vertreibung des Königs führen. Beruhigung des Landes und maßvolle Reformen unter seinen Nachfolgern MOHAMMED NADIR [1929–33] und MOHAMMED SAHIR [1933–73].

Indien

Die innenpolit. Lage Indiens (S. 367) wird auch im Weltkrieg nicht stabilisiert.
April 1919 Blutbad von Amritsar; brit. Truppen schießen in eine Volksmenge (über 1000 Tote und Verwundete). Die
Dez. 1919 Montagu-Chelmsford-Reformen sehen deshalb eine Regierungsteilung in den Prov. (»Dyarchie«, bis 1935) vor: best. Ressorts (»Reserved subjects«: Polizei, Grundsteuer u. a.) sind den brit. Behörden vorbehalten; andere (»Transferred subjects«: Landwirtschaft, Industrie, Unterricht u. a.) werden von ind. Min. verwaltet.
An die Spitze der Nationalbewegung tritt
Mohandas Karamchand Gandhi (1869–1948), der »Mahatma« (»Hochherzige«), der großen Einfluss auf den Nat.-Kongress (S. 367) hat und den polit. Kampf um Selbstbestimmung (Swaraj) mit den Mitteln der altind. »Idealen Wahrheit« (Satya), Gewaltlosigkeit (Ahimsa) und Läuterung durch Nächstenliebe (Brahmacharya) aufnimmt.
Symbole des Unabhängigkeitsstrebens werden der »Khaddaz« (handgesponnenes, weißes Baumwollzeug) und die Salzgewinnung am Meer, um die Monopole Englands zu brechen.
1920–22 1. »Satyagraha«-Feldzug (gegen Zusammenarbeit mit England), endet mit der Verurteilung Gandhis zu 6 Jahren Gefängnis; er wird jedoch schon 1924 begnadigt und beginnt seinen Kampf um wirtschaftl. und soz. Reformen (bis 1936). Sein Wirken kommt den 60 Mill. Parias (»Unberührbaren«) zugute.
1921–26 Vizekg. Lord Reading regiert absolut ohne Volksvertretung.
1928 Annahme des Verfassungsentwurfs Motilal Nehrus (1861–1931) durch den Kongress und Ultimatum an England: Dominion-Status für Indien innerhalb Jahresfrist. Der
1930 2. »Satyagraha«-Feldzug, in dem Gandhi und ca. 60 000 Nationalisten verhaftet werden, wird unterbrochen durch den
1931 »Delhi-Pakt« zwischen Gandhi und Lord Irwin (Vizekg. seit 1926): Aussetzung des »zivilen Ungehorsams« gegen Freilassung der polit. Gefangenen.
Nach drei »Round Table«-Konferenzen (1930/32) in London wird der Feldzug fortgesetzt (1932–34).
1935 Government of India Act: Einführung der Dyarchie für die Zentralreg., Autonomie für die Provinzreg., doch Sonderrechte der Vizekönigs und der Gouverneure.
1937 Wahlen, aus denen die Kongresspartei in 6 von 11 Prov. als Siegerin hervorgeht, neue Verf. Burma wird von Indien getrennt und erhält den Status einer Kronkolonie.

Im Zweiten Weltkrieg scheitert die radikale, gegen England gerichtete Politik Subhas Chandra Boses (1897–1945). Während sich Bose mit den Nat.-Soz. verbündet, führt Gandhi den 3. »Satyagraha«-Feldzug (Antikriegspropaganda), unterstützt von Jawaharlal Nehru (1889–1964).
1940 Kampf um den Pakistan-Plan der Moslem-Liga (S. 367) unter Mohammed Ali Jinnah (1876–1947): Errichtung unabhängiger Moslem-Staaten.
1942 Großbritannien bietet durch Sir Stafford Cripps (1889–1952) Indien die Dominion-Verf. nach Kriegsende an. Gandhi reagiert mit: »Engländer, verlasst Indien!«

Äußere Mongolei

Nach Vertreibung der Weißrussen durch Sowjettruppen (1921) erklärt die »Mongol. Rev. Volkspartei« die
1921 Unabhängigkeit der Mongolei. Die Monarchie besteht weiter.
1924 Proklamation der Mongol. VR., des 1. Satelliten der UdSSR. Der Nordwesten der Mongolei wird als Republik Urjanchai, später Tannu Tuwa, unabhängig (1944 autonomes Gebiet der UdSSR).

Siam, seit 1939 Thailand

1917 Eintritt auf der Seite der Entente in den Weltkrieg.
1920 Mitglied des Völkerbundes. – Ein gemäßigter Nationalismus führt zur Aufhebung der Exterritorialitätsrechte für Ausländer, zum Abschluss neuer Handelsverträge mit Zollautonomie und zum Kampf gegen die starke Position der Chinesen in der Wirtschaft.
1925–35 König Rama VII. Projadhibok.
1932 Gewaltloser Staatsstreich: Einführung der konst. Monarchie. Die innenpolit. Lage wird durch eine Militärrevolte und ein misslungene Gegenrev. des Adels (1933) erschüttert. Rama VII. dankt ab.
1935–46 Rama VIII. Ananda Mahidon.

Tibet

Nach der Unabhängigkeitserklärung (S. 369) wird während des Ersten Weltkrieges ein chin. Überfall abgewiesen (1918).
1920 Waffenstillstand mit China.
1933 Tod des 13. Dalai Lama.
1940 Einführung des 14. Dalai Lama.

Indonesien (Ndl.-Indien)

1918 Zusammentritt des Volksrats als ndl.-ind. Parlament (60 Abgeordnete: 30 Indonesier, 25 Niederländer, 5 andere asiat. Mitgl.). Der Volksrat wird beratendes Organ bei der Gesetzgebung (1925).
1927 Gründung der »Perserikatan National Indonesia« (PNI) in Bandung (Vorsitz: Achmed Sukarno, S. 541).
1937 Entwurf eines Zehnjahresplans zur Selbstverwaltung Indonesiens.
1940/41 Ndl.-jap. Verhandlungen über die Einbeziehung in die »Ostasiat. Wohlstandssphäre« (S. 452) scheitern.
1942 Jap. Besetzung Ndl.-Indiens.

Das »British Commonwealth of Nations«

Die **Neugestaltung des British Empire**, die Vereinigung von Großbritannien und den Dominions als autonome, gleichberechtigte Staaten, hat folgende Ursachen:

1. **Anwachsendes Nat.-Bewusstsein** in den brit. Siedlerkolonien.
2. **Beitrag zur Kriegführung.** Folge: Anerkennung Kanadas, Australiens, Neuseelands und Südafrikas als gleichberechtigte Staaten und Bildung des Imperial War Cabinet, das sich aus dem British War Cabinet und den MP. der Dominions sowie Vertretern Indiens zusammensetzt.
3. **Vorbereitung und Propagierung der Idee einer Staatengemeinschaft** durch die Zeitschrift ›Round Table‹ (gegr. 1910 durch Mitglieder von Lord MILNERS »Kindergarten«, vor allem von LIONEL CURTIS, 1872–1955, dem Schöpfer des Namens »British Commonwealth of Nations«).

Die Gleichberechtigung der Dominions zeigt sich auf der Friedenskonferenz (eigene Delegationen, eigene Unterschriftsleistung), selbst. Mitgliedschaft im Völkerbund, Übertragung von Völkerbundsmandaten an die Südafrikan. Union, den Austral. Bund, Neuseeland. – Nach den Reichskonferenzen von 1921 und 1923 wird auf der

1926 Reichskonferenz die Definition des Dominionstatus (»Balfour-Formel«) angenommen: Großbritannien und die Dominions (Kanada, Austral. Bund, Neuseeland, Die Südafrikan. Union, der Irische Freistaat und Neufundland) sind autonome Gemeinschaften innerhalb des brit. Empires, gleichberechtigt, keiner dem andern untergeordnet, aber geeint durch eine gemeinsame Treue (Allegiance) gegen die Krone und freiwillig verbunden als Mitglieder des British Commonwealth of Nations. Das

1931 Statut von Westminster bestätigt die »Balfour-Formel« und hebt einschränkende Vorbehalte Großbritanniens gegenüber der Gesetzgebung in den Dominions auf. Die wirtschaftl. Zusammenarbeit, über die sich die Reichskonferenz 1930 nicht einigen kann, wird unter dem Druck der Weltwirtschaftskrise (S. 463) auf der Reichskonferenz in Ottawa (S. 468) erreicht.

Das Commonwealth besitzt keine »Reichsverfassung«, aber den Willen zum gemeinsamen Handeln auf der Basis gefühlsmäßiger (Krone), polit. (Beratungen auf den Reichskonferenzen) und wirtschaftl. Bindungen (Handel und Verkehr). Die 7 souveränen Staaten mit Parlament, selbstgewählter Reg. und außenpolit. Entscheidungsfreiheit sind: **Großbritannien,** der **Irische Freistaat, Kanada, Neufundland,** der **Austral. Bund,** die **Südafrikan. Union** und **Neuseeland.** Unverändert bleibt das brit. Kolonialreich, das aus Kronkolonien und Protektoraten in Afrika, Asien, Westindien und dem Pazifik besteht und das der Krone und dem Parlament Großbritanniens unterworfen ist.

Irland

1916 Osteraufstand der freiheitl. Sinn-Féin-Bewegung, der nach blutigen Kämpfen in Dublin, der Ausrufung der Republik und Erschießung der Führer, darunter ROGER CASEMENT (1864–1916), zusammenbricht.

1918 Parlamentswahlen. Der Sinn Féin erobert 73 der 106 irischen Sitze.

1919 Gesetzwidriger Zusammentritt der Sinn-Féin-Angehörigen als irisches Parlament (Dail Eireann) in Dublin. Bildung einer Geheimreg. unter **Eamon de Valera** (1882–1975). Höhepunkt des

1919–20/21 Kleinkriegs zwischen den irischen Nationalisten (Sinn Féin und Irische Republikanische Armee, IRA) unter MICHAEL COLLINS (1890–1922) und den brit. Truppen (»Black and Tans«) ist der »Blutige Sonntag« (21. 11. 1920) in Dublin.

1920 Government of Ireland Act: Teilung Irlands in Nordirland (Ulster) und Südirland mit eigenen Parlamenten. Das Gesetz wird von Südirland abgelehnt.

1921 Waffenstillstand. ARTHUR GRIFFITH (1872–1922) und COLLINS unterschreiben gegen den Willen DE VALERAS einen

1921 Vertrag mit Großbritannien: Irland (außer Ulster) erhält als **Irischer Freistaat** dominionähnl. Status mit unabhängiger Reg. und eigenem Parlament (Dail); die Dail-Abgeordneten leisten den Eid auf den König; Verzicht auf Ulster. Der radikale Flügel des Sinn Féin unter DE VALERA erstrebt die Unabhängigkeit für ganz Irland.

1922 Ratifizierung des Vertrags durch die Majorität des Dail und Annahme der Verf.: **Proklamation des Irischen Freistaats** (6. 12. 1922). Vors. des Vollzugsrats (Executive Council) wird GRIFFITH, nach dessen Tod W. T. COSGRAVE (1880–1965). Der im April 1922 ausbrechende Bürgerkrieg zwischen Radikalen und Gemäßigten wird im April 1923 beendet. Wiederaufbau des Landes unter COSGRAVE, der für Frieden mit England plädiert.

1932–45 MP. de Valera. Aushöhlung des Vertrags von 1921 mit Hilfe des Westminsterstatuts. Der Treueid auf die Krone wird abgeschafft (1933), Jahreszahlungen an Großbritannien eingestellt. – Bildung radikaler Organisationen (faschist. »Blauhemden«, Nationalgarde) gegen DE VALERA.

1932–35 Zollkrieg, der durch den

1936 brit.-irischen Handelspakt beendet wird.

1937 Ausrufung des »souveränen, unabhängigen, demokrat. Staats« Eire unter Präsident DOUGLAS HYDE [1938–45].

1938 Vertrag mit England: Regelung finanz. und wirtschaftl. Fragen, Preisgabe des Rechts auf »Vertragshäfen«. Trotzdem bleibt das Land nach dem Wahlsieg DE VALERAS (Juni) unversöhnt (Fortbestehen Nordirlands und Verweigerung der vollen Unabhängigkeit als Republik). Deshalb Neutralität während des Zweiten Weltkriegs.

Kanada

Nach dem Ausbruch des Weltkriegs erklärt sich Kanada mit dem Mutterland solidarisch (1914) und führt die allgemeine Wehrpflicht gegen den Widerstand der Frankokanadier ein (1917). Ca. 450 000 Kanadier kämpfen in Europa. Kanada unterzeichnet den Vertrag von Versailles und tritt dem Völkerbund bei.

Innenpolitik: In den

1921 Wahlen siegt die Liberale Partei (Vors. W. L. MACKENZIE KING, 1874–1950), die neben der Konservativen Partei (unter ARTHUR MEIGHEN) und der Fortschrittspartei (unter T. A. CREAR) kandidierte.

1921–30 Kabinett King: Mit Unterstützung der Fortschrittspartei werden Reformen durchgeführt (Arbeitslosenfürsorge).

1926–29 Wirtschaftl. Prosperität: Erhöhung der Weizenpreise, Ausbau der Bergwerke, Bau von Eisenbahnen, Steigerung der Stromerzeugung. Tendenz des **Partikularismus in den Provinzregierungen.**

1929 Weltwirtschaftskrise: Arbeitslosigkeit, Rückgang des Exports und des Nationaleinkommens (um 50 Prozent).

1930–35 Konservatives Kabinett Richard Bedford Bennett, das fast diktatorisch regiert. Zollerhöhungen zur Ankurbelung der Produktion sowie die auf der **Reichskonferenz in Ottawa** 1932 für kanad. Waren gewährten Zollerleichterungen schaffen keine Abhilfe. **Bildung radikaler Parteien** auf regionaler Ebene. Die meisten Gesetze des

Jan. 1935 Reformplans des Kabinetts BENNETT (Mindestarbeitszeiten und -löhne, Arbeitslosen- und Sozialversicherungen, Kredite für Farmer) werden nach dem

Okt. 1935 Wahlsieg der Liberalen (»KING oder Chaos«) und der Bildung des

1935–48 Kabinetts King durch das Judicial Committee of the Privy Council in London für rechtsungültig erklärt. Damit ist das föderalist. System in Frage gestellt; ein für das ganze Land gültiger Plan zur Bekämpfung der Wirtschaftskrise durch die Zentralreg. wird untersagt.

1937 Einsetzung der Rowell-Sirois-Kommission zur Untersuchung der Beziehungen zwischen Staat und Provinzen, die 1940 einen umfassenden Bericht vorlegt. – **Langsame Erholung des Landes** durch Handelsabkommen mit den USA (1935), den Handelsaustausch zwischen den USA, Kanada und Großbritannien (»North Atlantic Triangle«, 1938) und Rüstungsmaßnahmen (1937/38).

Außenpolitik: Hauptziel Kanadas ist die Verhinderung eines Bruchs zwischen den beiden Haupthandelspartnern Großbritannien und den USA, die längere Zeit auf Kanada trotz nat. Selbstständigkeit im Falle polit. Krisen stützen kann, da es selbst keine ausreichende Rüstungs- und Militärpolitik betreibt. – Der Führer der Konservativen, **Sir Robert Laird Borden** (1854–1937), definiert – ebenso wie der Südafrikaner SMUTS (S. 457) – auf der

1917 Reichskonferenz den Status der Dominions als »selbstständige Nationen des Imperial Commonwealth mit Recht auf angemessene Stimme in der Außenpolitik«. Kanada nimmt deshalb auf der

1921 Reichskonferenz – im Hinblick auf die USA – Stellung gegen die Erneuerung des engl.-japan. Bündnisses und wendet sich auf der

1923 Reichskonferenz gegen eine Zentralisation des Commonwealth. Das

1923 Abkommen zwischen Kanada und den USA (Heilbutt-Fischerei im Nordpazifik) ist der erste Schritt zu einer **eigenen kanad. Außenpolitik,** die stark isolationist. bestimmt ist und zur Lahmlegung des Völkerbunds beiträgt, aber nach dem Einfall MUSSOLINIS in Abessinien (S. 437) und der Expansionspolitik Dtls (S. 475) beendet wird.

1939 Kriegserklärung an Deutschland.

Neufundland

1933 Aufgabe des Dominionstatus wegen finanz. Schwierigkeiten. Neufundland wird Kronkolonie.

Australien

Australien erhält 1919 als Völkerbundsmandate Neuguinea und die Südseeinseln südl. des Äquators. Unter der konservativen Reg. wird eine planmäßige Politik zur Stärkung der nat. Wirtschaft durchgeführt. Exportanstieg (Weizen, Butter, Fleisch, Wolle) und Erschließung von Blei- und Zinnerzbergwerken, Bauxitvorkommen, Braunkohlelagern. Die starke Einwanderung, die Gründung neuer Industrien und der Ausbau der Landwirtschaft wird beendet durch die Wirtschaftskrise. Folge: Rückgang des Exports (vor allem landwirtschaftl. Erzeugnisse), Errichtung von Schutzzöllen. – In den dreißiger Jahren betreibt Australien eine Außenpolitik in starker Anlehnung an Großbritannien. Nach dem Widerruf des Wehrpflichtgesetzes (1929)

1934 Dreijahresplan zur Aufrüstung. Spannungen mit Japan (Furcht vor Einwanderung, Exportoffensive), gegen das sich auch die

1938 Exportsperre für Eisen- und Manganerze richtet.

1939 Kriegserklärung an Deutschland.

Neuseeland

Seit 1907 weitgehend autonom, erlebt Neuseeland nach 1919 eine Periode stetigen Wachstums. Intensivierung der Landwirtschaft durch Organisation der Molkereiwirtschaft.

1931 erhält Neuseeland den Status eines Dominions (endgültig bestätigt 1947). – Vor allem unter der

1935–45 Reg. der Labour Party werden soz. Reformen durchgeführt.

Starke Anlehnung an die Außenpolitik Großbritanniens.

1939 Kriegseintritt auf der Seite Großbritanniens.

China 1918–1941

China nach der Revolution (1912–21)

Nach Abdankung der kaiserl. Reg. (12. 2.) und Niederlegung des Präsidentenamts durch SUN YAT-SEN (15. 2.) (S. 369) wird

1912–16 Gen. Yuan Shih-kai (1859–1916) Präsident der Rep. China.

1912 Bildung der Kuomintang (Nat. Volkspartei), die aus der »Schwurbrüderschaft« (S. 369) SUN YAT-SENS hervorgeht. Die Ermordung SUNG TSCHAU-JENS führt zur

2. Revolution in Nanking (1913), die YUAN niederschlägt. Die

1915 »21 Forderungen« Japans (S. 401) muss China weitgehend akzeptieren.

1916–26 Kriege der Unterführer (»Warlords«) in Nordchina um Peking: »Anfu-Partei«, unterstützt von Japan, »Zhili-Clique« und »Fengtien-Gruppe« von den Westmächten. Bildung einer Reg. in Kanton, die

1917 SUN YAT-SEN zum Generalissimus der Südstreitkräfte wählt, doch Rücktritt SUN YAT-SENS (1918), der die Reorganisation der Kuomintang beginnt.

1917 Chinas Kriegseintritt erfolgt in der Hoffnung auf Annullierung der »ungleichen Verträge« und der jap. Forderungen sowie auf Rückgabe des dt. Pachtgebiets. Chinas Wünsche werden auf der Friedenskonferenz nicht erfüllt.

1919 Demonstration Pekinger Studenten gegen die Unterzeichnung des Friedensvertrags. Beginn der »Bewegung des 4. Mai«: Abwendung vom Konfuzianismus und Übernahme der westl. Kultur.

Kuomintang und Komm. Partei (1921–36)

1921–25 SUN YAT-SEN, Präs. der Stadtreg. in Kanton, ist unter dem Eindruck der russ. Rev. und der NEP (S. 421) und wegen des Verzichts Sowjetrusslands auf alle Rechte und Konzessionen in China (1920) zur

1923 Zusammenarbeit zwischen KMT und KPCh (gegr. 1921) bereit.

1924 1. Parteitag der KMT. Annahme der »3 Volkslehren« (S. 369) SUN YAT-SENS als polit. Programm der Partei: Einheit des Volkes (Nationalismus), Rechte des Volkes (Demokratie), Wohlfahrt des Volkes (Sozialismus). Aufnahme der Kommunisten in die KMT. Organisation der Partei durch sowjet. Berater (BORODIN) und der Armee nach russ. Vorbild. (Gen. BLÜCHER) und Gründung der Whampoa-Militärakademie (milit. Leitung: TSCHIANG KAI-SCHEK, polit. Leitung: TSCHOU EN-LAI).

1925 Tod SUN YAT-SENS, Gründung der Nat.-Reg. in Kanton.

1925 Erschießung demonstrierender Studenten in Shanghai durch brit. Polizei. Die »Bewegung des 30. Mai« löst die

1925–27 Nationale Revolution aus.

1926 Feldzug der Revolutionsarmee unter **Tschiang Kai-schek** (1887–1975) gegen die Militärmachthaber in Mittel- und Nordchina. Eroberung von Hankou (Aug.), das Sitz der

Nat.-Reg. wird (Nov. 1926), Shanghais und Nankings (März 1927).

1927 Bruch TSCHIANG KAI-SCHEKS mit der KPCh und Liquidation von Kommunisten in Shanghai (Verbindung mit Banken, Großkaufleuten und antikomm. KMT-Mitgl.).

1927–36 Herrschaft der KMT.

1927 Bildung einer Nat.-Reg. in Nanking: Hinrichtung von Kommunisten, Rückkehr BORODINS in die Sowjetunion.

1928 Tschiang Kai-scheks Marsch nach dem Norden endet nach dem Einmarsch in Peking mit der **Einigung Chinas,** das ein Einparteienstaat auf der Grundlage der »fünf Gewalten« (Exekutive, Legislative, Jurisdiktion, prüfende und kontrollierende Gewalt) wird. Seit

1931 Erfolge in der »Periode der erziehenden Regierung«: Zurückgewinnung von Fremdenniederlassungen, Aufhebung von Exterritorialitätsrechten. Beseitigung der Binnenzölle; die Niederlassungen in Shanghai und der chin. Seezoll bleiben unter fremder Verw. Unterstützung durch die USA und England. Keine Bodenreform. Wiederbelebung der traditionellen konfuzian. Ideologie (1934) und Übergang zur Militärdiktatur (»Whampoa-Offiziersclique«).

Gestützt auf die **Bauernverbände** (Bauern: 85% der chines. Bevölkerung) gelingt die **Bildung komm. Stützpunkte** in Kiangsi und Fukien unter **Mao Tse-tung** (1893–1976) und TSCHU TE (Enteignung der Grundbesitzer):

Mai 1928 Gründung einer Roten Armee in Hunan, die nach

1930–34 fünf vergeblichen Vernichtungsfeldzügen TSCHIANG KAI-SCHEKS durch den

1934–35 »Langen Marsch« nach Jenan ausweicht.

1936 Errichtung eines Hauptquartiers der KPCh in Jenan unter Führung MAO TSE-TUNGS.

Der chin.-jap. Krieg (1937–45)

Nach dem Zwischenfall von Mukden (S. 453), Abtrennung der Mandschurei durch Japan, Kämpfen um Shanghai (1932), Besetzung des Jehol-Gebiets (1933) erfolgt nach

1936 Gefangennahme TSCHIANG KAI-SCHEKS in Sian der Waffenstillstand zwischen KMT und KPCh und die Anerkennung TSCHIANG KAI-SCHEKS, der durch Vermittlung TSCHOU EN-LAIS freigelassen wird, als Führer im Kampf gegen Japan.

1937 Zwischenfall an der Marco-Polo-Brücke bei Peking bildet den Beginn des Kriegs zwischen Japan und China. Manifest über die Zusammenarbeit zwischen KMT und KPCh (eigene Truppen und Hoheitsgebiete). Verlegung der Nat.-Reg. nach Chungking.

1940 Bildung einer japanfreundl. Reg. unter WANG TSCHING-WEI in Nanking (S. 453).

1943 Verzicht der Alliierten auf sämtliche Vorrechte aus den »ungleichen Verträgen« zur Verhinderung eines Separatfriedens der KMT-Reg. mit Japan.

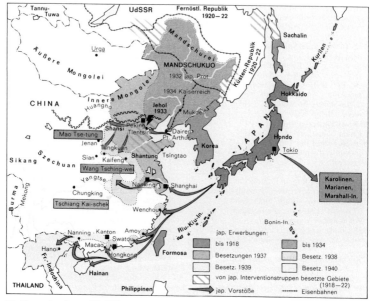

Die Expansion Japans bis 1941

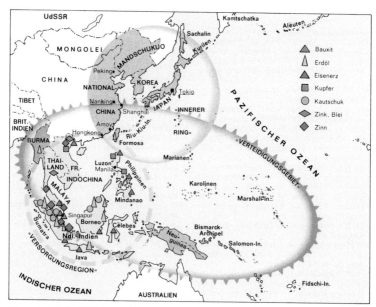

Die »ostasiatische Wohlstandssphäre«

Die Taisho-Zeit (1912–26)
1912–26 Yoshihito (Kaisername TAISHO, 1879 bis 1926). Während des Weltkriegs vergrößert Japan Kriegs- und Handelsmarine: Anstieg des Exports und Einbruch in die internat. Wirtschaft. Durch den
1919 Gewinn Tsingtaos und dt. Konzessionen in China sowie die Übernahme der dt. Südseeinseln nördl. des Äquators als Völkerbundsmandate wird **Japan pazifische Weltmacht und drittgrößte Seemacht.**
1920–22 Wirtschaftskrise: Die mindere Qualität jap. Erzeugnisse führt zum Verlust von Absatzmärkten.
Außenpolitik: Auf der
1921–22 Konferenz in Washington (S. 412) muss Japan eine diplomat. Niederlage hinnehmen. Durch die
1924 Einwanderungsgesetze der USA (Ausschluss jap. Immigranten) Abkühlung der jap.-amerikan. Beziehungen.
1925 Sowjet.-jap. Vertrag: Die Japaner räumen Nordsachalin; Anerkennung des Friedens von Portsmouth (S. 391) durch die UdSSR.
– Die Politik KIURO SHIDEKORAS (1872–1951) – Verzicht auf die »21 Forderungen« (S. 401) gegenüber China und Gewaltlosigkeit – hebt das Ansehen Japans im Ausland, weckt aber den Widerstand des Militärs.
Innenpolitik: Ablösung der oligarch. Herrschaft der Genro (S. 393) durch Militär, Großkonzerne und Bürokratie sowie durch die junge Generation, die – zwar ohne Autorität – für eine weitere Liberalisierung und soz. Ref. eintritt. Die innenpolit. Lage stabilisiert sich nicht:
1921 Ermordung des MP. HARA KEI.
1923 Erdbeben von Tokio und Yokohama. Die Reg. erlässt die »Verordnung zur Wahrung des Friedens«. Nach dem Attentat auf HIROHITO (s. u.) und der
1925 Einführung des allgemeinen Wahlrechts für Männer verschärfen sich die innenpolit. Spannungen, deshalb Erlass des »Gesetzes zur Sicherung des Friedens«.

Die Showa-Zeit (seit 1926)
1926 Thronbesteigung HIROHITOS (Kaisername SHOWA, 1901–89, seit 1921 Regent für den geisteskranken YOSHIHITO).
Innenpolitik: Die Lage bleibt gespannt durch:
1. Angst vor organisierter Arbeiterschaft und Intelligenz; deshalb Bekämpfung »gefährlicher Ideen« durch streng nat. Erziehung, Zensur und polizeistaatl. Methoden;
2. Abwendung von den Parteien, die durch Finanzskandale, Bestechungen und wegen ihrer kapitalist. Interessen kompromittiert sind (1940 Auflösung der Parteien und Gründung einer Einheitspartei);
3. wirtschaftl. Auswirkungen im Verlauf der Weltwirtschaftskrise (S. 463): Scheitern der wirtschaftl. Expansion Japans (Yen-Abwertung, Dumping) an den Einfuhrbeschränkungen und der Tarifpolitik der vom jap.

Überangebot betroffenen Länder; deshalb **Plan zur Schaffung eines Großwirtschaftsraums;**
4. Bevölkerungszuwachs;
5. antidemokrat. Aktivität von Heer und Marine (Attentate auf lib. Politiker und besonnene Offiziere); nach dem Wahlsieg der Liberalen Militärrevolte in Tokio (1936), die niedergeschlagen wird;
6. Anwachsen des Nationalismus mit der Shinto-Religion als ideolog. Fundament (Loyalität der Untertanen gegenüber dem göttlichen und unantastbaren Kaiser, Sendungsbewusstsein).
Außenpolitik: Gegründet auf den Nationalismus fordert das
1927 sog. Tanaka-Memorandum des Gen. TANAKA [MP. 1927–29] eine »positive« Expansionspolitik: **Beherrschung Asiens durch Japan.**
Vor allem das Militär unterstützt diese Expansionspolitik durch provozierte »Zwischenfälle«: Der
1931 Zwischenfall von Mukden führt zur Besetzung der Mandschurei und zur
1932 Gründung des Staats Mandschukuo (1934 Ksr.).
1933 Annahme des Lytton-Berichts durch den Völkerbund: Unrechtmäßiges Vorgehen Japans in der Mandschurei. Japan erklärt seinen Austritt.
China: Nach der Besetzung der Prov. Jehol und Chahar versucht Japan autonome Reg. in den chin. Nordprov. einzusetzen.
1936 Antikominternpakt (S. 475).
1937–39, 1940–41 Kabinett des MP. Fs. Konoye Fumimaro (1891–1945 [Selbstmord]), dessen Versuch einer Kontrolle der Armee scheitert.
Der Zwischenfall auf der Marco-Polo-Brücke (Schießerei zwischen jap. und chin. Soldaten) bei Peking verursacht den
1937–45 chin.-jap. Krieg. Trotz großer milit. Erfolge und Generalmobilisation Japans (1938) keine Kapitulation Chinas.
1938 Proklamation einer Neuordnung Ostasiens durch MP. KONOYE. Die
1939 Kündigung des Handelsvertrags von 1911 durch die USA (Unterbindung der Einfuhr kriegswichtiger Rohstoffe: Benzin, Schrott u. a.) verschlechtert die Beziehungen zwischen den beiden Staaten.
1940 Errichtung einer japanfreundl. chin. Gegenregg. unter WANG TSCHING-WEI (S. 451) in Nanking.
1940 Dreimächtepakt (S. 475).
1941 Nichtangriffspakt mit der UdSSR. Rückendeckung für die Expansion in Ostasien (Juli 1941: Besetzung Frz.-Indochinas).
1941–44 MP. HIDEKI TOJO (1884–1948 [hingerichtet]), Stabschef der Kuantung-Armee, Hauptvertreter des Imperialismus; bildet nach dem Rücktritt KONOYES, dessen Versöhnungspolitik mit den USA scheitert, ein autoritär regierendes Kabinett.

Südamerika 1918–1945

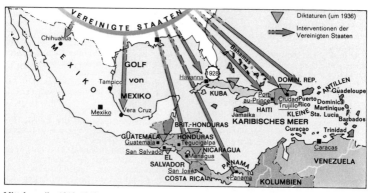

Mittelamerika 1918–1945

Die ruhige Entwicklung der lateinamerikan. Staaten wird gestört und unterbrochen durch tiefgreifende Wandlungen.

1. Die soz. Struktur wird verändert durch Bevölkerungszunahme (»demograf. Rev.«), Binnenwanderungen (Landflucht, Erschließung von Neuland), rass. Zusammensetzung der Bevölkerung (polit.-soz. Spannungen) und die Wandlungen der Gesellschaftsstruktur durch Verstädterung und Industrialisierung.

2. Die wirtschaftl. Struktur wird bestimmt durch den Merkantilismus der Kolonialzeit und seine traditionellen Monokulturen (Abhängigkeit vom Außenhandel), fehlendes Kapital zur Industrialisierung, Facharbeitermangel (Analphabetentum), Rückständigkeit der Landwirtschaft (veraltete Anbaumethoden, Raubbau) und Verhinderung durchgreifender Agrarreformen.

3. Die polit. Struktur: Gründe für die Krise der Demokratie (Aufstände, Staatsstreiche, Rev.) sind das starke wirtschaftl. und gesellschaftl. Gefälle, die Bildung demokrat.-rev. Massenparteien (RAUL HAYA DE LA TORRE: »Autonom-lateinamerikan. Bewegungen, ohne ausländ. Einwirkung und Beeinflussung«), das Eingreifen der Militärs in die Politik der Staaten und die Präsidial-Demokratie (Vorbild: USA), die oft zur Vorbereitung der Diktatur dient.

Seit 1889 Panamerik. Kongresse und Konferenzen: Förderung der polit. Einigkeit.

1923 V. Konferenz von Santiago: Unterzeichnung des 1. Schlichtungsvertrages.

1928 VI. Kongress von Habana: Annahme einer für alle amerikan. Staaten verbindlichen Schiedsgerichtsbarkeit.

1933 VII. Kongress von Montevideo: Teilnahme der USA.

1936 Interamerikan. Friedenskonferenz von Buenos Aires: Friedenspakt zwischen 21 amerikan. Staaten (Vorbild: Briand-Kellogg-Pakt, S. 415). Die Grundsätze hemisphärer Verteidigung werden auf dem

1938 VIII. Kongress von Lima erweitert.

1939 Konferenz von Panama: Verbot von Kriegshandlungen in einer 300 Seemeilen breiten neutralen Zone um den Kontinent mit Ausnahme Kanadas. – Die

1942 Außenministerkonferenz von Rio de Janeiro beschließt den Kriegseintritt gegen die Achsenmächte (außer Argentinien [1943] und Chile [1944]).

Die direkte Interventionspolitik der USA in und nach dem Ersten Weltkrieg – vor allem in Mittelamerika (Nicaragua, Haiti, Dominikan. Rep., Kuba, Panama) – wird unter ROOSEVELT aufgegeben:»Politik der guten Nachbarschaft« (S. 465), doch Anlage von US-eigenem Kapital (»Dollarimperialismus«).

Kriege:

1932–35 Chaco-Krieg zwischen Bolivien und Paraguay, das 1938 den größten Teil des strittigen Gebiets erhält.

1941 Grenzstreitigkeiten zwischen Ecuador und Peru, doch spricht das

1942 Protokoll von Rio de Janeiro den größten Teil Peru zu.

Mexiko

Das Land beschreitet nach der Rev. (1911) einen soz.-rev. Weg: Nationalisierung und Sozialisierung, Garantie der Wohlfahrt, Agrarreform, Säkularisierung des Unterrichts, Verstaatlichung von Eisenbahn und Petroleumindustrie; Industrialisierung.

Mittelamerika

Nach der Weltwirtschaftskrise (S. 463) mit Preissturz der Rohstoffe entsteht Unruhe in der Bevölkerung, so dass es zur Bildung von Diktaturen kommt: Kuba (1933–59 FULGENCIO BATISTÁ), Dominikan. Rep. (1930–61 RAFAEL TRUJILLO MOLINA), Guatemala (1930–44 JORGE UBICO), El Salvador (1932–44 Gen. MAXIMILIANO HERNÁNDEZ MARTÍNEZ), Honduras (1932–49 Gen. TIBURCIO CARÍAS ANDINO) und Nicaragua (1936–56 ANASTASIO SOMOZA).

Panama:

1936 Vertrag mit den USA: Keine Einmischung in die inneren Angelegenheiten des Landes zur Aufrechterhaltung der Ordnung, keine Landenteignungen. Erhöhung der Pachtsumme von jährl. 250 000 auf 430 000 Dollar.

Südamerika

Venezuela: Auf den Diktator JUAN VICENTE GÓMEZ [1908–35] folgt ELAZAR LÓPEZ CONTRERAS [1935–41]: Verfassung mit sozialist. Zügen (1936).

Kolumbien: Nach der Herrschaft der Konservativen (bis 1930) folgen lib. Präsidenten.

Ecuador: Polit. Wirren (1931–48), verursacht durch die Weltwirtschaftskrise (S. 463).

Peru: Nach der Diktatur AUGUSTO B. LEGUÍAS [1919–30] setzt ein Kampf zwischen Diktatur und verfassungsmäßiger Ordnung ein.

Bolivien: Wechsel von Zivilregierung und Militärdiktatur (seit 1930).

Chile: Ab 1920 führt Präs. ARTURO ALESSANDRI [1920–25, 1932–38] mit Unterstützung des Klerus soz. Reformen durch (soz. Wohlfahrtsstaat).

Argentinien: Verdrängung der alten Oligarchie durch die Radikale Partei (Mittelstand) seit 1916. 1930 Sturz der Radikalen durch Konservative und Militär, das die Herrschaft der Oligarchie beseitigt (1943 »Obristenliga«, aus der JUAN PERÓN hervorgeht, S. 549).

Uruguay: Durch eine große Koalition der beiden stärksten Parteien wird die Diktatur vermieden.

Paraguay: Wegen der wirtschaftl. Stagnation keine stabilen Regierungen.

Brasilien: Der Diktator GETÚLIO VARGAS [1930–45] verbietet Kommunisten und faschist. Integralisten; versucht durch soz. Gesetzgebung die Arbeiter zu gewinnen.

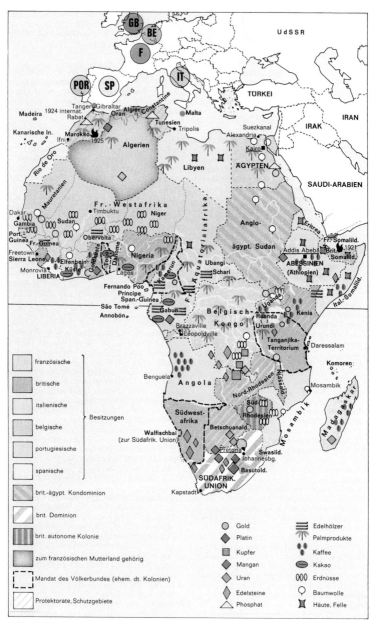

Afrika 1939

Die selbstständigen Staaten
Ägypten: Nach 1918 tritt die **Wafd-Partei,** hervorgegangen aus der von SAGHLUL PASCHA (1860–1927) in London und auf der Friedenskonferenz geführten Delegation, für die Unabhängigkeit Ägyptens ein.
1922 Großbritannien erklärt Ägypten zum unabh. Kgr., behält jedoch Vorrechte: Verteidigung Ägyptens, Sicherung der Suezkanalzone, Regelung der Sudanfrage, Truppenstationierung, Außenpolitik.
1917–36 FUAD I. (Sultan, seit 1922 König) bekämpft die Wafd-Partei, löst das Parlament auf (1928) und regiert diktatorisch.
1936 Restauration der Verfassung von 1923.
1936–52 FARUK I.
1936 Brit.-ägypt. Vertrag: Ägypten wird unabhängig, aber Stationierung brit. Truppen in der Kanalzone auf 20 Jahre und Wiedereinführung des engl.-ägypt. Kondominiums über den Sudan (nach dem Vertrag von 1899).
Abessinien:
1916–30 Kaiserin ZAUDITU. Regent wird TAFARI MAKONNEN (1892–1975), der nach Spannungen mit der Kaiserin den Titel »Negus« annimmt (1928) und zum
1930 Kaiser Haile Selassie I. gekrönt wird. Nach mehreren Grenzzwischenfällen zwischen ital. und abess. Truppen beginnt der
1935–36 italien.-abessin. Krieg, der mit dem Einmarsch der Italiener in Addis Abeba endet (S. 437).
Liberia:
1925 Kontrakt mit der Kautschukgesellschaft FIRESTONE; für die Anleihe werden 1931 über die Hälfte des Staatseinkommens an Zinsen aufgewendet. Eine
1930 Kommission des Völkerbundes stellt Zwangsarbeit und Sklavenhandel fest.
1931 Einstellung des Schuldendienstes durch das Parlament und wirtschaftl. Aufstieg.
Südafrika:
Die Politik wird beeinflusst durch die Rassenfrage und den Gegensatz zwischen der Südafrikan. Partei unter Gen. LOUIS BOTHA (1862–1919) und
1919–24 Gen. Jan Christiaan Smuts (1870–1950), der für ein größeres Südafrika im Rahmen des brit. Commonwealth eintritt, und der Nationalen Partei unter
1924–33 Gen. James Barry Munnick Hertzog (1866–1942), der die polit. Ausschaltung Englands erstrebt.
Nach dem Statut von Westminster (S. 448) wird unter der
1934–39 Koalitionsreg. HERTZOG-SMUTS, deren Parteien sich zur »Vereinigten Nat. Südafrikan. Partei« zusammenschließen, durch den
1934 »Status of the Union Act« das Ziel der Unabhängigkeit erreicht.
1936 Gesetz über die Vertretung der Eingeborenen: der »Eingeborenenrat« erhält beratende Funktion.
1939 Abbruch der Beziehungen zum Deutschen Reich.

Die Mandate des Völkerbunds
Als **B-Mandate,** verwaltet wie koloniale Besitzungen, fallen Tanganjika, Teile Kameruns und Westtogo an Großbritannien, Osttogo und Kamerun an Frankreich, Ruanda-Urundi an Belgien.
Als **C-Mandat** verwaltet die Südafrikanische Union Südwestafrika als Bestandteil ihres Staatsgebietes.

Die Kolonien
Verwaltung der engl., franz., port. und belg. Kolonien durch einen allein dem König bzw. dem MP. verantwortl. Gouverneur. Keine Beteiligung der Afrikaner an der Reg. »Indirect rule« (Mitarbeit von Afrikanern in der niederen [Justiz-]-Verwaltung) in den engl., »direkte« Verw. (Weiße) in den belg., port. und franz. Kolonien. Zentralismus und Versuch einer Assimilation der Afrikaner durch Vernichtung der Stammestraditionen in den franz. Kolonien. Assimilationsversuche in den zu »Bestandteilen Portugals« (1935) erklärten port. Kolonien.
Wirtschaft, Handel, Verkehr: Umwandlung bzw. Ende der Monopolkompanien. Bau neuer Verkehrswege. Investitionen verbessern die wirtschaftl. Lage der weißen Kolonisten, doch nicht der afrikan. Völker (Ausnahme: Bewohner des Sudan-Guinea-Gürtels).

Die Afrikaner
Nach dem Weltkrieg bleibt der Ausbruch des Nationalismus aus, doch wird für den gebildeten Afrikaner eine Rückkehr zur Stammesordnung, nicht zuletzt unter dem Einfluss des Christentums, unmöglich. Die Bildungsbestrebungen, von christl. geleiteten afrikan. Seminaren, Ende der zwanziger Jahre von Schulen, später durch Kollegs der Kolonialherren gefördert, tragen zum Fortschritt bei.
Die polit. Betätigung afrikan. Intellektueller wird abgelehnt.
Der Bildungsprozess, verbunden mit dem Wunsch nach Würde und soz. Sicherheit, begünstigt jedoch die polit. Emanzipation.

Nordafrika
Gemeinsam ist den Bewohnern der nordafrikan. Länder (der ital. Kolonie Libyen, den franz. Protektoraten Tunis und Kgr. Marokko sowie dem franz. Departement Algier) das islam.-arab. Nationalbewusstsein und die Ablehnung der europ. Zivilisation. Selbstbestimmungsrecht und Gleichberechtigung fördert in Tunis die **Destur-Bewegung.** Nachdem in Marokko der
1925 Aufstand der Rifkabylen unter ABD EL-KRIM zur
1926 bedingungslosen Kapitulation und zum span.-franz. Marokkoabkommen über die Abgrenzung der Interessengebiete führt, setzt sich das nat.-marokkan. Aktionskomitee, nur wenig später die **Istiklal-Partei** (Partei d. Unabhängigkeit), für eine konstitutionelle Reg. und verwaltungsrechtl. Autonomie ein.

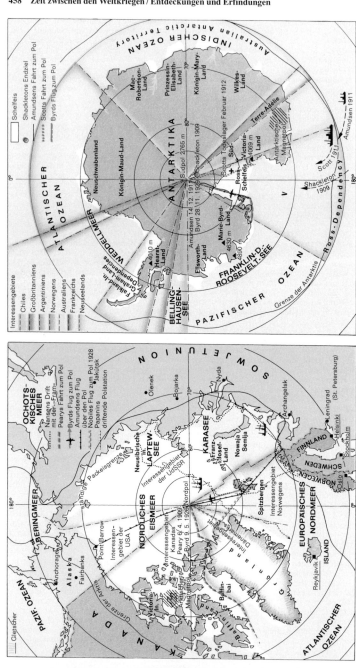

Die Erforschung der Antarktis

Die Erforschung der Arktis

Erfindungen

Physik:
1925 Quanten-
  mechanik   HEISENBERG/BORN/JORDAN
1926 Wellenmechanik   SCHRÖDINGER
1928 Zählrohr   GEIGER/MÜLLER
1932 Positronen   ANDERSON
  Neutronen   CHADWICK
  Zyklotron   LAWRENCE
1934 Künstl. Radioaktivität   JOLIOT/CURIE
1938 Kernspaltung   HAHN/STRASSMANN

Biologie:
1909 Tierpsychologie   MORGAN
  Umweltforschung   V. UEXKÜLL
1910 Drosophila-Genetik   MORGAN
1911 Wirkstoff gegen Beri-Beri
  (»Vitamin«)   FUNK/TERUUCHI
1912 Begründung der
  Humangenetik   LENZ
1914 Begründung der
  Verhaltensforschung   WATSON
1919 Chromosomenkarte   MORGAN
1921 Menschl. Erblehre,
  Rassenhygiene   BAUR/FISCHER/LENZ
  Intelligenzversuche mit
  Menschenaffen   KÖHLER
1927 Begründung der
  Strahlengenetik   MÜLLER
1928 Theorie des Gens   MORGAN

Chemie:
1921 Kohlensäureassimilation   WARBURG
1922 Methylalkohol aus
  Wassergas   MITTASCH
1925 Makromolekulare
  Chemie   STAUDINGER
  Kohleverflüssigung   FISCHER/TROPSCH
1930 Kunststoffe auf
  Acetylenbasis   REPPE
1932 Schwerer Wasser-
  stoff   LIBEY/BRICKWEDDE/MURPHY
1934 Synthese Vitamin C   REICHSTEIN
1936 Buna-Kautschuk   KONRAD
1938 Perlon   SCHLACK
  Nylon   CAROTHERS
1939 Kontakt-Insektengift DDT   MÜLLER

Medizin:
1909 Übertragung des Fleck-
  fiebers durch Kleiderläuse   NICOLLE
1910 Blutgruppen   MOSS
1917 Sexualpathologie   HIRSCHFELD
1921 Insulin   MACKAD/BENTING/BEST
1928 Penicillin   FLEMING
1929 Herzkatheter   FORSSMANN
1930 Schutzimpfung gegen
  Gelbfieber   THEILER
1932 Sulfonamide   DOMAGK
1935 Corticosteron   KENDALL/REICHSTEIN
1939 Künstl. Herz   GIBBONS
1940 Rhesusfaktor   LANDSTEINER/WIENER

Verkehrstechnik:
1910 Propellerturbine   KAPLAN
1915 Ganzmetallflugzeug   JUNKERS
1918 Leichtflugzeug   KLEMEN
1922 Drehflügelflugzeug   LA CIERVA
1930 Strahltriebwerk   SCHMIDT

Nachrichtentechnik:
1913 Röhrensender   MEISSNER
1916 Gerichtete Kurzwelle   MARCONI
1925 Fernsehversuche (USA, Großbritannien, Deutschland)
1927 Drahtlose überseeische
  Telefonverbindung
1935 Ultrakurzwellensender   WITZLEBEN

Bild und Ton:
1919 Tonfilm   VOGT/ENGL/MASOLLE
1928 Magnetophon   PFLEUMER
1929 Fernsehen und
  Fernfilm   KARVLUS/TELEFUNKEN
1932 Fernsehen   WITZLEBEN

Entdeckungen

Arktis:
1893–96 Driftfahrt NANSENS mit der »Fram«.
1903–06 Nordwestpassage AMUNDSENS.
1909 PEARY landet am 6. 4. in Polnähe.
1921–24 Thule-Expedition RASMUSSENS von
  Grönland zur Beringstraße.
1926 BYRD fliegt von Spitzbergen zum Pol und
  zurück in 16 Stunden.
1926 Flug NOBILES mit AMUNDSEN und ELLS-
  WORTH von Spitzbergen über den Nordpol
  nach Alaska.
1928 2 Flüge NOBILES mit dem Luftschiff »Italia« zum Pol.
1937/38 PAPANINS Forschungsexpedition auf
  einer Eisscholle östl. von Grönland.
1937–40 Driftfahrt des Eisbrechers »Sedow«.
Grönland wird erforscht durch MYLIUS-ERICH-
SEN (1906–08), MIKKELSEN (1910), DE RUER-
VAIN (1912), KOCH/WEGENER (1913), WEGE-
NER (1929–31), GRONAU/HOVGAARD/WEHREN
(1931).

Antarktis:
1901–03 Südpolexpedition unter DRYGALSKI.
1902–04 SCOTT erforscht das Victoria-Land.
1902–03 NORDENSKJÖLD östl. vom Louis-Phi-
  lippe-Land.
1902–03 BRUCE erforscht das Weddellmeer.
1909 SHACKLETON nähert sich bis auf 200 km
  dem Pol.
1911 AMUNDSEN erreicht den Südpol.
1911–12 SCOTT erreicht 1912 den Pol; auf der
  Rückreise kommt er ums Leben.
1911–12 2. Südpolexpedition unter FILCHNER.
1911–14 MAWSON erforscht Wilkes-Land.
1915 SHACKLETON versucht vergeblich die
  Antarktis zu durchqueren.
1928–30 Erkundungsflüge BYRDS, der 1929
  den Südpol überfliegt.
1933–36 WILKINS und ELLSWORTH versuchen
  vergeblich eine Durchquerung.
1938–39 »Schwabenland«-Expedition.

Expeditionen, die mit Hilfe neuer Transport-
mittel durchgeführt werden (Eisbrecher, Kraft-
fahrzeuge, Flugzeuge), vertiefen die Kenntnisse
über Asien (Tibet, Gobi), Afrika (Arabien, Sahara) und Südamerika (Brasilien, Venezuela,
Guayana).

Der Duce
Benito Mussolini (1883–1945 [von Partisanen erschossen]), Sohn eines Schmieds, wird Volksschullehrer; als radikaler Sozialist journalistisch und propagandistisch in der Schweiz, Frankreich und dem österreichischen Trentino (1902–10) tätig.
Nach Rückkehr nach Italien wird er Herausgeber der Zeitung ›La Lotta di Classe‹ in Forlì, später Chefredakteur des Parteiorgans ›Avanti!‹ in Mailand und Mitglied des Exekutivkomitees der Sozialisten. Wegen seines integralen Nationalismus (S. 397) Ausschluss aus der Partei, Gründung einer eigenen Zeitung ›Il Popolo d'Italia‹ mit fremden (französischen?) Geldern und Bildung eines »Fascio d'azione rivoluzionaria«, der Urzelle des Faschismus, aus Sozialisten, Syndikalisten und eigenen Anhängern (Ziel: Eintritt in den Krieg auf Seiten der Entente).
Aus dem Krieg, an dem er 1915–17 teilnimmt, kehrt er schwer verwundet zurück.
Mussolini wird weniger von der marxist. Doktrin beeinflusst als von Nietzsche (»Wille zur Macht«, »Übermensch«, S. 342), Hegel (S. 319), dem Vitalismus Henri Bergsons (1859–1941), Georges Sorel (S. 344), von dem er den Gedanken des »sozialen Krieges« durch die »Action directe« übernimmt, sowie von Vilfredo Pareto (1848–1923) und dessen Theorie vom Kreislauf der Eliten.

Die Ideologie
Der **Faschismus** (von lat. fasces: Rutenbündel mit Pfeil als Zeichen der Macht der röm. Konsuln und Prätoren) ist eine antiparlamentar., antidemokrat. und nat. Umsturzbewegung und zielt auf die Errichtung eines autoritären oder totalitären **Einparteienstaates.**
Der Begriff »Faschismus« ist nach der ital. Erscheinungsform zum politischen Gattungsbegriff geworden.
Ähnlich wie der Nationalsozialismus von Hitler (S. 461) wird der ital. Faschismus von der Persönlichkeit und dem Denken Mussolinis geprägt. Der »Retter Italiens« (Salvatore d'Italia) interpretiert seine Vorstellungen in der ›Dottrina del fascismo‹: Nationalistische und imperialistische Tendenzen (Wiederbelebung der altröm. Tradition) sowie sozialist. Theorien vereinigen sich zur faschist. Ideologie, die von dem Angehörigen der Bewegung Disziplin, Wille und Glaube fordert und Gewalt, Kampf und Gefahr verherrlicht.
Überwindung der Klassengegensätze und des Internationalismus durch nat. Gemeinschaft und nat. Staat, dem der Bürger als höchstem Wert dienen muss und der von einer Elite geleitet wird.
Pazifismus und Liberalismus werden als staatszersetzend abgelehnt (Ausweisung und Flucht liberaler Politiker).
Nach 1945 wird die faschist. Ideologie noch von dem neofaschist. »Movimento Sociale Italiano (MSI)«, einer parlamentarischen Minderheit, vertreten.

Die Partei
1919 Gründung der ersten »Fasci di combattimento« (polit. Kampfverbände) durch Mussolini in Mailand. Ziele: Agrarreform, Konfiskation der Kirchengüter, Unterstützung der Kriegsteilnehmer. Das Bürgertum unterstützt die Faschisten aus Furcht vor einer bolschewist. Revolution, da die parlament. Demokratie versagt.
1921 Faschist. Nationalkongress in Rom: Gegen den Widerspruch Gf. Dino Grandis (1895–1988) auf Wunsch Mussolinis Umwandlung des »Movimento« bzw. des revolutionären Kampfbunds in eine Partei: Gründung des **Partito Nazionale Fascista (PNF).** Nach dem »Marsch auf Rom« (S. 437) übernimmt Mussolini die Reg.

Das Herrschaftsprinzip
Der faschist. Staat ist ein autoritärer, totalitärer, hierarchischer und korporativer Einparteienstaat (Grundlage: »Leggi fascistissime«); er manifestiert sich in der
1. **Diktatur Mussolinis** durch seine Stellung als **»Capo del governo«** (Vorgesetzter der Minister) und als **»Duce del Fascismo«.** Er ist damit Präs. des **»Großen Faschistischen Rats«** (S. 437) und bestimmt den Parteisekretär, den höchsten Beamten der streng hierarchisch aufgebauten Partei. Von der PNF abhängig sind die Frauen- und Jugendorganisationen, Gewerkschaften, Berufsverbände und die »Milizia Volontaria per la Sicurezza Nazionale« (Parteimiliz);
2. Errichtung des Einparteienstaats (1926) mit gelenkten Plebisziten (seit 1928);
3. politisch-staatlichen Neuordnung durch das kooperative System: Verbindung syndikalistischer Vorstellungen mit dem totalitären Prinzip (Vereinigung von Arbeitnehmern, Arbeitgebern, Vertretern des Staates und der Partei in Kooperationen, S. 437);
4. **Erneuerung des »Impero Romano«** durch Rückgriff auf altröm. Herrschaftstradition. Vernichtung bzw. Integration nat. Minderheiten (Südtiroler, Slowenen), Eroberung Abessiniens (S. 437) und Albaniens (S. 441), Proklamation der Adriat. Meeres zum »Mare Nostro«.
Die faschist. Herrschaft, eine »aufgeklärte« Diktatur, wird durch Monarchie, Hof und Offizierskorps gemäßigt. Die für den Nat.-Soz. typischen Merkmale, Terror und Massenverhaftungen zur Durchsetzung des polit. Willens, fehlen, die Geheimpolizei hat geringe Bedeutung. Kein Konflikt mit der Kirche, da der Katholizismus die »herrschende Religion« Italiens ist (Lateran-Verträge, S. 430).
Unter dem Einfluss des Nat.-Soz. Rassenpolitik (S. 430; seit Sommer 1938) mit scharfen Gesetzen aus Furcht vor einem »Mestizentum« im »Impero«.

Der Führer

Adolf Hitler (1889–1945 [Selbstmord]) wird als Sohn eines Zollbeamten im österr. Braunau am Inn geboren. Er verlässt vorzeitig die Linzer Realschule (1905), lebt in Wien (1909–13), wo er sich vergeblich um Aufnahme in die Kunstakademie bemüht; verrichtet Gelegenheitsarbeiten, kampiert in Männerwohnheimen und Obdachlosenasylen und lebt vom Verkauf gemalter Postkarten. Sein polit. Denken ist kleinbürgerlich unausgegoren: alldt. Nationalismus, radikaler Antisemitismus (Schönerer, Lueger, S. 357) prägen Hitlers Vorstellungen. 1913 siedelt er nach München über, nimmt als Kriegsfreiwilliger am Weltkrieg teil, dessen Ende er im Lazarett Pasewalk/Pommern erlebt. Nach München zurückgekehrt, wird er in der Presse- und Propaganda-Abt. des Reichswehrgruppenkommandos IV verwendet.

Als Vorsitzender der NSDAP gewinnt er Kontakt mit Ludendorff (S. 403), Gottfried Feder (1883–1941), Ernst Röhm (1887–1934 [ermordet]) und Dietrich Eckart (1868–1923), deren Einfluss sich bemerkbar macht (Feder: ›Brechung der Zinsknechtschaft‹, Röhm: Gedanke vom »Wehrstaat«, Eckart: Antisemitismus).

Die Ideologie

Der Nationalsozialismus entsteht nach 1913 als Gegenbewegung gegen die Revolution und das parlament.-demokrat. System. Seine geistigen Wurzeln sind uneinheitlich und zum Teil verfälscht: Nietzsches (S. 342) »Wille zur Macht«, die Rassenlehre Gobineaus und H. St. Chamberlains (S. 343), der »Schicksalsglaube« R. Wagners, Mendels (S. 343) Vererbungslehre, Haushofers »Geopolitik« oder die sozialdarwinist. Darstellungen eines Alfred Ploetz (1860–1940) werden ebenso zu Bestandteilen der NS-Ideologie wie Ideen Machiavellis, Fichtes, Treitschkes oder Spenglers. Dominierend wird der **Antisemitismus:** da dem Deutschtum eine langsame Vernichtung durch die jüd. »Rasse« drohe, fordert Hitler die Verteidigung von **»Blut und Boden«** und die Vernichtung der Juden (S. 483) sowie die »Stärkung der nord. Rasse«, die als **»Herrenvolk«** über die »Minderwertigen« regieren soll. Der Nat.-Soz. betont das **»Völkische«,** fordert unbedingtes Aufgehen des Einzelnen in der »Gemeinschaft«, (»Du bist nichts, dein Volk ist alles«) und predigt einen charismat. **»Führerglauben«** (»Führer befiehl, wir folgen«). Er übernimmt Anregungen aus der Jugendbewegung (»Gemeinschaftsromantik«), preist das »Fronterlebnis« der Kameradschaft und adaptiert komm. und faschist. Züge. Die »Bewegung« wird zum Sammelbecken Unzufriedener, die von der parlamentar. Demokratie enttäuscht sind und die Forderungen der NSDAP nach wirtschaftl. Autarkie, expansiver Außenpolitik (»Volk ohne Raum«), Befreiung aus den »Fesseln des Versailler Diktats« und Abwendung der Bolschewisierung unterstützen.

Die Partei

Jan. 1919 Gründung der »Deutschen Arbeiterpartei« (DAP) durch den Eisenbahnschlosser Anton Drexler (1884–1942).

Sept. 1919 1. Besuch einer DAP-Versammlung durch Adolf Hitler, der im selben Monat in die Partei aufgenommen wird.

1920 Verkündung des Parteiprogramms (»25 Punkte«): Förderung des Volkswohls (»Gemeinnutz geht vor Eigennutz«). Herstellung des Selbstbestimmungsrechts aller Deutschen und ihrer staatl. Gleichberechtigung, Aufhebung der Pariser Vorortverträge, Ausschaltung des Judentums, Brechung der »Zinsknechtschaft« u. a. Die DAP wird in **Nationalsozialistische Deutsche Arbeiter-Partei (NSDAP)** umbenannt.

Juli 1921 Hitler wird Erster Vorsitzender.

1923 Hitler-Putsch in München (»Marsch auf die Feldherrnhalle«, S. 427). Hitler wird nach dem Misslingen des Aufstands zu 5 Jahren Festungshaft in Landsberg verurteilt. Hier schreibt er den 1. Teil seines Buches ›Mein Kampf‹ (der 2. Teil entsteht 1925–27).

1924 Nach 8 Monaten vorzeitig entlassen. Neugründung der NSDAP in München

Die Partei ist nach dem **»Führerprinzip«** aufgebaut: an der Spitze steht der **»Führer«,** sein Stellvertreter und die Reichsleitung mit den Reichsleitern, politische Organisation in **Gaue, Kreise, Ortsgruppen, Zellen, Blocks.** Neben der Partei stehen die ebenso organisierten, z. T. paramilit. Parteiorganisationen (SA, SS, HJ, BdM u. a.) und die **angeschlossenen Verbände** (DAF, NSV, Fachverbände der Ärzte, Lehrer, Juristen, Beamten usw.).

Zu Hitlers engsten Mitarbeitern in der Kampfzeit gehören: Ernst Röhm, Heinrich Himmler (1900–45 [Selbstmord]), Joseph Goebbels (1897–45 [Selbstmord]), Hermann Göring (1893–1946 [Selbstmord]), Alfred Rosenberg (1893–1946 [hingerichtet]), Rudolf Hess (1894–1987), Hans Frank (1900–46 [hingerichtet]), Julius Streicher (1885–1946 [hingerichtet]), Baldur von Schirach (1907–74), Robert Ley (1890–1945 [Selbstmord]), Gregor Strasser (1892–1934 [ermordet]), Otto Strasser (1897–1974).

Durch das Rednertalent Hitlers und Goebbels' sowie durch die Publikationen Rosenbergs (›Der Mythus des 20. Jhs.‹) und mit Hilfe der Parteizeitung (›Völk. Beobachter‹) wird die nat.-soz. »Weltanschauung« verbreitet durch massenpsychol. wirksame Großkundgebungen, Aufmärsche, Fackelzüge und Parteitage dem Volk »eingetrommelt«. Hitler betont, dass er legal »zur Macht« kommen wolle. Unterstützt von weiten Kreisen der Bevölkerung gelingt es der NSDAP, seit 1930 ihre Mandate im RT. ständig zu erhöhen (Ausnahme: Wahl am 6. Nov. 1932, vgl. Grafik S. 470) und das Ziel, die Konstituierung des **»Dritten Reiches«,** herbeizuführen (»Machtergreifung« S. 471).

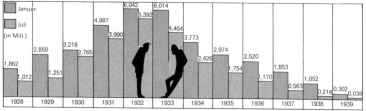

Die Entwicklung der Arbeitslosigkeit in Deutschland 1918–1939

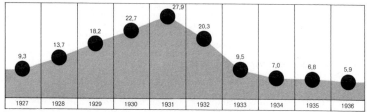

Konkurse und Vergleichsverfahren in Deutschland (in Tsd.)

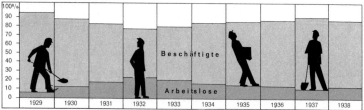

Die Entwicklung der Arbeitslosigkeit in der Welt 1929–1938

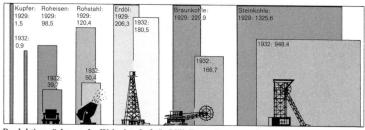

Produktionsrückgang der Weltwirtschaft (in Mill. Tonnen)

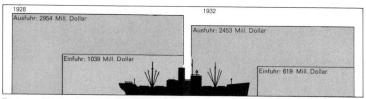

Export und Import Lateinamerikas 1928 und 1932

Wirtschaftl. Folgen des Weltkriegs
Gründe für die Krise der Weltwirtschaft:
1. Unterbindung des internat. Warenaustausches, deshalb Zusammenbruch.
2. Einschränkung der Konsumgüter-Produktion und Rationierung.
3. Ausbau der Rüstungsindustrie.
4. Errichtung von Produktionsstätten durch neutrale, überseeische Länder zur Verarbeitung der eigenen Rohstoffe (Lateinamerika).
5. Erhöhung der Produktionskapazität in den USA.
6. Verringerung der Auslandsguthaben und Schwinden der Goldreserven bei den kriegführenden Mächten (mit Ausnahme der USA).
7. Beschränkung der Freizügigkeit der Arbeitnehmer, verstärkte Frauenarbeit.

Der Wiederaufbau des Welthandels und Weltverkehrs nach dem Krieg wird behindert durch die Planwirtschaft der Sowjetunion (staatl. Außenhandelsmonopole), – Schutzzölle der nat. Wirtschaften, – Wandlung der USA vom Schuldnerstaat zum Gläubigerland (Goldmonopol), – Entstehung neuer Zollgrenzen in Europa durch Bildung neuer Staaten (1914: 6000 km; 1920: 12 000 km), – Autarkiebestrebungen der einzelnen Staaten zum Schutz vor Versorgungsschwierigkeiten, – Erschütterung der Rechtsgrundlagen (Beschlagnahme »feindl. Eigentums«), – Aufgeben der Goldwährung, Inflationen und Währungszusammenbrüche, hervorgerufen durch die Kriegsfinanzierung (Notendruckpresse).
Auf der
1922 Weltwirtschaftskonferenz von Genua (ohne USA und Türkei) wird die Schaffung einer Golddevisenwährung zur Lösung der wirtschaftl. und finanz. Probleme vorgeschlagen. In den USA wird die Inflation durch eine Deflationspolitik, in England durch erhöhte Steuern gebannt. Inflationist. Politik treibt Frankreich, Belgien und die neuen Staaten Mittel- und Osteuropas. Trotz der Reichsfinanzreform (1919) kann Dtl. seinen Reparationsverpflichtungen unter dem Druck des
1921 Londoner Ultimatums (S. 413) nicht nachkommen. Die immer rascher ansteigende Inflation wird in Dtl. beendet durch die
1923 Errichtung der Dt. Rentenbank: Stabilisierung der Währung durch Fundierung der Rentenmark auf Grund und Boden. Nach der Umstellung auf Friedenswirtschaft (1922) beginnt die
»Prosperität« der »glücklichen zwanziger Jahre« (1922–29), die auf der rapiden Entwicklung der Technik (Rationalisierung, Standardisierung), dem Ausbau der mechan., elektr. und chem. Großindustrie, der zunehmenden wirtschaftl. Konzentration (oft mit staatl. Hilfe) beruht und durch Bildung von Kartellen, Trusts, Großbanken und Konzernen gefördert wird. Wegen des weltweiten wirtschaftl. Aufschwungs und der Steigerung der Volkseinkommen werden Krisenanzeichen übersehen: die große Arbeitslosigkeit in den europ. Industrieländern, die gleichbleibende, z. T. rückläufige Preisentwicklung durch Mengen-, und Preiskonjunktur, verbunden mit niedrigen Verdiensten (»Profitless prosperity«), das rapide Ansteigen der Börsenkurse, vor allem in den USA, der Rückgang der Steinkohlenförderung und der Textilindustrie und die niedrigen Gewinne bei den Agrarerzeugnissen.
Durch das Vorbild der staatl. gelenkten Kriegswirtschaft, die sozialist. Wirtschaftsvorstellungen, die wirtschaftl. Erfolge Australiens und Neuseelands, die Wirtschaftspläne der Sowjetunion und der aufkommenden Diktaturen greift der Gedanke der **Planwirtschaft** um sich. Wegen der zunehmenden Verflechtung von Staats- und Wirtschaftsmacht tritt an die Stelle der internat. Weltwirtschaft mit freiem Güteraustausch die nationale mit ihrem Streben nach Autarkie.
Das Zurückbleiben der Kaufkraft hinter der Produktion führt zum
24. 10. 1929 Sturz der Kurse an der New Yorker Börse. Die Folge ist eine
1930 Wirtschaftskrise in Europa. Da die amerikan. Kredite ausbleiben, der europ. Export in die USA zurückgeht, flüssiges Kapital fehlt und die Preise bei allen nicht von Kartellen kontrollierten Rohstoffen und bei Agrarprodukten fallen, kommt es zu Konkursen, Preiszerfall, Arbeitslosigkeit und Bankzusammenbrüchen.
Mai 1931 Zusammenbruch der Österr. Credit-Anstalt.
Juli 1931 Die Darmstädter und Nationalbank stellt als erstes deutsches Institut ihre Zahlungen ein.
Sept. 1931 Aufgabe des Goldstandards durch England und
April 1933 durch die USA sowie (bis 1936) durch alle anderen Staaten.
Nach dem Versagen der klass. deflationist. Mittel greifen die Reg. zur Überwindung der Krise ein: Öffentl. Arbeitsbeschaffungsmethoden (USA, Deutschland), Staatsbeteiligungen an Unternehmen oder deren Sozialisierung (England, Frankreich), Stützungskäufe von nicht absetzbaren Rohstoffen, Kredite für Unternehmen und Kontrolle von Preisen und Löhnen.
Die Gesundung der nat. Wirtschaften wird zwar durch Zoll- und Währungsmanipulationen, Devisenkontrollen und -bewirtschaftung sowie durch bilaterale Handelsabkommen erreicht, die internat. Wirtschaftsbeziehungen werden jedoch erschwert.
Trotz des Ansteigens der Industrieproduktion, die 1936 den Stand von 1913 erreicht, verhindern Autarkiebestrebungen, vor allem der Diktaturen, und internat. Spannungen eine Sanierung vor dem Ausbruch des Zweiten Weltkriegs. Die
1937 Rezession in den USA (S. 465), bes. in der Textil- und Kohlenindustrie, wirkt sich in Europa wegen der Aufrüstung nicht aus.

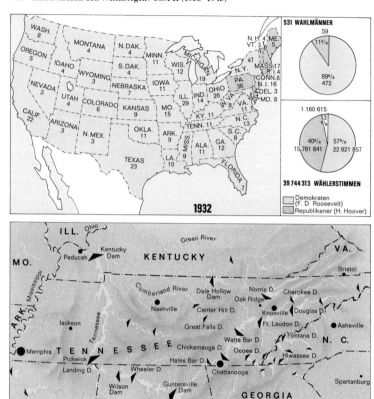

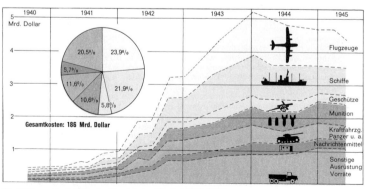

Wahlsieg Roosevelts und Tennessee-Tal

Die Rüstungsproduktion der Vereinigten Staaten 1940–1945

Die Roosevelt-Ära (1933–45)
1933–45 Franklin D. Roosevelt (1882–1945) erklärt den nat. Notstand und leitet umfangreiche Reformen zu Überwindung der Wirtschaftskrise ein: **New Deal** (wörtl.: Neuverteilung der Spielkarten), von einem brain trust geplant, der jedoch am privatwirtschaftl. System festhält.
1933 Die »Hundert Tage« (9. 3.–16. 6.). Diese erste Phase des Reformwerks soll unmittelbare Not lindern und die Wirtschaft durch schnelle Sanierung wieder in Gang bringen: Schließung der Banken, von denen nur die »gesunden«, dem Federal Reserve System angeschlossenen (75%), wieder eröffnen dürfen; Ausfuhr- und Hortungsverbot für Gold und Valuta; Abwertung des Dollars (bis 50%); Gesetze zur Entlastung der verschuldeten Farmer und Hausbesitzer. Kernstücke des New Deal:
Landwirtschaftsreform (AAA: Agricultural Adjustment Act): Produktionsdrosselung von Hauptprodukten (Baumwolle, Tabak) durch Prämienzahlungen.
Tennessee Valley Authority (TVA) unter Leitung von DAVID E. LILIENTHAL: Größte Regionalplanung (Bau von Wasserkraftwerken, Industrieanlagen, Flussregulierungen, Bewässerungsanlagen; Erosionsbekämpfung durch Aufforstung).
Wiederaufbau der Industrie (NIRA: National Industrial Recovery Act): Wahrnehmung der Interessen der Arbeitgeber (Produktionsbeschränkungen, Preisabsprachen u. a.) und Arbeitnehmer (Maximalarbeitszeiten, Mindestlöhne). Nach Erklärung der Verfassungswidrigkeit (1935) nicht erneuert. – Freiwilliger Arbeitsdienst (CCC: Civilian Conservation Corps).
1935 Beginn der 2. Phase des New Deal, deren Reformen die Position der Arbeiter und Farmer stärken und die Gegner des New Deal ausschalten sollen, die z. T. noch radikalere Neuerungen verlangen:
Beseitigung des Arbeitslosenproblems durch Bauten aus öffentl. Mitteln (WPA: Works Progress Administration, Leiter: H. L. HOPKINS, 1890–1946);
Regelung der Beziehungen zwischen Arbeitgeber und Arbeitnehmer (National Labor Relations Act) durch eine Schlichtungs- und Aufsichtsbehörde; den Arbeitern wird Organisations- und Verhandlungsfreiheit sowie das Streikrecht zugesichert;
Einrichtung einer Arbeitslosen-, Invaliden-, Alters- und Hinterbliebenenversicherung (Social Security Act). Weitere Gesetze fördern den Wohnungsbau und sichern faire Arbeitsbedingungen zu. – Nach ROOSEVELTS 1. Wiederwahl zum Präs. (Nov. 1936) erstrebt er die Reform des Obersten Bundesgerichts (Judiciary Reorganization Bill) und die Ausschaltung opponierender Kräfte in der eigenen Partei. Deshalb und wegen der ab Aug. 1937 einsetzenden wirtschaftl. Rezession

gewinnen die Republikaner bei den Zwischenwahlen (Nov. 1938) 80 Sitze im Repräsentantenhaus und 7 im Senat.
Außenpolitik:
Trotz Widerstands der Isolationisten, die zwar dem Beitritt der USA zu internat. Arbeitsorganisationen zustimmen (1934), sich aber dem Beitritt zum Internat. Gerichtshof widersetzen (1935), ist das Bestreben ROOSEVELTS auf internat. Zusammenarbeit gerichtet.
1934 Wiederaufnahme der diplomat. Beziehungen zur UdSSR wegen der jap. Expansion in Ostasien. Die **»Politik der guten Nachbarschaft«** löst die Politik der Interventionen in Lateinamerika ab: Verzicht auf die amerikan. Rechte in Kuba, Aufgabe der Schutzherrschaft über Haiti. Erfolg dieser Politik: **VIII. Panamerikan. Konferenz in Lima:** Erklärung der Solidarität Amerikas (1938). – Die Philippinen sollen nach 10 Jahren unabhängig werden.
1935 Neutralitätsgesetzgebung (Neutrality Act): Verbot des Verkaufs und der Lieferung von Waffen an kriegführende Staaten.
1937 Ein neues Neutralitätsgesetz ermöglicht auf der Basis des »Cash and Carry« die Lieferung von Waffen an Kriegführende. ROOSEVELT sieht einen Existenzkampf zwischen Demokratie und Diktatur, deren »Regime des Schreckens und der Gesetzlosigkeit« die Welt bedrohe.
1937 »Quarantäne«-Rede in Chicago (5. 10.): Gegen eine »Epidemie der Rechtlosigkeit« ist Neutralität nicht möglich.
Seit 1938 (Abkommen von München, S. 435) amerikan. Aufrüstung.
Seit 1939 Abbau der Neutralitätsgesetzgebung zu Gunsten Großbritanniens und seiner Verbündeten.
1940 Nach seiner 2. Wiederwahl zum Präs. bildet ROOSEVELT den nat. Verteidigungsrat und verkündet die
Jan. 1941 »Vier Freiheiten«: Freiheit der Rede und Meinung, des Glaubens und Freiheit von Not und von Furcht. Das
März 1941 Leih- und Pachtgesetz (Lend Lease Act) ermächtigt den Präs. zu Kriegslieferungen an die Alliierten auch ohne Bezahlung. – Durch dem
7. 12. 1941 jap. Überfall auf Pearl Harbor überwiegt im amerikan. Volk die Bereitschaft zum Krieg: **Kriegserklärung an Japan** (8. 12.), der die **Kriegserklärungen Deutschlands und Italiens folgen** (11. 12.). Erhöhung der Streitkräfte von 2 auf 12 Mill. (1946). Zwischen 1940 und 1946 werden ca. 370 Mrd. Dollar für die Kriegführung bereit gestellt. **Voraussetzung für den Sieg der USA:** Straffe Planung, Lenkung und Kontrolle; Koordinierung von Produktion, Verbrauch und Forschung; Ausweitung der Landwirtschaft.
1945 Tod Franklin D. Roosevelts (12. 4.), der im Nov. 1944 zum 4. Male zum Präs. gewählt worden war.

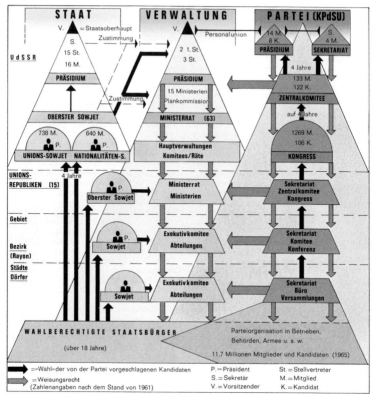

Die Staatsstruktur der UdSSR 1936

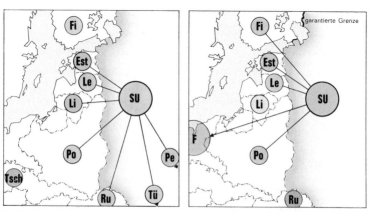

Der Moskauer Ostpakt 1929   Die Nichtangriffspakte der UdSSR 1932

Die Diktatur Stalins
1924–29 Aufstieg von J. W. Dschugaschwili Sta-
lin (1879–1953) zum Alleinherrscher und
Führer der UdSSR durch Ausschaltung der
Opposition. Der Troika STALIN, L. B. KAME-
NEW (1883–1936 [hingerichtet]), G. SINOW-
JEW (1883–1936 [hingerichtet]) gelingt die
1925 Absetzung Trotzkis (S. 389) **als Kriegs-**
kommissar, dessen These von der »**perma-**
nenten Revolution« zu der von STALIN vertretenen und auf der XIV. Parteikonferenz
angenommenen These vom »**Sozialismus in**
einem Land« im Gegensatz steht. Bildung
eines rechten Flügels, der für STALIN optiert,
mit A. J. RYKOW (1881–1938 [hingerich-
tet]), N. J. BUCHARIN (1888–1938 [hinge-
richtet]) und M. P. TOMSKI (1880–1936
[Freitod]), dem Führer der Gewerkschaften,
und eines linken Flügels (KAMENEW), dessen Politik ideologisch bestimmt ist.
1927 Ausstoßung Trotzkis und Sinowjews aus
der Partei und Verbannung TROTZKIS,
1929 Ausweisung TROTZKIS (1940 in Mexiko
ermordet). – Nach rigoroser Durchführung
der Kollektivierung (Beginn 1928) rechnet
STALIN mit der Rechtsopposition ab.
BUCHARIN, TOMSKI und RYKOW verlieren ihre Ämter (1929).
Nov. 1929 Ausschluss Bucharins aus dem Polit-
büro.
Dez. 1929 STALINS 50. Geburtstag: Beginn der
autokrat. Diktatur.
Die Fünfjahrespläne verwandeln die UdSSR ab
1928 in einen modernen Industriestaat. Die
Kollektivierung der Bauern wird zur größten
Agrarrevolution, der 6 Zehntel aller Höfe
und ca. 11 Mill. Menschen zum Opfer fallen
(»Liquidierung der Kulaken«, 1932), Errichtung von **Kolchosen** (dörfl. Kooperations-
wirtschaften) und **Sowchosen** (Staatsgüter).
Aufbau der Schwerindustrie durch Erschließung neuer Kohle- und Erzgruben im Ural,
in Sibirien und Mittelasien. Errichtung von
Industriekombinaten zur Rationalisierung
der Wirtschaft. Elektrifizierung. Autarkie in
Kohle und Öl. Ausbeutung der menschl. Arbeitskraft durch die »Stachanow«-Bewegung
(seit 1935). Die neu entstandene »techn. Intelligenz« wird als privilegierte Klasse die
Hauptstütze des Regimes.

Die Stalin-Verfassung (1936)
Bei der UdSSR, einem Bundesstaat aus 11 Sowjetrepubliken (Russ., Ukrain., Weißruss., Georg. [Grusin.], Armen., Aserbeidschan., Ka-
sach., Kirgis., Usbek., Turkmen. und Tadschik.
SSR), denen das Ausscheiden aus der Union
zugebilligt wird, liegt die Entscheidung über
Krieg und Frieden, die Landesverteidigung,
das Bank-, Post- und Verkehrswesen, Außenpolitik und Wirtschaftsplanung. Schutz der Nationalitäten. – Höchstes Organ der Staatsgewalt
ist der **Oberste Sowjet der UdSSR** (Sowjet der
Union und Sowjet der Nationalitäten), der das
Präsidium, dessen Vors. die Funktion eines

Staatsoberhaupts ausübt, den **Rat der Volks-**
kommissare (Ministerkabinett) und den **Obers-**
ten Gerichtshof (für 5 Jahre) wählt und den
Generalstaatsanwalt (für 7 Jahre) ernennt.
Keine Teilung der Gewalten in der Praxis. Die
Räte (Sowjets) vom Dorf bis zur Union, von
der KP und ihren Organisationen nominiert,
werden in allgem., gleicher und direkter Wahl
von allen Bürgern mit vollendetem 17. Lebensjahr alle 4 Jahre gewählt. Den Bürgern werden
alle demokrat. Grundrechte gewährt, allerdings
»in Übereinstimmung mit den Interessen der
Werktätigen«. Die Führungsrolle der KPdSU
wird in der Verf. verankert.

Die Große Säuberung (1936–38)
Die Tschistka ist die Endabrechnung STALINS
mit seinen Gegnern aus den 20er Jahren. Die
Liquidierung der alten Revolutionäre in Partei
und Armee, für die STALIN und seine engeren
Mitarbeiter – »Apparatschiks« wie L. M. KA-
GANOWITSCH (1893–1991), A. A. ANDREJEW,
W. M. MOLOTOW (1890–1986), A. A. SCHDA-
NOW (1896–1948) – verantwortlich sind, ist
Voraussetzung für die Errichtung der Diktatur.
8 Mill. Menschen werden inhaftiert, in den
Straflagern Nordrusslands und Sibiriens befin-
den sich 5–6 Mill., deren Zahl sich 1940/42
verdoppelt. Verhaftungen, Vernehmungen und
Hinrichtungen werden mit Hilfe der NKWD
(Volkskommissariat für Innere Angelegenhei-
ten) unter JAGODA, ab 1936 JESCHOW, ab 1938
BERIJA (S. 505) durchgeführt. Höhepunkte sind
die großen Schauprozesse:
1936 »Prozess der 16«: SINOWJEW, KAMENEW
u. a.;
1937 »Prozess der 17«: RADEK, MURALOW,
PJATAKOW u. a.;
1938 »Prozess der 21«: BUCHARIN, RYKOW,
KRESTINSKI u. a. – Mit dem Prozess gegen
Marschall TUCHATSCHEWSKI (1937) beginnt
die Säuberung der Roten Armee, der 3
Marschälle, 13 Armeegenerale, 62 Korps-
kommandeure zum Opfer fallen.

Außenpolitik:
1926 Berliner Vertrag (S. 443).
1929 Moskauer Ostpakt: Vertragssystem, um
einer möglichen antisowjet. Frontenbildung
durch die Kellogg-Pakt-Staaten vorzubeugen (S. 415). Wegen der labilen Lage im
Fernen Osten schließt die UdSSR zum
Schutze der Westgrenze
1932 Nichtangriffspakte mit west- und osteurop. Staaten. Unter
1930–39 M. M. LITWINOW, dem Volkskommissar für Auswärtiges, wendet sich die Sowjetunion, vor allem nach Abschluss des
deutsch-poln. Nichtangriffspakts (S. 475),
den Westmächten zu.
1933 Anerkennung der UdSSR durch die USA
(Grund: Japans Aufstieg in Ostasien).
1934 Aufnahme in den Völkerbund.
1935 Sowjet.-franz. Beistands- und Nichtangriffspakt. – (»Volksfront«-Politik, S. 419).

Wirtschaftskrise und Aufrüstung (1929–35)
Rückgang der Konjunktur und wachsende Arbeitslosigkeit bringen in den
1929 Wahlen der Labour Party den Sieg (287 Abg.) gegenüber 216 Konservativen und 59 Liberalen, mit deren Unterstützung das
1929–31 2. Kabinett MacDonald (S. 424) gebildet wird. – Wiederaufnahme der Beziehungen zur UdSSR aus wirtschaftl. Überlegungen: der brit.-sowjet. Handel geht zu Gunsten des dt.-sowjet. zurück, amerikan. Ölfirmen konkurrieren auf dem europ. Markt.
Nach Verständigung mit den USA über die Flottenfrage (»Kreuzerstreit«)
1930 Flottenkonferenz von London (S. 412). Folgen der Weltwirtschaftskrise (S. 463), das Gerücht über die Zerrüttung der Staatsfinanzen (May-Report), Belastung des Budgets durch die Arbeitslosenunterstützung (»Dole«), vor allem aber die Arbeitslosigkeit (Dez. 1930: 2,5 Mill.) führen zu einer Kabinettskrise:
1931 Rücktritt der Reg. und Bildung eines »Nat. Kabinetts« MacDonald, das von Konservativen und Liberalen unterstützt wird. Die Mehrheit der Labour Party geht unter ARTHUR HENDERSON (1863–1935) und GEORGE LANSBURY (1859–1940) in Opposition. Verabschiedung eines Notbudgets durch das Parlament. – Aufgabe der Goldwährung. Durch Abwertung des Pfundes gesteigerte Wettbewerbsfähigkeit der engl. Waren auf den Weltmärkten. Die
Okt. 1931 Wahlen bestätigen die Politik der »Nat. Reg.«: 472 konservative und 65 liberale gegen 46 Labour-Abgeordnete.
1931–35 2. Koalitionskabinett MacDonald. Es stützt sich auf konservative, lib. und 13 »nat.« Labour-Abg. Die Macht liegt bei den Konservativen unter STANLEY BALDWIN und **Neville Chamberlain** (1869–1940). Die Reg. verzichtet auf planmäßige Krisenbekämpfung und auf die traditionelle Freihandelspolitik. Statut von Westminster (S. 448).
1932 Reichskonferenz in Ottawa (Gewährung von Vorzugszöllen [Präferenzsystem] im Handelsverkehr mit den Ländern des Commonwealth). – Spaltung der Liberalen, der lib. AMin. SIR JOHN SIMON (1873–1954) verbleibt im Kabinett. – Überwindung der Wirtschaftskrise durch billige Einfuhr von Grunderzeugnissen und Finanzmaßnahmen der Reg. Gewährung von Darlehen und Zinsgarantien, Reduktion des Zinsfußes, Konvertierung der Kriegsanleihen von 5 auf 3½% und Stabilisierung der Währung durch den Handelsausgleichsfonds (Exchange Equalisation Fund). Allerdings gibt es 1936 noch immer 1,6 Mill. Arbeitslose. – Der Versuch eines internat. Währungsabkommens scheitert auf der
1933 Internat. Wirtschaftskonferenz in London. Die Außenpolitik gegenüber Japan und Deutschland bleibt unklar.
1934 Beginn der Wiederaufrüstung (Royal Air

Force) und, im Hinblick auf die dt. Aufrüstung, Forderung eines
1935 umfangreichen Wehrprogramms.
Großbritannien gewinnt auf der Stresa-Konferenz (S. 437) für kurze Zeit MUSSOLINI als Bundesgenossen gegen Dtl.

Die Politik des »Appeasement« (1935–39)
1935–37 Die »Nat. Reg.« Baldwin verfolgt eine Politik des »Appeasement« (Beschwichtigung). Durch Verhandlungen sucht sie den Krieg zu vermeiden, da sie Rüstungskosten scheut und maßvolle Revisionsforderungen der besiegten Mächte einsieht. Daraus folgt das
1935 Dt.-brit. Flottenabkommen. – Auf Druck der öffentl. Meinung ändert die Reg. ihre Haltung gegenüber Italien:
Unterstützung der vom Völkerbund beschlossenen wirtschaftlichen Sanktionen (S. 415). Sie gewinnt daraufhin die Wahlen (Okt. 1935).
Ablösung des AMin. HOARE, der dem Plan LAVALS zustimmt, Abessinien zu teilen (S. 469).
Unter AMin. **Anthony Eden** (1897–1977) wird die Politik der »kollektiven Sicherheit« aufgegeben. Rückkehr zur »Appeasement«-Politik, deshalb Zurückhaltung Großbritanniens bei der
1936 Rheinlandbesetzung (S. 475). Auch das brit.-ital. Abkommen über die Erhaltung des Status quo im Mittelmeer (»Gentlemen's Agreement«, 1937) ist eine Folge der zwiespältigen Appeasement-Politik.
1936 Tod GEORGS V. [König seit 1910].
EDUARD VIII. (1894–1972) muss wegen des Widerstands der Reg. Großbritanniens und der Dominions gegen seine Ehe mit der Amerikanerin W. W. SIMPSON abdanken.
1936–52 GEORG VI. – Nach der Krönung Ablösung BALDWINS.
1937–40 Kabinett Neville Chamberlain. – Die Appeasement-Politik wird fortgesetzt. AMin. EDEN tritt wegen der Verständigung mit Italien zurück. Nachfolger wird Lord HALIFAX (1881–1959).
April 1938 Brit.-ital. Abkommen: Anerkennung der ital. Herrschaft in Abessinien, Rückzug der ital. Freiwilligen aus Spanien nach Beendigung des Krieges.
Sept. 1938 Abkommen von München (S. 475). Nach der deutsch-brit. Erklärung und der Besetzung der »Rest-Tschechei« (S. 475) durch HITLER wird die Appeasement-Politik aufgegeben.
1939 Einführung der allg. Wehrpflicht. – Eindämmung der aggressiven NS-Außenpolitik durch Garantieerklärungen, doch scheitert ein brit.-franz.-sowjet. Beistandspakt (Aug. 1939) wegen der dt.-russ. Annäherung (Kriegsausbruch S. 475).
1940 Winston Churchill (1874–1965) bildet ein Koalitionskabinett. CHAMBERLAIN bleibt als Lordpräs. in der Regierung.

Die Krisenjahre (1931–40)
1932–40 Präs. Albert Lebrun (1871–1950). – Wahlsieg der Linksparteien, Bildung des
Juni-Dez. 1932 radikalen Mehrheitskabinetts Herriot (S. 425), das wegen der Fortsetzung der Schuldenzahlungen an die USA gestürzt wird. Häufiger Regierungswechsel (PAUL-BONCOUR, DALADIER, SARRAUT, CHAUTEMPS) und fortgesetzte Finanzkrise, da das Parlament den Regierungen die Ermächtigung zu radikalen Sparmaßnahmen verweigert. Anwachsen antiparlament. Bewegungen (sog. Ligen [»Feuerkreuzler«]; Kommunisten). Wegen des Stavisky-Finanz-Skandals
1934 Sturm der Ligen auf das Palais Bourbon: Rücktritt der Reg. Edouard Daladier (1884–1970) trotz Vertrauensvotums. Obwohl
Febr.-Nov. 1934 MP. Gaston Doumergue (1863–1937) ein Kabinett der »Nat. Einigung« bildet, scheitert er an dem Plan einer Verfassungsreform (Stärkung der vollziehenden Gewalt, Kammerauflösung ohne Zustimmung des Senats durch den MP.).
Nov. 1934–Mai 1935 Pierre-Étienne Flandins (1889–1958) »Reg. des Burgfriedens« verzichtet auf die Verfassungsreform, erhält aber auch keine Vollmacht zur Überwindung der Finanzkrise.
Juni 1935–Jan. 1936 Kabinett Pierre Laval (1883–1945 [hingerichtet]). Gegen den Vorschlag REYNAUDS, den Franc abzuwerten, treibt LAVAL eine Deflationspolitik (durch Notverordnung Kürzung der Beamtengehälter, Herabsetzung der Löhne und Mieten). Trotzdem keine Belebung der Wirtschaft. Austritt der radikalen Minister aus dem Kabinett und Bildung des
Jan.-Juni 1936 Kabinett des MP. Albert Sarraut (1872–1962). Der Kommunistenführer Maurice Thorez (1900–64) schlägt zur Überwindung der faschist. Gefahr die Bildung einer **»Volksfront«** aus der Sozialist. Republikan. Union (gegr. 1935), den Kommunisten und den Sozialisten vor:
1936 Wahlsieg der »Volksfront« bei den Kammerwahlen.
1936–37 Volksfront-Kabinett unter MP. Léon Blum (1872–1950). Obwohl die KP ihre Mitarbeit verweigert, Streiks und Fabrikbesetzungen inszeniert, setzt BLUM die **Matignon-Verträge** durch: Vierzigstundenwoche, bezahlter Urlaub, Kollektivverträge, Lohnerhöhungen (mindestens 15%), obligator. Schiedsgericht, Anerkennung des Gewerkschaftsrechts, betriebl. Mitbestimmung, Nationalisierung der Bank von Frankreich und der Rüstungsbetriebe. – Auflösung der Ligen, die in Tarnorganisationen ihre faschist. Tätigkeit fortsetzen. – Die Abwertung des Franc bringt keine Wirtschaftsbelebung und keine Beseitigung der Arbeitslosigkeit.
1937 Ablehnung einer von BLUM zur Behebung der Finanzkrise geforderten Vollmacht durch den Senat. Das Kabinett tritt zurück. Unter den nachfolgenden Volksfront-Reg. (CHAU-

TEMPS [1937–38] und BLUM [März-April 1938]) allmähliche Auflösung der Volksfront.
1938–40 Kabinett Daladier. Überwindung der inneren Krise durch Notverordnungen, Abschwächung der soz.-polit. Gesetze, Ermächtigungsgesetz zur Wiederherstellung der Wirtschaft. Infolge des Bruchs mit der Volksfront
Nov. 1938 Generalstreik; erfolglos. – In den letzten Friedensmonaten Erlass eines Familien- und eines Wohnungsbaugesetzes. Verlagerung der Industrien in die Provinz.
1939 Generalmobilmachung und Kriegserklärung an Deutschland (2. bzw. 3. 9.).
1940 Sturz DALADIERS (21. 3.). MP. wird **Paul Reynaud** (1878–1966). Marschall PÉTAIN (S. 407) wird nach dem Einmarsch der Deutschen ins Kabinett aufgenommen. Hilfeersuchen an die USA bleiben ohne Ergebnis. Die Reg. tritt zurück (16. 6.).
Außenpolitik (1931–40): Frankreich setzt den Versuch, NS-Dtl. durch ein System der »kollektiven Sicherheit« zu isolieren, fort. Abschluss von Einzelverträgen. Nach der Genfer Fünf-Mächte-Vereinbarung (S. 471) und der Versteifung der franz. Haltung unterstützt die franz. Diplomatie unter AMin. LOUIS BARTHOU (1862–1934 [ermordet]) den Abschluss des Balkanpakts (S. 443) als Hilfe für die Kleine Entente und lehnt in einer Verbalnote die Aufrüstung Dtl.s ab (April 1934).
1934 HITLER lehnt den franz. Vorschlag eines »Ostpaktes« (Ost-Locarno) ab. Frankreich unterstützt daraufhin die Aufnahme der UdSSR in den Völkerbund.
1935 Kolonialabkommen mit Italien und Beistandspakt mit der UdSSR.
Im Abessinienkonflikt (S. 437) nimmt MP. LAVAL eine zwiespältige Haltung ein: Teilnahme an den Sanktionen des Völkerbundes, aber Vermittlungsvorschlag (Abkommen HOARE [S. 468] – LAVAL). Die franz.-ital. Beziehungen werden durch den Abschluss des dt.-ital. Paktes (S. 475) praktisch beendet. Annäherung an Großbritannien, trotz Enttäuschung über dessen Zurückhaltung bei der Rheinlandbesetzung (S. 475) und dem Anschluss Österreichs (S. 475). Die Annäherung Polens an Dtl. (S. 475) und Jugoslawiens an Italien (1937) entwertet das franz. Paktsystem im Osten.
1938 Besuch des engl. Königspaares in Paris. Nach dem Besuch MP. DALADIERS und AMin. BONNETS in London (friedl. Beilegung der tschech. Krise) nimmt Frankreich an der Konferenz in München (S. 475) teil. Im Dez. folgt eine deutsch-franz. Nichtangriffserklärung.
Gespanntes Verhältnis zu Italien wegen der ital. Annexionsabsichten auf Tunis und Korsika und Kündigung des franz.-ital. Kolonialabkommens (Dez.).
Enge politische Zusammenarbeit mit Großbritannien (Garantieerklärungen, siehe Seite 468).

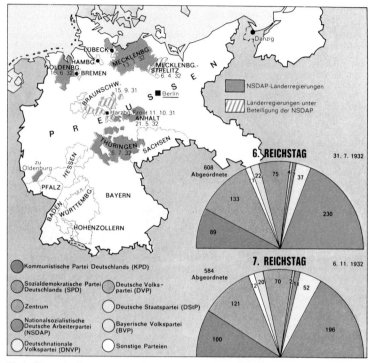

Die Auflösung der Weimarer Republik

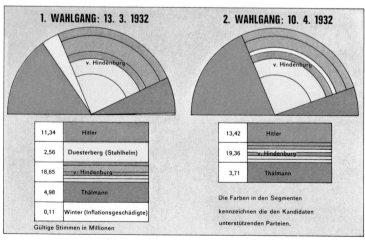

Die Reichspräsidentenwahl 1932

Die Regierung Brüning (1930–32)
Nach dem Sturz des letzten SPD-RK. MÜLLER (S. 429) und der zunehmenden Arbeitsunfähigkeit des RT. bildet der Zentrumspolitiker **Heinrich Brüning** (1885–1970) eine neue 1930–32 Regierung, die, von HINDENBURG unterstützt, mit Hilfe des RT. an der Opposition der Linken (KPD) und extremen Rechten (DNVP, NSDAP) regiert. Die SPD toleriert zunächst die Politik BRÜNINGS. Bekämpfung der sich verschärfenden Wirtschaftskrise (wachsende Arbeitslosigkeit). BRÜNING treibt eine deflationist. Wirtschaftspolitik (»Notverordnungen zur Sicherung von Wirtschaft und Finanzen«: Senkung der Löhne und Gehälter, der Preise und Arbeitslosenentschädigung, Steuererhöhung u. a.).
Sept. 1930 Reichstagswahlen: Stimmengewinne der KPD und NSDAP. Zunehmende Radikalisierung der Innenpolitik.
1931 Bildung der »Harzburger Front« (»Nationale Opposition«: NSDAP, DNVP, Stahlhelm) sowie der »Eisernen Front« (SPD, Gewerkschaften und »Reichsbanner Schwarz-Rot-Gold«, einer Schutzformation gegen die Gewalttaten der SA).
1932 Wiederwahl Hindenburgs (gegen den Kandidaten der KPD, ERNST THÄLMANN, 1886–1944 [ermordet], und den der NSDAP, HITLER). – Das radikale Vorgehen der NSDAP wird mit dem Verbot von SA und SS beantwortet. Reichswehrmin. GROENER tritt zurück, Nachfolger wird (im Kabinett VON PAPEN) Gen. KURT VON SCHLEICHER (1882 bis 1934 [ermordet]), der in seinem Vorhaben, die Rechtsradikalen zu schützen, bestärkt wird durch den Sieg der NSDAP bei den Landtagswahlen in Preußen, Bayern, Württemberg, Hamburg und Anhalt (April). Trotzdem werden auf der Reichstagssitzung (9.–12. Mai 1932) die Misstrauensanträge der Rechts- und Linksopposition abgelehnt.

Die Reg. Papen und Schleicher (1932–33)
30. 5. 1932 Sturz Brünings (»Hundert Meter vor dem Ziel«) als Folge von Intrigen der »Kamarilla« um HINDENBURG (SCHLEICHER, der Sohn des Reichspräs., OSKAR VON HINDENBURG, die ostelb. Junker um OLDENBURG-JANUSCHAU), den der Kanzler wegen seiner Sanierungs- und Siedlungspolitik »agrarbolschewist.« Neigungen verdächtigt. Mit dem
Juni–Dez. 1932 »Kabinett der nat. Konzentration« Übergang zur reinen Präsidialreg. RK. wird FRANZ VON PAPEN (1879–1969). Nach Auflösung des RT. (4. 6. 1932) Aufhebung des Verbots von SA und SS. HITLER toleriert die Reg. Bürgerkriegsähnl. Zustände liefern den Vorwand für den
Juli 1932 Staatsstreich gegen Preußen: Absetzung der amtierenden Reg. BRAUN.
Juli 1932 Reichstagswahlen. Die NSDAP wird stärkste Partei. HINDENBURG lehnt HITLER als Kanzlerkandidat ab. Die Reg. PAPEN wird im RT. wegen der Notverordnungen zur

Durchführung des »Papen-Plans« zur »Ankurbelung der Wirtschaft« niedergestimmt.
Nov. 1932 RT.-Wahlen: Verluste der NSDAP, Gewinne der KPD. Der Plan, einen autoritären »Neuen Staat« unter Ausschaltung des RT. und gestützt auf die Reichswehr zu schaffen, misslingt. PAPEN tritt zurück.
1932–33 (28. 1.) Kabinett SCHLEICHER. Der Versuch, eine Spaltung der NSDAP mit Hilfe des sozialist. Flügels um GREGOR STRASSER (S. 461) herbeizuführen, schlägt fehl. Ergebnislose Verhandlungen mit Gewerkschaften, Mittelparteien und SPD zur Unterstützung der Reg.
Jan. 1933 Wahlsieg der NSDAP bei den Landtagswahlen im Kleinstaat Lippe. – Die Reg. SCHLEICHER tritt zurück, da der Reichspräs. die Erklärung des Staatsnotstandes und die Auflösung des RT. sowie den vorläufigen Verzicht auf Neuwahlen ablehnt.

Außenpolitik (1930–33)
1930 Antwort der Reichsreg. auf den »Europa-Plan« BRIANDS (S. 425), der durch die Forderung auf volle deutsche Gleichberechtigung faktisch abgelehnt wird.
1931 Der Plan einer deutsch-österr. Zollunion scheitert am Widerstand Frankreichs. Der Internat. Gerichtshof in Haag, der sich mit dem Plan beschäftigt, verwirft die Rechtmäßigkeit. Dtl. und Österreich verzichten auf die Paraphierung.
1932 Konferenz von Lausanne: Endgültige Regelung der Reparationsfrage (Juni/Juli, S. 413).
Genfer Fünf-Mächte-Vereinbarung: Anerkennung der militärischen Gleichberechtigung Dtl.s (Dez.).

Die »Machtübernahme« Hitlers (1933)
4. Jan. Vereinbarung zwischen HITLER und PAPEN im Hause des Bankiers SCHRÖDER über eine gemeinsame Regierungsbildung.
22. Jan. Besprechung PAPEN – HITLER – OSKAR VON HINDENBURG – Staatssekretär MEISSNER. HITLER gewinnt OSKAR VON HINDENBURG. Der Reichspräs. erteilt seine Zustimmung zur Berufung HITLERS als RK. und zu Reichstagsneuwahlen
Damit ist das Schicksal der Republik von Weimar besiegelt. Sie war nach der Niederlage von 1918 ein Notbehelf, nicht das Werk einer großen Revolution. Den Bürgern fehlt das republikan. Bewusstsein und polit. Erfahrung. Die Reichswehr bildet einen »Staat im Staate«. Nutznießerin ist die immer stärker werdende Rechte, deren Vertretern nur die Illusion eines von ihr zu schaffenden starken Staatswesens gibt. Sie versetzt dem Parlament den Todesstoß: die NSDAP stört – oft im Bündnis mit der KPD – bis zu ihrem Wahlsieg 1932 jede kontinuierl. Arbeit, um dann schließlich »legal« die Reg. Gewalt zu erlangen:
Der »Machtergreifung« folgt die »legale Revolution« (S. 473).

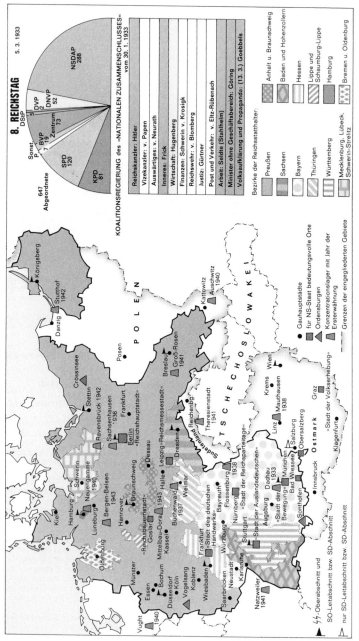

8. REICHSTAG

5. 3. 1933

647 Abgeordnete

NSDAP 288
DStP 5
DVP 2
DNVP 52
Zentrum 73
BVP 19
P. 7
Sonst.
SPD 120
KPD 81

KOALITIONSREGIERUNG des »NATIONALEN ZUSAMMENSCHLUSSES«
vom 30. 1. 1933

| Reichskanzler: Hitler |
| Vizekanzler: v. Papen |
| Auswärtiges: v. Neurath |
| Inneres: Frick |
| Wirtschaft: Hugenberg |
| Finanzen: Schwerin v. Krosigk |
| Reichswehr: v. Blomberg |
| Justiz: Gürtner |
| Post und Verkehr: v. Eltz-Rübenach |
| Arbeit: Seldte (Stahlhelm) |
| Minister ohne Geschäftsbereich: Göring |
| Volksaufklärung und Propaganda: (13. 3.) Goebbels |

Bezirke der Reichsstatthalter:

Preußen
Sachsen
Bayern
Thüringen
Württemberg
Mecklenburg, Lübeck, Schwerin-Strelitz

Anhalt u. Braunschweig
Baden und Hohenzollern
Hessen
Lippe und Schaumburg-Lippe
Hamburg
Bremen u. Oldenburg

● Gauhauptstädte
■ für NS-Staat bedeutungsvolle Orte
▲ Ordensburgen
▲ Konzentrationslager mit Jahr der Ersterwähnung
Grenzen der eingegliederten Gebiete

✠ ✠ -Oberabschnitt und
SO-Leitabschnitt bzw. SD-Abschnitt
✠ nur SD-Leitabschnitt bzw. SD-Abschnitt

Die »Machtergreifung« und der Ausbau der Hitlerdiktatur 1930–1945

»Nat. Revolution« und »Gleichschaltung«
30. 1. 1933 Vereidigung der Präsidialreg. Hitler, der Koalitions-Reg. des »Nat. Zusammenschlusses«. – Der »Nat. Revolution« folgt nun die »legale Revolution«, Ausbau der Macht mit Hilfe des »Notstandsart.« 48. **Ziel: Befestigung der totalen Macht der NSDAP und des »Führerprinzips« durch »Gleichschaltung«.** Aufhebung verfassungsmäßiger Grundrechte durch Verordnungen des Reichspräs. »zum Schutz des dt. Volkes« (4. 2. 1933) und (nach dem Reichstagsbrand, 27. 2. 1933) »zum Schutz von Volk und Staat« (Proklamation des Ausnahmezustandes, 28. 2. 1933). Nach Wahlen zum RT. und »Staatsakt« in der Potsdamer Garnisonskirche (21. 3. 1933: »Tag von Potsdam«) **Ausschaltung des Parlaments:**
24. 3. 1933 »Gesetz zur Behebung der Not von Volk und Reich« (»Ermächtigungsgesetz«). Übergang der gesetzgebenden Gewalt auf die Exekutive, die als ausführendes Organ gleichgeschaltet wird durch das Gesetz »zur Wiederherstellung des Berufsbeamtentums« (7. 4. 1933): Entlassung von polit. missliebigen und »nichtarischen« Beamten. – Der föderalist. Aufbau wird zerschlagen:
31. 3. 1933 »Vorläufiges Gesetz zur Gleichschaltung der Länder mit dem Reich« (Umbildung der Länderparlamente entsprechend der Reichstagswahl). Nach dem
7. 4. 1933 »Gesetz zur Gleichschaltung der Länder mit dem Reich« werden in den Ländern Reichsstatthalter eingesetzt, die die Länderreg. ernennen. Abschluss der Gleichschaltungsaktion durch das »**Gesetz über den Neuaufbau des Reiches«** Beseitigung der Länderparlamente (30. 1. 1934) und Auflösung des Reichsrats (14. 2. 1934).
Die Übernahme der Polizeigewalt befestigt die NS-Macht. Bis 1936 wird die gesamte Polizei (Schutz-, Kriminal- und polit. Polizei [seit 1934 »Gestapo«]) dem »**Reichsführer SS und Chef der dt. Polizei«,** Heinrich Himmler (S. 461), unterstellt. Nach der Röhm-Affäre (s. u.) tritt die SS an die Stelle der SA: **Bildung des »SS-Staats«.** Die SS wird Vollstreckungsorgan des Führers. Im »**Völkischen Rechtsstaat«** Rechtsprechung nach »Volksfinden«: Sondergerichte (Volksgerichtshof). Grundlagen der NS-Rechtsauffassung sind der Wille des Führers und die NS-Weltanschauung; die Rechtssicherheit des Individuums wird bestritten. **Willkür der polit. Polizei:** Erforschung und Bekämpfung staatsgefährdender Bestrebungen. Polit. Gegner werden durch Entzug der persönl. Freiheit zur »Erhaltung und Sicherheit der Volksgemeinschaft« bestraft und in Konzentrationslager eingewiesen.
Seit Mai 1933 Liquidation und Auflösung bzw. Verbot von Parteien und Gewerkschaften: Bildung der DAF nach Beschlagnahmung der Gewerkschaftsvermögen. Auflösung von DVP, BVP, DStP, DNVP und Zentrum. Verbot von SPD und KPD. Mit dem

1. 12. 1933 »Gesetz zur Sicherung der Einheit von Partei und Staat« wird die NSDAP Staatspartei.
Die Gefahr einer sozialist. »zweiten Revolution« und der Verschmelzung von Reichswehr und SA zu einer Miliz (Plan Röhms) wird durch die **Juni-Juli 1934 Ermordung des Stabschefs der SA, Ernst Röhm** (S. 461), und der SA-Führung beseitigt. Gleichzeitig Liquidierung von mißl. Gegnern (u. a. Schleicher [S. 471], Kahr [S. 427], Edgar Jung). Die Morde werden als **Staatsnotwehr durch Gesetz für rechtens erklärt.**
2. 8. 1934 Tod des Reichspräs. von Hindenburg. Hitler übernimmt das Amt des Reichspräs. Vereidigung der Reichswehr auf den »**Führer und Reichskanzler Adolf Hitler«.** – »Erfassung« aller Deutschen durch die »Gliederungen der NSDAP« und die »angeschlossenen Verbände« (S. 461).

Die NS-Wirtschaftspolitik
Zur Erlangung der wirtschaftl. Autarkie Stärkung der Landwirtschaft: »**Reichsnährstand«, »Reichserbhofgesetz«. – Beseitigung der Arbeitslosigkeit** durch Instandsetzungsprogramme, »**Unternehmen Reichsautobahn«** (27. 5. 1933), Aufrüstung und obligator. **Reichsarbeitsdienst** (26. 6. 1935); Finanzierung der Arbeitsbeschaffung und Aufrüstung durch Schuldenpolitik (»Mefo-Wechsel«). **Innere Verschuldung des Reiches Ende 1938: 42 Mrd. RM.**
27. 2. 1934 »Gesetz über den organ. Aufbaus der Wirtschaft« (»Ermächtigungsgesetz« zur Erfassung und staatl. Kontrolle aller Unternehmen und Personen).
20. 1. 1934 »Gesetz zur Ordnung der nat. Arbeit« (Schaffung der »Betriebsgemeinschaft« und der »Treuhänder der Arbeit«).
24. 10. 1934 Zusammenfassung aller »Schaffenden« in der »Dt. Arbeitsfront« (DAF).

Kultur- und Kirchenpolitik
13. 3. 1933 Errichtung des »Reichsministeriums für Volksaufklärung und Propaganda« unter Joseph Goebbels (S. 461). Alle Gleichschaltungsmaßnahmen werden von der skrupellosen Propagandatechnik Goebbels' unterstützt und begründet. – Das Ministerium übt einen starken Druck auf wissenschaftl. Institutionen (Abschaffung der autonomen Universitätsverfassungen) und auf das kulturelle Leben aus:
22. 9. 1933 Gründung der »Reichskulturkammer«.
Die NS-Kirchenpolitik scheitert. Trotz Reichskonkordat (S. 475) wächst der Widerstand der kath. Kirche (Enzyklika Papst Pius' XI. ›Mit brennender Sorge‹, 1937). – Gegen eine evang. »Reichskirche« wendet sich der
Mai 1934 Bekenntnissynode der Dt. Evang. Kirche: Konstituierung des aus dem von Martin Niemöller (1892–1984) 1933 gegr. »Pfarrernotbund« hervorgegangenen »**Bekennenden Kirche«.**

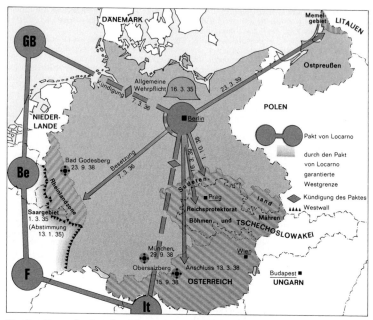

Die »Erweiterung des deutschen Lebensraums« bis Frühjahr 1939

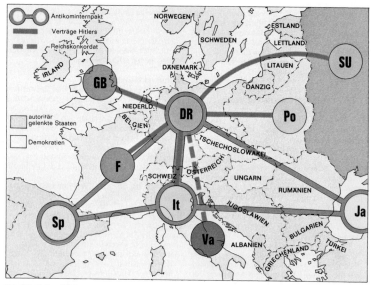

Die Bündnisse Hitlers

Die NS-Außenpolitik
Ziel: Revision des Versailler Vertrags als Vorstufe zur »Eroberung neuen Lebensraums«. HITLER beteuert den dt. Friedenswillen, lehnt aber die Politik der »kollektiven Sicherheit« ab und befürwortet zweiseitige Abkommen.
1933 Konkordat mit dem Vatikan (Juli). – Zunehmende Isolierung Dtl.s nach dem Verlassen der Abrüstungskonferenz und dem Austritt aus dem Völkerbund (Okt.).
1934 Nichtangriffspakt mit Polen: Erschütterung des franz. Bündnissystems. – Nach dem misslungenen nat.-soz. Putsch in Wien und der Ablehnung eines »Ost-Locarno« werden die Abstimmung im Saarland und dessen Wiedereingliederung erste außenpolit. Erfolge (Jan. 1935).
März 1935 Wiedereinführung der allg. Wehrpflicht.
Juni 1935 Deutsch-brit. Flottenabkommen (Flottenstärke 35 : 100).
März 1936 Kündigung des Locarno-Vertrags (S. 413) und **Einmarsch in das entmilitarisierte Rheinland:** Ende der Ordnung von Versailles.
Juni 1936 Abkommen mit Österreich: Wiederherstellung freundschaftl. Beziehungen.
Aug. 1936 Olymp. Spiele in Berlin.
Aug. 1936 Einführung der zweijähr. Militärdienstzeit.
Nov. 1936 Antikominternpakt: Beginn der Zusammenarbeit mit **Japan** gegen gemeinsame polit. Gegner (UdSSR). Dem Pakt tritt zunächst **Italien** (Jan. 1937) bei, nachdem eine deutsch-ital. Übereinkunft zur Verkündung der »**Achse Berlin-Rom**« (Okt./Nov. 1936) geführt hat; später (März 1939) **Spanien.**
Die »Eroberung neuen Lebensraums« wird zum vordringlichen Ziel der NS-Außenpolitik. Auf dem Reichsparteitag in Nürnberg (Sept. 1936) wird der Vierjahresplan zur Erlangung der wirtschaftl. Autarkie verkündet. Auf der
Nov. 1937 Führerkonferenz enthüllt Hitler seine Kriegspläne (»Hoßbach-Protokoll«): »Eroberung neuen Lebensraums« durch Gewalt.
1938 Entlassung des Reichskriegsmin. VON BLOMBERG (1878–1946) wegen nicht standesgemäßer Heirat und des OB des Heeres, Gen.-Oberst von FRITSCH (1880–1939), auf Grund einer Intrige HIMMLERS und GÖRINGS. **Bildung des OKW:** Gleichschaltung des Heeres. – AMin. wird **Joachim von Ribbentrop** (1893–1946) [hingerichtet]). – Entlassung des Reichsbankpräs. SCHACHT (S. 427) und »Gesetz über die Deutsche Reichsbank« (Juni 1939): HITLER erhält das uneingeschränkte Weisungs- und Aufsichtsrecht über die Finanzen.
1938 »Anschluss« Österreichs (S. 434). Die »Wiedervereinigung Österreichs mit dem Reich« (13. März) wird durch Volksabstimmung (April) bestätigt.
Nach HITLERS Geheimbefehl an die Wehrmacht zur **Zerschlagung der Tschechoslowakei** (30. 5. 1938), dem im Aug. folgenden Rücktritt

des Chefs des Gen.St. des Heeres, LUDWIG BECK (1880–1944 [Selbstmord]), den Besprechungen HITLERS mit CHAMBERLAIN (S. 468) in Berchtesgaden und Bad Godesberg (Sept.) findet auf brit.-ital. Vermittlung die
29. 9. 1938 Konferenz in München zwischen HITLER, MUSSOLINI, CHAMBERLAIN und DALADIER statt: **Abtretung der sudetendt. Gebiete an Dtl.** (1. bis 10. 10. 1938). Durch die dt.-engl. Nichtangriffserklärung (30. Sept.) und die dt.-franz. Erklärung (6. Dez., endgültige Anerkennung der dt.-franz. Grenzen) soll die dt. Expansion gestoppt werden. Trotz der Beteuerung HITLERS, dass die Abtretung des Sudetenlandes seine letzte Forderung gewesen sei (26. 9. 1938), ergeht der
21. 10. 1938 Geheimbefehl Hitlers zur »Erledigung der Rest-Tschechei«. Nach dem Besuch des tschechoslowak. Staatspräs. HÁCHA (S. 435) in Berlin (15. 3. 1939) und dem Einmarsch dt. Truppen in die Tschechoslowakei (15.–16. 3. 1939)
16. 3. 1939 Errichtung des »Reichsprotektorats Böhmen und Mähren«.
23. 3. 1939 Vereinigung des Memellandes mit dem Dt. Reich. – Mit dem Abschluss eines dt.-rumän. Handelsabkommens (S. 441) beginnt die wirtschaftl. Abhängigkeit der Balkan- und Donauländer (»Versorgungsraum« des »Großdt. Reiches«).

Kriegsausbruch und Bündnisse (1939–42)
21. 3. 1939 Dt. Forderungen an Polen: Angliederung Danzigs an Dtl., exterritoriale Verbindung zwischen Ostpreußen und dem Reichsgebiet. – Die Forderungen werden abgelehnt. Abbruch der Verhandlungen (26. 3.) und, nach der engl.-franz. Garantieerklärung für Polen (31. 3.), Kündigung des dt.-poln. Nichtangriffspakts sowie des dt.-brit. Flottenabkommens (28. 4.). Der
22. 5. 1939 Freundschafts- und Bündnispakt mit Italien (»Stahlpakt«), die
31. 5.–7. 6. 1939 Nichtangriffspakte mit Estland, Lettland und Dänemark sowie der
23. 8. 1939 deutsch-sowjet. Nichtangriffspakt mit geheimem Zusatzprotokoll (Festlegung der beiderseitigen Interessensphären in Osteuropa) sind Voraussetzungen für den
1. 9. 1939 deutschen Angriff auf Polen, das mit England einen Bündnisvertrag abgeschlossen hat (25. 8.).
Brit. Vermittlungsversuche scheitern an der ultimativen dt. Forderung, sofort einen Bevollmächtigten nach Berlin zu entsenden, was von Polen abgelehnt wird.
1940 Dreimächtepakt zwischen Dtl., Italien und Japan. Ziel:
Neuordnung Europas und Ostasiens, Verpflichtung zur Hilfeleistung. Dem Pakt treten bis 1942 Ungarn, Rumänien, die Slowakei, Dänemark, Finnland, Nanking-China, Bulgarien und Kroatien bei.
1942 Militärbündnis Deutschland–Italien–Japan.

Die Feldzüge in Polen, Dänemark, Norwegen, Niederlande, Belgien, Frankreich 1939/40

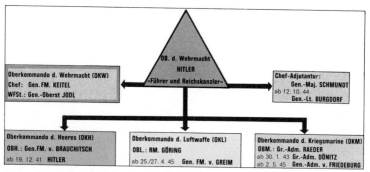

Spitzengliederung der deutschen Wehrmacht

Der Polenfeldzug (»Fall Weiß«, 1939)
Schnelle Zerschlagung der poln. Armee (1. bis 18. 9.) durch die überlegene dt. Panzer- und Luftwaffe. Widerstand leisten noch Warschau (bis 27. 9.) und Modlin (bis 28. 9.). **Folgen des Angriffs:** Nach vergebl. Vermittlungsversuchen MUSSOLINIS erklärt sich Italien als »nichtkriegführend« (2. 9.). **Großbritannien und Frankreich fordern ultimativ die Zurückziehung der dt. Truppen hinter die Reichsgrenze und erklären nach Ablauf der Frist den Krieg (3. 9.). Voraussetzungen für den Krieg im Westen:**
1. **»Neuordnung« Polens (Okt. 1939):** Eingliederung Danzigs (1. 9.) und der 1918 an Polen abgetretenen Gebiete (Reichsgaue »Danzig-Westpreußen« und »Wartheland«); der Bezirk Kattowitz und das Olsagebiet fallen an die Prov. Schlesien, die Bezirke Sudauen und Zichenau an die Prov. Ostpreußen. Restpolen wird als »Generalgouvernement« dem Gen.-Gouv. HANS FRANK (S. 461) unterstellt. – **Ziel der NS-Politik: Versklavung der Polen:** Schließung der höheren Schulen und Universitäten; Vernichtung der Intelligenz, Zwangsarbeit.
2. **Verhältnis zur UdSSR:** Einmarsch der Roten Armee in Ostpolen (17. 9.) und
28. 9. 1939 **deutsch-sowjet. Grenz- und Freundschaftsvertrag:** Verfügungsgewalt der UdSSR über Litauen gegen Gebietskonzessionen (Buglinie, Suwalkizipfel).
6. 10. 1939 **Reichstagsrede** HITLERS: Sein Friedensangebot (Anerkennung des Status quo) wird durch Frankreich und Großbritannien zurückgewiesen.
11. 2. 1940 Wirtschaftsabkommen mit der UdSSR, das die brit. Blockade unwirksam macht.
3. **Rücksiedlung der Volksdt.** durch Verträge mit den balt. Staaten, Italien und der UdSSR (Okt./Nov. 1939); die Aussiedler werden zum Objekt der Ostpolitik und unterliegen der Planung der SS (Ernennung HIMMLERS [S. 461] zum »Reichskommissar zur Festigung des dt. Volkstums« [RKF]): Umsiedlungsmaßnahmen.

Der finn.-sowjet. »Winterkrieg« (1939–40)
Nach Ablehnung sowjet. Forderungen (Überlassung von Stützpunkten) beginnt der
30. 11. 1939 **sowjet. Angriff auf Finnland.** Ausschluss der UdSSR aus dem Völkerbund (14. 12.). Nach hartnäckigem finn. Widerstand wird die »Mannerheim-Linie« durchbrochen. Zur Vermeidung eines Zusammenstoßes mit den Westmächten, die durch eine Landung in Norwegen Finnland unterstützen und die Erztransporte aus Schweden nach Dtl. unterbinden wollen, wird der
12. 3. 1940 **Friede von Moskau** unterzeichnet: Finnland tritt die karel. Landenge und Teile Ostkareliens ab und verpachtet Hangö an die UdSSR; Transitrechte im Petsamogebiet.

Dänemark, Norwegen (»Weserübung«, 1940)
Um die schwed. Erzzufuhr zu sichern und eine breitere Angriffsbasis für den Handelskrieg gegen Großbritannien zu gewinnen, erfolgt durch ein kombiniertes See-, Land- und Luftunternehmen die **Besetzung Dänemarks (9. 4.),** das sich kampflos ergibt, und die **Besetzung Norwegens (9. 4.–10. 6.),** dessen Streitkräfte nach der Einschiffung der Alliierten (3.–7. 6.) kapitulieren.
Dänemark: Weitere Amtsführung der dän. Reg., Einsetzung eines »Reichsbevollmächtigten«. Rücktritt der dän. Reg. (29. 8. 1943).
Norwegen: Flucht Kg. HAAKONS VII. [1905 bis 1957] und seiner Reg. nach London. Bildung einer Exilreg. (5. 5. 1940). Einsetzung des »Reichskommissars« TERBOVEN. Er wird von VIDKUN QUISLING (1887–1945 [hingerichtet]), dem Führer des faschist. »Nasjonal Samling«, unterstützt.

Der Westfeldzug (»Fall Gelb«, 1940)
10. 5.–4. 6. 1940 1. Phase (»Sichelschnitt«). Nach der Kapitulation der Niederlande (15. 5.) und Belgiens (28. 5.) stoßen deutsche Verbände zur Kanalküste vor, jedoch können sich ca. 335 000 brit. und franz. Soldaten von Dünkirchen aus einschiffen.
5. 6.–24. 6. 1940 2. **Phase (»Schlacht um Frankreich«).** Nach Durchbruch der »Weygand-Linie« wird **Paris kampflos besetzt** (14. 6.).
10. 6. 1940 Kriegseintritt Italiens (S. 481). –
22. 6. 1940 **Waffenstillstand in Compiègne.** Teilung Frankreichs in ein besetztes und ein unbesetztes Gebiet (»Vichy«-Frankreich). Die franz. Armee gerät in Kriegsgefangenschaft, keine Auslieferung der Flotte.

Polit. Folgen: Großbritannien: Bildung eines Koalitionskabinetts (10. 5.) unter **Winston Churchill** (1874–1965). – **Niederlande:** Flucht der kgl. Familie und Reg. nach London. ARTHUR SEYSS-INQUART (S. 434) wird »Reichskommissar«, unterstützt durch ANTON ADRIAN MUSSERT (1894–1946 [hingerichtet]), den Führer der natl. Nat.-Soz. – **Belgien:** Internierung Kg. LEOPOLDS III. [1934–51]. Die faschist. »Rexisten« unter LÉON DEGRELLE (1906–94) unterstützen die Deutschen. Rückgabe von Eupen-Malmedy und Moresnet (18. 5.). – **Luxemburg:** Gauleiter SIMON wird Chef der Zivilverw. (2. 8.). **Frankreich:** Nach dem Sturz DALADIERS (S. 469) und dem Rücktritt REYNAUDS bildet PÉTAIN (S. 407) die (»Vichy«-)Reg. (16. 6.).
3. 7. 1940 Vernichtung der vor Oran liegenden frz. Flotte durch die Engländer.
10. 7. 1940 Pétain wird »Chef des Staates«.
24. 10. 1940 **Treffen Hitlers mit Pétain in Montoire:** HITLER fordert den Kriegseintritt Frankreichs, den PÉTAIN ablehnt.

Geplante dt. Unternehmungen: Landung in England (»Seelöwe«) wird wegen der verlorenen »Luftschlacht um England« (S. 479) verschoben. – Die **Eroberung Gibraltars (»Felix«)** wird nach dem ergebnislosen Treffen HITLERS mit FRANCO in Hendaye (23. 10.) aufgegeben.

	1939	1940	1941	1942	1943	1944	1945
Verlust an U-Booten (Deutsches Reich)	9	22	35	85	287	241	153
Versenkt an Tonnage (USA, Gr.-Brit.)	810 000	4 407 000	4 398 000	8 245 000	3 611 000	1 422 000	458 000
Neubauten USA in BRT	101 000	439 000	1 169 000	5 339 000	12 384 000	11 639 000	3 551 000
Neubauten Gr.-Brit. in BRT	231 000	780 000	815 000	1 843 000	2 201 000	1 710 000	283 000
Zusammen in BRT	332 000	1 219 000	1 984 000	7 182 000	14 585 000	13 349 000	3 834 000

Der Seekrieg 1939–1945

zusammen	1939	1940	1941	1942	1943	1944	1945
Bomben-flugzeuge 18 235	737	2852	3373	4337	4649	2287	
Jagd-flugzeuge 53 729	605	2746	3744	5515	10 898	25 285	4936
Schlacht-flugzeuge 12 359	134	603	507	1249	3266	5496	1104
Aufklärungs-flugzeuge 6299	163	971	1079	1067	1117	1686	216
Strahl-flugzeuge 1988						1041	947

Die deutsche Flugzeugproduktion 1939–1945

	1940	1941	1942	1943	1944	1945
Bomben (in Tonnen) auf Deutschland	10 000	30 000	40 000	120 000	650 000	500 000
auf England	36 844	21 858	3260	2298	9151	761

Der Bombenkrieg 1940–1945

Der Seekrieg (1939–45)
Im Kampf gegen die feindl. Versorgungswege operiert die dt. Kriegsmarine vor allem im Atlantik (»Schlacht im Atlantik«). Trotz großer Tonnageverluste der Engländer gelingt es nicht, die brit. Inseln zu blockieren. Die Kriegsmarine trägt entscheidend zur Besetzung Norwegens und Dänemarks bei, erleidet aber so heftige Verluste, dass sie die Operationen in Frankreich 1940 nur bedingt unterstützen kann (Dünkirchen, S. 477).
Die Überwasserstreitkräfte: Nach der Selbstversenkung des Panzerschiffs »Graf Spee« vor der La-Plata-Mündung (Dez. 1939) und des Schlachtschiffes »Bismarck« (Mai 1941), dem zusammen mit dem schweren Kreuzer »Prinz Eugen« die Vernichtung des brit. Schlachtkreuzers »Hood« gelingt,
1942 Kanaldurchbruch der Schlachtschiffe »Scharnhorst« und »Gneisenau« (beide operieren 1940–41 im Atlantik) und der »Prinz Eugen« (Febr.) nach Norwegen.
1943 Versenkung der »Scharnhorst« bei Murmansk (Dez.).
1944 Vernichtung des Schlachtschiffes »Tirpitz« bei Tromsö (Nov.).
1945 Verlust der »Adm. Scheer«, »Adm. Hipper«, »Lützow«, »Emden«, »Köln«, »Leipzig«, »Schlesien« und »Schleswig-Holstein«.
Der U-Boot-Krieg: Der Handelskrieg wird zunächst nach Prisenordnung geführt.
1940 Erklärung des dt. »Operationsgebiets« um England (17. 8.) und Verschärfung des Kampfes. – Zunächst Erfolge der U-Boote in Einzelunternehmungen.
1942 große Erfolge vor der amerikan. Küste (keine U-Boot-Abwehr). – Höhepunkt der »Rudeltaktik« bilden die
1942–43 Operationen gegen Nordatlantik-Konvois. Im März 1943 werden 851 000 BRT versenkt. – Wegen des Streits um die Außerdienststellung der großen Schiffe tritt der OBM RAEDER zurück (1943, Nachfolger: DÖNITZ, S. 493).
Abbruch der Geleitzugsbekämpfung im Atlantik (1943).
Die Wende des U-Boot-Krieges zu Gunsten der Alliierten: Einsatz von Zerstörern als Konvoibegleitung, Radar-Ortung, lückenlose Luftüberwachung und Einsatz von »Support Groups« zur Konvoisicherung. Keine dt. Erfolge durch die Erfindung des Schnorchel-Gerätes (1944) und des akustischen Torpedos.

Der Luftkrieg (1939–45)
Die dt. Luftwaffe (OBL: Reichsmarschall GÖRING, S. 461) ist den feindl. Luftstreitkräften zunächst überlegen (»Stukas«) und trägt zum Erfolg der »Blitzkriege« bei. Sie kann jedoch den Abzug des brit. Expeditionskorps aus Dünkirchen (S. 477) nicht verhindern und verliert auch die
1940–41 »Luftschlacht um England«. Brit. Jagdwaffe, Kriegsindustrie werden nicht entscheidend getroffen, die Luftherrschaft über

den südengl. Raum nicht errungen (S. 477).
– Die wachsende Überlegenheit der alliierten Luftwaffe (Bau von Langstreckenbombern und Langstreckenjägern) und die Entwicklung der Radartechnik bringen die Wende im Luftkrieg.
1942 Beginn brit. und amerikan. Luftangriffe mit Brand- und Sprengbomben auf kriegswichtige Ziele und auf Wohnviertel deutscher Städte (30./31. 5. »1000-Bomber-Angriff« auf Köln).
1943 Beginn der Tagesangriffe in Großverbänden.
1944 Angriffe auf das rumän. Erdölgebiet von Ploesti (seit April), die deutschen Hydrierwerke (seit Mai) und auf das Verkehrsnetz. – Die Bevölkerung wird nicht demoralisiert, die Rüstungsproduktion bis Mitte 1944 nicht entscheidend getroffen.
1945 Terrorangriff auf das mit Flüchtlingen überfüllte Dresden (13./14. 2.). – In den letzten Kriegsmonaten Tieffliegerangriffe gegen die Zivilbevölkerung und zur Lahmlegung des Straßenverkehrs.
Die Alliierten beherrschen ab Mitte 1944 den Luftraum über Dtl. Sie können wegen der falschen Planung der Luftrüstung (u. a. Bau des Strahl-Jagdbombers Me 262 statt eines Düsenjägers), wegen Treibstoffmangels und fehlender Besatzungen nicht geschlagen werden. Die **Produktion der V-(Vergeltungs-)Waffen** wird durch den Angriff der RAF auf die Versuchsstation Peenemünde (Aug. 1943) verzögert (Beginn des Beschusses brit. Ziele [London] durch V 1 am 13. 6., durch V 2 am 6. 9. 1944). Minimale Schäden durch V-Waffen-Beschuss. (Luftkrieg im Pazifik, S. 493.)

Die deutsche Kriegswirtschaft
Zu Beginn des Krieges besteht keine einheitlich geplante und geleitete Wirtschaft. Nach Stalingrad (S. 485) und der Proklamation des »totalen Krieges« (18. 2. 1943) durch GOEBBELS (S. 461, 473) erfolgt eine Konzentration der Wirtschaft (2. 9. 1943) unter Reichsmin. ALBERT SPEER (1905–81). Die Produktionsziffern erreichen ihren Höhepunkt Aug.–Dez. 1944. Überwindung der Rohstoffknappheit durch Vorkriegsplanungen (Buna, synthet. Treibstoff, Verhüttung minderwertiger Erze u. a.) und durch Ausbeutung von Rohstoffquellen in den besetzten Ländern. Das kaukas. Erdölgebiet wird nicht erobert (Ende 1942), die rumän. und ukrain. Erdölgebiete gehen verloren: Treibstoffmangel während des ganzen Krieges. Ausnutzung des Industriepotentials in den besetzten Ländern.
Arbeitskräfte für die Wehrwirtschaft als Ersatz für die eingezogenen dt. Arbeiter werden durch Rekrutierung von ca. 9 Mill. am Anfang freiwilliger, dann zwangsverschleppter Fremdarbeiter gewonnen. Seit
30. 4. 1942 Mobilisierung aller KZ-Häftlinge (1944 bestehen neben den Hauptlagern über 400 Nebenlager).

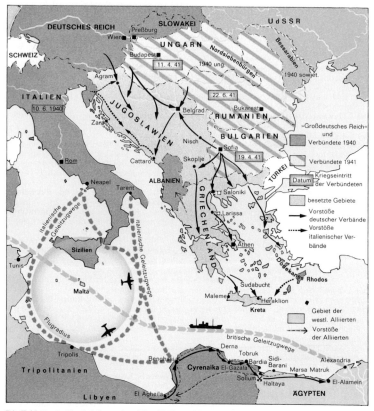

Die Feldzüge in Nordafrika und auf dem Balkan 1941/42

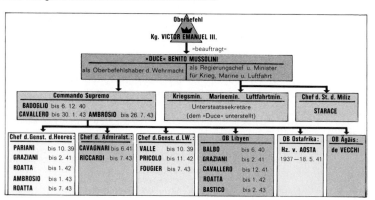

Spitzengliederung der italienischen Wehrmacht

Der Krieg in Nordafrika (1940–42)
1940 Italien erklärt Frankreich und Großbritannien den Krieg (10. 6.). Der ital. Angriff bleibt in der franz. Alpenfront stecken. Der **Waffenstillstand** (24. 6.) bringt keine Erfüllung der ital. Wünsche.
Sept. 1940 Ital. Offensive von Libyen aus gegen Ägypten.
Die Briten treten zum
Dez. 1940 erfolgreichen Gegenangriff an: Verlust der Cyrenaika (Jan./Febr. 1941). – Auf Bitte Italiens wird das X. dt. Fliegerkorps nach Sizilien verlegt (Bekämpfung Maltas). Nach der Besprechung HITLERs mit MUSSOLINI (Jan. 1941) Aufstellung des »**Deutschen Afrikakorps**« (OB Gen. ERWIN ROMMEL, 1891–1944 [Selbstmord]).
1941 Rückeroberung der Cyrenaika (März– April) außer Tobruk.
1942 Neuer deutsch-ital. Angriff: Die Achsenmächte erobern Benghasi (29. 1.) und El-Gazala (7. 2.), Tobruk kapituliert. Nach Überschreitung der ägypt. Grenze (Marsa Matruk, 28. 6.) bleibt der Vormarsch wegen Nachschubmangel in der El-Alamein-Stellung stecken (30. 6.).
Malta: Das »Unternehmen Herkules« (April 1942) wird nach deutschen Luftangriffen auf die Insel aufgegeben.
Okt. 1942 Gegenoffensive der Briten (OB Gen. MONTGOMERY): Die Achsenmächte verlieren die Cyrenaika.
Abessinien: Nach der Eroberung von Brit.- und Franz.-Somaliland durch ital. Truppen brit. Gegenoffensive: Ital.- und Brit.-Somaliland sowie Eritrea gehen verloren (1941). Einnahme von Addis Abeba (6. 4.) und ital. Kapitulation (16. 5. 1941). Rückkehr Ks. HAILE SELASSIES I. (S. 457).

Der Krieg auf dem Balkan (1940–41)
Persönl. (Prestige MUSSOLINIS), histor. (misslungene Okkupation von Korfu, S. 437) und machtpolit. Gründe (Verhinderung der NS-Herrschaft) führen von Albanien aus zum
1940 ital. Feldzug gegen Griechenland (28. 10.).
Die Griechen besetzen ein Drittel Albaniens, die ital. Flotte wird in Tarent durch brit. Trägerflugzeuge (11./12. 11.) geschwächt. Auf Grund der gegebenen Garantie (S. 443) Errichtung von brit. Stützpunkten auf Kreta, später Landung brit. Streitkräfte (rd. 70 000 Mann) in Piräus und Volos (ab März 1941).
Die dt. Balkanpolitik: Trotz der Forderungen der UdSSR auf dem Balkan (S. 485) erweitert Dtl. seine Einflusssphäre. Beitritt von Balkanstaaten zum Dreimächtepakt (1940, S. 475): Ungarn (20. 11.); Rumänien (23. 11.; verliert die Nordbukowina und Bessarabien an die UdSSR [28. 6.], Nordsiebenbürgen an Ungarn, die südl. Dobrudscha an Bulgarien [2. Wiener Schiedsspruch, 30. 8.]; ION ANTONESCU, 1882–1946 [hingerichtet], wird Staatschef [4. 9.]); Slowakei (24. 11.); Bulgarien (1. 3. 1941); Jugoslawien (25. 3. 1941). Staatsstreich

in Belgrad (27. 3. 1941) und Freundschaftsvertrag der neuen jugoslaw. Reg. mit der UdSSR (5. 4. 1941). Die Türkei bleibt neutral.
Der Balkanfeldzug (»Marita«): Wegen der Gefahr einer sich bildenden alliierten Balkanfront und der Bedrohung des rumän. Ölgebiets durch brit. Luftangriffe beschließt HITLER einen Vorstoß von Bulgarien bis ans Ägäische Meer. Nach Ablehnung dt. Vermittlungsversuche durch Griechenland (Febr.) und Verlegung der dt. 12. Armee nach Bulgarien (März)
1941 Beginn der Kampfhandlungen (6. 4.).
Jugoslawien: Der Krieg, eingeleitet durch den Luftangriff auf Belgrad (6. 4.), endet mit der Einkreisung und Kapitulation der jugoslaw. Armee (17. 4.). Einmarsch ital., ungar. (11. 4.) und bulgar. Truppen.
Griechenland: Der Angriff wird nach Einbruch in die Metaxaslinie, Einnahme von Saloniki (9. 4.) und Vorstoß über das Pindos-Gebirge durch die griech. Kapitulation in Saloniki beendet (21. 4., auf Drängen MUSSOLINIS unter Einbeziehung der Italiener wiederholt, 23. 4.). Nach Durchbruch der brit. Auffangstellung am Thermopylenpass (24. 4.) Einschiffung der brit. Verbände (bis 30. 4.). Besetzung Athens (27. 4.), der Peloponnes und der griech. Inseln (bis 11. 5.) durch dt. Truppen.
20. 5.–1. 6. 1941 Erfolgreiche deutsche Luftlandung auf Kreta (»Merkur«).
Ergebnisse des Balkanfeldzuges: Ausschaltung Englands vom Kontinent, Sicherung der Südostflanke für den Angriff auf die UdSSR, Schutz der rumän. Erdölgebiete.

»Neuordnung« des Balkanraums
Jugoslawien: Flucht Kg. PETERS II. [1934–41]. Bildung einer Exilreg. in London. Errichtung einer dt. Milit.-Reg. in **Serbien** und Zulassung einer von ihr abhängigen Reg. Untersteiermark und Teile Krains fallen an das Dt. Reich, Laibach, das dalmat. Küstengebiet und Montenegro (offiziell »unabhängig«) an Italien, der Drauwinkel und die Hälfte der Batschka an Ungarn, das westl. Mazedonien an Bulgarien.
Kroatien [König wird der ital. Hz. AIMONE VON SPOLETO]: Selbst., autoritär regierter Staat (10. 4. 1941) unter dem »Poglavnik« ANTE PAVELIĆ (1889–1959), der sich auf die faschist. »Ustascha«-Bewegung stützt.
Griechenland: Errichtung einer dt., Mitte 1941 einer ital. Milit.-Verw. (dt. Reservate). Flucht Kg. GEORGS II. [1922–24, 1935–47] nach London und Bildung einer griech. Exilreg.
Folgen: Verzettelung dt. Kräfte im Mehrfrontenkrieg, starkes Engagement im Mittelmeerraum, Terminverschiebung für den Angriff gegen die UdSSR.

Der Nahe Osten: Niederschlagung des Aufstandes des achsenfreundl. RASCHID ALI AL-GAILANI im Irak (Mai 1941), brit. Besetzung von Syrien, des Libanons und Irans (S. 446): keine Bedrohung des Suezkanals.

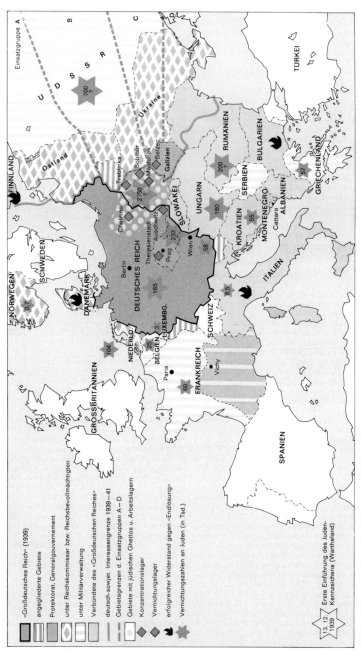

Die Vernichtung der Juden (»Endlösung«) 1939–1944

Legend:

- »Großdeutsches Reich« (1939)
- angegliederte Gebiete
- Protektorat, Generalgouvernement
- unter Reichskommissar bzw. Reichsbevollmächtigten
- unter Militärverwaltung
- Verbündete des »Großdeutschen Reiches«
- deutsch-sowjet. Interessengrenze 1939–41
- Gebietsgrenzen d. Einsatzgruppen A – D
- Gebiete mit jüdischen Ghettos u. Arbeitslagern
- Konzentrationslager
- Vernichtungslager
- erfolgreicher Widerstand gegen »Endlösung«
- Vernichtungszahlen an Juden (in Tsd.)

13. 12. 1939   Erste Einführung des Juden-Kennzeichens (Wartheland)

»Judenfrage« und »Endlösung«

Voraussetzung für die NS-Rassenpolitik ist die **Rassenideologie** (Verherrlichung des »Ariers«, Diffamierung des »Jüdischen Untermenschen«), das **Bedürfnis nach Verschiebung der Schuld** an der Niederlage 1918 (»jüd.-marxist. Novemberverbrecher«) und die **Herausstellung eines Gegners,** auf den die totalitäre Staatspraxis nicht verzichten kann (Jude = Verkörperung des Bösen schlechthin). Auf die »wilden Aktionen« nach der Machtübernahme folgt der

1. 4. 1933 Boykott-Tag. Die Aktion richtet sich hauptsächlich gegen jüd. Geschäftsinhaber, jüd. Professoren, Lehrer, Studenten, Schüler, jüd. Rechtsanwälte und Ärzte. Die in ›Mein Kampf‹ präzisierten Forderungen HITLERS werden in den

15. 9. 1935 »Nürnberger Gesetzen« systematisch verwirklicht: 1. »Reichsbürgergesetz«: Verlust der bürgerl. Gleichberechtigung für Juden durch Einteilung der Bev. in »Staatsangehörige« und »Staats- oder Reichsbürger«. 2. »Gesetz zum Schutz des dt. Volks und der dt. Ehre«: Verbot »rass.« Mischehen und des »außerehel. Verkehrs zwischen Juden und Staatsangehörigen dt. oder artverwandten Blutes«. Verboten wird den Juden das Hissen der Reichsflagge und die Beschäftigung nichtjüd. weibl. Angestellter unter 45 Jahre. Während der nächsten Jahre werden **13 Ergänzungsverordnungen zum »Reichsbürgergesetz«** erlassen: Ausschluss der Juden aus der staatl. Gemeinschaft.

Die 1933 gebildete Reichsorganisation für alle jüd. Menschen und Vereinigungen, die **»Reichsvertretung der deutschen Juden«,** unter Vorsitz des Rabbiners **Dr. Leo Baeck** (1873–1956), leistet Hilfe bei der Auswanderung und beim Berufswechsel, bei der Gründung jüd. Schulen sowie auf sozialen und kulturellen Gebieten.

1938 Höhepunkt der NS-Judenpolitik vor dem Zweiten Weltkrieg. Die jüd. Kultusvereinigungen werden »eingetragene Vereine« (28. 3.). Vermögen über 5000 RM müssen gemeldet werden (26. 4.), Kennzeichnung jüd. Gewerbebetriebe (14. 6.), Streichung der Approbation aller jüd. Ärzte (25. 7.), Änderung der Familien- und Vornamen (17. 8.: Hinzufügung der Vornamen »Sara« und »Israel« bei Juden mit nichtjüd. Vornamen), Streichung der Zulassung der jüd. Rechtsanwälte (27. 9.), Einziehung der Reisepässe (5. 10. neue Pässe, die durch ein »J« ergänzt sind), Ausweisung von ca. 17 000 in Dtl. wohnenden poln. Juden (28. 10.). Das

7. 11. 1938 Attentat auf den Gesandtschaftsrat vom Rath in Paris durch HERSCHEL GRYNSPAN, den 17-jähr. Sohn eines der Zwangsdeportierten, gibt Anlass zu

9./10. 11. 1938 organisierten Pogromen in ganz Deutschland (»Kristallnacht«): Synagogen werden in Brand gesteckt, Friedhöfe geschändet, jüd. Gebäude zerstört, ca. 26 000 männl. Juden verhaftet. Das Reich fordert

12. 11. 1938 1 Milliarde RM als Sühneleistung, Wiederherstellung der durch den Mob verursachten Sachschäden, Rückzahlung der von Versicherungen geleisteten Entschädigungen. »Ausschaltung« der Juden aus dem dt. Wirtschaftsleben (»Zwangsarisierung«), Verbot des Besuchs von Kulturstätten und der Benutzung öffentl. Verkehrsmittel. Sperrung der höheren Schulen.

Die »Endlösung der Judenfrage«

1939 Durch die Verschärfung der Lage der dt. Juden starke jüd. Auswanderung, die oft an mangelnder Hilfsbereitschaft der Aufnahmeländer, den Vermögensbeschlagnahmungen und der Unmöglichkeit des Devisentransfers scheitert. Nach Kriegsbeginn liegt die Polizeigewalt in den besetzten Gebieten in den Händen HIMMLERS (S. 473) und seiner Organe (SS, SD).

Ausrottung in Polen in 3 Etappen:

1. Gettoisierung (Gettos und Unterbringung in Arbeitslagern), danach Liquidation am Ort (bis 1941) bzw. Transport in die Vernichtungslager (ab 1942).

2. Massenverhaftungen, Erschießungen.

3. Razzien, Pogrome mit Hilfe einheim. Miliz.

In **Russland** Ausrottung durch **Einsatzgruppen.**

31. 7. 1941 Beauftragung des SS-Obergruppenführers REINHARD HEYDRICH (1904–1942 [ermordet]) durch GÖRING mit der »Endlösung der Judenfrage«, der biolog. Vernichtung des Judentums.

20. 1. 1942 »Wannsee-Konferenz«. Festlegung des Programms: Arbeitseinsatz in Arbeitskolonnen (Trennung der Geschlechter; Dezimierung durch Zwangsarbeit bei unzureichender Ernährung; »entsprechende Behandlung« des »Restbestandes«). Abtransport aller europ. nach Osten. Unterbringung von Schwerkriegsbeschädigten und Juden mit Kriegsauszeichnungen in Theresienstadt.

5,29 Mill. (mindestens, wahrscheinl. aber knapp über 6 Mill.) europ. Juden werden getötet oder kommen durch Vergasung in den Vernichtungslagern Auschwitz, Chelmno, Belzec, Sobibór und Treblinka um. Die meisten mit Deutschland verbündeten und befreundeten Mächte unterstützen durch antisemit. Gesetzgebung die Ausrottung der Juden. Erfolgreichen Widerstand leisten Finnland, Italien, Bulgarien, Dänemark.

»Ausmerzung lebensunwerten Lebens«

14. 7. 1933 Gesetz zur »Verhütung erbkranken Nachwuchses« (Sterilisierung bei best. Erbkrankheiten). Als letzte Konsequenz des Gesetzes wird im Krieg das **»Euthanasieprogramm«** durchgeführt, nach dem »unheilbar Kranken der Gnadentod gewährt werden kann« (Okt. 1939). Für die Durchführung der verbreiteten Willkürakte (Tötung von 70 000 Menschen bis Aug. 1941) sind auch »Arbeitsfähigkeit« und »Rasse« ausschlaggebend.

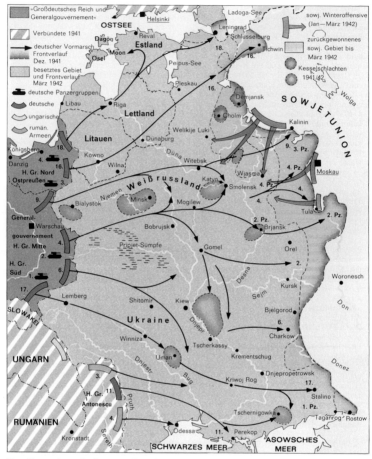

Das »Unternehmen Barbarossa« 1941/42

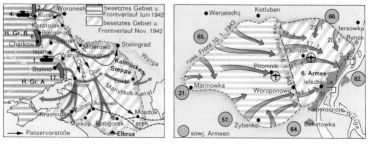

Die deutsche Sommeroffensive 1942   Die Schlacht um Stalingrad 1942/43

Der Krieg in Russland (1941–42)
AMin. VON RIBBENTROP schlägt bei dem Besuch MOLOTOWS in Berlin (Nov. 1940) die Aufteilung des brit. Weltreiches vor (Persien und Indien als sowjet. Einflusssphäre), um die Sowjetunion für den Beitritt zum Dreimächtepakt zu gewinnen. Eine sowjet. Antwortnote, in der für den Beitritt die Einbeziehung Finnlands sowie Bulgariens und der Türkei in die sowjet. Interessensphäre gefordert wird, lässt HITLER unbeantwortet. Sein Ziel, »Lebensraum« im Osten zu gewinnen, verknüpft er mit dem Plan, nach Niederwerfung der UdSSR Großbritannien von Russland aus im Iran bzw. im Nahen Osten zu schlagen. Er erteilt die **»Weisung 21«** (»Fall Barbarossa«, 18. 12. 1940) zur Vorbereitung eines Angriffs auf die UdSSR, doch erfolgt noch der Abschluss eines deutsch-sowjet. Wirtschaftsvertrages (10. 1. 1941) und die Anerkennung der neu geschaffenen Verhältnisse auf dem Balkan (S. 481) durch die UdSSR (Mai 1941).
22. 6. 1941 Deutscher Überfall auf die UdSSR ohne Kriegserklärung. Rumänien, Italien, die Slowakei und Ungarn treten in den Krieg ein, Finnland beginnt einen »Fortsetzungskrieg« nur gegen die UdSSR.
Abwehrmaßnahmen der UdSSR – Innenpolitisch: STALIN (Vors. des Rats der Volkskommissare) proklamiert den **»Großen Vaterländ. Krieg«.** Bildung des staatl. Verteidigungskomitees als Kriegskabinett mit STALIN als Vors. und Volkskommissar für Vert., MOLOTOW, WOROSCHILOW, BERIJA und MALENKOW. Mobilisierung aller Kräfte und Verteidigung mit Hilfe des Prinzips der »verbrannten Erde«; Organisation der Partisanenbewegung (S. 486), Wiedereinführung der Mai 1940 abgeschafften polit. Kommissare, doch Wiederherstellung der Einheit des Kommandos während der Schlacht von Stalingrad (s. u.).
Außenpolitisch: Der Neutralitätspakt mit Japan (13. 4. 1941) schützt die UdSSR vor einem Zweifrontenkrieg. Nach dem dt. Überfall 1941 brit.-sowjet. Bündnis gegen Dtl. (12. 7.) und Angebot der USA zur Lieferung von Kriegsmaterial (30. 7.). – Militärabkommen zwischen der UdSSR und der poln. Exilregg. in London (14. 8.): Aufstellung poln. Verbände aus Kriegsgefangenen in der UdSSR, Widerruf der dt.-sowjet. Abmachungen über die Teilung Polens (S. 432, 477). – Beistandspakt zwischen der UdSSR und der poln. Exilregg. (4. 12.).

Der Kriegsverlauf
1. Phase (bis Aug. 1941): Im **Norden** werden die sowjet. Stellungen zwischen Peipus- und Ilmen-See durchbrochen, in der **Mitte** und im **Süden** nach Vernichtung starker sowjet. Verbände in den Kesselschlachten von Minsk (bis 9. 7.), Orscha-Witebsk (bis 5. 8.) und Uman (1.–7. 8.) Desna und Dnjepr erreicht. Finn. Verbände dringen bis zum Swir und Onega-See

vor; Murmansk, Kandalakscha und die Krim werden nicht erreicht.
2. Phase (bis Dez. 1941): HITLER stellt den Angriff auf Moskau zurück (Aug.) – entgegen der Auffassung des Gen. Stabs – und befiehlt die Eroberung des Donezbeckens und die Verbindung mit den Finnen.
Nach der Schlacht von Kiew (21. 8. bis 27. 9.) werden das Donezbecken und die Krim (außer Sewastopol) besetzt. Der Angriff auf Leningrad wird abgebrochen.
1941 Schlacht um Moskau (Okt.-Dez., »Taifun«). Nach der Doppelschlacht von Wjasma-Brjansk (Okt.) dringen die Dt. bis in die Nähe Moskaus vor (16. 10.: Verlegung der sowjet. Reg. nach Kujbyschew, doch bleibt STALIN in Moskau, wo der Belagerungszustand verhängt wird [19. 10.]). Einstellung der Angriffsoperationen wegen Einbruch des Winters und völliger Erschöpfung der dt. Truppen (8. 12.).
Die sowjet. Winteroffensive (seit 5. 12. 1941) führt im **Norden** zum Rückzug des dt. Heeres hinter den Wolchow (Dez.), in der **Mitte** auf die Linie Orel-Rschew (Jan. 1942), zum Einbruch der Russen in den Raum Wjasma-Smolensk-Witebsk (Jan.) und zur Einkesselung dt. Kräfte bei Demjansk (Jan. bis April), im **Süden** zum Verlust der Halbinsel Kertsch (Dez. 1941) und Einbruch bei Isjum (Jan. 1942). Stabilisierung der Ostfront (Jan. bis April).
Nach dem **»Haltbefehl« Hitlers zum »fanatischen Widerstand«** (16. 12.) und der **Entlassung des OBH von Brauchitsch** erfolgt die Entmachtung der milit. Führung durch die **Übernahme der OHL durch Hitler.**
Die dt. Sommeroffensive 1942: Rückeroberung der Halb-In. Kertsch (8.–15. 5.); Schlacht bei Charkow (17.–28. 5.); Eroberung der Krim mit Sewastopol (7. 6.–4. 7.). Ziel der am 28. 6. beginnenden Sommeroffensive sind die Erdölfelder des Kaukasus und Stalingrad. Vorstoß der HGr. A bis zum Elbrus (21. 8.), doch wird die Südgrenze Russlands nicht erreicht (keine Unterbrechung der US-Hilfeleistungen). Die 6. Armee und 4. Pz.-Armee dringen in die Vororte Stalingrads ein (1.–15. 9.) und erobern ca. 90% der Stadt (16. 9.–18. 11.).
Entlassung des Chefs des Gen.Stabs, Gen.-Oberst HALDER.
Die russ. Gegenoffensive (seit 19. 11. 1942): Nach Vereinigung der beiden russ. Stoßkeile westl. Stalingrad (22. 11.) werden die dt. Truppen in der Stadt eingeschlossen; vergebl. Entsatzversuch (12. 12.). HITLER verbietet den Ausbruch (22./23. 12.); die Sowjets fordern zur Übergabe der Stadt auf (8. 1. 1943). Da die Deutschen ablehnen, »gewaltsame Liquidation«: Spaltung des Kessels (25. 1. 1943).
31. 1. 1943 Kapitulation des Südkessels unter Gen.-FM. Paulus und
2. 2. 1943 des Nordkessels (90 000 Gefangene).

Die deutsche Widerstandsbewegung
Ursachen: Totalitätsanspruch des NS-Staates und Auswirkungen des NS-Regimes (S. 473): Beseitigung des Rechtsstaats, Verfolgung und Ausrottung der Juden (S. 483), Terror der Partei, »Liquidierung« polit. Gegner, Vernichtung »lebensunwerten Lebens« (S. 483), Kampf gegen die Kirchen sowie HITLERS unumschränkte Diktatur, die in der Übernahme der Funktion eines »obersten Gerichtsherrn« gipfelt (24. 2. 1942, Justizmin. OTTO THIERACK, Vors. des »Volksgerichtshofs« ROLAND FREISLER), führt zur **Bildung von aktiven Widerstandskreisen** (»Aufstand des Gewissens«) – **Militärs:** Gen. LUDWIG BECK, Gen. KARL-HEINRICH VON STÜLPNAGEL, Adm. WILHELM CANARIS, Gen.-Maj. OSTER u. a.; **Politiker und Diplomaten:** CARL-FRIEDRICH GOERDELER, ULRICH VON HASSELL, FRIEDR. WERNER GF. VON DER SCHULENBURG; **Sozialdemokraten und Gewerkschaftler:** WILHELM LEUSCHNER, JULIUS LEBER; »**Kreisauer Kreis**«; HELMUTH JAMES GF. VON MOLTKE, Peter GF. YORCK VON WARTENBURG, Pater ALFRED DELP, ADAM VON TROTT ZU SOLZ, TH. HAUBACH, ADOLF REICHWEIN; »**Solf-Kreis**«; »**Weiße Rose**«: Geschwister HANS und SOPHIE SCHOLL, Prof. HUBER; »**Rote Kapelle**«: H. SCHULZE-BOYSEN, A. HARNACK.
Ziele des Widerstands: Beseitigung des Hitler-Regimes, Wiederherstellung des Rechtsstaats und der Freiheit von Geist, Glauben, Gewissen und Meinung, Sicherheit der Person und des Eigentums, »Wiederherstellung der Ehre«, »Bestrafung von Rechtsschändern«.
Nach mehreren **gescheiterten Attentats- und Umsturzversuchen** sowie Kontaktaufnahmen zwischen dt. Widerstandsgruppen mit alliierten Staaten über die Bedingungen für die Behandlung Deutschlands nach der Kapitulation, die nach den alliierten Forderungen »bedingungsloser Kapitulation« (S. 487) abgelehnt werden, missglückt das
20. 7. 1944 Bombenattentat des Obersten Claus Gf. Schenk von Stauffenberg auf Hitler im Führerhauptquartier »Wolfsschanze«. Der Aufstand in Berlin und Paris bricht zusammen, die Verschwörer werden verfolgt: ca. 5000 Menschen werden hingerichtet, davon etwa 180–200 am 20. Juli Beteiligte (Prozesse vor dem Volksgerichtshof, Vorsitzender: ROLAND FREISLER). Nach dem Attentat wird HIMMLER (S. 473) zum Befehlshaber des Ersatzheeres ernannt (20. 7.); HITLER verfügt die Sippenhaftung (1. 8.): Festnahme von Familienangehörigen der Hauptbeteiligten.

Der Widerstand in den besetzten Ländern
Aktive Widerstandsbewegungen bilden sich in **Dänemark** (»Danmarks Frihedsråd«), **Norwegen** (»Milorg«) und in den **Niederlanden** (»Het Verzet«). – Nationalist. und kommun. Widerstandsgruppen entstehen in **Belgien, Griechenland** (die »Griech. Volksbefreiungsarmee« [ELAS] der komm. »Griech. Befreiungsfront« [EAM] vernichtet die antikomm. »Griech.-De-

mokrat. Nat.-Armee« [EDES]) und in **Polen** (nat. »Armee im Lande« [Armia Krajowa] und komm. »Volksgarde« [GL], später auch die »Volksarmee« [AL]).
Bildung zentral gelenkter Partisanenverbände, die einen Guerillakrieg führen und dt. Volksarmee« (S. 509) binden.
Jugoslawien: Organisation einer nat. Widerstandsbewegung (»Četnici«) in Westserbien unter Oberst DRAŽA MIHAILOVIĆ und der südslaw. Kommunisten unter TITO (S. 509). Verhandlungen über eine Zusammenarbeit scheitern (Okt. 1941). Beide Organisationen kämpfen sowohl gegen Deutsche, Italiener, Ustascha (S. 481) als auch gegeneinander. Seit Herbst 1943 beherrscht TITO die Berggebiete Bosniens, Kroatiens und Montenegros. Nach der Bildung eines »Nationalkomitees zur Befreiung Jugoslawiens« (Nov. 1943) unterstützen die Alliierten nurmehr TITO, dem Kg. PETER (S. 481) die alleinige Führung des Widerstands überträgt (Sept. 1944).
Frankreich:
1940 Bildung eines »provisor. Nat.-Komitees der freien Franzosen« (18. 6.) durch Gen. **Charles de Gaulle** (S. 524) in London, später (30. 7. 1943) eines Kabinetts. Daneben Untergrundbewegungen (Résistance, Maquis) im besetzten Norden (»Libération-Nord«, »Organisation civile et militaire«) und im besetzten Süden (»Combat«, »Libération-Sud«), in beiden Zonen der komm. beeinflusste »Front national«. Aufbau von Stützpunkten für Flucht- und Nachrichtendienste und einer Untergrund-Presse.
1941 Gründung eines zentralen Auskunfts- und Aktionsbüros in London als Verbindung zwischen Gaullisten und Widerstandsbewegungen, deren Truppen im Untergrund als »Forces françaises de l'Intérieur« unter Gen. PIERRE KOENIG zusammengefasst werden (1944). Nach dem
1944 Aufstand der Widerstandsgruppen ergibt sich aus dt. Besatzung von Paris (19. 8.). Einzug de Gaulles in die Hauptstadt.
UdSSR: Folge der brutalen deutschen Besatzungspolitik ist die Bildung anarchist.-freiheitl. Partisanenverbände, die nach Errichtung der Zentrale zur Partisanenbewegung unter Marschall KLIMENT WOROSCHILOW unter Kontrolle gebracht werden.
Italien: Zusammenschluss der Widerstandsgruppen (vor allem in Norditalien) zum »Komitee der nat. Befreiung«.
Verschärfung des Partisanenkrieges durch Erlasse und Befehle HITLERS (Okt. 1941: Geiselerschießungen; Dez. 1941: »Nacht- und Nebel-Erlass«: Anordnung, den Verhafteten so abzuführen, dass die Angehörigen über sein Schicksal im Ungewissen bleiben) und durch das brutale Vorgehen der SS und des SD: Vernichtung des tschech. Dorfes Lidice (10. 6. 1942) nach dem Attentat auf HEYDRICH (S. 483) und des franz. Dorfes Oradour-sur-Glane (10. 6. 1944).

Die Zusammenarbeit der Alliierten (1941–45)
Kriegsziele: Die USA unterstützen seit Kriegsbeginn Großbritannien (S. 465) in Europa. Trotz der Spannungen zwischen der UdSSR und Großbritannien (Naher und Mittlerer Osten) vereinigen sich die drei Großmächte (1941) mit dem Ziel, Hitler-Dtl. niederzuringen. Vor allem die USA haben keine konkreten Vorstellungen über die Gestaltung Europas nach dem Krieg, wohl aber die UdSSR: Expansion in Mitteleuropa. Starke Aufwertung Russlands in den USA, die sich über die Ziele STALINS täuschen. Zurückhaltung und Misstrauen Großbritanniens gegenüber der UdSSR.
Das »ungeschriebene Bündnis« zwischen Großbritannien und den USA führt zur Bildung des »Nat. Verteidigungsrats« (S. 465): Beschleunigung der Aufrüstung. Nach der Rede ROOSEVELTS über die USA als »Arsenal der Demokratie« als Antwort auf CHURCHILLS Lagebericht über das Jahr 1940 (Dez.)
1941 Verkündung der »4 Freiheiten« (S. 465). –
Das Leih- und Pachtgesetz (S. 465) tritt in Kraft: Materiallieferungen an die UdSSR (ab Aug. 1941). **Aufgabe der Neutralität der USA:** Beginn brit.-amerikan. Gen.Stabs-Besprechungen, Beschlagnahme deutscher und ital. Schiffe in US-Häfen, Errichtung eines Stützpunktes auf Grönland, Landung von US-Streitkräften auf Island.
14. 8. 1941 »Atlantik-Charta«, von CHURCHILL und ROOSEVELT (S. 465) formuliert (Erweiterung der 4 Freiheiten): Verzicht auf Gebietsgewinn, territoriale Veränderungen nur im Einverständnis mit den Betroffenen, Selbstbestimmungsrecht für alle Völker, Freiheit von Furcht und Not, Freiheit der Meere, Verzicht auf Waffengewalt. Diese Vergünstigungen dürfen Deutschland nicht zugute kommen. – Nach Kriegseintritt der USA (S. 465)
1941–42 1. Washington-Konferenz (»Arcadia«, 22. 12.–14. 1.) zwischen ROOSEVELT und CHURCHILL. Zusammentritt des »Vereinigten Kriegsrats«: Defensive gegenüber Japan, Landungsplan für Nordafrika.
1942 Washington-Pakt (1. 1.): Erklärung von 26 mit den Achsenmächten kriegführenden Nationen, keinen separaten Waffenstillstand zu schließen. Der Pakt wird zur Keimzelle der »Vereinten Nationen« (S. 501). Nach dem sowjet.-brit. Bündnisvertrag (26. 5.) dringt der russ. AMin. MOLOTOW (S. 467) in Washington (Mai) auf die milit. Unterstützung der UdSSR und fordert Wirtschaftshilfe. Die **2. Washington-Konferenz** (18.–26. 6.) beschließt über die Errichtung einer 2. Front und den Ausbau der Atomforschung.
Besprechungen zwischen Stalin, Churchill und Harriman, Vertreter ROOSEVELTS in Moskau, über gemeinsame Maßnahmen gegenüber Deutschland (Aug.). Unterrichtung STALINS über eine Landung in Nordafrika (»Torch«).

1943 Konferenz von Casablanca (14.–24. 1.): ROOSEVELT und CHURCHILL beschließen die Landung in Sizilien. ROOSEVELT fordert die »bedingungslose Kapitulation« (»Unconditional surrender«) Dtl.s. Ausarbeitung von Grundsätzen für systemat. Bombardierung des Reichs. – **5. Washington-Konferenz** (»Trident«, 12.–25. 5.): Beratungen über die Invasion in Frankreich, Rückeroberung Burmas, Atomwaffeneinsatz und Schiffsbau. Anerkennung der sowjet. Annexionen. – **Konferenz von Quebec** (»Quadrant«, 14.–24. 8.) über globale Strategie. – **Besprechung der alliierten Außenminister in Moskau** (19.–30. 10.) über die Zusammenarbeit bis zum Endsieg, den Eintritt der UdSSR in den Krieg gegen Japan, über die Gründung einer übernat. Organisation und allg. Entwaffnung nach dem Krieg. Dt. Kriegsverbrecher sollen vor Gericht gestellt, die Demokratie in Italien und Österreich wieder errichtet werden. – **1. Kairo-Konferenz** (ROOSEVELT, CHURCHILL, TSCHIANG KAI-SCHEK, 22.–26. 11.) über Operationen gegen Japan, über die Unabhängigkeit Koreas und der seit 1894 bzw. 1914 okkupierten Gebiete. – **Teheran-Konferenz** (ROOSEVELT, CHURCHILL, STALIN, 28. 11.–1. 12.): Entscheidung für Invasion in Nordfrankreich, nicht in der Poebene. Die Curzon-Linie soll künftige poln. Ostgrenze werden. Ausdehnung Polens bis zur Oder.
1944 Konferenz von Dumbarton Oaks (UdSSR, USA, Großbritannien, China, 21. 8.–7. 10., S. 501). – ROOSEVELT zieht die bereits geleistete Unterschrift unter den **Morgenthauplan** (Zerstückelung Dtl.s, das ein Agrarstaat werden soll) zurück. – **Besprechung in Moskau** (CHURCHILL, EDEN, STALIN, 9.–18. 10.): Festlegung der Einflusssphären auf dem Balkan: Rumänien, Bulgarien, Ungarn unter sowjet., Griechenland unter brit., Jugoslawien unter sowjet. und brit. Einfluss.
1945 Konferenz von Jalta (CHURCHILL, ROOSEVELT, STALIN, 4.–11. 2.): **Erklärung über das »befreite Europa«. Polen:** Aufnahme von Vertretern der Exil-Reg. in das Lubliner Komitee (komm. Reg.); die poln. Westgrenze soll in einem Friedensvertrag festgelegt werden, die Curzon-Linie wird poln. Ostgrenze. **Nachkriegspolitik gegenüber Deutschland:** Beseitigung des Nationalsozialismus, Aufteilung in Besatzungszonen gemäß dem 1. und 2. Zonenprotokoll der »Europ. Beratenden Kommission«, Bildung des Alliierten Kontrollrats (S. 527), Demontage von Fabriken, Reparationen, Gebietsabtretungen. **Jugoslawien:** Bildung einer Koalitionsreg. (S. 509). – **Außereurop. Angelegenheiten:** Kriegserklärung der UdSSR an Japan (3 Monate nach Ende des Krieges in Europa) gegen Zugeständnisse (Status quo in der Äußeren Mongolei, Anrechte auf Innere Mongolei und Pazifikhäfen, Besitz der Kurilen und Südsachalins. Einigung über das Stimmverhältnis im Sicherheitsrat der UN (S. 501).

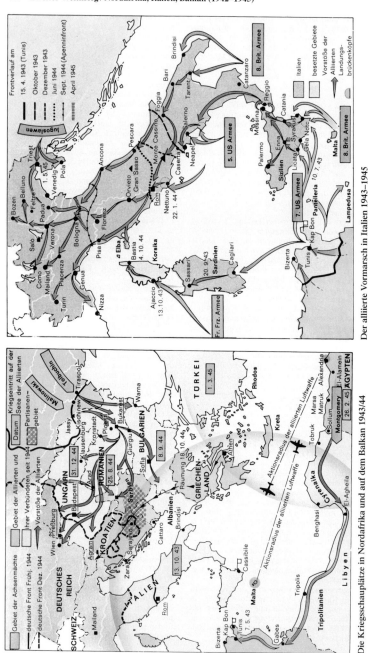

Der alliierte Vormarsch in Italien 1943–1945

Die Kriegsschauplätze in Nordafrika und auf dem Balkan 1943/44

Nordafrika

1942 Brit. Gegenoffensive (Okt., »Lightfoot«) unter Gen.-Lt. BERNARD L. MONTGOMERY (1887–1976), die zum Verlust der Cyrenaika führt (Nov.). Errichtung einer zweiten alliierten Front in Nordafrika durch **Landung amerikan.-brit. Streitkräfte (Nov., »Torch«,** S. 487) unter Gen. EISENHOWER (S. 519) in Marokko und Algerien.

Milit. und polit. Folgen: Nach anfängl. Widerstand gehen die franz. Truppen der Vichy-Reg. zu den Alliierten über. Waffenstillstand Adm. DARLANS mit den Alliierten (12. 11. 1942). Er bildet eine Reg., wird aber ermordet. Gen. GIRAUD wird Hoher Kommissar in Franz.-Afrika. – Da ein dt.-franz. Militärbündnis von MP. LAVAL abgelehnt wird, landen dt. und ital. Verbände in Tunesien; Rest-Frankreich wird besetzt (Unternehmen »Attila«). Die Reg. PÉTAIN protestiert zwar, ist aber machtlos. Am 27. 11. besetzen dt. Truppen den Kriegshafen Toulon (Unternehmen »Anton«): Selbstversenkung der franz. Flotte.

Die Niederlage in Afrika: Nach Verlust Tripolitaniens, Verteidigung der Mareth-Stellung südl. von Gabes und Westtunesiens wird der Zweifrontenkrieg beendet durch

13. 5. 1943 Kapitulation der »Heeresgruppe Afrika«: 252 000 dt. und ital. Soldaten gehen in Gefangenschaft, Nordafrika und das Mittelmeer sind verloren, die Südflanke ist für den Angriff auf die »Festung Europa« geöffnet.

Italien

1943 Eroberung Siziliens durch die Alliierten (10. 7.–17. 8.). Nach der Landung brit. Truppen bei Tarent und amerikan. Streitkräfte bei Salerno ziehen sich die Deutschen auf eine Linie nördl. Neapel quer durch die Halbinsel zurück.

Der Sturz Mussolinis: Nach der Besprechung MUSSOLINIS mit HITLER bei Feltre (19. 7. 1943) übernimmt auf Bitte des Großen Faschist. Rats König VICTOR EMANUEL den Oberbefehl. MUSSOLINI wird entlassen und verhaftet (25. 7.). Bildung einer Reg. unter Marschall PIETRO BADOGLIO (1871–1956) ohne faschist. Mitglieder (26. 7.): Auflösung der faschist. Partei (28. 7.). Trotz Versicherung der Loyalität gegenüber Dtl. Geheimverhandlungen mit den Alliierten (seit 3. 8.) in Lissabon. Nach Bekanntgabe des **Waffenstillstands** (unterzeichnet am 3. 9.) durch EISENHOWER (8. 9.) beginnen die **deutschen Gegenmaßnahmen** (»Fall Achse«): Besetzung Roms; Entwaffnung, Entlassung oder Gefangennahme der ital. Truppen. Flucht der Reg. BADOGLIO und der kgl. Familie zu den Alliierten. – **Kriegserklärung Italiens an Deutschland** (13. 10.). – Befreiung MUSSOLINIS (12. 9.) durch dt. Handstreich. Er tritt an die Spitze der am 9. 9. gebildeten Gegenreg.: **Gründung der Repubblica Sociale Italiana** (Republik von Salò).

1944 Landung amerikan. Truppen im Rücken der deutschen Front bei Nettuno. Die Deutschen leisten zähen Widerstand bei Monte Cassino (15. 2. Zerstörung des Klosters) bis Ende Mai, können aber die Besetzung von Rom (4. 6.), Pisa (26. 7.) und Florenz (4. 8. nicht verhindern. Die Apenninfront (»Gotenlinie«) wird bis zur

1945 alliierten Offensive (9.–14. 4.) gehalten: Durchbruch der Amerikaner bei Bologna (19. 4.).

28. 4. 1945 Kapitulation der deutschen Streitkräfte in Italien (am 2. 5. bekannt gegeben). Mussolini wird auf der Flucht in die Schweiz von Partisanen erschossen.

Balkan

Rumänien: Nach dem sowjet. Vorstoß auf den Balkan (Aug.) wird Marschall ANTONESCU (S. 481) verhaftet (23. 8.). Das Kabinett Gen. SANATESCUS stellt den Kampf gegen die UdSSR ein und gewährt den Deutschen freien Abzug. Nach deutscher Bombardierung Bukarests **Kriegserklärung an Deutschland.** Die Russen besetzen das Erdölgebiet von Ploesti (30. 8.) und Bukarest (31. 8.).

12. 9. 1944 Waffenstillstand von Moskau.

Bulgarien: 1944 Kriegserklärung der UdSSR an Bulgarien (5. 9.), das sich dahin im Kriegszustand mit Großbritannien und den USA befindet. – **Kriegserklärung Bulgariens an Deutschland** (8. 9.). Nach dem Staatsstreich der prosowjet. bulgar. Gruppe unter GEORGIEFF (9. 9.) erfolgt die widerstandslose Besetzung des Landes durch die Rote Armee.

28. 10. 1944 Waffenstillstand von Moskau. Griechenland: Auf Befehl HITLERS (25. 8.) wird Griechenland geräumt (bis 2. 11. 1944): die dt. Truppen (HGr. E) ziehen sich auf die neue Stellung (s. Karte) zurück. **Bürgerkrieg zwischen Kommunisten und Monarchisten** in Griechenland. Nach vergeblichem Vermittlungsversuch CHURCHILLS und EDENS in Athen (25.–27. 12.) überträgt Kg. GEORG die Regentschaft dem Erzbischof DAMASKINOS V. ATHEN (31. 12. 1945).

Albanien: Nach Räumung durch die deutschen Truppen bildet der Oberst ENVER HODSCHA (S. 510) eine sowjetfreundl. Reg.

Jugoslawien: 1944 Besetzung Belgrads (18. 10.) durch Partisanen TITOS (S. 509), die (seit 6. 9.) Verbindung mit der Roten Armee haben.

Ungarn: Nach Besetzung Ungarns durch dt. Verbände (19. 3. Fall »Margarete«) geheimer 1944 Waffenstillstand mit der UdSSR (11. 10.). Nach Verkündung (15. 10.) muss ihn Adm. HORTHY (S. 435) unter dt. Druck widerrufen. HORTHY wird nach Dtl. gebracht und durch FÉRENC SZÁLASI (S. 435) ersetzt. Eine Gegenreg. unter Gen.-Oberst BÉLA MIKLÓS-DÁLNOKI (23. 12.) **erklärt Dtl. den Krieg.**

20. 1. 1945 Waffenstillstand von Moskau.

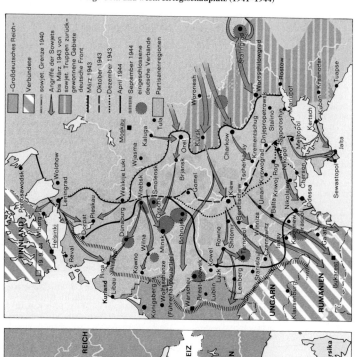

Der Krieg im Osten 1943/44

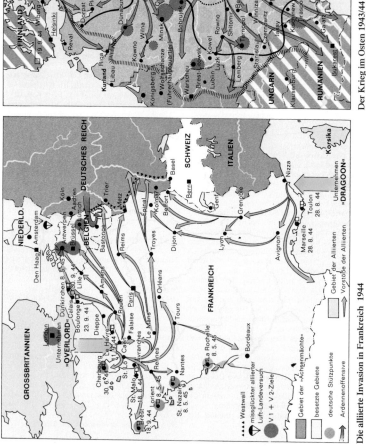

Die alliierte Invasion in Frankreich 1944

Die deutsche Herrschaft im Osten (1941–44)
1941 Führererlass über die Verwaltung der besetzten Ostgebiete: Ostministerium unter ROSENBERG, »Reichskommissariate« Ostland und Ukraine. Rigorose Ausbeutungspolitik. Der von HIMMLER
1942 gebilligte »Generalplan Ost« sieht die Aussiedlung von 80–85% der Polen, 65% der Ukrainer, 75% der Weißruthenen und 50% der Tschechen nach Sibirien vor. – Durch den **Erlass über die »Behandlung feindlicher Landeseinwohner«** (6. 5. 1941) und den **»Kommissarerlass«** (13. 5. 1941) zur Liquidierung gefangener Kommissare ohne Gerichtsverfahren soll eine das Völkerrecht missachtende Kriegführung »legitimiert« werden.
Die russ. Freiwilligenverbände: Fast 1 Mill. russ. Hilfswilliger (»Hiwis«) stehen auf dt. Seite. Der »General der Osttruppen«, ANDREJ A. WLASSOW (1900–46 [hingerichtet]), stellt (1943) Freiwilligenformationen auf. Das
1944 Himmler-Wlassow-Abkommen (Aufstellung einer russ. Befreiungsarmee) und die Gründungskonferenz des Komitees zur Befreiung der Völker Russlands erfolgen zu spät.
Reaktion der UdSSR: Hebung der nat. Widerstandskraft durch Rückkehr zur Tradition: Wiedereinführung der Gardeeinheiten, Ernennung STALINS zum Marschall, milit. Gliederung in Mannschafts-, Unteroffiziers- und Offizierskorps sowie Generalität. Der **Friedensschluss zwischen Partei und Kirche** durch Wahl des Metropoliten SERGIUS zum Patriarchen und die **Auflösung der Komintern** sind von starker außenpolit. Wirkung.
1943 Entdeckung von Massengräbern bei Katyn durch die Deutschen: über 4000 von der NKWD STALINS (erst 1990 von der UdSSR zugegeben) erschossene poln. Offiziere. Die poln. Exilreg. fordert Untersuchung durch das Rote Kreuz. Daraufhin **Kündigung des poln.-sowjet. Abkommens von 1941 durch die UdSSR** und Aufnahme diplomat. Beziehungen zu dem **»Poln. Komitee für die nat. Befreiung«** (»Lubliner Komitee«).
Gründung des Nationalkomitees »Freies Deutschland« und des **»Bundes Deutscher Offiziere«** durch dt. Kommunisten und gefangene dt. Soldaten und Offiziere. Durch BENEŠ wird ein **Freundschafts- und Beistandspakt mit der UdSSR** über die Zusammenarbeit nach dem Kriege geschlossen, der ergänzt wird durch ein
1944 Abkommen über die Besetzung der Tschechoslowakei durch die Rote Armee.

Verteidigung der »Festung Europa« (1943–44)
Der Osten: Die durch den sowjet. Durchbruch erschütterte Südfront (S. 485) wird nach den Abwehrschlachten am Don und Mius (Jan.–März 1943) wiederhergestellt. Die dt. Kaukasusarmee zieht sich über Rostow in die Ukraine und auf den Kuban-Brückenkopf

zurück, der auf Befehl geräumt wird (bis 7. 10.).
1943 Die letzte deutsche Offensive im Kursk-Bogen (»Zitadelle«, 5.–13. 7.) wird abgebrochen. Die Initiative liegt jetzt bei den Sowjets, deren Überlegenheit immer fühlbarer wird. Sinnlose Opferung dt. Verbände durch starres Festhalten HITLERS an einmal gebildeten Fronten und »festen Plätzen«.
Die Sowjetoffensiven führen im Norden zur Verteidigung des Raumes um Narwa (ab 6. 10.), im Mittelabschnitt zur Einnahme von Brjansk (17. 9.), Smolensk (24. 9.) und Gomel (25. 11.), im **Süden** zum Verlust des Donezbeckens (Sept.) und Durchbruch zum Dnjepr (Okt.), wodurch die Krim abgeschnitten wird (1. 11.).
1944 Zunächst Vordringen der Sowjets im Süden: Eroberung der Süd-Ukraine, Vorstoß nach Galizien (März); die dt. Truppen räumen die Krim (bis Mai). In den balt. Ländern Abwehrschlachten (Jan.–April). – Ab 6. Juni sowjet. **Sommeroffensiven:** Vernichtung von 25 Div. der HGr. Mitte (Minsk, 2. 7.); Einbruch in die Balkanfront; Vorstoß ins Weichselgebiet. Der **Warschauer Aufstand** der poln. Untergrundarmee (Aug.–Okt.) scheitert: Kapitulation der poln. Untergrundarmee; die HGr. Nord wird eingeschlossen und Ostpreußen erreicht (Okt.). – **Finnland:** Der Durchbruch der Front an der karelischen Landenge (10. 6.) führt zum **Waffenstillstand von Moskau** (19. 9.). Rückzug der dt. Lapplandarmee nach Nordnorwegen.
Der Westen – Nordfrankreich: Zur Errichtung der von der UdSSR geforderten 2. Front (S. 487) erfolgt die
6. 6. 1944 Invasion der westl. Alliierten (»Overlord«) in Nordfrankreich zwischen Cherbourg und Caen unter Gen. EISENHOWER. Sie gewinnen die Halbin. Cotentin (14. 6.), nehmen Cherbourg (30. 6.), Caen (9. 7.) und St. Lô (18. 7.) und durchbrechen die deutsche Stellung bei Avranches (25. 7.): Übergang zum Bewegungskrieg. Die Vernichtung der dt. Panzerverbände in der »Hölle von Falaise« (16. 8.) macht den Weg nach Paris frei, wo der Aufstand der Widerstandsbewegung ausbricht (19. 8.). Die dt. Truppen kapitulieren, Gen. DE GAULLE zieht in Paris ein (25. 8.). – Die Alliierten erreichen die dt. Grenze zwischen Trier und Aachen und die Südgrenze der Niederlande (Sept./Okt.).
Südfrankreich:
15. 8. 1944 Landung alliierter Truppen in Südfrankreich (»Dragoon«). Die Amerikaner erreichen über Grenoble (23. 8.) die Schweizer Grenze. Franz. Truppen erobern Toulon und Marseille. Vorstoß nach Norden und Einnahme von Metz, Belfort, Mülhausen und Straßburg (Nov.): Einbruch der Amerikaner in den Westwall (3. 12.).
Die deutsche Ardennenoffensive (ab 16. 12.), mit dem Angriffsziel Antwerpen, bleibt wegen der alliierten Gegenangriffe erfolglos.

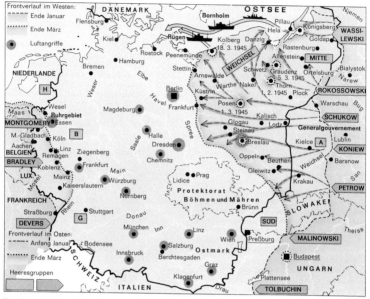

Der Zusammenbruch der deutschen Ostfront Januar bis März 1945

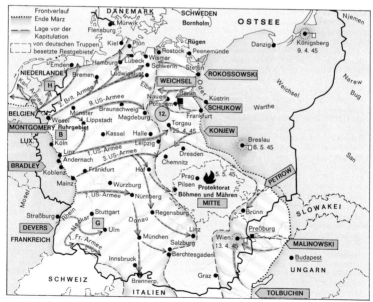

Das Ende des »Großdeutschen Reichs« April/Mai 1945

Letzte deutsche Abwehrmaßnahmen
1944 Einberufung aller waffenfähigen Männer zwischen 16 und 60 Jahren zum »Deutschen Volkssturm« (25. 9.) und
1945 Kürzung der Lebensmittelrationen und Einberufung des Jahrgangs 1929 (5. 3.).
19. 3. HITLER befiehlt Zerstörung aller milit., Verkehrs-, Nachrichten-, Industrie- und Versorgungsanlagen (»Nero-Befehl«) und
12. 4. Verteidigung dt. Städte (Androhung der Todesstrafe bei Zuwiderhandlung).
Durch die Errichtung von Standgerichten sollen die Truppen zum äußersten, sinnlosen Widerstand getrieben werden. Die Bekanntgabe über das Bestehen einer Organisation »Werwolf«, die hinter den feindl. Linien den Widerstand fortsetze, ruft Abwehrmaßnahmen der Alliierten hervor.

Die Eroberung Ostdeutschlands
12. 1. Beginn der sowjet. Großoffensive aus dem Baranow-Brückenkopf, die die dt. Mittelfront zerreißt; Verlust der noch besetzten poln. Gebiete, Oberschlesiens mit dem unversehrten Industriegebiet und Niederschlesiens östl. der Oder. Ostpreußen wird abgeschnitten.
26. 2. Durchbruch der Sowjets von Bromberg aus bis zur Ostsee bei Kolberg (18. 3.), zum Stettiner Haff und zur Danziger Bucht (30. 3.). Unter unvorstellbaren Schwierigkeiten (eisige Kälte) versucht die dt. Bevölkerung, sich durch Flucht nach Westen vor den Gewalttaten der aufgeputschten sowjet. Soldaten zu retten. Kriegsmarine und Abwehrkämpfe der Truppen ermöglichen die Rettung vieler Zivilpersonen und Verwundeter. Die zu »Festungen« erklärten Städte Thorn, Posen, Graudenz, Königsberg, Breslau u. a. müssen verteidigt werden.
16. 4. Beginn der sowjet. Großoffensive von Oder und Neiße aus. Die sowjet. Angriffsspitzen treffen sich bei Nauen, Berlin wird umzingelt (24. 4.),
25. 4. Zusammentreffen amerikan. und sowjet. Truppen bei Torgau a. d. Elbe.
2. 5. **Kapitulation Berlins.**
Die **sowjet. Angriffe in Kurland** werden bis zur Kapitulation abgewiesen.
Südosten: Die Sowjets dringen nach Einnahme von Budapest (13. 2.) auf Wien vor, das nach Straßenkämpfen fällt (13. 4.), und treffen mit amerikan.-brit. Verbänden an der Enns und in der Steiermark zusammen. Der Vorstoß der Roten Armee von Preßburg nach Prag führt zum
5. 5. **Aufstand der Tschechen gegen die deutsche Besatzung in Prag.**
20. 3. Angriff der Partisanen TITOS (S. 489).

Die Eroberung des Westens
Der alliierten Gegenoffensive in den Ardennen (3. 1.) und der Vereinigung amerikan. und brit. Truppen bei Houffalize (16. 1.) folgen den Verlust des linksrhein. Gebiets (Febr.) und die Er-

richtung eines amerikan. Brückenkopfs bei Remagen (7. 3.). Darauf **Zusammenbruch der deutschen Westfront.**
Norden: Die Briten überschreiten den Rhein bei Wesel (24. 3.) und stoßen zum Emsland (wobei die deutschen Truppen in der »Festung Holland« abgeschnitten werden) durch Westfalen zur Elbe (19. 4.), nach Holstein und Mecklenburg (2. 5.) vor.
Mitte: Nach Einschließung von 21 deutschen Divisionen im Ruhrkessel, der nach seiner Spaltung kapituliert (18. 4.), erreichen die Amerikaner die Elbe (April s. o.)
Süden: Die Amerikaner stoßen zur vereinbarten Demarkationslinie Karlsbad-Budweis-Linz vor. Die 7. Amerikan. Armee dringt mit dem linken Flügel in das Salzkammergut, mit dem rechten Flügel bis zum Brenner vor, wo sie auf die amerikan. Truppen aus Italien trifft (4. 5.). Die Franzosen überschreiten den Rhein nördl. von Karlsruhe (1. 4.) und bei Straßburg (15. 4.).

Die totale Niederlage
HITLER, der in den Bunker der Reichskanzlei nach Berlin zurückkehrt (16. 1.), beschließt, in Berlin zu bleiben (21. 4.). **Verbindung mit den Alliierten** zur Beendigung des Krieges suchen HIMMLER, der ohne Wissen HITLERS durch Vermittlung des schwed. Gf. BERNADOTTE den Westmächten eine Teilkapitulation anbietet (23. 4.), die abgelehnt, aber durch Rundfunk bekannt gegeben wird (28. 4.), und GÖRING, der bei HITLER anfragt, ob er die Führung des Reiches übernehmen soll (23. 4.). HITLER setzt sein politt. Testament auf: GÖRING und HIMMLER werden aus Partei und Ämtern ausgestoßen; **Ernennung des Groß-Adm. Karl Dönitz (1891–1980) zum Reichspräs. und OB der Wehrmacht, von Goebbels zum RK.**
30. 4. **Selbstmord Hitlers.**
2. 5. Dönitz beauftragt den Finanzmin. Gf. SCHWERIN VON KROSIGK mit der **Bildung einer »geschäftsführenden Reichsreg.«** (in Plön, ab 3. 5. in Mürwik bei Flensburg). Auflösung der NSDAP, Entlassung HIMMLERS aus allen Ämtern (5. 5.). Nach der Kapitulation Berlins, der Italienarmee (S. 489) und der HGr. Südwest (4. 5.) erfolgt die
4. 5. **Unterzeichnung der Kapitulation der deutschen Streitkräfte** in Holland, Nordwestdeutschland, Dänemark und Norwegen durch Gen.-Adm. VON FRIEDEBURG im HQ MONTGOMERYS in Lüneburg.
7. 5. **Unterzeichnung der »bedingungslosen Kapitulation« der dt. Wehrmacht** in EISENHOWERS HQ in Reims durch Gen.-Oberst JODL.
8. 5. **Wiederholung des Kapitulationsakts im sowjet. HQ** in Berlin-Karlshorst vor Marschall SCHUKOW durch Gen.-FM. KEITTEL, Gen.-Adm. VON FRIEDEBURG und Gen.-Oberst STUMPFF. – Die Gesamtkapitulation tritt am 9. 5. in Kraft.
23. 5. **Absetzung und Verhaftung der Regierung Dönitz.**

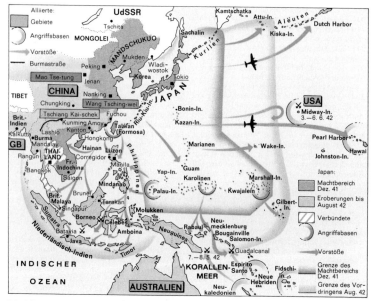

Die Offensiven der Japaner 1941/42

Die alliierten Gegenoffensiven seit 1942

Die jap. Expansion (1941–42)
Polit. Rückendeckung für eine Neuordnung im Pazifik (S. 453) bieten der Antikominternpakt, der Dreimächtepakt (S. 475), der sich gegen ein Eingreifen der USA in den Krieg richtet, und der Pakt mit der UdSSR. – Nach Einsetzung der Nanking-Reg. greift Japan nach Süden aus. Die Alliierten können die Sperrung der Burmastraße nicht verhindern (1940). Besetzung des nördl. Teils von Indochina (Sept. 1940).
Folge: Das China TSCHIANG KAI-SCHEKS ist isoliert, die Rohstoffgebiete Malayas und Indonesiens bedroht.
Die USA reagieren auf die jap. Expansion mit »Verhängung der Quarantäne« (S. 465) und Kündigung des Handelsvertrags (S. 453). Ein Öl- und Schrottembargo schwächt die jap. Rüstungsindustrie, jap. Guthaben werden von den USA, Großbritannien und Ndl.-Indien gesperrt. Verhandlungen (Forderung der USA auf Rückzug Japans aus China und Indochina) scheitern.
1941 Überfall auf Pearl Harbor (S. 465): Lahmlegung der amerikan. Pazifik-Flotte, doch keine Zerstörung der Werften und Docks. 3 amerikan. Flugzeugträger entgehen auf hoher See der Vernichtung. Kriegserklärung der USA und Großbritanniens (8. 12., S. 465), Kriegserklärung Deutschlands und Italiens an die USA (11. 12.).
1941/42 Japan. Offensiven (in 3 Richtungen).
Hauptvorstoß (»Südoperation«) in der Mitte gegen Philippinen und Ndl.-Indien (Ziel: wirtschaftl. Autarkie).
1942 Eroberung der Philippinen (OB der Amerikaner: MACARTHUR, S. 515): nach jap. Landungen auf Luzon und Mindanao Einnahme Manilas (2. 1.), die Inselfestung Corregidor kapituliert (6. 5.). – **Kampf um Ndl.-Indien** (11. 1.–8. 3.): Besetzung von Celebes, Borneo und Amboina (Jan.). Landung an den Küsten Sumatras. – Nach den Seesiegen in der Makassarstraße (24.–27. 1.) werden Timor (Bedrohung Australiens), Java und die Sunda-Inseln besetzt (27. 2. bis 1. 3.), die Holländer kapitulieren (8. 3.).
Die rechte Flanke des Hauptvorstoßes liegt auf dem asiat. Kontinent. Nach der
1941 Versenkung der engl. Schlachtschiffe »Prince of Wales« und »Repulse« (12. 12.) jap. Bündnis mit Thailand. Eroberung der brit. Stützpunkte Hongkong (25. 12.) und Singapur (15. 2. 1942); Eroberung Burmas (Nationalchina wird vom alliierten Nachschub abgeschnitten, April 1942). **Bedrohung Indiens.** Aufstellung einer ind. Nat.-Armee in Burma durch den ehem. Präs. des Nat.-Kongresses SUBHAS CHANDRA BOSE (S. 447).
Deckung der linken Flanke des Hauptvorstoßes durch »strahlenförmige Vorstöße nach Ozeanien«. Eroberung von Guam und Wake (10. bzw. 20. 12. 1941), Angriff auf den Bismarck-Archipel, Neuguinea und die Salomonen (Jan.–

März 1942), Landung auf den Alëuten (Juni 1942). – **Die Eroberung des riesigen Raumes** im Laufe eines halben Jahres gelingt auch durch Anwendung takt. Überraschungseffekte.
Wirtschaftl. und polit. Auswirkungen: Japan beherrscht 1942 Territorien mit ca. 450 Mill. Einw. und reichen Bodenschätzen (95% der Weltproduktion an Rohgummi, 90% an Chinin, je 70% an Zinn und Reis). Es verfügt über genügend Erdöl und wichtige Erze (Bauxit, Chromerz u. a.). – Förderung der gegen die europ. Kolonialmächte gerichteten nat. Bewegungen (Bildung einer japanfreundlichen Reg. auf den Philippinen, Anerkennung der Unabhängigkeit Burmas [1943], Vietnams und Indonesiens [1945]).

Die Offensive der Alliierten (1942–45)
1942 Schlacht im Korallenmeer: Ende des jap. Vordringens nach Süden (7./8. 5.). – Die **Seeschlacht bei den Midway-Inseln** (3.–7. 6.), Schwächung der jap. Marine durch Verlust von 4 Flugzeugträgern) und die **Landung der Amerikaner auf Guadalcanal** (8. 8.) bedeuten den Beginn der amerikan.-austral. Gegenoffensive. Die Insel wird nach langem Kampf eingenommen (8. 2. 1943).
1943 Alliierte Großoffensive im Südwestpazifik (»Froschhüpfen«: OB Gen. MACARTHUR). Landung auf Neugeorgia (1. 7.), Vella-Lavella (15. 8.), Neuguinea (4. 9.), Bougainville (1. 11.) und Neubritannien (15. 12.). Ausschaltung von Rabaul (Abzug der jap. Flottenstreitkräfte, März 1944).
1944 Vorstoß amerikan. Streitkräfte im mittl. Pazifik (OB Adm. NIMITZ) nach Rückeroberung der Alëuten (Mai–Aug. 1943): Besetzung der Gilbert- und Marshall-Inseln (Nov. 1943–März 1944), der Marianen-Inseln Saipan und Guam (Juni/Juli).
Nach Vereinigung mit den Streitkräften MACARTHURS und der Seeschlacht um den Leyte-Golf (Okt.)
1944–45 Eroberung der Philippinen (Okt. bis Febr.): Besetzung Manilas (4. 2.) und ganz Luzons (24. 2.).
1944–45 Rückeroberung Burmas durch brit., amerikan. und chin. Truppen. Vernichtung von 3 jap. Armeen, Öffnung der Burmastraße.
1945 Landung der Amerikaner in Japan (Iwojima, 19. 2.).
Luftkrieg: Die amerikan. Offensive wird durch Angriffe auf jap. Städte unterstützt. Die US-Air Force bombardiert jap. Industriezentren und gewinnt seit 1943 die Luftüberlegenheit.
1945 Abwurf der 1. Atombombe auf Hiroshima aus der Superfestung »Enola Gay« (6. 8.; 9. 8.: 2. Atombombe auf Nagasaki, insges. mind. 150 000 Tote).
Kriegserklärung der UdSSR (8. 8.): Einmarsch der Roten Armee in die Mandschurei und in Korea, Besetzung der Kurilen und Sachalins.
2. 9. 1945 Kapitulation Japans.

Die Folgen des Krieges
Menschenverluste: Der größte Land-, Luft- und
Seekrieg der Geschichte fordert auch die größ-
ten Opfer: nach Schätzungen ca. **55 Mill. Tote,
35 Mill. Verwundete, 3 Mill. Vermisste.** Nie zu-
vor waren zivile Verluste ähnlich hoch: durch
Luftangriffe (1,5 Mill.), Partisanenkämpfe,
Massenvernichtung (über 6 Mill. Juden,
S. 483), Arbeits- und Konzentrationslager, Ra-
cheakte, Flucht, Deportation und Vertreibung
(S. 499) dürften **20–30 Mill. Zivilisten umge-
kommen sein,** darunter 7 Mill. Russen,
5,4 Mill. Chinesen, 4,2 Mill. Polen, 3,8 Mill.
Deutsche. **Soldaten** verloren die UdSSR 13,6,
China 6,4, Dtl. 4, Japan 1,2 Mill. – Geringere
Verluste hatten die USA mit etwa 259 000 und
Großbritannien mit 326 000 Gefallenen.
Kriegskosten: Auf etwa 1500 Mrd. US-Dollar
errechnet, davon entfallen auf die USA 21, auf
Großbritannien 20, auf Deutschland 18, auf die
UdSSR 13%.
Wirtschaft: Der allg. techn.-industrielle Fortschritt gleicht die Kriegsschäden relativ rasch
aus. Schon 1948 erreichen Weltproduktion und
-handel ihren Vorkriegsstand und steigern sich
nach der Koreakrise. – **Europa** verliert seine
Führungsrolle, zerstörte Wohn- und Industriegebiete (vor allem in Mittel- und Osteuropa)
lähmen den Wiederaufbau. **Westeuropa** deckt
seinen Nachholbedarf mit amerikan. Kapitalhilfe (Marshall-Plan, S. 523). Durch wirtschaftl. Liberalisierung und Integration
(S. 523) erholt es sich bis 1950. – In den **Ostblockländern** wird durch straffe Planung der
Industrieaufbau forciert: Bevorzugung der
Schwerindustrie auf Kosten der Agrarproduk-
tion und des allg. Lebensstandards. Erst nach
STALINS Tod lockert der »Neue Kurs« (S. 506)
den wirtschaftl. Zentralismus unter Anhebung
der Verbrauchsgüterproduktion.
Politik: Zur Sicherung des Weltfriedens wird
die **UNO** (S. 501) gebildet, doch hat die bedingungslose Kapitulation der Besiegten die polit.
Weltlage radikal verändert. Bis zur brit.-amerik-
kan. Besatzungsgrenze entsteht ein **sowjet. Satelliten-System** (S. 509); die Grenzen **Polens**
werden nach Westen verschoben (S. 510), die
deutsche Frage bleibt ungelöst. Trotz ungeheu-
rer Verluste steigt die **UdSSR,** im Westen vom
deutschen, im Osten vom jap. Gegendruck befreit, zur Weltmacht auf (S. 505). Komm. Erfolge (China, S. 513) scheinen LENINS Lehre
von der eigenen Überlegenheit und dem notwendigen Konflikt zwischen Kommunismus
und Kapitalismus zu bestätigen. Das sowjet.
Selbst- und Machtbewusstsein beansprucht die
absolute Führung im Ostblock und in der Welt.
– Die **USA** (S. 519), weniger durch eigenes
Streben als mangels einer anderen Macht und
ohne ein klares Programm zur Führung des
Westens gelangt, erkennen nur langsam und
unter Schwinden des eigenen Sicherheitsge-
fühls (u. a. Verlust des Atommonopols, S. 550)
die weltpolit. Gefahr. Der **Ost-West-Konflikt,**
machtpolit. und ideolog. als »Kalter Krieg«

zwischen östl. Bolschewismus und freiheitl.-
westl. Zielsetzung geführt, äußert sich in Propaganda, Prestigepolitik, Aufrüstung, übernat.
Bündnissen (S. 517), techn. und wirtschaftl.
Rivalität (Raumfahrt, S. 550; Entwicklungshilfe, S. 539), (Teilungs-)Krisen (S. 515).
Die Spaltung begünstigt polit. Selbstbewusstsein und Unabhängigkeitsstreben der **farbigen
Völker** (S. 539). Neue Staatsbildungen (Israel,
S. 537; Kongo, S. 547) erhöhen die allg. Kri-
sengefahr. Die Solidarität der wirtschaftl. un-
entwickelten **blockfreien Nationen** stellt der
Weltpolitik neue Probleme.

Der Zwang zur Koexistenz unter dem »**Gleichgewicht des Schreckens**« (S. 551) scheint eine
Entspannung zwischen den Weltmächten anzu-
bahnen mit Auflösungstendenzen (Polyzentris-
mus) im westl. (NATO-Krise, S. 517), östl.
(Konflikt Moskau-Peking, S. 513; Titoismus,
S. 509 f.) und neutralen Lager (Abbau der Soli-
daritätspolitik).

Friedensschlüsse: Zur Vorbereitung beschließt
die Potsdamer Konferenz (S. 527) den Zusammentritt eines **Außenminister-Rates** in
London mit franz. und chin. Beteiligung. Die
1945 (2.) Moskauer AMin.-Konferenz vereinbart u. a. den Abzug sowjet. und amerikan.
Truppen aus China sowie die polit. Neuordnung von Japan und Korea.
1946 Pariser Friedenskonferenz (Juli-Okt.).
Nach der (3.) New Yorker AMin.-Konferenz
(Nov./Dez.) Abschluss der
1947 Pariser Friedensverträge (Febr.) mit **Finnland** (Verlust Kareliens, S. 509), **Italien** (Reparationen, Verlust der Kolonien und
Triests), **Ungarn** (Grenzen von 1937), **Rumänien** (Abtretung Bessarabiens und der Bukowina) und **Bulgarien. Triest** wird Freistaat
unter UN-Kontrolle (S. 509).
Unter amerikan. Milit.-Reg. (S. 513) wird **Japan** entmilitarisiert und demokrat. reformiert (S. 513). Die komm. Machtergreifung
in China beschleunigt den von 49 Staaten
(nicht UdSSR und Indien) unterzeichneten
1951 Frieden von San Francisco mit Japan: Die
jap. Grenzen werden auf den Besitzstand
von 1854 festgelegt.
Österreich: Die Frage des Staatsvertrages wird
ohne Ergebnisse auf internat. Konferenzen
behandelt, bis BK. RAAB (S. 521) der
1955 Abschluss des österr. Staatsvertrags gelingt.
Den sowjet.-jap. Kriegszustand beendet die
1956 Moskauer Erklärung (MP. HATOYAMA
und BULGANIN).

Die deutsche Frage nach 1945
Als ein Grundproblem internat. Politik wird die
Deutschlandfrage (Teilung, Wiedervereinigung, polit. Status, Grenzen) zum Spiegelbild
des Ost-West-Konflikts. Im
1945 Potsdamer Abkommen (S. 527) verpflichten sich drei Besatzungsmächte zu einem

Friedensvertrag mit Gesamtdtl., doch fehlen Weisungen über ein dt. Selbstbestimmungsrecht. – Nach den Pariser Friedensverträgen keine Einigung über Dtl. auf der
1947 (4.) Moskauer AMin.-Konferenz; Truman-Doktrin (S. 519) und Marshall-Plan (S. 523) vertiefen die Spannungen. Die (5.) Londoner AMin.-Konferenz (Nov./Dez.) vertagt die dt. Frage, deshalb beschließt die
1948 Londoner Sechs-Mächte-Konferenz (S. 527) wirtschaftl. Anschluss der Westzonen an Westeuropa. Der inzwischen formierte Ostblock (S. 509) protestiert auf der Warschauer AMin.-Konferenz (Juni). – Während der Berliner Blockade (S. 531) unterzeichnen auf der
1949 Washingtoner AMin.-Konferenz (April) die Westmächte das Besatzungsstatut für Westdeutschland. – Die (6.) Pariser AMin.-Konferenz bringt die westl. Ablehnung einer ohne freie Wahlen gebildeten Zentralreg. (Vorschlag AMin. Wyschinskis). Neue westl. Überlegungen auf der
1950 Londoner Drei-Mächte-Konferenz überholt die Koreakrise (S. 515). – Die New Yorker AMin.-Konferenz (Sept.) beschließt die Verteidigung der freien Welt; Garantie der BR Dtl. und Westberlins, Wiederaufrüstung und polit. Alleinvertretungsrecht der BR für ganz Dtl.
1951 Washingtoner AMin.-Konferenz (Sept.): Bildung einer Europa-Armee mit der BR Dtl.
Sowjet-Noten über einen Friedensvertrag verhindern nicht den Abschluss des
1952 Deutschland- und EVG-Vertrages (Mai, S. 529).
Nach Stalins Tod scheitert die
1954 (7.) Berliner AMin.-Konferenz (Jan./Febr.) wieder an der Frage der allg. Wahlen (Eden-Plan: Wahl zur gesamtdt. Nat.-Vers., Verf., Reg.-Bildung, Friedensvertrag; Molotow-Plan: Friedensvertrag mit Delegierten der BR Dtl. und der DDR, danach allg. Wahlen). Nach franz. Ablehnung der EVG tritt die BR Dtl. durch die
Okt. 1954 Pariser Verträge (S. 529) der WEU und NATO bei. – Die Moskauer Ostblock-Konferenz (Nov./Dez.) erklärt eine Wiedervereinigung nunmehr für aussichtslos. Trotz des
1955 Warschauer Paktes (S. 517) gibt der österr. Staatsvertrag neue Hoffnung auf Entspannung.
In versöhnl. Geist betont die
Juli 1955 Genfer Gipfelkonferenz (Eisenhower, Eden, Faure, Bulganin) die Vier-Mächte-Verantwortung und gibt Direktiven an die AMin. zur Weiterbehandlung der europ. Sicherheits- und Deutschlandfrage. Die
Okt./Nov. 1955 (8.) Genfer AMin.-Konferenz bringt kein Ergebnis, da AMin. Molotow die dt. Frage der europ. Sicherheit unterordnet, während AMin. Dulles unter Verweis auf die Genfer Direktiven auf dem Junktim beider

Fragen besteht. – In der Folge versteift sich die UdSSR auf die von Chruschtschow in Ostberlin (Juli) erstmals vertretene
Zwei-Staaten-Theorie (Wiedervereinigung allein durch Verständigung der beiden dt. Teilstaaten ohne Änderung der sozialist. Errungenschaften der DDR). – Die Ungarnkrise (S. 511) entlarvt die sowjet. Entspannungsoffensive als takt. Manöver, auch der Westen erfährt in der Suezkrise (S. 535) eine Niederlage.
1958 Berlin-Ultimatum (Nov., S. 531): Chruschtschow kündigt das Vier-Mächte-Statut und fordert eine entmilitarisierte »Freistadt Westberlin«. – Westmächte, NATO und BR Dtl. lehnen die
Drei-Staaten-Theorie ab, verlangen Einhaltung internat. Abmachungen, erklären sich aber zu Verhandlungen bereit. – Ein
1959 sowjet. Friedensvertragsentwurf (Jan.) verlangt u. a. Neutralisierung, Anerkennung der Oder-Neiße-Grenze und der »freien Stadt Westberlin«. – Chruschtschow verlängert die Frist zur Berlin-Regelung (März), kündigt aber einen separaten Frieden mit der DDR an, falls die Westmächte den Entwurf ablehnen.
Unter Teilnahme von Beratern aus der BR Dtl. und der DDR
Mai-Aug. 1959 (9.) Genfer AMin.-Konferenz: Gestufter westl. Friedensplan (AMin. Herter): 1. Einheit Berlins durch freie Wahlen; 2. gesamtdt. Wahlausschuss (25 BRD-, 10 DDR-Vertreter), Volksabstimmung über ein Wahlgesetz; 3. Wahlen zur Nat.-Vers. (Verfassung), Reg.-Bildung; 4. Friedensregelung. – AMin. Gromyko verweist auf den sowjet. Friedensentwurf. – Staatsbesuch Chruschtschows in den USA (Sept.): Vereinbarung neuer Verhandlungen in Camp David. – Ein westl. Treffen der Reg.-Chefs Eisenhower, de Gaulle, Macmillan, Adenauer (Dez.) in Paris lädt Chruschtschow zu einer Konferenz ein. Er torpediert die
1960 Pariser Gipfelkonferenz (Mai, U-2-Affäre, S. 506), gibt aber gemäßigte Erklärungen zur Berlinfrage ab. In seiner
1961 Aussprache mit US-Präs. Kennedy in Wien (Juni) wiederholt er die sowjet. Forderungen. Die von Ulbricht zugespitzte neue Berlinkrise (Aug., S. 531) verschärft wieder die internat. Spannungen. Vize-Präs. Johnson wiederholt in Westberlin die von Kennedy verkündeten drei Grundfreiheiten (Essentials): milit. Schutz, freier Zugang, Freiheit und Lebensfähigkeit der Westberliner. – Seit 1962 sowjet. und amerikan. Zurückhaltung in der deutschen Frage.
Keine Erwähnung eines »Separatfriedens« mehr im sowjet.
1964 Freundschaftsvertrag mit der DDR, den die drei Westmächte mit einer Dtl.-Erklärung (Vier-Mächte-Verantwortung und Selbstbestimmung) beantworten.

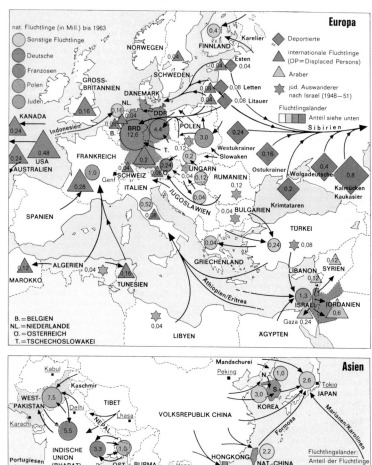

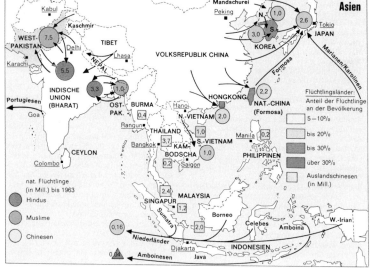

Flüchtlinge und Vertriebene nach 1945

Das »Jahrhundert der Flüchtlinge«
Flucht- und Vertreibungsaktionen nehmen durch ideolog. Verhärtung (Rassismus, Nationalismus, Kommunismus) seit dem **Zweiten Weltkrieg** erschreckend zu.
Deutschland: Zur Verwirklichung des »NS-Lebensraumes« (S. 475)
1939–44 Umsiedlung Volksdeutscher,
1940/41 Zwangseinweisung von Polen in das »Gen.-Gouvernement«. – »Einfuhr« von ca. 9 Mill. Fremdarbeitern. Juden werden weiterhin vernichtet (S. 483).
Südosteuropa: Grenzänderungen mit Umsiedlungen in Siebenbürgen (Ungarn, Rumänien) und der Dobrudscha (Rumänen, Bulgaren). Serben flüchten 1941 aus Kroatien und Slowenien.
Finnland: Nach dem »Winterkrieg« (S. 477) 1940 Räumung Kareliens. Rückwanderer müssen nach dem Waffenstillstand mit der UdSSR (1944) endgültig umsiedeln.
UdSSR:
1940/41 Deportation von 2 Mill. Ostpolen nach Sibirien.
1941 Deportation von Deutschen und »unzuverlässigen« Völkern (Esten, Litauer, Kalmücken, Kaukasier) nach Sibirien. Sie wird nach dem Krieg zur Stärkung des »Sowjetvolks« fortgesetzt.
Fluchtbewegungen bei Kriegsende: Aus dem Donauraum fliehen
1944/45 Volksdeutsche vor sowjet. Truppen und Partisanen nach Österreich. Internat. Flüchtlinge suchen nach dem
1944 Zusammenbruch der Ostfront Zuflucht im Westen bzw. in Übersee.
1945 Flucht Ostdeutscher vor der Roten Armee.
Vertreibungen als Kriegsfolge: Die
1945 Postdamer Konferenz (S. 527) sanktioniert die
1945/46 Vertreibung fast aller Deutschen aus den deutschen Ostgebieten, der Tschechoslowakei (Sudetenland) und Ungarn. Über 3 Mill. kommen dabei um.
1945–47 Neubesiedlung entvölkerter Gebiete. Trotz Repatriierung und Austausch nat. Minderheiten sinkt die Bevölkerungsdichte (z. B. im Sudetenland).
1946/47 Vertreibung nat. Minderheiten aus Jugoslawien (Italiener), 1950–52 aus Bulgarien und Griechenland (Türken).
1948–52 Emigration von Juden aus Osteuropa.
Folgen: Etwa 30 Mill. Europäer (davon 60% Deutsche) verlieren ihre Heimat. Seither decken sich auch in Ostmitteleuropa nahezu Völker- und Staatsgrenzen. – Zur Betreuung der **Displaced Persons** (DP: Fremdarbeiter, internat. Flüchtlinge, Verschleppte) übernimmt die UN die 1943 in den USA gegr.
1945 UNRRA-Hilfsorganisation; umgewandelt zur
1947 Flüchtlings-Organisation **IRO.** – Seit
1951 Hochkommissar für Flüchtlinge bei der UN (**UNHCR**, S. 500).

Flüchtlingsprobleme (nach 1945)
1. Durch kommunist. Machtausweitung.
China: Nach dem Zusammenbruch der KMT-Reg. nat.-chines.
1949 Flucht nach Formosa, doch kann hier relativ schnell Arbeit beschafft werden. Die brit. Exklave
Hongkong wächst dagegen von 1 Mill. auf 3,7 Mill. Einw. (1964). Alle Anstrengungen mildern das Flüchtlingselend nicht.
1962 **Massenflucht aus China** (S. 513) und Rückwanderung von unerwünschten Auslandschinesen aus Südostasien.
Korea: Flucht von Mill. Menschen im 1950–53 Koreakrieg (S. 515). UN und USA helfen dem agrarischen, polit. labilen Süden beim Aufbau neuer Industrien.
Vietnam: Die Eingliederung der 1954 nach Süden abgewanderten bäuerl.-kath. Bevölkerung gelingt durch Erweiterung der Reisanbauflächen.
Tibet: Mit dem Dalai Lama fliehen 20 000 Tibeter nach dem
1959 Aufstand gegen China nach Indien.
Ungarn: 200 000 Flüchtlinge gehen nach dem
1956 Aufstand (S. 511) in alle Teile der Welt, doch kehren ca. 30 Prozent nach Zusicherung voller Straffreiheit wieder zurück.
Deutschland: Ständige Abwanderung aus der DDR (S. 528). Die »Abstimmung mit den Füßen« (»Republikflucht«) wird durch Grenzsperren und den
1961 Bau der Berliner Mauer unterbunden.
2. Durch Auflösung der Kolonialherrschaft.
1945 Niederlage Japans: Rückwanderer aus Korea, Sachalin, der Mandschurei und der Südsee. Sie finden erst wieder Arbeit mit dem wirtschaftl. Aufstieg seit der Koreakrise (S. 513). – Niederländer verlassen
1952/53 Indonesien und 1962 Neuguinea.
1954–62 Algerienkrise (S. 547): Flüchtlinge warten in marokkan. und tunes. Notlagern auf ihre Rückkehr.
1962 Rückstrom von Algerienfranzosen. – Ausschreitungen veranlassen seit der
1960 Unabhängigkeit des Kongo (S. 547) die Europäer (Belgier) zur Rückkehr unter Aufgabe ihres Besitzes.
3. Durch relig. Fanatismus in Indien: Die
1947 Unabhängigkeit (S. 543) entbindet den Hass zwischen Hindus und Moslems. Das
1950 Minderheitenabkommen zwischen Indien und Pakistan schützt nicht vor neuen relig. Unruhen.
Israel (S. 537) nimmt eine Sonderstellung ein. Mit Idealismus und Tatkraft gelingt es mit ausländ. Hilfe (vgl. dt. Wiedergutmachung, S. 529), die heterogene Einwanderung aufzufangen. Ungelöst ist seit dem
1948 Kampf um Palästina das arab. **Flüchtlingsproblem.** Die Flüchtlinge, in Notlagern untergebracht und vor der UN betreut, sind wie ihre Auffangstaaten an einer Eingliederung uninteressiert, da der jüd. Staat als Provisorium betrachtet wird.

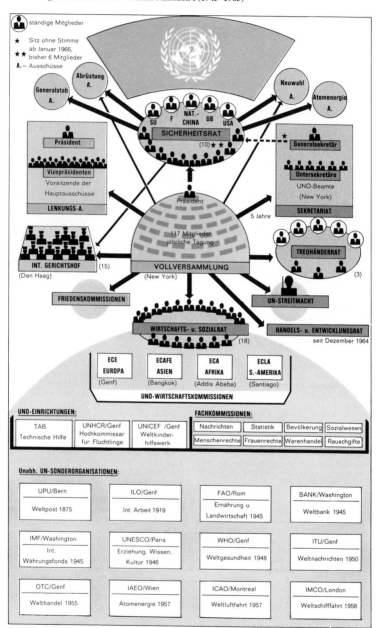

Die Organisation der Vereinten Nationen (Stand: Ende 1965)

Die Vereinten Nationen (UN)
Entstehung: Verkündung der **Vier Freiheiten** (S. 465) in der
1941 Kongressbotschaft des US-Präs. ROOSE-VELT (S. 465). Sie werden in die **Atlantik-Charta** (S. 487) aufgenommen. In der
1942 **»26-Nationen-Erklärung«** von Washington (S. 487) nennen sich die Alliierten erstmals **United Nations**. Die
1943 Moskauer AMin.-Konferenz beschließt, »zur Gewährleistung des Friedens und der Sicherheit« eine internat. Organisation zu schaffen. Die Satzung dazu wird auf der
Aug.-Okt. 1944 Konferenz von Dumbarton Oaks von den USA, der UdSSR, Großbritannien und China erarbeitet und auf der Konferenz von Jalta (S. 487) ergänzt: die ständigen Mitglieder des Sicherheitsrates erhalten ein Vetorecht. Nach Beratungen auf der Konferenz von San Francisco (April–Juni 1945) am
26. Juni 1945 Gründung der UN (auch UNO): Vertreter von 50 Staaten unterzeichnen die **Charta der Vereinten Nationen** (111 Artikel). Nach ihrer Ratifizierung – von Polen als 51. Gründernation am 15. Okt. – tritt sie am
24. Okt. 1945 (»**Tag der Vereinten Nationen**«) in Kraft.
1946 Abschlusstagung des Völkerbundes zur Selbstauflösung (S. 415).
Ziele: Sicherung des Weltfriedens, Schutz der Menschenrechte, Gleichberechtigung aller Völker, Besserung des allg. Lebensstandards in der Welt (Art. 1).
Grundsätze: Die Mitgl. verpflichten sich
1. zu tätiger Friedenssicherung mit friedl. Mitteln (Empfehlungen, Untersuchungen, Vermittlungen, Schiedssprüche – Art. 35), durch polit. oder wirtschaftl. Sanktionen (Art. 41) oder durch Einsatz von Streitkräften (Art. 42), die von den Mitgl. gestellt werden (Art. 43; Militär-Abkommen über UN-Streitkräfte, Weltgeneralstab und Weltabrüstung);
2. zur Anerkennung staatl. Selbstverteidigung (Art. 51), auch mit Hilfe regionaler Sicherheitspakte (Art. 53);
3. zur Nichteinmischung in innerstaatl. Angelegenheiten (somit Verzicht auf Schutz der Menschenrechte in autoritären oder totalitären Staaten; die Verkündung der Allg. Erklärung der Menschenrechte im Dez. 1948 bleibt unverbindlich);
4. zu loyaler Erfüllung der UN-Verpflichtungen nach »Treu und Glauben« (Art. 2), bes. Verzicht auf Androhung oder Anwendung von Gewalt (praktisch unwirksam).
Mitglieder können grundsätzlich alle Staaten werden, die die Charta der UN anerkennen und deren Verpflichtungen nachzukommen bereit sind.
Organe: Als wichtigstes, ständig tagendes Organ sorgt der
Sicherheitsrat für die Sicherung des Friedens. Seine Beschlüsse (mit 7 von 11 Stimmen) sind verbindlich; polit. Aktionen, Satzungs-

änderungen, Wahl neuer Mitgl. bedürfen seiner Zustimmung; durch das Vetorecht der 5 ständigen Mitgl. gehemmt (1946–64 von der UdSSR 103mal, von Großbritannien 4mal, von Frankreich 3mal, von Nat.-China 1mal ausgesprochen). Die
Voll- (oder **General-**)**Versammlung** tagt – abgesehen von Sondersitzungen – einmal jährlich (in der Regel von Sept. bis Dez.), seit 1952 in New York, Beschlüsse (z. T. mit Zweidrittel-Mehrheit) sind nur für zustimmende Mitgl. verbindlich. Jedes Mitgl. entsendet bis zu 5 Delegierte, hat aber nur eine Stimme (die UdSSR mit der Ukraine und Weißrussland drei). Die Vollversammlung wählt die nichtständigen Mitgl. des Sicherheitsrates auf 2 Jahre, den Gen.-Sekretär und die Mitgl. aller Räte bzw. des Internat. Gerichtshofes. Ausschüsse und Kommissionen werden von einem Lenkungsausschuss koordiniert.
Das **Budget** der UN und die Beiträge der Mitgl. (auch der Nicht-Mitgl. wie der BR Deutschland) werden jährlich festgesetzt (größte Anteile leisten die USA mit ca. 32 Prozent, die UdSSR mit 15, Großbritannien mit 7, Frankreich und Nat.-China mit je 5 Prozent).
Seit dem Koreakrieg (S. 515) hat die Vollversammlung durch die
1950 Uniting for Peace Resolution das Beschlussrecht über Bereitstellung von Truppen und Material zur Abwehr eines Angreifers, falls der Sicherheitsrat durch Veto-Blockierung versagt.
Auf Empfehlung des Sicherheitsrats auf 5 Jahre gewählt, vertritt der
Generalsekretär als Chef des Sekretariats (ca. 4500 Beamte) die Spitze der Verwaltung; er nimmt an den Sitzungen des Sicherheitsrats ohne Stimme teil. – Der
Wirtschafts- und Sozialrat (mit regionalen Unter-Kommissionen) befasst sich mit der Hebung des allg. Lebensstandards, er bedient sich dabei sog. UN-Einrichtungen und Fachkommissionen. Die ehem. Völkerbundsmandate (soweit sie noch nicht selbstständig sind wie Togo, Kamerun, Somalia, Tanganjika) verwaltet der
Treuhänderrat, während der unabhängige
Internat. Gerichtshof (15 auf 9 Jahre gewählte Richter) auf Antrag Gutachten über Streitfälle abgibt. – Selbstständige
Sonderorganisationen, durch internat. Abkommen eingerichtet, arbeiten mit UN-Organen und UN-Ausschüssen eng zusammen. – Von großer Bedeutung
1945 Internat. Bank für Wiederaufbau und Entwicklung (BANK) und Internat. Währungsfonds (IWF) in Washington.
Weltorganisationen außerhalb der UN:
1945 Weltgewerkschaftsbund (WGB), der unter komm. Einfluss gerät. – Zusammenschluss der christl. Kirchen auf der
1948 Weltkirchen-Konferenz in Amsterdam im **Ökumenischen Rat** (ohne kath. Kirche).
1949 Internat. Bund Freier Gewerkschaften.

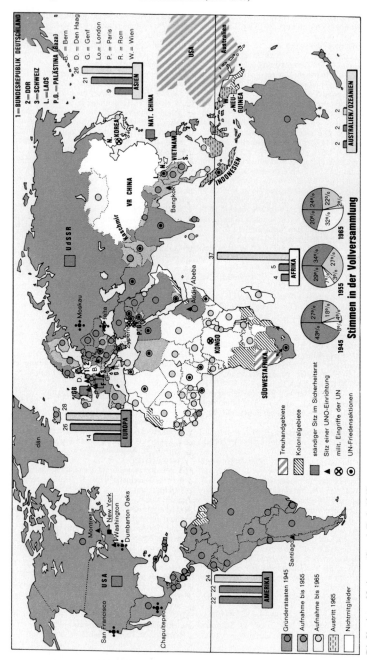

Legende (Deutschland):

1 = BUNDESREPUBLIK DEUTSCHLAND
2 = DDR
3 = SCHWEIZ
L. = LAOS
P. G. = PALÄSTINA (Gaza)

B. = Bern
D. = Den Haag
G. = Genf
Lo = London
P. = Paris
R. = Rom
W. = Wien

Stimmen in der Vollversammlung

1945 · 1955 · 1965

Legende:

Gründerstaaten 1945
Aufnahme bis 1955
Aufnahme bis 1965
Austritt 1965
Nichtmitglieder

Treuhandgebiete
Kolonialgebiete
ständiger Sitz im Sicherheitsrat
Sitz einer UNO-Einrichtung
milit. Eingriffe der UN
UN-Friedensaktionen

AMERIKA
EUROPA
AFRIKA
ASIEN
AUSTRALIEN/OZEANIEN

Die Vereinten Nationen (Stand: Ende 1965)

Der Versuch einer Weltregierung

Zunächst Erfolge im UN-Sicherheitsrat bei der Erhaltung eines Status quo, der 1945 noch nicht eindeutig festgelegt ist:
1946 Räumung des **Iran** von sowjet. Truppen (S. 507); 1947 Regelung der **Triest-Frage** (S. 509); 1947/48 Eindämmung der Konflikte in **Palästina** (S. 537), **Indonesien** (S. 541) und **Kaschmir** (S. 543); Wirtschaftskommissionen für Europa, Lateinamerika, Asien, Nahost (Afrika 1958).

Die Hoffnung der USA auf loyales Zusammenwirken mit der UdSSR trügt, ständige **sowjet. Vetos** (S. 505) legen die Friedenspolitik lahm.

Die **UN-Generalversammlung** unter
1946–53 Gen.-Sekretär Trygve **Lie**/Norwegen (1896–1968) wirkt nur als moral. Größe, ihre Resolutionen spiegeln die Weltmeinung:
1946 1. Gen.Vers. (London/New York): Kontrolle der Atomenergie, Flüchtlingsfragen (IRO), Verurteilung des Faschismus, Boykott Spaniens (bis 1950).
1947 2. Gen.-Vers. (New York): UN-Kommissionen für **Korea** (allg. Wahlen), den **Balkan** (Grenzkonflikte) und **Palästina** (UNSCOP).
1948/49 3. Gen.-Vers. (Paris/New York): Verurteilung des Völkermordes (Genocidium); Deklaration der Menschenrechte.
1949 4. Gen.-Vers. (New York): Beschleunigung der kolon. Selbstverw., bes. bei UN-Treuhandgebieten.

Die Stagnation der UN

1950 Koreakrise (S. 515): In Abwesenheit des sowjet. Vertreters MALIK (aus Protest gegen die Ablehnung der VR China) erklärt der Sicherheitsrat Nordkorea zum Angreifer; Aufbau und Eingriff einer **UN-Streitmacht** (OB Gen. MACARTHUR).
Die UdSSR protestiert und legt ihr Veto gegen die Verurteilung chin. Freiwilligenverbände in Korea ein.

UN-Sicherheitsrat: Internat. Konflikte und Probleme (Abrüstung, S. 551) bleiben ungelöst:
1951 brit.-iran. Ölstreit (S. 507), 1957 Kaschmir, 1958 **Libanon** (UN-Beobachter), 1959 **Laos** (UN-Untersuchungsausschuss gegen sowjet. Protest), 1959 **Südtirol** u. a.

UN-Generalversammlungen rücken durch die **Uniting Peace Resolution** (Dez. 1950, S. 501) ins Zentrum der UN-Politik, können aber nur Empfehlungen aussprechen. Die USA suchen sie zum Instrument antisowjet. Politik zu machen (wiederholte Ablehnung der Aufnahme **Rot-Chinas** in die UN seit 1953), der Ostblock (DDR, Ungarn) verweigert UN-Kommissionen die Einreise; Frankreich erklärt 1955 den **Algerienkonflikt** (S. 547) zur innenpolit. Frage; die Südafrikan. Union zieht wegen Verurteilung der Rassenpolitik (Apartheid, S. 545) ihre Delegierten seit 1955 wiederholt zurück.
1950/51 5. Gen.-Vers.: Förderung unentwickelter Gebiete; Entlassung jap. und dt. Kriegsgefangener.

1951/52 6. Gen.-Vers.: UN-Abrüstungskommission (S. 551).
1953 Gen.-Sekretär **Dag Hammarskjöld**/Schweden (1905–61) schaltet die UN als treibende Kraft in die Entkolonialisierung ein und wertet das **Gen.-Sekretariat** durch persönl. Erfolge auf:
1956 Konvention von Genf zur Bekämpfung der Sklaverei; Sondersitzung der **Suez**- und Ungarnkrise (Nov.); Einstellung der Kampfhandlungen in Ägypten (S. 535), Hilfsaktion für Ungarn-Flüchtlinge (S. 531); Aufstellung einer **UN-Polizeitruppe** (Gen. BURNS/Kanada) zur Sicherung von Ruhe und Ordnung in der **Suezkanalzone**, 1957 im **Gaza-Streifen** (S. 536); Schlichtung syr.-israel. Grenzkonflikte.
1958 Internat. Seerechtskonferenz in Genf.

Die UN als Forum junger Staaten

Neue Mitglieder verändern die Zusammensetzung der UN; sie gewinnen neben Ost- und Westblock eine dritte Machtposition, treten für eine Stärkung der UN-Politik ein, zwingen die Großmächte zur Beachtung der UN-Resolutionen und ihrer Entwicklungsprobleme (S. 539). Erreicht wird eine Neueinschätzung des **Neutralen Blocks** durch USA (KENNEDY) und UdSSR (CHRUSCHTSCHOW). – Auf Bitten des **Kongo** (LUMUMBA) ermächtigt der Sicherheitsrat HAMMARSKJÖLD zu einer
1960 Befriedung des Kongo mit Hilfe einer UN-Ordnungstruppe (Juli), aber ohne Gewalteinsatz.
Gegen sowjet. Vorwürfe spricht die UN-Gen.-Vers. auf einer Sondersitzung dem Gen.-Sekretär ihr Vertrauen aus (Sept.).
1960/61 15. Gen.-Vers.: Aufnahme von 17 neuen Staaten (»Magna Charta der Entkolonialisierung«); CHRUSCHTSCHOW verlangt vergeblich eine Revision der UN-Statuten (**Troika-System:** Ersetzung des Gen.-Sekretärs durch je einen westl., östl. und neutralen Vertreter zur Entmachtung des Amtes).
1961 Gen.-Sekretär U **Thant**/Burma (1909–1974) führt die Politik seines Vorgängers fort und verschafft dem Sekretariat neues Ansehen. – Die USA unterstützen die milit.
1962/63 UN-Aktion gegen Katanga (TSCHOMBÉ); Sondersitzung über die UN-Finanzkrise (durch Beitragsrückstände von Mitgliedern entstanden, die die Kongopolitik nicht billigen); Sanktionen gegen die Südafrikan. Union (Waffen-, Erdölembargo).
1964 Einsatz einer UN-Truppe in Zypern (S. 524); Aufhebung der UN-Aktion im Kongo (Juni) aus Geldmangel.
1964/65 19. Gen.-Vers.: Verschiebung aller Abstimmungen bis zur Regelung der Finanzkrise. – **Indonesien** tritt wegen der Wahl Malaysias in den Sicherheitsrat aus der UN aus (Jan.).
1965 20. Gen.-Vers.: Papst **Paul VI**. [1963–78] besucht UN in New York und richtet einen Friedensappell an die Welt.

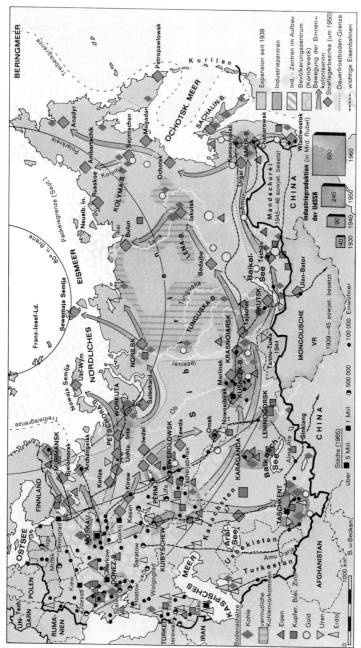

Die UdSSR als industrielle Großmacht nach 1945

Der Spätstalinismus (1945–53)
Gefeiert und gefürchtet als »Führer und Genius der Menschheit«, regiert Generalissimus **Stalin** (S. 467) nach schwer erkämpftem Sieg (über 20 Mill. Tote; 25 Mill. Obdachlose) absolut autoritär. Privatkanzlei und Geheimpolizei (NKWD, [seit 1946 MWD] unter **Berija**, 1899–1953 [liquidiert]) überwachen Verw.- und Parteibürokratie.

Terror gegen den Verdacht jeder Abweichung von der Generallinie der KPdSU (zur Massenpartei der Funktionäre geworden; 1952 fast 7 Mill. Mitgl., davon 60 Prozent Apparatschiks), Entmachtung der obersten Parteiorgane durch Vermehrung ihrer Mitgl.; SCHDANOW (S. 467) richtet die Kulturpolitik auf Verherrlichung STALINS (Personenkult), »Sowjetpatriotismus« (S. 485) und »sozialist. Realismus« aus; »Objektivismus«, »Formalismus« und »Kosmopolitismus« werden ausgemerzt.

1946 Verf.-Änderung und Reg.-Umbildung: STALIN vereinigt als MP., Vert.-Min. (1947 BULGANIN) und 1. Sekretär des ZK die Macht von Partei, Verw. und Armee auf sich.

– Nach SCHDANOWS Tod gelingt der »Troika« (MALENKOW, BERIJA, CHRUSCHTSCHOW) die 1949 Entmachung der »reaktionären« Shdanow-Gruppe (KUSNEZOW, KOSSYGIN [S. 506], ANDREJEW), der Sturz WOSNESSENSKIS (1903–50 [liquidiert]) und die Ablösung AMin. MOLOTOWS durch **Andrej J. Wyschinski** (1883–1954).

Wirtschaft: Bürokrat. Plan- und Leistungskontrolle (Normen), Einsatz von Kriegsgefangenen und (ca. 20 Mill.) Zwangsarbeitern, Ausbeutung der Satelliten; Drosselung der Verbrauchsgüter zu Gunsten der Schwerindustrie.

1946–50 4. Fünfjahresplan (MALENKOW) zur Beseitigung der Kriegsschäden (Wohnbauprogramm), Aufrüstung und Produktionssteigerung; Wiederaufbau der Industrie im Westen; Erschließung der Polarzone; Erweiterung der landwirtschaftl. Anbauflächen.

1950 Einführung der Goldrubels. – Großkolchosen und Planung von Agrostädten (CHRUSCHTSCHOW) beheben die Versorgungskrisen nicht. Trotzdem 1951 Proklamation des Überganges zum Kommunismus.

1951–55 5. Fünfjahresplan: Großbauten (Wolga-, Dnjepr-Projekt) zur Bewässerung und Energiegewinnung (Kraftwerke) für moderne Waffenproduktion (Atombomben, Raketen).

Außenpolitik: Umformung der im Krieg besetzten Staaten zu volksdemokrat. **Satelliten** (S. 509) mit Hilfe sowjet. Berater, moskauhöriger Parteien, bilateraler Bündnisse, Kominform und COMECON.

Absicherung des **Ostblocks** durch den »Eisernen Vorhang«. Unterstützung komm. Parteien (Syrien, Libanon, S. 535) und Aufstände (Griechenland, S. 507). Schwerer Rückschlag durch den

1948 Abfall Jugoslawiens (S. 509). Der Titoismus widerspricht der **Zwei-Lager-Theorie** (SHDANOW, WOSNESSENSKI), welche die polit. Offensive gegen das kapitalist. Lager rechtfertigt. Sie wird auf drei Ebenen geführt:

1. **Lähmung der UN-Politik** (S. 503): Ausnutzung des Vetorechts.
2. **»Friedensoffensive«** (unter Einsatz auch den griech.-orth. Kirche): 1948 Moskauer Kirchenversammlung; **1949 I. Weltfriedenskongress** (Paris, Prag); **1950 Gründung des Weltfriedensrates:** Tagungen mit Resolutionen zur Abrüstung, Atombedrohung, Deutschlandfrage u. a. – immer im Sinne der sowjet. Politik; 1952 »Völkerkongress zum Schutze des Friedens« in Wien.
3. **»Kalter Krieg«** gegen den Westen: ab 1946 Spannungen über Polen und Ungarn, in der Reparations- und Deutschlandpolitik (S. 527). Versuch einer Einmischung in Iran (Aserbeidschan, S. 534); Druck auf die Türkei (S. 445). Aufgabe der Kooperation mit dem Westen seit der **1947 Pariser Marshallplan-Konferenz** (S. 523) und der **1948/49 1. Berlinkrise** (S. 531), doch wird ein milit. Risiko gescheut, die polit. Aktivität dafür nach Osten verlagert: 1949 Handels- und Kulturabkommen mit Nordkorea; erster Besuch MAO TSE-TUNGS in Moskau, Wirtschaftshilfe und **1950 Beistandspakt mit China** (S. 513). Indirekte Unterstützung Nordkoreas in der **1950/51 Koreakrise** (S. 515).

Ergebnis: 1. Sowjet. Machtausweitung in Europa (Satelliten), aber Auflösung der komm. Einheit (Jugoslawien); außenpolit. Isolierung (polit.-milit. Zusammenschluss des Westens, S. 523).
2. Wirtschaftl. Strukturkrise: Zwar extensive Steigerung der Produktion und des Kriegspotentials, aber abnehmende Arbeits- und Kapitalreserven, Facharbeitermangel und Fehlinvestitionen durch Verplanungen.
3. Keine der Theorie entsprechende Lebensverbesserung, deshalb niedrige Arbeitsproduktivität, Arbeitsunlust.
1952 XIX. Parteitag der KPdSU. Der präsumtive Nachfolger STALINS, **Malenkow,** verkündet Überprüfung des polit. Kurses (Defensivstrategie, Primat der Wirtschaft über die Politik). – Eine neue Säuberungswelle (antisemit. Hetze) wird durch den

März 1953 Tod Stalins verhindert. – Das Erbe übernimmt das Parteipräsidium (ZK): Staatspräs. **Woroschilow** (1881–1969); MP. **Malenkow** (1902–88); 1. stellv. MP. **Kaganowitsch** (S. 467); AMin. **Molotow** (S. 467); Innenmin. **Berija;** Handelsmin. **Mikojan** (1895–1978); Vert.-Min. **Bulganin** (1895–1975); 1. Sekretär des ZK (seit Sept.) **Nikita S. Chruschtschow** (1894–1971).

Die Sowjetunion (1953–65)
Machtkampf um STALINS Erbe zwischen MA-
LENKOW (Staat) und CHRUSCHTSCHOW (Partei)
unter geistiger Liberalisierung (»Tauwetter«,
nach dem gleichnamigen Roman von ILJA EH-
RENBURG).
1953 Sturz Berijas (Juli): die Geheimpolizei
wird der Partei unterstellt. – MP. **Malenkow
verkündet den Neuen Kurs:** Bessere Kon-
sumgüterversorgung, Erleichterungen für
Kolchosbauern; Amnestie und Milderung
der Strafjustiz: Aufhebung von Strafarbeits-
lagern, Verbannung und Sippenhaft. –
CHRUSCHTSCHOW betont den Vorrang der
Schwerindustrie. Seine
1954 Neulandaktionen (Westsibirien, Kasachstan) booten MALENKOW aus. Zurücknahme
der Konsumparolen unter
1955 MP. Bulganin (Vert.-Min. SCHUKOW, seit
1957 MALINOWSKI, gest. 1967).
1. Entstalinisierung: Geheimrede CHRUSCHT-
SCHOWS auf dem
1956 XX. Parteitag der KPdSU über Personenkult und Dogmatismus STALINS, dessen
Bücher, Denkmäler etc. gebannt werden.
Unruhen in Georgien (Tiflis); »Befreiungs«-
Aufstände im Ostblock (S. 511). CHRUSCHT-
SCHOW erreicht den
1957 Ausschluss der parteifeindlichen Gruppe
Malenkow, Molotow, KAGANOWITSCH, SCHE-
PILOW aus dem ZK, in das u. a. der Ideologe
Frol Koslow (1908–65), BRESCHNEW
[1960–64, 1977–82 Staatspräs.] und KOSSY-
GIN [1960–80] eintreten. Nach
1958 Rücktritt Bulganins (März) steht MP. und
1. Partei-Sekretär **Nikita Chruschtschow** an
der Spitze von Staat und Partei.
1957/58 Reformen zur Verbesserung der allg.
Lebensführung: **1. Wirtschaftsverwaltung:**
Abbau bürokrat. Fachministerien zu Gunsten
dezentralisierter Wirtschaftsräte (104);
2. Landwirtschaft: Auflösung der Traktoren-
stationen (MTS); Einrichtung von Großkolchosen und Sowchosen (Staatsgüter); Intensivierung (Maisanbau); **3. Erziehung:** Ausbau
von Fach- und Polytechn. Schulen (Verbindung von geistiger mit körperl. Arbeit).
1959 XXI. Parteikongress: Siebenjahresplan
zur Überholung der USA in der Pro-Kopf-
Erzeugung. Führungsrolle der KPCh wird
abgelehnt. – Auf der
1960 Moskauer Konferenz von 81 komm. Parteien (»Rotes Konzil«) verwirft der KPCh-
Ideologe TENG HSIAO-PING CHRUSCHT-
SCHOWS **Koexistenz-Thesen** und verteidigt
STALINS »Zwei-Lager-Theorie«. Zuspitzung
des Gegensatzes durch die
2. Entstalinisierung: Öffentl. Verurteilung STA-
LINS auf dem
1961 XXII. Parteikongress: Neues Programm
zum »Aufbau des Kommunismus« (bis
1980). – Agrarkrisen veranlassen
1962/63 Preiserhöhungen, zentrale Verw.-Re-
formen, Getreideeinkäufe (Kanada, Australien).

Die Politik der »Friedlichen Koexistenz«
1953–56 Phase der Entspannung zur Überwindung der außenpolit. Isolierung (S. 505):
Abschluss der Koreakrise; Mitwirkung an
internat. Konferenzen über Deutschland
(S. 497) und Indochina (S. 515); Aufgabe
unwichtiger Außenpositionen:
1955 Porkkala/Finnland; Port Arthur/China;
Österreich (S. 496). Ausgleich mit **Jugoslawien,** dessen sozialist. Sonderweg akzeptiert
wird. – Good-Will-Demonstrationen: Abrüs-
tungsvorschläge und Entlassung von
1,2 Mill. Soldaten.
1955 Südasienreise CHRUSCHTSCHOWS und
BULGANINS mit Zusage wirtschaftl. Hilfe.
1956 XX. Parteitag der KPdSU: Koexistenz-
Strategie zur Anpassung der Weltrevolution
an das atomare Zeitalter –
1. Vermeidung internat. Kriege, aber Unterstützung begrenzter »Befreiungs«-Kriege;
2. Verstärkung des Wirtschaftskampfes;
3. Aktionseinheit mit farbigen Nationen, die
als eigenständige »Dritte Kraft« (auf Zeit)
anerkannt werden;
4. Kontaktaufnahme mit dem Westen unter Ablehnung jeder ideolog. Koexistenz.
In Überschätzung der eigenen Machtposition
(sowjet. Raumfahrterfolge) und der rev. Kräfte
junger Völker glaubt CHRUSCHTSCHOW an
eine »kommunistische Flutwelle« (atomares
Patt, amerikan. Raketenunterlegenheit, wirtschaftliche Strukturkrise des Westens durch
koloniale Emanzipation). Die **dritte Krise des
Weltimperialismus** (nach den beiden Weltkrie-
gen) soll weltrev. entscheidend getroffen werden durch eine
1957–62 Phase dynam. Offensiven: Einschaltung in den Nahen Osten (Suezkrise, S. 535)
und
1958 Berlin-Ultimatum: Kündigung des Vier-
Mächte-Status, Drei-Staaten-Theorie (S.
531). – Zugleich Gipfel- und **Besuchsdiplomatie:**
1959 Staatsbesuch in den USA; 1960 Österreich, Frankreich, Indien, Indonesien u. a.
Drohungen und Provokationen:
1960 Scheitern der Pariser Gipfel-Konferenz
(S. 497) unter dem Vorwand des U-2-Luft-
zwischenfalls (Abschuss eines US-Aufklä-
rers über Swerdlowsk); »Schuh-Szene«
CHRUSCHTSCHOWS vor der UNO, die Verf.-
Änderung (Troika-System, S. 503) ablehnt;
1961 Superbomben-Tests,
1962 Störungen der Berliner Zufahrtswege;
doch lenkt CHRUSCHTSCHOW nach dem
Okt. 1962 Kuba-Abenteuer (S. 549) unter dem
Druck landwirtschaftl. Miseren und des
Konflikts mit Peking ein. Das
1963 Atomteststopp-Abkommen führt
1964 zum Bruch mit China, das CHRUSCHT-
SCHOW ideolog. Verrat vorwirft.
**Okt. 1964 Sturz Chruschtschows und Wechsel
in der Führung:** Staatspräs. wird **Mikojan,**
1965–77 **Podgorny,** MP. **Kossygin,** 1. Sekretär des ZK **Breschnew.**

Griechenland, Türkei, Iran (1945–65)
Vom Druck der UdSSR (S. 505) durch die
1947 Truman-Doktrin (S. 519) entlastet, treten
die südwestl. Nachbarn der UdSSR dem
westl. Bündnissystem (S. 517) bei.
Griechenland: Nach Abzug dt. Truppen
1944 Rückkehr der Exilreg. (Ebf. **Damaskinos**);
Einsatz brit. Truppen gegen komm. EAM-
Verbände (S. 486) bis zum
1945 Waffenstillstand (Febr.).
1947–64 PAUL I.
Die komm. EAM-Republik im Norden wird
von der mit US-Hilfe neugebildeten Reg.-
Armee bekämpft.
1949 Beendigung des Bürgerkrieges durch FM.
Papagos (1883–1955). Wiederaufbau und
Bodenreform erst nach dem
1952 Wahlsieg von MP. PAPAGOS.
1955–64 MP. KARAMANLIS. – Die Zypernfrage
(S. 524) steigert die Spannungen zur Türkei
bis zum drohenden Konflikt.
1964 KONSTANTIN II. (geb. 1940). – Die Zen-
trums-Union (MP. **Papandreou**) gewinnt die
Mehrheit.
Antimonarchist.
1965 Reg.-Krise: Demonstrationen; linke Offi-
ziersverschwörung (Aspida); Rücktritt PA-
PANDREOUS.
Türkei: Die UdSSR verlangt 1946 Grenzgebiete (Kars, Ardahan) und Revision der Meer-
engenverträge (S. 445).
1947 US-Hilfeabkommen (Waffen, Kredite);
aktive Europapolitik (S. 523). Anschluss an
die USA und Teilnahme am Koreakrieg
(S. 515). – Nach dem Sieg der 1946 gegr.
Demokrat. Partei
1950 Staatspräs. **Bayar** (1883–1986). – MP.
Menderes (1894–1961 [hingerichtet]) gibt
reaktionären relig. Tendenzen nach. Im
Streit um Zypern (S. 524)
1955 antigriech. Ausschreitungen (Istanbul, Izmir). Teuerung, Bekämpfung der Opposition
(Zensur); Studentenunruhen und
1960 Milit.-Revolte: Das »Komitee der Nat.
Front« unter
1961 Präs. Gen. Gürsel (1895–1966) verkündet
»Rückkehr zum Kemalismus« und Todesstrafen gegen Mitglieder der Reg. MENDE-
RES. – Volksreferendum für die **Neue Verf.
der 2. Republik** (besonderer Schutz der Gesetze ATATÜRKS [S. 445] zur Europäisierung
der Türkei).
1961–65 Koalition unter MP. Inönü (S. 445);
die polit. Lage bleibt labil. Erfolglose
1962/63 Putschversuche; 1963 Fünfjahresplan
zur Sanierung der Finanzen.
1964 Milit. Intervention im Zypernkonflikt
(S. 524). Enttäuschung über die westl. Haltung führt zur Annäherung an die UdSSR
ohne Aufgabe der Bündnisverpflichtungen.
Iran: Geschützt von der sowjet. Besatzung, bildet die komm. **Tudeh-Partei** auton. Reg. in
Aserbaidschan und Kurdistan (Mahabad).
1946 Abzug der brit. Truppen, der sowjet. Verbände erst nach Anruf der UN gegen Ölkon-

zessionen (vom Parlament verweigert).
Rückgliederung der auton. Gebiete.
**1949 Komm. Attentat auf Mohammed Resa
Schah Pahlewi** [1941–79]. – Korruption, islam. Sekten, soz. Kluft zwischen ungebilde-
tem Volk, unruhiger Intelligenz und reaktionärer Besitzerschicht der »200 Familien« erschweren Reformen.
1951 Verstaatlichung des Erdöls, erzwungen
von MP. **Mossadegh** (um 1880–1967).
1952 Brit. Ölblockade (Anglo-Iranian Oil-
Comp.); radikaler Kurs der Nationalen
Front, Staatsbankrott und
1953 Verfassungskonflikt: MOSSADEGH lässt ei-
genmächtig über die Entmachtung des
Schahs abstimmen, löst das Parlament auf,
wird aber von der Armee gestürzt.
1954 Ölabkommen mit internat. Konsortium
gegen Entschädigung der Anglo-Iranian
(700 Mill. US-Dollar).
Die USA leisten Aufbauhilfe. Agitation der
Tudeh-Partei,
1960/61 Studentenunruhen. Grundbesitzer hintertreiben Reformen.
1963 Volksabstimmung über **Bodenreformen.**

Skandinavien (1945–65)
1951 Nordischer Rat zur kult. und sozialpolit.
Zusammenarbeit (1955 Beitritt Finnlands).
Dänemark: Innere Autonomie erhalten die Fä-
röer 1948 und **Grönland** 1953. Sozialdemokrat. Reg. [1955–60 MP. HANSEN; MP.
KRAG]; ab 1953 Einkammersystem (Folke-
ting).
1955 Minderheitenabkommen mit der BR Dtl.
Island: Nach Auflösung der Pers.-U. mit Dänemark seit
1951 Milit.-Abkommen mit den USA. Die Erweiterung der Hoheitsgewässer (12-Meilen-
Zone) führt zum
1958–61 Fischerei-Konflikt mit Großbritannien.
Norwegen: Aufgabe der Neutralitätspolitik unter MP. GERHARDSEN [1945–51, 1955–63,
1963–65].
1957 OLAF V. (1903–91).
1965 Erste bürgerl. Reg. seit 1935.
Schweden: Im Krieg bevorzugtes Land für polit. Emigranten, doch erzwingt die UdSSR
die Auslieferung deutscher und balt. Flüchtlinge. Die sozialdemokrat. Politik (1946–69
MP. ERLANDER) zielt auf Ausbau des Wohlfahrtsstaates.
Finnland: Trotz sowjet. Druck und komm. Infiltration gelingt unter
1946 Präs. Paasikivi (1870–1955) und 1956–81
Präs. Kekkonen (1900–86) eine Sowjetisierung nicht.
1948 Beistandspakt, 1950 Handelsabkommen
mit der UdSSR.
1952 Erfüllung aller Reparationsverpflichtungen. Sort
1958 KP stärkste Partei; sowjet. Verzicht auf
eine 1961 von CHRUSCHTSCHOW vorgeschla-
gene gemeinsame Verteidigung.

sowjet. Expansion seit 1939

Warschauer-Pakt-Staaten

sowjet. Truppenstationierungen

Volksrepublik (VR), sowjetische Satelliten

Karelo-finn. A S S R

NORWEGEN

Oslo

FINNLAND

1940

Turku   Helsinki

Leningrad

Ålandin. 1951

Porkkala 1947–56, sowjet. Stützp.

Tallinn

Estnische S S R

SCHWEDEN

SOWJETUNION

Stockholm

Moskau

Lettische S S R

DÄNEMARK

Riga   1940

Kopenhagen

OSTSEE

Litauische S S R

Danzig   Königsberg

Wilna   Minsk

Hamburg

Stettin

Weißrussische S S R

1953 BERLIN

1956   Warschau

1939

Potsdam

Posen

D D R

POLEN

Breslau

Lodz

1947

Lublin

Kiew

Ukrainische S S R

Lemberg

Prag

BRD

TSCHECHOSLOWAKEI

1948

1945

Moldauische S S R

München

WIEN

OSTERREICH

1955

Budapest

1949

UNGARN

Siebenbürgen

1947

Kischinew

1940

Südtirol

Bled

1956

Freistaat Triest 1947–54

Agram

Brioni

Rijeka

R U M Ä N I E N

SCHWARZES

Istrien

JUGOSLAWIEN

Belgrad

Bukarest

Süddobrudscha

MEER

S. MARINO

Zara

föderative VR

Sofia

1946

I T A L I E N

Rom

BULGARIEN

Tirana   Skoplje

Istanbul

ALBANIEN

Saloniki

1946

1945–49

TÜRKEI

unter polnischer bzw. russischer Verwaltung

deutsche Grenze 1937

GRIECHEN-

Gebietsveränderungen nach 1945

LAND

Athen

Viersektoren-Städte

Rhodos (gr.)

Flächenfarben nach den Grenzen von 1937

ÄGÄISCHES MEER

Adria

Das sowjetische Satellitensystem in Europa nach 1945

Das sowjet. Satelliten-System
Durch Waffenstillstandsverträge, Reparationen und milit. Besetzung gewinnt die UdSSR Einfluss auf Osteuropa. STALIN nutzt ihn zur Machtausweitung (**Sowjetimperialismus**):
1945 Nord-Ostpreußen, die Karpato-Ukraine und poln. Ostgebiete werden in die UdSSR eingegliedert.
1947 Pariser Friedensverträge (S. 496): die UdSSR erhält Karelien von Finnland, Bessarabien von Rumänien.
Die Sowjetisierung der Satellitenstaaten vollzieht sich in sechs Phasen:
1. Komm. Minderheiten fassen nat. Widerstandsgruppen in »patriot. Fronten« zusammen, die nach der Besetzung durch die Rote Armee gestützt werden.
2. Einsetzung »provisor. Reg.«; in Moskau geschulte Exilkommunisten erhalten Schlüsselstellungen in Staat und KP.
3. Bildung von Koalitions-Reg. mit bürgerl. Spitze nach relativ freien Wahlen: die KP sichert sich das Innenministerium und verfügt damit über die Polizeigewalt. Beginn des Wiederaufbaus: populäre Bodenreformen, Verstaatlichung der Industrie.
4. Ausschaltung bürgerl. Parlamentsmehrheiten durch Terror, Verleumdung, Nötigung, Anklage bürgerl. Politiker; Bildung sozialist. **Einheitsparteien** unter komm. Führung, »Blockpolitik« und neue Koalitions-Reg. mit »Mitläufer-Parteien«, Ausschaltung von Oppositionsführern (von denen einige ins westl. Ausland fliehen).
5. Bildung komm. Reg., die mit Hilfe von **Einheitslisten** durch gelenkte Volkswahlen bestätigt werden. Kirchenverfolgung und innere **Säuberung** der KP: Schauprozesse gegen »Abweichler« (Titoisten u. a.).
6. Volksdemokrat. Angleichung an das sowjet. Muster: Kollektivierung der Landwirtschaft, überregionale Wirtschaftspläne und Militärkommandos.
1947 Gründung eines Informationsbüros (**Kominform**); bis
1948 Freundschafts- und Beistandspakte mit der UdSSR; Verträge der Satelliten untereinander; außerdem Kooperation im
1949 Rat für gegenseitige Wirtschaftshilfe (**COMECON**, S. 522) und im
1955 Warschauer Pakt: OKdo. unter Sowjet-Marschall KONJEW (1960–67 GRETSCHKO).
»**Tauwetter-Phase**«, die die Entstalinisierung einleitet; vor allem seit dem
1956 XX. Parteitag der KPdSU (S. 506) werden den Satelliten »eigene Wege zum Sozialismus« zugestanden, verurteilte Politiker rehabilitiert. Das Kominform wird aufgelöst, der Personenkult verworfen, die Wirtschaft dezentralisiert. – Nach den
1956 Aufständen in Polen und Ungarn (S. 510) schränkt die UdSSR die neuen Freiheiten ein, doch verfolgen seitdem vor allem Polen und Rumänien eine relativ unabh. Innen- und Wirtschaftspolitik.

Jugoslawien
Marschall Josip Broz gen. Tito (1892–1980), 1945 MP., 1953 Staatspräs., erreicht früh den Abzug der sowjet. Truppen (März 1945). Er bildet eine Koalitions-Reg. mit Exilpolitikern und schließt einen Beistandspakt mit der UdSSR (gekündigt 1949). –
Wahl zur Nat.-Vers.: Einheitsliste der »Volksbefreiungsfront« erhält 90% der Stimmen.
1945 Proklamation der Föderativen VR. Jugoslawien (FVRJ: Nationalitätenstaat aus 6 Ländern und 2 auton. Regionen).
1946/47 Innere Sowjetisierung mit Hilfe der polit. Polizei (unter RANKOVIĆ) und der Geheimdienste: Hinrichtung polit. Gegner. – Verstaatlichung von Handel, Industrie und Banken, Soz.-Versicherung und Kollektivierungen.
Bevormundung und wirtschaftl. Erpressung führen zum
1948 Bruch mit Moskau, das den jugoslaw. Plan einer Balkanföderation mit Bulgarien und Albanien verhindert. Eine Wirtschaftsblockade zwingt TITO zu
1949 Handelsabkommen mit westl. Ländern.
Auf den »eigenen Weg zum Sozialismus« reagiert Moskau mit Verfolgung des »revisionist. **Titoismus**«.
1950 Einführung der Selbstverw. in den Betrieben durch Arbeiterräte.
1952 US-Finanz- und Militärhilfe.
1953 Zehnjahresplan zur Entwicklung der Landwirtschaft: Aufhebung der Zwangskollektivierung. Offizielle Duldung priv. Kleingewerbebetriebe.
1954 Amtsenthebung und 1957 Verurteilung des TITO-Mitkämpfers **Milovan Djilas** (1911–95).
1955 Besuch CHRUSCHTSCHOWS und BULGANINS zur Verbesserung der polit. Beziehungen, doch Spannungen seit dem
1958 Parteikongress des »Bunds der Kommunisten Jugoslawiens« (BKJ) in Ljubljana: Ablehnung jeder Einmischung von außen. Wirtschaftl. Zusammenarbeit mit dem Westen seit 1964 auch mit COMECON.
Außenpolitik: Ziel ist die Angliederung von Istrien und **Triest.**
1947 Pariser Friedensvertrag: Istrien fällt an Jugoslawien, Triest wird Freistaat unter einem UN-Hochkommissar.
1954 Teilungsabkommen zwischen Italien (Zone A: Hafen und Stadt Triest) und Jugoslawien (Zone B: ganz Istrien).
1954 Balkanpakt (S. 522) mit Griechenland und der Türkei. – Spannungen mit Bulgarien um Mazedonien und mit Albanien um die auton. Grenzprovinz Kosovo-Metohija. – Seit der
1956 Zusammenkunft auf Brioni mit NASSER (S. 535) und NEHRU (S. 543) vertritt TITO eine **Politik der friedl. Koexistenz und des Neutralismus als »Dritter Kraft«.**
1962 Amerikan. Kredithilfe. Unterstützung Moskaus im Konflikt mit Peking (S. 506).

Albanien

1945 Volksfront-Reg. unter KP-Chef Enver Hodscha (1908–85). – Nach dem Bruch mit TITO (S. 509) orientiert sich der ehem. jugoslaw. Satellit an STALIN. Keine Entstalinisierung. Sowjet. Wirtschaftshilfe.
1959 Staatsbesuch CHRUSCHTSCHOWS. Polit. Zusammenarbeit mit China.
1961 Abbruch der Beziehungen zur UdSSR.

Bulgarien

Die »Vaterländ. Front«, geführt von dem ehem. Gen.-Sekretär der Komintern, **Georgi Dimitroff** (1882–1949), betreibt die
1946 Abschaffung der Monarchie durch Volksabstimmung. Die neue Reg. mit DIMITROFF als MP. zerschlägt die
1947 Opposition der Bauernpartei (Hinrichtung ihres Führers PETKOFF).
17 der **40 Mitgl.** des ZK fallen bis
1951 Säuberungen in der KP zum Opfer, darunter der stellv. MP. KOSTOFF (1897–1949 [1956 rehabilitiert]). Der Stalinist TSCHERWENKOFF [MP. 1950–56]) kann sich bis 1961 im Politbüro halten.
1965 »Titoistischer« Putschversuch gegen den Reg.-Chef SCHIWKOFF.

Polen

Gegen den Protest der Londoner Exilreg. erklärt sich das von der UdSSR unterstützte
1945 Lubliner Komitee zur »Provisor. Reg.« und übernimmt die Verw. der deutschen Ostgebiete. Die von den Westmächten anerkannte »Reg. der nat. Einheit« billigt die Abtretung der poln. Ostgebiete an die UdSSR. Die **Verschiebung der Grenzen nach Westen** verursacht einschneidende Umsiedlungen und Vertreibungsprobleme (S. 499). – Bis
1947 Bekämpfung nat. Widerstandsgruppen (WIN- und NSZ-Verbände). Blockpolitik zur Entmachtung der Opposition, gelenkt von den KP-Chefs **Wladyslaw Gomulka** (1905–82) und **Jozef Cyrankiewicz** (1911–89), 1947–52 und 1954–70 MP.
1947 Gefälschter Wahlsieg des Demokrat. Blocks (80 Prozent): der »poln. Stalin« **Boleslaw Bierut** (1892–1956) wird Staatspräs. – Verhaftung bürgerl. Politiker: MIKOLAJCZYK, Führer der starken bäuerl. Volkspartei, flieht nach London (Okt.). Gleichschaltung der nat. KP-Gruppe um GOMULKA (1949 verhaftet).
1948 KP und Sozialisten bilden die Vereinigte Arbeiterpartei (PZPR). Daneben existieren als Schattenparteien die Bauern- (ZSL) und die Demokrat. Partei (SD).
1949 Gleichschaltung der Armee: Der geb. Pole und Sowjet-Marschall KONSTANTIN ROKOSSOWSKI wird Vert.-Min. Das anti-russ. Nationalgefühl stärkt die kath. Kirche. Kirchenkampf seit dem
1953 Krakauer Schauprozess. Auf die Verhaftung von Geistlichen (u. a. **Stephan Kardinal Wyszynski,** 1901–81) reagiert das Volk mit

passivem Widerstand: Rückgang der Produktion und des Lebensstandards. Deshalb beschließt der
1954 II. PZPR-Kongress in Anwesenheit CHRUSCHTSCHOWS einen »Kurs der halben Maßnahmen« (März). – Auflösung des Sicherheitsministeriums (Dez.). – Streiks und Proteste gegen zu hohe Arbeitsnormen und Lebenshaltungskosten gipfeln im
1956 Juni-Aufstand in Posen, der unter Einsatz sowjet. Truppen erstickt wird, aber die Innenpolitik verändert.
»Poln. Frühling im Oktober« (1956): Wiederwahl GOMULKAS in das ZK der PZPR (trotz eines spontanen sowjet. Staatsbesuchs von CHRUSCHTSCHOW, MOLOTOW u. a.); Säuberungen in Partei und Verw.; Auflösung kollektivierter Agrarbetriebe, Bildung von Arbeiterräten. Kardinal WYSZYNSKI wird rehabilitiert. Rücktritt ROKOSSOWSKIS.
1957 Wahlsieg Gomulkas und Ausschaltung der Stalinisten.
Wirtschaftshilfe der USA.
Es gelingt GOMULKA, einen relativ selbst. Kurs zu steuern.
1962 Neue Spannungen mit der Kirche; der Notenwechsel des poln. mit dem deutschen Episkopat zur poln.-deutschen Aussöhnung wird scharf kritisiert (1965/66).

Rumänien

Die Sowjetisierung beginnt unter sowjet. Druck nahezu ohne Kommunisten. Das
1944 Volksfront-Abkommen der KP unter **Gheorghe Gheorghiu-Dej** (1901–65) mit Bauernpartei (MANIU) und Lib. Partei (BRĂTIANU) zerfällt; Bildung einer Nat.-Demokrat. Front (FND) aus Sozialisten, KP und Landarbeiterfront unter **Petru Groza** (1884–1958), dessen FND-Kabinett Agrarreformen einleitet.
1946 erhält die FND 89 Prozent der Stimmen. Da die Opposition das Wahlergebnis anzweifelt, wird sie zerschlagen; BRĂTIANU kann fliehen.
1947 Verbot der Bauernpartei: MANIU wird verurteilt, der lib. AMin. TARTARESCU durch »Stalins Statthalter« **Ana Pauker** (1893–1960) ersetzt [bis 1952]; Kg. MICHAEL dankt ab (Dez.).
1948 Gründung der Einheitspartei PMR (Gen.-Sekretär GHEORGHIU-DEJ). – Seit
1951 1. Fünfjahresplan für sozialist. Industrialisierung (Stahl, Kohle, Erdöl). – Das Regime festigt sich unter
1952–58 Staatspräs. GROZA und MP. GHEORGHIU-DEJ [bis 1965 Staatschef]. MP. **Ion Gheorghe Maurer** (1902–2000) erstrebt größere polit. Unabhängigkeit, er vermittelt im Streit Moskaus mit Peking (S. 506).
1962 Abschluss der Kollektivierung. Starker Ausbau des Handels mit westl. Staaten.
1964 Franz.-rum. Annäherung: Staatsbesuch MAURERS in Paris; rum.-franz. Kulturabkommen.

Tschechoslowakei

Seit 1943 im Bündnis mit der UdSSR, verhandelt die Londoner Exilreg. durch BENEŠ (S. 435) in Moskau über die Wiederherstellung des Staates. Abtretung der Karpato-Ukraine (S. 509); die Slowakei erhält begrenzte Autonomie.

1945 Zusammentritt der Exilreg. in Prag (MP. FIERLINGER, Sozialist). **Beneš wird Staatspräs.**, **Jan Masaryk** (1888–1948 [Selbstmord?]) AMin., der Exil-Kommunist **Klement Gottwald** (1896–1953) stellv. MP. – Vertreibung der **Sudetendeutschen** (bis Ende 1946). Grundbesitz und »feindl. Vermögen« fällt an den Staat. Sozialisierung von Bergbau und Industrie. – Abzug sowjet. und amerikan. Truppen (Dez.).

1946 Wahlsieg der KP (38%). BENEŠ und MASARYK hoffen auf eine demokrat. Reg. der Nat.Front unter MP. GOTTWALD.

1947 Beistandspakt mit Polen nach Beilegung von Grenzkonflikten. Der Beschluss aller Parteien zur Beteiligung an der Pariser Marshallplan-Konferenz (S. 523) wird auf ultimativen Druck Moskaus revidiert (Juli). – Die Sozialisten lehnen eine Fusion mit der KP ab (Nov.).
Erfolgreiche Entmachtung der Slowak. Demokrat. Partei durch Prozesse und Verhaftungen.

Febr. 1948 Komm. Staatsstreich, ausgelöst durch den Rücktritt von 12 Ministern aus Protest gegen die komm. Infiltration der Polizei (Innenmin. NOSEK, KP). Der Gewerkschaftsführer **Antonín Zápotocký** (1884–1957) setzt BENEŠ durch Streiks und Demonstrationen gegen die »Verschwörung« unter Druck. Im Auftrag des Staatspräs. bildet MP. GOTTWALD eine neue Reg. Gleichschaltung von Presse, Rundfunk und Verw.; Scheinwahlen nach Einheitsliste; BENEŠ unterzeichnet die neue volksdemokrat. Verfassung nicht und tritt zurück. Sein Nachfolger wird **Gottwald.** Neuer Reg.-Chef wird **Zápotocký.** Die ČSSR ist neben der UdSSR und der DDR stärkste Industrienation im Ostblock. – Den Widerstand der kath. Kirche gegen staatl. Eingriffe bricht der

1949 Kirchenkampf: Verhaftungen von Geistlichen.

1951/52 Säuberungen in der KP.

1953 Trennung von Staat und Partei; Verurteilung des Personenkults. – Seit

1957 Antonín Novotný (1904–75) Staatspräs.

1962/63 Ausschaltung von Stalinisten; Amnestie für polit. Häftlinge.

1965 Ein neues ökonom. System schafft wirtschaftl. Erleichterungen (Preisbewertung, Absatzorientierung). Abschluss von Handelsverträgen.

Ungarn

Der Waffenstillstand mit der UdSSR verpflichtet zur Säuberung des Staates von Faschisten und Kriegsverbrechern. Exilkommunisten nut-

zen sie auch zur Beseitigung unliebsamer demokrat. Kräfte.

1945 Bodenreform: Kirchenbesitz sowie das Vermögen von Faschisten und Volksdeutschen wird enteignet. Unrentable Kleinbetriebe schaffen die Voraussetzung zur Agrar-Kollektivierung. – Wahlsieg der **Kleinlandwirte-Partei** im Nov.: 245 von 409 Sitzen im RT. Bei nur 70 Mandaten stellt die kleine KP 4 Minister: Innenmin. **Imre Nagy** (1896–1958 [vermutl. hingerichtet]), Verkehrsmin. **Ernö Gerö** (1898–1980), Sondermin. **Mátyás Rákosi** (1892–1971). Terrorwelle gegen »Überreste des Faschismus«.

1947 Zerschlagung der Kleinlandwirte-Partei durch Aufdeckung von »Verschwörungen«: Schauprozesse; MP. FERENC NAGY (1903–79) flieht in die Schweiz. – Neuwahl ergibt die gewünschte KP-Mehrheit:

1948 Soz. Arbeiterpartei (USAP). – Kirchl. Widerstand gegen Verstaatl. der Schulen. Unter Innenmin. **János Kádár** (1912–89) Verfolgung von Geistlichen.
Joseph Kardinal Mindszenty (1892–1975) wird zum Tode verurteilt, aber zu lebenslanger Haft begnadigt.
Rigorose Industrialisierung und Kollektivierung. – Prozesse gegen »Titoisten«: u. a. Einkerkerung KÁDÁRS (1950–53);

1953 Proklamation des Neuen Kurses durch Imre Nagy; er kann sich gegen die Stalinisten um RÁKOSI nicht durchsetzen und wird gestürzt. In der Parteiintelligenz unter Studenten wächst die Unruhe (»Petöfi-Klub«).

1956 RÁKOSI muss die Parteiführung an GERÖ abtreten – Demonstrationen und

Okt. 1956 nat. Volksaufstand: Studenten fordern ultimativ Abzug der sowjet. Truppen, Auflösung der Geheimpolizei, freie Wahlen, Pressefreiheit u. a. – Die Reg. erbittet sowjet. Hilfe. Nach blutigen Zusammenstößen mit Arbeitern, Studenten und ungar. Truppen unter Oberst MALETER zieht sich die Rote Armee zurück. MP. **Nagy** bildet ein Mehrparteien-Kabinett und verkündet den Austritt aus dem Warschauer Pakt (S. 509). Neue sowjet. Panzerverbände greifen ein, sie schützen die von den Sowjets eingesetzte Gegenreg. **Kádár.** Eröffnete westl. Hilfe bleibt aus; ca. 200 000 Menschen fliehen. NAGY und MALETER fallen in sowjet. Hand. Kardinal MINDSZENTY findet Asyl in der US-Botschaft.

1957 Sondergerichte gegen neue Streiks und Unruhen: Todesstrafen, Terror, Deportationen in die UdSSR. Die UN verurteilt die UdSSR und bestätigt Rechtmäßigkeit der Reg. NAGY (Juni). Einer UN-Kommission wird die Einreise versagt (S. 503). Auflösung und Neuaufbau der Armee; Reorganisation der USAP. Langsamer Übergang zu einem gemäßigten Kurs.

1961 Abschluss der Kollektivierung, Förderung der Schwerindustrie durch den 2. Fünfjahresplan.

1962 Parteiverfahren gegen RÁKOSI und GERÖ.

Der chinesische Bürgerkrieg 1945–1950

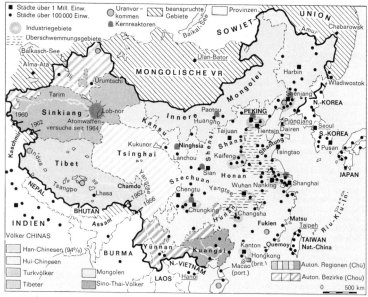

Die Volksrepublik China 1965

China (1945–65)
Die Machtübernahme der KP: Nach der jap. Besetzung (S. 451) ist China verarmt und demoralisiert. Mit amerikan. Hilfe besetzen KMT-Truppen die Großstädte, können aber keine Ordnung schaffen (Korruption). Milit.-Diktatur TSCHIANG KAI-SCHEKS.
1945 Vertrag mit der UdSSR, die u. a. Port Arthur erhält (bis 1955). – Erste bürgerkriegsähnl. Zusammenstöße mit der KPCh. – Nach erfolgloser amerikan. Vermittlung (Gen. MARSHALL, S. 523) Einschränkung der US-Hilfe für die KMT.
1947 Verschärfung des Bürgerkriegs. – Das China-Hilfe-Gesetz der USA hemmt das rotchin. Vordringen im Norden nicht.
1949 Großoffensive auf Südchina; Eroberung Nankings.
Proklamation der VR China (Sept.).
Regierung und Armee der KMT fliehen nach Formosa.
1950 Eroberung von Hainan. Prestigezuwachs durch Eingreifen in Korea und Indochina (S. 515). Die USA verhindern die Aufnahme der VR China in die UN (S. 503), setzen eine **Handelssperre** durch und garantieren **Nat.-China** (Taiwan) und Präs. TSCHIANG KAI-SCHEK Schutz vor rot-chin. Angriffen.
1950 Beistandspakt mit der UdSSR.
Innere Neuordnung: Druck auf priv. Industrien und ausländ. Unternehmen bis zur »freiwilligen« Verstaatlichung.
1950–56 Bodenreform in vier Stufen: Verteilung des Grundbesitzes, Verpflichtung zu gegenseitiger Hilfe, Genossenschaften, Kolchosen. – Währungsreform (1955). – **Umerziehung des Volkes.** – Einführung des lat. Alphabets (1956). – Der
1953 1. Fünfjahresplan zur Industrialisierung misslingt, da Fachkräfte fehlen.
1954 Neue Verfassung: Staatsaufbau nach dem Prinzip des »demokrat. Zentralismus«: 5 auton. Regionen, 21 Prov., ca. 175 Stadtverw. und 2000 Kreise. **Zentralrat** (56 Mitgl.) mit absoluter Vollmacht unter Vorsitz des KP-Chefs **Mao Tse-tung** (S. 451); Verw.-Rat mit MP. und AMin. **Tschou En-lai** (1898–1976). – Die lib.
1957 »Hundert-Blumen-Rede« MAOS löst Kritik am System aus. Sie wird mit Kampagnen gegen »Rechtsabweichler« und radikalem **»Übergang zum Kommunismus«** erstickt:
1958 Einrichtung von Volkskommunen: Arbeitskompanien; Steigerung der Stahlproduktion durch Kleinsthochöfen. Der **»Große Sprung nach vorn«** endet in einer wirtschaftl. Katastrophe; trotzdem seit
1959 Atomprogramm.
Liu Schao-tschi (1898–1969) übernimmt den Staatsvorsitz, MAO bleibt KP-Chef; TSCHEN JI wird AMin.
1960 Abzug sowjet. Techniker als Folge des **ideolog. Konflikts mit Moskau** (S. 506).
1961–63 Hungersnöte mit Plünderungen, Seuchen, konterrev. Unruhen (Nat.-China liefert

Waffen und schickt Agenten), Fluchtbewegung nach Hongkong (S. 499); Besteuerung priv. Hilfsaktionen von Auslandschinesen erbringen Devisen für Getreideeinkäufe.
Offener Bruch mit der KPdSU seit der Kubakrise (S. 549): CHRUSCHTSCHOW wird Verrat an der Welt-Rev. vorgeworfen.
1963 **»25-Punkte-Programm« der KPCh;** Versuche zur Spaltung komm. Parteien.
1964 Zündung der ersten Atombombe.
Außenpolitik: Anspruch auf Gebiete, die vor dem Abschluss der »ungleichen Verträge« zu China gehörten (S. 369).
1950 Besetzung Tibets (1951: innere Autonomie). – Asiat. orientierte Politik: Annäherung an Indien (S. 543). Initiative zur Bandung-Konferenz (S. 539), Ausgleich mit Japan. – Drohender Weltkonflikt durch die
1957 Offensive gegen Formosa: Beschießung von Quemoy (1958). Die USA erwägen eine Intervention. Die Krise wird auf sowjet. Druck beigelegt. Seither amerikan.-chin. Botschaftergespräche in Warschau.
1959 Aufstand in Tibet: Flucht des Dalai Lama. – Grenzkonflikte mit Indien (S. 543).
1962 Angriff auf Assam (McMahon-Linie) und Kaschmir (Ladakh); Annäherung an Pakistan; erhöhte außenpolit. Aktivität und Erfolge durch
1963/64 Afrika- und Asienreisen MP. TSCHOU EN-LAIS und AMin. TSCHEN JIS. – Lockerungen des Handelsembargos (durch Großbritannien 1957 eingeleitet).
1964 Anerkennung der VR China durch Frankreich. – Seit
1965 außenpolit. Rückschläge (anti-chin. Revolten u. a. in Indonesien, Ghana, Algerien).

Japan (1945–65)
1945–50 Amerikan. Milit.-Reg. unter Gen. **MacArthur** (S. 515): Kriegsverbrecherprozesse; Rückwanderungsprobleme (S. 499); Reparationen; Aufteilung des Grundbesitzes; Demokratisierung.
1946 Verfassung nach amerikan. Vorgaben.
1949–54 2. Kabinett Yoshida: Die Ost-West-Spannung (Korea, S. 515) zwingt die USA, Japan als Bundesgenossen zu gewinnen.
1951 Frieden von San Francisco: Japan verliert alle Erwerbungen seit 1854, schließt einen Milit.-Vertrag mit den USA und erhält Souveränität (1952). – Seit
1954 Wiederaufrüstung. – Exportsteigerung trotz Übervölkerung und Rohstoffarmut.
1955 MP. Ichiro Hatoyama (1883–1959) proklamiert eine friedl. Politik. Verw.- und Steuerref.
1956 Beendigung des Kriegszustandes mit der UdSSR. – Der
1960 Sicherheitspakt mit den USA ruft heftige anti-amerikan. Reaktionen hervor. Rücktritt des Kabinetts KISHI seit 1957.
1960–64 MP. Hayato Ikeda (1899–1965): polit. Beruhigung; günstige Entwicklung von Industrie und Handel.

Zweiter Indochinakrieg seit 1957 (Stand 1965)

VR CHINA

Golf von Tonking

1964

Industriegebiet

VIETNAM

NORD-
VIETNAM

Haiphong
Hanoi
Roter Fluß
d. Tonking

Jungning
Mongtze

Dien Bien Phu
Sam Noa
Luang Prabang
Xieng Khuang
Ebene
d. Tonking

Vientiane

LAOS

Mekong
Udon
Savannakhet

Tschepon

THAILAND

Korat

Bangkok

Mekong

Ubon

KAMBODSCHA

Prom Penh

Cac Chao Vinh
Nam Dinh
Dong Hoi
Hué
Da Nang
7. US-Flotte

SÜD-
VIETNAM

Kontum
Pleiku
Dong Xoai
Soc Prang
Saigon
Dalat
Vung Tau
Cam Ranh

US-Militärhilfe:
Luftbasen
Marinebasen

Luftangriffe (seit Febr. 1965)
US-Truppen 1963 = 15 000 1965 = 160 000

neutralist.
Gebiete
Gebiete unter
Kontrolle
des Pathet-Lao:
bis 1960
der Vietcong:
seit 1960
1961
1965

Ho-Chi-Minh-Pfad
sow. Luftabwehrbasen
US-Truppen

Erster Indochinakrieg 1945–1954

NAT.-CHINA
bis 1949

Jungning
Mongtze
Cao Bang
Lao Kay
Roter Fluß
Tonking
Dien Bien Phu
Sam Noa
Luang Prabang
Xieng Khuang
Vientiane
Haiphong
Hanoi
März 46
Vinh

Gebiete unter
Vietminh-Kontrolle
1946–50
1950–54

1954

16° n. Br.
17° n. Br.
Dong Hoi
Hué
Tourane

N.-VIETNAM

A n n a m

L a o s

Savannakhet

THAILAND

Bangkok

Mekong

Phnom Penh
Battambang

K a m b o d s c h a

Binh Dinh
Jan. 46
Dalat
Sept. 45
Long Xuyen
Cochinchina

S.-VIETNAM

US-Hilfe an
Frankreich
(in Prozent der
Kriegskosten)
82%
1954
1950

Besatzungsmächte
Französisch-
Indochina
Großbritannien
Frankreich
Nat.-China
Waffenstillstandsgrenze 1954
(Nordvietnam)
Route Colonial 4

Der Krieg in Korea 1950–1953

Angriffe
Nordkoreas
der UN-Truppen
chin. Verbände

ROTCHINA

Chongjin
Nov. 50
Songjin
Nordkorea
Südkorea
UN-Fallschirm-
einsätze
Elektrizitätswerke
Waffenstillstands-
linie
Demarkations-
linie
38° n. Br.

Hungnam
Wonsan
Hagaru
Juli 51
Jan. 51
Apr. 51
Juni 50

Plongjang
Nov. 50
Antung
Sinuiju

Kaesong
Panmunjom
Inchon
Sept. 50
Sept. 50
Seoul
Taejon
Kunsan

Apr. 51
Jan. 51
Samchok
Yongdok
Taegu
Sept. 50
Pusan
7. US-Flotte
UN-Truppen

Frontlinien
(mit Datum)

Krisenzonen des Ost-West-Konflikts in Asien
Korea: Auf Grund alliierter Absprachen
1945 sowjet.-amerikan. Besetzung. Im Norden
(Bergbau, Industrie) entstehen Volksfrontko-
mitees, geleitet von komm. Exilkoreanern;
im Süden (Landwirtschaft) Errichtung einer
US-Milit.-Reg. – Auf der AMin.-Konferenz
in Moskau (Dez.) Vereinbarungen über eine
gesamtkorean. Reg.: nach Differenzen mit
der UdSSR beantragen die USA eine
1947 UN-Kommission zur Kontrolle freier
Wahlen, der aber die Einreise nach Nordkorea verweigert wird. – Im Süden
1948 Wahlen zur Nat.-Vers.; **Syngman Rhee**
(1875–1965) wird Präs. der **Rep. Südkorea**
(Aug.); Proklamation der VR Nordkorea
(Sept.) unter MP. **Kim Il Sung** (1912–94).
Beide Reg. erheben Anspruch auf ganz Korea, eine UN-Resolution entscheidet für
Südkorea. Abzug der sowjet. und amerikan.
Truppen.
1950–53 Koreakrieg, ausgelöst durch einen
nordkorean. Überfall. Südkorea erbittet Hilfe: Präs. TRUMAN (S. 519) gibt den Befehl
zum Eingreifen amerikan. Truppen. Der
UN-Sicherheitsrat (S. 503) erklärt Nordkorea zum Angreifer und fordert die UN-Mit-
glieder zur Unterstützung Südkoreas auf.
Die UN-Armee (aus 15 Nationen) unter US-
Gen. **Douglas MacArthur** (1880–1964) wird
auf den Brückenkopf Pusan zurückgedrängt.
– Im Sept. stoßen die UN-Truppen bis zur
chin. Grenze vor. Darauf Eingreifen chin.
»Freiwilligen«-Verbände (Nov.). – Stellungskrieg am 38. Breitengrad. Die Welt-
marktpreise steigen (**Korea-Boom**).
1951 MACARTHUR verlangt Vollmacht zur Zerstörung chin. Luft- und Nachschubbasen. Er
wird durch Gen. RIDGWAY ersetzt, da Präs.
TRUMAN einen neuen Weltkrieg befürchtet.
1953 Waffenstillstand von Panmunjom: Teilung
Koreas.
Die Genfer AMin.-Konferenz (s. u.) findet
keine Lösung für ein Gesamtkorea.
Nordkorea: Wiederaufbau mit sowjet. Kredithilfe und Anlehnung an die VR China.
1961 Freundschaftsabkommen mit der UdSSR
und China, seit 1962 Einlenken auf chin.
Parteikurs.
Südkorea: Amerikan. Wiederaufbauhilfe.
1953 Sicherheitspakt mit den USA, die das
autokrat. Regime des Präs. stützen. Innere
Unruhen dauern auch nach dem
1960 Rücktritt SYNGMAN RHEES an.
1962 Gen. PARK CHUNG HEE wird Präs.; er
bemüht sich um innere Ordnung und Ausgleich mit Japan.
Indochina: Nach Aufstandsvorbereitungen
1945 Entwaffnung franz. Vichy-Truppen durch
die Japaner (März); Vietnam und Kambodscha werden unabhängig. – Auf der Potsdamer Konferenz (S. 527) werden die brit.-
chin. Operationszonen festgelegt. Jap. Kapitulation und chin. Besetzung der nördl. Zone. – Der KP-Chef **Ho Chi Minh** (1894–

1969), Führer der 1941 gegr. **Vietminh** (Befreiungsbewegung), ruft in Hanoi die **Demo-**
krat. Rep. Vietnam aus. – Brit. Besetzung
der südl. Zone mit Saigon. Ein franz. Expeditionskorps bekämpft buddh. Sekten und
Vietminh.
1946 Brit. Übergabe der Verw. an franz. Kol.-
Behörden. Der chin. Abzug wird durch
franz. Verzicht auf alle Forderungen an China (südchin. Bahn) erkauft. – HO CHI MINH
billigt die Rückkehr franz. Truppen (März).
Verhandlungen HO CHI MINHS in Paris sabotiert der Hohe Kommissar für Vietnam,
Adm. D'ARGENLIEU, durch eigenmächtige
Gründung der Rep. Cochinchina (Juni). –
Franz. »Ultras« drängen auf milit. Lösung
des Vietnam-Problems.
1946–54 1. Indochina-Krieg: Franz. Elitetrup-
pen (Fremdenlegion, »Paras«) besetzen das
Delta des Roten Flusses, bekämpfen aber
erfolglos die Vietminh-Partisanen des Gen.
Giap.
1948 Die Gegenreg. des Ex-Ks. BAO DAI
(1913–97) ist machtlos. – Der
1953 Vietminh dringt in Laos ein und spaltet
Indochina. Präs. EISENHOWER lehnt eine Intervention der USA ab.
1954 Kapitulation der Festung Dien Bien Phu.
1954 Genfer AMin.-Konferenz (Vertreter der
VR China: TSCHOU EN-LAI, S. 513): **Auflö-**
sung Indochinas mit Garantie der souveränen Staaten **Laos, Kambodscha und Vietnam,**
das geteilt wird.
Laos: Kämpfe zwischen komm. **Pathet Lao-**
und Reg.-Truppen (Gen. NOVASAN).
1962 Die Genfer 14-Mächte-Konferenz beschließt die **Neutralisierung,** trotzdem neue
Kämpfe rivalisierender Gruppen.
1964 Eroberung der strateg. wichtigen »Ebene
der Tonkrüge« durch die Pathet Lao.
1965 Missglückter Putsch der Rechten.
Nordvietnam: Aufbau mit Industrie mit Hilfe
des Ostblocks; polit. Orientierung nach Rot-
China; Unterstützung der Vietcong zur »Befreiung Vietnams von den US-Imperialisten«.
Südvietnam: MP. **Ngo Dinh Diem** (1901–63)
festigt mit amerikan. Hilfe sein
1955 Absetzung BAO DAIS den Staat mit diktato-
tor. Mitteln. Er bekämpft buddh. Sekten,
komm. Agenten und lehnt die in Genf be-
schlossene Volksabstimmung ab. Darauf beginnen **Vietcong-Partisanen** mit
1957 2. Indochina-Krieg mit Stör-und Terrorak-
tionen. Dagegen bildet die Reg.
1961 Wehrdörfer. Buddh. Demonstrationen
(Selbstverbrennungen) führen zum
1963 Militärputsch. Diem wird getötet. Direktes
amerikan. Eingreifen ist ohne Erfolg.
1964 Seegefecht im Golf von Tongking: Bombardierung von Nachschubbasen in Nordvietnam; Truppenverstärkungen (auch durch
SEATO-Staaten).
1965 Milit.-Reg. unter Gen. KY; labile Lage
hält an. Eine »**Eskalation des Krieges**« erhöht die Gefahr eines allg. Weltkonflikts.

Kolonien

PAZIFIK

USA

NEUSEELAND

UN-Mandat

Canberra

AUSTRALIEN

Bonin-In.

Okinawa   Guam

Tokio   NAT.-CHINA

JAPAN   Manila   PHILIPPINEN

S.-KOREA   VIET-   ST.   SINGAPUR

N.   NAM   MALA   INDONESIEN

Hongkong   THAILD   Bangkok

Peking   CEYLON

MONGOL.   VR CHINA

VR   Indien

MALEDIVEN

SOWJETUNION

SU

INDISCHER OZEAN

Moskau

Karachi

PAKISTAN

IRAN   Aden

TÜRKEI

Ankara   Kairo   SAUDI

FINN-   Berlin   LIBYEN   ARABIEN

LAND   VAR

vgl. Karte S. 522   SUDAN   ÄTHIOPIEN

London   Genf   Addis Abeba

Paris   Gibraltar   SÜDAFRIKAN. UNION

ISLAND   Madeira   MAROKKO

ALGERIEN

Azoren

Grönland   LIBERIA

Neufundland   SIERRA LEONE   Konakry

Fernando   de Noronha

ATLANTIK

Ottawa   New York

KANADA   Washington   Norfolk

Nassau   Bermudas   Westindien   Petropolis   Rio de Janeiro

KUBA   Bahamas   BRASILIEN   Montevideo   Buenos Aires

Caracas   PERU   CHILE   ARGENTINIEN

Bogotá   Santiago

VEREINIGTE   S. José

STAATEN   USA

S. Francisco   Colorado   Springs

MEXIKO   Chapultepec   S.

Weltbevölkerung (1965)

Kommunistische Staaten 26%   davon   Warschauer Pakt

Arab. Liga 2%

Westl. Staaten 24%   50% Neutrale Staaten

davon NATO 12%

Stützpunkte

▲ USA (△ aufgelöst)

★ SU (aufgelöst)

✗ Großbritanniens

Verteidigungs-   bzw. Stützpunktabkommen

der USA (ohne NATO-Mitgl.)

der SU

⊗ Großbritanniens

Warschauer Pakt 1955

kommunistische Staaten

Arabische Liga 1945

Verteidigungs-Pakt der Liga 1950

Mitgl. d. Balkan-Pakts 1953

OAS   («Rio-Pakt» 1947/48)

OAS-Schutzzone

NATO   (Nordatlantik-Pakt 1949)

ANZUS   («Pazifik-Pakt» 1951)

SEATO   (Südostasien-Pakt 1954)

SEATO Schutzstaaten

CENTO   («Nahost-Pakt» 1955) USA assoziiert

Bündnissysteme (Stand 1965)

Bündnisse
Washington und Moskau betreiben eine unterschiedliche Bündnispolitik.
Zweiteilung der Welt; Vielfalt der Bündnisse (Prinzip demokrat. Freiheit) auf westl., Blockbildung und absoluter Führungsanspruch der UdSSR (Prinzip des Zentralismus) auf östl. Seite.

Bündnissysteme des Westens
Organisation Amerikan. Staaten (OAS): Grundsätze niedergelegt in der
1945 Akte von Chapultepec, beschlossen auf der panamerikan.
1947 Konferenz von Petropolis (Rio-Pakt), unterzeichnet auf der
1948 Konferenz von Bogotá: Beistandspflicht bei Aggressionen; friedl. Schlichtung von Konflikten zwischen OAS-Mitgl. oder Sanktionen. – **Organe:** Interamerikan. Konferenz; AMin.-Konferenz zur Konsultation; Verteidigungs-Rat.
1954 Konferenz von Caracas: Resolution gegen Kommunismus.
1959 Deklaration von Santiago: demokrat. Staatsordnung als Friedensgarantie.
1962 Konferenz von Punta del Este: Verurteilung des Marxismus-Leninismus; Ausschluss Kubas.
Aktionen: u. a. gegen Nicaragua, Honduras, Kuba, Dominikan. Rep.
Nordatlantik-Pakt-Organisation (NATO, s. auch S. 522 f.), 1949 in Washington im Hinblick auf die Ost-West-Spannung auf 20 Jahre gegr. – **Ziel:** Erhaltung demokrat. Freiheiten durch kollektive Verteidigung, polit. und wirtschaftl. Zusammenarbeit.
Zivile Organe: Sekretariat und ständiger Vertreter-Rat (Paris) zur Ausführung der Beschlüsse des **NATO-Rates** (Finanz-, Vert.- und AMin.). – **Milit. Organe:** Ausschuss der Stabs-Chefs und Standing Group (Washington).
Abkommen der USA und Großbritanniens über Stützpunkte, Luft- und Raketenbasen.
1950 Aufstellung einer europ. Armee (S. 523);
1952 Beitritt Griechenlands und der Türkei, 1955 der BR Deutschland;
1957 Ausrüstung mit Atom- und Raketenwaffen nach freier Entscheidung des jeweiligen NATO-Staates;
1958 europ. »Schildstreitkräfte« (30 Div.) und nukleare Abwehr eines Angriffs; Frankreich lehnt NATO-Unterstellung seiner Mittelmeerflotte ab.
1961 Atom-U-Boote mit Polaris-Raketen.
1962 Ausbau konventioneller Streitkräfte zur »abgestuften Abschreckung«.
1963 Kontroversen um den Aufbau einer multilateralen Atomstreitmacht mit Polaris-Raketen (MLF).
1965 Frankreich fordert Strukturänderung der NATO und droht mit Austritt.
1966 Ultimatum Frankreichs: Abzug der NATO-Truppen bzw. Unterstellung unter franz.

Kommando; Verlegung des europ. HQ (SHAPE) bis 1967.
Pazifik-Pakt (ANZUS), 1951 in San Francisco gegen jap. Angriffe bzw. Aggressionen im Pazifik gegr.
Südostasien-Pakt (SEATO), 1954 in Manila gegr. zur Verteidigung auch von Staaten, die der SEATO nicht angehören (z. B. Südvietnam). Konsultation bei komm. Infiltration, gemeinsame Manöver. – **Organe:** Ständiger Min.-Rat mit Exekutiv-Sekretariat (Bangkok); milit. Planungsstab; Forschungsdienst zur Beobachtung komm. Subversion. Seit 1958 Kontaktaufnahme zur NATO und CENTO. 1965 werden die franz. Offiziere aus allen Stäben abberufen.
Zentrale Pakt-Organisation (CENTO), 1955 aus dem »Bagdad-Pakt« zwischen Türkei und dem Irak (1959 ausgetreten, S. 534) hervorgegangen. Keine Beistandspflicht, Zusammenarbeit in milit. und polit. Fragen.
1959 indirekter Beitritt der USA durch bilaterale Sicherheitsabkommen; 1961 Ernennung eines amerikan. Gen.St.-Chefs.
Bilaterale Pakte der USA im Pazifik: 1953 mit Südkorea (Beistandspflicht), 1954 mit Nat.-China (das sich zu keinem Angriff auf das Festland ohne Konsultation mit den USA verpflichtet), 1961 mit Japan.

Bündnissysteme des Ostens
In Ergänzung zu bilateralen Milit.-Verträgen
Warschauer Pakt (S. 522), 1955 als Reaktion auf die Pariser Verträge (S. 529) gegr. und auf 20 Jahre befristet. – **Ziel:** automat. Beistand bei bewaffneten Überfällen in Europa; polit. Zusammenarbeit. – **Organe:** Polit. Berater-Ausschuss (2 Tagungen im Jahr); Sekretariat, supranat. OKdo. in Moskau.
1956 Beitritt der DDR.
Sowjetische Truppenstationierungsverträge mit Polen 1956, Ungarn, Rumänien, mit der DDR 1957.
Sowjet. Bündnisverträge mit der Mongolischen VR. 1946 (dem Warschauer Pakt als Beobachter assoziiert), Rotchina 1950, Afghanistan und Finnland 1955.

Neutrale Bündnissysteme
Balkan-Pakt (S. 522), entstanden aus dem
1953 Freundschaftsvertrag von Ankara, ergänzt durch den
1954 Beistandspakt von Bled (auf 20 Jahre), seit 1955 inaktiv.
Arabische Liga (S. 535), 1945 in Kairo gegr. Beschlüsse sind nur für zustimmende Mitgl. bindend; häufige Interessenkonflikte. – **Organe:** Rat der Staatschefs (seit 1964); Gen.-Sekretariat in Kairo; AMin.-Rat zur Koordinierung der arab. Politik. – Beitritt Libyens 1953, des Sudans 1956, Tunesiens, Marokkos 1958, Kuwaits 1961.
Kollektiver Verteidigungspakt im Rahmen der Liga seit 1950, der sich vor allem gegen Israel richtet.

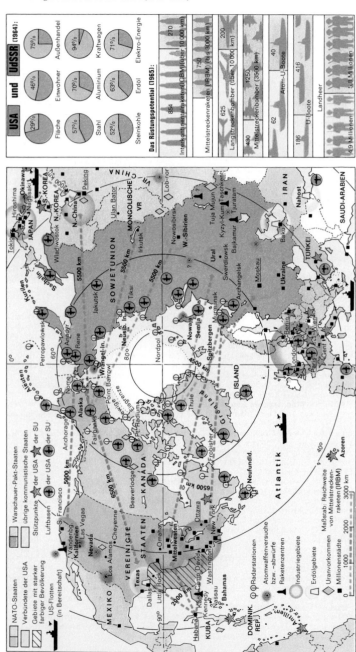

Die Weltmächte USA und UdSSR um 1960

Die Vereinigten Staaten nach 1945
1945–53 Präs. Harry S. Truman (1884–1972),
Nachfolger des verstorbenen F. D. ROOSE-
VELT (S. 465) als dessen Vizepräs. – Im Besitz des Atommonopols wachsen die USA
nach dem Sieg in eine Führungsrolle und
wollen die Weltpolitik nach den Prinzipien
der Atlantik-Charta mit Hilfe der UN
(S. 501) gestalten.
Außenpolitik: Die Zusammenarbeit mit der
UdSSR wird mit Beginn des Ost-West-Konflikts (S. 497) durch Politik der komm.»Eindämmung« (Containment) abgelöst. – Die
1947 Truman-Doktrin sagt allen Ländern zur
Bewahrung ihrer Unabhängigkeit Milit.- und
Wirtschaftshilfe zu – Abkehr von Isolationismus und Monroe-Doktrin (S. 373).
Folgen: Unterstützung Griechenlands und der
Türkei (S. 507), Marshall-Plan (S. 523),
Berliner Luftbrücke (S. 531), Nat. Sicherheitsrat, Gründung der NATO. Zur Abwehr
des Kommunismus in Asien
1946 Unabhängigkeit der Philippinen (S. 541)
und Wirtschafts-Stabilisierungsprogramm
für Japan (ab 1949). – Nach seiner Wahl
bekennt sich TRUMAN im
1949 Punkt-Vier-Programm (S. 539) zur weltweiten Verantwortung der USA, die in der
1950–53 Koreakrise (S. 515) die UN-Maßnah-
men gegen die nordkorean. Angreifer leiten,
doch werden im
1950 »Acht-Punkte-Programm« (Sept.) maßvolle Ziele der US-Politik in Korea verkündet, unterstützt durch die Rundfunkrede
Gen. EISENHOWERS, die den »Kreuzzug der
Freiheit« eröffnet. – Nat. Notstand (Dez.):
Wiederaufbau und Vergrößerung der seit
1945 abgerüsteten Streitkräfte. ANZUS-
Pakt (S. 517) und
1951 Friedensvertrag mit Japan festigen die
amerikan. Stellung in Asien.
Neues Hilfsprogramm für den Nahen Osten
(März 1950), das techn., Kapital- und
Flüchtlingshilfe sowie Handels- und Kultur-
beziehungen vorsieht.

Innenpolitik:
1947 Taft-Hartley-Gesetz (gegen das Veto des
Präs.): Verbot des Gewerkschaftszwangs
(Closed shop) und der Unterstützung polit.
Parteien durch Gewerkschaften; der Präs. er-
hält das Recht, Streiks befristet auszusetzen
(»Abkühlungszeit«). – Gegen Widerstand
verkündet der Präs. zum Aufbau einer wirt-
schaftl.-soz. Demokratie den
1949 »Fair Deal«, der die Fortschritte des New
Deal (S. 465) sichern soll.
1951 XXII. Verf.-Zusatz: die Amtszeit des
Präs. wird bei Wiederwahl auf zwei Wahl-
perioden befristet. – Zusammenbruch Nat.-
Chinas (S. 513) und sowjet. Besitz von
Atomwaffen lösen eine Angstpsychose aus:
Prozesse gegen KP-Führung der USA und
Linksintellektuelle (Fall ALGER HISS), Spio-
nageaffären (KLAUS FUCHS, JULIUS und

ETHEL ROSENBERG). – Senator **Joseph
McCarthy** (Wisconsin) beginnt seinen
Kampf gegen antiamerikan. Umtriebe. – Der
Kongress verabschiedet gegen den Präs. das
McCarran-Nixon-Gesetz (1950: Registrierung aller komm. Tarnorganisationen) und
das McCarran-Gesetz (1952: Revision der
Einwanderungsbedingungen). – Ein Unter-
suchungsausschuss (ESTES KEFAUVER/Ten-
nessee) stellt die Beherrschung von Gewerkschaften durch Gangster fest: Ausschluss der
Hafenarbeiter (1954), Teamsters (Spediteu-
re, LKW-Fahrer) aus der AFL (1955 Fusion
der AFL mit der CIO).

1953–61 Präs. Dwight D. Eisenhower/Republi-
kaner (1890–1969).
»Neue positive Außenpolitik« unter AMin. John
Foster Dulles (1888–1959), 1959–61 Chr.
Herter (1895–1966): »Politik auf lange
Sicht«. Zurückdrängen des Kommunismus
(»Roll back«) durch Milit.-Pakte (S. 517)
und Auslandshilfe. Nach dem
1953 Waffenstillstand in Korea (S. 515) ver-
hindern die USA die Krisen um Formosa
(S. 513), Ungarn (S. 511) und den Suezka-
nal (S. 535). – Nahost-Staaten wird auf
Wunsch in der
1957 Eisenhower-Doktrin (S. 535) Milit.-Hilfe
gegen komm. Angriffe zugesichert. – AMin.
DULLES geht zu einer UdSSR-freundlichen
Politik über, um der sowjet. Koexistenz-Pa-
role zu begegnen.
1959 Reise Vize-Präs. NIXONS in die UdSSR
und nach Polen. – **Besuch Chruschtschows**
(Sept.): Gespräche der Reg.-Chefs in **Camp
David** über Lösungsmöglichkeiten internat.
Probleme.
1960 Südamerika- und Fernost-Reise EISEN-
HOWERS offenbaren antiamerik. Ressentiments. Das Verhältnis zu Kuba (S. 549) verschlechtert sich.

Innenpolitik: MCCARTHY, Vorsitzender des
Ständ. Untersuchungsausschusses, terrori-
siert Beamte des Außenministeriums und Intellektuelle (Fall R. OPPENHEIMER). Ein offi-
zieller Tadel des Senats beendet sein Wirken.
Rassenproblem: Gute Erfahrungen mit gemischten (integrated) Einheiten im Koreakrieg und der negative Eindruck der ungelös-
ten Rassenfrage auf farbige Nationen erfordern eine Rassenintegration, vor allem in
Schulen. – Die einstimmige
1954 Entscheidung des Obersten Bundesgerichts gegen Missachtung des Gleichheits-
prinzips (u. a. Urteile gegen getrennte Benutzung von Verkehrsmitteln) werden im Süden boykottiert. Wegen der Rassenkrawalle
(u. a. **Little Rock**/Arkansas, 1957) Einsatz
von Bundestruppen. Der Senat verabschiedet
mit 72:18 Stimmen das
1957 Gesetz zum Schutz der Bürgerrechte (bes.
Wahlrecht) der Schwarzen (Civil Bill of
Rights).

Die Vereinigten Staaten (1961–65)
1961–63 Präs. John F. Kennedy/Demokrat (1917–63 [ermordet]), gewählt mit 50,1 Prozent der Stimmen gegen RICHARD NIXON/ Republikaner (1913–94).
Neuer polit. Stil der Kennedy-Ära: Das Präsidialamt wird zu einem Planungsstab von Beratern (u. a. R. BUNDY) unter persönl. Vorsitz des Präs. umgestaltet; Einsatz von Wissenschaftlern; erfahrene Fachleute als Mitarbeiter, u. a. AMin. **Dean Rusk** (1909–94), Vert.-Min. **Robert S. McNamara** (geb. 1916), UN-Botschafter ADLAI E. STEVENSON (1900–65).
Erhöhte Haushaltmittel zur Finanzierung von Entwicklungshilfe, Raketen-, Raumfahrt- und Rüstungsprogrammen.
Außenpolitik: Begegnung der sowjet. Offensiven (S. 506) durch
1. Verstärkung der milit. Schlagkraft: Kombination nuklearer und beweglicher konventioneller Waffen (Strike Command);
2. Beseitigung von Rivalitäten unter den US-Bündnispartnern durch Berücksichtigung ihrer Mitbestimmungsrechte:
1962 Angebot einer Atlant. Partnerschaft mit einem Vereinigten Europa;
3. Umfassende Entwicklungshilfe mit Vorrang vor der Milit.-Hilfe, koordiniert im Amt für Internat. Entwicklung:
1961 Bildung eines »**Friedens-Korps**« aus geschulten freiwilligen Helfern. – Zur »friedl. Revolution« Südamerikas **Allianz für den Fortschritt** (S. 549). – Während der
1962 Kongokrise (S. 547) erklären die USA, einseitige Interventionsversuche nicht zuzulassen. – Auf Grund der Truman-Doktrin (S. 519) und der SEATO-Hilfe Waffenstillstand in Laos (Mai). – Umfassende **Berlin-Erklärung** (Juni: »Three essentials«, S. 497). – Entsendung von Milit.-Beratern nach **Südvietnam.** – Nach Abbruch diplomat. Beziehungen zu **Kuba** durch die Reg. EISENHOWER (Jan. 1961), Invasionsversuch und **Kubakrise** (Okt., S. 549) wird eine Entspannung erreicht (S. 506):»direkter Draht Washington-Moskau« und **Atomteststopp-Abkommen** (S. 551).
Wirtschaft: Botschaften des Präs. mit Vorschlägen zur Steigerung der Wettbewerbsfähigkeit. Zollsenkungen für Güter aus EWG-Staaten (Kennedy-Runde, S. 523); Maßnahmen zur Sanierung der Landwirtschaft. Streiks und Stahlpreiserhöhungen werden verhindert.
Innenpolitik: Zunehmende Rassendiskriminierung und seit
1962 Unruhen wegen des Widerstandes von Gouverneuren der Südstaaten, die das Autonomierecht der Bundesstaaten durch Urteile des Obersten Bundesgerichts verletzt glauben. Das
1963 Bürgerrechtsprogramm des Präs. wird durch eine Massendemonstration in Washington (200 000 Schwarze und Weiße) und die »National Association for the Ad-

vancement of Colored People« (NAACP) unter Pastor **Martin Luther King** unterstützt.
– Auf einer Besuchsreise in Dallas tödliches
22. 11. 1963 Attentat auf Präs. Kennedy. – Weiterführung des Kennedy-Kurses in der **Außenpolitik** durch

1963–69 Präs. Lyndon B. Johnson/Demokrat (1908–73).
1964 Grundsatzrede zur Erhaltung eines dauerhaften Friedens (April). Widerstand gegen komm. Aggressionen, Unterstützung der Bundesgenossen. Seitdem wachsende Milit.-Hilfe für Vietnam (S. 515). Eingriff in den
1965 Bürgerkrieg der Dominikan. Rep. (S. 549): Erklärung der USA (Johnson-Doktrin), Interventionen nur bei Gefahr komm. Machtergreifung durchzuführen.
Innenpolitik: zur Beseitigung der Rassendiskriminierung
1964 Bürgerrechtsgesetz, als wichtigste Maßnahme zur Gleichberechtigung der Farbigen seit LINCOLNS Sklavenbefreiung (S. 373) bezeichnet und ergänzt durch das
1965 Gesetz zur Aufhebung von Verweigerungen des Wahlrechts an Farbige. – Im »**Kampf gegen die Armut**«
1964 Gesetz zur Sicherung des wirtschaftl. Fortkommens aller Bürger (noch auf Initiative des Präs. KENNEDY). – Seit
1965 Bemühungen um die »Great Society«: Gerechtigkeit, Freiheit und Zusammenschluss aller Menschen.

Kanada (1945–65)
Das Agrarland entwickelt während der Zweiten Weltkrieges eine Industrie. Wirtschaftl. Aufschwung in der Nachkriegszeit durch starke Nachfrage nach Rohstoffen und Nahrungsmitteln, durch Einwanderungswellen, Entdeckung von Öl-, Erz- und Uran-Vorkommen. – Aufbau eines Wohlfahrtsstaates. Die Liberalen unter **Mackenzie King** (1874–1950) und LOUIS STEPHEN ST. LAURENT treten für eine Dezentralisierung des Commonwealth ein.
1949 Neufundland (S. 449) wird 10. Provinz. – Wegen enger Zusammenarbeit der Liberalen mit den USA
1957 Konserv. Wahlsieg. Das Kabinett **John G. Diefenbaker** (1895–1979) will Unabhängigkeit und Neutralität.
1963 Konflikt mit den USA wegen der Ausrüstung kanad. Streitkräfte mit Atomwaffen, für die sich die liberale Opposition ausspricht; führt zu Neuwahlen (April): absolute Mehrheit der Liberalen. MP. **Lester Bowles Pearson** (1897–1972) setzt sich für Gleichberechtigung der Frankokanadier, Minderung direkter US-Investitionen und Beteiligung an nuklearer Verteidigung ein.
1964 Besuch der brit. Königin ELISABETH II. anlässlich des 100-jährigen Bestehens des Dominions: Demonstrationen der Frankokanadier für Autonomie oder Lostrennung der von ihnen bewohnten Gebiete.

Südeuropa (1945–65)
Spanien: Isolierung des **Franco-Regimes** (S. 439);
1947 Volksentscheid für die Monarchie. – Der Ost-West-Konflikt veranlasst die USA zur Revision ihrer antispan. Politik:
1953 Stützpunkt-Vertrag gegen Wirtschafts- und Milit.-Hilfe. – Verlust der nordafrikan. Besitzungen an Marokko (1956). – Studentenunruhen gegen Zensur und polit. Unfreiheit, seit 1962 auch soz. Unruhen.

Portugal: In Freundschaft mit Spanien regiert MP. **Salazar** (S. 439) nahezu absolut; 1951 Stützpunkt-Vertrag mit den USA.
1961 Verlust des ind. Besitzes (Goa, S. 543), Unruhen in Angola und Mosambik. – Latente demokrat. Opposition.

Italien: Bei Kriegsende ringen Befreiungskomitees (Widerstandsgruppen) und in sich gespaltene Parteien um die Macht. Gewaltakte und »Reinigungsgesetze« gegen Faschisten disqualifizieren ganze Bevölkerungsteile. Repatrianten (S. 499) und Internierte verstärken allg. Not und Bürgerkriegsgefahr.
1945–53 MP. **Alcide de Gasperi/DCI** (1881–1954). Nach Wahlen zur Nat.-Vers. und Volksabstimmung
18. Juni 1946 Proklamation der Rep.
1947 Friedensvertrag (S. 496): Reparationen, Verlust Istriens, der Kolonien und der Flotte. – Eine Währungsreform (Finanzmin. EINAUDI) dämmt die Inflation ein.
1948 Staatspräs. Einaudi (1874–1961); absolute Parlamentsmehrheit für die **Christl. Demokraten (DCI).** MP. DE GASPERI setzt seine Europapolitik (S. 523) durch gegen Streiks und Volksblock-Opposition: **Kommunisten (PCI),** geführt von **Togliatti** (1893–1964) und **Linkssozialisten (PSI)** unter **Nenni** (1891–1980).
1949 Südital. Agrarkrise (Aufstände in Kalabrien): Teilenteignung des Großgrundbesitzes.
1951/52 Einigung der gem. **Sozialisten/PSDI** durch **Saragat.** – Wahlerfolge der Linken (PCI, PSI), der **Neofaschisten/MSI** und **Monarchisten/PNM** schwächen die DC-Koalitionen, deshalb seit
1953 häufiger Reg.-Wechsel (MP. PELLA, SCELBA, SEGNI u. a.).
1955 Staatspräs. Gronchi/DC (1887–1978),
1962–64 Staatspräs. Segni/DC. Die
1960 Staatskrise (Unruhen, Streiks) um den geplanten MSI-Kongress in Genua überwindet MP. **Fanfani/DC** (1908–99) durch
1962 »Öffnung nach Links« (DC-Koalition mit PSDI [SARAGAT]).
1963 Komm. Wahlsieg (25 Prozent.) – MP. **Aldo Moro/DC** bildet eine Links-Reg. (mit PSI, PSDI, PRI = Republikaner); sie stabilisiert Währung, Zahlungsbilanz und Fremdenverkehr. Binnenwanderung nach Norden bzw. Abwanderung von Arbeitskräften.

1964–71 Staatspräsident Saragat/PSDI (1898–1988).
Südtirol: Der Friedensvertrag bestätigt das
1946 ital.-österr. Autonomieabkommen, doch gilt das ital.
1948 Autonomiestatut nicht für Bozen, sondern für die Region Bozen-Trient. Die **Volkspartei/SVP** protestiert gegen die Italienisierung; Österreich bringt die
1960 Südtirolfrage vor die UN.
1961 Verhandlungen scheitern; darauf **Terrorakte; harte Urteile im**
1964 Mailänder Sprengstoff-Prozess. – Die AMin. KREISKY und SARAGAT beschließen Bildung eines gemischten Experten-Ausschusses zur Beilegung des Konflikts.

Die Alpenstaaten (1945–65)
Österreich (Karte S. 526):
1945 Prov. Reg. (April) unter KARL RENNER (S. 434), kontrolliert durch die Besatzungsmächte: Vierteilung Wiens (Juli), Sitz des **Alliierten Rates.** Nach Nationalratswahlen bilden ÖVP, SPÖ und KPÖ eine Koalition unter BK. **Leopold Figl/ÖVP** (1902–65). – Bundespräs. wird **Karl Renner** (1951 **Theodor Körner**/SPÖ, 1873–1957; 1957 **Adolf Schärf/SPÖ,** 1890–1965; 1965 **Franz Jonas**/ SPÖ, 1899–1974). – Das
1946 alliierte Gesetz über Einstimmigkeit zur Ablehnung österr. Gesetze gibt der Politik einen gewissen Spielraum.
Schwerindustrie, Bergbau, Banken u. a. werden verstaatlicht. Das
1947 Währungsschutzgesetz veranlasst die KP zum Austritt aus der Reg. – Innenpolit. Stabilität durch **Große Koalitionen ÖVP/SPÖ** (Proporz-System bis 1965) und sowjet. Zugeständnisse nach STALINS Tod erleichtern
1953–61 BK. Julius Raab/ÖVP (1871–1964) den
15. Mai 1955 Abschluss des Staatsvertrags: Aufhebung der Besatzung gegen materielle Verpflichtungen (bis 1964) und freiwillige Neutralität (Okt.). – Wirtschaftsaufschwung, gewerkschaftl. Lohnforderungen (FRANZ OLAH).
1961–64 BK. ALFONS GORBACH/ÖVP, Vizekanzler BRUNO PITTERMANN/SPÖ. – Spannungen innerhalb der Koalition wegen der Rückkehr des Thronfolgers OTTO HABSBURG (Einreiseerlaubnis 1966). – Der
1966 Wahlsieg der ÖVP beendet die Ära der Großen Koalition (1966: ÖVP-Reg. unter JOSEF KLAUS, BK. 1964–70).

Schweiz: Unter strikter Beachtung der Neutralität beteiligt sich das Land an karitativen Aufgaben (Schweizerspende für Flüchtlinge und Internierte, Pestalozzi-Kinderdörfer), an kult. und wirtschaftl. Einrichtungen (UNESCO, OEEC, EZU); seit 1963 am Europarat.
1955 Atomforschungszentrum CERN in Genf. – Agrarsubventionen bei gesunder industrieller Entwicklung (Gastarbeiter).

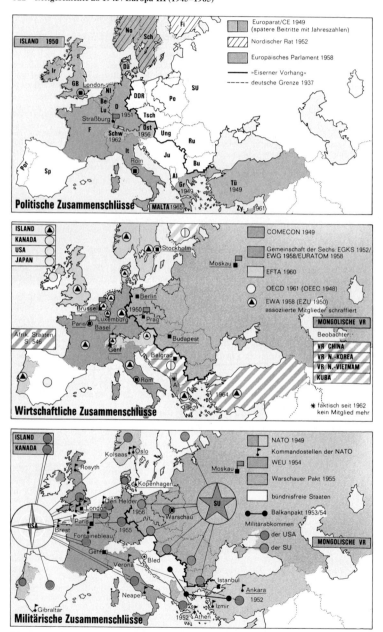

Politische Zusammenschlüsse

Europarat/CE 1949
(spätere Beitritte mit Jahreszahlen)

Nordischer Rat 1952

Europäisches Parlament 1958

»Eiserner Vorhang«

deutsche Grenze 1937

ISLAND 1950

MALTA 1965

Wirtschaftliche Zusammenschlüsse

ISLAND

KANADA

USA

JAPAN

COMECON 1949

Gemeinschaft der Sechs: EGKS 1952/
EWG 1958/EURATOM 1958

EFTA 1960

OECD 1961 (OEEC 1948)

EWA 1958 (EZU 1950)
assoziierte Mitglieder schraffiert

MONGOLISCHE VR

Beobachter:

VR CHINA

VR N.-KOREA

VR N.-VIETNAM

KUBA

Afrik. Staaten
S. 546

✳ faktisch seit 1962
kein Mitglied mehr

Brüssel
Paris
Basel
Luxemburg
Berlin
Prag
Genf
Budapest
Belgrad
Rom
Stockholm
Moskau

Militärische Zusammenschlüsse

ISLAND

KANADA

NATO 1949

Kommandostellen der NATO

WEU 1954

Warschauer Pakt 1955

bündnisfreie Staaten

Balkanpakt 1953/54

Militärabkommen
der USA
der SU

MONGOLISCHE VR

Kolsaas
Oslo
Rosyth
Kopenhagen
Den Helder
London
Paris
Brest
Fontainebleau
Genf
Verona
Bled
Neapel
Gibraltar
Warschau
Istanbul
Ankara
1952
Izmir
Athen
Moskau
SU
USA
1956
1955
1952

Die europäische Integrationspolitik nach 1945

Die polit. Integration Europas
Nach 1945 gewinnen die von **Churchill** (Züricher Rede 1946), Prof. H. BRUGMANS, ehem. Widerstandsgruppen u. a. vertretenen Gedanken einer europ. Einigung (mit Einschluss Deutschlands) an Anhang (bes. unter der Jugend). Brüssel wird Zentrum der
1948 Europa-Bewegung (P.-H. SPAAK). – Haager Kongress (Vorsitz CHURCHILL) und franz. Reg. geben Anstöße zum
1949 Europarat (gegr. in London) zur Wahrung des europ. Erbes und soz. Fortschritts. – **Organe:** Sekretariat (Straßburg), Beratende Versammlung (Delegierte der Länderparlamente), A**Min.-Rat.** Nat. Vorbehalte (Großbritannien) bringen die von den »Föderalisten« geplante
1950/51 Europa-Union zu Fall. Die »Funktionalisten« erstreben eine schrittweise Integration durch Sonderbehörden.
1953 Menschenrechts-Konvention. – Übereinkommen über Universitäten (europ. Rektoren-Konferenz), ärztl. Hilfeleistung, Passwesen, Sozialcharta (1962).

Die militärische Integration
1948 Brüsseler Beistandspakt (Benelux-Staaten, Großbritannien, Frankreich). Sein Ständiger Verteidigungsstab geht in der
1949 NATO (S. 511) auf. Angeregt von CHURCHILL und dem franz. MP. **Pleven,** beschließt der NATO-Rat in der **Koreakrise** (S. 515) die Bildung einer **Europ. Verteidigungsgemeinschaft (EVG)** mit dt. Beteiligung, von BK. **Adenauer** zur Aufwertung der BR Dtl. genutzt (S. 529).
1952 Pariser EVG-Vertrag zur Aufstellung einer übernat. westeurop. Armee mit Bindung an die NATO (Pleven-Plan). Nach franz. Ablehnung wird in den
1954 Pariser Verträgen (S. 529) der Brüsseler Pakt zur **Westeurop. Union** (WEU nat. Truppenkontingente unter NATO-Oberbefehl) umgebildet.
1955 Warschauer Pakt (S. 509).

Die wirtschaftliche Integration
Marshall-Plan: Im Rahmen der Truman-Doktrin (S. 519) schlägt US-AMin. George C. **Marshall** (1880–1959) ein
1947 Europ. Wiederaufbauprogramm (ERP) vor: US-Lieferung von Rohstoffen, Waren, Kapital. – Die UdSSR als »Instrument des Dollarimperialismus« ab (S. 505), Polen und die ČSR widerrufen ihre Zusagen zur **Pariser Marshallplan-Konferenz** (Juli–Sept.).
1948 Europ. Wirtschaftsrat (OEEC) in Paris zur Verteilung der ERP-Mittel (bis 1952 ca. 14 Mrd. US-Dollar).
Folgen im Osten: Sowjet. Reaktion im
1949 Rat für gegenseitige Wirtschaftshilfe (COMECON, S. 509): Abstimmung nat. Wirtschaftspläne nach sowjet. Interessen.
Folgen im Westen: Die Chance einer polit. Einigung wird verpasst, aber OEEC und ERP-

Erfolge geben Initialzündungen für weitere Institutionen:
1947 Zoll- und Handelsvereinbarung von Genf **(GATT).**
1950 Europ. Zahlungsunion (EZU): Konvertierbarkeit von EZU-Währungen durch die **Bank für Internat. Zahlungsausgleich (BIZ)** in Basel. – Organisationen für Verkehr (CEMT/1953), Kernforschung (CERN/1954), Kernenergie (ENNEA/1957), Fernsehen (EURO-VISION/1962), Raumfahrt (ELDO/1962) u. a.
1958/59 OEEC-Beratungen über eine europ. Freihandelszone scheitern an brit.-franz. Differenzen. Auf brit. Initiative
1959/60 Kleine Freihandelszone (EFTA) zur Absicherung gegen die EWG. – Erweiterung der EZU zum
1959 Europ. Währungsabkommen (EWA): freie Konvertierbarkeit auch im internat. Zahlungs- und Kapitalverkehr.
1961 Organisation für wirtschaftliche Zusammenarbeit (OECD). Ablösung der OEEC, Ausweitung des Welthandels und Koordinierung westl. Entwicklungshilfe.
Gemeinschaft der Sechs: Zur Erhaltung der Eintracht (Ruhrgebiet-Kontrolle, S. 529) schlägt AMin. **Schuman** (S. 525) einen
1950 Gemeinsamen Markt für Kohle, Eisen und Stahl auf 50 Jahre vor (Schuman-Plan). – Bildung der
1951 Montan-Union (EGKS) in Luxemburg. – **Organe:** Hohe Behörde (9 Mitgl.) mit Hoheitsrechten, auf 6 Jahre berufen vom **Min.-Rat** (Vetorecht). – Der
1952/53 Plan einer polit. Union misslingt. 1955 AMin.-Konferenz in Messina.
1957 Verträge von Rom über **Nutzung der Atomenergie (EURATOM)** und **Europ. Wirtschaftsgemeinschaft (EWG)** mit Zollunion als Kern (bis 1970 zu schaffen). **Organe:** Der **Ministerrat** (Richtlinien- und Etat-Kompetenz, ab 1967 durch Mehrheitsbeschluss) ernennt auf 4 Jahre die **EWG-Kommission** in Brüssel (9 Mitgl.: Präs. W. **Hallstein**/BR Dtl.). Kontrolle durch das
1958 Europ. Parlament (Straßburg); Wirtschafts- und Sozialrat (101 Arbeitgeber und -nehmer); Europ. Gerichtshof.
Assoziierte Staaten: zollfreier Export bei einheitl. Zöllen auf EWG-Waren.
1961–63 Verhandlungen über den Beitritt Großbritanniens scheitern am franz. Veto (DE GAULLE). Günstige Wirtschaftsentwicklung, aber schwieriger Strukturausgleich für Agrarprodukte durch die
1962 EWG-Marktordnung. – Seit
1963 Zollsenkungen, gemeinsame Außenzölle und Verhandlungen im Rahmen des GATT mit den USA (Kennedy-Runde) über Zollsenkungen. – Gegen die
1964 Liberalisierung des Getreidemarktes Widerstand der BR Deutschland.
1965 EWG-Krise: Frankreich lehnt einen Kompromiss (Preisangleich erst Juli 1967) ab.

Großbritannien (1945–65)
Obwohl es zu den Siegern gehört, verliert
Großbritannien seine Stellung als Großmacht:
Verschuldung (14 Mrd. US-Dollar), Kapital-
verluste, Geldentwertung.
**1945–51 Labour-Regierung unter Clement Att-
lee** (1883–1967).
In der **Außenpolitik** (AMin. **Bevin** [S.
424], seit 1950 **Morrison,** 1888–1965) enger Anschluss an die USA in der Dtl.- und Bündnispolitik (S. 517); Stützpunkt-Vertrag 1948,
Teilnahme am Korea-, Vermittlung im Indochinakrieg (S. 515); Zurückhaltung in der
Europapolitik (S. 523).
Austerity-Politik (Fin.-Min. Sir STAFFORD
CRIPPS, 1889–1952) mit Sparmaßnahmen
zur wirtschaftl. Erholung: Rationierungen
bis 1950, Einfuhrdrosselung, Kapitalbe-
schaffung (US-Anleihe).
1947 Einschränkungsprogramm und
1949 Pfundabwertung (von 4 auf 2,80 US-Dollar).
Wohlfahrts-Politik: Die Bank von England
(1945), Luftfahrt, Kohlenbergbau (1947),
Transport- und Energiebetriebe, Eisen- und
Stahlindustrie (1951, reprivatisiert 1953)
werden verstaatlicht; Sozialversicherungen
(1946) erweitert zur **Pflichtversicherung**
(1948, nach dem Beveridge-Plan 1942) u. a.
für staatl. Gesundheitsdienst, Familien- und
Kinderbeihilfen; Anhebung niedriger Einkommen.
Commonwealth: Umbau zu einem Verband
souveräner Partner seit
1947 in Indien (S. 543), Südostasien (S. 541),
Afrika (S. 545).
1948 Aufgabe des Palästina-Mandats (S. 537).

Irland scheidet offiziell aus dem brit. Verband
aus; die Ireland Bill garantiert den polit.
Status von Nordirland.
1949 Rep. Eire, 1959–73 unter Präs. **de Valera**
(S. 448).

1951–64 Konservative Ära:
1951–55 3. Kabinett Churchill (AMin. **Eden**).
Die wirtschaftl. Stagnation lässt nach.
1952 Elisabeth II. (geb. 1926).
1954 Aufgabe der Suezkanalzone und des Sudans (S. 535).
Zypern (S. 534): Geführt von Ebf. **Makarios**
(1956 verbannt) wünscht die griech.-orth.
Mehrheit (80 Prozent) Anschluss an Griechenland (ENOSIS); die türk. Minderheit
Teilung der Insel. Seit
1954 Guerillakämpfe der griech. EOKA-Bewe-
gung (Oberst GRIVAS); griech. Ablehnung
türk. und brit. Selbstverw.-Pläne.
1959 Londoner Abkommen über brit. Milit.-
Basen und Drei-Mächte-Garantie.
1960 Republik Zypern (Präs. MAKARIOS). Nach
Verf.-Revision
1963/64 Bürgerkrieg: Eingriffe griech. und
türk. Nationalisten, türk. Bombenangriffe;
Einsatz einer UN-Friedenstruppe. Zypern-

Konflikt und Suezkrise (S. 535) erschüttern
das
1955–57 Kabinett Eden (AMin. **Selwyn Lloyd**
[bis 1960]). Es wird abgelöst durch das
1957–63 Kabinett Harold Macmillan (1894–
1986).
1957 Abschaffung der allg. Wehrpflicht; Verminderung und atomare Umrüstung der
Streitkräfte (Konferenz von Nassau).
1959 Konserv. Wahlsieg. – Auf der Labour-
Konferenz von Blackpool verlangt Oppositionsführer **Hugh Gaitskell** (1906–63) gegen
HAROLD WILSON (1916–95) eine Parteiref.
(der Staat sei weder Kapitalist noch Regula-
tor, sondern der größte »Rentner«).
1960 Konferenz von Scarborough: Spaltung
der Labour Party über Fragen nuklearer Bewaffnung und brit. Stützpunkte für US-
Atom-U-Boote.
Wirtschaft: Hohe Einfuhren und Kapitalaus-
fuhr, stockende Investition, sinkende Pro-
duktionsraten; Flauten im Schiffsbau und in
der Kfz.-Industrie.
1963 Der Beitritt zur EWG scheitert am franz.
Einspruch. Ein Skandal um Heeresmin. PRO-
FUMO führt zur Umbildung der Reg. unter
Premier **Douglas Home** (1903–95). Nach
knappem Wahlsieg
1964 Labour-Kabinett Harold Wilson: Energische Maßnahmen zur Verbesserung der Zahlungsbilanz (Importsteuern, Nat.-Rat für
Preise und Einkommen u. a.).

Frankreich (1944–46)
Nach der Befreiung von Paris (S. 491) bilden
Résistance und Gen. Charles de Gaulle (1890–
1970) eine »Reg. der Einmütigkeit« (Aug.
1944). Bündnis mit der UdSSR (Dez.). Frankreich erhält einen Sitz im UN-Sicherheitsrat
und eine dt. bzw. österr. Besatzungszone
(S. 526).
1944/45 Verfolgung und (z. T. willkürliche)
Aburteilung von **Kollaborateuren** und »Vi-
chy-Anhängern«: Todesurteile u. a. für **Pétain** (S. 407), der zu lebenslängl. Haft begnadigt wird, und **Laval** (S. 469).
Wirtschaft: Staatsschuld seit 1939 um 300 Prozent gestiegen, Industrieindex auf 20% ge-
sunken. Zur Behebung der Inflation Bank-
notenumtausch und Kapitalsteuern.
1945/46 Nationalisierung der Bank von Frankreich, der Versicherungen, Kohlengruben,
Energiequellen. Staatl. Wiederaufbauprogramm.
1945 Wahl zur Nat.-Vers. (Okt.): Kommunisten
(KP) 25, Sozialisten (SF) und Demokrat.
Volksbewegung (MRP) je 23% der Stimmen.
Aus Verärgerung über die Verfassungspläne
der Parteien
1946 Rücktritt de Gaulles (Jan.). – Volksentscheid gegen den 1. Verf.-Entwurf. Geringe
MRP-Mehrheit nach den Neuwahlen (Juni);
»Burgfrieden« der Parteien unter MP. **Georges Bidault** (1899–1983) und Annahme des
2. Verf.-Entwurfs.

Frankreich (1946–58)
Verfassung der Vierten Rep.: Zweikammer-System (**Nat.-Vers.** und Rat der Rep.); Exekutive (**MP.** und Reg.) vom Vertrauen (Investitur) der Nat.-Vers. abhängig; Präs. (auf 7 Jahre von beiden Kammern gewählt) polit. nicht verantwortlich; **Verf.-Komitee** zur Normenkontrolle der Gesetze; **Franz.** Union zwischen Mutterland, überseeischen Departements, assoziierten Gebieten (Togo, Kamerun) und Staaten (Tunesien, Marokko, Vietnam).
1947–54 Staatspräs. VINCENT AURIOL/SF (1884–1966).
Unter MP. **Ramadier**/SF
1947 Ausscheiden der KP aus der Reg. (gegen Lohnstopp und Milit.-Kredite für Indochina). KP (**Thorez,** S. 469) und nat. RPF (Sammlungsbewegung für ein Präsidialregime DE GAULLES) verhindern stabile Reg.-Mehrheiten der demokrat. **Dritten Kraft:** Koalition aus SF (**Ramadier,** 1888–1961; **Guy Mollet,** 1905–75), **MRP (Bidault, Robert Schuman,** 1886–1963) und Radikalen (**RS: René Pleven,** 1901–93; **Pierre Mendès-France,** 1907–82). – Die
1947/48 Wirtschaftskrise wird durch US-Kredite, ERP-Mittel, Investitionslenkung für Energie- und Montanbetriebe (**Monnet),** europ. Integration (Schuman-Plan) und Franc-Abwertung 1948 überwunden.
1950 Verlängerung der Wehrpflicht auf 18 Monate. Trotz einer
1951 Wahlreform (Listenverbindung und Mehrheitswahl auf Departementsebene) zersplittert sich die Dritte Kraft in Schulfragen (kirchl. Einfluss), in der Sozialisierungs- und Integrationspolitik (EVG-Vertrag, S. 523).
1953 Amnestie für ehemalige Vichy-Beamte und -Politiker.
1954 Staatspräs. **René Coty** (1882–1962) wird erst nach 13 Durchgängen gewählt. – Die Vierte Republik zerbricht an der **Kolonialpolitik:** 1954/55 Verlust Indochinas und Tunesiens unter MP. MENDÈS-FRANCE; Marokkos unter MP. **Edgar Faure** (1908–88). MP. GUY MOLLET strebt eine föderalist. Lösung der **Algerienkrise** (S. 547) an, ruft Gen.-Gouv. JACQUES SOUSTELLE/Gaullist (1912–90) ab und nimmt Kontakt mit den alger. Rebellen auf. Nach dem
1956 Suezkonflikt (S. 535) ständige Reg.-Krisen; in Algerien übernehmen Gaullisten und Armee (Gen. MASSU, SALAN) die Macht.
1958 Putsch in Algier (Mai); nat. Notstand, Rücktritt der Reg. PIERRE PFLIMLIN (Mai); **Präs. Coty beruft Gen. de Gaulle zum MP. mit bes. Vollmachten,** Nat.-Vers. vertagt sich.
Sept. 1958 Volksentscheid für die neue Präsidial-Verf.: (79,25% Ja-Stimmen): Ernennung des MP. durch den Präs. Franz. Gemeinschaft (Communauté, autonome Mitglieder mit Austrittsrecht, S. 543) und Sondervollmacht für DE GAULLE.

Fünfte Republik (1958–65)
1958 Wahl zur Nat.-Vers. (Nov.): Sieg der »Union für die neue Rep.« (UNR); als neuer Präs. ernennt **de Gaulle** die
1959 Reg. **Michel Debré** (1912–96) mit AMin. **Couve de Murville** (1907–99). Seit
1960 Aufbau einer Atomstreitmacht. – **Krise um Algerien** (Putschversuch, OAS-Terror) bis zur alger. Unabhängigkeit (Abkommen von Evian, 1962). Eigenwillige Politik DE GAULLES, des »Führers der Nation«, auf Stärkung Frankreichs und Lösung von »amerikan. Bevormundung«.
1962 Verf.-Reform: direkte Wahl des Präs.; MP. DEBRÉ tritt wegen der europ. Konföderationspläne (»Europa der Vaterländer«) zurück; Präs. DE GAULLE beruft MP. **Pompidou** (1911–74).
1963 Vertrag über deutsch-franz. Zusammenarbeit; Ablehnung brit.-amerikan. NATO-Pläne (MLF, S. 517), des Atomtest-Stopps (S. 551) und des brit. Beitritts zur EWG; Forderung einer NATO-Reform.
1964 diplomat. Bez. zu Rotchina;
1965 NATO- und SEATO-Manöver ohne franz. Beteiligung; Kritik an der EWG-Struktur (S. 523).

Die Benelux-Staaten nach 1945
Von den drei Exilreg. 1944 geplant, seit
1948 Benelux-Zollunion, 1958 Wirtschafts- und 1960 Passunion, 1964 gemeinsamer Gerichtshof.
Rasche wirtschaftliche Erholung in der Nachkriegszeit unter aktiver europ. Integrationspolitik.
Belgien: Krise (Generalstreik) durch Rückberufung LEOPOLDS III.; Thronverzicht zu Gunsten seines Sohnes
1951 Baudouin I. (1930–93). AMin. **Paul-Henri Spaak** (1899–1972) betreibt die
1956 Grenzberichtigung mit der BR Dtl. (Rückgabe 1949 besetzter Gebiete).
1958 Weltausstellung in Brüssel. – Vergeblicher Generalstreik gegen das
1960 Sparprogramm zum Abfangen wirtschaftl. Rückschläge durch die Kongokrise (S. 545). Auf Lösungen warten die fläm. Frage (Französierung) und eine Strukturkrise des wallon. Industrierreviers.
Niederlande: Trotz schwerer Kriegsschäden und Ausplünderungen und trotz der Belastung durch Rückwanderer aus Indonesien (S. 541) rascher wirtschaftl. Aufstieg (seit 1951 ausgeglichene Zahlungsbilanz); starke Verstädterung (Aufbau neuer Industriestädte) und Industrialisierung; betont soz. Politik (Hilfe für Minderbemittelte).
1948–80 Königin Juliana (1909–2004).
1953 Schwere Sturmflutkatastrophe. – 1960 Rückgabe dt. Grenzgebiete.
Luxemburg: Das Montanzentrum (ARBED-Konzern) gibt 1948 die »Ewige Neutralität« auf.
1964–2000 Ghz. Jean (geb. 1921).

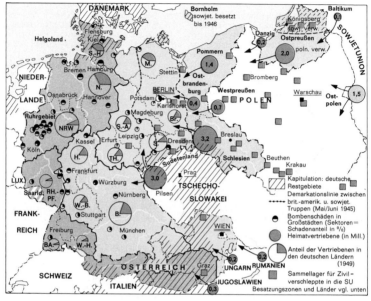

Deutschland nach dem Zusammenbruch 1945

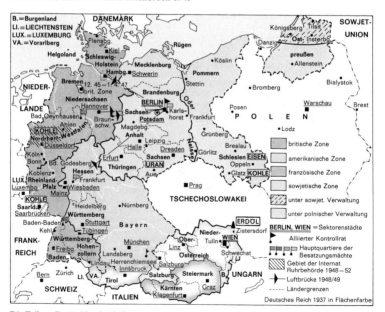

Die Teilung Deutschlands 1945

Deutschland nach der Kapitulation
Trotz der Konferenzen von Teheran und Jalta keine einheitl. Konzeption der **Besatzungsmächte.**
1945 Berliner Vier-Mächte-Erklärung: Übernahme der Reg.-Gewalt durch die OB der BZ: Gen. EISENHOWER/USA (ab 1947 Gen. CLAY); Marschall SCHUKOW/UdSSR (ab 1946 Gen. SOKOLOWSKI); FM. MONTGOMERY/ Großbritannien (ab 1947 Gen. ROBERTSON); Gen. KOENIG/Frankreich. – Bildung des **Alliierten Kontrollrats;** Rückzug brit. und amerikan. Truppen aus Mecklenburg, Sachsen, Thüringen; gemeinsame Besetzung und Verw. Berlins (S. 531). Die **Konferenz von Potsdam (Stalin, Truman, Churchill/Attlee** und AMin.) verabschiedet das **Potsdamer Abkommen** (Juli/Aug.):
1. Beseitigung von Nationalismus und Militarismus;
2. **Aufteilung Deutschlands** (bis zur Friedensregelung) in 4 BZ, 2 Gebiete unter sowjet. bzw. poln. Verw. und Sonderstatus für Berlin; Umsiedlung der Deutschen aus Polen, Ungarn, der Tschechoslowakei;
3. Einsetzung örtl. Verw. und deutscher Zentralbehörden unter Aufsicht des Kontrollrats (einstimmige Beschlüsse);
4. Kontrolle der Industrie bei Erhaltung der wirtschaftl. Einheit; Auflösung von Kartellen, Syndikaten, Trusts; **Reparationen** und **Demontage** von Industrieanlagen.
Abtrennung des Saargebiets (Juli): eigene Verw. unter franz. Protektorat; wirtschaftl. Anschluss an Frankreich.
Entnazifizierung: Verbot der NSDAP; NS-Führer werden interniert und aus Staatsämtern entfernt. – Fragebogen- und Spruchkammerverfahren gegen ca. 6 Mill. ehem. Mitgl. von NS-Organisationen. Im
1945/46 Nürnberger Prozess urteilen alliierte Juristen über 24 Hauptkriegsverbrecher. **NS-Führerkorps, Gestapo, SD und SS werden zu verbrecherischen Organisationen** erklärt, Prozesse gegen Juristen, SS-Ärzte, KZ-Aufseher, Diplomaten, Generäle, Industrielle, leitende Beamte folgen.
Zulassung von Parteien: 1945 entstehen KPD, SPD, CDU (CSU in Bayern), FDP (LDPD in der SBZ). – Zusammenschluss der SPD und KPD zur **Sozialist. Einheits-Partei (SED)** in der SBZ.
Neubildung von Ländern: bis 1946 in allen Zonen; außerdem
1945 11 Zentralverw. in der SBZ; **Länderrat** in Stuttgart für die USBZ; **Zonenbeirat** (1946) für die BBZ.
Alliierte Wirtschaftspolitik: Zur Steigerung der Produktion (Kohle, Landwirtschaft)
1945 Arbeitspflicht für Männer und Frauen. – Beschlagnahme der Handelsflotte, der Patente, des Auslandsvermögens, von Zechen und Konzernen (Krupp, IG-Farben); Zwangsverpflichtung von Facharbeitern und Wissenschaftlern. – **Bodenreform** in der SBZ (Okt.):

entschädigungslose Enteignung und Neuverteilung des Grundbesitzes über 100 ha.
1946 Industrieplan des Kontrollrats: Demontage der Industrie auf 50% des Vorkriegsstandes. In der SBZ gehen 213 Betriebe (25% der Kapazität) als Aktien-Ges. (SAG) in sowjet. Besitz über. – Versagen des Kontrollrats beim Aufbau einer Zentralverw. (franz. Veto) und Sorge vor wirtschaftl. Chaos bewirken eine **Änderung der brit.-amerikan. Politik:** AMin. JAMES F. BYRNES (1879–1972) fordert in seiner **Stuttgarter Rede** (Sept.) Wirtschaftseinheit und Wahl einer dt. Reg. – Unter franz.-sowjet. Protest
1947 Errichtung der Bizone (Jan.). – Eine Konferenz der dt. Länderchefs in München (Juni) scheitert an der Forderung der MP. der SBZ, die polit. Einheit vor der wirtschaftl. herzustellen. – Ausbau der Bizonen-Verw. durch den Frankfurter **Wirtschaftsrat.** – In der SBZ Verstaatlichung des Bergbaues und Einrichtung einer dt. Wirtschaftskommission (Mai). – Die SED beruft den dt. **Volkskongress** für »Einheit und gerechten Frieden« (Ost-CDU und Parteien der Westzonen, außer KPD, lehnen ihn ab).
Zusammenschluss der Westzonen: franz. Annäherung an die brit.-amerikan. Politik.
1948 Londoner Sechs-Mächte-Konferenz mit Empfehlungen für Westdeutschland: wirtschaftl. Integration in Westeuropa, Erarbeitung einer Verfassung, internat. Ruhrkontrolle. – Darauf Auflösung des Kontrollrats: die UdSSR nimmt an den Sitzungen nicht mehr teil. – Der 2. Volkskongress der SED beschließt die Bildung eines »gesamtdeutschen Volksrates«.
Juni 1948 Währungsreform in den Westzonen (10 RM : 1 DM-West). Die sowjet. Milit.-Reg. antwortet mit einem Geldumtausch im gleichen Verhältnis (DM-Ost) und der **Berliner Blockade** (S. 531).
Juli 1948 Frankfurter Dokumente der Besatzungsmächte zur Einberufung einer verfassunggebenden Versammlung und Ankündigung eines Besatzungsstatuts.
Sept. 1948 Zusammentritt des Parlament. Rates (65 von den Ländern gewählte Mitgl.) in Bonn. Präs. wird **Konrad Adenauer** (1876–1967, Vors. der CDU).
1949 Washingtoner Abkommen (April): Ablösung der Milit.-Reg. durch Hohe Kommissare.
Mai 1949 Verabschiedung des »Bonner Grundgesetzes«. Es wird – mit Ausnahme von Bayern – von allen Ländern ratifiziert.
SBZ: Umgestaltung der SED zur (Kader-) »Partei neuen Typus« (Gleichschaltung der Parteien und Verbände). – Die Gewerkschaft (FDGB) wird zum Kontrollorgan von Produktionsplänen und Arbeitsnormen. – Nach Initiativlisten gestimmte
1949 Wahlen zum 3. Volkskongress (Mai), der den Verfassungsentwurf des Volksrates (März) bestätigt.

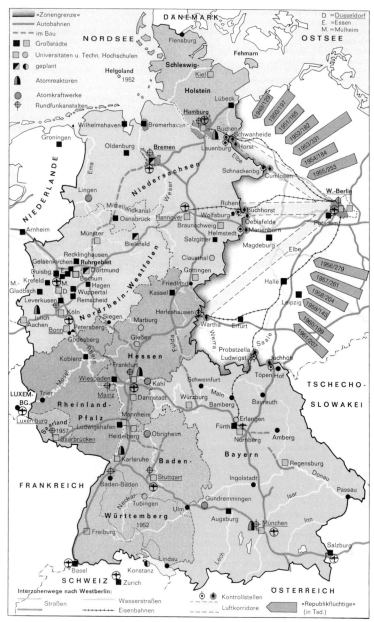

Die Bundesrepublik Deutschland

Bundesrepublik Deutschland
23. Mai 1949 Verkündung des »Grundgesetzes« (S. 531). Kontrolle durch **Ruhrbehörde** und **Besatzungsstatut.**
Aug. 1949 Wahl zum 1. Bundestag (CDU 139, SPD 131 Sitze).
Bundespräs. wird Prof. **Theodor Heuss**/FDP (1884–1963).
1949–63 BK. Adenauer/CDU (S. 527) bildet eine Koalitions-Reg. (CDU/CSU, FDP, DP). **Abbau des Besatzungsstatuts** durch Integration in ein westl. Bündnissystem. Die SPD-Opposition unter **Kurt Schumacher** (1895–1952) und **Erich Ollenhauer** (1901–63) befürchtet Verzögerung der Wiedervereinigung.
Nov. 1949 Petersberger Abkommen: Beteiligung an westl. Organisationen.
1950 Gesetz gegen Wiederaufrüstung. Infolge der Koreakrise wird ein **Verteidigungsbeitrag** im Rahmen einer europ. Armee erwogen.
Okt. 1950 »Amt Blank«: Innenmin. GUSTAV HEINEMANN (1899–1976) tritt aus Protest gegen die Remilitarisierungspolitik zurück. – Aufbau des Bundesgrenzschutzes.
1951 Revision des Besatzungsstatuts (März): Beendigung bzw. Aufhebung des Kriegszustandes (durch den Ostblock 1955), der Demontagen und Industrieverbote; die BR Dtl. übernimmt die dt. Auslandsschulden. – AMin. bis 1955: ADENAUER.
1952 Deutschlandvertrag (Mai): Aufhebung des Besatzungsstatuts. – Beitritt zur EVG (S. 523).
Scharfe innere Kämpfe (SPD) um den Wehrbeitrag.
1954 Pariser Verträge (Okt.): Truppenvertrag zur gemeinsamen Verteidigung; Beitritt zur WEU und NATO (S. 523) unter Verzicht auf ABC-Waffen; deutsch-franz. **Saarabkommen:** Autonomie der Saar unter Kontrolle der WEU,
1957–59 Eingliederung des Saarlandes.

Parteien/Verbände:
1949 Zusammenschluss der 16 Gewerkschaften im Deutschen Gewerkschafts-Bund (DGB). – Zunächst Erfolge der Vertriebenenpartei BHE (1950). Trend zum Zwei-Parteien-System CDU-SPD.
1956 Verbot der KPD (1952 der rechtsradikalen SRP). – Im
1959 Godesberger Programm verzichtet die SPD auf marxist. Ideologie.

Wirtschafts- und Sozialpolitik: Aufschwung der »freien Marktwirtschaft« unter Wirtschafts-Min. Prof. **Ludwig Erhard** (1897–1977), auch durch den Korea-Boom.
1950 Ende der Lebensmittelrationierung; staatl. Förderung des (soz.) Wohnungsbaus; Versorgungsgesetz für Kriegsopfer.
1950 Charta der Heimatvertriebenen (Verzicht auf Vergeltung, gerechte Verteilung der Kriegslasten). – Der DGB tritt für Beteiligung der Arbeitnehmer am »Wirtschafts-

wunder« ein (expansive Lohnpolitik: Tarifverträge nach der Wachstumsrate des Sozialprodukts): Vollbeschäftigung, Arbeitszeitverkürzungen. – Seit
1955 Subventionierung der Landwirtschaft.
1957 Rentenref. – **Absatzkrise im Kohlenbergbau** (seit 1962 subventioniert). – Maßnahmen gegen **Konjunkturüberhitzung:**
1959 Ausgabe von Volksaktien; 1961 Gesetze zur Vermögensbildung, Maßhalteappelle der Reg., Aufwertung der DM.
1963 Abflauen der Zuwachsrate des Sozialprodukts; steigende Importe, Löhne, Preise, Ausgaben der öffentl. Hände. – Ausländ. Arbeitnehmer, sog. »Gastarbeiter« (1964: über 1 Mill.), beheben den Arbeitskräftemangel nicht. – Abbau der Mietpreisbindung.
Innenpolitik: Zustrom von SBZ-Flüchtlingen.
1952 Neubildung des Südweststaates **Baden-Württemberg.** – Grundgesetzerweiterungen und Soldatengesetze zum
1956 Aufbau der Bundeswehr im Rahmen der NATO unter Vert.-Min. **Franz Josef Strauß**/CSU (1915–88). – Allg. Wehrpflicht (12, seit 1962 18 Monate).
1958 Aufruf dt. Prof. zum Verzicht auf atomare Bewaffnung. Der Bundestag beschließt die Ausrüstung der Bundeswehr mit modernsten Waffen, fordert aber gleichzeitig allg. Abrüstung. – Seit
1958 Prozesse gegen antisemit. Ausschreitungen und KZ-Verbrechen. Rücktritt der Min. OBERLÄNDER (1960) und KRÜGER (1964) wegen ihrer ehem. NS-Tätigkeit.
1959 Bundespräs. Heinrich Lübke/CDU.
1962 Reg.-Krise wegen der Spiegel-Affäre (Verhaftung von Journalisten unter dem Verdacht des Landesverrats): Rücktritt der FDP-Min. und des Vert.-Min. STRAUSS.
1963 1. Kabinett Erhard (CDU/CSU, FDP).
1964 Die Bundeswehr erreicht die NATO-Sollstärke von 12 Div. Der Wehrbeauftragte des Bundestags, HEYE (CDU), kritisiert die innere Verfassung der Truppe.
1965 Notstandsdebatten; Verlängerung der Verjährungsfrist für NS-Verbrechen. – 2. Kabinett ERHARD (CDU/CSU, FDP).
Außenpolitik: Zur Wiedergutmachung von NS-Verbrechen
1953 Vertrag mit Israel, ab 1959 auch mit europ. Staaten.
1955 Staatsbesuch ADENAUERS in Moskau: Freilassung dt. Kriegsgefangener, Aufnahme diplomat. Beziehungen. – **Hallstein-Doktrin** (Abbruch der Beziehungen zu Staaten, die die DDR anerkennen: 1957 Jugoslawien). – (Deutschlandfrage S. 497).
1958 Handelsvertrag mit der UdSSR.
1963 Deutsch-franz. Freundschaftsvertrag. – Handelsabkommen mit Ostblockländern.
1965 Nahostkrise (geheime Waffenlieferungen an Israel). Aufnahme diplomat. Beziehungen zu Israel (S. 535). – Abkühlung der deutsch-franz. Beziehungen durch EWG- und NATO-Krise (S. 523).

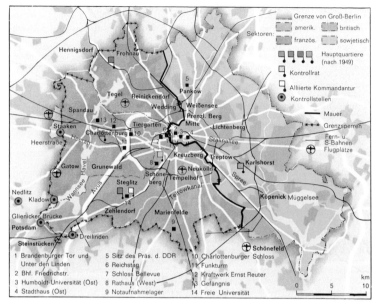

Sektoren: amerik.   britisch   französ.   sowjetisch

Grenze von Groß-Berlin

Hauptquartiere (nach 1949)

Kontrollrat

Alliierte Kommandantur

Kontrollstellen

Mauer

Grenzsperren

Fern- u. S-Bahnen

Flugplätze

1 Brandenburger Tor und Unter den Linden
2 Bhf. Friedrichstr.
3 Humboldt-Universität (Ost)
4 Stadthaus (Ost)
5 Sitz des Präs. d. DDR
6 Reichstag
7 Schloss Bellevue
8 Rathaus (West)
9 Notaufnahmelager
10 Charlottenburger Schloss
11 Funkturm
12 Kraftwerk Ernst Reuter
13 Gefängnis
14 Freie Universität

Berlin nach 1945

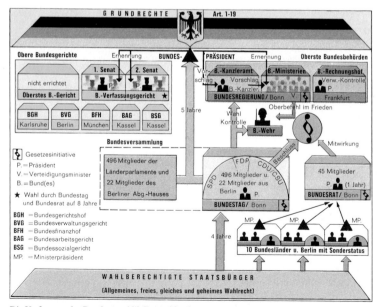

GRUNDRECHTE   Art. 1–19

Obere Bundesgerichte   Ernennung   BUNDES-

PRÄSIDENT   Ernennung   Oberste Bundesbehörden

1. Senat   2. Senat

Vor-schlag   B.-Kanzleramt   B.-Ministerien   B.-Rechnungshof

nicht errichtet   Vorschlag   Verw.-Kontrolle

Oberstes B.-Gericht   B.-Verfassungsgericht ★   B.-Kanzler   P.

BUNDESREGIERUNG / Bonn   V   Frankfurt

BGH	BVG	BFH	BAG	BSG
Karlsruhe	Berlin	München	Kassel	Kassel

Oberbefehl im Frieden

5 Jahre   Wahl Kontrolle   B.-Wehr   Mitwirkung

Bundesversammlung

✋ Gesetzesinitiative
P. = Präsident
V. = Verteidigungsminister
B. = Bund(es)
★ Wahl durch Bundestag und Bundesrat auf 8 Jahre

BGH = Bundesgerichtshof
BVG = Bundesverwaltungsgericht
BFH = Bundesfinanzhof
BAG = Bundesarbeitsgericht
BSG = Bundessozialgericht
MP. = Ministerpräsident

496 Mitglieder der Länderparlamente und 22 Mitglieder des Berliner Abg.-Hauses

Beschluss

45 Mitglieder

P. (1 Jahr)

FDP   CDU/CSU

SPD   496 Mitglieder u. 22 Mitglieder aus Berlin   P.

BUNDESTAG / Bonn   BUNDESRAT / Bonn

4 Jahre   MP.   MP.   MP.

10 Bundesländer u. Berlin mit Sonderstatus

WAHLBERECHTIGTE STAATSBÜRGER
(Allgemeines, freies, gleiches und geheimes Wahlrecht)

Die Verfassung der Bundesrepublik Deutschland

Berlin (1945–65)
Nach der Kapitulation (S. 493) ist Berlin ein Trümmerfeld: 2,8 Mill. Einw. gegenüber 4,3 Mill. 1939; 600 000 zerstörte Wohnungen; Ausfall der Wasser-, Gas- und Stromversorgung, der Industrie zu 75%. Der sowjet. Stadtkommandant Gen.-Oberst BERSARIN ernennt den ersten Magistrat (Oberbürgermeister WERNER); Einsatz in Moskau geschulter Kader (Gruppe ULBRICHT); Bildung antifaschist. Parteien (Juni): KPD, SPD, CDU, LDPD; die Gewerkschaft (FDGB) gerät unter komm. Einfluss (1948 Abspaltung der Unabh. Gewerkschaft UGO).
Auf Grund des »Vier-Mächte-Status«
1945 Einzug amerikan., brit. und franz. Truppen (Juli); Verw. der **vier Sektoren** durch die **Alliierte Kommandantur.**
1946 Zulassung der SED in ganz Berlin. Die einzige freie Bezirks- und Magistratswahl findet im Okt. statt: SPD 48, CDU 22, SED 20%. Oberbürgermeister OSTROWSKI/SPD wird im Mai 1947 von LOUISE SCHROEDER/SPD (1887–1957) abgelöst. – Sowjet. Nervenkrieg: Kontrollen, Beschränkungen des Post- und Warenverkehrs; Lähmung des Kontrollrats (S. 527) und der Kommandantur.

1. Berlinkrise (sowjet. Reaktion auf die Währungsreform) durch die
1948/49 Blockade Berlins: Verkehrssperre und Einstellung aller Lieferungen aus der SBZ (Lebensmittel, Kohle) nach Westberlin. US-Milit.-Gouv. Gen. **Lucius D. Clay** (1897–1978) veranlasst den Ausbau der »Luftbrücke« (bis zu 927 Flüge mit 6393 t Güter tägl.). In Solidarität zu ihren Besatzungstruppen halten die Westberliner unter Opfern durch. Komm. Druck erzwingt die Verlegung des Stadtparlaments nach Westberlin (Sept.). Die Bildung eines Ost-Magistrats unter Oberbürgermeister **Friedrich Ebert**/SED (1894–1979) führt zur
1948 Spaltung Berlins (Nov.) – Gründung der Freien Universität (FU). Neuwahl des Westberliner Magistrats; unter **Ernst Reuter**/SPD (1889–1953) wird Oberbürgermeister. Er gewinnt die Hilfe der freien Welt für die »Frontstadt des Kalten Krieges«.
1949 Aufhebung der Blockade (Mai). Versorgungs- und Verkehrsnetz bleiben zerrissen (bis auf S- und U-Bahn). – **Ostberlin wird Hauptstadt der DDR** (Okt.).
Aufbau Westberlins: In das ERP-Programm (S. 523) einbezogen, erhält es ab
1950 Finanzhilfe von der BR Deutschland (Notopfer-Berlin). – **Verfassung von Berlin** (faktisch nur für Westberlin, Okt.): Bundesland mit eigenem Status (unter Vier-Mächte-Reg.), Senat (Regierender Bürgermeister REUTER) und Abgeordnetenhaus.
17. Juni 1953 Ostberliner Aufstand gegen das SED-Regime (S. 533).
1954 Berliner AMin.-Konferenz (S. 497). – Der Londoner Garantieerklärung der West-

mächte für Westberlin schließt sich die NATO an.
1955 Große Koalition (SPD/CDU) unter dem Regierenden Bürgermeister OTTO SUHR/SPD (1894–1957), seit 1957 **Willy Brandt**/SPD (1913–92).

2. Berlinkrise, ausgelöst durch das
1958 Chruschtschow-Ultimatum (Nov., S. 497): Abzug aller Truppen, binnen 6 Monaten Bildung einer »Freien Stadt West-Berlin«, andernfalls Übergabe der Zufahrtskontrollen an die DDR. Angesichts der festen westl. und West-Berliner Haltung lenkt Moskau ein.

DDR-Chef ULBRICHT provoziert die
3. Berlinkrise zur Unterbindung der »Republikflucht«.
13. Aug. 1961 Errichtung der Berliner Mauer »zur Verhinderung eines milit. Überfalls«. Verbot des Ostsektors für Westberliner, Zwangsräumung der Grenzzone, Schießbefehl. Seither ständige Zwischenfälle an der Mauer. – Die Freiheit Westberlins wird durch die USA (Vizepräs. JOHNSON, Sonderbotschafter CLAY) garantiert.
1962 Auflösung der sowjet. Kommandantur in Ostberlin.
1963 Staatsbesuch des US-Präs. Kennedy (Juni). – Behinderung brit. und amerikan. Milit.-Konvois auf der Autobahn durch sowjet. Truppen. – Nach langwierigen Verhandlungen **1. Passierscheinabkommen:** Westberliner (über 1 Mill.) können zum Jahresende ihre Verwandten in Ostberlin besuchen. Neue Vereinbarungen Sept. 1964 und Nov. 1965.
1965 Störmanöver der UdSSR und DDR während der Sitzungen des Bundestages in Westberlin.

Die Verfassung der BR Deutschland
Das **Bonner Grundgesetz** (GG, S. 527) gilt als **Provisorium** bis zur Verkündung einer gesamtdt. Verfassung (Art. 146); demokrat. Rechts- und Parteienstaat mit Grundrechten, Gewaltenteilung und repräsentativer Volksvertretung **(Bundestag),** erst seit 1968 mit **Notstandsrecht.** Unterschiede zur Weimarer Verf. (S. 427):
1. gemischtes (Persönlichkeits- und Verhältnis-) Wahlrecht, kein Plebiszit, indirekte Wahl des Bundespräs. (repräsentative Aufgaben).
2. Vertretungen im Bundestag erhalten nur Parteien, die über 5% der Stimmen gewinnen (5%-Klausel).
3. **Bundeskanzler** (BK.) mit starker Stellung durch eingeschränkte parlament. Kontrolle der Reg. (»konstruktives Misstrauen« nur wirksam, wenn der Bundestag mit Mehrheit einen neuen BK. präsentiert);
4. **Bundesverfassungsgericht** mit Entscheidung oder Gutachten (auf Antrag) über Verf.-Beschwerden (Normenkontrolle), Verf.-Widrigkeit von Parteien bzw. Verbänden.

Die Staatsstruktur der Deutschen Demokratischen Republik

Die sowjetische Besatzungszone (DDR) seit 1952

Deutsche Demokrat. Republik (DDR)
Okt. 1949 **Proklamation der DDR** durch den
Volksrat (S. 527). **Wilhelm Pieck** (1876–
1960) wird **Staatspräs., Otto Grotewohl**
(1894–1964) MP. Die sowjet. Milit.-Reg.
überträgt der neuen Reg. Verw.-Aufgaben.
Verfassung dem Wortlaut nach demokrat., mit
Grundrechten auch auf Arbeit, Erholung,
Fürsorge; Verpflichtung zum Dienst an den
sozialist. Errungenschaften (Volkseigentum,
Wirtschaftslenkung), Verbot der **Boykotthet-**
ze (Art. 6). – Verf.-Gericht, unabh. Richter-
stand, Kontrolle durch Opposition fehlen in
der
Volksrepublik nach sowjet. Muster: Aufbau
von Partei (SED), Verw. und Staat nach dem
Prinzip des demokrat. Zentralismus. Den
Staatspräs. ersetzt seit 1960 der
Staatsrat, der Gesetze erlassen kann auch ohne
Zustimmung der **Volkskammer** (gewählt
nach Einheitsliste).
SED-Organe (ZK, Politbüro und Sekretariat)
mit absolutem Kontroll- und Weisungsrecht.
– Stärkste Machtkonzentration in der Person
Walter Ulbrichts (1893–1973), Mitbegrün-
der der KPD, 1938–45 in der UdSSR, Vertreter eines kompromisslosen »Moskauer
Kurses«.
Innenpolitik: Umbildung des Volkskongresses
zur **Nat.-Front** (NF), gelenkt von SED-Funk-
tionären, organisiert in Haus-, Wohn-, Be-
triebsgemeinschaften. – Aufgaben: Aufstellung von Kandidaten für Richter-, Schöffen-
und Volkskammerwahlen (seit 1950); polit.
Aufklärung, »Kampf für Frieden und deutsche Einheit«, Infiltration von KP-Agenten
und Propagandamaterial in die BR Dtl. –
NF-Beschlüsse sind als »genereller Volkswille« bindend für alle »Blockparteien« und
Massenorganisationen: Gewerkschaft
(FDGB), Jugend- (FDJ), Frauen- (DFB),
Kultur-Bund (DK) u. a.
1950 Ministerium für Staatssicherheit (polit.
Geheimpolizei SSD) unter Zaisser (bis
1953 Wollenweber, seit 1957 Gen. Miel-
ke). – Aufstellung der **Volkspolizei** (DVP),
1952 der Kasernierten Volkspolizei (KVP)
und halbmilit. Verbände: Kampfgruppen der
SED, Gesellschaft für Sport und Technik
(GST). Die
1952 II. SED-Parteikonferenz beschließt den
»Aufbau des Sozialismus«; Umbildung der
5 Länder in 14 Verw.-Bez.; Errichtung von
Sperren an der Zonengrenze, ständig verstärkt durch Minenfelder, Wachtürme,
Drahthindernisse. – Nach
1953 Stalins Tod Verkündung des »Neuen
Kurses« zur Verbesserung der Lebensbedin-
gungen. Protestaktionen in Ostberlin
(S. 531) weiten sich aus zum
17. Juni 1953 Volksaufstand: Demonstrationen,
Befreiung polit. Häftlinge. Sowjet. Truppen
schlagen die Erhebung nieder. Massenverhaftungen, Standgerichte, Erschießungen,
Fluchtbewegung in die BR Dtl.

1954 Anerkennung der Souveränität durch die
UdSSR. Aufstellung der Bereitschaftspolizei
(»innere Truppe«) und der
1956 Nat. Volksarmee (NVA) im Rahmen des
Warschauer Paktes (S. 523).
1957 Passgesetz mit Strafen für Mithilfe zur
»Republikflucht« (Ausreise ohne Genehmi-
gung). Angriffe gegen die Evang. Kirche
(Junge Gemeinde), Propagierung der atheist.
»Jugendweihe«.
Zur Unterbindung der Flucht in die BR
Deutschland (seit 1949: 2,7 Mill. = 15% der
Bevölkerung, darunter viele Fachkräfte)
Aug. 1961 **Errichtung der Mauer in Berlin**
(S. 531), verstärkte Sicherung der Zonengrenze (Schießbefehl).
1962 Einführung der allg. Wehrpflicht.
1964 Erlaubnis von Rentner-Besuchen in die
BR Deutschland; Amnestie für »Republik-
flüchtige«. – **Willi Stoph** (1914–99) wird
MP.
Wirtschaft: Ausbau der Schwerindustrie,
1951 1. Fünfjahresplan (Kombinate); seit
1952 Kollektivierung nach sowjet. Vorbild
durch Landwirtschaftl. Produktions-Genossenschaften (LPG). – Im Zeichen des »Neu-
en Kurses«
1953 Umwandlung der SAG (S. 527) in Volks-
eigene Betriebe (VEB); sowjet. Verzicht auf
Reparationen; Senkung der Arbeitsnormen,
Aufhebung der Bewirtschaftung von Texti-
lien und Schuhen. Trotzdem Mangel an Devisen und Konsumgütern.
1957 (Papier-)Geld-Umtausch (2. Währungsreform). – Der
1958 V. SED-Parteitag verkündet den Übergang zur »Vollendung des Sozialismus« und
beschließt, den Lebensstandard der BR
Deutschland bis 1961 zu überholen. Aufhebung der Lebensmittelrationierung; Auflösung der Produktions-Ministerien.
1959 Siebenjahresplan mit
1960 Zwangskollektivierung.
1963 VI. SED-Parteitag: Verkündung des
»Neuen ökonom. Systems« (NöS). Gewinn-
anreize bewirken einen Anstieg der Produktion und des Sozialprodukts.
Außenpolitik (Abhängigkeit von der UdSSR,
vor allem in der Deutschlandfrage, S. 497):
Integration in den Ostblock (S. 523).
1950 Görlitzer Vertrag mit Polen: Anerkennung
der Oder-Neiße-»Friedensgrenze«.
1955 Moskauer Vertrag: Auflösung der sowjet.
Hohen Kommission.
1957 Aufnahme diplomat. Beziehungen mit Jugoslawien. Ständige Bemühungen um internat. Anerkennung außerhalb des Ostblocks;
Erfolge bei der Errichtung von Handelsver-
tretungen.
1959 Staatsbesuch Chruschtschows.
1963 Ablehnung der polit. Kurses der KPCh.
1964 Freundschaftsvertrag mit der UdSSR:
Westberlin wird als selbstst. polit. Einheit
betrachtet (Drei-Staaten-Theorie).
1965 Staatsbesuch Ulbrichts in Ägypten.

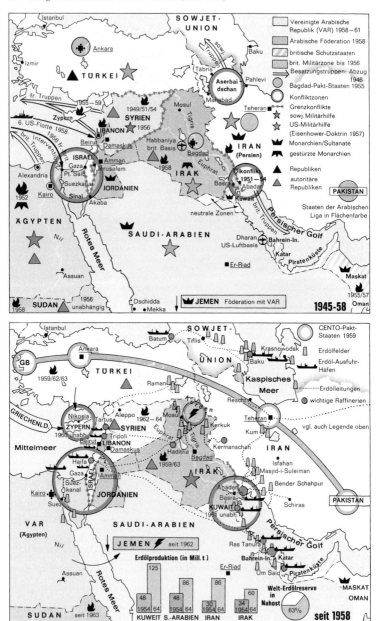

Der Nahe Osten nach dem Zweiten Weltkrieg

Der Krisenraum Nahost (1945–65)
Noch vor Abzug brit. und franz. Besatzungstruppen bzw. brit. Aufgabe Palästinas (S. 537) verbinden sich die Nahost-Staaten zur **Arabischen Liga** (S. 517), geeint durch gleiche Religion, Sprache, Traditionen (islam.-arab. Weltreich, S. 134 f.) und antijüd. Emotionen. **Panarab. Bewegung** und Unionspläne verdecken weder Führungsrivalitäten noch Spannungen zwischen alter Oberschicht (monarchist. Feudaladel) und neuen Führungsgruppen (republ. Intelligenz [Offiziere]), reichen Ölstaaten (Kuwait, Saudi-Arabien) und armen Wüstenländern (Ägypten, Syrien, Jordanien), konserv. Richtungen (Moslem-Bruderschaft) und soz.-rev. Bewegungen (Baath-Partei). Die **Labilität** wird verstärkt durch

1. **westl. Ölinteressen;**
2. **polit.-ideolog.** Ringen von West (USA) und Ost (UdSSR) um Einfluss und Machtausweitung;
3. **latenten Kriegszustand mit Israel** seit dem arab. Misserfolg von 1948/49 (S. 537).

Ägypten: Getragen von den städt. Massen, schürt die Wafd-Partei (S. 457) Unruhen zur brit. Räumung der Kanalzone (1954 vertragl. vereinbart).
1952 Milit.-Revolte gegen korrupte Monarchie und Wafd-Reg.: Kg. FARUK I. (1920–65) dankt ab. – Proklamation der
1953 Republik unter Gen. NAGIB, den der Rev.-Rat absetzt. Gleichschaltung der Parteien (Moslem-Bruderschaft) in der Nat. Union. Die Macht übernimmt
1954 MP. Oberst Gamal Abd el Nasser (1919–70 [seit 1956 Präs.]): Reformen zur Überwindung des Massenelends (arab. Sozialismus). Panarab. Politik gegen Israel u. a. mit Syrien und Saudi-Arabien;
1955 Waffenkäufe in der ČSSR. – Westl. Misstrauen führt zur
1956 Suezkrise: Die USA (AMin. DULLES) lehnen eine Finanzhilfe für den Bau des **Assuan-Staudammes** ab; deshalb zur Eigenfinanzierung des Groß-Projektes
Juli 1956 Nationalisierung des Suezkanals gegen Entschädigung der (meist brit. und franz.) Aktionäre und Garantie freier Schifffahrt. – Auf drei ergebnislosen Konferenzen der Suezkanal-Benutzer in London billigen Indien und die UdSSR den ägypt. Schritt.
Israel. Angriff (Okt., S. 537); brit.-franz. Militäraktion zum Schutz des Kanals, verurteilt von den USA und der UN (Nov.). Abzug der Truppen unter massiver sowjet. Drohung; UN-Truppen besetzen die Kanalzone.
Folgen: westl. Niederlage; **die UdSSR schaltet sich in die Nahostpolitik ein:** Milit.- und Wirtschaftshilfe für Ägypten (Assuan-Staudamm) und Syrien.
1957 Eisenhower-Doktrin: Hilfeangebot der USA gegen komm. Aggressionen. – NASSERS arab. Führungsrolle festigt sich:
1958 Vereinigte Arab. Republik (VAR) mit Syrien (Präs. KUWATLI) und föderativer An-

schluss des **Jemen.** – Ägypt. Ansprüche an den **Sudan,** dessen Nord-Süd-Spannungen (Araber/Schwarze) eine
1958 Milit.-Regierung abfängt.
1958 Libanon-Krise: Panarab. Aufstände gefährden die »arab. Schweiz«. Vom christl. Präs. CHAMUN [1952–58] erbeten, landen unter sowjet. Protest amerikan. Truppen. Sie räumen Beirut nach legaler Wahl des christlichen Präs. Gen. FUAD CHEBAB [bis 1964], der die Parität zwischen Christen und Muslimen wiederherstellt.
Irak: Sturz der prowestl. Monarchie durch
1958 Milit.-Putsch: Ermordung FEISALS II. – Zerfall der Arab. Union mit Jordanien; Kündigung des Bagdad-Paktes (S. 517). MP. Gen. **Kassem** schlägt Gegenrevolten (Oberst AREF) nieder, nimmt Sowjethilfe an und beansprucht den Ölstaat
1961 Kuwait (brit. Schutz und Garantie der Arab. Liga).
1962–64 Kurden-Aufstand: MUSTAFA BARZANI fordert Autonomie.
1963 Milit.-Revolte (Armee und Baath-Partei): KASSEM wird liquidiert; die Unruhen halten an. Anschlusstendenz der
1964 Demokrat.-sozialist. Rep. an die VAR.
Jordanien: Auf Druck arab. Kreise entlässt Kg. **Hussein I.** [1952–99] den brit. OB der Arab. Legion, Gen. GLUBB PASCHA (S. 446), kündigt den brit. Hilfsvertrag von 1946, erbittet aber im panarab.
1958 Umsturzversuch brit. Truppenhilfe.
Syrien: Seit 1944 in ständigen Wirren und Grenzkonflikten mit allen Nachbarn.
1961 Milit.-Revolte zur Lösung aus der VAR (ägypt. Bevormundung); Baath-Partei und Nasser-Anhänger gewinnen vorübergehend durch einen
1963 Staatsstreich wieder die Oberhand.
VAR-Ägypten: Präs. NASSER hält neutralen Kurs zwischen Ost und West (vgl. S. 509); er unterstützt die Rev.-Reg. ABDULLAH AS SALLALS im
1962–65 Bürgerkrieg im Jemen mit Waffen und Truppen, doch behaupten sich die Imam-Anhänger. Sie erhalten Hilfe von
Saudi-Arabien, das die Könige SAUD [1953–64] und FEISAL [1964–75] autokratisch regieren. Seit 1957 Abkühlung der Beziehungen zu NASSER und Zusammenarbeit mit den USA (Stützpunkte), bedingt durch die vorwiegend amerikan. Ölförderung.
Trotz ihrer Rückschläge bleibt die **panarab. Politik** NASSERS zugkräftig, solange sie sich gegen Israel richtet, wie z. B. die
1963 VAR-Föderationspläne mit Syrien und dem Irak; Drohungen gegen die israel. Jordan-Wasser-Umleitung (S. 537).
1965 Einladung an DDR-Chef ULBRICHT aus Protest gegen die Israel-Hilfe der BR Dtl.
Nach Aufnahme diplomat. Beziehungen der BR Dtl. mit Israel reagieren auf ägypt. Betreiben 10 arab. Staaten mit Abbruch der Beziehungen.

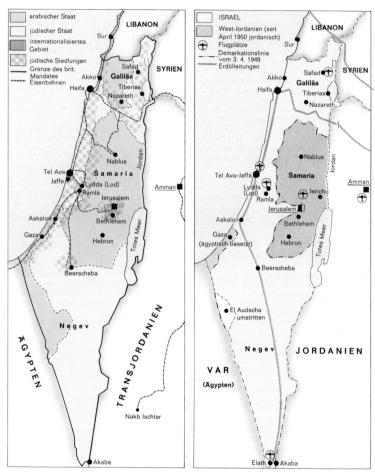

Teilungsplan der Vereinten Nationen 1947

Israel seit 1949

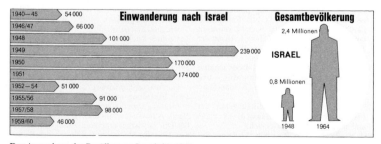

Das Anwachsen der Bevölkerung Israels bis 1964

Das Palästina-Problem (1933–48)
Organisiert von der **Jewish Agency** (inoffizielle Reg.), der **Histadrut** (Einheitsgewerkschaft mit eigenen Betrieben, Siedlungen, Schulen) und dem **Nationalfonds** (zur Landerwerbung), verstärkt sich die jüd. Einwanderung seit 1933. 1939 sind ein Drittel der Bev. und 12% des Bodens in Palästina jüdisch. – Der Widerstand der wirtschaftl. rückständigen, polit. in Anhänger des Großmufti Huseini von Jerusalem (1895–1974) und des Königs Abd-Allah von Jordanien (S. 446) gespaltenen Araber verschärft sich.
1936–39 Bürgerkrieg: Die brit. Mandatsverwaltung unterstützt abwechselnd arab. Partisanen und jüd. **Haganah** (militärischer Selbstschutz).
Beide Parteien lehnen Kompromissvorschläge wie den
1937 Peel-Teilungsplan ab. Die brit. Reg. gibt in der
1939 White-Paper-Politik arab. Druck nach (»Neues München«): Beschränkung jüd. Einwanderung und Landkäufe zur Erhaltung einer arab. Mehrheit, bekämpft von jüdischen Terroristen (Irgun Zwai Leumi). – Zwischen indirektem brit. und direktem deutschen Antisemitismus stehend, stellt sich die Jewish Agency im Zweiten Weltkrieg auf die Seite der Alliierten und baut Palästina zum alliierten Versorgungszentrum aus, während die Araber (Großmufti von Jerusalem) den Achsenmächten zuneigen.
1942 jüd. Freiwilligenbrigade als Teil der brit. Armee. – Nach Kriegsende trotzdem Fortsetzung der brit. White-Paper-Politik: Blockade illegaler jüd. Einwandererschiffe (»Exodus«-Tragödie); Terror und Gegenterror wechseln ab.
Eine brit.-amerikan.
1946 Kommission drängt auf Öffnung der Grenzen für 100 000 jüd. Einwanderer. AMin. Bevin findet keine Lösung auf der Palästina-Konferenz von London (unter Beteiligung der zum Krieg entschlossenen Arab. Liga, S. 517). Der
1947 UNSCOP-Sonderausschuss empfiehlt Teilung Palästinas, gebilligt von der UN-Vollversammlung und der Jewish Agency, abgelehnt von den Arabern. Ihre »Befreiungs-Armee« besetzt Galiläa und greift die jüd. Altstadt von Jerusalem an.
1948 Aufgabe der brit. Mandats (Mai). Abzug der brit. Armee und Verwaltung stürzen das Land in Anarchie.

Das neue Israel (1948–65)
14. Mai 1948 Proklamation des Staates Israel durch den jüd. Nationalrat (Vorsitz: Ben Gurion); der Angriff der Arab. Liga – unterbrochen durch UN-Vermittlungen (Juni, Juli) – wird abgewehrt (israel. Luftüberlegenheit); Flucht arab. Bevölkerungsteile (S. 499); jüd. Terroristen ermorden den UN-Beauftragten Gf. Bernadotte.

Nach Kämpfen im Negev (Eroberung von Elath) zweiseitige
1949 Waffenstillstandsabkommen (Febr. bis Juni): Teilung Jerusalems, das westl. Jordanland fällt an Jordanien, der Gaza-Streifen an Ägypten; die Frontlinien festigen sich zur Staatsgrenze.
Aufbau des Staates: Die Wahlen zum Parlament (Knesset) erbringen eine (sozialist.) **Mapei**-Mehrheit und bestätigen
1948–63 MP. David Ben Gurion (1886–1973) [1953–55 MP. M. Scharett].
1949–52   Staatspräs.   Chaim   Weizmann (S. 341). – Zustrom und Eingliederung von Juden aus aller Welt; Ausbildung der neuhebräischen Staatssprache (Iwrith); Landesausbau durch genossenschaftl. Dörfer (Moschaw) und freiwillige Kollektive (**Kibbuzim** ohne Privatbesitz):
»Eroberung der Wüste«, Aufforstung; Be- und Entwässerung mit ausländ. Kapital- und Wirtschaftshilfe.
1952 Wiedergutmachungs-Abkommen mit der BR Dtl. (3,5 Mrd. DM). – Allg. Wehr- und Arbeitspflicht auch für Frauen.
1952 Staatspräs. Isaak Ben Zwi (1884–1963), 1963–73 Salman Schasar (1889–1974).
1954 Gründung der Hebr. Universität in Jerusalem;
1956 Tagung der Zionist. Weltkongresses (Präs. **Nahum Goldmann**, 1894–1982): Appell an den Ostblock zur Aufhebung der jüd. Auswanderungssperre.
Gegen arab. Boykott (Sperrung des Suezkanals und des Hafens von Elath), Einfälle ägypt. Sabotagetrupps (Feddayin) und sowjet. Milit.-Hilfe
1956 Angriff auf Ägypten (Okt.: Entwaffnung ägypt. Truppen, Öffnung des Hafens von Elath. (Verbindung zum Suezkanal-Konflikt, S. 535, nicht geklärt.) – Auf UN-Beschluss (S. 503)
1957 Übergabe der besetzten Gebiete (Sinai, Gaza-Streifen) an UN-Streitkräfte. – Wirtschafts- und Milit.-Hilfe der BR Dtl., versprochen von Adenauer auf dem
1960 Treffen mit Ben Gurion in New York. – Der ehem. Leiter des SS-Judenreferats im RSHA, Adolf Eichmann, wird aus Argentinien entführt und nach dem
1961 Eichmann-Prozess in Jerusalem hingerichtet (1962). Seit
1962 neue ökonom. Politik zum Ausgleich der passiven Handelsbilanz: Abbau der Schutzzölle, Abkommen mit der EWG (1964). Arab. Kriegsdrohungen u. a. wegen der **Nutzung des Jordanwassers**.
1963 MP. Levi Eschkol (1895–1969); AMin. Frau Golda Meir [1956–65].
1964 Pilgerfahrt des Papstes ins Hl. Land: **Paul VI.** begegnet Patriarch Athenagoras, dem Oberhaupt der griech.-orth. Kirche. – Die
1965 Aufnahme diplomat. Beziehungen zur BR Deutschland (S. 529) wird von Teilen der Bevölkerung abgelehnt.

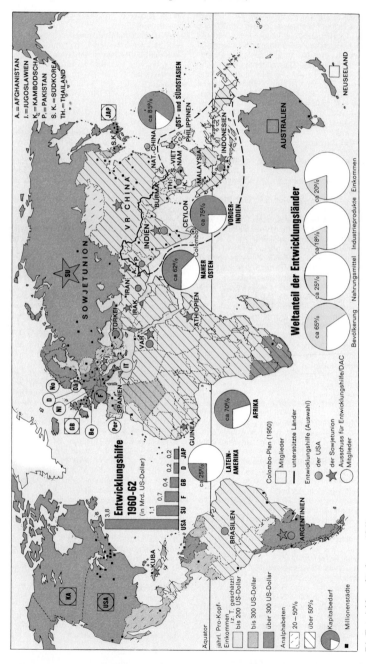

A. = AFGHANISTAN
J. = JUGOSLAWIEN
K. = KAMBODSCHA
P. = PAKISTAN
S. K. = SÜDKOREA
TH. = THAILAND

Weltanteil der Entwicklungsländer

ca 20%   Einkommen
ca 18%   Industrieprodukte
ca 25%   Nahrungsmittel
ca 65%   Bevölkerung

Entwicklungshilfe
1960–62
(in Mrd. US-Dollar)

3,8
1,1   0,7   0,4   0,2   0,2

USA   SU   F   GB   D   JAP

Colombo-Plan (1950)
● Mitglieder
─ unterstützte Länder
Entwicklungshilfe (Auswahl)
● der USA
★ der Sowjetunion
○ Ausschuss für Entwicklungshilfe/DAC
    Mitglieder

Äquator
jährl. Pro-Kopf-
Einkommen (z. T. geschätzt!)
    bis 200 US-Dollar
    bis 300 US-Dollar
    über 300 US-Dollar
Analphabeten
    20–50%
    über 50%
◕ Kapitalbedarf
■ Millionenstädte

Die Entwicklungsländer um 1960

Die Emanzipation der farbigen Völker

Äußere Emanzipation (von kol. Bevormundung) nach 1945 mit der polit. Unabhängigkeit nahezu aller Kolonialvölker durch
- Ausbreitung europ. Freiheits- und Gleichheitslehren (Menschen- und Selbstbestimmungsrechte, marxist. Klassenkampfidee);
- Wandlung der Kolonialpolitik zum »ethischen Imperialismus«: Beteiligung farbiger Eliten an Führungsaufgaben;
- Schwächung der europ. Großmächte (Weltkriege);
- die angelsächs. Idee einer demokrat. Zusammenarbeit aller Völker (Atlantik-Charta, S. 487), verwirklicht in der UN, die zum polit. Forum der jungen Staaten wird (S. 503). – Trotz ihrer polit. Unterschiede fühlen sich die farbigen Nationen im Kampf gegen den »weißen Kolonialismus« als Einheit und suchen einen eigenen, sozialist. beeinflussten »dritten Weg«.

1955 Konferenz von Bandung: 29 afro-asiat. Staaten verurteilen Kolonialismus, Rassendiskriminierung und Atomwaffen. –

1957 1. Solidaritätskonferenz von Kairo (43 Staaten, darunter die UdSSR) proklamiert friedl. Koexistenz. Beschlüsse gegen Interventions- und Rassenpolitik (Konferenz von Conakry, 1960), gegen den **Neokolonialismus** (indirekte wirtschaftl. Beherrschung) und soz. Abwertung (Konferenz von Bandung, 1961).

1961 Konferenz von Belgrad: Differenzen zwischen gemäßigten und antiwestl. Staaten.

Innere Emanzipation: Die Überwindung rückständiger Lebensformen wird zur Hauptaufgabe der jungen Staaten.

Polit.-soz. Probleme: Äußere Angleichung staatl. Institutionen an europ. Vorbilder (Verfassung, Parlamente, Verw., Armee). Hinter der Fassade wirken alte Eigenformen weiter: Geheimbünde, Sekten, Stammesverbände. **Spannungen** ergeben sich aus dem Gefälle zwischen moderner Großstadt und Dorf, aus ethnischen, relig., sprachl. Differenzen, aus dem Gegensatz zwischen gebildeter Oberschicht und der Masse von **Analphabeten.** Sie äußern sich in **polit. Labilität:** Revolutionen, Rechtsunsicherheit, Rassendiskriminierung (vgl. S. 501), Religionshass (Hindu – Muslime), Interventionen (China in Tibet), Kriegen (Indien, Pakistan). – **Klammern** sind nationalist. Stolz, Parteien, Gewerkschaften und Armee als Träger des in den (oft zufälligen) kol. Grenzen entstandenen **Nationalstaates** (vgl. S. 544). Er tendiert zu **autoritären Staatsformen** (Milit.-Diktatur, »gelenkte Demokratie«) unter traditioneller Führung (Äthiopien, Arabien), **westl. gebildeten Politikern,** Offizieren, nationalist. **Volksführern,** geschulten **Kommunisten.** – Daneben zeigen sich übernat. Föderationsansätze.

Wirtschaftl.-soz. Probleme: Typ. Merkmale der überwiegend agrar. »**Entwicklungsländer**«:
- feudalähnl. **Sozialordnungen** mit reicher Oberschicht und verarmten Landarbeitern,

deren soz. Schutz die Großfamilie ist. Ihre Auflösung führt zu polit. Radikalisierung in städt. Elendsvierteln;
- **techn.-industrielle Rückständigkeit** (hoher Arbeitsaufwand, geringer Erfolg). Gewinne fließen ausländ. Konzernen zu oder einer Oberschicht zu, die ihren Reichtum (Land, Edelmetalle) hortet, sich gegen Soz.- und **Bodenreformen** wehrt und oft revolutionär entmachtet wird;
- **Bevölkerungsexplosion, Armut, Hunger, Krankheiten** (jährl. 40 Mill. Hungertote). Wirtschaftl. Erfolge stoppen die Verelendung nicht, Eigenkapital kann nicht gebildet werden;
- **Wirtschafts- und Arbeitsgesinnung:** ökonom. Erfolgs- und Prestigedenken ist fremd; materielle Bedürfnisse, Sparsamkeit und Arbeitsdisziplin fehlen.

Entwicklungshilfe: Die soz. Frage (S. 345), bisher auf die Industrieländer beschränkt, ist zu einem weltpolit. Problem zwischen reichen und armen Nationen geworden. Überlagert vom Ost-West-Konflikt, bedroht es allg. Sicherheit und Weltfrieden. – Die »Hilfe zur Selbsthilfe« umfasst:

1. **Kapitalhilfe** durch Schenkungen, verlorene Zuschüsse (etwa bei Katastrophen), steuerbegünstigte Privatinvestitionen, langfristige Kredite, gewöhnlich über Weltbank 1945 u. a. UN-Organisationen abgewickelt (S. 500); **Colombo-Plan** im Rahmen des Commonwealth 1950 (erweitert 1955); Internat. Finanzkorporation (IFC) 1956; EWG und OECD (S. 523).

2. **Personelle Hilfe:** Beratung durch Experten; Ausbildung von Studenten, Praktikanten, Lehrern; Stipendien u. a. m.

3. **Techn. Hilfe** zur Entwicklung von Industrie, Verkehr, Schulen usw.

4. **Preisgarantien** durch langfristige Handelsverträge.

Zunächst auf Militärhilfe (Stützpunkte) bedacht, geben die USA den Anstoß zur Wirtschaftshilfe durch das

1949 Punkt-Vier-Programm (Präs. Truman). – Erst unter Chruschtschow forciert die UdSSR ihre Hilfe. Seit

1955 sowjet. »Besuchsdiplomatie« im Zeichen friedl. Koexistenz mit polit. gezielten Aktionen, bilateralen Abkommen, personeller und techn. Hilfe. Dagegen wirkt sich die ungleich größere westl. Kapitalhilfe aus Mangel an Koordinierung (Gießkannenprinzip), Fehlinvestitionen durch Unkenntnis der Probleme und Vorurteilen gegenüber Nicht-Weißen weniger positiv aus, zumal der komm. Weg einer totalen Wirtschaftsplanung und -lenkung schnellere Erfolge verspricht. Seit

1960/61 Einschaltung der VR China mit zinslosen Krediten trotz eigener Schwierigkeiten. Unter Präs. Kennedy (S. 520) neue westl. Ansätze.

1961 USA-Friedenskorps zum Einsatz ausgebildeter Entwicklungshelfer.

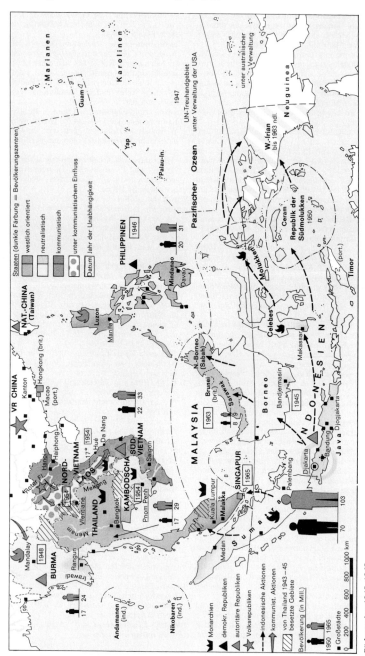

Südostasien 1945–1965

Das Ende des Kolonialismus
Die Japaner werden oft als Befreier begrüßt, fördern während ihrer Besetzung nationalist. Bewegungen und gewähren lokale Autonomie. Ihr Abzug leitet rev. Veränderungen ein. Westl. erzogene Eliten entwerfen Befreiungsprogramme (Mischung von demokrat. und sozialist. Ideen). Sie führen den Kampf der Massen gegen kol. Feudalismus und stehen nach erreichter Selbstständigkeit vor schweren polit. und wirtschaftl. Problemen, oft in Abwehr gegen komm. Subversion. Aufstieg und Leistungen Chinas wirken als Vorbild.

Indonesien
Guerilla-Krieg gegen ndl. Truppen unter Gen.-Gouv. van Mook [1942–48]. **Achmed Sukarno** (1901–70) verkündet die **»Fünf Grundsätze«** des nat. Kampfes: Gottglaube, Humanitarismus, Nationalismus, Demokratie, soz. Gerechtigkeit.
1945 Proklamation der Indon. Republik durch Sukarno und **Mohammed Hatta** (1902–1980). – Unter ndl. Protektorat im
1946 Vertrag von Linggadjati Bildung einer Union mit der Rep. Ost-Indonesien. – Auf Druck der UN (S. 503) werden
1947/48 ndl. Polizeiaktionen in Java eingestellt und Verhandlungen aufgenommen.
1949 Round-Table-Konferenz in Haag: Gründung der Vereinigten Staaten von Indonesien im Rahmen der Ndl. Union unter Präs. Sukarno (1963 auf Lebenszeit gewählt) und MP. Hatta. Abspaltung der
1950–52 Rep. der Südmolukken.
1954 Auflösung der Ndl. Union (endgültig 1956). Autonomiebestrebungen in den Außen-Prov. des kult. und relig. differenzierten islam. Reiches der 13 600 Inseln.
1957/58 Rebellionen (u. a. in Sumatra) gegen die zentralist. Reg. und »gelenkte Demokratie« Sukarnos, seit
1959 Diktatur mit Hilfe der Armee und unter Ausnutzung ihrer Spannungen zur chin. orientierten KP (geführt von Aidit).
1961/62 Konflikt mit den Niederlanden um West-Irian, das durch UN-Vermittlung 1963 unter indon. Verw. kommt, durch Volksentscheid 1969 an Indonesien.
1964 Kriegsdrohung zur Vernichtung Malaysias; Partisanenaktionen in Malakka und Nord-Borneo.
1965 Austritt aus der UN; Militärputsch zur Entmachtung Sukarnos und Zerschlagung der KP: antikomm. Demonstrationen fordern über 87 000 Tote. – MP. wird
1966 Gen. Suharto.

Philippinen
Auf Grund amerikan. Zusagen von 1934
1946 Unabhängigkeitserklärung. – Weiterhin starker Einfluss der USA (Finanzhilfe, Milit.-Verträge 1946/51), aber korrupte Misswirtschaft autoritärer Reg. unter den
1946–53 Präs. Roxas und Quirino.

1949–52 Erhebung komm. Huks (1942 gegen die Japaner gegr. Volksarmee): Plünderungen von Städten auf Luzon. USA-Hilfe für Reformen, die
1953–57 Präs. Magsaysay einleitet und
1961–65 Präs. Macapagal weiterführt.
1965 Präs. Marcos (1917–89).

Malakka
Bevölkerungsgegensätze (Malaien 50, Chinesen 40, Inder 10%) erschweren eine Staatsbildung. 9 Sultanate und brit. Kronkolonien schließen als brit. Protektorat den
1948 Malaiischen Bund. Unter Einsatz brit. Truppen bis
1954 Kleinkrieg gegen komm. Partisanen (Chinesen). – Unter Einschluss von Nord-Borneo, Brunei und Sarawak Bildung der
1957 Föderation Malaya (MP. Tunku Abdul Rahman). Sie tritt dem Commonwealth bei, **Singapur** erhält innere Autonomie und bleibt brit. Stützpunkt.
1963 Proklamation des Bundesstaates Malaysia, belastet durch Aktionen chin. Kommunisten und indon. »Freischärler« (Nord-Borneo). Nach chin.-malaiischen Zusammenstößen
1965 Austritt Singapurs aus dem Bund.

Thailand
Rückgabe der 1943–45 besetzten Gebiete. Milit.-Reg. unterdrücken demokrat. Opposition und komm. Partisanen-Verbände. Anlehnung an die USA (Stützpunkt-Verträge).
1947 Diktatur unter Marschall Phibul Songgram (1897–1964), der von
1950 König Bhumibol Adulyadej (geb. 1927) anerkannt wird.
1957 Staatsstreich des Marschalls Sarit Thanarat (1908–63): Aufhebung der Verf., Verbot polit. Parteien, Kampf gegen komm. Verbände; Spannungen mit Kambodscha.
1959 Übergangs-Verf. mit großen Vollmachten für den Reg.-Chef Thanarat.

Burma (Birma, Myanmar)
Die brit. Reg. Attlee sagt der Freiheitsliga AFPFL (1944 im Kampf gegen die Japaner gegr.) Selbst-Reg. zu. Nationalisten ermorden Aung San und andere AFPFL-Führer.
1947 Unabhängigkeits-Abkommen von London. Die sozialist.
1948 Unions-Republik Burma unter MP. U Nu steht im
1948–54 Bürgerkrieg gegen christl. Karen, Kommunisten und nat.-chin., aus China geflohene Soldaten. – Antikomm.
1958 Milit.-Diktatur des Gen. Ne Win; nach Wahlsieg der AFPFL
1960 neues Kabinett U Nu (1907–95), Grenzvertrag mit China.
1962 Staatsstreich der Armee unter Gen. Ne Win (1911–2002), regiert als Vors. des Rev.-Rats autoritär ohne Parlament. Verstaatlichung der Banken.
1964 Verbot aller Parteien.

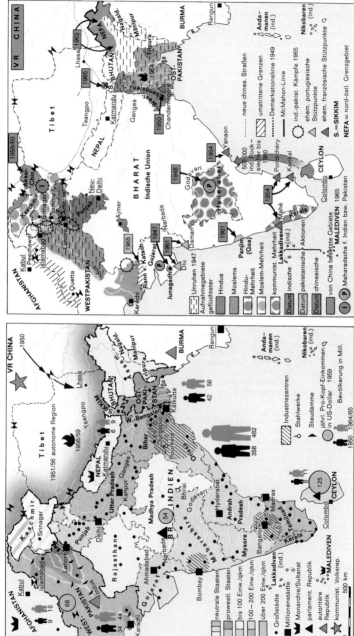

Indisch-pakistanische Teilungs- und Grenzkonflikte

Südasien 1965

Vorderindien nach der Kolonialzeit (1945–65)
Die im Krieg gemachten brit. Zusagen (S. 447)
löst die Labourreg. ATTLEE (S. 525) ein. Verfassunggebende Vers. und ind.
1946 Übergangsreg. bereiten die Unabhängigkeit vor, die im
1947 Indian Independence Act verkündet wird.
– Schwere Krisen: Hindu- und Moslem-
Massaker, Flucht und Umsiedlung relig.
Minderheiten (S. 499).
1948 Ermordung Gandhis.

Indische Union (Bharat)
1947–64 MP. und AMin. Jawaharlal Nehru
(S. 447) reorganisiert die Verw. Die Fürsten
müssen abdanken.
1948 Eingliederung der Moslem-Fsm. Juna-
gadh und **Hyderabat.**
1950 Verfassung der Ind. Unions-Republik: 27
(seit 1956 14) Bundesstaaten mit eigenen
Reg. und Parlamenten, 6 Territorien, Sikkim
als Protektorat. – Staatspräs. wird Prof. **Pra-
sad** (1884–1963), 1962–67 **Radhakrishnan**
(1888–1975).
1951/52 Wahlsieg der Kongress-Partei (75 Prozent). – Größtes Problem ist die **Übervölkerung:** staatl. Programme zur Kontrolle.
1951 1. Fünfjahresplan zur Förderung der
Landwirtschaft. Der Wanderprediger VINO-
BE BHAVE erreicht bis
1955 Bodenreformen durch freiwillige Landab-
gabe. Verstaatlichung von Banken, Versicherungen und des Flugverkehrs.
1956 2. Fünfjahresplan zur Erschließung von
Rohstoffen, Ausbau von Industrien mit Auslandshilfe (Stahlwerke Rourkela, Bhilai
u. a.), des Schul- und Bildungswesens. Trotz
aller Anstrengungen sinkt das Volkseinkommen (jährl. Bevölkerungszunahme um ca.
15 Mill.). Aufklärungsaktionen gegen relig.
Tabus (hl. Rinder), Vorurteile (Kasten), Un-
wissenheit (Geburtenkontrolle). – Relig. Unruhen (1964), Sprachkämpfe (1965), Naturkatastrophen verschärfen die Lage. Assam,
Nagaland, die Sikhs fordern Autonomie. Die
erste
1958 komm. Reg. in Kerala wird aufgelöst.
Außenpolitik: Dank NEHRUS »dynamischer
Neutralität« vermittelt die Führungsnation
der »blockfreien Staaten« in den großen
Weltkrisen.
1954 Chin. Staatsbesuch (MP. TSCHOU EN-
LAI); Verkündung der »**Fünf Prinzipien der
Koexistenz«:** Souveränität, Gleichberechtigung, friedl. Streben, Ablehnung von Ag-
gression und Intervention.
1955 Staatsbesuch NEHRUS in Moskau; auch
östl. **Wirtschaftshilfe.**
1959 Grenzkonflikte mit China, das die McMahon-Linie nicht anerkennt und nördl. Grenzgebiete besetzt (S. 513).
1961 Annexion port. Restkolonien (Goa).
1962 Chin. Offensive in der Nordost-Prov. (NE-
FA). – Das Verhältnis zu Pakistan belastet
der Streit um

Kaschmir: Hindu-Freiwillige und afghan.
Stämme greifen in die
1947 Revolte gegen das feudale Fsm. ein, nach
Massakern auch Indien und Pakistan. Ein
1948 Waffenstillstand besiegelt die **Teilung.**
Auf ind. Betreiben
1953 Verhaftung des MP. Scheich ABDULLAH,
der Autonomie für Kaschmir erstrebt.
1957 Anschluss des ind. besetzten Teils an Indien. Die chin. Besetzung des Aksai-Chin-
Plateaus verschärft den Konflikt.

Pakistan
Staatskrisen im zweigeteilten »Land der Reinen« durch Großgrundbesitzer-Cliquen, relig.
Fanatismus.
Ostpakistan wehrt sich gegen westpakist. Bevormundung (Urdu als Staatssprache). Nach
der
1954 Wahlniederlage der Moslem-Liga leitet
eine Notstands-Reg. Verf.-Reformen ein,
doch stürzt die Armee den Gen.-Gouv. GHU-
LAM MOHAMMED [seit 1951]. – **Außenpolitik:**
Anschluss an das westl. Paktsystem (S. 517).
1956 Proklamation der Islam-Republik (Vollmitglied des Commonwealth).
1958 Machtübernahme FM. Ayub Khans
(1907–74), der. Verw., Politik, Wirtschaft
und die demokrat. »Basis-Institutionen«
(Gemeinden) stabilisiert.
1960 Regelung der Nutzung des Induswassers
mit Indien und Baubeginn des Projekts zur
Bewässerung des Indusbeckens.
1963 Grenzvertrag mit China. – Spannungen
mit Indien durch den Streit um das Rann von
Katsch werden durch ein Abkommen entschärft, doch führen islam. Freischärler-Ak-
tionen in Kaschmir zum
1965 ind.-pakistan. Krieg; wird nach UN-Vermittlung und auf sowjet. Initiative auf der
1966 Konferenz von Taschkent beigelegt.

Ceylon: Die brit. Kronkolonie erhält den
1948 Dominion-Status unter MP. D. S. SENA-
NAYAKE (1884–1952).
1954 Colombo-Konferenz asiat. Staaten. Die
1956 Volksfrontreg. des MP. S. **Bandaranaike**
(1899–1959 [ermordet]) fordert Abzug der
brit. Truppen. Seine Witwe
1960–65 Sirimawo Bandaranaike führt als MP.
die Politik der Freiheitspartei weiter. Unruhen der Tamilen-Minderheit und
1962 nat. Offizierrevolte. Die USA sperren
ihre Kredite bis zur
1965 Bildung einer Koalitionsreg.

Afghanistan: Unter Kg. MOHAMMED SAHIR
(S. 447) langsame Modernisierung. Grenz-
regelungen mit der UdSSR (1946–48), nach
Spannungen auch mit Pakistan.
1955 Beistandsvertrag mit der UdSSR und
sowjet. Milit.-Hilfe. Neutralist und Block-
freiheit tragen westl. und östl. Wirtschaftshilfe ein. Starker polit. Einfluss der Geistlichen (Mullahs) und Stammesführer.

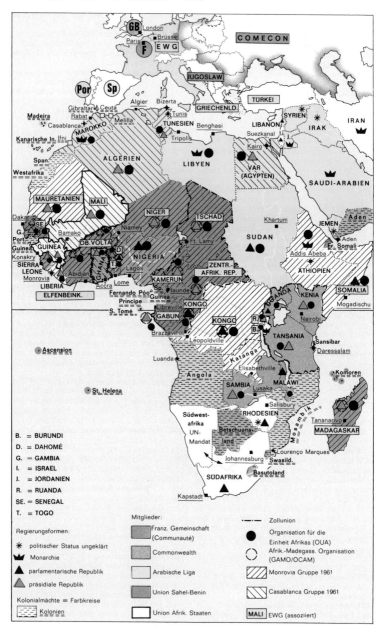

Afrika 1965

Das neue Afrika
Der Krieg hebt das afrikan. Selbstbewusstsein
(vgl. S. 539). Polit. Zusagen werden nach 1945
nur teilweise erfüllt. Die **Franz. Union (1946)**
garantiert »Gleichheit der Rechte und Pflich-
ten« in Mutterland und ehem. Kolonien
(Art. 107). Auch die brit. Reg. ATTLEE
(S. 525) leitet Verf.-Ref. ein, so dass afrikan.
Nat.-Bewegungen entstehen.
Parteien: Félix Houphouet-Boigny (1905–93)
gründet die
1946 Afrikan. Demokrat. Sammlung (RDA), in
Guinea unter **Sékou Touré** (1922–84), in
Mali unter **Modibo Keita** (1915–77); **Léo-
pold Sédar Senghor** (1906–2001) führt den
Demokrat. Block Senegals;
**1949 Convention People's Party (CPP): Kwame
Nkrumah** (1909–72);
1954 Tanganyika African National Union (TA-
NU): **Julius K. Nyerere** (1922–99).
Gewerkschaften: Die afrikan. Zweige europ.
oder internat. Verbände stützen sich auf Beamte und Angestellte.
1956 Union Afrikan. Arbeiter (UGTAN), in
Conakry von SÉKOU TOURÉ gegr. und komm.
beeinflusst, erweitert durch die
1961 Panafrikan. Gewerkschafts-Union
(USPA) von Casablanca.
Geheimbünde: Unter Anknüpfung an altafrikan.
Traditionen (Riten) suchen sie ihre Freiheits-
ziele durch Terror durchzusetzen. – In **Kenia**
1952–54 Mau-Mau-Aktionen der Kikuyu.
Föderationen: Halbautonome Übergangsfor-
men führen in die polit. Aufgaben ein.
1953 Föderationen von Brit.-Westafrika und **Ni-
gerien** (1954). Die
1953 Zentralafrikan. Föderation scheitert an
der von **Banda** (1906–97) bekämpften Be-
vorrechtung der Weißen.
1964 scheiden **Malawi** (Njassaland) unter MP.
BANDA und **Sambia** (Präs. KAUNDA, geb.
1924) aus. – Ohne Zustimmung der Reg. WIL-
SON (S. 525) erklärt MP. **Ian Smith** (geb.
1919) die
1965 Unabhängigkeit Rhodesiens. Die neue
Verf. sichert nur Weißen die polit. Macht.
Seither Verurteilung und Boykott Rhodesiens durch die UN, OUA, das Commonwealth u. a. – Mit der franz.
1958 Communauté begnügen sich Guinea u. a.
afrikan. Staaten nicht. – Die
1959 Mali-Föderation zerbricht 1960.
Neue Staaten:
1957 Ghana wird als erster schwarzafrikan.
Staat selbstst. MP. **Nkrumah** bekennt sich
zum »aktiven Neutralismus« und zur panafrikan. Politik. Diktatur und »Linksorien-
tierung« führen 1966 zu seinem Sturz.
Komm. Kontaktpflege auch in
1958 Guinea unter MP. SÉKOU TOURÉ. – Unabhängig werden im
1960 »Afrikanischen Jahr«: Kamerun, Kongo-
Brazzaville, Gabun, Tschad, die Zentralafrikan. Rep., welche in der
Union Zentralafrikan. Rep. zoll- und wirt-

schaftspolit. koordiniert sind; Togo, Elfenbeinküste, Dahomey, Obervolta, Niger gründen die
Union Sahel-Benin. – Außerdem Nigeria, Senegal, Mali, Madagaskar, Somalia, Mauretanien, Kongo-Léopoldville (S. 547).
1961 Sierra Leone und Tanganjika, das mit
Sansibar **Tansania** (1964) bildet; 1962 Uganda, Ruanda, Burundi; 1963 Kenia. 1965/66
Gambia.
Innere Emanzipationsprobleme (S. 539) bilden
in den meisten Staaten Formen einer »**Erzie-
hungsdiktatur«** aus: staatl. Lenkung. Statt einer
legalen Opposition entstehen Führer- und
Stammesrivalitäten mit Verschwörungen, Attentaten, Unruhen, Meuterein.
Panafrikan. Bewegung: während der 20er Jahre
in den USA entstanden. Nach 1945 übernehmen afrikan. Intellektuelle (AZIKIWE, KEN-
YATTA, NKRUMAH) die Führung zur polit.
Emanzipation Afrikas.
**1958 1. Konferenz unabhängiger afrikan. Staa-
ten** in Accra/Ghana (April).
**1958 All-African People's Conference/All-Afri-
kan. Völkerkonferenz in Accra** (Dez.) (1960
in Tunis, 1961 in Kairo). Rev. Parteien und
extreme Minderheiten dominieren. Seit
1961 zwei Gruppen: rev.-neutralist. **Casa-
blanca-Staaten** (7) und gemäßigte **Monrovia-
Staaten** (21). Auf Initiative von Ks. HAILE
SELASSIE I. (S. 457)
1963 Gipfel-Konferenz von Addis Abeba: Gründung der **Organisation für die Einheit Afrikas (OUA)** mit Schiedskommission für Konflikte und **Freiheitskomitee** für noch abhän-
gige Gebiete (Daressalam 1964); Boykott
der Rep. Südafrika.
1964 Konferenz der OUA in Kairo: Resolution
für die Kongo-Rebellen (S. 547). Der extreme Kurs der OUA veranlasst gemäßigte
Staaten zur Bildung der
**1965 Afrikan.-Madegass. Organisation (GA-
MO/OCAM).**
Südafrika: Nach dem Wahlsieg der »Nat.-
Front« leitet
1948 MP. Daniel F. Malan (1874–1954) zum
Schutz der 3 Mill. Weißen (gegen 11 Mill.
Bantus) die Rassentrennung ein. MP. STRIJ-
DOM [1951–58] führen
1958 MP. Hendrik F. Verwoerd (1901–66 [er-
mordet]) führen die »**Apartheid«-**Politik
konsequent geg. die »Progressive Party« und
die Bantu-Opposition weiter, die in »**African. Nat. Congress«** (ANC) zusammengefasst ist. Vors. bis zum Verbot 1960:
Albert J. Luthuli (1898–1967). Seit
1959 »Pan-African-Congress« (PAC), radikal
geführt von **Robert M. Sobukwe.** Blutige
Unruhen (Sharpeville) nach
1960 Einführung der Identitätskarte für Farbige
und Aufhebung ihrer parlament. Vertretung.
Proteste der UN, der Weltpresse.
1961 Austritt aus dem Commonwealth.
Einrichtung des
1963 Bantu-Staates **Transkei.**

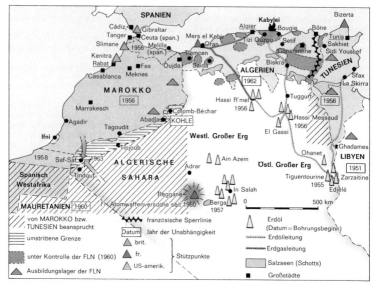

Nordwestafrika 1960

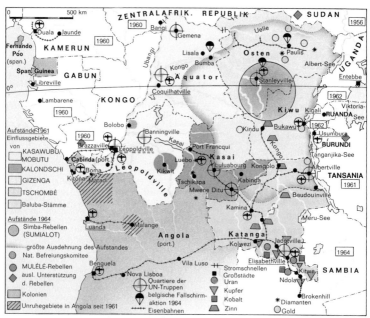

Die Kongokrise 1960–1965

Der arab. Westen (Maghreb)
Marokko: Bei der Ausbeutung der Phosphate, Mangan- und Bleierzvorkommen leisten die USA Finanzhilfe und versprechen
1927–61 Sultan BEN JUSSUF die Unabhängigkeit, die von der 1944 gegr. **Istiklal-Partei** gefordert wird. – Frankreich gewährt den USA
1951 Stützpunkte (bis 1963), spielt Berber gegen Araber aus und verbannt den Sultan nach Madagaskar (1953). Sein Nachfolger BEN ARAFA wird nicht anerkannt.
1955 Rückkehr BEN JUSSUFS. Als
1956 Mohammed V. proklamiert er die Unabhängigkeit mit franz. Zustimmung. Eingliederung von Tanger und Span.-Marokko. Spaltung der Istiklal-Partei: die »Union Nationale« (UNFP) unter **Ben Barka** lehnt die Monarchie ab und drängt auf demokrat. Ref. (Verfassung).
1960 MOHAMMED V. übernimmt die Reg. und erhebt Ansprüche auf Ifni, Span.-Westafrika und Mauretanien. Für eine Maghrebinische Föderation setzt sich
1961 HASSAN II. (1930–99) ein.
1963 Grenzkonflikt mit Algerien. – Wirtschaftskrise und persönl. Reg. des Königs nach
1965 Auflösung des Parlaments.
Tunesien: Dem Druck der **Neo-Destur-Partei,** 1934 gegr. von **Habib Bourguiba** (1903–2000), gibt die franz. Reg. nach.
1954 Autonomievertrag. Die Opposition (SALAH BEN JUSSUF, 1961 ermordet) wirft BOURGUIBA prowestl. Politik vor und wird mit Gewerkschaftshilfe ausgeschaltet.
1956 Unabhängigkeit. Die Nat.-Vers. proklamiert die (autoritäre)
1957 Rep. unter Präs. BOURGUIBA.
1961 Konflikt um franz. Stützpunkt Bizerta, Frankreich sagt Räumung zu.
1964 Enteignung ausländ. Grundbesitzes. – Außenpolit. vertritt BOURGUIBA einen gemäßigten Kurs.
Algerien: Autonomie fordert die
1946 Befreiungsbewegung MTLD (MESSALI HADJ; **Ferhat Abbas,** 1899–1985), doch sabotieren »Algerienfranzosen« das
1947 Algerienstatut (parlament. Selbstverw.) durch Wahlfälschungen. **Achmed Ben Bella** (geb. 1916), KRIM BELKASSEM (1912–70), BEN KHIDER u. a. organisieren die »**Front de Libération Nationale**« (**FLN**); sie bekämpft die alger. Nat.-Bewegung MNA und beginnt den
1954–62 Freiheitskampf. Fremdenlegion und Fallschirmjäger (Paras) beantworten Terror mit Gegenterror. – Franz. Nationalisten und Offiziere (**Ultras**) propagieren ein »Algérie française«. Ihr
1958 Putsch in Algier (Gen. SALAN, MASSU) stürzt die IV. Rep. und bringt **Charles de Gaulle** an die Macht (S. 524).
1958 alger. Exilreg. (GPRA) unter MP. **Ferhat Abbas** in Kairo. DE GAULLE gesteht den Algeriern

1959 Selbstbestimmung zu, vom franz. Volk
1961 mit 75 Prozent gebilligt. – In der GPRA setzt sich mit
1961 MP. Ben Khedda ein »harter« Kurs durch. Terror der FLN und der **Geheimarmee OAS** unter Gen. SALAN. Erste franz. Verhandlungen mit der GPRA scheitern an der **Sahara-Frage** (Nutzung des nach 1945 entdeckten Erdöls).
1962 Waffenstillstand von Evian: Garantien für »Algerienfranzosen« gegen Zusicherung der vollen Unabhängigkeit. – Nach FLN-Einheitswahlen **Proklamation der »Volksdemokrat. Algerischen Rep.«.** Präs. **Ben Bella** setzt gegen polit. Gegner und Aufstände in der Kabylei (AIT ACHMED) den sozialist. Einheitsstaat durch.
1965 Staatsstreich des Rev.-Rates unter Oberst Boumedienne (1927–78): Sturz BEN BELLAS.
Libyen: Unter UN-Treuhandschaft gestellt, erhält der Wüstenstaat unter Kg. **Mohammed Idris I. es Senussi** (1890–1983) die
1951 Unabhängigkeit.

Die Kongokrise (1960–65).
Getragen von der MNC-Partei unter Führung von **Patrice Lumumba** (1925–61 [ermordet]), greift die afrikan. Freiheitsbewegung auf belg. Kongogebiet über.
1959 Unruhen in Léopoldville. Überstürzte Aufgabe der Kolonie.
1960 Übergabe der Zentralreg. an Staatspräs. **Kasawubu** (1917–69) und MP. **Lumumba** (Juni). Meutereien kongoles. Truppen (Juli). Die Flucht belg. Offiziere, Beamter, Techniker stürzt das Land in ein Chaos. Die intakte Bergbau-Prov. **Katanga** erklärt ihre Unabhängigkeit unter MP. **Moise Tschombé** (1919–69). Gegen die Intervention eingeflogener belg. Truppen protestiert MP. LUMUMBA und erbittet UN-Hilfe (S. 503). Er wird von Oberst **Mobutu** (1930–97) entmachtet (Sept.).
1961 Ermordung LUMUMBAS auf seiner Flucht nach Stanleyville zur Gegenreg. seines Anhängers Gizenga. Vorwiegend afrikan. UN-Truppen und die neue Zentralreg. unter MP. **Adoula** setzen sich nicht durch (Aug.). – Auf westl. Druck stimmt MP. TSCHOMBÉ dem
1962 UN-Befriedungs-Plan zu, bleibt aber einer Verf.-Konferenz fern (Okt.).
1963 UN-Aktion gegen Katanga. TSCHOMBÉ verlässt das Land. Aus finanz. Gründen
1964 Abzug der UN-Truppen. Präs. KASAWUBU ernennt **Tschombé** zum MP. der Zentralreg. Er bekämpft Aufstände der **Simba-** und **Mulélé-Rebellen** (teils komm.) mit amerikan. Hilfe und weißen Söldnern (S. 545). – Belg. Fallschirmjäger befreien weiße Geiseln (Nov.). – (Weiße) Reg.-Truppen ersticken die Aufstände in einem
1965 brutal geführten Buschkrieg. – **Mobutu** setzt durch einen **Staatsstreich** (Nov.) KASAWUBU ab, erklärt sich zum Staatspräs., überträgt Oberst **Mulamba** die Reg.

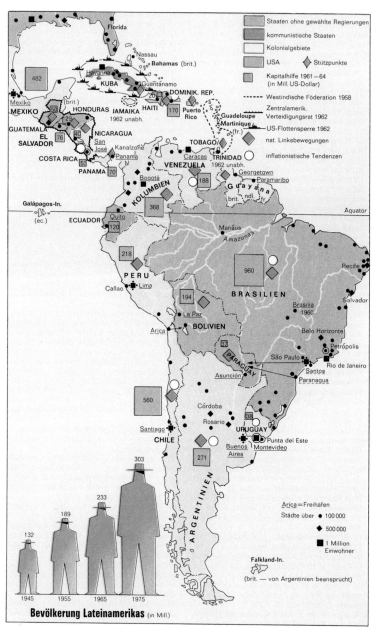

Staaten ohne gewählte Regierungen

kommunistische Staaten

Kolonialgebiete

USA   ◆ Stützpunkte

Kapitalhilfe 1961–64
(in Mill. US-Dollar)

----- Westindische Föderation 1958

Zentralamerik.
Verteidigungsrat 1962

US-Flottensperre 1962

nat. Linksbewegungen

○ inflationistische Tendenzen

Florida
Nassau
Bahamas (brit.)
Havanna
KUBA   Guantánamo
DOMINIK. REP.
482
Mexiko   (brit.)
MEXIKO   **HONDURAS** JAMAIKA **HAITI**   170   Puerto Rico
29   1962 unabh.
GUATEMALA   40   **NICARAGUA**   Guadeloupe
EL SALVADOR   76   Martinique (fr.)
San José   Kanalzone   **TOBAGO**
COSTA RICA   53   Panama   Caracas   **TRINIDAD**
PANAMA   70   **VENEZUELA**   1962 unabh.
Bogotá   188   Georgetown Paramaribo
KOLUMBIEN   **Guayana**
368   brit. ndl. fr.

Galápagos-In.   Äquator
(ec.)   **ECUADOR**   Quito
120

Manáus
218   Amazonas
PERU   Recife
Callao ■ Lima   960   ○
194   ◆
La Paz   **BRASILIEN**   Salvador
Arica   **BOLIVIEN**   Brasília 1960
Belo Horizonte
37   Petrópolis
PARAGUAY   São Paulo
Asunción   Santos   Rio de Janeiro
Paranagua
○
560
Córdoba   38
Rosario   **URUGUAY**
Santiago ■   Punta del Este
CHILE   Montevideo
271   Buenos Aires

303   Arica = Freihäfen
233   Städte über ● 100 000
189   ◆ 500 000
132   ■ 1 Million Einwohner

ARGENTINIEN

Falkland-In.
(brit. — von Argentinien beansprucht)

1945 1955 1965 1975
Bevölkerung Lateinamerikas (in Mill.)

Lateinamerika 1965

Der Kontinent ist vom Weltmarkt (USA) abhängig (Rohstoffexport, Güterimport), mit abflauender Konjunktur nehmen soz.- und wirtschaftspolit. Krisen wieder zu: **Bevölkerungsexplosion,** Massenzuwanderung in städt. Elendsviertel (Favelas), Inflation, geringer Lebens- und Bildungsstandard bei krassen soz. Unterschieden. Eine staatl. Sozialpolitk mit zu geringen Mitteln und aufgeblähter Bürokratie »standardisiert« das Elend. Neben alte Ordnungsmächte (Militär, oligarch. Parteien, Präsidial-Diktaturen) treten Volksführer (PERÓN, CASTRO), aktive KP-Kader und nationale linksrev. Bewegungen.
Versuche zur Lösung durch

1. **milit.-polit. Integration** (OAS, S. 517);
2. **Agrarreformen:** Auflösung unrentabler Latifundien und Kleinstbetriebe;
3. **Industrialisierung,** doch fehlen Facharbeiter (Bildungsproblem) und Kapital. Priv. Kapital wird in Sachwerten (Landbesitz) oder im Ausland angelegt; ausländ. Kapital verlangt Sicherheiten, aber Kontrolle und Profitabfluss werden als Ausbeutung empfunden (Anti-Yankee-Stimmung);
4. **supranat.** Märkte zur Förderung des Außenhandels.

1951 ODECA-Charta für Mittelamerika (El Salvador). »Operation Panamerika«: Integration der OAS-Staaten im
1958 »Komitee der 21«. – Seit der **Revolution in Kuba** schalten sich die USA zur Abwehr komm. Infiltration ein.
1959 Interamerikan. Entwicklungsbank;
1960 Südamerikan. Markt/LAFTA (Vertrag von Montevideo). – US-Präs. **Kennedy** verkündet die
1961 **Allianz für den Fortschritt** (Charta von Punta del Este): US-Kapitalhilfe für staatl. Entwicklungspläne.
Bildung eines iberoamerikan. Parlaments (Lima) und einer Kommission für wirtschaftl. Großplanungen (Buenos Aires).

Krisen in Mittelamerika

Linkskurs in **Guatemala;** Präs. ARBENZ GUZMÁN [1949–54] enteignet die US-Fruit Comp.; er wird mit US-Hilfe (AMin. DULLES) gestürzt von Oberst C. ARMAS (1957 ermordet). – Bewegung zur Aufgabe der US-Kanalzone in **Panama:** Unruhen, Flaggenstreit seit 1956. – Sturz des Trujillo-Regimes (S. 455) in der **Dominikan. Republik.** US-Intervention im **Bürgerkrieg 1965;** Einschaltung der OAS und UN.
Brit. Kolonien: Aus der autonomen Westind. Föderation (1958) scheiden 1962 **Jamaika** und **Trinidad/Tobago** aus.
Kuba: Geführt von **Fidel Castro** (geb. 1927), 1956–59 Kleinkrieg gegen die Batista-Diktatur (S. 455);
1959 Nat.-soziale Rev.: Enteignungen u. a. der ausländ. (US) Raffinerien, Agrarreformen. Das Castro-Regime gerät unter komm. Einfluss: Ausbau des sozialist. Einheitsstaates.

Die USA reagieren mit einem Zuckerembargo.
1961 Bombenangriffe und Landungsversuche von Exilkubanern. – Nach dem
1962 **Ausschluss aus der OAS** (S. 517) verstärkte sowjet. Hilfe (Berater, Techniker, Waffen); Aufbau von **Raketenbasen.**
Okt. 1962 Kubakrise: US-Blockade; CHRUSCHTSCHOW erklärt sich zur Demontage der Raketen bereit; CASTRO wird in Moskau als »Held der UdSSR« gefeiert.
1964 OAS-Sanktionen (Abbruch des Handels). – Mit den USA
1965 Abkommen über die Auswanderung von Kubanern.

Revolutionär-unruhige Staaten

Nach dem Sturz des Diktators PÉREZ JIMÉNEZ [1952–58] Finanzkrisen, Attentate, Revolten in **Venezuela.** – Bürgerkrieg in **Kolumbien** bis zur Diktatur von Gen. ROJAS PINILLA [1953–57], dann Koalition der Nat. Front. – **Bolivien:** 1952 Rev. der Arbeiterpartei MNR: Entmachtung von Armee und Grundbesitz, Enteignung ausländ. Zinngruben; 1960 Milit.-Revolte.
Argentinien: Nach faschist. Vorbild 1946 zur Macht gelangt, proklamiert Oberst **Juan Domingo Perón** (1895–1974) den Wohlfahrtsstaat, treibt aber das Land in Inflation und Konflikte mit der Kirche.
1955 Milit.-Revolte (Gen. ARAMBURU).
1958–62 Präs. FRONDIZI: Sparprogramm zur Sanierung der Finanzen; Wahlsieg der Peronisten, Unruhen, Streiks, Putsche. Unter Präs. ILLIA (1966 entmachtet) dauert die polit. Labilität an.
Brasilien: Die Armee lehnt
1951–54 Präs. Vargas (S. 455) ab, sie stützt
1956–61 Präs. Kubitschek: Inflation durch überhöhte Staatsausgaben. – Bekämpfung von Korruption und Bürokratie durch
1961 Präs. QUADROS; radikale Ref. unter
1961–64 Präs. Goulart bis zum **Staatsstreich der Armee** (Gen. Branco).

Relativ stabile Staaten

Ausgeglichene Wirtschaft, Währung und Finanzen in **Mexiko,** seit 1964 Präs. DÍAZ ORDAZ. – **Ecuador:** Präs. IBARRA [1944–61], ab 1963 Milit.-Reg. – **Peru:** Nach Präs. PRADO [1956–63] gem. Links-Regierung. – **Uruguay:** Nationalrat nach Schweizer Vorbild seit 1952. – Diktatur in **Paraguay** unter Gen. ALFREDO STROESSNER [1954–89].
Chile: Als Kandidat der Landarbeiterpartei
1952 Präs. IBÁÑEZ DEL CAMPO: Inflation und
1956 Generalstreik gegen das Lohnstopp-Gesetz führen zur Staatskrise (Unruhen, Belagerungszustand), doch stabilisiert
1958–64 Präs. ALESSANDRI RODRIGUEZ Preise und Löhne.
1960 Währungsreform. Hebung des Lebensstandards durch Industrialisierung.
1965 Präs. FREI MONTALVA (Christl. Demokraten) plant Neuverteilung des Bodens.

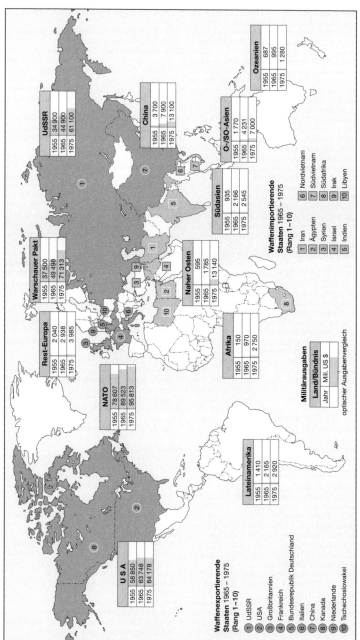

Ozeanien

1955	687
1965	995
1975	1 280

China

1955	3 700
1965	7 900
1975	13 100

UdSSR

1955	34 900
1965	44 900
1975	61 100

O-/SO-Asien

1955	1 770
1965	4 231
1975	7 000

Südasien

1955	935
1965	2 166
1975	2 545

Waffenimportierende Staaten 1965 – 1975 (Rang 1–10)

1 Iran	6 Nordvietnam
2 Ägypten	7 Südvietnam
3 Syrien	8 Südafrika
4 Israel	9 Irak
5 Indien	10 Libyen

Warschauer Pakt

1955	37 500
1965	49 498
1975	71 313

Naher Osten

1955	595
1965	1 785
1975	13 140

Rest-Europa

1955	2 040
1965	2 938
1975	3 985

Afrika

1955	150
1965	970
1975	2 750

NATO

1955	78 607
1965	89 523
1975	95 813

Militärausgaben

Land/Bündnis	
Jahr	Mill. US $

optischer Ausgabenvergleich

Lateinamerika

1955	1 410
1965	2 165
1975	2 920

U S A

1955	58 850
1965	63 748
1975	64 178

Waffenexportierende Staaten 1965 – 1975 (Rang 1–10)

1 UdSSR
2 USA
3 Großbritannien
4 Frankreich
5 Bundesrepublik Deutschland
6 Italien
7 China
8 Kanada
9 Niederlande
10 Tschechoslowakei

Aufrüstung nach dem 2. Weltkrieg

1946 Baruch-Plan (USA): Vernichtung aller A.-Waffen und internat. Kernenergie-Kontrolle (wird von der UdSSR abgelehnt).

1950 Appell des (komm.) Weltfriedensrates in Stockholm zum Verbot aller A.-Waffen.

1952 Bildung einer UN-Abrüstungskommission.

1954 UdSSR verwirft den brit.-franz. Plan einer stufenweisen Abrüstung.

1955 Dem Plan »Offener Himmel« (USA) mit gemeinsamer Kontrolle durch Luftinspektion stimmt die UdSSR nicht zu.

1956 Londoner 5-Mächte-Konferenz im Auftrag der UN: Beratung über Reduktion von Rüstung, Streitkräften und A.-Versuchen. Die UdSSR willigt in eine Luftinspektion ein. – Die **Bewegung der Atomgegner** nimmt zu: Protest-(»Oster«-)märsche in westl. Ländern (im Ostblock verboten).

1957 Londoner 5-Mächte-Konferenz: USA drängen auf Einstellung aller A.-Versuche für 2 Jahre, um ein Kontrollsystem zu schaffen; die UdSSR beharrt auf Luftinspektion. (Okt.) Der poln. **Rapacki-Plan** schlägt ein atomwaffenfreies Mitteleuropa vor.

1958 (Okt.) Genfer Konferenz zur Einstellung von A.-Versuchen. Die 3 Atommächte unterbrechen ihre A.-Versuche.

1959 14. UN-Vollversammlung: brit. Dreistufenplan; CHRUSCHTSCHOW verlangt totale Abrüstung innerhalb von 4 Jahren.

1960 Genfer 10-Mächte-Konferenz: Da die westl. Staaten eine internat. Kontrollkommission verlangen und einer sofortigen Auflösung ausländ. Stützpunkte nicht zustimmen, stellen die Ostblockstaaten ihre Mitarbeit ein.

1961 (März) Wiederaufnahme der Genfer Konferenz. – Tägl. Rüstungsausgaben in der Welt etwa 330 Mill. US-Dollar.

1962 18-Mächte-Konferenz in Genf (8 neutrale, je 5 westl. und östl. Staaten; Frankreich nimmt nicht teil): Kontrolle bleibt ungelöst.

1963 direkte Fernschreibverbindung zwischen Moskau und Washington (»heißer Draht«). **(Aug.) Atomteststopp-Abkommen:** Verbot von Kernwaffen-Versuchen im Weltraum, in der Atmosphäre und unter Wasser. Frankreich und China treten nicht bei.

1964 Poln. Gomulka-Plan zum »Einfrieren« nuklearer Waffen in Mitteleuropa unter paritätischer Kontrolle.

1965 UN-Resolution über die Nichtweiterverbreitung von Kernwaffen.

1967 Vertrag über die friedliche Nutzung des Weltraums tritt in Kraft (ohne Frankreich, VR China).

1968 (1. 7.) Atomwaffensperrvertrag (Nichtweiterverbreitung von Kernwaffen) wird von der UdSSR, den USA, Großbritannien u. a. unterzeichnet (2004: 188 Mitgliedstaaten). Zögernde Haltung u. a. der BR Dtl., da die Behinderung der friedl. Nutzung der Kernenergie befürchtet wird. Verhandlungen (Strategic Arms Limitation

Talks/SALT) zur **Begrenzung der strateg. Rüstung** zwischen UdSSR und USA:

1969 1. **SALT-Runde** in Helsinki.

1970 Inkrafttreten des Atomwaffensperrvertrags, von 98 Staaten unterzeichnet (nicht von Frankreich, VR China, Israel, Indien, Pakistan u. a.).

1971 Unterzeichnung des **Meeresbodenvertrags** durch USA, UdSSR und Großbritannien.

1972 (10. 4.) UN-Konvention über das Verbot bakteriolog. Waffen; 73 Länder unterzeichnen (nicht Frankreich und die VR China). (26. 5.) **ABM-Vertrag** (Anti-Ballistic-Missiles), erster Vertrag der USA und UdSSR zur nuklearen Rüstungskontrolle, paraphiert. (Nov.) Beginn der SALT-II-Gespräche in Genf über die Beschränkung von Nuklearwaffen und Trägersystemen.

1973 (März/Juni) Beginn der Konsultationsgespräche (NATO – Warschauer Pakt) über Verminderung von Rüstung und Truppen in Mitteleuropa (**MBFR).** (Juni) BRESCHNEW-Besuch in den USA: amerikan.-sowjet. **Abkommen zur Verhinderung eines Atomkriegs.**

1974 Genfer Abrüstungskonferenz: Beitritt der BR Dtl. und der DDR. – **SALT-II-Verhandlungen** werden beschlossen. (Dez.) FORD/BRESCHNEW in Wladiwostok: Vereinbarung über Begrenzung strategischer Waffenträger.

1975 B-Waffen-Konvention (Verbot der Entwicklung, Erzeugung und Lagerung bakteriolog./biolog. und tox. Waffen und deren Vernichtung) von USA, UdSSR, Großbritannien und 38 weiteren Staaten in Kraft gesetzt.

1976 Genfer Abrüstungskonferenz; keine konkreten Resultate bei den SALT-II-Verhandlungen: Cruise Missiles als Problem.

1977 Verlängerung von SALT I.

1979 Unterzeichnung des SALT-II-Abkommens; wegen der Afghanistankrise nicht ratifiziert; dennoch weitgehend befolgt.

1982 Beginn der **START-Verhandlungen** (Strategic Arms Reduction Talks) zur Verminderung der Interkontinentalraketen.

1984 Beginn der »Konferenz für Vertrauensbildung und Abrüstung in Europa/KVAE« in Stockholm.

1985 Neue Verhandlungsrunde über Nuklear- und Weltraumwaffen in Genf.

1987 INF-Vertrag (Intermediate-Range Nuclear Forces) über die Vernichtung aller landgestützten Mittelstreckenwaffen mit 500 bis 5000 km Reichweite wird in Washington von GORBATSCHOW und REAGAN unterzeichnet und

1988 in Moskau ratifiziert. – Amerik.-sowjet. **Verhandlungen über START** und SDI (Strategic Defence Initiative), Verminderung strateg. Waffen und Abwehr ballist. Raketen. (7. 12.) GORBATSCHOW kündigt vor der UN-Gen.-Vers. einseitige Truppenreduzierung innerhalb von 2 Jahren an.

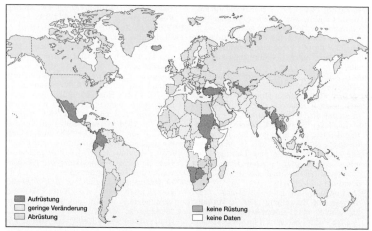

Auf- und Abrüstung 1999 (nach **B**onn Internat. Center for Conversion – Index/BIC3D–Index)

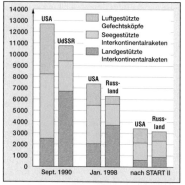

Die größten Exporteure von Großwaffen 1996 – 2000

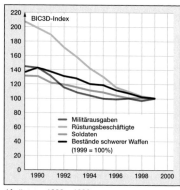

Die größten Importeure von Großwaffen 1996 – 2000

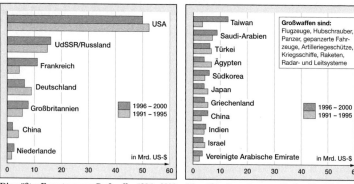

Strategische Atomwaffen der USA und Russlands   Abrüstung 1989 – 1999

1989 Treffen BAKER/GORBATSCHOW: **einseitige Abrüstungsinitiative d. UdSSR,** bei Gegenleistung der USA Abzug sämtl. atomarer Munition aus den östl. Bündnisstaaten angekündigt; Vorschlag der Streitkräftereduzierung von NATO/Warschauer Pakt um 1 Mill. (29. 5.) USA schlagen auf NATO-Gipfel Truppenreduzierung auf je 275 000 Soldaten in Europa vor.
UdSSR verkündet Verringerung der Streitkräfte auf 3,7 Mill. Mann bis 1991.
(3. 12.) GEORGE BUSH sen. und MICHAIL GORBATSCHOW erklären auf Malta das **Ende des Kalten Kriegs** (gilt offiziell durch VKSE-Abkommen 1990 als beendet).
1990 Gipfeltreffen in Washington: USA u. UdSSR vereinbaren C-Waffen-Vernichtung bis 2002 bis auf Restbestand von jeweils 5000 t; unter dem Eindruck des 1. Golfkriegs schlägt BUSH völlige Vernichtung vor.
(10. 3.) **Abkommen der SU mit Ungarn über sowjet. Truppenabzug** bis zum 29. 6. 1991.
(21. 6.) **Sowjet. Truppenabzug aus der ČSFR** ist abgeschlossen.
1991 Auflösung der WVO in Prag.
(31. 7.) Nach 9-jährigen Verhandlungen Unterzeichnung des **START-I-Vertrags** über den Abbau von Langstreckenraketen und die Reduzierung atomarer Gefechtsköpfe.
Die **Abrüstungsinitiative** der USA zur Beseitigung landgestützter, nuklearer Kurzstreckenraketen, zum Abzug takt. Nuklearwaffen (Marschflugkörper) von Schiffen und zur Einstellung der Entwicklung mobiler schwerer Interkontinentalraketen (ICBM-Peacekeeper) wird von der Russ. Föderation unterstützt.
1992 Abkommen über den »offenen Himmel«: Überfluggenehmigung über die Territorien der westl. und östl. Vertragspartner zwecks Abrüstungskontrolle.
(3. 9.) UN verabschieden weltweites **Chemiewaffenverbot,** das die Entwicklung, Lagerung und Verbreitung chem. Waffen untersagt und ihre Vernichtung innerhalb von 10 Jahren fordert.
1993 Ukraine ratifiziert START I mit dem Vorbehalt, Atomwaffen zurückzuhalten.
(3. 1.) USA und Russ. Föderation unterzeichnen **START-II-Vertrag** zum weiteren Abbau der strateg. Atomgefechtskörper.
1994 Moskauer Abkommen: Die Russ. Föderation und USA vereinbaren als symbol. Zeichen der strateg. Entspannung die Änderung der Zielkoordinaten der Atomraketen. – Ein amerikan.-russ.-ukrain. Abkommen sieht den Abbau der ehemals sowjet. 176 Raketen und 1800 Atomsprengköpfen vor.
Nordkorea unterzeichnet Atomvertrag mit den USA; Nordkorea legt Plutonium produzierende Reaktoren still und erhält von den USA Leichtwasserreaktoren und Erdöl.
1995 178 Staaten stimmen für die **Verlängerung des Atomwaffensperrvertrags** auf unbestimmte Zeit.

Russland beschließt die Vernichtung aller Chemiewaffen bis 2005.
1996 Konferenz der G7-Staaten in Moskau über atomare Sicherheit (u. a. Kernkraftwerke, Entsorgung); Atomwaffen-Stationierung nur noch auf Heimatterritorien. USA geben die Vernichtung von 4 Mill. Landminen bis 1999 bekannt.
(10. 9.) Atomteststoppvertrag/CTBT von UN beschlossen (Gegenstimmen: Indien, Libyen, Bhutan) und
(24. 9.) von der Mehrheit unterzeichnet.
1997 Änderung des KSE-Vertrags: Festlegung der Obergrenzen der Rüstung in Europa nach Nationen und Regionen, nicht mehr nach Ost/West.
Konvention zum Verbot von Personenminen wird in Ottawa von 125 Nationen unterzeichnet, nicht aber von den USA, Russland u. China.
1998 Ushuaia-Erklärung: Argentinien, Brasilien, Paraguay, Uruguay, Chile und Bolivien erklären sich zu massenvernichtungswaffenfreien Zonen.
1999 Vertrag über das Verbot von Nuklearwaffenversuchen/UVNV von 156 Staaten unterzeichnet, von 51 ratifiziert, darunter Frankreich und Großbritannien.
2001 37. Konferenz für Sicherheitspolitik in München; Meinungsverschiedenheiten zw. USA u. Europa über das amerikan. Raketenabwehrsystem »Missile Defense«.
2002 USA und Russland unterzeichnen **Vertrag über die Verringerung atomarer Sprengköpfe/SORT.**

Atomwaffenfreie Zonen seit 1959 und nach dem **Atomwaffensperrvertrag/ASV** (Nonproliferations-Vertrag) von 1968/1970:
1959 (1. 12.) Antarktis: Vertrag von Washington.
1967 Weltraum (ABC-Waffen): von Frankreich und der VR China abgelehnt.
Lateinamerika: Vertrag von Tlatelolco von 14, bis 1994 von 33 Staaten, 1995 auch von Kuba unterzeichnet.
1971 Seabed Treaty: Verbot der Stationierung von Nuklearwaffen auf dem Meeresboden, von 87 Staaten beschlossen,
1972 (18. 5.) in Kraft gesetzt,
1985 auch für den S-Pazifik (Vertrag von Rarotonga, v. a. gegen franz. Atomtests auf Mururoa) unterzeichnet,
1996 auch von den USA, Frankreich und Großbritannien.
1991 (28. 6.) Südafrika tritt aus dem ASV aus.
1992 (19. 2.) N- u. S-Korea erklären Korea zur atomwaffenfreien Zone;
1993 (12. 3.) N-Korea kündigt den Vertrag. Kasachstan.
1995 ASEAN-Staaten, Kambodscha und Myanmar nach dem Vertrag von Bangkok.
1996 Ukraine;
Afrika (Vertrag von Pelindaba, 49 von 53 OAU-Staaten unterzeichnen).

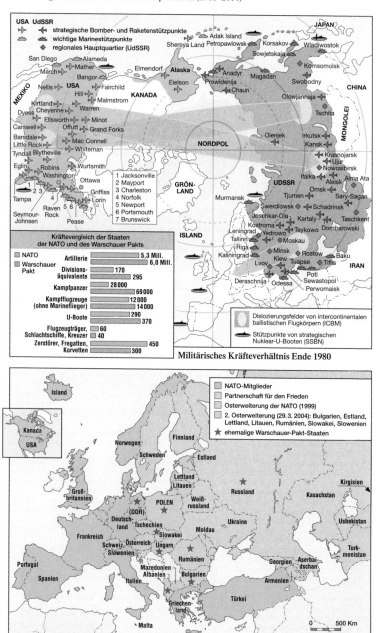

USA UdSSR
- strategische Bomber- und Raketenstützpunkte
- wichtige Marinestützpunkte
- regionales Hauptquartier (UdSSR)

San Diego Alameda
March Mather
Bangor
Nellis Fairchild
Kirtland Hill USA
Dyess Malmstrom
Cheyenne Warren
Carswell Ellsworth Minot
Barsdale Offutt Grand Forks
Little Rock Mac Connell
Tyndall Blytheville Whiteman
Eglin Robins Wurtsmith
Washington Ottawa
Tampa Griffiss
Seymour- Raven Lorin
Johnsen Rock Pease

MEXIKO KANADA ALASKA

Elmendorf Alaska
Eielson Anadyr Magadan
Chaun Providenija

Adak Island
Shemya Land Petropawlowsk Korsakov Wladiwostok
Sowjetskaja Komsomolsk
Swobodny
Olowjannaja
Tschita

JAPAN

CHINA
MONGOLEI

NORDPOL

GRÖN-
LAND

1 Jacksonville
2 Mayport
3 Charleston
4 Norfolk
5 Newport
6 Portsmouth
7 Brunswick

ISLAND

Olenjek Irkutsk
Kansk
Krasnojarsk
Ujur
Ifaika Nowosibirsk
Alma Ata
Omsk Aleisk
Murmansk Tjumen Sary-Sagan
Swerdlowsk Schadrinsk
Joschkar-Ola Kartaly Taschkent
Kostroma Teykowo Dombarowski
Leningrad Yedrowo
Tallinn Moskau
Riga Minsk Rostow Baku
Kaliningrad Kiew Tuapse Tiflis
Lvov Poti
Deraschnija Odessa Sewastopol
Perwomaisk

UDSSR

IRAN

Kräftevergleich der Staaten der NATO und des Warschauer Pakts		
NATO	Artillerie	5,3 Mill.
Warschauer Pakt		6,0 Mill.
	Divisions-äquivalente	170 / 295
	Kampfpanzer	28000 / 69000
	Kampfflugzeuge (ohne Marineflieger)	12000 / 14000
	U-Boote	290 / 370
	Flugzeugträger, Schlachtschiffe, Kreuzer	60 / 40
	Zerstörer, Fregatten, Korvetten	450 / 300

Dislozierungsfelder von intercontinentalen ballistischen Flugkörpern (ICBM)

Stützpunkte von strategischen Nuklear-U-Booten (SSBN)

Militärisches Kräfteverhältnis Ende 1980

Island

Kanada
USA

NATO-Mitglieder
Partnerschaft für den Frieden
Osterweiterung der NATO (1999)
2. Osterweiterung (29. 3. 2004): Bulgarien, Estland, Lettland, Litauen, Rumänien, Slowakei, Slowenien
★ ehemalige Warschauer-Pakt-Staaten

Norwegen Finnland
Schweden Estland
Lettland
Litauen
Groß- POLEN Weiß- Russland Kirgisien
britannien (DDR) russland Kasachstan
Deutsch- Tschechien Ukraine Usbekistan
land Slowakei Moldau
Frankreich Österreich Ungarn
Schweiz Slowenien Rumänien Georgien Aserbai-
Portugal Mazedonien Bulgarien dschan
Spanien Albanien Armenien Turk-
Italien menistan
Griechen- Türkei
land
Malta

0   500 Km

Osterweiterung der NATO

Warschauer Pakt (WVO) (S. 517 und 522)
1966 Konferenz in Moskau (»Rotes Konzil«) findet keine gemeinsamen Beschlüsse mehr über Vietnam und den Konflikt mit Peking.
1967 **Harmel-Bericht** über militärische Sicherheit und Entspannungspolitik.
1968 (20./21. 8.) Militärische Intervention in der ČSSR von 5 Mitgliedstaaten des Warschauer Paktes (Bulgarien, DDR, Polen, Ungarn, UdSSR) unter sowjet. Führung.
(Sept.) **Albanien** tritt formell aus dem Pakt aus.
1971 Außenministerkonferenz in Bukarest fordert Einberufung einer gesamteurop. Konferenz ohne Vorbedingungen sowie gleichberechtigte Beziehungen mit der DDR.
1975 Weltweite Manöver der sowjet. Flotten.
1979 (Okt.) Angebot BRESCHNEWS zum Truppenabzug aus der DDR gegen Nichtstationierung neuer Raketensysteme in Europa.
(Nov.) GROMYKO warnt vor Stationierung von US-Mittelstreckenraketen in der BR Dtl.
1983 (Jan.) Prager Gipfelkonferenz schlägt Nichtangriffspakt mit der NATO vor.
1984 (Okt.) 100 sowjet. SS-20-Raketen werden in der DDR und ČSSR als Reaktion auf die US-Pershing-Stationierung in W-Europa aufgestellt.
1990 (Juni) Gipfel in Moskau: GORBATSCHOW ruft zum radikalen Wandel der WVO und zur Annäherung an die NATO auf.
1991 (31. 3.) Auflösung der Militärstruktur des Warschauer Pakts.
(1. 7.) Auf der letzten Tagung des Beratenden Ausschusses in Prag **wird der Warschauer Pakt offiziell aufgelöst.**

NATO (S. 517)
1967 Nach der franz. Lösung aus der militär. Integration Verlegung des NATO-HQ für den Befehlsbereich Europa (SHAPE) nach Casteau/Belgien, des ständigen NATO-Rates nach Brüssel.
1969 Errichtung eines Nachrichtensatellitensystems (SATCOM).
1970 NATO-Ratstagung in Rom bietet auf Anregung der BR Dtl. **beiderseitige Truppenreduzierung zur Förderung der Entspannung** an.
1974 (April–Aug.) Erstmalige militär. Konfrontation zweier NATO-Partner (Griechenland–Türkei: Zypernkonflikt).
(Juni) NATO-Gipfelkonferenz in Brüssel: »Erklärung über die Atlant. Beziehungen«.
(Aug.) Austritt Griechenlands aus dem militär. Bündnis (bis 1980).
1976 Inoffizielle NATO-Studie stellt Überlegenheit der Streitkräfte des Warschauer Pakts fest, die in 48 Stunden den Rhein erreichen könnten.
1979 (12. 12.) NATO-Doppelbeschluss: Verhandlungen mit der UdSSR über den Abbau nuklear bestückter Mittelstreckenraketen in Europa und gleichzeitig Planung der Stationierung mobiler atomarer Mittelstreckenra-

keten von Ende 1983 an, falls die Abrüstungsgespräche scheitern.
1982 (Mai) Spanien 16. NATO-Mitglied.
1988 (März) Gipfeltreffen der NATO-Staaten in Brüssel: Modernisierung der atomaren Kurzstreckenwaffen.
1990 (6. 7.) **Londoner Erklärung:** Verzicht auf den Erstschlag.
1991 Ablösung der Vorneverteidigung an der ehem. deutsch-deutschen Grenze durch dreigliedrige, multinationale mobile Streitkräfte: Hauptstreitkräfte/MDF (in Mitteleuropa u. Dänemark), Schnelle Eingreifverbände/RRC u. Verstärkungskräfte/AF.
1992 Erweiterung der deutsch-franz. Brigade zu einem **Euro-Korps.**
1993 Im Auftrag der UNO **erster Kampfeinsatz** in der NATO-Geschichte zur Durchsetzung des Flugverbots über Bosnien-Herzegowina sowie Seeblockade von der Adriaseite her.
Auflösung der COCOM-Organisation zur Verhinderung des Exports militär. verwertbarer Technologien in kommunist. Staaten.
1994 (10. 1.) Konzept der Zusammenarbeit, **Partnerschaft für den Frieden,** soll osteuropäischen Reformstaaten spätere NATO-Aufnahme ermöglichen. – NATO-Luftangriffe in Bosnien gegen serb. Truppen.
1995 Implementation Force/IFOR-Einsatz in Bosnien für ein Jahr zur Sicherung des Friedensabkommens von Dayton.
1996 Combined Joint Task Forces, schnelle Eingreiftruppen für Krisen- und Friedensmissionen beschlossen.
Stabilization Force/SFOR für Bosnien-Herzegowina löst IFOR ab.
1998 **Deterrence Force/DFOR,** nur noch mit Polizeiaufgaben, löst SFOR ab.
1999 (24. 3.–20. 6.) Luftkrieg gegen Serbien und Montenegro ohne UNO-Mandat.
(Juni) **Kosovo Force/KFOR** für die Sicherung des Friedens im Kosovo nach Abzug der serbischen Truppen.
(16. 3.) Beitritt Polens, Ungarns und der Tschechischen Republik zur NATO.
2001 Erstmals Erklärung des Bündnisfalls nach den Terroranschlägen von New York und Washington (Angriff gegen einen NATO-Staat gilt als Angriff gegen alle anderen Bündnismitglieder).
(26. 9.) NATO beendet Operation »Essential Harvest« in Mazedonien, ab
(4. 10.) Nachfolgemission »Amber Fox«, 14. 12. 2002 3. Mission »Allied Harmony«.
2002 (Nov.) **Gipfeltreffen der NATO** in Prag: Einladung an Bulgarien, Estland, Lettland, Litauen, Rumänien, Slowakei und Slowenien zur Mitgliedschaft ab 2004.
2003 (Aug.) ISAF-Schutztruppe in Afghanistan unter NATO-Oberbefehl.
2004 (März) Zweite Osterweiterung von 19 auf 26 Mitglieder; Wandlung von der Bündnisverteidigung zur **globalen Krisenintervention,** erkennbar durch den Aufbau eines 21 000 Mann starken Expeditionskorps.

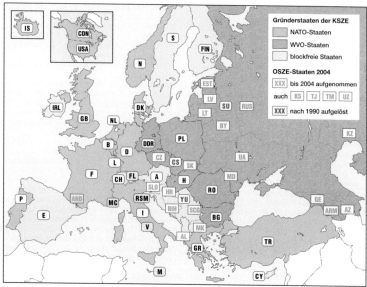

Gründerstaaten der KSZE

- NATO-Staaten
- WVO-Staaten
- blockfreie Staaten

OSZE-Staaten 2004

- XXX　bis 2004 aufgenommen
- auch　KS　TJ　TM　UZ
- XXX　nach 1990 aufgelöst

Entwicklung der KSZE/OSZE 1973 – 2004

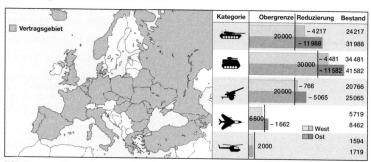

Vertragsgebiet

Kategorie	Obergrenze	Reduzierung	Bestand
🛡	20 000	– 4 217	24 217
		– 11 988	31 988
🛡	30 000	– 4 481	34 481
		– 11 582	41 582
🛡	20 000	– 766	20 766
		– 5 065	25 065
✈	6800	– 1 662	5719
		West	8462
🚁	2000	Ost	1594
			1719

KSE-Vertragsgebiet nach Paris 1990 und Istanbul 1999　　Truppenreduzierung im KSE-Vertragsgebiet

Kate-gorie	Truppen gesamt	Truppen aktiv	Erwei-terte Region Mitte	Region Mitte	Zentral-region	Flanken
🛡	20 000	16 500	15 300 11 800*	10 300	7 500	4 700
🛡	30 000	27 300	24 100 21 400*	19 260	11 250	5 900
🛡	20 000	17 000	14 000 11 000*	9 100	5 000	6 000
✈	6 800	—	—	—	—	—
🚁	2 000	—	—	—	—	—

*Gerät in aktiven Truppenteilen

Zentralregion

Region Mitte mit Zentralregion

Erweiterte Region Mitte mit Region Mitte und Zentralregion

Flanken

Regionale Obergrenzen seit 1999 (Waffensysteme)　VKSE-Regionalkonzept nach Istanbul 1999

Konferenz über Sicherheit und Zusammenarbeit in Europa (KSZE)
Nach einleitenden Botschaftergesprächen wird
1973 (Juli) die **KSZE** in Helsinki eröffnet und bis 1975 in Genf fortgesetzt; 35 Teilnehmer-Staaten (7 WVO-Staaten [sog. Warschauer Pakt], 16 NATO-, 12 blockfreie Staaten); endet als Gipfelkonferenz mit der
1975 (1. 8.) »**Schlussakte von Helsinki**«. Ziele: Stabilität und Sicherheit in Europa durch vertrauensbildende Maßnahmen auf militär. Gebiet, Gewaltverzicht, Unverletzlichkeit der Grenzen, Nichteinmischung in innere Angelegenheiten; Achtung der Menschenrechte, Grundfreiheiten, Gleichberechtigung und des Selbstbestimmungsrechts der Völker. Verhandlungen über die beiderseitige Verminderung von Streitkräften und Rüstungsausgaben und damit zusammenhängende Maßnahmen/**MBFR** in Wien (1989 formell beendet).
1977/78 1. Folgekonferenz in Belgrad
O/W-Gegensatz in Menschenrechtsfragen; Beschluss zur Durchführung vorbereitender Expertentreffen: Streitschlichtung in Montreux (1978), Athen (1984), Valetta (1991); Zusammenarbeit im Mittelmeerraum in Valetta (1979), Venedig (1984), Palma (1990); Wissenschaftsforum in Hamburg (1980).
1980–83 2. Folgekonferenz in Madrid
Fragen der Sicherheit in Europa, Verurteilung des Terrorismus. Schwerpunkt Mittelmeerraum: Zusammenarbeit im Bereich der Sicherheit, Wirtschaft, Wissenschaft, Umwelt, Technik und bei humanitären Fragen.
1985 Expertentreffen zu Menschenrechtsfragen in Ottawa;
(5. 11.) Kulturforum in Budapest.
1986 Konferenz in Stockholm über vertrauens- und sicherheitsbildende Maßnahmen und Abrüstung in Europa (**KVAE I**) endet mit der Unterzeichnung der **Akte von Stockholm**, in der die Anmeldung von Manövern und Truppenbewegungen 42 Tage im Voraus vereinbart wird.
1986–89 3. Folgekonferenz in Wien
zu Fragen der Sicherheit, Abrüstung, Ost-West-Kooperation in Handel und Wirtschaft sowie Menschenrechtsfragen; **KVAE-II**-Gespräche.
1989 Expertentreffen über Menschenrechtsfragen in Paris, Kopenhagen (1990), Moskau (1991).
(Okt./Nov.) **Umweltkonferenz** in Sofia. Expertentreffen über Informationsaustausch in London.
1990 (März/April) KSZE-Wirtschaftskonferenz in Bonn.
(Nov.) **KSZE-Sondergipfel in Paris: Vertrag über konventionelle Streitkräfte in Europa/ VKSE (KSE-I-Vertrag)** zw. NATO- und WVO-Staaten: Begrenzung der konventionellen Waffen zwischen Atlantik und Ural; Unterzeichnung der »**Charta von Paris für**

ein neues Europa«: Beendigung der Teilung Europas; Verpflichtung zu Demokratie, Rechtsstaatlichkeit, Menschenrechten; Förderung freundschaftl. Beziehungen.
1991 Symposium in Krakau über das kulturelle Erbe Europas und seine Erhaltung.
(19. 6.) Aufnahme Albaniens.
(10. 9.) Aufnahme Estlands.
1992 4. Folgekonferenz in Helsinki
Abschlussdokument: »**Herausforderung des Wandels**« mit erstmaliger Beschränkung militär. Aktivitäten und Erweiterung des KSZE-Bereichs auf die GUS-Staaten, auch Zentralasiens, sowie Kroatiens.
Ziele: Konfliktbewältigung, Kriseninstrumentarium, Verbesserung des Entscheidungsinstrumentariums, Förderung der europäischen Abrüstung und Wirtschaftskooperation. KSZE wird Regionalorganisation der UNO.
KSE-I a-Vertrag, Festlegung der Personalstärke der Streitkräfte in Europa. Aufnahme Lettlands, Litauens und Sloweniens; Mitarbeit Jugoslawiens (Serbien und Montenegro) wird suspendiert.
1993 Aufnahme der Slowakischen Republik.
1994 5. Folgekonferenz in Budapest
Abschlussdokument: »**Der Weg zu echter Partnerschaft in einem neuen Zeitalter**« (Konfliktverhütung und Friedenserhaltung). Erweiterung von 39 auf 53 Mitglieder; Umbenennung der KSZE in **Organisation für Sicherheit und Zusammenarbeit in Europa (OSZE)**, ab
1995 (1. 1.) wirksam.
(20./21. 3.) Konferenz zur gesamteuropäischen Sicherheitspolitik in Paris: Beschluss eines **Stabilitätspakts**.
Aufnahme Mazedoniens.
1996 6. Folgekonferenz in Lissabon
»**Gipfelerklärung von Lissabon**« mit dem Ziel eines europäischen Sicherheitskonzepts. Aufnahme Andorras als 55. Mitglied.
1999 7. Folgekonferenz in Istanbul
»**Europäische Sicherheitscharta**«; Schlusserklärung von Istanbul, in der Russland auf milit. Lösung des Tschetschenien-Konflikts verzichtet und polit. Lösung zustimmt. Anpassung des **KSE-Vertrags** an die polit. Situation seit 1990 über nationale und territoriale Obergrenzen für vertragsbegrenzte Waffen.
2000 (27. 11.) Jugoslawien wird wieder aufgenommen.
2001 Beobachterdelegation nach Tschetschenien (Mandat von Russland Ende 2002 für beendet erklärt).
(16. 9.) 200 OSZE-Beobachter nehmen an UN-Mission in Mazedonien teil.
2002 (30. 10.) Der weißruss. Präs. LUKASCHENKO bricht die Zusammenarbeit mit der OSZE ab; Wiederaufnahme am 14. 4. 2003.
2003 Beobachter bei den Parlamentswahlen in Georgien, Russland und Mazedonien.
2004 (28./29. 4.) Antisemitismuskonferenz in Berlin.

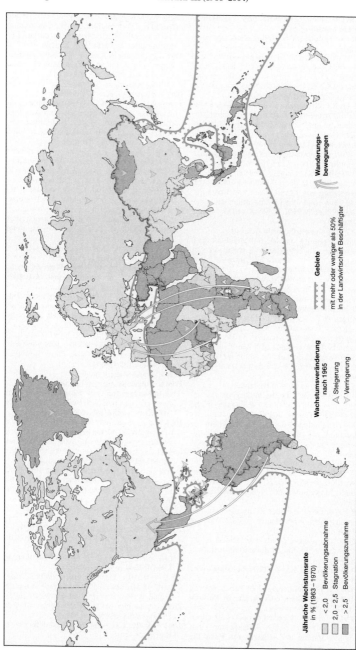

Jährliche Wachstumsrate
in % (1963 – 1970)

< 2,0   Bevölkerungsabnahme
2,0 – 2,5   Stagnation
> 2,5   Bevölkerungszunahme

Wachstumsveränderung
nach 1965

△ Steigerung
▽ Veringerung

Gebiete

mit mehr oder weniger als 50%
in der Landwirtschaft Beschäftigter

Wanderungs-
bewegungen

Nord-Süd-Problem Bevölkerungswachstum

Vereinte Nationen/VN, UN (S. 503)
1966 Wirtschaftl. Sanktionen gegen **Rhodesien;** Aufhebung des südafrikan. Mandats über **Südwestafrika** (heute Namibia).
1967 (Mai) Dem Abzug der UN-Truppen aus dem Gazastreifen folgt der israel.-arab. Krieg:
(Juni/Juli) Sondersitzung der UN-Vollversammlung (von der UdSSR beantragt). Resolutionsanträge zur Beilegung des Konflikts bleiben erfolglos.
(Sept.–Dez.) Ablehnung der südafrikan. Apartheidpolitik.
1968 Vertrag über die **Nichtweiterverbreitung von Kernwaffen.**
(Sept.–Dez.) Konvention über die Nichtverjährung von Kriegsverbrechen.
1969 (Jan.) Konvention gegen alle Formen rassischer Diskriminierung.
1970 (Sept.–Dez.) UdSSR und 7 sozialist. Staaten unterbreiten den Entwurf einer »Deklaration über die Festigung der internat. Sicherheit«; Nahost-Resolution; Resolution zum Meeresbodenvertrag.
(Dez.) Verurteilung der portugies. Invasion in Guinea.
1971 (Sept.–Dez.) Anerkennung der VR China als Vertretung Chinas (nach fortwährender Ablehnung seit 1950) mit $2/3$-Mehrheit gegen die Stimme der USA bei gleichzeitigem Ausschluss Taiwans aus der UNO.
(Dez.) Sicherheitsrat: Resolution zum ind.-pakistan. Krieg scheitert am Veto der UdSSR.
1972 (Jan./Febr.) Sondertagung des Sicherheitsrats in Addis Abeba: Resolution über Namibia, die Apartheidpolitik Südafrikas und die afrikan. Territorien unter portugies. Verwaltung.
(Juni) UN-Konferenz für die menschliche Umwelt in Stockholm (wegen Nichtzulassung der DDR von den Ostblockstaaten boykottiert): Verabschiedung einer »Deklaration über die menschliche Umwelt«.
(Sept.–Dez.) 27. Gen.-Vers.: Abrüstungs- und Entkolonialisierungsfragen.
1973 (Sept.–Dez.) 28. Gen.-Vers.: Aufnahme der BR Deutschland und der DDR.
(Dez.) UN-Seerechtskonferenz; weitere Sitzungen in Caracas (1974), Genf (1975) und New York (1976).
1974 (April/Mai) UN-Rohstoffkonferenz.
(Sept.–Dez.) Zulassung der Palästinenser zur Nahost-Debatte: PLO-Chef YASSIR ARAFAT fordert einen demokrat. Staat Palästina ohne Diskriminierung irgendeiner Bevölkerungsgruppe.
(Nov.) UNESCO-Konferenz in Paris: Vorwürfe gegen Israel; Resolutionen zur Unterstützung von Revolutionsbewegungen und der Araber in den von Israel besetzten Gebieten.
(Nov.) **UN-Welternährungskonferenz** in Rom.
1976 (Sept.–Dez.) Resolutionen zur Abrüstung

und Friedenssicherung; Veto der USA gegen Aufnahme Vietnams.
(Dez.) Schaffung eines »Internationalen Fonds für Agrarentwicklung«, angeregt durch die rückläufige Welt-Getreide-Produktion im Jahr 1972 (erstmals seit dem 2. Weltkrieg) und Naturkatastrophen.
1979 (Juli) Verurteilung der israel. Siedlungspolitik in den besetzten arab. Gebieten.
1982 **(Dez.) Konvention der 3. UN-Seerechtskonferenz:** Höchstbreite der Territorialgewässer von 12 Seemeilen, Wirtschaftszone von 200 Seemeilen, Nutzungsrechte der Küstenstaaten am Festlandssockel, Verwaltung des Meeresgrunds durch internat. Meeresboden-Behörde als »gemeinsames Erbe der Menschheit«.
1987 »Internat. Jahr der Obdachlosen«.
1990 Sicherheitsrat-Resolutionen gegen die Annexion Kuwaits durch den Irak.
(Sept.) »Weltkindergipfel«.
1992 Agenda für den Frieden, Planung einer UN-Eingreiftruppe.
Umwelt- und Entwicklungskonferenz/UNCED in Rio de Janeiro **(Erdgipfel).**
1. Ernährungskonferenz in Rom, v. a. zu den Hungerproblemen in Afrika.
1993 Weltmenschenrechtskonferenz in Wien; Entwicklungsländer u. China lehnen Gründung eines Menschenrechtsgerichtshofs und UN-Hochkommissariats für Menschenrechte ab.
(25. 2.) Konstituierung **Internationaler Kriegsverbrechertribunale** zur Ahndung von Kriegsverbrechen im ehemaligen Jugoslawien in Den Haag und
1994 (8. 11.) von Kriegsverbrechen in Ruanda in Arusha.
1995 (26. 6.) 50. Jahrestag der UNO-Gründung.
Weltsozialgipfel in Kopenhagen; Kontroversen über **20/20-Initiative** der UN: 20% der Entwicklungshilfe und 20% der Haushaltsmittel der Empfängerländer für soziale Aufgaben; Ablehnung eines **Sozialentwicklungsfonds** durch die Industriestaaten.
1997 Konferenz der internat. **Klimakonvention zur Reduzierung der Treibhausgase in Kyoto.**
1998 (17. 7.) Beschluss über die Einrichtung eines **Internationalen Strafgerichtshofs,** von den USA abgelehnt.
2000 (Mai) Welt-Kindergipfel in New York.
2002 Konstituierung des Internat. Strafgerichtshofs in New York, zuständig für Verbrechen, die nach dem 1. 7. 2002 verübt wurden; 2004 94 Vertragsstaaten.
2004 191 UNO-Mitglieder: alle Staaten außer Dem. Arab. Rep. Sahara, Rep. China (Taiwan), Vatikan.

Generalsekretäre der VN
1961–71 Sithu **U Thant** (Birma/Myanmar)
1972–81 Kurt **Waldheim** (Österreich)
1982–91 Javier **Pérez de Cuéllar** (Peru)
1992–96 Boutros **Boutros-Ghali** (Ägypten)
seit 1997 Kofi **Annan** (Ghana)

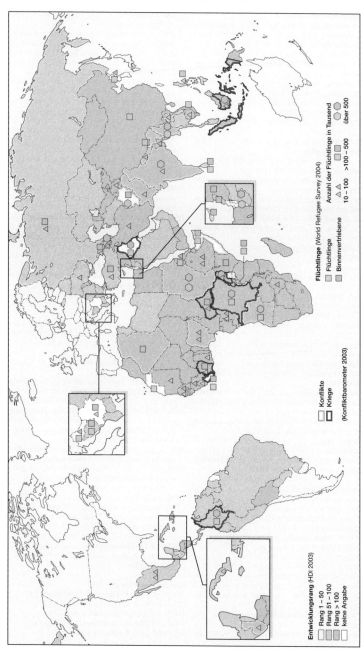

Flüchtlinge (World Refugee Survey 2004)

▢ Flüchtlinge
▢ Binnenvertriebene

Anzahl der Flüchtlinge in Tausend

△ △   ▢   ▢   ⬡   ⬡
10 – 100   >100 – 500   über 500

▢ Konflikte
▢ Kriege

(Konfliktbarometer 2003)

Entwicklungsrang (HDI 2003)

☐ Rang 1 – 50
☐ Rang 51 – 100
☐ Rang > 100
☐ keine Angabe

Entwicklungsrang der Staaten; Kriege und Konflikte, Flüchtlinge (2002/03)

UNO-Friedensmissionen (1958 = beendet)
Friedensüberwachung (Waffenstillstand, Konfliktparteien beobachten und kontrollieren, Grenzüberwachung)
1948 (ab Juni) **UNTSO** überwacht den Waffenstillstand in Nahost.
1949 (ab Jan.) **UNMOGIP** an der Waffenstillstandslinie in Kaschmir.
1956–67 **UNEF I** überwacht als erste bewaffnete UN-Friedenstruppe im Suezkrieg den Abzug der Invasionstruppen.
1958 **UNOGIL** sichert Verfassungsänderung im Libanon vor syrischer Einflussnahme.
1962/63 **UNSF**-Präsenz in W-Irian bis zur Angliederung an Indonesien.
1963/64 **UNYOM:** Truppenentflechtung der Bürgerkriegsparteien in Jemen.
1965/66 **UNIPOM:** Waffenstillstand nach Krieg zwischen Indien und Pakistan.
1973–79 **UNEF II** sichert die Pufferzonen zw. Israel und Syrien bzw. Ägypten nach dem israel.-arab. Krieg.
1978 (ab März) **UNIFIL**-Einsatz gegen die Konflikte Israels mit Libanon.
1988–91 **UNIIMOG:** Waffenstillstand von Irak und Iran nach dem 1. Golfkrieg.
1991–2003 **UNIKOM** überwacht die entmilitar. Zone zw. Irak und Kuwait.
1991–95 **ONUSAL** beobachtet Friedensprozess zwischen Reg. und FMLN-Guerilla in El Salvador.
1993/94 **UNOMUR** sichert Uganda vor grenzüberschreitenden Kämpfen aus Ruanda.
1993–96 **UNAMIR**-Einsatz in Ruanda verhindert den Völkermord an den Tutsi nicht.
1993–97 **UNOMIL** überwacht Demobilisierung der Bürgerkriegsparteien in Liberia.
1994 **UNASOG** überwacht libyschen Truppenabzug aus dem Aouzou-Streifen zu Tschad.
1994–2000 **UNMOT** überwacht Frieden zw. Bürgerkriegsparteien in Tadschikistan.
1996–2000 **UNSMIH-, UNTMIH-, MIPONUH**-Missionen auf Haiti zur Unterstützung des Demokratisierungsprozesses.
1998/99 **UNOMSIL**-Beobachtermission in Sierra Leone; abgelöst durch UNAMSIL.
2003 **MINUCI:** Wahlbeobachtung in Elfenbeinküste.

Friedenssicherung (Übergangs- und Versöhnungsprozesse, demokrat. Konsolidierung, Flüchtlingsrückführung)
1960–64 **ONUC:** Aufgabe, die territoriale Unversehrtheit von Kongo-Léopoldville (heute DR Kongo) zu bewahren (Katangakrise, Bürgerkrieg).
1964 (ab März) **UNFICYP**-Friedenstruppe auf Zypern.
1974 (ab Juni) **UNDOF**-Beobachtertruppe: Truppenentflechtung auf den Golanhöhen.
1988–90 **UNGOMAP:** sowjet. Truppenabzug aus Afghanistan und Flüchtlingsrückführung.
1988–91/91–95/95–97 Angola-Verifizierungsmissionen/**UNAVEM I, II, III:** Abzug der kuban. Truppen, Waffenstillstand und Friedens-

abkommen zw. Reg. und UNITA; Nachfolge: Beobachtermission **MONUA** (1997–99).
1989/90 **UNTAG:** 8000 Mann sichern den Unabhängigkeitsprozess Namibias.
1989–92 **ONUCA:** Überwachung der Grenzen Nicaraguas zu Costa Rica, El Salvador, Guatemala und Honduras.
1991 (ab Sept.) **MINURSO:** Waffenstillstand in W-Sahara; Referendum planen.
1992/93 **UNTAC:** Demobilisierung der Bürgerkriegsparteien in Kambodscha.
1992–94 **ONUMOZ:** Demobilisierung der Renamo und anderer Widerstandsbewegungen in Mosambik; Flüchtlingsrückführung.
1993 **UNOMIG** beobachtet abchasische Sezessionsversuche und den Einsatz von GUS-Truppen in Georgien.
1993–96 **UNMIH**-Hilfsmission für Haiti; scheitert an Rebellen.
1997 **MINUGUA** sichert Friedensprozess zw. Reg. und URNG-Rebellen in Guatemala.
1998–2000 **MINURCA:** Friedenssicherung in der Zentralafrikan. Republik.
1999 **UNMIK**-Polizei für den Kosovo.
1999–2002 **UNTAET:** Übergangsverwaltung und Friedenssicherung gegen proindones. Milizen in Osttimor.
2000 **UNMEE:** 4200 Soldaten sichern die Grenze zwischen Eritrea und Äthiopien.
2002–04 **UNMISET** löst UNTAET zur Sicherung der polit. Stabilität in Osttimor ab.
2003 **UNMIL:** 14 000 Soldaten entwaffnen seitdem die Kampftruppen in Liberia.
2004 **MINUSTAH**-Stabilisierungstruppe zur Friedenssicherung auf Haiti.
UNOCI: 7025 Soldaten für die Demobilisierung und den Friedensprozess in der Elfenbeinküste (Ersatz von MINUCI).

Friedenserzwingung (Einsatz von Waffen)
1992–95 **UNPROFOR**-Truppen sichern Demilitarisierung in abgegrenzten Gebieten Kroatiens, die Flugverbots- und Sicherheitszonen und die Grenzgebiete in der ehem. jugoslaw. Rep. Mazedonien;
1995 Neuorganisation: **UNMIBH** (bis 2002) in Bosnien-Herzegowina, **UNCRO** (bis 1996) in Kroatien, **UNPREDEP** (bis 1999) in Mazedonien im Einsatz.
1992/93 **UNOSOM I** sichert Waffenruhe und Hilfsgüter-Auslieferung in Somalia; nach Unruhen Bildung des Eingreifverbandes **UNITAF**; 1993–95 **UNOSOM II** mit Befugnis zu Zwangsmaßnahmen.
1996–98 **UNTAES:** Zwangsverwaltung Ost-Slawoniens, der Baranja und Westsirmiens zwecks Eingliederung in Kroatien.
1999 **UNAMSIL:** Mehr als 11 000 Soldaten überwachen die Entwaffnung und Demobilisierung in den Sicherheitszonen in Sierra Leone nach dem Lomé-Abkommen.
1999 **MONUC:** 10 000 Soldaten sind im Osten der DR Kongo zur Befriedung eingesetzt.
2004 **ONUB** soll den Frieden in Burundi nach dem Arusha-Abkommen sichern.

Wirtschaftsmacht EG (1975)

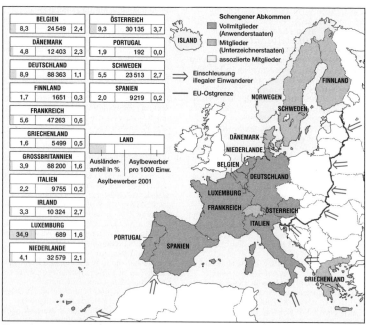

Zuwanderung und Asylbewerber 2001

RGW (COMECON; S. 523)
1970 Gründung einer Internationalen Investitionsbank ohne Rumänien, das jedoch 1971 beitritt.
CEAUŞESCU fordert Öffnung auch für nichtsozialist. Staaten. Chile gibt Beitrittsabsicht bekannt.
Auf der 25. Tagung des RGW wird ein **20-Jahre-Komplexprogramm** verabschiedet. Aufwertung der Währungen im Zusammenhang mit den Paritätenveränderungen der Weltwährungen; international konvertible Währung angestrebt.
1972 (Febr.) Gründung der Atomenergieorganisation »Interatominstrument« (ohne Rumänien).
(April) Erste Anleihe der Investitionsbank auf dem internationalen Kapitalmarkt (60 Mill. Eurodollar).
(Juli) **Kuba wird Mitglied.**
1978 Vietnam 10. Mitglied.
Zunehmende Westverschuldung und Wirtschaftsabschwächung.
1990 Beschluss über den Übergang zur Verrechnung des Handels in frei konvertierbarer Währung.
Die Abkehr der meisten Mitgliedstaaten von der kommunist. Planwirtschaft führt zur
1991 (28. 6.) Auflösung des RGW auf der letzten Plenarsitzung in Budapest.

Europäische Gemeinschaften (EG, EU; S. 523)
Innere Entwicklungen
1966 Nach Rückkehr des franz. Vertreters Überwindung der EWG-Krise.
Die BR Dtl. (BK. ERHARD) setzt sich für den brit. Beitritt ein, die brit. Regierung kündigt Verhandlungen an; Bemühungen scheitern am Widerstand Frankreichs.
1967 (1. 7.) **Fusionsvertrag** für die 3 europ. Gemeinschaften EGKS (Europ. Gemeinschaft für Kohle und Stahl), EWG und Euratom zur **Europäischen Gemeinschaft/EG** tritt in Kraft.
1968 (Dez.) Agrarreformplan **(Mansholtplan).**
1970 (27. 10.) Luxemburg-Bericht: Beschluss zur **Europäischen Politischen Zusammenarbeit/EPZ** auf einheitl. Grundlage.
1971 EG-Rat beschließt die stufenweise Verwirklichung der **Europäischen Wirtschafts- und Währungsunion/EWWU.**
1977 (Juli) Inkrafttreten des Freihandelsabkommens mit den 7 Staaten der EFTA.
(25. 10.) Europäischer Rechnungshof ersetzt Kontrollausschuss.
1978 (Dez.) Gründung des **Europ. Währungssystems/EWS** mit **Europ. Währungseinheit/ECU** ohne Großbritannien, das
1979 (März) in Kraft tritt.
(Juni) **Erste Direktwahl zum Europa-Parlament,** danach alle 5 Jahre.
1985 (14. 6.) Schengen-I-Abkommen zur Erleichterung der Grenzverkehrs.
1987 (12. 6.) Delors-Paket zur Reform der gemeinsamen Agrarpolitik, der Strukturfonds und der Haushaltsregelung.

(1. 7.) Einheitl. Europ. Akte/EEA erweitert Befugnisse des Europa-Parlaments.
1988 (25. 6.) Kooperationsabkommen mit RGW.
1990 (19. 6.) Schengen-II-Abkommen zum Abbau der Personenkontrollen an den Binnengrenzen und Verringerung der Kontrollen des Warenverkehrs von Belgien, BR Deutschland, Frankreich, Luxemburg und den Niederlanden unterzeichnet; Italien (1990), Spanien und Portugal (1991), Griechenland (1992), Österreich (1995), Dänemark, Finnland, Island, Norwegen und Schweden (2001) beigetreten.
(8. 10.) Beitritt Großbritanniens zum EWS.
1991 (15. 4.) Gründung der Europäischen Bank für Wiederaufbau und Entwicklung/EBRD und der **Europäischen Investitionsbank/EIB** zur Unterstützung des Umbaus der ehemaligen sozialist. Volkswirtschaften auf marktwirtschaftl. Grundlage.
(3. 5.) EG-EFTA-Verhandlungen führen zur Einigung über einen **Europäischen Wirtschaftsraum/EWR;** Übernahme der EG-Rechtsvorschriften durch die EFTA-Staaten größtenteils ab 1. 1. 1993; EWR-Abkommen am 2. 5. 1992 in Porto unterzeichnet.
1992 (7. 2.) Maastricht-Vertrag über den Ausbau der EG zu einer **Europäischen Union/EU** mit gemeinsamem Binnenmarkt und einheitl. Währung.
(April) Beitritt Portugals zum EWS.
(2. 6.) Maastricht-Vertrag durch Volksabstimmung von Dänemark abgelehnt. Finnland und Norwegen ratifizieren EWR-Vertrag.
1993 (1. 1.) Inkrafttreten des Gemeinsamen Binnenmarkts und
(1. 11.) des Maastricht-Vertrags mit Europ. Wirtschafts- und Währungsunion/EWWU; EPZ durch »**Gemeinsame Außen- und Sicherheitspolitik/GASP**« abgelöst.
1994 (1. 1.) Inkrafttreten des **EWR** in 12 EU- und 6 EFTA-Staaten und der zweiten Stufe der **EWWU.**
1995 Österreich wird EWS-Mitglied.
(26. 3.) Schengener Abkommen treten in Kraft.
(Juni) Der Europäische Rat beschließt in Cannes die Planung einer europäischen Polizeibehörde **Europol.**
Euro neue Währungsbezeichnung.
1996 (10. 10.) EWS-Beitritt Finnlands.
(Dez.) Einigung über **Stabilitätspakt.**
1997 (19. 11.) Amsterdamer Vertrag mit dem Ziel einer gemeinsamen Justiz-, Außen-, Sicherheits-, Gesundheits-, Umweltschutz- und Beschäftigungspolitik sowie der Aufnahme von Beitrittsgesprächen mit mittel- und osteurop. Staaten sowie Zypern beschlossen.
Beschäftigungsgipfel zum Abbau der Arbeitslosigkeit.
Schweden und Großbritannien lehnen Beitritt zur EWWU ab.

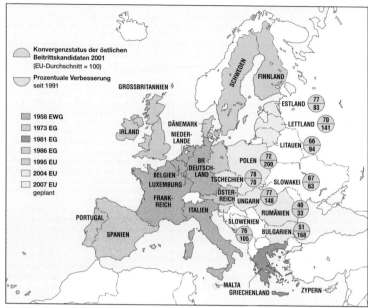

Der Weg zum vereinigten Europa

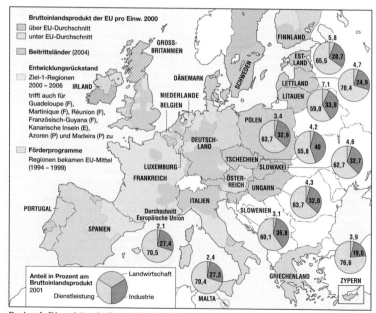

Regionale Disparitäten in der wachsenden EU

1999 (1. 1.) Stabilitäts- und Wachstumspakt/ SWP tritt in Kraft.

(1. 1.) Euro als Zahlungsmittel für die EW-WU-Staaten beschlossen.

Planung: **Europäische Sicherheits- und Verteidigungspolitik/ESVP** zur Krisenverhütung und Terrorismusbekämpfung.

(1. 5.) Vertrag von **Amsterdam** ratifiziert.

(1. 7.) Europol nimmt mit Sitz in Den Haag die Arbeit auf.

2000 (7. 12.) Vertrag von Nizza beschlossen: **Verfassungsentwurf** mit neuer Stimmverteilung im Ministerrat auf der Basis der Bevölkerungsanteile der Staaten; Grundrechtcharta; Planung einer **schnellen Eingreiftruppe.**

2001 (1. 1.) Griechenland tritt EWWU bei.

2002 (1. 1.) Euro-Ausgabe in den 12 EWWU-Staaten Belgien, Deutschland, Finnland, Frankreich, Griechenland, Irland, Italien, Luxemburg, Niederlande, Österreich, Portugal, Spanien.

2003 (15. 1.) **Eurodac**-Datenbank zur Identifizierung von Asylbewerbern u. Drittstaatenangehörigen nimmt Betrieb auf.

(1. 2.) Verfassungsvertrag von Nizza tritt in Kraft.

Außenaktivitäten

1969 Assoziierungsabkommen mit 21 afrikan. Staaten.

1973 (Nov.) **Nahosterklärung der EG** unterstützt die arab. Haltung im 4. Nahostkrieg; als Anerkennung verzichtet die OPEC auf eine Drosselung der Erdöl-Förderung.

1975–1990 Vier **Lomé-Abkommen** zur Regelung der Beziehungen (u. a. der Zollfreiheit) zwischen EG und den AKP-Staaten (Afrika, Karibik, Pazifik).

1992 (23. 3.) Anerkennung der Unabhängigkeit von Georgien und

(7. 4.) von Bosnien-Herzegowina.

1993 Verhandlungen über Verkehrs- und Finanz-Sonderabkommen mit der Schweiz.

1995 Zollunion mit der Türkei.

Partnerschaftsabkommen mit Tunesien zum Abbau der Zollschranken.

Assoziierungsabkommen mit Israel über wirtschaftl. und polit. Zusammenarbeit.

(12. 4.) Kooperationsabkommen mit Nepal mit Meistbegünstigungsvertrag.

(27./28. 11.) 1. Mittelmeerkonferenz in Barcelona mit Anrainerstaaten über Entwicklungshilfe: 4,685 Mrd. ECU bis 1999 und Freihandel ab 2010 geplant.

(15. 12.) Abkommen mit dem Gemeinsamen Markt des Südens/MERCOSUR Lateinamerikas, v. a. zum Abbau der Handelsbarrieren.

1997 (15./16. 4.) **2. Mittelmeerkonferenz** in Valletta.

(1. 12.) Partnerschafts- und Kooperationsabkommen mit Russland und

1998 (1. 3.) mit der Ukraine sowie

(25. 5.) mit Turkmenistan unterzeichnet, aber nicht in Kraft.

1999 15. San-José-Konferenz bei Bonn beschließt Hilfs- und Kooperationsabkommen mit den Staaten Lateinamerikas.

(1. 7.) Partnerschafts- und Kooperationsabkommen mit Armenien, Aserbaidschan, Georgien, Kasachstan, Kirgisien und Usbekistan.

(11. 10.) Freihandelsabkommen mit Südafrika.

2000 (5. 12.) »Community Assistance for Reconstruction, Development und Stabilisation/**CARDS-Programm**« für die Unterstützung der Reformen der potentiellen EU-Beitrittsländer Albanien, Bosnien-Herzegowina, Kroatien, Mazedonien sowie Serbien und Montenegro beschlossen.

2003 Erster ziviler **ESVP-Einsatz** in Bosnien-Herzegowina (1. 1., 3 Jahre), erste militärische Einsätze in Mazedonien (31. 3., 6 Monate) und der DR Kongo (5. 6.–1. 9.); Polizei-Mission in Mazedonien.

2004 (18. 6.) Die Staats- und Reg.-Chefs der 25 Mitgliedstaaten erreichen in Brüssel Einvernehmen über den »**Vertrag über eine Verfassung für Europa«.**

Erweiterung der EWG/EG/EU

1970 Beginn der Beitrittsverhandlungen mit Großbritannien, Irland, Dänemark und Norwegen.

1972 (Jan.) Großbritannien, Dänemark, Irland und Norwegen unterzeichnen Beitrittsvertrag zu einer Gemeinschaft der Zehn;

(Sept.) Norwegens Bevölkerung lehnt den Beitritt durch Volksentscheid ab.

1973 (1. 1.) EG der Neun tritt in Kraft.

1981 (Jan.) Griechenland 10. EG-Mitglied.

1986 (Jan.) »Europa der Zwölf« durch die Beitritt von Spanien und Portugal; Symbol: fünfzackige goldene Sterne, kreisförmig angeordnet auf blauem Grund.

1992 Beitrittsgesuch der Schweiz (ruht nach Volksabstimmungen gegen EWR- und 1997 gegen EU-Beitritt).

1993 (Juni) Kopenhagen-Kriterien als Voraussetzung für den EU-Beitritt durch den Europäischen Rat festgelegt.

1994 Polen, Ungarn und Norwegen assoziiert.

1995 Beitritt von Finnland, Österreich und Schweden.

1997 EU-Gipfel beschließt Nichtberücksichtigung des Beitrittsantrags der Türkei (seit 1987), die Rücknahme androht.

1998 Beitrittsverhandlungen auf der **1. Europakonferenz** in London mit Polen, Ungarn, Tschech. Republik, Estland, Slowenien und Zypern.

2004 (1. 5.) Beitritt von Estland, Lettland, Litauen, Malta, Polen, Slowak. Republik, Slowenien, Tschech. Republik, Ungarn und Zypern (auch ohne Überwindung der Teilung); 2007 soll der Beitritt Bulgariens und Rumäniens folgen.

(16./17. 12.) Aufnahme von Verhandlungen mit der Türkei über EU-Beitritt beschlossen.

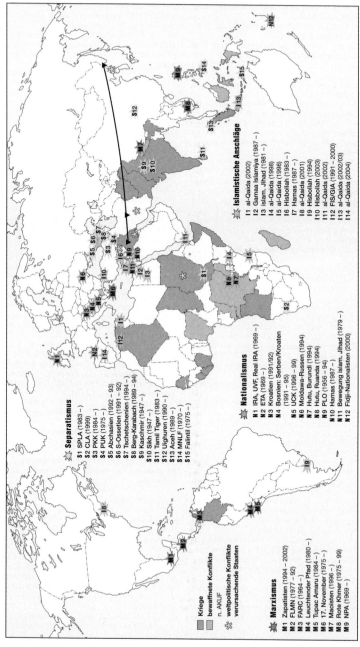

Kriege, Konflikte und Terrorismus (1991 – 2004)

Islamistische Anschläge auf westl. Einrichtungen, Einwohner und Touristen im Ausland

Ägypten,
v. a. Oberägypten, durch die Moslembruderschaft »Al-Gamaa al-Islamiya«:
1992–97 Anschläge auf ein Nilschiff, Touristenlokale und -hotels, einen UNO-Vertreter, ein Kino, das ausländ. Filme zeigte, Reisebusse und den Badeort Hurghada, wobei russ., brit., schwed., griech. und
1997 (18. 9.) 9 deutsche Touristen (vor dem Ägypt. Museum in Kairo) getötet werden.
(17. 11.) 58 Touristen sterben in Luxor.

Algerien,
im Lauf des Bürgerkriegs Attentate durch die »Front Islamique de Salut/FIS« und die »Groupe Islamique Armé/GIA«:
1993 auf einzelne Ausländer, bis 1995 82 getötet, darunter 29 Franzosen;
1994 gegen franz. Geistliche, den Präsidenten der Menschenrechtsliga, 7 italien. Seeleute, franz. Botschaftsangehörige;
1996 weiterhin Mordanschläge:
(27. 3.) auf 7 Trappistenmönche;
(1. 8.) auf den Bischof von Algier.
2003 GPSC-Rebellen entführen 32 Touristen.

Kenia
1998 (7. 8.) Sprengstoffanschläge auf die amerikan. Botschaft in Nairobi mit 247 Toten und zeitgleich in

Tansania
auf die amerikan. Botschaft in Daressalam mit 10 Toten. – Amerikaner reagieren mit Bombardierung von Bin-Laden-Ausbildungslagern in Afghanistan und einer Chemiefabrik im Sudan.

Jemen
1998 (Dez.) Entführung von 16 Touristen durch islamist. Terroristen; bei Befreiungsaktion 4 Geiseln getötet.
2002 (6. 10.) Anschlag auf den franz. Öltanker »Limburg« vor der Küste.
(30. 12.) Drei US-Angestellte eines Krankenhauses in Dschibla ermordet.

Kuwait
2002 (8. 10.) Angriff auf amerikan. Marineinfanteristen durch al-Qaida-Terroristen auf der Insel Failaka.

Saudi-Arabien
Bomben- und Selbstmordanschläge
1995 (13. 11.) auf ein amerikan. Ausbildungszentrum für die saud. Nationalgarde;
1996 (25. 6.) auf einen Wohnkomplex der US-Streitkräfte in Dhahran, 19 Tote;
2003 (12. 5.) auf Ausländersiedlungen in Riad, 35 Tote;
(8. 11.) auf ein bewachtes Ausländer-Wohnviertel in Riad, 18 Tote;
2004 (1. 5.) auf die Ölraffinerie in Yanbu, 11 Tote, davon 5 Ausländer.
(29. 5.) Geiselnahme in der Erdölstadt Khobar; während Befreiungsversuch 22 Geiseln, darunter 18 Ausländer, exekutiert.

Indonesien
2002 (12. 10.) **Terroranschläge auf Bali** durch

»Jamaa Islamiya« auf austral. Touristen fordern 202 Tote.
2003 (5. 8.) 14 Tote, als eine Autobombe vor dem Marriott-Hotel in Jakarta explodiert.

Pakistan
1997 (12. 11.) Ermordung von 4 Angestellten einer amerikan. Erdölgesellschaft als Reaktion auf die Verurteilung des Pakistaners MIR AIMAL KANSI in Virginia.
2002 (8. 5.) Einem Sprengstoffanschlag fallen 14 franz. U-Boot-Ingenieure zum Opfer.
(14. 6.) Anschlag auf das amerikan. Konsulat in Karatschi fordert 12 Tote.

Indien
1995 (4. 7.) Geiselnahme von 5 westl. Touristen durch islam. Sezessionisten in Kaschmir.

Islamistische Anschläge gegen Juden und jüdische Einrichtungen
1990 (Dez.) Mordanschlag auf den rechtsradikalen israel. Rabbiner M. KAHANE in New York durch den Ägypter EL-SAYYID NOSAIR.
1992 (März) Anschlag auf israel. Botschaft in Buenos Aires durch »Jihad al-Islami«.
1994 (18. 7.) Bombenanschlag auf das jüd. Zentrum in Buenos Aires durch die vom Iran unterstützte Hisbollah fordert 95 Tote.
(26./27. 7.) Anschlag auf die israel. Botschaft und ein Geschäftshaus in London.
2002 (11. 4.) Anschlag auf die La-Ghriba-Synagoge von Djerba/Tunesien kostet 21 Touristen, davon 14 deutschen, das Leben.
(28. 11.) 16 Tote bei Selbstmordanschlag gegen israel. Touristen in **Mombasa**.
2003 (16. 5.) 45 Tote bei Anschlag auf jüd. Einrichtungen in **Casablanca**.
(15. 11.) Autobombenanschläge durch kurd. Hisbollah auf 2 Synagogen in Istanbul.

Islamistische Anschläge gegen westl. Einrichtungen (bevorzugt mit hohem Symbolwert)
1993 (26. 2.) Terroranschlag in der Tiefgarage des **World Trade Center in New York** durch die fundamental. islamist.-ägypt. Gruppe »al-Jihad« fordert 6 Tote und 300 Verletzte.
1995 2 Anschläge von alger. GIA-Terroristen auf die Vorortbahn RER von Paris fordert 7 Opfer.
1996 (3. 12.) Anschlag islam. Terroristen auf Vorortzug der RER, 3 Tote.
2001 (11. 9.) Koordinierter Terroranschlag mit 4 Passagiermaschinen auf die beiden Türme des **World Trade Center in New York und auf das **Pentagon** in Washington durch al-Qaida geschulte Terroristen um den Attentäter MOHAMMED ATTA fordert insgesamt 3016 Tote; das 4. Flugzeug stürzt in Pennsylvania ab.
2002 (12. 10.) Sprengstoffanschlag im Hafen von Aden auf den amerikan. Zerstörer **USS Cole.**
2003 (20. 11.) Autobombenanschläge auf brit. Einrichtungen in **Istanbul**, 32 Tote.
2004 (11. 3.) Anschläge auf 4 Vorortzüge in Madrid, 191 Tote und über 1400 Verletzte.

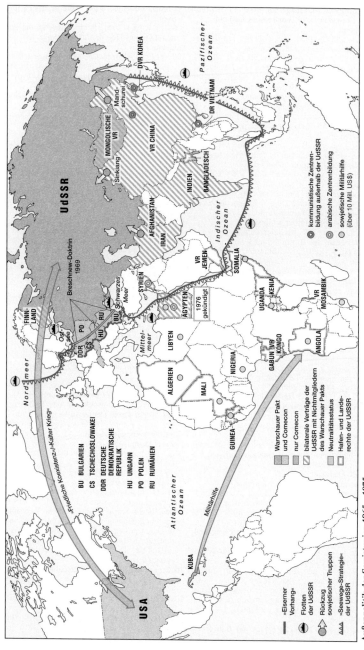

Außenpolitik der Sowjetunion 1965 – 1975

Sowjetunion (S. 506)

1966 XXIII. Parteitag der KPdSU ohne Vertreter der VR China: Partei-Chef BRESCHNEW (1906–82) kritisiert USA (Vietnamkonflikt) und BR Dtl. (Störung der europ. Sicherheit); Reg.-Chef KOSSYGIN (1904–80) erläutert den neuen Fünfjahresplan mit »verstärkten Anreizen zu materieller Interessiertheit«.

1967 Im Israelkonflikt ergreift die UdSSR Partei für die arab. Seite.

Die Haltung gegenüber dem Reformkurs in der ČSSR verschärft sich nach der

1968 (Juli) verkündeten »Breschnew-Doktrin« (Haupthese: Die Souveränität eines einzelnen kommunist. Staates ist durch die Interessen der sozialist. Gemeinschaft begrenzt) und führt

1968 (20./21. 8.) zum **Einmarsch der Warschauer-Pakt-Truppen in die ČSSR.**

1969 (März) Schwerer Grenzzwischenfall mit der VR China am Ussuri.

1970 (12. 8.) Moskauer Vertrag: Gewaltverzichtsvertrag mit der BR Dtl. unterzeichnet.

1971 (Sept.) **Krim-Treffen:** BK. BRANDT/BR Dtl. bei BRESCHNEW.

1972 (Mai) NIXON besucht als erster Präs. der USA die UdSSR.

1973 Besuch BRESCHNEWS in der BR Dtl. folgt (Mai) Abkommen über Zusammenarbeit.

1974 (Febr.) Ausweisung des Dissidenten SOLSCHENIZYN.

(Juni/Juli) 2. Besuch NIXONS.

(Nov.) Treffen BRESCHNEWS mit US-Präs. FORD in Wladiwostok.

1976 Ägypten kündigt Freundschaftsvertrag: Ausweisung der sowjet. Militärberater und Beendigung der Hafenrechte.

1976–88 Staatliche Verfolgung von **Menschenrechtsbewegungen,** Dissidenten werden in psychiatr. Anstalten eingewiesen.

1977 Besuch von Präs. PODGORNY in Afrika, Militärhilfe an 10 afrikan. Staaten.

(Juni) Ausschluss von Präs. PODGORNY aus dem Politbüro aus machtpolit. Gründen;

(Okt.) neue Verfassung verabschiedet.

1978 (Mai) Staatsbesuch BRESCHNEWS in der BR Dtl.: keine Bedrohung durch die UdSSR.

1979 (Dez.) Einmarsch sowjet. Truppen in Afghanistan.

1982 (10. 11.) Tod Breschnews; ANDROPOW wird neuer Gen.-Sekretär, ab

1983 (17. 6.) auch Staatsoberhaupt.

(Nov.) Auseinandersetzung USA – UdSSR wegen des Abschusses eines südkorean. Verkehrsflugzeugs.

1984 (9. 2.) Tod Andropows; TSCHERNENKO wird neuer Gen.-Sekretär, ab

(13. 4.) auch Staatsoberhaupt.

1985 (10. 3.) Nach Tod TSCHERNENKOS wird **Michail Gorbatschow** neuer Gen.-Sekretär, **A. Gromyko** Staatsoberhaupt.

GORBATSCHOW bekämpft Korruption und Missstände und verkündet

1986 (Febr.) auf dem **XXVII. Parteitag der**

KPdSU die **Perestroika** (Umgestaltung) und **Glasnost** (Offenheit) der UdSSR.

(26. 4.) Reaktorunfall (GAU) in **Tschernobyl:** heftige internat. Reaktionen.

(11./12. 10.) Treffen GORBATSCHOWS mit US-Präs. REAGAN in Reykjavík.

1988 Unruhen in Armenien, Aserbaidschan (Berg-Karabach) und den balt. Staaten wegen Wunsch nach nationaler Selbstbestimmung.

(15. 5.) Beginn des sowjet. Truppenabzugs aus Afghanistan (bis Febr. 1989).

(29. 5.–2. 6.) Gipfeltreffen REAGAN – GORBATSCHOW in Moskau: Ratifizierung des INF-Abkommens.

(Okt.) GORBATSCHOW wird nach Tod GROMYKOS Staatsoberhaupt.

(7. 12.) GORBATSCHOW kündigt vor der UN-Vollversammlung einseitige Abrüstungsschritte an.

1989 (2./3. 12.) Treffen GORBATSCHOWS mit Präs. BUSH vor Malta.

1990 Unabhängigkeitserklärungen der balt. Staaten: Litauen (11. 3. nach Wahlsieg der Sajudis), Estland (30. 3.) und Lettland (4. 5.), von der UdSSR nicht anerkannt.

Weitere Nationalitätenkonflikte mit Usbeken und Kirgisen, in Armenien, der Ukraine, Georgien, Moldau.

(15. 3.) Gorbatschow wird Präsident.

(Juli) XXVIII. Parteitag der KPdSU: Trotz heftiger Kritik Wiederwahl von Gen.-Sekretär GORBATSCHOW und Festhalten am Perestroika-Kurs.

(Okt.) Oberster Sowjet beschließt Einführung der Marktwirtschaft.

(15. 10.) Friedensnobelpreis für GORBATSCHOW.

1991 (Jan.) Blutige Militäraktionen gegen die Unabhängigkeitsbestrebungen der balt. Staaten.

(April) Georgien erklärt seine Unabhängigkeit, ändert die Verfassung (Georg. Demokrat. Rep.) und wählt einen Präs.

(23. 4.) **9+1-Abkommen** der Zentralreg. mit den 9 verbleibenden Republiken über den Fortbestand der Sowjetunion; Anerkennung der Selbständigkeit der balt. Republiken, Moldaus, Georgiens und Armeniens.

(Aug.) Putsch der konserv. KP gegen Gorbatschow scheitert am Widerstand der Bev.

(14. 11.) Sowjet. Verfassung wird außer Kraft gesetzt;

(15. 11.) Gründung der **Union Souveräner Staaten/USS** der 7 Republiken Aserbaidschan, Kasachstan, Kirgisien, Russland, Tadschikistan, Turkmenistan und Weißrussland.

(8. 12.) Erklärung von Minsk: Weißrussland, Russland und Ukraine beschließen **Gründung der Gemeinschaft Unabhängiger Staaten/GUS;** in Alma-Ata Beitritt 8 weiterer Republiken.

(21. 12.) GUS beschließt Ende der UdSSR;

(25. 12.) Rücktritt Gorbatschows.

(31. 12.) Ende der UdSSR.

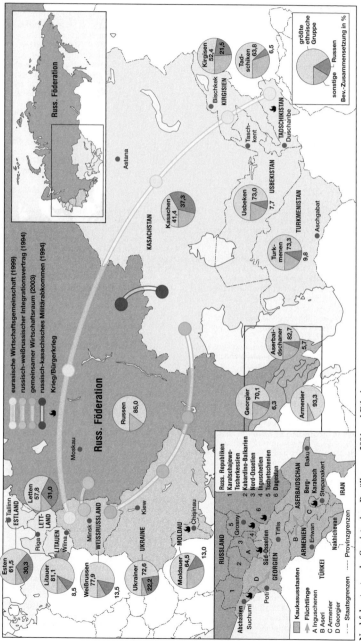

größte
ethnische
Gruppe
sonstige
Russen
Bev.-Zusammensetzung in %

Kirgisen 52,4 / 21,5
Tadschiken 63,8 / 6,5

Russ. Föderation

Bischkek
KIRGISIEN
TADSCHIKISTAN
Duschanbe

Astana
Taschkent

KASACHSTAN

Usbeken 73,0 / 7,7
USBEKISTAN
TURKMENISTAN
Aschgabat

Kasachen 41,4 / 37,3

Turkmenen 73,3 / 9,8

eurasische Wirtschaftsgemeinschaft (1999)
russisch-weißrussischer Integrationsvertrag (1994)
gemeinsamer Wirtschaftsraum (2003)
russisch-kasachisches Militärabkommen (1994)
Krieg/Bürgerkrieg

Aserbai-dschaner 82,7 / 5,7

Russen 85,0

Georgier 70,1 / 6,3
Armenier 93,3

Russ. Föderation

Moskau

Russ. Republiken
1 Karatschajewo-Tscherkessien
2 Kabardino-Balkarien
3 Nord-Ossetien
4 Inguschetien
5 Tschetschenien
6 Dagestan

Baku
Berg-Karabach
Stepanakert

Tallinn
ESTLAND
Letten 57,8 / 31,0

RUSSLAND
Grosny
Tiflis
SÜD-Ossetien
GEORGIEN
Eriwan
ARMENIEN
Nachitschewan
ASERBAIDSCHAN
IRAN
TÜRKEI

Kiew

Riga
LETT-LAND
LITAUEN
Wilna
Minsk
WEISSRUSSLAND
UKRAINE
MOLDAU
Chisinau

Esten 61,5 / 30,3
Litauer 81,1 / 8,5
Weißrussen 77,9 / 13,5
Ukrainer 72,6 / 22,2
Moldau 64,5 / 13,0

Kaukasusstaaten
Flüchtlinge
A Inguschenen
B Aseri
C Armenier
D Georgier

Abchasien
Suchumi
Poti

Staatsgrenzen
Provinzgrenzen

Nachfolgestaaten der Sowjetunion, Bevölkerung 2001 und Ethnien

Russland (Russische Föderation)
1991 (12. 6.) Wahl Boris Jelzins zum ersten russ. Präsidenten.
(7. 11.) KPdSU wird in Russland verboten.
Nach Präs.-Wahlen ruft DUDAJEW die
(8. 11.) Unabhängigkeit der **Rep. Tschetscheno-Inguschetien** aus. JELZIN erklärt Wahlen für ungültig und
(9. 11.) den Ausnahmezustand.
(8. 12.) Gemeinschaft Unabhängiger Staaten/ GUS gegründet; bis 1993 alle ehem. Sowjetrep. mit Ausnahme der balt. Staaten Mitglied.
(25. 12.) Umbenennung der RSFSR in Russische Föderation/RF.
1993 (3./4. 10.) Putschversuch von CHAZBULATOW und Vizepräs. RUZKOJ wird auf Befehl JELZINS niedergeschlagen.
(12. 12.) Erste freie Wahlen, demokrat. Verfassung per Volksentscheid.
1994–96 1. Tschetschenienkrieg, 40 000 russ. Soldaten marschieren aus N-Ossetien ein, Bombardierung Grosnys; Beendigung mit dem Tod DUDAJEWS.
1997 (1. 12.) Partnerschafts- und Kooperationsabkommen mit der EU.
1999 (Okt.) **2. Tschetschenienkrieg** nachdem tschetschen. Rebellen in Dagestan eine »Islam. Republik« ausrufen und nach einem Bombenanschlag auf Wohnhäuser in Moskau.
(31. 12.) Rücktritt JELZINS, dem
2000 (26. 3.) WLADIMIR PUTIN nachfolgt.
(8. 12.) Russisch-weißruss. Unionsvertrag.
2002 (21. 10.) Geiselnahme in Moskauer Musicaltheater durch Tschetschenen; bei Befreiung 167 Tote.
2003 (7. 12.) Bei den Duma-Wahlen erhält die neue Partei »Einheitliches Russland« der PUTIN-Anhänger die meisten Stimmen.
2004 (14. 3.) PUTIN gewinnt die Präs.-Wahl. – Zunehmend autokratische Reg. PUTINS: **Affäre um den Yukos-Ölkonzern;** weitere Einschränkung der Pressefreiheit und
(20. 6.) Stilllegung des letzten privaten Fernsehsenders TWS.
(1. 9.) Geiselnahme in einer Schule in Beslan/ N-Ossetien durch tschetschen. Separatisten; bei Befreiung durch russ. Truppen 331 Tote.

Armenien
1991 (21. 9.) Unabhängigkeit. – Auch
2003 Unregelmäßigkeiten bei den Präs.- und Parlamentswahlen.
2004 Weiterhin ungelöster Konflikt mit Aserbaidschan um Berg-Karabach.

Aserbaidschan
1991 (18. 10.) Unabhängigkeit.
1992 Krieg mit Armenien um die überwiegend von Armeniern bewohnte Enklave **Berg-Karabach.**
1993 Ausdehnung der Kämpfe auf aserbaidschan. Gebiet; Armenien erobert Korridor; Friedensplan der UN erfolglos.
1994 (12. 5.) Instabiler Waffenstillstand mit Armenien; seitdem handelt die Rep. Berg-

Karabach als nicht anerkannter, unabhängiger Staat.
1995 (12. 11.) Erste Parlamentswahlen.

Georgien (mit S-Ossetien, Abchasien)
1991 (18. 2.) Blockade georg. Truppen gegen die Region **S-Ossetien** wegen Sezessionsund Anschlussversuchen an die nordosset. autonome (seit 1989) Republik der RSFR wird von russ. Truppen durchbrochen.
(9. 4.) Unabhängigkeit.
1992 (24. 6.) Russ.-georg.-osset. Waffenstillstandsvereinbarung in Sotschi.
(Juli) Unabhängigkeitserklärung von **Abchasien,** Bürgerkrieg nach Einmarsch georg. Truppen; nach deren Niederlage
1994 (14. 5.) Waffenstillstand, aber
1998 (Mai) erneutes Aufflammen der Unruhen, Vertreibung von 40 000 Georgiern.
2003 (20. 11.) Parlamentswahlen.
(22. 11.) **»Rosenrevolution«:** Demonstranten stürmen nach Wahlbetrug das Parlament,
(23. 11.) Präs. E. SCHEWARDNADSE tritt zurück; Nachfolger M. SAAKASCHWILI, der
2004 (4. 1.) die Präs.-Wahl gewinnt.
(Jan.) Konflikt der Zentralreg. mit dem autokrat. Präs. der autonomen Rep. Adscharien, ABASCHIDSE, verschärft sich bis zum
(5. 5.) unblutigen Sturz ABASCHIDSES.

Kasachstan
1991 (16. 12.) Unabhängigkeit. – V. a. wegen seiner drei riesigen Öl- und Gasfelder wirtschaftlich sehr erfolgreich.
1999 (10. 1.) Wiederwahl von Präs. (seit 1990) NASARBAJEW für 7 Jahre.
2003 Gesetz über Grund und Boden: erstmals ist privater Landbesitz möglich.

Kirgisien
1991 (31. 8.) Unabhängigkeit. – Verbot der KP leitet allmähl. Demokratisierung ein; Wirtschaftsreformen.
1995 (Febr.) Erste Parlamentswahlen.
1999 (und erneut 2000) Kämpfe der Armee mit islamist. Rebellen aus Tadschikistan.
2005 (März) Präs. (seit 1990) AKAJEW flieht nach Demonstrationen und Parlamentsbesetzung nach Moskau.

Tadschikistan
1991 (9. 9.) Unabhängigkeit.
1992 Beginn der Kämpfe zwischen nationalist. und ethn. Gruppen und Clans; ein
1997 (27. 6.) Friedensabkommen beendet den Bürgerkrieg.

Usbekistan
1991 (31. 8.) Unabhängigkeit. – Präs. ISLAM A. KARIMOW (seit 1990) errichtet trotz
1992 moderner demokrat. Verfassung autoritäres Regime, das durch wirtschaftl. Abschottung das Land tiefer in die Armut treibt.
2004 (März/April) Anschläge der islamist. »Dschamaats« in Taschkent und Buchara.

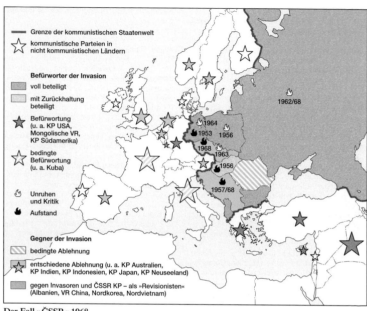

Der Fall »ČSSR« 1968

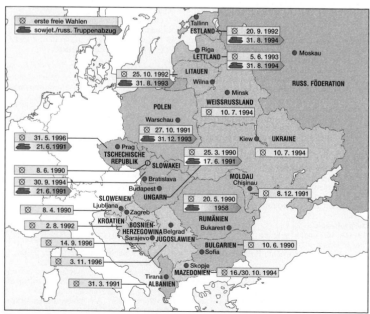

Zusammenbruch des Sowjetsystems in Osteuropa

Polen (S. 510)
1970 (7. 12.) Besuch Brandts, Unterzeichnung des dt.-poln. Vertrags in Warschau.
(Dez.) Blutige Unruhen wegen Preissteigerungen führen zum **Rücktritt Gomulkas.**
Neuer Parteiführer wird EDWARD GIEREK.
1971 (Jan.) Senkung der Lebensmittelpreise, Lohnerhöhungen, bessere Sozialleistungen.
1972 (26. 5.) Der Staatsrat ratifiziert den Vertrag mit der BR Dtl.
1976 Verfassungsreform; verschärfte Haltung gegen Kirche und Intellektuelle.
1980 Rücktritt von MP. JAROSZEWICZ. Sein Nachfolger MP. E. BABIUCH [Febr.–Aug. 1980] versucht, die wirtschaftl. Schwierigkeiten u. a. durch Abbau von Subventionen zu mildern.
(Juli–Sept.) Streikwelle in Warschau, Danzig und Schlesien, bes. wegen der Erhöhung der Fleischpreise. Einigung zwischen Reg. und den von LECH WAŁĘSA geführten überbetriebl. Streikkomitees.
(6. 9.) Absetzung Giereks als Parteichef, Nachfolger S. KANIA.
(Okt.) Registrierung der »Solidarität« (Solidarność) als freie Gewerkschaft.
1981 (Febr.) Gen. W. JARUZELSKI wird MP. Fortgang der Liberalisierung. Gründung einer »Landsolidarität« der Bauern.
(Okt.) Jaruzelski wird Parteiführer (1. Sekretär des ZK) der PVAP.
(Dez.) Verhängung des Kriegsrechts.
1982 (Okt.) Verbot der »Solidarität«.
1983 (Juli) Aufhebung des Kriegsrechts.
1985 JARUZELSKI wird Vors. des Staatsrats.
1988 Zulassung von Privatunternehmen und Opposition.
1989 Gespräche am »Runden Tisch« ergeben
(Juni) freie Wahlen mit 65%-Zwangsquote für die Reg., alle freien Sitze im Sejm gewinnt die »Solidarität«.
(Juli) Wahl JARUZELSKIS zum Staatspräs.
(8. 12.) Die VR Polen wird in Rep. Polen umbenannt.
1990 (Jan.) Auflösung der komm. PVAP; Nachfolge: mehrere sozialdemokrat. Parteien.
(14. 11.) Deutsch-polnischer Grenzbestätigungsvertrag.
(25. 11./9. 12.) Wahlsieg Lech Wałęsas, der
(Dez.) Staatspräsident wird.
1991 (27. 10.) Erste freie Parlamentswahlen seit 1928; seitdem wechselnde Koalitionsreg. aufgrund unklarer Mehrheiten.
1993 (1. 3.) Zentraleurop. Freihandelsabkommen/CEFTA in Kraft.
1995 (Nov.) Bei den Präs.-Wahlen siegt der Kandidat der Linksallianz, A. KWAŚNIEWSKI; 2000 bestätigt.

Tschechoslowakei (S. 511)
1968 Wahl des Slowaken **Alexander Dubček** (1921–92) zum 1. Parteisekr. der KPČ. – Der von der KPČ eingeschlagene Reformkurs (»Prager Frühling«) wird von den Warschauer-Pakt-Staaten mit Misstrauen verfolgt.

(Juni) Warschauer Treffen (UdSSR, DDR, Polen, Ungarn, Bulgarien): warnender Brief an das ZK der KPČ.
(29. 7.–1. 8) Konferenzen mit Vertretern der »Warschauer Fünf« bringen nur scheinbar eine Entschärfung der Lage.
(21./22. 8.) Einmarsch der Truppen der fünf Warschauer-Pakt-Staaten in die ČSSR. Zähe Verhandlungen einer tschech. Delegation unter Führung von Staatspräs. SVOBODA in Moskau führen zur »Normalisierung«.
(Okt.) Truppenstationierungsvertrag mit der UdSSR.
(Nov.) Wiedereinführung der Zensur.
1969 (April) Ablösung DUBČEKs als KP-Chef durch G. HUSÁK.
1974 (20. 6.) Normalisierungsvertrag mit der BR Dtl. tritt in Kraft.
1975 G. HUSÁK neben KP-Chef auch Präs.
1977 (1. 1.) Gründung der Bürgerrechtsgruppe »Charta 77«.
1989 (Okt./Nov.) »Samtene Revolution«: Demokratisierungsprozess nach zunächst brutal zerschlagenen Massenkundgebungen und Generalstreik;
(10. 12.) »Reg. der nat. Verständigung«.
(28. 12.) Das Bundesparlament wählt ALEXANDER DUBČEK zu seinem Präs.
(29. 12.) Wahl des Schriftstellers Václav Havel (Charta 77 und Sprecher der am 19. 11. 1989 gegr. Oppositionsallianz »Bürgerforum« **zum ersten nichtkomm. Staatspräs.**
1990 (20. 4.) Änderung des Staatsnamens in **»Tschechische und Slowakische Föderative Republik/ČSFR«.**
(8./9. 6.) Erste freie Parlamentswahlen: Sieg der demokrat. Parteien in der Tschech. (»Bürgerforum«) und Slowak. (»Öffentlichkeit gegen Gewalt«) Rep.
1991 Abzug der letzten sowjet. Truppen.
1992 (Juni) Nach Wahlen können sich die beiden MP. nicht auf den Erhalt des Bundesstaates in seiner bisherigen Form einigen:
1993 (1. 1.) **Auflösung der ČSFR** in Tschechische Rep. und Slowakische Rep.

Tschechische Republik
1993 (26. 1.) Wahl VÁCLAV HAVELS zum Präs. (1998 wieder gewählt).
1997 (21. 1.) Unterzeichnung der »deutschtschech. Versöhnungserklärung«.
2003 (28. 2.) VÁCLAV KLAUS wird Präsident.

Slowakische Republik
1992 (17. 7.) Parlament beschließt Unabhängigkeit der Slowakei.
1993–94 Spannungen in den Parteien, Spaltung der 1. Regierungspartei HZDS, Mehrheitsverlust der 1. Regierung MEČIAR.
1996 (4. 1.) Vertrag mit der Tschech. Rep. über gemeinsame Staatsgrenzen.
1999 (29. 5.) RUDOLF SCHUSTER wird Staatspräs. nach 1. Direktwahl.
2002 (Okt.) 4-Parteien-Koalition der rechten Mitte unter MP. M. DZURINDA.

Baltische Staaten

1990 Unabhängigkeitserklärungen der balt. Staaten: Litauen (11. 3.), Estland (30. 3.), Lettland (4. 5.); von der UdSSR nicht anerkannt, die darauf mit blutigen Militäraktionen in Riga und Wilna sowie Wirtschaftsblockade gegen Litauen reagiert.

1991 (Febr./März) In Volksabstimmungen entscheiden sich alle drei Staaten für die Unabhängigkeit, die

(6. 9.) durch die UdSSR anerkannt wird.

1993/94 Russischer Truppenabzug: Litauen (31. 8. 93), Estland und Lettland (31. 8. 94).

2004 (29. 3.) NATO-Beitritt.

(1. 5.) EU-Beitritt.

Estland

1988 (2. 10.) 1. Kongress der »Estn. Volksfront für die Unterstützung der Perestroika« fordert Ende der Russifizierung Estlands.

1989 Estnisch wird Staatssprache.

1990 (8. 5.) Umbenennung in **Rep. Estland.**

1991 (12. 1.) Die Präs. A. RÜÜTEL und JELZIN unterzeichnen **Grundlagenvertrag.**

1992 neue estn. Verfassung.

Lettland

1988 (9. 10.) Gründung der »Lettischen Volksfront/Tautas Fronte«.

1989 Lettisch wird Staatssprache.

1991 Truppen des sowjet. Innenministeriums stürmen lett. Innenministerium.

(21. 8.) Umbenennung in **Rep. Lettland.**

1993 (5./6. 6.) Erste freie Wahlen nach 1940: (7. 7.) G. ULMANIS wird Präs.; die Verfassung von 1922 wird nach Modifizierung bzgl. der Grundrechte wieder in Kraft gesetzt; Änderungen (1997).

2002 (5. 10.) Parlamentswahlen: ⅔ der Stimmen für neu gegründete Parteien.

Litauen

1989 Litauisch wird gegen den Willen der russ. Bevölkerung Staatssprache.

(22./23. 10.) 1. Kongress der »Litauischen Bewegung für die Perestroika/Sajudis«.

1990 (11. 3.) Umbenennung in **Rep. Litauen.**

1991 Ausnahmezustand, OMON-Truppen des sowjet. Innenministeriums besetzen öffentl. Gebäude und Grenzposten.

1992 (25. 10./15. 11) Bei den **ersten freien Parlamentswahlen** Sieg der postkommunist. Litauischen Demokrat. Arbeiterpartei/LDDP; seit 1996 führen wechselnde Koalitions-Reg. Westintegration fort.

Weißrussland (Belarus)

1990 (27. 7.) Oberster Sowjet erklärt Souveränität innerhalb der UdSSR.

1991 (25. 8.) Unabhängigkeit; Staatsname wird in Rep. Weißrussland geändert.

(Dez.) Mitbegründung der GUS.

1994 (26. 1.) Der reformorientierte Präs. S. SCHUSCHKJEWITSCH wird abgesetzt; nach **(15. 3.) Verfassungsreform,** bei der das par-

lamentar. System durch eine Präs.-Demokratie ersetzt wird, gewinnt die ersten (23. 6.) Präs.-Wahlen der Altkommunist A. LUKASCHENKA, der in der Folgezeit zunehmend die Opposition unterdrückt:

1995 (Aug.) Verstärkte Pressezensur, Verbot der freien Gewerkschaften.

1996 (Nov.) Ein auch internat. umstrittenes Verf.-Referendum stärkt u. a. die Stellung des Präs.

2000 (26. 1.) Unionsvertrag mit Russland über Wirtschaftskooperation in Kraft; geplant ist (seit 1997) ein Unionsstaat mit Russland.

Ukraine

1991 (24. 8.) Unabhängigkeit. Bei der ersten (1. 12) Direktwahl wird L. KRAWTSCHUK Präs.

(Dez.) Mitbegründung der GUS.

1992 (12. 4.) **Krim** erhält Autonomie.

1993 (28. 6.) Neue Verfassung: Präsidialdemokratie nach franz. Vorbild.

1999 (14. 11.) Wiederwahl L. KUTSCHMAS zum Präs., der (Dez.) den reformorientierten W. JUSCHTSCHENKO zum MP. beruft.

2001 (April) Misstrauensvotum gegen JUSCHTSCHENKO, dessen Wahlbündnis »Unsere Ukraine« bei den Wahlen

2002 (März) siegt; trotzdem wird der dem Präs. nahe stehende (Nov.) W. JANUKOWITSCH neuer MP.

2003 Mit Russland, Weißrussland und Kasachstan Vertrag über gemeinsamen Wirtschaftsraum.

2004 (Okt./Nov.) Nach manipulierten Präs.-Wahlen zugunsten von JANUKOWITSCH Ausbruch der **»Orangenen Revolution«;** bei (26. 12.) Stichwahl wird W. JUSCHTSCHENKO zum neuen Präs. gewählt.

Moldau (Moldawien)

1990 (26. 10.) Nach Nationalitätenstreit erhalten die turkstämmigen **Gagausen** in S-Moldau ein Autonomiegebiet.

1991 (23. 5.) Umbenennung in **Rep. Moldau.**

(27. 8.) Proklamation der **Unabhängigkeit.**

(3. 9.) Russen des Dnjestr-Gebiets **(Transnistrien)** erklären Unabhängigkeit; Bürgerkrieg mit den Separatisten.

1992 (21. 7.) Friedensregelung mit Russland bzgl. der selbsternannten »Moldauischen SSR am Dnjestr«.

1994 (27. 2.) Erste freie Parlamentswahlen.

(6. 3.) Referendum für Unabhängigkeit und gegen Vereinigung mit Rumänien.

(8. 4.) Beitritt zur GUS.

(Juli) Moldawisch Staatssprache.

1995 (24. 12.) **Dnjestr-Region** stimmt in Referendum für Unabhängigkeit; Moldau und Rumänien lehnen Teilung Moldaus ab.

2000 neue Verfassung: Präsidialdemokratie wird durch parlamentar. Demokratie ersetzt.

2004 russ. Truppen immer noch in **Transnistrien,** Statussituation ungeklärt.

Ungarn (S. 511)
1968 Der »Neue Wirtschaftsmechanismus« mit marktwirtschaftl. Elementen und Zulassung von Privatinitiativen ist erfolgreich.
1988 (Mai) Nach dem Rücktritt von Parteichef KÁDÁR leitet GROSZ die USAP.
(Juli) Radikale Wirtschaftsreform.
1989 Die VR wird Republik Ungarn.
(Febr.) Einführung eines Mehrparteiensystems. – Rehabilitierung von IMRE NAGY.
(Sept.) Öffnung der Grenze nach Österreich: Anfang vom Ende des »Eisernen Vorhangs«.
1990 (10. 3.) Vereinbarung über den Rückzug der sowjet. Truppen. Die
(März/April) ersten freien Wahlen gewinnt das bürgerl. Demokrat. Forum; Koalitionsreg. unter J. ANTALL.
1991 (Febr.) Austritt aus dem Warschauer Pakt.
1994 (8./29. 5.) Parlamentswahlen: MP. GYULA HORN führt sozialist.-lib. Koalition.
Grundlagenverträge
1995 (19. 3.) mit der Slowakei und
1996 (16. 9.) mit Rumänien, u. a. zur Sicherung der Rechte der ethn. Minderheiten.
2002 (April) Parlamentswahlen: MP. P. MEDGYESSY führt eine sozialist.-lib. Koalition.

Rumänien (S. 510)
1966 Reg.-Chef MAURER und AMin. MANESCU streben Lockerung der Ost-Integration an.
1968 Unterstützung des Reformkurses der ČSSR, Verurteilung der ČSSR-Invasion.
1971 Liberales Außenhandelsgesetz.
1974 (März) Staatsratsvors. und Parteichef CEAUŞESCU nach Verf.-Änderung auch Präs.
1982 Wegen Wirtschaftskrise Exportsteigerung auf Kosten der Inlandsversorgung.
1986 Einschränkung der Religionsfreiheit, Zerstörung von Kirchen.
1988 »Rumänisierungspolitik«: Verfolgung der ungar. Minderheit.
1989 (16. 12.) Aufstand in Temesvar weitet sich aus; Demonstrationen in Bukarest:
(22. 12.) Sturz, Verhaftung der
(25. 12.) Hinrichtung Ceauşescus. – Staatsname in **Rep. Rumänien** geändert.
1990 (20. 5.) In freien Wahlen Sieg der »Front zur Nat. Rettung«, Präs. wird ION ILIESCU (Wiederwahl 1992 und 2000).
1990/91 Demonstrationen und Bergarbeiterunruhen führen zum Rücktritt der 1. demokrat. Regierung von PETRE ROMAN.
1996 (Nov.) Konserv.-lib. Opposition gewinnt Parlamentswahl.
2000 (Dez.) Minderheitsreg. der soz.-dem. PDSR.

Bulgarien (S. 510)
1971 (18. 5.) Die **neue Verf.** überträgt die Staatsführung auf die KP und Agrarunion, Parteichef T. SCHIWKOFF wird Staatsrats-Vors.
1982 (1. 1.) »Neuer Ökonom. Mechanismus« soll staatl. Wirtschaftsplanung liberalisieren.
1984 Assimilierungskampagne gegen türk. Minderheit, blutige Auseinandersetzungen;

1989 Exodus der bulgar.-türk. Minderheit in die Türkei.
(10. 11.) Sturz Schiwkoffs.
1990 (Jan.) mit Oppositionsgruppen **Gespräche am »Runden Tisch«.**
(Febr.) KP-Parteitag billigt Reformen. Umbenennung der KP in Bulgar. Sozialist. Partei/BSP, die
(Juni) bei den ersten freien Wahlen siegt.
(15. 11.) Die VR wird Republik Bulgarien.
1991 (12. 7.) Demokratische Verfassung.
1996 Schwere Wirtschaftskrise (»Hungerwinter«) führt zu inneren Unruhen.
2001 (24. 7.) Ehem. Kg. SIMEON II. wird MP.

Albanien (S. 510)
1968 (13. 9.) Austritt aus dem Warschauer Pakt.
1974–76 Isolierung Albaniens, u. a. wegen Annäherung Chinas an die USA.
1976 HODSCHA bekräftigt Autarkie und Widerstand gegen die Breschnew-Doktrin.
1978 China stellt Militär- und Wirtschaftshilfe ein.
1981 Spannungen mit Jugoslawien wegen der Albaner im Kosovo.
1985 (11. 4.) Tod von Staats- und Parteichef Enver Hodscha.
1990 (Dez.) Beginn der Demokratisierung:
1991 Zulassung von polit. Parteien.
(31. 3.) Erste freie Parlamentswahlen, Sieg der KP.
(15. 4.) Umbenennung in **Rep. Albanien.**
1997 bürgerkriegsähnl. Unruhen, UN-Friedenstruppen v. a. zur Sicherung der Hilfsgüter.
2000 Balkankrise durch bewaffnete Aktionen alban. Freischärler in Mazedonien und Serbien, die
2001 mit dem Vertrag von Ohrid/Skopje entschärft wird.

Jugoslawien (S. 509)
1966 (1. 1.) Währungsreform und Beginn der wirtschaftl. Liberalisierung.
1968 (Aug.) Verurteilung der ČSSR-Besetzung.
1969 (Juni) Studentenunruhen erzwingen Reformzusagen der Reg. TITO.
1971 Verfassungsänderung überträgt Republiken und Provinzen Autonomierechte.
(Sept.) Besuch des russ. Präs. BRESCHNEW: Anerkennung der jugoslaw. Unabhängigkeit.
1971/72 Verschärfung des Nationalismus-Streits zwischen der Zentralreg. und der kroatischen Partei- und Reg.-Führung.
1975 Endgültige Regelung der Triestfrage.
1980 (Mai) **Tod Titos.** Staatsführung durch ein **kollektives Staatspräsidium.**
1988 (ab Aug.) Konflikt zwischen den autonomen Provinzen und Serbien;
(Nov.) Unruhen im Kosovo.
1990/91 Wachsende Spannungen zw. den 6 Teilrepubliken und Unabhängigkeitserklärungen von Slowenien und Kroatien leiten den Zerfall des Vielvölkerstaates ein (S. 577).

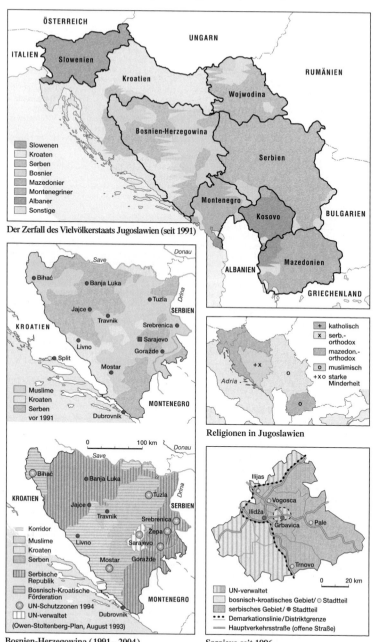

Slowenen
Kroaten
Serben
Bosnier
Mazedonier
Montenegriner
Albaner
Sonstige

Der Zerfall des Vielvölkerstaats Jugoslawien (seit 1991)

ÖSTERREICH
UNGARN
ITALIEN
Slowenien
Kroatien
Wojwodina
RUMÄNIEN
Bosnien-Herzegowina
Serbien
Montenegro
Kosovo
BULGARIEN
Mazedonien
ALBANIEN
GRIECHENLAND

Donau
Save
Bihać
Banja Luka
Drina
Jajce
Tuzla
Travnik
SERBIEN
KROATIEN
Srebrenica
Livno
Sarajevo
Goražde
Split
Mostar
Muslime
Kroaten
Serben
vor 1991
MONTENEGRO
Dubrovnik
0   100 km

Religionen in Jugoslawien

+ katholisch
x serb.-orthodox
mazedon.-orthodox
o muslimisch
+xo starke Minderheit
Adria
+x
o
o

Donau
Save
Bihać
Banja Luka
Drina
Jajce
Tuzla
Travnik
SERBIEN
KROATIEN
Srebrenica
Žepa
Livno
Sarajevo
Goražde
Mostar
Korridor
Muslime
Kroaten
Serben
Serbische Republik
Bosnisch-Kroatische Förderation
○ UN-Schutzzonen 1994
UN-verwaltet
(Owen-Stoltenberg-Plan, August 1993)
MONTENEGRO
Dubrovnik

Bosnien-Herzegowina (1991–2004)

Ilijas
Vogosca
Ilidža
Grbavica
Pale
Trnovo
0   20 km
UN-verwaltet
bosnisch-kroatisches Gebiet/ ○ Stadtteil
serbisches Gebiet/ ● Stadtteil
Demarkationslinie/Distriktgrenze
Hauptverkehrsstraße (offene Straße)

Sarajevo seit 1996

Slowenien
1990 (23. 12.) In einem Referendum stimmen 88,5% für die **Unabhängigkeit**, die nach dem
1991 (20. 2.) Beschluss der **Trennung von Jugoslawien** am
(25. 6.) vom Parlament erklärt wird.
(27. 6.) Eingriff der jugoslaw. Armee.
(1. 7.) EG vermittelt Schlichtungsplan: Verschiebung der Unabhängigkeit, auch Kroatiens, um drei Monate, daraufhin
(18. 7.) jugoslaw. Truppenabzug bis Okt.
(23. 12.) Neue Verfassung: Zweikammersystem, Minderheitenschutz.
2003 (23. 3.) Referenden bekräftigen den Beitritt zur EU (90%) und NATO (66%).
2004 (29. 4.) NATO-Mitglied.

Kroatien
1990 (April/Mai) Die **ersten freien Parlamentswahlen** gewinnt die nichtkomm. Kroat. Demokrat. Gemeinschaft/HDZ,
(30. 5.) F. TUDJMAN wird Präsident.
(Aug.) Umbenennung in **Rep. Kroatien.**
1991 (**25. 6.**) **Unabhängigkeitserklärung.**
(**22. 7.**) **Beginn des Bürgerkriegs** zwischen Serben und Kroaten (bis Dez. 1995).
1992 (12. 2.) Stationierung von UNPROFOR-Friedenstruppen.
1993–95 Erfolgreiche kroatische Offensiven.
1995 (12. 11.) »Erdut-Abkommen« über die Rückgliederung serb. kontrollierter Gebiete in O-Slawonien, der Baranja und W-Syrmiens nach Kroatien.
1996 (23. 8.) Normalisierungsabkommen mit der BR Jugoslawien.
2003 (Nov.) Parlamentswahl: Sieg der nationalkonserv. HDZ, MP. wird I. SANADER.
2004 Verbesserung der Zusammenarbeit mit dem Kriegsverbrechertribunal in Den Haag.

Bosnien und Herzegowina
1991 (Okt.) Spaltung des Parlaments: Muslime und Kroaten auf der einen Seite, bosn. Serben auf der anderen.
(10. 11.) Bosn. Serben stimmen in Referendum für Anschluss an Serbien.
1992 (29. 2./1. 3.) Die bosn. Muslime stimmen für die Unabhängigkeit; serb. Abstimmungsboykott.
(27. 3.) Proklamation der serb. **»Republika Srpska/RS«**, Präsident R. KARADŽIĆ.
(7. 7.) Proklamation der kroat. **»Republika Herceg-Bosna«.**
1992–95 Bürgerkrieg der bosn. Kroaten in grenznahen Gebieten zu Kroatien und Serbien mit dem Ziel der Abspaltung von Landesteilen, die von ihnen ethnisch dominiert werden; ethn. »Säuberungen« durch die Serben; 278 000 Tote, 1,35 Mill. Flüchtlinge und Vertriebene.
1993 kroat.-bosn. Kämpfe in Mostar,
1994 Waffenstillstand auf Druck der USA.
(31. 5.) Gründung der **»Muslim.-kroat. Föderation«**, einschließl. der Rep. Herceg-Bosna.
(15. 6.) RS beschließt Vereinigung aller

serb. Gebiete in B.-H., einschl. der Krajina in Kroatien.
1995 (Juli) Bosn. Serben besetzen die muslim. Enklaven (**UN-Schutzzonen**) Žepa, Goražde und Srebrenica; Massenerschießungen.
(25. 7.) Anklage gegen KARADŽIĆ vor dem »Internationalen Tribunal für Verbrechen im ehem. Jugoslawien« in Den Haag.
(14. 12.) Im **Dayton-Friedensvertrag** Festlegung eines föderativen Staates aus dem kroat.-bosniak. (muslim.) **»Bosnien und Herzegowina«** und der serb. **»Republika Srpska«** mit der gemeinsamen Hauptstadt Sarajewo, seitdem Festigung der Spaltung; Garantien seit
1995/96 durch den Einsatz der **IFOR-/SFOR-Friedenstruppen.**
2002 (April) Neue Verfassung;
(Okt.) Wahlen: Sieg der nationalist. Kräfte.

Mazedonien
1990 (Nov.) Nach ersten freien Wahlen
1991 (**15. 4.**) Umbenennung in **Rep. Mazedonien.**
(**19. 11.**) **Unabhängigkeitserklärung.**
1994 wegen Gebietsansprüchen und Nationalitätenproblem griech. Embargo, das
1995 (14. 10.) aufgehoben wird.
(13. 8.) Durch Vermittlung von USA, EU und NATO **Rahmenabkommen von Ohrid:** Konfliktbewältigung Zentralgewalt-Albaner.
2001–03 NATO-Operationen »Amber Fox« zur Entwaffnung und »Allied Harmony« zum Schutz der NATO-Beobachter.
2003 (31. 3.) Erster EU-Militäreinsatz »Concordia« löst NATO-Einsatz ab.

Serbien und Montenegro
1992 (27. 4.) Konstitution der **BR Jugoslawien** (Serbien und Montenegro).
(30. 5.) UN-Sanktionen wegen militär. Einsatzes in Bosnien-Herzegowina, aufgehoben am 1. 10. 1996.
1996 Serb. Massenflucht aus Sarajewo.
1997 Wahl DJUKANOVIĆS zum Präs. von Montenegro, MILOŠEVIĆS zum Präs. von Serbien; nach dessen Rücktritt als serb. Präs.
(15. 7.) Wahl zum Präs. der BR Jugoslawien.
1998 (ab 28. 2.) Militäreinsatz serb. Truppen im **Kosovo.**
1999 (Febr./März) »Rambouillet-Verhandlungen« über die Zukunft des Kosovo scheitern, darauf beginnen am
(24. 3.) NATO-Luftangriffe auf die BR Jugoslawien; am
(3. 6.) Abzug der jugoslaw. Armee; Kosovo Force/**KFOR** übernimmt die Überwachung der Entmilitarisierung.
2000 Wahl KOŠTUNICAS zum Präs. und DJINDJIĆS zum MP.
2001 (28. 6.) Auslieferung MILOŠEVIĆS an den Internationalen Strafgerichtshof.
2003 Staatenbund »Serbien und Montenegro« Rechtsnachfolger der BR Jugoslawien.
(12. 3.) Ermordung DJINDJIĆS.

Finnland (S. 507)
1966, 1975 Volksfrontregierungen, sonst Koalitionsreg. in versch. Zusammensetzung. Das konfliktfreie Verhältnis zur SU, die sog. Paasikivi-Kekkonen-Linie, wird weiterhin gepflegt und durch die
1970 (und 1983) Verlängerung des Beistandspakts von 1948 betont.
1986–95 EFTA-Mitgliedschaft.
Anstelle des mit der Auflösung der SU gegenstandslos gewordenen Beistandspakts
1992 (Jan.) Grundlagenvertrag mit Russland. – Mitgliedschaft im »Nordatlant. Kooperationsrat« (seit 1996 EAPC).
1994 (9. 5.) Beitritt zum »Partnership for Peace«-Programm.
1999 Mitglied der Europ. Währungsunion.
2000 (13. 11.) Mitglied der »Western European Armament Group/WEAG«.
2003 und 2004 1. Rang im »Korruptionswahrnehmungsindex« von Transparency Internat.

Schweden (S. 507)
1968 Sozialdemokraten erhalten die absolute Mehrheit, MP. F. ERLÄNDER, abgelöst von
1969 (9. 10.) MP. OLOF PALME, der die Entwicklung zum Wohlfahrtsstaat vorantreibt.
1973 (15. 9.) Tod von GUSTAV VI. ADOLF, Nachfolger sein Enkel **Carl XVI. Gustav** (geb. 1946).
1975 (1. 1.) Neue Verfassung, die u. a. die Rechte des Königs wesentlich beschneidet.
1986 (27. 2.) MP. O. Palme wird ermordet.
1992 17 000 **Saamen** erhalten Autonomiestatus mit eigenem Parlament in Kiruna.
(26. 5.) Aufgabe der Neutralitätspolitik.
2000 (1. 7.) Freigabe der **Öresund-Brücke,** die Dänemark und Schweden verbindet.
2003 Einschränkung des Wohlfahrtsstaats.
(14. 9.) Bei einer Volksabstimmung votieren 56,1% gegen die Einführung des Euro.

Norwegen (S. 507)
Seit 1971 bürgerl. und sozialdemokrat. Koalitions- und häufig Minderheitsreg., so auch
2001 Mitte-rechts-Minderheitsreg.
1972 Volksabstimmung entscheidet gegen EG-Beitritt.
1974 Bekanntgabe großer **Erdöl- und Erdgasvorkommen** in der Nordsee.
1991 Tod von König OLAV V., Nachfolger (Jan.) **König Harald V.** (geb. 1937).
1992 (8. 11.) Ratifizierung d. EWR-Vertrags.
1994 In zweitem Referendum erneut **Ablehnung der EU-Beitritts.**
1996 (28. 6.) Verurteilung durch die Internationale Walfangkommission wegen Missachtung des weltweiten Walfangverbots zu kommerziellen Zwecken.
1998 (26. 6.) Gesetz über die Entschädigung von Opfern der Judenverfolgung während der deutschen Besatzung.
2003 (Okt.) Vertrag mit GB über den Bau einer Erdgaspipeline (Britpipe) von der Plattform Troll zum St. Fergus Terminal.

Dänemark (S. 507)
1968–71 bürgerl. Koalitionsregierungen.
1971 Vertrag über Aufteilung des Festlandsockels unter der Nordsee mit der BR Dtl.
1971–73 sozialdemokrat. Reg.
1972 (14. 1.) Tod von König FREDERIK IX., seine Tochter tritt als **Margrethe II.** (geb. 1940) die Thronfolge an. – Nach
(2. 10.) Volksabstimmung
1973 (1. 1.) EWG-Beitritt.
1973–2005 lib., sozialdemokrat. und konservative **Minderheitsregierungen,** zuletzt (seit 2001) unter MP. A. FOGH RASMUSSEN rechtslib.-kons. Reg., 2005 bestätigt.
1979 (16. 2.) Grönland erhält autonome Reg.,
1982 (23. 2.) entscheidet sich durch Referendum für EG-Austritt (zum 1. 1. 1985.
1989 (1. 10.) Gleichstellung homosexueller Partnerschaften mit heterosex. Ehepaaren.
1992 (2. 6.) **Referendum gegen Maastricht-Vertrag stürzt EG in Krise;** nach Beschluss von Ausnahmeregelungen
1993 (18. 5.) Abstimmung für den Vertrag.
Streit mit Norwegen (seit 1981) um Fischerei- und Schürfrechte auf dem Kontinentalsockel zw. O-Grönland und Jan Mayen:
(14. 6.) Internat. Gerichtshof entscheidet für die Mittellinie und gegen die von Dänemark beanspruchte 200-Seemeilen-Zone.
1998 (29. 5.) Mehrheit stimmt in einem Referendum für den EU-Vertrag von Amsterdam.
2000 (28. 9.) In Referendum Ablehnung des Beitritts zur Wirtschafts- und Währungsunion/EWWU.
2001 (1. 7.) **Verschärftes Zuwanderungsgesetz;** verstößt nach Meinung des Hohen Flüchtlingskommissars R. LÜBBERS gegen internat. Flüchtlings- und Menschenrechtskonventionen.
2003 (29. 1.) Beschluss d. Regierung für die **militär. aktive Beteiligung am Irakkrieg.**

Island (S. 507)
1967–83 regieren Mitte-links-Koalitionen,
1983–87 eine Mitte-rechts-Koalition,
1987–91 eine große Koalition und seit
1991 Mitte-rechts-Koalitionen das Land; MP. D. ODDSSON (konserv. Unabhängigkeitspartei/SSF).
1973 Fischereizonenklage Großbritanniens und der BR Dtl. vor dem Internationalen Gerichtshof; Urteil zugunsten der Kläger, von Island nicht anerkannt.
(Dez.) Fischereikrieg mit Großbritannien.
1975 Ausweitung der Fischereizone auf 200 Seemeilen; deshalb
1976 3. »Kabeljaukrieg« mit Großbritannien.
2000 OECD mahnt nachhaltige Bewirtschaftung der Fischfanggründe an.
2003 (Nov.) Das oberste Gericht erklärt das 1998 verabschiedete Gesetz über die Einrichtung einer nat. Gen-Datenbank für verfassungswidrig.

Schweiz (S. 521)
1971 (7. 2.) Annahme des Stimm- und Wahlrechts für Frauen in eidgenöss. Angelegenheiten.
1972 zum 1. Mal nach dem Zollvertrag von 1923 **Liechtenstein Devisenausland.**
1978 (24. 9.) Jura-Bevölkerung stimmt für eigenen Kanton, der
1979 (1. 1.) neu geschaffen wird.
1988 Bundesrat lehnt Beitritt zur EG ab.
1989 (26. 11.) Volksabstimmung lehnt Abschaffung der Armee ab.
1992 (17. 5.) Volksabstimmung für den Beitritt zum IWF und in die Weltbank.
(27. 9.) Billigung der »Neuen Eisenbahn-Alpentransversale/NEAT«.
(6. 12.) Referendum gegen EWR-Beitritt.
1994 (12. 6.) Referenden gegen Beteiligung an UN-Missionen.
1996 Rätoromanisch Teilamtssprache.
1998 Vergleich Schweizer Großbanken mit dem WJC zur Zahlung von 1,25 Mrd. US-Dollar für Ansprüche aus »nachrichtenlosen Konten und Policen«.
2002 (18. 7.) Schweiz 190. Mitglied der UN.
2004 (19. 5.) »Zweite Bilaterale Verträge« mit der EU (u. a. Beitritt zum Schengen-Abkommen); darüber Volksabstimmung 2005.

Österreich (S. 521)
1969 (2. 12.) Einigung mit Italien in der Südtirolfrage, Erweiterung der
(16. 12.) Autonomie für Südtirol.
1970–83 SPÖ-Regierungen unter BK. BRUNO KREISKY (1911–90).
1983–87 SPÖ/FPÖ-Koalitionsregierung; wegen der Wahl des Rechtspopulisten J. HAIDER zum FPÖ-Vorsitzenden (bis 28. 2. 2000).
1987–2000 große Koalition von SPÖ und ÖVP.
1993 und 1995 Briefbomben- und Bombenanschläge Rechtsradikaler auf Menschenrechtler, Roma und Ausländer.
1994 (8. 4.) UN-Flüchtlingshochkommissariat erklärt Österreich für Asylbewerber als »generell nicht mehr sicheres Drittland«.
(12. 6.) Volksabstimmung mit 66,58% für den **EU-Beitritt,** der am 1. 1. 1995 erfolgt.
2000 ÖVP/FPÖ-Koalitions-Reg. – Wegen der Reg.-Beteiligung der FPÖ frieren die 14 EU-Staaten ab Febr. Beziehungen zu Österreich ein (bis Sept.).
2001 (12. 12.) Beschluss zur »**Allianzfreiheit**« mit der Möglichkeit zum NATO-Beitritt ersetzt Neutralitätsprinzip.
(13. 12.) Verfassungsgericht ordnet zweisprachige deutsch-slowen. Ortstafeln in Kärnten an.
Nach Bruch der ÖVP/FPÖ-Koalition
2002 (24. 11.) vorgezogene Neuwahlen. Trotz deutlicher Stimmenverluste der FPÖ wieder ÖVP/FPÖ-Reg. unter BK. W. SCHÜSSEL.

Niederlande (S. 525)
1966–94 Minderheits- und überwiegend Koalitionsreg. unter Beteiligung christl. Parteien.

1971 (28. 1.) Vertrag über Grenze und Nutzung des Festlandsockels der Nordsee mit der BR Dtl.
1975 (2. 12.) Ambonesische Nationalisten nehmen in einem Nahverkehrszug und am (4. 12.) im indones. Konsulat Geiseln, um ihre Forderungen nach einem selbständigen Staat Süd-Molukken zu unterstreichen; das Verhältnis zwischen Niederländern und farbigen Minderheiten verschlechtert sich.
1975 (25. 11.) Niederl.-Guayana wird als Surinam unabhängig.
1977 (23. 5.) Süd-Molukken nehmen in einem Zug und einer Schule Geiseln,
(10. 6.) gewaltsame Befreiung;
1978 (13. 3.) weitere Geiselnahme in Assen, Befreiung durch die Marineinfanterie.
1980 Abdankung von Königin JULIANA; Nachfolgerin ist ihre Tochter **Königin Beatrix I.** (geb. 1938).
1982/83 Reg. mit Notverordnungen.
1985 (1. 11.) Beschluss über die Stationierung von 48 Cruise Missiles bis 1988.
1986 (1. 1.) Autonomiestatus für **Aruba** innerhalb der Niederländischen Antillen.
(4. 10.) Einweihung des **Delta-Werks** (Sturmflutschutz) nach 28 Jahren Bauzeit.
1993 (30. 11.) Gesetz über die **aktive Sterbehilfe.**
1994–2002 »violette Koalition« aus soz.-dem. PvdA, linkslib. D'66 und rechtslib. VVD, **erste Regierung ohne christl. Partei seit 1917.**
2002 (1. 7.) Einrichtung des **Internationalen Strafgerichtshofs/ICC** in Den Haag.
2003 (Mai) Mitte-rechts-Reg. unter MP. J. P. BALKENENDE.

Belgien (S. 525)
1966–2003 wechselnde Koalitionsregierungen.
1966 (3. 12.) Verordnungen zur **Sprachregelung** in Verwaltung und Unterrichtswesen.
1970 (10./18. 12.) Verfassungsreform zur Dezentralisierung der Verwaltung und zur Gewährung kultureller Autonomie an Flamen, Wallonen und Deutsche.
1978 (19./20. 5.) Nach Massakern an der weißen Bev. durch Rebellen der FLNC in der zaïrischen Provinz Shaba (ehem. Katanga) Landung belg. Fallschirmjäger zum Schutz der Weißen.
1980 Billigung des Regionalisierungsgesetzes von 1978 (sog. Stuyvenberg-Abkommen).
1985 (20. 3.) Cruise Missiles stationiert.
1993 (31. 7.) Tod von König BAUDOUIN I.,
(9. 8.) sein Bruder **Albert II.** neuer König.
1993 (2. 5.) Entschärfung des umstrittenen, weltweit geltenden **Genozid-Gesetzes.**
(8. 5.) Verfassungsänderung: Umwandlung in einen föderativen Bundesstaat aus den 3 autonomen Regionen Flandern, Wallonien und Brüssel.
1995 (14. 6.) Abschaffung der Todesstrafe.
2004 (20. 2.) Gesetz verabschiedet, das Immigranten aus Nicht-EU-Ländern das Stimmrecht auf kommunaler Ebene gewährt.

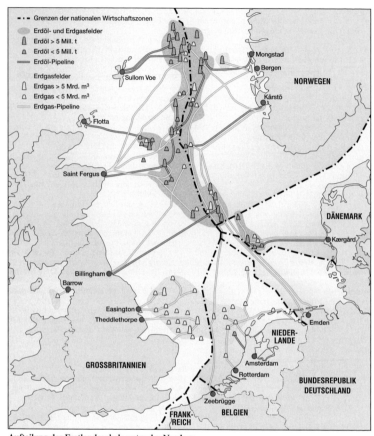

Legende:

– · – Grenzen der nationalen Wirtschaftszonen

Erdöl- und Erdgasfelder

Erdöl > 5 Mill. t

Erdöl < 5 Mill. t

Erdöl-Pipeline

Erdgasfelder

Erdgas > 5 Mrd. m³

Erdgas < 5 Mrd. m³

Erdgas-Pipeline

Aufteilung des Festlandsockels unter der Nordsee

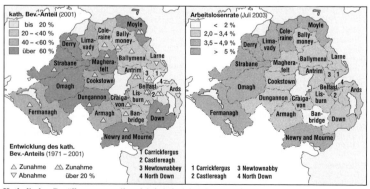

kath. Bev.-Anteil (2001)

bis 20 %

20 – <40 %

40 – <60 %

über 60 %

Entwicklung des kath.
Bev.-Anteils (1971 – 2001)

△ Zunahme   △ Zunahme

▽ Abnahme   über 20 %

Arbeitslosenrate (Juli 2003)

< 2 %

2,0 – 3,4 %

3,5 – 4,9 %

> 5 %

1 Carrickfergus
2 Castlereagh
3 Newtownabbey
4 North Down

Katholischer Bevölkerungsanteil und Arbeitslosigkeit in Nordirland

Großbritannien (S. 524)
Regierungen: Wegen des Mehrheitswahlrechts Wechsel von **Labourregierungen** (1964 und 1974 PM WILSON, 1976 PM CALLAGHAN, seit 1997 PM BLAIR) und **konservativen Regierungen** (1970 PM HEATH, 1979, 1983, 1987 PM THATCHER [Rücktritt], 1990 PM MAJOR).
Seit 1965 verstärkte Entkolonialisierung, zuletzt 1997 Rückgabe Hongkongs an China.
1965 (2. 8.) Beschränkung der Einwandererzahlen (Farbiger) aus dem Commonwealth.
1968 Räumung aller milit. Stützpunkte östl. Suez bis 1971 angekündigt, somit **Aufgabe der Rolle als Weltmacht.**
(20. 6.) Reform des Oberhauses, u.a. Abschaffung der Erblichkeit als Grundlage der Zugehörigkeit.
1971 Umstellung der Währung auf Dezimalsystem beschlossen. – Steigende Zahl von Arbeitslosen, Streiks, deshalb
1972–74 mehrfach Ausrufung des Notstands.
1973 (1. 1.) EWG-Beitritt.
1976 Beilegung des Fischereikriegs (seit 1973) mit Island.
1977 (14.–16. 11.) **Schottland** und **Wales erhalten mehr Autonomie.**
1981 Gründung der sozialdemokrat. Partei SDP (Auflösung 1990).
(Juli) Hochzeit von Kronprinz CHARLES (geb. 1948) mit Lady DIANA (1961–97, Unfall).
1982 Falklandkrieg: (15. 6.) Sieg über argentin. Truppen, die (seit 2. 4.) die Inseln besetzt hatten.
1984 (12. 3.) Beginn eines Bergarbeiterstreiks, der erst
1985 (3. 3.) beendet wird.
1988 (3. 3.) Vereinigung der Mehrheit der SDP und der Lib. Partei zur SLDP.
(21. 12.) Absturz eines PanAm-Flugzeugs bei **Lockerbie,** Anschlag unter libyscher Beteiligung.
1990 (1. 4.) Einführung einer heftig bekämpften Kommunalsteuer (Poll Tax).
1996 **BSE-Skandal** wird öffentlich bekannt.
2001 (Sommer) Rassenunruhen in Bradford Burnley und Oldham.
2003 (ab 20. 3.) Beteiligung am 2. Irakkrieg.

Nordirland-Konflikt
Gründe: sozial und polit. benachteiligte kath. Minderheit gegen bevorzugte protestant. Mehrheit; nat. Zugehörigkeit. – 1969–90 über 3000 Tote in der Prov. Ulster.
1965 (14. 1.) **Erstes Treffen der Premierminister von Irland und Nordirland in Belfast seit der Spaltung 1921.**
1966 Protestant. PAISLEY-Anhänger bekämpfen die Versöhnungspolitik von PM O'NEILL.
1968 (Okt.) Beginn der schweren Zusammenstöße zwischen kath. Bürgerrechtskämpfern (Irish Republican Army/IRA, Irish National Liberation Army/INLA) und protestant. Rechtsextremisten (Ulster Freedom Fighters/UFF, Ulster Volunteer Force/UVF);

1969–71 Reformversuche durch PM CHICHESTER-CLARK bringen keine Beruhigung.
1971 (30. 1.) »Bloody Sunday«: Gewalttätiger Einsatz der brit. Armee während einer friedlichen Demonstration der Katholiken in Bogside/Derry.
(Aug.) PM FAULKNER lässt Internierungslager für des Terrorismus Verdächtige einrichten.
1973 (8. 3.) Volksentscheid für Verbleib bei Großbritannien.
1975 »Guilford Four« werden fälschlicherweise wegen eines IRA-Bombenattentats auf ein Pub bei London verurteilt (Urteil erst 1991 aufgehoben).
1976 (4. 3.) Verfassungskonferenz für Nordirland scheitert, London übernimmt unbefristet die direkte Verwaltung.
Gründung einer Friedensbewegung von Frauen beider Konfessionen in Belfast; dafür Friedensnobelpreis an M. CORRIGAN und B. WILLIAMS.
1979 (27. 8.) Ermordung von Lord MOUNTBATTEN durch die IRA.
1992 (20. 6.) Nach 20 Jahren erstmalig Gespräche zwischen nordirischen Parteien und Abgeordneten der Rep. Irland in London;
(10. 11.) Abbruch der Verhandlungen.
1994 (31. 8.) IRA verkündet in Dublin bedingungslosen Waffenstillstand.
(13. 10.) Waffenruhe durch UFF und UVF.
(9. 12.) Erste offizielle Gespräche zw. der proirischen Partei Sinn Féin und der brit. Regierung.
1995 Gewaltverzicht durch INLA.
1996 (28. 2.) Neue Anschlagserie der IRA in London beendet Waffenstillstand.
1997 (20. 7.) Erneute Waffenruhe der IRA.
(9. 9.) GERRY ADAMS unterzeichnet für die Sinn Féin Gewaltverzichtsabkommen.
(13. 10.) PM BLAIR erkennt Sinn Féin als demokrat. Partei an.
1998 (10. 4.) Friedensabkommen in Belfast.
(25. 6.) Wahl einer nordirischen Versammlung.
1999 Unruhen durch Märsche des militant-protestant. **Oranierordens** durch kath. Viertel und Anschläge durch die von der IRA abgespaltene »Wahre IRA«.
2002 (14. 10.) Ulster wird wieder der Direktverwaltung Londons unterstellt, da sich die IRA nicht auflöst.
2003 (26. 11.) Neuwahlen zum Regionalparlament: Gegner des Friedensprozesses gestärkt.

Republik Irland (S. 524)
1969 Politik der Nichteinmischung gegenüber den Unruhen in Nordirland.
1973 (1. 1.) EWG-Beitritt.
1997 Aufhebung des gesetzl. Ehescheidungsverbots.
2001 (7. 6.) Volksabstimmung lehnt Vertrag von Nizza ab, aber
2002 (19. 10.) Billigung des Vertrags und damit Freigabe der Osterweiterung der EU.

De Gaulles Europapolitik und Europamodell

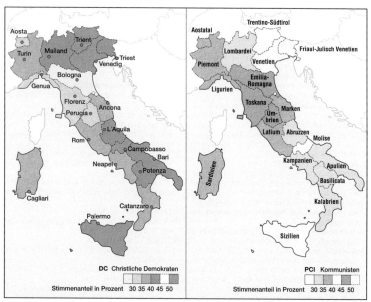

Wahlen in Italien 1976

Frankreich (S. 525)

1966 Wiederwahl von Präs. DE GAULLE.

1967–81 konservative Regierungen, 1968–74 mit absoluter gaullist. Mehrheit.

1967 Studentenunruhen in Nanterre und **1968 (Mai)** Paris von der Polizei blutig unterdrückt; Proteste auch der Arbeiterschaft: Generalstreik. Die **bürgerkriegsähnliche Atmosphäre** (Straßenschlachten) veranlasst DE GAULLE zur **Auflösung der Nat.-Vers.** und zu Truppenkonzentrationen um Paris. Ende der Streiks nach drast. Lohnerhöhungen. (Aug.) **1. franz. H-Bombe** gezündet.

1969 (Juni) Präs. G. POMPIDOU, nach dessen Tod 1974 (19. 5.) Präs. V. GISCARD D'ESTAING.

1981 (21. 5.) Präs. G. MITTERRAND, 1988 Wiederwahl (gest. 8. 1. 1996).

1981–84 Linksreg. MAUROY mit 4 kommunist. Ministern. – Verstaatlichung von wichtigen Industrieunternehmen und großen Banken.

1984 (Juni) Die rechtsradikale Liste von LE PEN erreicht bei den Europawahlen 10,9%.

1986–88 MP. CHIRAC: Reg. der »Cohabitation«: Präs. und MP. aus entgegengesetzten polit. Lagern.

1986 (April) Reprivatisierung der verstaatl. Industrieunternehmen und Banken.

1987 Prozess in Lyon gegen den ehem. Gestapochef der Stadt KLAUS BARBIE: Verurteilung zu lebenslanger Haft wegen Verbrechen gegen die Menschlichkeit.

1991–93 Linksregierungen (EDITH CRESSON erster weibl. MP.).

1991 (15. 5.) »Korsika-Status« mit der Anerkennung der Korsen als Volk.

1993–97 MP. BALLADUR (2. »Cohabitation«).

1995 (17. 5.) Präs. CHIRAC. – Rückkehr in die Militärstruktur der NATO ohne Truppenunterstellung. – Nach vorgezogenen Wahlen 1997 Linksreg. JOSPIN (»Cohabitation«).

1999 (Dez.) Kors. Separatisten »FLNC-Canal historique« erklären Waffenstillstand.

2000 (24. 9.) Verkürzung der Amtszeit des Präsidenten von 7 auf 5 Jahre.

2002 (März) größere Autonomie für Korsika.

(21. 4.) Im 1. Präsidentschafts-Wahlgang erreicht der Kandidat der rechtsextremen Front National/FN, LE PEN, mit 16,68% den zweithöchsten Stimmenanteil nach CHIRAC, der aber im 2. Wahlgang gewählt wird (»Anti-Le-Pen-Referendum«).

2004 (Febr./März) Laizismus-Gesetz (zunächst auf 1 Jahr beschränkt) verbietet, an staatl. Schulen auffällige relig. Symbole zu tragen.

Italien (S. 521)

1946–81 Allein- oder Koalitionsregierungen unter Führung der rechtskonserv. DC.

1969 Verabschiedung des »Südtirolpakets«: Erweiterung der Autonomie für Südtirol.

1975 »Triestfrage« endgültig geregelt.

1976–79 führt MP. G. ANDREOTTI 5 Minderheitsregierungen mit Duldung/Unterstützung der KPI (»Historischer Kompromiss«).

1978 (9. 5.) Ermordung ALDO MOROS durch linksextremist. Terroristen der »Roten Brigaden«.

1980 Sprengstoffanschlag durch Rechtsextremisten auf den Bahnhof von Bologna.

1981 Affäre um die Geheimloge »P2« erschüttert den Staat. – Zum 1. Mal gehört mit SPADOLINI/PRI der MP. nicht der DC an.

1983 1. Reg. ohne DC-Beteiligung, MP. B. CRAXI/PSI.

1984 Neues Konkordat mit dem Vatikan: Katholizismus nicht mehr Staatsreligion.

1985 (Okt.) Entführung des ital. Kreuzfahrtschiffes »Achille Lauro« durch palästinens. Terroristen löst innenpol. Krise aus.

1991 Die Reg. ANDREOTTI ist die **50. Nachkriegs-Regierung.**

1992 (Febr.) Die Aktion »Mani pulite« (saubere Hände) der Justiz fördert Verflechtungen von Politik und Wirtschaft mit der Mafia zu Tage. – Nach den Mafiamorden an Richter FALCONE, und Staatsanwalt BORSELLINO: **(4./6. 8.) Anti-Mafia-Gesetze.**

1994 (Mai) S. BERLUSCONI/Forza Italia wird MP. (Rechtsrutsch): 1. Reg. unter Einbeziehung der neofaschist. »Nationale Allianz«.

2001 Das rechte Parteibündnis »Haus der Freiheiten« erhält die absolute Mehrheit, MP. wird BERLUSCONI.

2002 (17. 11.) ANDREOTTI wegen Anstiftung zum Mord zu 24 Jahren Haft verurteilt.

2005 (April) Bei den Regionalwahlen erleidet die rechtsgerichtete Koalition von MP. BERLUSCONI eine schwere Niederlage.

Vatikanstadt

1958 Wahl von Kardinal RONCALLI zu Papst **Johannes XXIII.** Beginn einer **Ära kirchl. Reformen,** die nach seinem Tod von seinem 1963 Nachfolger **Paul VI. fortgeführt wird.**

1965 (Dez.) Ende des 2. Vatikanischen Konzils. Hauptthemen: Reform der Liturgie, Verhältnis von Kirche und heutiger Welt. Der Index (S. 239) wird eingestellt.

1967 Sozialenzyklika »Populorum progressio«.

1968 (März) Kurienreform tritt in Kraft.

(Juli) Enzyklika »**Humanae vitae**« untersagt künstl. Empfängnisverhütung.

1978 (6. 8.) Tod von **Paul VI.,** Nachfolger (26. 8.) **Johannes Paul I.,** nach dessen (28. 9.) plötzlichem Tod Nachfolger (16. 10.) der polnische Erzbischof KAROL WOJTYŁA als Papst **Johannes Paul II.**

1981 (13. 5.) Attentäter verletzt den Papst auf dem Petersplatz in Rom schwer.

1984 Neues Konkordat mit Italien: Trennung von Kirche und Staat.

1992 (16. 11.) Neuer Katechismus.

1995 (30. 3.) Enzykliken »Evangelium vitae« gegen Abtreibung und Euthanasie und (25. 5.) »Ut unum sint«: Aufruf der Christen zur Einheit.

2002 (Aug.) 100. Auslandsreise des Papstes.

2005 (2. 4.) Tod von JOHANNES PAUL II., sein (19. 4.) Nachfolger wird Kardinal J. Ratzinger als Benedikt XVI.

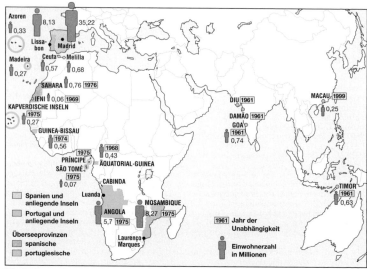

Die Auflösung der spanischen und portugiesischen Kolonialreiche (1969 – 1999)

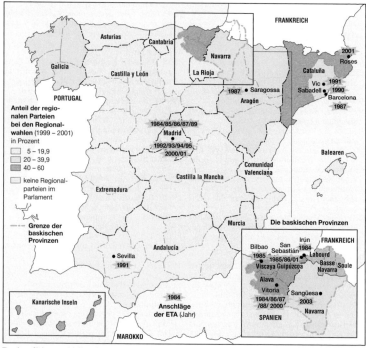

Regionalisierung in Spanien

Portugal (S. 521)

1974 (25. 4.) »Nelkenrevolution«: Sturz der diktator. Reg. Caetano (aus der Ära SALAZAR) durch unblutigen Milit.- Putsch; Gen. SPINOLA 1. Präs. der III. Republik. Bis 1987 instabile polit. Verhältnisse durch unklare Mehrheiten, Koalitionen oder Reg.- Absprachen, 16 Reg. in 13 Jahren.

1974 (Aug.) Beendigung der Kolonialkriege, Selbstbestimmung für Überseeprovinzen.

1975 (6. 2.) Junta »Bewegung der Streitkräfte/ MFA« erhält legislative Macht und setzt »Obersten Revolutionsrat« ein.

(11. 3.) Putschversuch SPINOLAS scheitert.

(ab März) Verstaatlichung von Banken, Versicherungen und Industriebetrieben.

(ab Juli) Beginnende Entkolonialisierung.

(25. 11.) Putschversuch kommunist. Militärs scheitert.

1976 1. verfassungsgemäße Regierung unter MP. M. SOARES (Sozialist).

(2. 4.) Verfassung sozialist. Prägung.

1977 (22. 7.) Agrarreformgesetz bestätigt Enteignungen von 1 Mill. ha im Alentejo; Auflösung gesetzwidriger Kolchosen.

1981 (22. 5.) Wiederzulassung von privaten Banken und Versicherungen.

1982 (14. 7.) Parlament beschließt **Abschaffung des Revolutionsrats** und am

(12. 8.) Verfassungsänderung: Reg. dem Parlament und Präs. verantwortlich, Ausschluss des Militärs von der Regierung.

1986 M. SOARES zum Präs. gewählt (1991 bestätigt).

1987 Nach Wahlen Stabilisierung der Verhältnisse durch absolute Mehrheit der sozialdemokrat. PSD, Reg. CAVACO SILVAS (bis 1995) und Wirtschaftsaufschwung.

1989 Verfassungsreform, Streichung sozialist. Verfassungselemente.

1998 (8. 11.) Gebietsreform zwecks **Dezentralisierung** scheitert in Volksabstimmung.

2002 (17. 3.) Vorzeitige Neuwahlen nach Rücktritt des Soz. A. M. GUTERRES vom Amt des Reg.-Chefs (seit Okt. 1995); neuer MP. einer lib.-kons. Regierung wird der Soz.-Dem. J. M. DURÃO BARROSO.

Spanien (S. 521)

1969 (23. 7.) **Juan Carlos** (geb. 1938) zum Nachfolger FRANCOS und zukünftigen König ernannt.

1969–71 mehrfach Ausnahmezustand nach Studenten- und Massendemonstrationen für Liberalisierung.

1970 **Entmachtung der Falange** und Umbenennung in Movimiento Nacional.

1973 (8. 6.) FRANCO (bisher Staats- und Reg.- Führung in Personalunion) ernennt CARRERO BLANCO zum 1. MP. der Franco-Ära;

(20. 12.) ermordet durch bask. ETA-Terroristen.

1974 (Jan.) Zunehmender Terrorismus, neue Antiterroristengesetze (Todesurteile).

1975 (20. 11.) Tod Francos.

(27. 11.) JUAN CARLOS I. wird zum König gekrönt. – Beginn der Liberalisierung und Demokratisierung.

(28. 12.) Gründung »demokrat. Versammlungen« in Katalonien und den bask. Provinzen außer Navarra.

1976 (1. 1.) Die span. Kolonialzeit endet mit Truppenrückzug aus Spanisch-Sahara.

(30. 7.) Amnestiegesetz für polit. Straftäter wie KP- und ETA-Führer; Terroranschläge von links und rechts.

(15. 12.) Volksabstimmung billigt **»Grundgesetz der Reformpolitik«,** das

1977 (5. 1.) in Kraft tritt.

Auflösung des Movimiento Nacional; Zulassung von Parteien, u. a. der KP.

(15. 6.) Erste freie Wahlen seit 1934.

1978 (27. 12.) Neue Verfassung: Spanien ist parlamentar. Erbmonarchie; Dezentralisierung durch Autonomie aller Provinzen.

1980 **ETA-Anschläge** fordern 98 Tote.

1981 (Feb.) Putschversuch von Teilen der Armee und Guardia Civil scheitert am verfassungstreuen Verhalten des Königs.

1988 (11. 1.) 5 der 6 Parteien im bask. Parlament unterzeichnen »Antiterrorpakt«.

1992 **Weltausstellung** in Sevilla. – **Olympiade** in Barcelona.

1995 (19. 4.) ETA-Attentat auf den Oppositionsführer J. M. AZNAR.

1998/2004 Waffenstillstand der ETA.

1999 (Juni) 1. Verhandlungen der Regierung mit der ETA.

2002 (Juli) Streit mit Marokko um die unbewohnte Felseninsel Perejil.

2003 (17. 3.) Verbot der Batasuna, des polit. Arms der ETA.

2004 (11. 3.) Koordinierte Anschläge auf Madrider Vorortbahnen durch islamist. Terroristen fordern 202 Tote und über 1400 Verletzte.

(17. 4.) MP. J. L. RODRÍGUEZ ZAPATERO (Soz.-Dem.) Wahlsieger über AZNAR (kons. PP), dem Missmanagement bei der Ölkatastrophe vor Galizien (Tanker »Prestige«), Falschinformation der Bev. im Zusammenhang mit den islamist. Attentaten und die vorbehaltlose Unterstützung der USA beim Irakkrieg vorgeworfen werden.

(27. 5.) Von ZAPATERO angekündigter Truppenrückzug aus dem Irak abgeschlossen.

Gibraltar

1965 (4. 12.) Im »Gibraltar-Rotbuch« fordert Spanien Souveränität über Gibraltar.

1967 (12. 4.) Volksentscheid für Verbleib bei Großbritannien (97%).

1969 (25. 10.) Umwandlung der Kronkolonie in brit. Dominium; Spanien reagiert mit völliger Verkehrs-, Versorgungs- und Telefonblockade, die erst

1985 (5. 2.) beendet wird.

2001 (20. 11.) 1985 begonnene Gespräche mit Großbritannien über geteilte Souveränität wieder aufgenommen.

2002 (7. 11.) Referendum: 98,97% der Bev. stimmen für Verbleib bei Großbritannien.

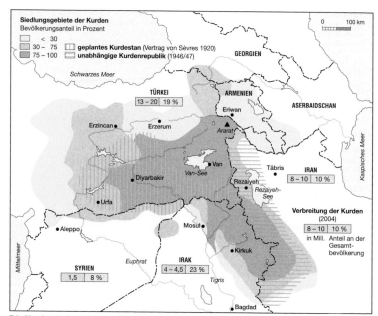

Die Kurden in der Türkei und im Nahen Osten

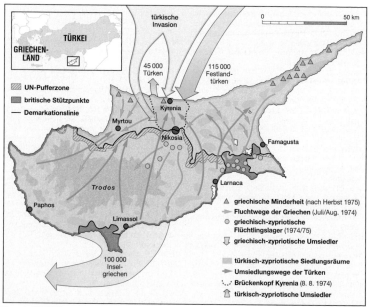

Zypern 1974/75

Malta

1964 (5. 5.) Volksabstimmung für klerikale Verfassung. – Proklamation der **(21. 9.) Unabhängigkeit unter brit. Krone.**

1971 Verlegung des NATO-Flottenkommandos nach Neapel.

1974 (13. 12.) Malta wird Republik.

1979 (31. 3.) Ende der brit. Militärpräsenz.

1980 Verteidigungsabkommen mit Libyen.

1983 (29. 6.) Enteignung der Kirchengüter.

2004 (1. 5.) Beitritt zur EU (76 Sonderregelungen).

Griechenland (S. 507)

1967 (21. 4.) Staatsstreich der Armee, Massenverhaftungen, KZ auf Jaros und Leros.

(13. 12.) Umsturzversuch KONSTANTINS II. scheitert, er geht ins Exil (Rom); neuer MP. wird Oberst G. PAPADOPOULOS.

1968 (29. 9.) Umstrittene Volksabstimmung für neue Verfassung; deren Prolongierung ohne 12 demokrat. Artikel.

(15. 12.) Nach Demonstrationen für PAPANDREOU durch 2 Dekrete MP. **Papadopoulos praktisch Diktator.**

1973 (1. 6.) Abschaffung der Monarchie.

(28. 11.) Sturz des Regimes Papadopoulos, Milit.-Reg. unter Gen. P. GISIKIS.

1974 (24. 7.) **Zypernkrise** führt zum Zusammenbruch des Militärregimes,

(25. 7.) MP. KARAMANLIS (konserv. ND) bildet Regierung der nationalen Einheit.

(14. 8.) NATO-Austritt (bis 1980).

1975 (11. 6.) Neue Verfassung ersetzt die von 1952: Griechenland bleibt Republik.

(ab 28. 10.) Nach Erdölfunden Auseinandersetzung mit der Türkei um Abgrenzung des Festlandsockels.

1985–96 wegen unklarer Mehrheitsverhältnisse häufig wechselnde Regierungen.

1994 Enteignung des griech. Königshauses.

1995 (1. 6.) Ausweitung der Hoheitsgewässer auf 12 Seemeilen ruft türk. Proteste hervor.

2004 (7. 3.) Bei vorgezogenen Neuwahlen siegt die konserv. ND über die seit 1993 regierende sozialist. PASOK, MP. wird K. KARAMANLIS.

Mazedonien-Problem:

1986 Spannungen mit Jugoslawien wegen Namens der Republik und

1993 mit Mazedonien wegen Staatsbenennung und Verwendung des »Sterns von Vergina« (mazedon. Königsemblem in der Antike) in der Staatsflagge.

1995 Unter UN-Vermittlung Abkommen zur Normalisierung: Ausklammerung der Staatsbenennung; Mazedonien verändert Flagge.

Türkei (S. 507)

1966 Labile innenpolit. Lage: Studentenunruhen, Aktionen linkspolit. Offiziere.

1969 Nach bulg.-türk. Abkommen Einwanderung von 115 140 bulg. Türken bis 1978 vereinbart; bis 1990 aber weiterhin Flucht von türk.-stämmigen Bulgaren.

1971 (März) Nach Staatsstreichplanungen von Offizieren und bürgerkriegsartigen Demonstrationen linker Studenten erzwingt der Generalstab den Rücktritt der Regierung von MP. S. DEMIREL und setzt MP. ERIM ein.

1974 (Juli/Aug.) Zypernkrise; Invasion türk. Truppen im Norden der Insel.

1980 »12.-September«-Staatsstreich: »Nat. Sicherheitsrat« unter Gen. K. EVREN; polit. Prozesse, Folterungen, Hinrichtungen.

1982 (Nov.) Neue Verfassung.

1983 Teilweise Aufhebung des Parteienverbots; die rechtsgerichtete »Mutterlandspartei« gewinnt die Wahl, MP. wird T. ÖZAL.

(ab Mai) Kurdenverfolgung in der Osttürkei bis tief in irakisches Gebiet.

1984 Beginn terrorist. PKK-Aktivitäten, die sich bis 2002 fortsetzen; Militäroffensiven im Osten der Türkei.

1987 (März) »Ägäiskrise« nach griech. Ölförderung.

1989 Erwachen des islamist. Fundamentalismus.

1991 beginnen regelmäßige militär. Übergriffe auf irak. Boden, um Stützpunkte der PKK zu zerstören.

1998 Verbot der islamist. Wohlfahrtspartei.

1999 (16. 2.) Festnahme des **PKK-Führers Öcalan** in Nairobi, Todesurteil (29. 6.),

2000 (12. 1.) ausgesetzt.

2001 (22. 6.) Verbot der islamist. »Fazilet-Partei« (»Tugendpartei«).

(3. 10.) Verfassungsreform, Angleichung an EU-Standards (z. B. Abschaffung der Todesstrafe).

2002 (3. 11.) Bei Neuwahlen gewinnt die gemäßigt islam. AKP die absolute Mehrheit, MP. wird R. T. ERDOĞAN.

2004 (Dez.) EU beschließt Aufnahme von Beitrittsverhandlungen.

Zypern

Seit 1964 Stationierung von UN-Truppen.

1974 (Juli) Zypernkrise: Griechische Militärjunta steuert Staatsstreich, um den Anschluss der Insel an Griechenland zu erzwingen; **Präs. Makarios von griech.-zypriot. Nationalgarde gestürzt;** daraufhin türk. Invasion und Besetzung des Nordens der Insel.

(Dez.) Rückkehr von MAKARIOS in den griech.-zypriot. Süden. – Im Norden

1975 Proklamation eines »Föderativen türk.-zypriot. Staates« unter Präs. (bis 2005) DENKTASCH und der Unabhängigkeit als

1983 (15. 11.) Türk. Rep. Nordzypern. Mehrere erfolglose Vermittlungsversuche (1989, 1992 und 1994);

1997 UN-Proximity Talks (DENKTASCH lehnt Direktgespräche ab und bricht Kontakte ab).

2002 Direktverhandlungen zw. DENKTASCH und KLERIDES (Staats- und Reg.-Chef des griech. Teils Zyperns seit 1993).

2003 (23. 4.) Öffnung der »Grünen Linie«.

2005 (April) Bei den Präs.-Wahlen in Nordzypern siegt M. ALI TALAT von der linken CTP, der für die Wiedervereinigung eintritt.

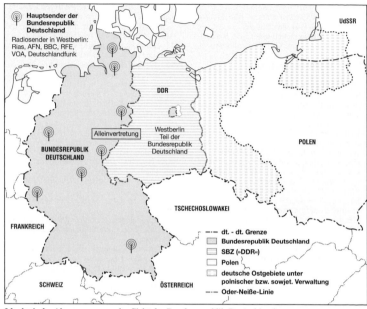

Ideologische Abgrenzung aus der Sicht der Bundesrepublik Deutschland

Reste deutscher Einheit

Bundesrepublik Deutschland (S. 529)
1966 Wirtschaftskrise: steigende Preise, Strukturkrise im Ruhrgebiet.
(27. 10.) Rücktritt der 4 FDP-Min. Erfolge der Nat.-Demokrat. Partei/NPD (gegr. 1964) bei Landtagswahlen. – Nach Rücktritt ERHARDS als BK. und Wahlen
(1. 12.) Große Koalition unter BK. KURT GEORG KIESINGER/CDU (1904–88) und AMin. WILLY BRANDT/SPD. Hauptaufgabe: Sanierung der Finanzen (Min. STRAUSS/CSU) und der Wirtschaft (Min. SCHILLER/SPD).
1967 (19. 1.) Haushaltsausgleich durch Etatkürzungen, Eventual-Haushalt als Anreiz für Investoren; »Konzertierte Aktionen« der Sozialpartner und Diskontsatz-Senkungen zur Überwindung der wirtschaftl. Flaute.
(Mai/Juni) Unruhen anlässlich des Staatsbesuchs von Schah RESA PAHLEWI.
(Sommer/Herbst) Bildung einer »Außerparlamentarischen Opposition/APO« als Reaktion auf Große Koalition und zunehmende Unbeweglichkeit des Bundestags.
1968 Einführung der Mehrwertsteuer.
(Ostern) Attentat auf das Mitglied des SDS-Vorstands RUDI DUTSCHKE (1940–79) löst (z. T. blutige) Studentenunruhen aus.
(30. 5.) Verabschiedung der Notstandsgesetze trotz starker Proteste: Erlöschen der alliierten Vorbehaltsrechte aus dem Dtl.-Vertrag nach Inkrafttreten dieser Gesetze. Unruhen an den Universitäten wegen Hochschulreform.
1969 (5. 3.) Bundespräs. Gustav Heinemann/SPD nach Rücktritt HEINRICH LÜBKES.
(Sept.) Nach der Wahl zum 6. Bundestag (CDU/CSU 242, SPD 224, FDP 30 Sitze) folgt Wechsel der Reg.:
(Okt.) BK. Willy Brandt/SPD (1913–92) bildet eine Koalitions-Reg. (SPD, FDP); Vizekanzler und AMin. wird WALTER SCHEEL/FDP (geb. 1919). – Bundesreg. unterzeichnet **Kernwaffensperrvertrag.**
(Dez.) Beginn der Gewaltverzichtsgespräche mit der UdSSR (Staatssekretär EGON BAHR) und Polen.
1970 (12. 8.) Unterzeichnung des Moskauer Vertrags: Gewaltverzichtsvertrag mit der UdSSR, mit Anerkennung der Unverletzlichkeit aller in Europa bestehenden Grenzen einschließlich der Oder-Neiße-Grenze und der Grenze zwischen BR Dtl. und DDR.
(7. 12.) Unterzeichnung des Warschauer Vertrags: Normalisierung der Beziehungen zu Polen, Gewaltverzicht, Anerkennung der Oder-Neiße-Linie als poln. Westgrenze.
1971 (Mai) Währungskrise durch verstärkten Dollarzufluss: Freigabe der DM-Wechselkurse (Wirtschafts- und Finanz-Min. KARL SCHILLER/SPD).
(Nov.) BK. BRANDT erhält den Friedensnobelpreis.
Ablehnende Haltung der CDU/CSU-Opposition zu den »Ostverträgen«. Die Mehrheit der Reg.-Parteien im Bundestag schmilzt durch Übertritte von Abgeordneten.

1972 (28. 4.) Konstruktives Misstrauensvotum der Opposition mit RAINER BARZEL/CDU gegen BK. BRANDT scheitert nur knapp.
(17. 5.) Zustimmung des Bundestags zu den »Ostverträgen« bei Stimmenthaltung und wenigen Gegenstimmen der CDU/CSU.
(3. 6.) »Ostverträge« und Verkehrsvertrag mit der DDR treten in Kraft.
(5. 9.) Terroranschlag gegen israel. Sportler während der Olymp. Spiele in München.
(20. 9.) Wegen Mehrheitsschwunds Vertrauensfrage des BK., Auflösung des Bundestags.
(Nov.) 7. Bundestag (SPD 230, CDU/CSU 225, FDP 41 Sitze); Fortsetzung der soz.-lib. Koalition BRANDT/SCHEEL (Dez.).
1973 (Febr./Mai) Wegen steigender Preise Stabilitätsprogramm zur Konjunkturdämpfung, (März) DM-Aufwertung um 3%, (Juni) 5%.
(21. 6.) Grundlagenvertrag mit der DDR tritt in Kraft.
(18. 9.) Aufnahme der BR Dtl. und der DDR in die UN.
1974 (6. 5.) Rücktritt von BK. Willy Brandt (Agentenaffäre GUILLAUME).
(15. 5.) Bundespräs. Walter Scheel (FDP).
(16. 5.) BK. Helmut Schmidt/SPD: Fortsetzung der soz.-lib. Koalition; Vizekanzler und AMin. H.-D. GENSCHER/FDP.
1975 (Jan.) Mit der ČSSR Abkommen über Zusammenarbeit.
(21. 5.) Beginn des »Stammheim-Prozess« gegen Terroristen der BAADER-MEINHOF-Gruppe; Verurteilung zu lebenslanger Freiheitsstrafe; MEINHOF (1976), BAADER, RASPE und ENSSLIN (1977) verüben Selbstmord.
(Okt.) Abkommen mit Polen: Finanzkredit und Rentenausgleichszahlungen an Polen, im Gegenzug Ausreise von 125 000 Deutschstämmigen aus Polen.
(18. 12.) Austausch ständiger Vertreter zwischen der BR Dtl. und der DDR.
(19. 12.) Verkehrsverhandlungen mit der DDR enden mit positiven Ergebnissen.
1976 (Feb.) Zustimmung des Bundestags zu den Verträgen mit Polen, nach Verbesserungen
(März) auch des Bundesrats.
(Juli/Aug.) Grenzzwischenfälle mit der DDR, Störung des Transitverkehrs.
(3. 10.) Wahlen zum Bundestag: Anwachsen der CDU/CSU auf 243 Sitze, doch bleibt SPD/FDP-Koalition mit zusammen 253 Sitzen an der Macht; BK. HELMUT SCHMIDT.
(13. 11.) Schwere Zusammenstöße zwischen Demonstranten und Polizei auf der Baustelle des Kernkraftwerks Brokdorf.
(Dez.) BR Dtl. proklamiert 200-Seemeilen-Fischereizone.
1977 Ermordung von Generalbundesanwalt SIEGFRIED BUBACK (7. 4.), JÜRGEN PONTO (30. 7.) und H. M. SCHLEYER (18. 10.) durch Terroristen der Rote Armee Fraktion (RAF). – Befreiung der entführten Lufthansa-Boeing in Somalia durch die GSG 9.

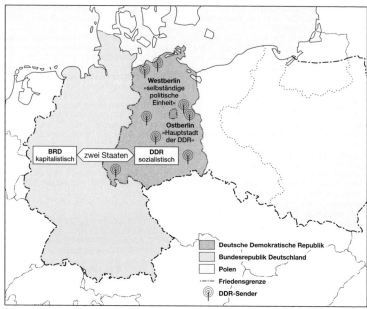

Ideologische Abgrenzung aus der Sicht der DDR

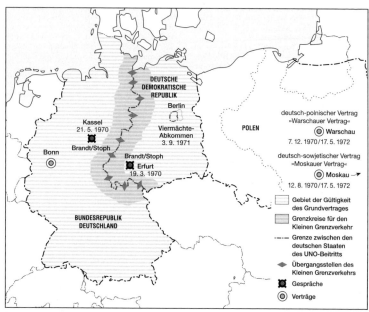

Der Grundvertrag

Bundesrepublik Deutschland (S. 589)

1979 (Juli) KARL CARSTENS/CDU Bundespräs.

1980 (Okt.) Bundestagswahlen. Stärkung der SPD/FDP-Koalition. BK. bleibt H. SCHMIDT.

(Nov.) Krefelder Appell fordert Verzicht auf Nachrüstung. Anwachsen der Friedensbewegung;

1981 (10. 10.) Friedensdemonstration in Bonn mit rd. 250 000 Teilnehmern. – Steigende Arbeitslosigkeit und Staatsverschuldung führen zum

1982 (17. 9.) Sturz der soz.-lib. Reg. durch konstruktives Misstrauensvotum.

(1. 10.) Helmut Kohl/CDU (geb. 1930) wird BK. einer CDU/CSU-FDP-Reg., GENSCHER bleibt Vizekanzler und AMin.

(17. 12.) KOHL erhält nach der gestellten Vertrauensfrage – wie geplant – keine Mehrheit, so dass der Weg für vorgezogene Neuwahlen frei wird.

1983 (März) Wahlerfolg der CDU/FDP-Koalition mit BK. KOHL, zusammen 278 Sitze, SPD 193, die Grünen ziehen zum 1. Mal in den Bundestag ein und erhalten 27 Sitze.

(Nov.) Stationierung neuer US-Raketen vom Bundestag beschlossen.

1984 (1. 7.) Vereidigung des Bundespräs. Richard v. Weizsäcker/CDU.

(Nov.) Der franz. Präs. MITTERRAND und BK. KOHL besuchen Soldatenfriedhöfe in Verdun.

1986 Diskussion über den Asylantenstrom.

1987 (Jan.) Bundestagswahlen: Bestätigung der Reg.-Koalition mit 269 Sitzen; SPD 186, Grüne 42 Sitze.

(Okt.) Rücktritt von UWE BARSCHEL wegen unlauterer Wahlkampfpraktiken.

1988 Über 200 000 Aussiedler aus Osteuropa kommen in die BR Dtl.

(ab Sept.) Abzug der US-Mittelstreckenraketen.

(Juni) Der sowjet. Staats- und Parteichef GORBATSCHOW wird bei seinem Besuch in der BR Dtl. von der Bev. begeistert empfangen.

1990 (13. 9.) Zusammenarbeits- und Nichtangriffsvertrag mit der UdSSR.

(9./10. 11.) GORBATSCHOW-Besuch in der BR Dtl.: dt.-sowjet. »Vertrag über gute Nachbarschaft, Partnerschaft und Zusammenarbeit«.

(14. 11.) Dt.-poln. Grenzvertrag.

(2. 12.) Wahlen zum 1. gesamtdt. Bundestag: Sieg der Reg.-Koalition mit BK. KOHL (CDU/CSU 319, SPD 239, FDP 79, PDS 17, B'90/Grüne 8 Sitze).

Die Deutschlandfrage (S. 497)

1967 (1. 2.) befürwortet der Gesamtdt. Min. HERBERT WEHNER (1906–90) eine Viermächte-Dtl.-Konferenz, wie sie ULBRICHT in einem 10-Punkte-Programm zur Konföderation der beiden dt. Staaten andeutet. Briefwechsel zwischen BK. KIESINGER und Staatsratsvors. STOPH bleibt erfolglos.

1968 (11. 6.) Einführung des Pass- und Visumzwangs für Westdeutsche für Reisen in die DDR und nach Westberlin.

(5. 7.) Die Sowjetunion beharrt auf Interventionsrecht gegen die BR Dtl.

1969 Verhandlungsangebot ULBRICHTS: Entwurf eines Vertrags über die Aufnahme **völkerrechtl. Beziehungen;** Westberlin als selbständige polit. Einheit. HEINEMANNS Antwort betont die Einheit der Nation und die **Beziehungen besonderer Art.**

1970 **(19. 3.) Erfurt:** 1. Treffen zwischen BK. BRANDT und Staatsratsvors. STOPH.

(21. 5.) Kassel: 2. Treffen der beiden dt. Reg.-Chefs.

(Nov.) Beginn der Verhandlungen zwischen den Staatssekretären E. BAHR/BR Dtl. und M. KOHL/DDR.

1971 (Sept.) Protokoll über Post- und Fernmeldeverkehr.

(Dez.) Transitverkehrsabkommen.

1972 (Febr.) DDR setzt Transitverkehrsabkommen und Besucherregelung schon für Ostern und Pfingsten in Kraft.

(26. 5.) Verkehrsvertrag, der erste Staatsvertrag zwischen den beiden dt. Staaten, wird unterzeichnet.

(Dez.) Unterzeichnung des Grundvertrags (Vertrag über die Grundlagen der Beziehungen zw. der BR Dtl. und der DDR) nach Verhandlungen seit Aug. zwischen BAHR und KOHL.

1973 (21. 6.) Grundvertrag in Kraft.

1974 (Juni) Austausch ständiger Vertretungen beider dt. Staaten.

Fluchthelferprozesse, Störungen im Transitverkehr.

(Dez.) Neue Swing-Vereinbarung zwischen der BR Dtl. und der DDR (850 Mill. Verrechnungseinheiten).

1975 Weiterer Ausbau der Selbstschussanlagen an der innerdt. Grenze, die ab 1983 (28. 9.) wieder abgebaut werden.

1989 (Juli–Sept.) Besetzungen von Botschaften der BR Dtl. in O-Berlin, Budapest, Prag und Warschau durch DDR-Bürger.

(Sept./Okt.) Massenflucht von DDR-Bürgern nach Österreich nach Öffnung der Grenze durch Ungarn am 2. 5.

(9. 11.) Öffnung der Mauer in Berlin und der innerdt. Grenze durch die DDR.

(28. 11.) 10-Punkte-Plan BK. KOHLS zur Überwindung der Teilung Deutschlands.

1990 (1. 7.) Staatsvertrag über die Währungs-, Wirtschafts- und Sozialunion mit der DDR wird vollzogen: Einführung der DM und soz. Marktwirtschaft in der DDR, Umstellung der Löhne, Gehälter, Renten und Pensionen zum Umtauschkurs von 1:1.

(12. 9.) Nach Abschluss der 2+4-Gespräche (seit Mai) in Moskau Unterzeichnung des **(12. 9.) Deutschlandvertrags:** Ende der Rechte der Alliierten und Souveränität für Dtl.

(3. 10.) Vollzug der staatl. Einheit durch Beitritt der DDR zur BR Dtl.

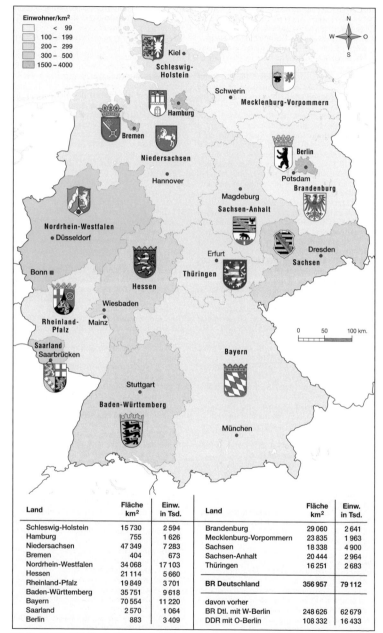

Land	Fläche km²	Einw. in Tsd.	Land	Fläche km²	Einw. in Tsd.
Schleswig-Holstein	15 730	2 594	Brandenburg	29 060	2 641
Hamburg	755	1 626	Mecklenburg-Vorpommern	23 835	1 963
Niedersachsen	47 349	7 283	Sachsen	18 338	4 900
Bremen	404	673	Sachsen-Anhalt	20 444	2 964
Nordrhein-Westfalen	34 068	17 103	Thüringen	16 251	2 683
Hessen	21 114	5 660			
Rheinland-Pfalz	19 849	3 701	BR Deutschland	356 957	79 112
Baden-Württemberg	35 751	9 618			
Bayern	70 554	11 220	davon vorher		
Saarland	2 570	1 064	BR Dtl. mit W-Berlin	248 626	62 679
Berlin	883	3 409	DDR mit O-Berlin	108 332	16 433

Die Bundesrepublik Deutschland Ende 1990

Deutsche Demokratische Republik (S. 533)

1966 (15. 3.) Handelsabkommen mit Ostblockstaaten, Italien und Österreich.

1967 (20. 2.) Gesetz zur DDR-Staatsbürgerschaft.

1968 (6. 4.) Annahme einer neuen Verfassung durch Volksabstimmung.

(20./21. 8.) Beteiligung der Volksarmee an dem Einmarsch in die ČSSR.

1969 diplomat. Anerkennung der DDR durch Staaten außerhalb des Ostblocks (Irak, Kambodscha u. a.; bis 1973 fast alle).

(Sept.) Ratifizierung des Kernwaffensperrvertrags.

1970 Gesetz über die Zivilverteidigung.

1971 (3. 5.) Rücktritt W. Ulbrichts als 1. Sekretär des ZK der SED; sein Nachfolger wird **Erich Honecker** (1912–94).

1972 (Jan.) Öffnung der Grenzen zu Polen und der ČSSR.

1973 (18. 9.) DDR wird Mitglied der UN.

(Okt.) WILLI STOPH wird Vors. des Staatsrats, HORST SINDERMANN Min.rats-Vors.

1974 (Okt.) Inkrafttreten einer Verfassungsrevision, in der auf den Begriff »deutsche Nation« verzichtet wird.

1975 (Okt.) Neuer Freundschaftsvertrag mit der UdSSR am 26. Gründungstag der DDR (weitergehende Integration).

1976 (Mai) IX. Parteitag der SED: Beziehungen zur BR Dtl. als Prozess der völkerrechtl. Abgrenzung. Intensive Integration in das sozialist. Lager und die sozialist. Wirtschaft.

(Okt.) HONECKER auch Vors. des Staatsrats, W. STOPH Ministerrats-Vors.

1980 (9. 10.) Erhöhung der Mindestumtauschsätze für Einreisende aus nichtsozialist. Staaten.

1981 (14. 6.) Direktwahl der Ost-Berliner Abgeordneten zur Volkskammer führt zu Protesten der Alliierten wegen Verstoßes gegen den Viermächtestatus.

1982 (25. 3.) Neues Wehrdienst- und Grenzgesetz mit »Schießbefehl« bei Fluchtversuchen.

1986 Fünf-Jahres-Plan bis 1990: Ausbau der Schlüsseltechnologien, Lösung des Wohnungsproblems.

1987 (Juli) Abschaffung der Todesstrafe.

(Sept.) Nicht genehmigte Friedensdemonstration in Ostberlin.

1988 (Jan.) Festnahme von Mitgl. von Menschenrechtsgruppen; Solidaritätsandachten. Wachsende Zahl von Ausreiseanträgen in die BR Dtl.

1989 (7. 5.) Bei Kommunalwahlen Wahlfälschung zugunsten der Kandidaten der »Nat. Front«.

(ab 4. 9.) Massendemonstrationen; seit einem Friedensgebet in der Nikolaikirche »Montagsdemonstrationen« in Leipzig: Forderung nach Freiheiten und der Wiedervereinigung Deutschlands.

(11. 9.) Gründung der Bürgerrechtsbewegung »Neues Forum«.

(18. 10.) **Rücktritt Honeckers.** Neuer Gen.-Sekretär und Staatsratsvors. wird EGON KRENZ.

(4. 11.) Rund 1 Mill. Menschen demonstrieren auf dem Berliner Alexanderplatz gegen das SED-Regime.

(7./8. 11.) Rücktritt der Reg. STOPH.

(9. 11.) Öffnung der Grenze zur BR Dtl., Fall der Mauer in Berlin.

(13. 11.) MP. HANS MODROW.

(3. 12.) Rücktritt von Politbüro und ZK.

(7. 12.) GREGOR GYSI Gen.-Sekretär der SED-PDS. – »Runder Tisch« aus Vertretern der Parteien und Bürgerrechtsbewegungen beschließt für

1990 (18. 3.) freie Volkskammerwahlen: Sieg der »Allianz für Deutschland« aus CDU, »Demokrat. Aufbruch/DA« und »Deutscher Soz. Union/DSU«.

(April) MP. LOTHAR DE MAIZIÈRE/CDU führt eine Große Koalition aus CDU, DA, DSU, Liberalen und SPD an.

Nach Abschluss des Einigungsvertrags Beitritt zur BR Dtl.:

(3. 10.) Ende der DDR.

Berlin (S. 531)

1966 4. Passierscheinabkommen.

1967 (1. 6.) Unruhen beim Schah-Besuch: Bei Polizeieinsatz wird der Student BENNO OHNESORG erschossen.

1968 Auseinandersetzungen zwischen APO und Senat, Studentendemonstrationen.

1970 (März) Beginn von **Viermächteverhandlungen** (Frankreich, Großbritannien, USA und UdSSR) auf Botschafterebene.

1971 (3. 9.) Unterzeichnung des Berlin-Abkommens.

(Dez.) Besucherregelung und Vereinbarungen über Gebietsaustausch zur Lösung von Enklavenproblemen.

1972 (3. 6.) Viermächte-Berlin-Abkommen tritt in Kraft.

1974 (Juni/Juli) Errichtung des Bundesumweltamtes in Berlin. Die Proteste der UdSSR und der DDR werden von den Westmächten zurückgewiesen.

1975 (April) Westmächte bekräftigen in Note an UNO die Viermächte-Gesamtverantwortung für Gesamt-Berlin, während die (Mai) UdSSR behauptet, Ostberlin sei integrierter Bestandteil der DDR und nicht der Viermächte-Verantwortung unterstellt. – Berlin-Erklärung der westl. Außenminister; UdSSR erklärt, dass der Viermächtestatus nicht mehr existiert.

(Dez.) Vereinbarungen der BR Dtl. mit DDR über Berlin-Verkehr.

1977 Londoner Berlin-Erklärung der 4 Westmächte (einschl. BR Dtl.).

1989 (9. 11.) Öffnung der Mauer zwischen W- und O-Berlin. Für Fußgänger.

(22. 12.) Brandenburger Tor geöffnet.

1990 Abriss der Mauer.

(3. 10.) Gesamt-Berlin ist Bundesland der BR Dtl.

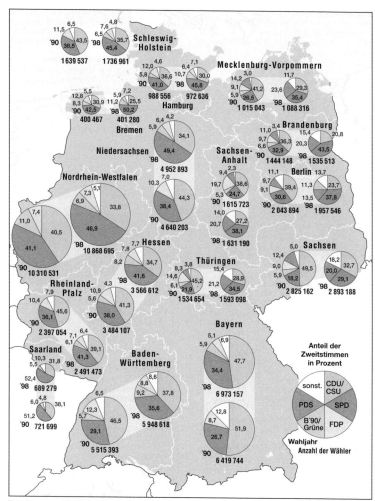

Bundestagswahl 1990 und Machtwechsel 1998

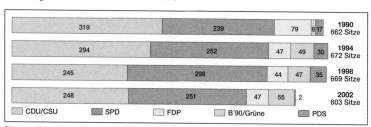

Sitzverteilung im Deutschen Bundestag (1990 – 2002)

Bundesrepublik Deutschland
1991 (17. 1.) Wahl von BK. KOHL für eine
3. Amtsperiode; CDU/CSU-FDP-Koalition.
(4. 3.) **Volle Souveränität** durch Ratifizierung der dt.-sowjet. Verträge durch den
Obersten Sowjet in Moskau.
(13. 3.) Flucht **E. Honeckers** mit seiner Frau
MARGOT nach Moskau; Asyl in der chilen.
Botschaft; Rückkehr nach Dtl. am 29. 7. 92;
Haftentlassung wegen schwerer Erkrankung
und Ausreise nach Chile.
(1. 4.) Der Präs. der Treuhandanstalt,
D. ROHWEDDER, wird von der RAF ermordet; seine Nachfolgerin wird BIRGIT BREUEL.
(17. 6.) Dt.-poln. Nachbarschaftsvertrag.
(**20. 6.**) **Beschluss zur Verlegung des Par-
laments- und Regierungssitzes nach Berlin.**
1992 Zunahme **ausländerfeindlicher Anschläge
mit 17 Toten und 452 Verletzten.**
(19. 1.) Gedenkstätte in der Villa der Wannsee-Konferenz für die »Geschichte des Völ-
kermords an den Juden« eröffnet.
(7. 2.) Partnerschaftsvertrag mit Ungarn.
(27. 2.) Partnerschaftsvertrag mit der CSSR.
(31. 3.) Rücktritt von Vert.-Min. STOLTEN-
BERG wegen illegaler Waffenlieferungen an
die Türkei.
(17. 5.) Rücktritt von AMin. H.-D. GEN-
SCHER, Nachfolger wird K. KINKEL/FDP.
(22. 5.) Frankreich und BRD beschließen
die Aufstellung eines 40 000 Mann starken
gemeinsamen **Euro-Korps.**
(ab Juli) Bundesmarine überwacht UN-Em-
bargo gegen Serbien und Montenegro.
(Aug.) Ausländerfeindliche Ausschreitungen in Rostock-Lichtenhagen.
(23. 11.) **Brandanschlag auf ein Wohnhaus
in Mölln** durch Rechtsradikale; Tod von 3
türk. Bewohnerinnen.
1993 (21. 4.) Militäreinsatz in Somalia beschlossen.
(26. 5.) Einschränkung des Asylrechts vom
Bundestag mit großer Mehrheit gebilligt.
(**29. 5.**) **Schwerer Brandanschlag in Solingen;**
Tod von 5 türk. Einwohnern.
1994 (**1. 7.**) Der Präs. des Bundesverf.-Gerichts,
Roman Herzog/CDU, wird Bundespräs.
(31. 8.) Verabschiedung der letzten russ.
Soldaten.
(16. 10.) Wahlsieg der Reg.-Koalition unter
BK. H. KOHL (Sitze: CDU/CSU 294, SPD
252, FDP 47, Bündnis 90/Die Grünen 49,
PDS 30).
(10. 11.) Verbot der neonazist. »Wiking-Ju-
gend«.
(**31. 12.**) **Auflösung der Treuhandanstalt,** die
das verstaatlichte Industrievermögen der
DDR privatisieren sollte.
1996 (23. 1.) Bundesreg., Arbeitgeber und Gewerkschaften schließen den »**Bündnis für Arbeit und Standortsicherung«,** Hauptziel:
Halbierung der Arbeitslosenzahlen.
(April) Bundesverfassungsgericht hält die
1945–49 in der sowjet. Besatzungszone vor-
genommenen Enteignungen für rechtens.

(5. 5.) Die Einwohner Brandenburgs lehnen
in einem Referendum einen Zusammenschluss mit Berlin ab.
(15. 6.) 350 000 Menschen demonstrieren in
Bonn gegen Sozialabbau.
1997 (**21. 1.**) **Deutsch-tschechische Erklärung** zur
Versöhnung und Verständigung im Bundestag
gebilligt, am 14. 2. in Prag verabschiedet.
1998 (27. 9.) Wahlniederlage der christl.-lib.
Koalition; Ablösung der Reg. KOHL durch
(**27. 10.**) **sozialdemokrat.-grüne Koalitionsreg. unter BK. Gerhard Schröder** (geb.
1944), AMin. wird J. Fischer/Grüne.
1999 (19. 4.) **Eröffnung des Reichstagsgebäu-
des** als neuen Parlamentssitz.
(20. 4.) Selbstauflösung der RAF.
(23. 5.) Wahl von JOHANNES RAU/SPD zum
Bundespräs., am 1. 7. Amtsantritt.
2000 (23. 2.) Einführung eines Sondervisums
»Green Card« für die Anwerbung von aus-
ländischen Computer-Spezialisten.
(27. 4.) ANGELA MERKEL (geb. 1954) wird
Vorsitzende der CDU.
(**29. 6.**) **Eröffnung der Weltausstellung »Expo
2000« in Hannover.**
(17. 11.) 1. Schritt der **Rentenreform** verabschiedet, 2. Teil am 11. 5. 2001.
2001 (29. 8.) NATO-Bundeswehreinsatz in
Mazedonien beschlossen, Einsatz am 27. 9.
(4. 12.) **PISA-Studie** mit schlechtem Ab-
schneiden dt. Schüler im internationalen
Vergleich löst Bildungsdebatte aus.
(14. 12.) »**Atomausstieg«,** Rückzug aus der
Kernenergienutzung beschlossen.
(22. 12.) Entsendung von 1200 Soldaten als
Schutztruppe nach Afghanistan.
2002 (Aug.) »Jahrhundertflut« in Ost-Dtl.
(22. 10.) Nach sehr knapper Wahlniederlage der CDU/CSU unter Kanzlerkandidat
E. STOIBER/CSU **2. rot-grüne Koalitionsreg.
unter BK. Schröder.**
2003 (1. 1.) Erste Stufen der Hartz-Arbeits-
marktreformen.
(14. 3.) »**Reform-Agenda 2010«** von der Reg.
vorgestellt.
(18. 3.) BK. SCHRÖDER lehnt Beteiligung der
BRD am Irakkrieg ohne UNO-Mandat ab,
was zu Verstimmungen mit den USA führt.
(24. 9.) »**Kopftuchurteil«** des Bundesverfas-
sungsgerichts: Ohne Gesetzesgrundlage darf
das Tragen eines Kopftuchs als relig. Symbol im Unterricht nicht verwehrt werden.
2004 (3. 4.) Demonstrationen in Berlin, Köln,
Stuttgart (ca. 500 000 Teilnehmer) gegen die
Sparmaßnahmen im Sozialbereich.
(23. 5.) Wahl H. KÖHLERS zum Bundespräs.
(1. 7./9. 7.) Neues Ausländerrecht: **Zuwan-
derungs- und Integrationsgesetz** von Bundestag und Bundesrat verabschiedet.
2005 (1. 1.) Hartz IV tritt in Kraft: Zusammen-
legung von Arbeitslosen- und Sozialhilfe
zum Arbeitslosengeld II unterhalb des Ni-
veaus der bisherigen Sozialhilfe.
(Febr.) Mit 5,2 Mill. höchste Arbeitslosen-
quote seit dem 2. Weltkrieg.

Legende (linke Karte):
- »Grüne Linie« (Israel 1967)
- von Israel beanspruchtes Gebiet
- Rückgabe an Jordanien
- arabische Städte (an Jordanien)
- jüdische Siedlungen (an Israel)
- Straßen-Korridore

LIBANON
SYRIEN
Golan-höhen
See Genezareth
Mittelmeer
Jenin
Tulkarm
Nablus
Ramallah
Jericho
Jerusalem
Ma'ale Adumin
Bethlehem
Gush Etzion
Hebron
Totes Meer
Gaza
Kiriat Arba
ISRAEL
ÄGYPTEN
JORDANIEN

0   50 km

Legende (rechte Karte):
- Selbstverwaltung durch Palästinenser
- Gebiet unter gemischter Kontrolle (Sicherheit israelisch, Zivilverwaltung palästinensisch)
- unter ausschließlich israelischer Kontrolle
- israelische Siedlungen
- palästinensische Flüchtlingslager
- bereits errichteter Sicherheitszaun (Mai 2004)
- geplanter Sicherheitszaun
- palästinensische Korridore
- israelische Korridore

ISRAEL

0   20 km

Allon-Plan für Palästina (Juli 1967)   Westjordanland nach den Oslo-II-Abkommen (Sept. 1995)

Israel (S. 537; s. a. S. 599)
1966/67 Grenzzwischenfälle mit arab. Nachbarn, Sabotageakte der Al-Fatah.
Nach Abzug der UN-Truppen im Gaza-Streifen: VAR gibt Sperre des Golfs von Elath bekannt; arab. Truppenaufmarsch. Vert.-Min. wird **Mosche Dayan** [1967–74].
1967 (5.–10. 6.) 3. israel.-arab. Krieg (»Sechstagekrieg«): Israel gegen VAR, Syrien, Jordanien; nach Waffenstillstand bleiben die eroberten Gebiete besetzt (Gaza-Streifen, Sinai-Halbinsel, Westjordanien, syr. Golan-Höhen).
(28. 6.) Die »Wiedervereinigung« Jerusalems und
(ab Sept.) Siedlungsgründungen in den besetzten Gebieten verstehen die arab. Nachbarn als Annexionsabsicht.
1968 Grenzzwischenfälle; Sabotageakte der Al-Fatah, Vergeltungsaktionen Israels. Nach dem Tod Eschkols wird neuer
1969–74 MP. Frau Golda Meir.
Flugzeugentführungen und Anschläge durch die »Palästinensische Befreiungsorganisation/PLO« unter Yassir Arafat.
Zunahme der Grenzgefechte, besonders am Suezkanal. US-Friedensplan führt zur
1970 (Aug.) Feuereinstellung.
1973 (Okt.) 4. israel.-arab. Krieg (»Jom-Kippur-Krieg«).
1974 Entflechtungs-Abkommen mit Ägypten (Jan.) und Syrien (Mai): von UN-Truppen besetzte Pufferzonen.
1974–77 MP. Itzak Rabin (Arbeiterpartei).
1975 (Okt.) Sinai-Vertrag mit Ägypten: Verpflichtung zur friedl. Konfliktlösung.
1976 (Juni/Juli) Entführung eines israel. Flugzeugs durch PLO-Terroristen nach Entebbe (Uganda) und Befreiung der Geiseln durch ein israel. Kommando.
Nach Wahlsieg des rechten Likud-Blocks
1977 Kabinett Menachem Begin.
Durch Vermittlung von US-Präs. Carter (Camp David)
1979 (März) Friedensvertrag mit Ägypten: Räumung des Sinai durch Israel (bis 1982).
1980 (30. 7.) Ganz Jerusalem wird zur Hauptstadt Israels erklärt.
1981 (Dez.) Annektierung der Golan-Höhen.
1982 Besetzung des Süd-Libanon (bis 1985).
1984 Koalitionsreg. Likud/Arbeiterpartei mit Rotationsprinzip: MP. Schimon Peres, dann
1986 MP. Y. Schamir.
1987 (9. 12.) Beginn der **1. Intifada:** Aufstand der arab. Bevölkerung in den besetzten Gebieten, Solidarisierung innerhalb der palästinens. Bev.
1990 Scheitern der »Reg. der nationalen Einheit« unter Schamir, es folgt eine
(11. 6.) Likud-/rechtsreligiöse Koalition wieder unter MP. Schamir; Forcierung des Siedlungsbaus in den besetzten Gebieten.
(8. 10.) Blutbad israel. Sicherheitskräfte an Palästinensern auf dem Tempelberg, Intifada flammt wieder auf.

1991 (Jan./Febr.) Trotz Neutralität im 2. Irakkrieg ist Israel Ziel von Angriffen mit Scud-Raketen aus dem Irak.
(Okt./Nov.) **Nahost-Friedenskonferenz in Madrid:** Beginn von bilateralen Gesprächen Israels mit der PLO und Nachbarstaaten.
(11. 11.) Resolution der Knesset: Golan-Höhen bleiben aus strateg. Gründen untrennbares Gebiet des Staates Israel.
1992 (17. 3.) Rücktritt der Reg.
(23. 6.) Neuwahlen: Sieg der Arbeiterpartei, Ablösung des Likud nach 15 Jahren; MP. I. Rabin: 1. Maßnahme der neuen Reg.:
(23. 7.) Baustopp in den besetzten Gebieten (am 2. 8. 1996 aufgehoben).
(17. 12.) Deportation von 415 Palästinensern in den Libanon.
1993 (Juli) »Operation Abrechnung«, schwerste Militäraktion seit 1982 im S-Libanon.
(Sept.) Gegenseitige Anerkennung von PLO und Israel. – Gaza-Jericho-Abkommen gewährt den Gebieten Teilautonomie; Rückführung der in den Libanon deportierten Palästinenser.
1994 (25. 7.) Israel und Jordanien beenden Kriegszustand.
(26. 10.) Friedensvertrag mit Jordanien.
1995 (4. 11.) Ermordung von MP. I. Rabin durch rechtsradikalen israel. Studenten.
1996 (29. 5.) Wahlsieg von Benjamin Netanjahu (Likud) bei 1. Direktwahl zum MP.,
(19. 6.) Bildung einer Regierung aus Likud und rechtsreligiösen Parteien.
1997 (17. 1.) Verwaltung der Stadt Hebron geht an die Palästinenser über.
1998 (23. 10.) **Wye-Abkommen:** Netanjahu und Arafat vereinbaren Friedensprozess und Truppenabzug aus den besetzten Gebieten.
1999 (6. 7.) MP. Ehud Barak (Arbeiterpartei) bildet Koalitionsreg. aus 8 Parteien.
2000 (Mai) Abzug aus dem S-Libanon.
(11. 9.) Tempelberg-Besuch des Likud-Vors. Ariel Scharon löst
(28. 9.) Al-Aqusa-Intifada aus: bis 2004 eskalierende Gewaltspirale durch palästinens. Selbstmordattentate und israel. Vergeltung.
(10. 12.) Rücktritt von MP. Barak.
2001 Neuwahlen, Koalitionsregierung aus 6 Parteien mit Arbeiterpartei und Likud unter MP. Scharon.
2002 (Juni) »Nahostquartett« (UN, EU, USA, Russland) schlägt Friedensplan (»Road Map to Freedom«) unter Schaffung eines Palästinenserstaates vor; 2003 von Scharon und M. Abbas, dem palästinens. MP., akzeptiert.
2003 (28. 1.) Rechtsruck bei vorgezogenen Wahlen; neue Koalitions-Reg. Scharon.
(Dez.) »Genfer Abkommen« zw. Palästinensern und Israel schlägt Zwei-Staaten-Lösung mit unabhängigem Palästinenser-Staat und anerkanntem Staat Israel vor.
2005 (8. 2.) Israel kündigt auf Nahostkonferenz in Ägypten Rückzug der Armee aus 5 Städten im Westjordanland an.

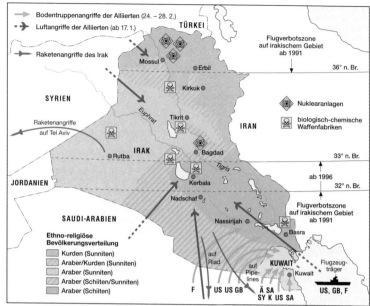

Der 2. Golfkrieg — Operation »Wüstensturm« (17. 1. – 28. 2. 1991)

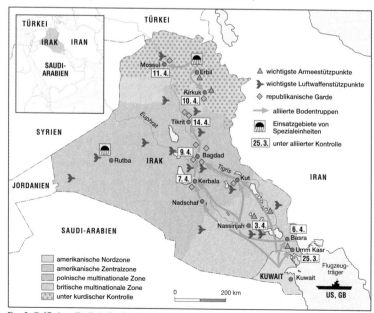

Der 3. Golfkrieg »Freiheit für den Irak« (20. 3. – 1. 5. 2003)

PLO und Palästina (s. a. S. 597)
1959 (10. 10.) Gründung der Al-Fatah, aus ihr
**1964 (28. 5.) Gründung der »Palestine Libera-
tion Organization/PLO«.**
1967 Gründung der »Volksfront für die Befreiung Palästinas/PFLP«.
1969 PLO-Vorsitz von YASSIR ARAFAT.
1970 »Schwarzer September«: PLO-Truppen
werden aus Jordanien vertrieben.
1970–82 Libanon Hauptstützpunkt der PLO.
1974 (Okt.) Anerkennung durch arab. Staaten
und durch die UNO als rechtmäßige Vertretung der Palästinenser.
1976 Vollmitglied der »Arabischen Liga«.
1982 Israel. Massaker gegen PLO und Palästinenser im Libanon, 90 000 Tote.
1987 (Dez.) 1. Intifada: Aufstand der arab. Bevölkerung in den besetzten Gebieten.
1988 (31. 7.) Jordanien gibt Rechtsanspruch
auf die Westbank und O-Jerusalem auf.
(15. 11.) PLO-Nationalrat erkennt UNO-
Teilungsplan von 1947 an.
1993 (Aug./Sept.) Oslo-Abkommen: gegenseitige Anerkennung von PLO und Israel, Autonomie für das Westjordanland und den Gaza-
Streifen,
(13. 9.) **Gaza-Jericho-Abkommen:** Rückzug
der israel. Armee geplant, palästinens. Auto-
nomiebehörde übernimmt Verwaltung für
Jericho und den Gaza-Streifen.
1996 (20. 1.) Wahlen in den Autonomiegebieten werden von der PLO/Fatah gewonnen;
ARAFAT Präsident des Palästinenserrats.
(März) Ausdehnung der Selbstverwaltung
auf 7 weitere Städte des Westjordanlandes.
1998 Ausführung des Wye-Abkommens vom
23. 10., **»Land gegen Sicherheit«,** wird von
Israels MP. NETANYAHU verzögert.
2000 (18. 9.) Beginn der **2. Intifada** (bis Sept.
2003 3027 Tote).
2001–04 »Antiterrorkrieg« Israels: ARAFAT
mehrfach unter Hausarrest, Zerstörung der
Autonomiestrukturen und Besetzung großer
Städte in den Autonomiegebieten.
**2003 (19. 3.) Die palästinens. Autonomiebehör-
de wählt Machmud Abbas zum 1. MP.**
2004 (11. 11.) Tod von Yassir Arafat,
2005 (9. 1.) ABBAS wird zu seinem Nachfolger
als palästinens. Präs. gewählt; er erreicht
erste Schritte in Richtung Frieden durch befristeten Gewaltverzicht der radikalen Paläs-
tinensergruppen.

Libanon (S. 535)
1975/76 Bürgerkrieg zwischen rechtsgerichte-
ten »Christen« und linken »Muslimen«; Einmarsch syrischer Truppen. – Trotz Einsatz
einer multinat. arab. Friedenstruppe
1978–81 Unruhen und Kampfhandlungen.
1978 Invasion israel. Truppen. Massaker in den
PLO-Lagern Sabra und Chatila.
1985 Rückzug der israel. Truppen auf eine »Sicherheitszone« im Südlibanon.
1987 (Jan./Febr.) Einmarsch der Syrer.
1989 Bürgerkrieg: Christl. gegen muslim. Mili-

zen, v. a. in Beirut, letztere auch jeweils gegeneinander.
(Sept.) »Abkommen von Taif«: **Dokument
der nat. Einheit,** gleiche Machtverteilung
hebt Vormachtstellung der Christen auf.
1991 Ende des Bürgerkriegs; Auflösung der
Milizen; PLO übergibt den Südlibanon an
die Armee. – Unabhängigkeit formell von
Syrien anerkannt.
1992 beginnen Kämpfe im Südlibanon zwischen der israel. Armee und der schiit.-fun-
damentalist. »Hisbollah«.
2000 (bis 24. 5.) Rückzug der israel. Truppen
aus dem Südlibanon; Übergabe der 15 km
breiten Sicherheitszone an die UNIFIL-
Truppen. Israel errichtet Sicherheitszaun,
z. T. auf libanes. Gebiet.
2005 (14. 2.) Ermordung von Ex-PM RAFIK
AL-HARIRI, der die Rolle Syriens als Ord-
nungsmacht ablehnte; Massenproteste.
(28. 2.) Rücktritt der prosyr. Reg.,
(5. 3.) der syr. Präs. AL-ASSAD kündigt den
Abzug der ca. 14 000 syr. Soldaten an.

Irak (S. 535)
1968 (Juli) Unblutiger Milit.-Putsch, nationalist. Baath-Partei übernimmt Regierung.
1972 Verstaatlichung der Iraq Petroleum Comp.
1974/75 Wiederaufflammen des **Kurdenkriegs.**
1979 (16. 7.) Rücktritt von Präs. AL-BAKR zugunsten **Gen. Saddam Hussein,** der beginnt,
die Armee mit westl. Hilfe zu modernisie-
ren.
1980–88 1. Golfkrieg mit dem Iran um die iran.
Erdölprovinz Khusistan.
1984 (3. 1.) Waffenstillstand mit den Kurden.
1988 **(20. 8.) Waffenstillstand mit dem Iran,**
Friedensverhandlungen.
1990 (2. 8.) Überfall auf Kuwait: Besetzung des
Emirats und Erklärung zur 19. irak. Provinz. –
Nach Ablauf des UN-Ultimatums zum Abzug
**1991 (17. 1.–28. 2.) 2. Golfkrieg »Operation
Wüstensturm«** mit UN-Mandat: militär. Niederlage der irak. Truppen.
(3. 4.) »Waffenstillstandsresolution«: Rückzug aus Kuwait, Abbau von Massenvernich-
tungswaffen und Raketen über 150 km
Reichweite, Kurdenschutz- und Flugverbots-
zonen.
(März/April) **Aufstände der Kurden und
Schiiten** werden niedergeschlagen.
1998 Irak verweigert UN-Inspektionen; darauf
(17.–19. 12.) Luftangriffe der USA und
Großbritanniens auf Ziele im Irak.
**2003 (20. 3.–1. 5.) 3. Golfkrieg »Freiheit für
den Irak«** unter Führung der USA und Großbritanniens ohne UN-Mandat; Hilfe anderer
Staaten (»Koalition der Willigen«).
(13. 12.) Saddam Hussein festgenommen.
Seit Kriegsende beinahe täglich Bombenattentate, die mehr Opfer fordern als der
Kriegsverlauf.
2005 (Febr.) Die Wahlen gewinnt das schiiti-
sche Wahlbündnis »Vereinigte Irak. Allianz«, MP. wird I. AL-DSCHAAFARI.

Syrien (S. 535)
1967 (Juni) Sechstagekrieg gegen Israel.
1970 In Machtkämpfen setzt sich der rechte Flügel der Baath-Partei durch,
1971 (März) Präs. wird **Gen. Assad.**
1973 (Okt.) Krieg gegen Israel.
1974 Truppenentflechtungs-Abkommen mit Israel (Golan-Höhen).
1975/76 Intervention im libanes. Bürgerkrieg erzwingt Waffenstillstand; 30 000 syrische Soldaten bleiben als Teil der Friedenstruppe der Arab. Liga im Libanon.
1981 Annexion der Golan-Höhen durch Israel.
1987 Einrücken syrischer Truppen in Beirut.
1990 Streit mit der Türkei um Euphratwasser.
2000 (10. 6.) Tod von Präs. Hafez al-Assad; Nachfolger wird sein Sohn Baschar al-Assad.
2004 (8. 3.) Die seit 40 Jahren geltenden Notstandsgesetze werden außer Kraft gesetzt.

Jordanien (S. 535)
1967 (Juni) Im **Sechstagekrieg** besetzt Israel das Westjordanland und Ost-Jerusalem.
1970 Bürgerkrieg: Nach heftigen Kämpfen gelingt den Reg.-Truppen die
1971 Zerschlagung der palästinens. Fedayin-Guerilla-Verbände.
1974 (Okt.) Verzicht auf Westjordanien (Transjordanien) zugunsten der Palästinenser.
1989 (8. 11.) Erste Parlamentswahlen nach 22 Jahren.
1994 (26. 10.) Friedensvertrag mit Israel.
1995 Kriegsgefahr mit dem Irak nach der Flucht von Vertrauten und Familienmitgliedern SADDAM HUSSEINS nach Jordanien.
1999 (7. 2.) Tod König Husseins; Nachfolger wird sein Sohn Abdullah II., der
2000 (23. 4.) Israel besucht.
2001 (16. 6.) ABDULLAH II. löst das Parlament auf, erst
2003 (17. 6.) Neuwahlen, Sieg königstreuer Stammesführer.

Saudi-Arabien (S. 535)
1973 König FEISAL erklärt, Erdöl als Waffe gegen die USA und den Westen einzusetzen.
1975 (März) Ermordung FEISALS, neuer König KHALED; FAHD wird Kronprinz.
1979 (Nov.) Besetzung der Großen Moschee in Mekka durch revolutionäre Muslime wird (Dez.) mit militär. Gewalt beendet.
1982 Tod KHALEDS, FAHD wird König.
1987 (31. 7./1. 8.) Zusammenstöße zwischen iran. Pilgern und saud. Sicherheitskräften in Mekka fordern über 400 Tote.
1991 Teilnahme am 2. Golfkrieg.
1993 (Aug.) Einrichtung eines Konsultatives mit ausschl. beratender Funktion.
2003/04 Wegen Anschlagserie Sicherheitsmaßnahmen gegen islamist. Terroristen.

Kuwait (S. 535)
1966, 1969, 1976 zeitweise Grenzüberschreitung durch den Irak; 1977 Grenzvertrag.
1975 Verstaatlichung der Erdölindustrie.

1990 (2. 8.) Besetzung durch irak. Truppen. Die UN-Resolutionen 660 ff. werden von einer multinat. Truppe durchgesetzt:
1991 (26. 2.) Befreiung Kuwaits.
1994 (10. 11.) UN legt Grenzverlauf zu Irak fest, der Kuwaits Souveränität anerkennt.
2003 Hauptaufmarschgebiet der alliierten Truppen der »**Operation Iraqi Freedom**«.

Bahrain
1971 (15. 8.) Unabhängigkeit; Emirat der sunnit. Familie AL-KHALIFA.
1974 Wahlen, Konstitution des Parlaments;
1975 (5. 9.) nach dessen Auflösung wird Bahrain **absolute Monarchie.**
1993 Einsetzen des Konsultativrats »**Schura**«.
1994–99 Unruhen durch Schiiten.
2002 (14. 2.) Umwandlung in eine **konstitutionelle Monarchie** und eingeschränkte Demokratisierung.

Katar
1971 (1. 9.) Unabhängigkeit; seit
1972 (22. 2.) Emirat unter Scheich KHALIFA.
1974 Verstaatlichung der Ölförderung.
2003 (29. 4.) Konstitutionelle Monarchie.

Vereinigte Arabische Emirate
1971 (2. 12.) Gründung durch die Emirate Abu Dhabi, Dubai, Ash-Shāriqah, ʻUjmān, Umm-al-Qaywayn und Al-Fujayrah; Beitritt
1972 von Raʼs al-Khaymah

Oman
1965–75 Aufstände in der Südprovinz Dofar, von Irak, VR China und Libyen unterstützt.
1970 Sturz des Imam der Ibaditen SAID BIN TAIMUR, Nachfolger sein Sohn
1971 QABUS BIN SAID, der Reformen einleitet und die Isolationspolitik überwindet.
1975 PFLO-Guerilla in Dofar besiegt.
1996 (Nov.) Erste geschriebene Verfassung, Parteien sind nicht vorgesehen.
2003 (4. 10.) Erste freie Wahlen, nur 25% der Bev. dürfen wählen.

Jemen
Nordjemen 1962–70 Bürgerkrieg, in den Ägypten und Saudi-Arabien eingreifen.
1970 (28. 12.) Neue Verfassung, Umbenennung in **Arab. Rep. Jemen.**
1974 Militärjunta; Umbenennung in **Islam. Arab. Rep. Jemen.**
Südjemen 1967 (27. 11.) VR wird selbständig;
1970 (Nov.) nach Richtungskämpfen in **Demokrat. VR Jemen** umbenannt.
1986 Bürgerkrieg; Revolutionsrat.
1990 (22. 5.) Vereinigung der beiden Republiken zur Republik Jemen, seit
1991 islam. Präsidialrepublik.
1993 (27. 4.) Erste freie demokrat. Wahlen.
1994 (April/Mai) Sezessionskrieg zw. N- und S-Jemen.
(28. 9.) Neue Verfassung auf der Grundlage der Scharia.

Iran (S. 507)

1978 blutige Unruhen, Generalstreik; islam. Fundamentalisten und soz.-rev. Gruppen fordern Sturz des Schahs.

1979 (16. 1.) Flucht von Schah Resa Pahlewi.

(1. 2.) Rückkehr des Schiitenführers Ayatollah Khomeni aus dem franz. Exil.

(11. 2.) Sturz der letzten Schah-Regierung.

(1. 4.) Khomeni ruft »Islamische Republik« aus; Durchsetzung durch den Rev.-Rat, Volksmilizen und Rev.-Gerichte.

1980–88 Golfkrieg mit dem Irak.

1981 (Juni) KHOMENI entlässt Präs. BANI-SADR, sein Nachfolger, ALI RAJAJ, stirbt bei Attentat; neuer Präs. wird

(2. 10) ALI KHAMENEI (1985 bestätigt).

1989 (3. 6.) Tod Khomenis. Nachfolger als relig. und polit. Führer wird der bisherige Präs.

(4. 6.) Rev.-Führer Ayatollah Khamenei, (28. 7.) neuer Präs. RAFSANDSCHANI, Wiederwahl 1993.

1997 Wahl KHATAMIS zum Präs., der für eine gemäßigte Ausrichtung des islam. Staates eintritt; Wiederwahl 2001.

2003 beginnen Auseinandersetzungen mit der Internat. Atomenergiebehörde/IAEA über das iran. Nuklearprogramm.

Pakistan (S. 543)

1970 (7. 12.) Wahlsieg der für eine Autonomie Ostpakistans eintretenden »Awami-Liga«. Die in Westpakistan siegreiche zentralist. »Volkspartei« verhindert den Zusammentritt der Nat.-Versammlung. Blutige Unruhen in Ostpakistan, Proklamation der

1971 (26. 3.) Unabhängigkeit Ostpakistans als Bangladesch. Bürgerkrieg: Millionen fliehen vor den Truppen der Zentralreg. nach Indien, das mit einer militär. Intervention reagiert.

(3.–17. 12.) 3. ind.-pakistan. Krieg endet mit einer Niederlage Pakistans; Bangladesch wird selbständig.

1973 neue Verfassung, ALI BHUTTO PM. – Der Islam wird Staatsreligion.

1977 (5. 7.) Putsch, Gen. ZIA-UL-HAQ bildet

1978 (Aug.) Zivilreg. und übernimmt (16. 9.) das Präs.-Amt.

1979 (April) Hinrichtung von Ali Bhutto.

1988 (Aug.) Tod von ZIA bei Flugzeugabsturz; nach freien Wahlen wird

(16. 11.) BENAZIR BHUTTO PM (Tochter von A. BHUTTO), nach 20 Monaten abgesetzt.

1990–99 mehrfach Reg.-Wechsel von PM BENAZIR BHUTTO (sozialist. PPP) und PM NAWAZ SCHARIF (Islam. Demokrat. Allianz).

1990–99 Krieg, Unruhen und Streit mit Indien um Jammu und Kaschmir.

1998 erfolgreicher Start einer Mittelstreckenrakete und unterird. Atomwaffentests.

1999 (12. 10.) Unblutiger Militärputsch, Gen. MUSCHARRAF übernimmt Reg.-Gewalt.

2002 (Aug.) Verfassungsänderungen stärken die Stellung des Präs.

(Okt.) Parlamentswahlen und Zivilreg.

2004 vorsichtige Annäherung an Indien.

Bangladesch

1971 Mit militär. Hilfe Indiens wird in Ostpakistan der unabhängige Staat Bangladesch gegründet, der

1974 (22. 2.) von Pakistan anerkannt wird.

1971–75 linksdirigist. säkulare Demokratie unter MUJIBUR RAHMAN, der durch

1975 (25. 1.) Verfassungsänderung uneingeschränkt regiert.

(15. 8.) Putsch, Ermordung Rahmans.

1981, 1983, 1984 Grenzstreitigkeiten mit Indien im Golf von Bengalen und in Assam.

1982 (23. 3.) Militärputsch, Kriegsrecht, das

1986 (10. 11.) aufgehoben wird.

1988 wird der Islam Staatsreligion.

1991 erstmals seit 1975 freie Wahlen im neuen demokrat.-parlamentar. System.

2001 (Okt.) Vier-Parteien-Allianz mit 2 islam. orientierten Parteien, Premierministerin ist KHALEDA ZIA.

Nepal

1970 (18. 8.) Indien beendet Truppenpräsenz.

1972 Tod von König MAHENDRA, Nachfolger wird sein Sohn BIRENDRA,

1975 (25. 2.) gekrönt, weltweit einziger hinduist. König. – Verfassungsänderung stärkt die Macht des Königs.

1980 (2. 5.) Referendum stärkt das autokrat., parteienlose Panchayat-System.

1990 (9. 4.) Nach Unruhen Wiedereinführung eines Mehrheitswahlsystems, dann der

(9. 11.) konstitutionellen Monarchie;

1991–2000 Versch. Koalitions- und Minderheitsreg.

1995 beginnt der sog. Volkskrieg zwischen Reg.-Truppen und maoist. Rebellen.

2001 (1. 6.) Ermordung von König BIRENDRA,

(4. 6.) Nachfolger König GYANENDRA, der

2005 (Febr.) die Reg. absetzt und die bürgerl. Rechte weitgehend einschränkt.

Bhutan

1949 Unabhängigkeit als Kgr.; durch Protektoratsvertrag vertritt Indien die Außenpolitik.

1964 (29. 11.) Der König übernimmt die Macht.

1966 (31. 10.) Chines. Truppenrückzug.

1969 Verfassungsreform bringt mehr Rechte für das Parlament »Tshogdu Chenmo«.

1984/88 Gespräche mit der VR China über Grenzziehung.

1988 (Juni) König beschließt »Bhutanisierung«:

1991–96 Flüchtlingswelle der unterdrückten nepales.-stämmigen Bev. nach Nepal.

1998 Demokrat. Reformen.

Malediven

1965 (26. 7.) Volle Souveränität nach Unabhängigkeit (26. 7. 1956).

1968 (11. 11.) Republik unter Präs. NASIR, zugleich Reg.-Chef.

1976 (29. 3.) Brit. Truppenabzug.

1978 (11. 11.) Ablösung des Diktators NASIR durch Präs. GAYOOM (letzte Wiederwahl 2003).

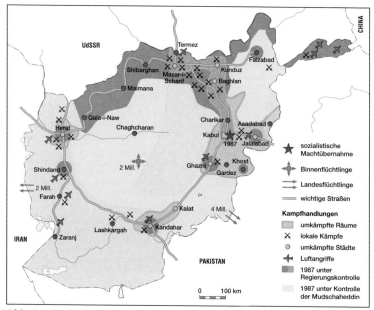

Afghanistankrieg 1974 – 1989

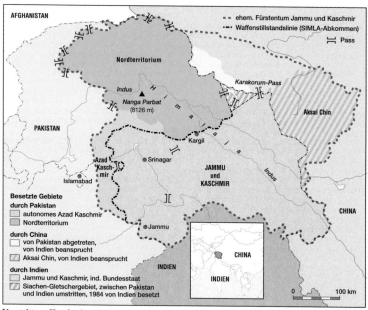

Umstrittene Kaschmirregion

Indien (S. 543)
Regierungen, Ministerpräsidenten, Parteien:
1966, 1971, Juni 1975–März 1977 (mit Ausnahmezustand) **Indira Ghandi**/Kongresspartei (1917–84, ermordet); 1977 M. DESAI/Janata; 1979 C. SINGH/Janata; 1980 I. GHANDI, 1984 RAJIV GHANDI/Kongress (Sohn I. GHANDIS, ermordet 1991); 1989 V.P. SINGH/Janata-Dal; 1990 C. SHEKHAR/Janata; 1991 N. RAO/Kongress; 1996 A.B. VAJPAYEE/BJP (Hindupartei, 10 Tage), GOWDA/Janata-Dal; 1997 GUJRAL/Janata-Dal; 1998 VAJPAYEE/BJP; 2004 MANMOHAN SINGH/Kongress (1. Sikh-MP.).
1967 Grenzkonflikt mit China in Sikkim.
1969 Blutige Auseinandersetzungen zwischen Hindus und Muslimen in Ahmadabad.
1971 (Dez.) 3. ind.-pakistan. Krieg.
1974 (Mai) Kernwaffenversuch; Indien wird 6. Atommacht.
(Sept.) Sikkim wird assoziiert, ab 1975 Bundesstaat.
1980 Sikhs bekämpfen die seit April im Pandschab regierenden Hindus; darauf 1983 (Okt.) Ausnahmezustand im Pandschab.
1984 (Juni) Ind. Truppen stürmen Goldenen Tempel von Amritsar, Tausende Sikh-Opfer.
(Dez.) Giftgaskatastrophe in **Bhopal:** mehr als 5000 Tote und 200 000 Verletzte als Giftgas aus defektem Tank des amerikan. Chemiekonzerns Union Carbide entweicht.
1990 (auch 1996, 1999, 2000) Spannungen und Kriegsgefahr mit Pakistan wegen **Kaschmir.**
(Nov.) Hindus planen Tempelbau von Ayodhya und Abriss der dortigen Babri-Moschee; durch deren Abriss
1992 schwere religiöse Unruhen zwischen Muslimen und Hindus in Pakistan, Indien und Bangladesch mit Tausenden von Toten.
2003 (April) Friedensangebot Indiens an Pakistan im **Kaschmir-Konflikt.**
(Mai) Wiederaufnahme diplomat. Bez.
(25. 11.) Waffenstillstand an der Demarkationslinie in Kaschmir tritt in Kraft.

Sri Lanka
1967 (12. 6.) Abkommen mit Indien zur Rückführung ind. Bevölkerungsgruppen.
1972 Ceylon (S. 543) wird **Rep. Sri Lanka.**
1970–77 MP. wieder Frau S. BANDARANAIKE.
1978 Einführung eines Präsidialsystems.
1980 Rassenunruhen zwischen den buddhist. Singhalesen und hinduist. Tamilen;
1983 beginnt der Bürgerkrieg.
1987 (Juli) Landung einer ind. Friedenstruppe.
(29. 7.) Mit Indien Abkommen zur Dezentralisierung des Einheitsstaats, um den Tamilen mehr Rechte zu gewähren.
1988 Große Verluste der ind. Truppen durch Angriffe der hinduist. »Liberation Tigers of Tamil Eelam/LTTE«.
1990 Abzug der erfolglosen indischen Friedenstruppe.
1994 (16. 8.) People's Alliance/PA löst nach 17 Jahren die regierende UNP ab und nimmt Direktgespräche mit der LTTE auf, die durch

1995 Versenkung zweier Kriegsschiffe im Hafen von Trincomalee zunächst scheitern.
2002 (22. 2.) Friedensabkommen zwischen Reg. und LTTE unter norweg. Vermittlung: Verhandlungen über Autonomiestatus der Tamilengebiete im Nordosten.
2004 (26. 12.) Durch ein Seebeben vor Sumatra ausgelöste **Tsunamis** zerstören weite Teile der Küstenregion, ca. 40 000 Tote.

Afghanistan (S. 543)
1973 Sturz Kg. SAHIRS [seit 1933] durch Putsch unter Gen. DAOUD, der die Rep. ausruft.
1978 (27. 4.) Militärputsch gegen DAOUD (»Saur-Revolution«); TARAKI regiert die kommunist. **Demokrat. Rep. Afghanistan.**
1979 (Dez.) Sturz TARAKIS. – Unter Berufung auf den Freundschaftsvertrag von 1978 **Einmarsch sowjet. Truppen. Krieg** der sowjet. und Reg.-Truppen gegen die Mudschaheddin; Massenflucht nach Pakistan und Iran.
1987 (30. 11.) Verf. der **Rep. Afghanistan** verabschiedet; Präs. NADSCHIBULLAH, der Politik der »nationalen Aussöhnung« verkündet.
1988 (14. 4.) Afghanistanabkommen: bis **1989 (14. 4.) sowjet. Truppenabzug.**
1992 (28. 4.) Mudschaheddin stürzen letzte prosowjet. Reg. unter NADSCHIBULLAH; RABBANI Präs. der **Islam. Rep. Afghanistan. Machtkämpfe zwischen den Mudschaheddin-Gruppen,** Zerstörung Kabuls.
1993 Studentenmiliz der radikalislam. **Taliban organisiert sich** mit Unterstützung Pakistans.
1996 (27. 9.) Taliban unter Mullah Omar nehmen Kabul ein und errichten islam. »Gottesstaat«.
1997 Mudschaheddin von Präs. RABBANI und MP. HEKMATYAR (Paschtunen, fundamentalist. »Hisb-i-Islami«) bilden **»Nordallianz«;** Krieg gegen die Taliban.
1998 Taliban nehmen Mazar-i-Scharif ein; Massaker an der Zivilbevölkerung.
2000 (6. 2.) Taliban verweigern Auslieferung des al-Qaida-Führers OSAMA BIN LADEN an die USA.
(19. 12.) UN-Sanktionen wegen Unterstützung des Terrorismus.
2001 (9. 3.) Sprengung der Buddha-Statuen von Bamiyan durch die Taliban.
(7. 10.) Nach den Terrorakten des 11. 9. in den USA **Angriff der »Globalen Koalition gegen den Terror« unter UN-Mandat gegen die Taliban und al-Qaida.** Gleichzeitig Offensive der »Nordallianz«.
(22. 12.) »Petersberger Abkommen« unter der Ägide der UNO: Interimsreg. unter HAMID KARZAI, unterstützt durch die »Internat. Schutztruppe für Afghanistan« der NATO.
2002 Die große Stammesversammlung »Loya Jirga« bestätigt KARZAI als Präs. der »Afghan Transitional Authority/ATA«. – Fortgesetzt Kämpfe zwischen rivalisierenden Warlords im Norden und Osten um die Kontrolle des Schlafmohnanbaus (Opium-/Heroin-Basis).
2004 (9. 10.) KARZAI gewinnt Präs. Wahl.

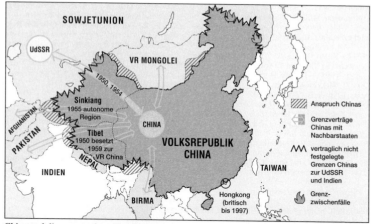

China und die »ungerechten Verträge«

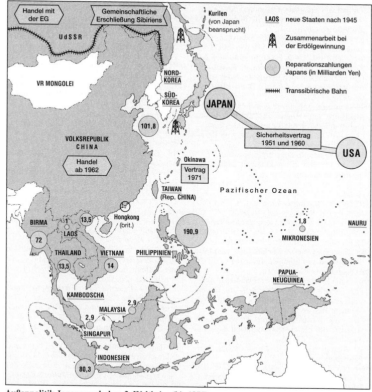

Außenpolitik Japans nach dem 2. Weltkrieg (bis 1975)

VR China (S. 513)
1966 »Große Proletarische Kulturrevolution/ GPK«. Säuberungen in Partei, Armee und Wirtschaft. Vert.-Min. LIN PIAO (1907–71) ruft zum Kampf gegen Reaktionäre auf. Schüler bilden **»Rote Garden«,** gefördert von MAO TSE-TUNG zur Ausschaltung der Parteiopposition um Staatspräs. LIU SCHAO-TSCHI. Ihr Terror richtet sich gegen die »Vier Alten« (Ideen, Kultur, Sitten, Gebräuche).
1967 (Febr.) »Rote Garden« werden aufgelöst. Anhänger MAOS übernehmen Reg.-Gewalt.
1967 (Juni) Zündung der 1. chin. H-Bombe.
1968 (Okt.) Ende der 1. Phase der Kulturrev., Ausschluss LIUS aus allen Ämtern.
1969 Grenzkonflikt mit der UdSSR am Ussuri.
1971 (Juli) »Ping-Pong-Diplomatie«, Geheimbesuch des NIXON-Beraters KISSINGER.
1971 (Okt.) VR China wird UN-Mitglied; Ausschluss Taiwans.
1972 (Febr.) Besuch von US-Präs. NIXON.
1975 Verfassungsreform. TENG HSIAO-PING (1904–97) wird stellvertr. Vors. des ZK.
1976 (Jan.) Tod Tschou En-lais.
(April) TENG HSIAO-PING abgesetzt.
1976 (9. 9.) Tod Maos. Nach parteiinternen Auseinandersetzungen wird HUA KUO-FENG Nachfolger. Verdammung der Witwe MAOS, CHIANG CHING, und ihrer Anhänger (»Viererbande«).
1977 (5. 3.) Verfassungsreform. – Rehabilitierung Tengs, der mächtigster Mann wird.
1978 Normalisierungsabkommen mit den USA.
1980 Verurteilung der »Viererbande« beendet die GPK.
1982 **Reformkurs** führt zu wirtschaftl. Aufschwung.
1988/89 Unruhen in Tibet.
1989 Studentenunruhen; Massendemonstrationen auf dem »Platz des Himml. Friedens« (T'ien An-men) in Peking enden mit
(4. 6.) Massaker durch die Armee.
TSCHIANG TSE-MIN ersetzt Parteichef TSCHAO TSE-JANG und TENG XIAO-PING als Vorsitzenden der Zentralen Militärkommission.
1990, 1997 ethn.-separatist. Unruhen der muslim. Kirgisen und Uiguren in Sinkiang.
1997 (1. 7.) Rückgabe von Hongkong durch Großbritannien und
1999 (20. 12.) von **Macau** durch Portugal.
2000 (5. 1.) Flucht des dritthöchsten buddhist. Würdenträgers Karmapa Lama nach Indien.
2001 China tritt der WTO bei.
2002 (Nov.) HU TSCHIN-TAO neuer Parteichef,
2003 (März) auch Staatspräsident. – China Zentrum der **SARS-Epidemie.**
(Okt.) 1. bemannter chines. Flug ins All.
2005 (März) Anti-Abspaltungsgesetz droht Taiwan mit Krieg, falls es seine Unabhängigkeit erklären sollte.

Taiwan (S. 513)
1975 (5. 4.) TSCHIANG KAI-SCHEK stirbt,
1978 Präs. wird sein Sohn TSCHIANG CHING-KUO, nach seinem

1988 Tod: Ende der »Tschiang-Ära«. Präs. LI TENG-HUI: Einleitung der Demokratisierung.
1991 (1. 5.) Bürgerkrieg offiziell beendet, Notstandsgesetze werden aufgehoben.
1995/96 Spannungen mit China durch Raketentests der VR.
2002 Mitglied der WTO.
2005 (März) China droht mit »nicht friedlichen Mitteln« für den Fall, dass Taiwan seine Unabhängigkeit erklärt.

Korea (S. 515)
1972–2004 Dialog und Wiedervereinigungsversuche erfolglos.
1998 Beginnende »Sonnenscheinpolitik« zur Annäherung der beiden korean. Staaten.
2000 (Juni) Erstes innerkorean. Gipfeltreffen von KIM DAE JUNG mit KIM JONG IL.
2002 (28. 4.) Treffen von 100 getrennten Familien.
2003 erste grenzüberschreitende Straßen- und Eisenbahnverbindungen.
Republik Korea:
1979 Präs. PARK CHUNG HEE ermordet. Gewaltsames Vorgehen gegen die Opposition.
1987 Schwere Unruhen zwingen Reg. zur Direktwahl des Präs., bei der die zersplitterte Opposition unterliegt.
2003 ROH MOO HYUN (früher MPD, seit 2004 linkslib. Uri) wird Präs.
Demokrat. Volksrep. Korea (Nordkorea):
1994 (8. 7.) Tod von Kim Il Sung, Nachfolger wird sein Sohn KIM JONG IL.
(21. 10.) Atomabkommen mit den USA: Einschränkung des Nuklearprogramms gegen Erdöllieferungen.
ab 1999 ständige Hungersnöte.
2002 USA stellen Erdöllieferungen ein, VR Korea kündigt Atomabkommen von 1994,
2003 den Atomwaffensperrvertrag.

Japan (S. 513)
1964–72 Reg. unter MP. E. SATO/LDP (Liberaldemokraten) führt Japan zur
1968 drittstärksten Industrienation der Welt.
1971 (Sept.–Okt.) Erste Auslandsreise eines japan. Kaisers: HIROHITO besucht Europa.
1972 (Mai) Rückgabe Okinawas an Japan: US-Stützpunkte bleiben auf der Insel.
1978 Friedensvertrag mit der VR China.
1989 (7. 1.) Tod Hirohitos, neuer Tenno wird sein Sohn AKIHITO (geb. 1933).
(Aug.) MP. T. KAFU: LDP verliert erstmals Mehrheit im Oberhaus.
1991 Ende der »Bubble Economy«, bis 2004 Wirtschaftsstagnation.
1992 PKO-Gesetz ermöglicht Teilnahme japan. Truppen an friedenssichernden Einsätzen im Ausland.
1993 MP. HOSOKAWA: nach 38 Jahren erste Koalitionsreg. ohne Beteiligung der LDP.
1995 Giftgasattentate der AUM-Sekte in der U-Bahn von Tokio.
2003 J. KOIZUMI/LDP als Partei- und Reg.-Chef bestätigt.

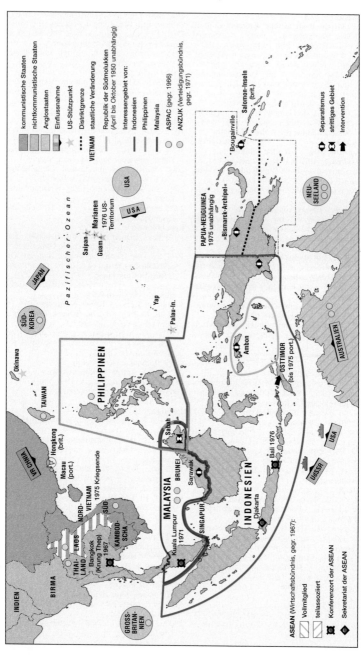

Spannungsfeld Südsee: Bündnisse im Pazifik (1977)

Myanmar (Burma, Birma; S. 541)
1974 Volksdemokratie, sozialist. Verf.
1988 (Juli) Sturz des Diktators NE WIN,
(18. 9.) Kriegsrecht und Militärputsch.
1989 Militärjunta unter Gen. SAW MAUNG. –
Die »Sozialist. Rep. der Birman. Union«
wird in »Union of Myanmar« umbenannt.
1990 (27. 5.) Die Parlamentswahlen gewinnt
die oppositionelle NLD; Militär behält die
Regierungsgewalt.
1991 Friedensnobelpreis für Aung San Suu Kyi
(geb. 1945), demokrat. Oppositionspolitike-
rin (1989–95 unter Hausarrest).
2001 Grenzgefechte mit Thailand wegen der
grenzüberschreitenden Verfolgung von Ka-
ren- (Christen) und Shan-Rebellen.
2003 (30. 5.) Erneute Verhaftung von AUNG
und der Führung der NLD; Schließung von
Universitäten und Schulen.

Laos (S. 515)
1966–69 Kämpfe zwischen Reg.-Truppen und
kommunist. »Pathet Lao«.
US-Luftangriffe auf Vietcong-Nachschub-
wege (»Ho-Chi-Minh-Pfad«).
1973 (Febr.) Friedensabkommen zwischen Reg.
und Pathet Lao.
1975 Machtübernahme des Pathet Lao, Proklamation einer Demokrat. VR; Staatspräs.
SOUVANNA VONG (bis 1986); seitdem kämpfen Hmong-Rebellen wegen ethn. Pogrome
gegen die kommunist. Regierung.
1989 Erstmals seit 1975 Parlamentswahlen;
Reg. unter Führung der kommunist. »Laot.
Revolutionären Volkspartei«, die bis 2005
die früher legale Opiumprod. beseitigen will.

Kambodscha
1966–69 komm. Guerillas; Staatschef Prinz SI-
HANOUK versucht Neutralitätskurs.
1970 (März) Sturz SIHANOUKS, der Exil-Reg.
in Peking bildet.
1970 (Mai) Einmarsch südvietnames. und US-
Truppen. Abschaffung der Monarchie.
(Okt.) Republik Khmer.
1973 Vordringen der »Roten Khmer«,
1975 (April) Besetzung Phnom Penhs: **Terror-
regime** im von der Außenwelt abgeschlosse-
nen Land unter
1976 PM POL POT/Rote Khmer. Mit milit. Hilfe
Vietnams gewinnt die oppositionelle
1978/79 kommunist. »Nat. Einheitsfront«; Proklamierung der **VR Kambodscha.** POL POT
reagiert mit Guerillakampf.
1989 (Sept.) Abzug der vietnames. Truppen.
China und UN unterstützen Guerillakrieg
der Exilreg. »Demokrat. Kampuchea«.
1990 »Nationale Reg. von Kambodscha« mit
Präs. SIHANOUK.
1991 (24. 6.) Waffenstillstandsabkommen von
Pattaya zwischen der Reg. und den drei rivalisierenden Bürgerkriegsparteien;
(23. 10.) Friedensabkommen von Paris. –
Trotz UNCTAD-Mission fortdauernder Guerillakrieg (bis 1997).

1993 Parlament beschließt als neue Staatsform
die **konstitutionelle Monarchie;** Thronrat beruft N. SIHANOUK erneut zum König.
1997 Staatsstreich des 2. PM HUN SEN; 1. PM
Prinz RANARIDDH geht ins Exil.
1997 (7. 7.) Schauprozess gegen POL POT, der
1998 (15. 4.) in einem Haftlager stirbt.
(4. 12.) Rote Khmer stellen Kampf ein.
2002 erste freie Gemeindewahlen und
2003 Wahlen zur Nat.-Vers. werden von HUN
SEN/postkommunist. CPP gewonnen.

Südvietnam (S. 515)
1966 **Vietnamkrieg:** Bodenkämpfe um Da
Nang und Hué; US-Luftangriffe auf Hanoi
und Haiphong; Verstärkung der US-Truppen
auf 425 000 Mann. US-Präs. JOHNSON und
MP. KY beschließen auf der
1967 (März) Konferenz von Guam innere Reformen zur Abwehr kommunist. Infiltratio-
nen.
(Sept.) Präs. NGUYEN VAN THIEU wird wiedergewählt.
1968 (Jan.) »Tet«-Offensive: Kämpfe in Saigon,
Hué und um Khe Sanh.
(Mai) Beginn von Verhandlungen zwischen
Nordvietnam und den USA.
(Nov.) Einstellung der Bombenangriffe auf
nordvietnames. Gebiet.
1969 (Jan.) Pariser Vietnamgespräche.
(Sept.) US-Präs. NIXON kündigt stufenweisen Abzug der US-Truppen (550 000 Mann)
an: »Vietnamisierung« des Vietnamkriegs.
1970 (März) Ausweitung des Krieges auf Kambodscha.
1971 (Febr.) Vorstoß nach Laos.
1972 (März) Nordvietnames. Großoffensive
wird von den Reg.-Truppen nur durch US-
Bombeneinsätze zum Halten gebracht.
1973 (Jan.) Waffenstillstandsabkommen: Abzug
der US-Truppen; internat. Überwachung.
(Febr./März) Pariser Vietnamkonferenz.
**1975 (30. 4.) Fall Saigons und bedingungslose
Kapitulation.**
1976 (2. 7.) Wiedervereinigung mit Nordvietnam zur »Sozialist. Rep. Vietnam«.

Nordvietnam (S. 515)
1969 (2. 9.) Tod Ho Chi Minhs; sein Nachfolger
wird TON DUC THANG.
1976 nach gesamtvietnames. Parlamentswahlen
**1976 (2. 7.) Wiedervereinigung und Proklamati-
on der »Sozialist. Rep. Vietnam«.**

Vietnam
1978 Mitglied des COMECON.
(Dez.) Einmarsch in Kambodscha, Sturz des
Pol-Pot-Regimes (Rückzug bis 1989);
1979 (Frühj.) China reagiert mit Grenzkrieg.
1986 Beginn der Erneuerungspolitik »doi
moi«,
1991, 1996 bestätigt; auf dem IX. Parteikongress
2001 (April) Gleichstellung der kapitalist. Pri-
vatwirtschaft beschlossen.
(Dez.) Handelsabkommen mit den USA.

Thailand (S. 541)
1968–70 kommunist. Guerilla-Aktivitäten.
1971 Milit.-Reg. hebt demokrat. Verfassung auf.
1976 Abzug der US-Truppen; erneut Milit.-Reg.
1980–88 MP. Gen. PREM.
1987 Grenzkämpfe mit Laos.
1988 gewählte Reg. MP. CHATICHAI CHOON-HAVAN wird
1991 (23. 2.) vom Militär gestürzt: Kriegsrecht, Parlamentsauflösung.
(7. 12.) Neue Verfassung mit Stärkung der Macht des Militärs.
1992 (22. 3.) Parlamentswahlen, MP. wird General SUCHINDA; nach Massenunruhen
(24. 5.) Rücktritt und Übergangsreg. unter MP. ANAND.
(29. 9.) In Parlamentswahlen siegt die Demokratiebewegung, Koalitionsreg. unter CHU-AN.
1995/1997 Demokrat. Verf.-Reformen verringern Einfluss des Militärs; König BHUMIBOL [seit 1946] bleibt Staatsoberhaupt. –Es folgen verschied. Reg. unter wechselnden MP.
2001 (Jan.) Die Parlamentswahlen gewinnt die Partei »Thai Rak Thai« (Thais lieben Thais), MP. einer Koalitionsreg. wird ihr Vors. THAKSIN SHINAWATRA (2005 wiedergewählt).
2004 Blutige Kämpfe mit islam. Separatisten im Süden.
(26. 12.) Durch ein Seebeben vor Sumatra ausgelöste Tsunamis zerstören weite Teile der Küstenregion, ca. 6000 Tote.

Philippinen (S. 541)
1972 Gründung der maoist. **Neuen Volksarmee/NPA** und anschließend jahrelang Guerillakrieg, v. a. auf Luzon, auch Mindanao.
1986 nach Wahlen **Sturz von Präs. Marcos.**
(Febr.) CORAZÓN AQUINO, Witwe des ermordeten Oppositionsführers, wird Präs.
1986–89 sechs Putschversuche.
1989 (19. 11.) Referendum für Autonomieplan für die muslim. Provinzen Mindanaos.
1990 Militärrevolte gegen AQUINO scheitert.
1992 FIDEL RAMOS zum Staatspräs. gewählt; Friedensverhandlungen mit der NPA.
(30. 9.) Rückgabe des Marinestützpunktes Subic Bay durch die USA.
1998 J. EJERCITO ESTRADA Staatspräsident; beendet Friedensverhandlungen mit der NPA.
1999 offene Angriffe der NPA auf die Armee; Sezessionskrieg auf Mindanao durch die **Moro Islamic Liberation Front/MILF.**
(26. 1.) Von ESTRADA angeordnete Offensive fordert 100 000 Tote, 600 000 Flüchtlinge.
2000 Einleitung des Amtsenthebungsverfahrens gegen ESTRADA wegen Korruption, der das
2001 Präs.-amt aufgibt und inhaftiert wird.
(2. 3.) GLORIA ARROYO, Tochter des früheren Präs. D. MACAPAGAL, als Präs. vereidigt.
(23. 6.) Waffenstillstandsabkommen mit der MILF durch Vermittlung Libyens.
2002 (Jan.) »Operation Balikatan« der philippin. Armee und US-Spezialeinheiten gegen Guerilla der NPA, der maoist. »Kommunist.

Partei/CPP« auf Luzon sowie Abu Sayyaf im Süden.
2004 (10.5.) Die Präs.-Wahl gewinnt G. ARROYO von der christdem. Lakas-NUCD.

Malaysia (S. 541)
1966 1. Fünfjahresplan. – Beendigung der indones. »Konfrontation« im Abkommen von Jakarta.
1968 (21. 9.) Philippinen unterstellen Sabah per Gesetz ihrer Oberhoheit; Malaysia bricht diplomat. Beziehungen ab.
1969 nach Unruhen zwischen Malaien und Chinesen Ausnahmezustand (bis 1971).
1970 nach Wahlen Unruhen; Ende der bisherigen Koalition und der Reg. RAHMAN (seit 1957).
Der Sultan von Kedah wird zum König der Wahlmonarchie mit 5-jährigen Wahlperioden, T. A. RAZUK zum PM gewählt.
1982 (6. 7.) Besetzung der strategisch wichtigen Insel Sempadan östl. von Borneo.
1983 Besetzung des Korallenatolls Turumbu Layang Layang zur Sicherung der 200-Meilen-Wirtschaftszone gegenüber Vietnam.
1992/93 Streit zwischen Reg. und Sultanen um Machtbefugnisse und Steuerprivilegien.
2003 (31. 10.) Rücktritt von PM MAHATHIR [seit 1981]; Nachfolger wird A. BADAWI, der
2004 die Wahlen gewinnt. Die radikal-islam. PAS ist einzige Oppositionspartei (sie regiert in 2 der 13 Bundesstaaten und führte dort Teile des islam. Rechts ein).

Singapur
1965 (9. 8.) Unabhängigkeit durch Ausscheiden aus der Föderation Malaya.
1966 (9. 6.) Republik; 22. Mitglied des brit. Commonwealth; 117. Mitglied der UN.
1967 (8. 8.) Mit Indonesien, Malaysia, Philippinen und Thailand Gründung der asiat. Wirtschaftsunion ASEAN.
1971 (10. 4.) Abkommen mit Großbritannien, Australien und Neuseeland (ANZUK-Staaten) zum Schutz Singapurs und Malaysias.
(1. 11.) Abzug des brit. Oberkdo. Fernost.
1990 (Nov.) Wahl von GOH CHOK TONG zum PM (mehrfach wiedergewählt).
1993 erste Direktwahl des Präs.;
1996 (28. 10.) durch Verfassungsänderung Einschränkung der Macht des Präsidenten.
2004 (1. 1.) Freihandelsabkommen mit den USA tritt in Kraft.

Brunei (Brunei Darussalam)
1963 Brunei lehnt Teilnahme an einer Föderation mit Malaysia ab.
1967 (Okt.) Sultan OMAR ALI SAIFUDDIEN dankt zugunsten seines Sohns, des 29. Sultans HASSAN AL-BOLKIAH, ab.
1984 (1. 1.) Unabhängigkeit; islam. Monarchie im Commonwealth.
2000 Offenlegung der Verschwendungssucht bedroht die 600 Jahre andauernde absolute Herrschaft der Sultansfamilie.

Indonesien (S. 541)
1966 Gen. Suharto (geb. 1921) übernimmt die Macht und errichtet autokrat. Herrschaft der sog. Neuen Ordnung, SUKARNO wird schrittweise entmachtet. Zerschlagung der KP, 500 000 ermordete Kommunisten.
(Sept.) Rückkehr in die UN.
1967 (Mai) Absetzung SUKARNOS (gest. 1970).
1968 (27. 3.) Gen. SUHARTO wird Staatspräs., Wiederwahl bis 1998.
1969 (Aug.) Anschluss Westirians.
1976 Anschluss ehem. portugies. Timor.
1994 (21. 6.) Bei Unruhen in Medan Übergriffe auf chines. Minderheit.
1996–98 Unruhen und schwere Ausschreitungen führen zum
1998 (21. 5.) Rücktritt Suhartos; Nachfolger wird Staatspräs. HABIBIE.
1999 (20. 10.) Wahl WAHIDS zum Präs.
2000 (24. 6.) Sezessionsbestrebungen in **Irian Jaya** (Papua, einseitige Unabhängigkeitserklärung) und **Aceh** (auf Sumatra). »Religionskrieg« zwischen Christen und Muslimen auf den **Molukken** (25. 6. Notstand; 12. 2. 2002 Friedensabkommen).
2001 (1. 1.) Gesetz über regionale Autonomie. (Febr.) Schwere ethn. Unruhen zwischen einheim. Dayak und Zuwanderern auf Kalimantan.
(23. 7.) Amtsenthebung WAHIDS wegen Korruption, neue Präs. Frau M. SUKARNOPUTRI.
2002 (1. 1.) Dezentralisierungsbeginn: Sonderautonomie für das muslim. Aceh und Papua.
(20. 5.) Timor-Leste wird unabhängig.
(Aug.) **Verfassungsreform:** Direktwahl des Präs. ab 2004; Militär verliert reservierte Plätze im Parlament.
(12. 10.) 202 Tote durch Terroranschlag auf Bali. Verbot der islamist. »Jemmaa Islamiya«.
2004 (26. 12.) Durch ein Seebeben vor Sumatra ausgelöste Tsunamis zerstören weite Teile der Küstenregion, ca. 127 000 Tote in der Provinz Aceh.

Osttimor (Timor-Leste, »Timor Loro Sa'e«)
1974 nach der Revolution in Portugal Gründung der Befreiungsbewegung **Fretelin,**
1975 (28. 11.) Ausrufung der Unabhängigkeit.
(7. 12.) Besetzung durch Indonesien und
1976 (27. 7.) 27. indones. Provinz.
1991 (12. 11.) Blutbad durch indones. Soldaten in Dili auf Osttimor.
1996 **Friedensnobelpreis** für Bischof BELO und Bürgerrechtler JOSÉ RAMOS-HORTA.
1999 (30. 8.) Referendum für Unabhängigkeit beantwortet Indonesien mit
(7. 9.) Kriegsrecht; umfangreiche Verwüstungen durch proindones. Milizen.
(20. 9.) UN lässt »INTERFET«-Truppen landen; provisorische UN-Übergangverwaltung.
(25. 10.) Verzicht Indonesiens auf Osttimor.
2001 (30. 8.) Unter UN-Aufsicht Wahl zur Verfassungsgebenden Versammlung und von
2002 (14. 4.) Präs. J.A. »XANANA« GUSMÃO.
2002 (20. 5.) offiziell unabhängig.

Papua-Neuguinea
1973 innere Selbstverwaltung.
1975 (16. 9.) Unabhängigkeit aus dem austral. UN-Treuhandmandat; Commonwealth-Mitglied.
1988 Bürgerkrieg auf Bougainville wegen Anspruch der Ureinwohner auf Land.
1997 Waffenstillstand mit den Rebellen der »Bougainville Revolutionary Army«,
2000/01 **Friedensabkommen für Bougainville:** Planungen für stufenweise Gewährung der Autonomie und Unabhängigkeitsreferendum beenden den Bürgerkrieg.

Australien
1967 Referendum gewährt Aborigines erstmals Bürgerrechte; Gründung des Referats für Aboriginal-Angelegenheiten.
1972 PM GOUGH WHITLAM (Regierungswechsel, Labor Party): Aufgabe der »White Australia Policy«, Zunahme asiat. Einwanderer.
1975 Wahlsieg der Lib. unter M. FRASER.
1976 »**Land Right Act**« sichert den Aborigines Landrechte in den Reservaten und den außerhalb liegenden Traditionsgebieten.
1980 Aufgabe der Rassentrennung.
1983 PM BOB HAWKE (Labor) (bis 1991).
1993 »Mabo-Gesetz« beendet Rechtslage der »terra nullius«, wonach Australien vor der europ. Besiedlung niemandem gehört haben soll.
1996 (März) PM JOHN HOWARD (Liberale).
1998 »Wik-Gesetz« schränkt die Landrechtsforderungen der Eingeborenen gegenüber Bauern und Bergbaugesellschaften ein.
(6. 11.) Referendum lehnt Republik anstelle des Dominiumstatus ab.
2001 Verschärfung der Asylgesetze; die rigiden Maßnahmen zur Abwehr von Bootsflüchtlinge und die Internierungspolitik der Reg. HOWARD werden von versch. Menschenrechtsorganisationen scharf kritisiert.

Neuseeland
1984 USA suspendiert ANZUS-Sicherheitspakt wegen Neuseelands Anti-Atompolitik.
1985 Franz. Agenten versenken Greenpeace-Flaggschiff »Rainbow Warrior« im Hafen von Auckland.
1987 **Maori** wird zur zweiten Landessprache.
1996 erste Parlamentswahlen nach »gemischtem Verhältniswahlrecht«.
(Mai) Vertrag mit den Maori regelt Landrückgabe.
(3. 11.) ELIZABETH II. unterzeichnet Entschädigungsgesetz zu Gunsten der Maori.
1997 (Nov.) JENNY SHIPLEY (National Party) erste weibl. PM.
1999 PM HELEN CLARK« (Labour Party).

Ozeanien
Unabhängigkeit der Staaten: 1968 Nauru; **1970** Fidschi, Tonga; **1978** Salomonen, Tuvalu; **1979** Kiribati; **1980** Vanuatu; **1986** Mikronesien; **1990** Marshall-Inseln; **1994** Palau.

Die Afroamerikanische Bevölkerung in den USA seit 1960

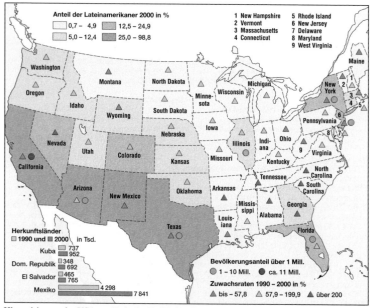

Hispanisierung der USA am Ende des 20. Jahrhunderts

Kanada (S. 520)
Nach Rücktritt PEARSONS
1968–84 lib. Regierungen, u. a. unter PM
Pierre E. Trudeau.
1976 gewinnen franz. Separatisten die Prov.-Wahlen in Quebec, Spannungen zwischen franz.- und engl.-sprachigen Kanadiern.
1980 Referendum in Quebec für Verbleib bei Kanada.
1981 (14. 4.) »Parti Québécois« unter Reg.-Chef LÉVESQUE gewinnt Parlamentswahlen in Quebec.
1982 (17. 4.) Volle Souveränität mit neuer Verfassung durch den »Canada Act« des brit. Parlaments.
1984 Wahlsieg der Konservativen;
(17.9.) PM B. MULRONEY (bis 1993).
1992 (22. 8.) Entwurf einer neuen Verfassung: Stärkung der Provinzen, der Rechte der Urbevölkerung sowie Sonderstatus für Quebec wird in einer
(26. 10.) Volksabstimmung klar abgelehnt.
(30. 10.) Selbstverwaltung der Inuit.
1993 (auch 1997 und 2000) lib. Reg., PM J. CHRÉTIEN.
(12. 9.) Separatist. »Parti Québécois« gewinnt Parlamentswahlen in Quebec.
1994 (1. 1.) Freihandelsabkommen **NAFTA** zw. Kanada, USA und Mexiko in Kraft.
1995 (30. 10.) Volksabstimmung in Quebec: 50,6% für den Verbleib bei Kanada.
1999 (1. 4.) Durch Teilung der NW-Territorien wird das von den Inuit selbstverwaltete Territorium Nunavut gebildet.
2003 (12. 12.) PM wird PAUL MARTIN/Lib.

Vereinigte Staaten von Amerika (S. 520)
1966 Rassenunruhen: neben gewaltlosem Protest (MARTIN LUTHER KING) militante Gruppen (»Black Muslims«, »Black Power«).
1967 (Juni) Gipfeltreffen in Glassboro: Gespräche zwischen Präs. JOHNSON und dem sowjet. MP. KOSSYGIN bringen keine Lösung der Vietnam- und Israel-Frage.
1968 Präs. JOHNSON kündigt Friedensverhandlungen mit Nordvietnam an.
1969 Wahl Präs. Richard M. Nixons/Rep. knapp vor HUMPHREY/Dem.
(Sept.) NIXON kündigt stufenweisen Abzug der US-Truppen aus Vietnam an.
1972 (Febr.) Präs. NIXON in der VR China.
(Nov.) Wiederwahl NIXONS (61%) gegen GEORGE MCGOVERN/Dem.
1973 Watergate-Affäre: nach Einleitung eines Amtsenthebungs-/»Impeachment«-Verfahrens **Rücktritt Nixons.**
1974 (Aug.) Präs. Gerald R. Ford/Rep.
1976 (März) FORD tritt für eine »Politik für den Frieden durch Stärke« ein und lehnt den Begriff »Détente« ab.
(4. 7.) 200. Gründungstag der USA.
1977 Präs. James (Jimmy) **E. Carter**/Dem.
(Friedensnobelpreis 2003); er vermittelt das
1978 ägypt.-israel. **Camp-David-Abkommen.**
1980 Die militär. Befreiungsaktion für die in der US-Botschaft in Teheran genommenen Geiseln scheitert (am 20. 1. 1981 frei).
(6. 1.) Verzicht auf Olympiateilnahme in Moskau wegen des sowjet. Einmarschs in Afghanistan und Wirtschaftssanktionen gegen die UdSSR.
1981, 1985 Präs. Ronald W. Reagan/Rep. (gest. 6. 6. 2004).
1983 Wirtschaftswachstum durch Kürzung der Sozialleistungen und Steuersenkungen.
(Okt.) Militäraktion in **Grenada.** – Hilfe für die Contras in **Nicaragua.**
1984 Forschungsprogramm zur Abwehr von Raketenwaffen im Weltraum für das 21. Jh. (»Krieg der Sterne«).
1985 (Jan.) Strateg. Verteidigungsinitiative/SDI.
1987 »Iran-Contra-Affäre« wegen Waffenlieferungen des CIA 1986 an den Iran und Nicaragua.
1989 Präs. George W. Bush/Rep. siegt über M. DUKAKIS/Dem.
1990 **Militärintervention in Panama** und Sturz des Diktators NORIEGA.
Nach einstimmig beschlossenen Resolutionen (Nr. 660 ff.) des Weltsicherheitsrats Teilnahme am Aufmarsch gegen den Irak; nach Ablauf des Ultimatums militär. Sieg der Verbündeten im
1991 (18. 1.–28. 2.) 2. Golfkrieg zur Befreiung Kuwaits.
(31. 7.) Präs. BUSH und Präs. GORBATSCHOW unterzeichnen nach 9 Verhandlungsjahren den START-Vertrag über die Reduzierung der strateg. Atomwaffen.
1992 Schwere Rassenunruhen in Los Angeles.
1993, 1997 Präs. William (Bill) **Clinton**/Dem.
1994 (8. 11.) Republikaner erringen die Mehrheit in Repräsentantenhaus und Senat. Militärintervention in Haiti zur Wiederherstellung der Demokratie.
1995 (19. 4.) Bombenanschlag durch rechtskonservative, paramilitär. Täter in Oklahoma City fordert 168 Opfer.
1998 (Dez.) »Impeachment«-Verfahren gegen Präs. CLINTON eingeleitet, der
1999 (Febr.) vom Senat freigesprochen wird.
(7. 8.) Sprengstoffanschläge von al-Qaida auf die US-Botschaften in Nairobi und Daressalam.
(Dez.) Luftangriffe gegen den Irak.
2001 George W. Bush/Rep. **43. Präs.** nach sehr knappem Wahlausgang und Neuauszählung der Stimmen in Florida.
(11. 9.) Anschläge durch al-Qaida-Terroristen auf das World Trade Center in New York und das Pentagon in Washington.
(7. 10.) Beginn der Operation gegen die Taliban in Afghanistan.
(13. 12.) Kündigung des ABM-Vertrags (S. 551).
2003 (20. 3.) Beginn des 3. Golfkriegs »Iraqi Freedom« gegen den Irak,
(1. 5.) nach 43 Tagen offiziell beendet.
2004 (Nov.) Wiederwahl von G. W. BUSH gegen JOHN KERRY/Dem.

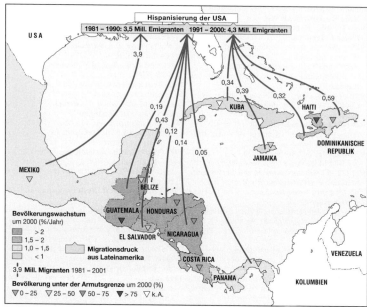

Bevölkerungswachstum, Armut und Migration in Mittelamerika und der Karibik (1981 – 2001)

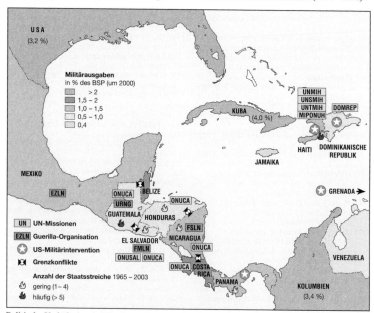

Politische Verhältnisse in Mittelamerika und der Karibik (1965 – 2003)

Unabhängigkeit der Staaten aus brit. Herrschaft (Mitglieder im Commonwealth): **1962** Jamaika, Trinidad und Tobago; **1966** Barbados; **1973** Bahamas; **1974** Grenada; **1978** Dominica; **1979** St. Lucia, St. Vincent und die Grenadinen; **1981** Antigua und Barbuda, Belize (bis 1973 Britisch Honduras); **1983** St. Kitts und Nevis.

Krisen in Mittelamerika und der Karibik
Dominikanische Republik
1965 bürgerkriegsähnliche Unruhen zwischen JUAN-BOSCH-Anhängern und Rechten; nach US-Militärintervention
1966 Wahl von Präs. BALAGUER (bis 1979; wieder 1986–96); Abzug der OAS-Truppen.
El Salvador
1969 »Fußballkrieg«: Grenzstreitigkeiten mit Honduras enden erst mit einem
1976 Waffenstillstandsabkommen.
1979–91 Bürgerkrieg zwischen Militär und der Guerilla-Bewegung FMLN.
1992 (16. 1.) Friedensabkommen von Chapultepec und UNO-Mission ONUSAL beenden den Krieg; Demokratisierung.
Grenada
1979 Putsch unter M. BISHOP. Nach Links-Putsch des Militärs und Ermordung BISHOPS
1983 (Okt.) Intervention amerikan. und karib. Truppen.
Guatemala
1965–85 Militärreg. und linksgerichtete Guerillabewegungen bekämpfen sich unter Missachtung der Menschenrechte.
1986 beginnt die demokrat. gewählte Reg. mit der URNG-Guerilla zu verhandeln,
1996 Friedensschluss.
Haiti
1964 FRANÇOIS DUVALIER (»Papa Doc«) Präs. auf Lebenszeit; nach seinem Tod wird
1971 (29. 4.) JEAN-CLAUDE DUVALIER (»Baby Doc«) sein Nachfolger.
1979, 1982 misslungene Putschversuche von DUVALIER-Gegnern und Exil-Haitianern.
1986 (Jan./Febr.) Sturz DUVALIERS.
1988 Militärputsch gegen die demokrat. Reg. MANIGAT.
1990 nach Wahlen J.-B. ARISTIDE Präsident.
1991 Militärputsch, danach ständig instabile Regierungen.
1995 UN-Polizei-Mission MIPONUH verbessert die Sicherheitslage.
2000 (26. 11.) Wahl von ARISTIDE zum Präs. durch Wahlmanipulation löst Unruhen und eine starke Flüchtlingsbewegung zur Dominikan. Rep. aus.
2001 (17. 12.) Putschversuch gegen ARISTIDE.
2004 (Febr.) Flucht ARISTIDES vor den anrückenden Rebellentruppen nach Südafrika.
Honduras
1969 (Juli) Grenzkrieg (sog. Fußballkrieg) mit El Salvador, ausgelöst durch Weltmeisterschaftsausscheidung; eigentl. Anlass: strittiger Grenzverlauf und Zuwanderung billiger Arbeitskräfte aus El Salvador.
1998 Einigung über Grenzverlauf.

Mexiko
1994 in Chiapas Indianeraufstand wegen sozialer Benachteiligung unter Führung der »Zapatistischen Freiheitsarmee/EZLN«;
1996 (16. 2.) Friedensabkommen zwischen Reg. und Zapatisten bringt Entspannung, aber keine Problemlösung.
1997 Massaker durch paramilitär. Gruppen an Indianern in Chiapas.
2000 (Juli) Nach 71 Jahren an der Macht wird die PRI von der rechtsliberalen PAN abgelöst, VICENTE FOX QUESADA wird Präs.
2001 (25. 4.) »Marsch der Zapatisten« durch ganz Mexiko nach Mexiko-Stadt; Verfassungsreform zugunsten der Indianer wird von der EZLN als unzureichend abgelehnt.
Nicaragua
1979 Nach 46 Jahren Sturz der De-facto-Herrschaft der Fam. SOMOZA durch einen Volksaufstand unter Leitung der von Kuba unterstützten »Sandinistischen Befreiungsfront« (FSLN).
1982–87 Kampf der Exilgruppen »Contras« mit US-amerikan. Unterstützung gegen die sandinist. Regierung erzwingt
1990 freie Wahlen; Ende der sandinist. Reg.
Panama
1968 Militärputsch bringt Oberst OMAR TORRIJOS HERRERA an die Macht.
1972 Verbot polit. Parteien.
1977 Nach 13 Verhandlungsjahren Abschluss des »CARTER-TORRIJOS-Panamavertrags«.
1981 TORRIJOS stirbt bei Flugzeugabsturz.
1984 Präs. N. A. BARLETTA direkt gewählt;
1985 durch Militärputsch MANUEL NORIEGAS gestürzt.
1989 (20. 12.) Invasion Panamas durch US-Truppen; Verhaftung NORIEGAS; Nachfolger wird der gewählte Präs. G. ENDARA.
1999 (31. 12.) Übergabe der Kanalzone an Panama; Abzug der US-Truppen.

Zwischenstaatliche Probleme
Bahamas/USA: Festlegung der Meeresgrenze.
Belize/Guatemala: grenzüberschreitende Besiedlung aus Guatemala in S-Belize.
Belize/Honduras: Besetzung der Sapodilla Cays durch Honduras.
El Salvador/Honduras: Besetzung von Coneja Island durch El Salvador.
Haiti/USA: Haiti fordert die von den USA verwaltete Naturschutzinsel Navassa Island.
Kuba/USA: Rückgabe der unbegrenzt überlassenen Marinebasis Guantánamo.
Mexiko/USA: Grenzstreit um Wassernutzungsrechte, v. a. am Columbia River.
Nicaragua/Costa Rica: Schifffahrtsrechte auf dem Rio San Juan.
Nicaragua/Kolumbien: Besitzrechte am San Andres y Providencia-Archipel und der Quita Sueno Bank.
St. Vincent und die Grenadinen, St. Kitts und Nevis, Dominica, St. Lucia/Venezuela: Abgrenzung des Kontinentalsockels im Bereich von Avis Island.

Durchschnittliche Amtszeit der Präsidenten
im 19./20. Jahrhundert in Jahren

| unter 2,5 | 2,5 – 3 | 3 – 4 | über 4 |

Caracas

TRINIDAD und TOBAGO

VENEZUELA

George-town

Bogotá

Paramaribo

GUYANA

Cayenne

FRANZ. GUAYANA

SURINAM

KOLUMBIEN

Quito

ECUADOR

PERU

BRASILIEN

Lima

BOLIVIEN

Brasilia

La Paz

+ 1967

CHILE

PARAGUAY

Asunción

Rio de Janeiro

ARGENTINIEN

URUGUAY

Santiago

Buenos Aires

Montevideo

Militärausgaben
in % des BSP

- 4,5 – 5,5
- 3,5 – 4,5
- 2,5 – 3,5
- bis 2,5

Zahl der Putsche und Putschversuche
seit 1946

- gering   < 5
- mäßig   6 – 15
- relativ hoch   16 – 25
- sehr hoch   > 25

+ »Che« Guevara (bei Higueras)

Falkland-Inseln (brit.)

0   500   1000 Kilometer

Innenpolitische Verhältnisse Südamerikas 1975

Kuba (S. 549)
1972 Aufnahme in den COMECON.
1975 Intervention in Angola und
1977 auch in Äthiopien (Rückzug 1989).
1980 »Mariel-Krise«: Flucht von 130 000 Kubanern in die USA.
1988 Angola-Namibia-Abkommen;
1989–91 Truppenabzug aus Angola.
1994/95 Migrationsabkommen mit den USA für jährl. 20 000 US-Einreisevisa.
2002 (Mai) »Varela-Projekt«: durch Unterschriftensammlung Forderung an die Nationalversammlung nach mehr polit. Rechten.

Venezuela (S. 549)
1964–69 Präs. LEONI: Integration der prokommunist. Guerilla in das polit. System.
1969–89 stabile polit. Verhältnisse unter den Präs. CALDERA, PÉREZ, HERRERA und LUSINCHI.
1975 Verstaatlichung der Erdölindustrie.
1989 (27. 2.) In der 2. Amtszeit PÉREZ blutig niedergeschlagene Unruhen.
1993 Amtsenthebung von PÉREZ wegen Korruption.
1998 (8. 9.) Wahl von Präs. HUGO CHÁVEZ, dessen linksnat. Bündnis »Polo Patriótico« bei
1999 (25. 7.) Wahlen zur Verfassungsgebenden Versammlung 120/128 Stimmen erhält, die Notstandsvollmachten beschließt und das Parlament entmachtet.
2000 (7. 11.) Ermächtigungsgesetz mit Sondervollmachten für CHÁVEZ; Einschränkung der Grundrechte; neuer Staatsname »Bolivarische Republik Venezuela«.
2002 (April) Putschversuch und
(Dez.) unbefristeter Generalstreik gegen den autokrat. CHÁVEZ scheitern; im Amt
2004 (16. 8.) durch Referendum bestätigt.

Bolivien (S. 549)
1967 ERNESTO »CHE« GUEVARA getötet.
1965–85 Wahlen, Links- und Rechtsputsche in rascher Folge.
1986 Einsatz von US-Truppen zur Drogenbekämpfung.
2002 Wahl von Präs. SÁNCHEZ DE LOZADA; zweitstärkste Partei wird die radikale Koka-Bauern-Organisation MAS.
2003 (17. 10.) Nach Unruhen Rücktritt SÁNCHEZ DE LOZADAS, Nachfolger C. MESA.

Brasilien (S. 549)
Nach dem Sturz der Regierung von Präs. GOULART wegen radikaler Reformpläne
1964–85 Militärherrschaft: Förderung der Industrialisierung und Infrastruktur; Menschenrechtsverletzungen. – Durch Schuldenlast und strukturelle soziale Probleme
1985 (15. 3.) Rückkehr zur Demokratie und Übergabe der Macht an eine Zivilreg.
1990 Präs. COLLOR DE MELLO: Bekämpfung der extrem hohen Inflation;
1992 (29. 12.) Rücktritt nach Anklage wegen Korruption und Amtsmissbrauch.

2003 (1. 1.) »LULA« DA SILVA/PT erster Präs. einer Linkspartei. Sein Programm »Fome Zero« (Hunger Null) gegen Hunger und Armut kommt nur schleppend voran.

Paraguay (S. 549)
1989 (3. 2.) Sturz von Präs. Gen. A. Stroessner durch Armeeputsch.
1992 (20. 6.) Demokrat. Verfassung.
1996 (22. 4.) Heereschef LINO OVIEDO verliert Machtkampf mit Präs. CARLOS WASMOSY.
1999 Präs. R. GRAU tritt nach politischen Unruhen zurück und geht ins brasilian. Exil; Gen. OVIEDO flüchtet nach Argentinien.
2003 Nach der Wahl von Präs. NICANOR DUARTE Stabilisierung der polit. Lage.

Uruguay (S. 549)
1963 erste Terroranschläge durch Stadtguerilla (»Tupamaros«).
1966 (27. 11.) Bev. wählt als Reg.-Form Präsidialsystem statt bisherigem Kollegialsystem;
1967 (1. 3.) Gen. GESTIDO wird Präs.
1973 Militär übernimmt die Macht (bis 1984): Auflösung von Parlament und Gewerkschaftsverband; Einschränkung der Grundrechte.
1983 »Nationale Protesttage« und Massendemonstrationen erzwingen vom Militärregime
1984 (25. 11.) freie Wahlen, eine
1985 (1. 3.) Zivilreg. unter Präs. SANGUINETTI und die demokrat. Verfassung von 1966.
2000 (Juni) Generalstreik gegen die Stabilitätspolitik von Präs. BATTLE IBAÑEZ.

Argentinien (S. 549)
1966 Militärputsch der Armee; Präs. ONGANÍA: Parteienverbot;
1973 durch Wahlen Rückkehr zur Demokratie; (Sept.) JUAN PERÓN wieder Präsident.
1974 (1. 7.) Tod PERÓNS, Präs. wird seine Frau ISABEL PERÓN: Notstandsprogramme.
1976–83 Militärdiktatur; 30 000 Menschen verschwinden (»Desaparecidos«), »Mütter der Plaza de Mayo« demonstrieren für Aufklärung (Unesco-Preis für Friedenserziehung 1999).
1981/82 nach Besetzung der Falklandinseln (argent. Malvinas).
1982 (März–Juni) Krieg mit Großbritannien; Niederlage.
1983 Ende der Militärdiktatur, freie Wahlen: Präs. ALFONSÍN, 1989 MENEM, 1999 DE LA RÚA.
2001 Wirtschafts- und Bankenkrise durch Verschuldung und Kapitalflucht; Unruhen. (19. 12.) Ausrufung des Notstands für 30 Tage;
2002 (1. 1.) Stabilisierung der polit. Lage durch die Wahl von Präs. DUHALDE, abgelöst
2003 (Mai) durch Wahl von Präs. KIRCHNER.

Unabhängigkeit
1966 (1. 6.) Guyana von Großbritannien.
1975 (26. 11.) Surinam von den Niederlanden.

Militärausgaben in % des BSP (um 2000)

- 0,5 – 1,0
- 1,0 – 1,5
- 1,5 – 2,0
- 3,1 – 3,4
- > 10 % des Staatshaushalts

USA, NL

NICARAGUA

Caracas

TRINIDAD
und TOBAGO

VENEZUELA

George-
town

Paramaribo
1980 – 88, 1990/91

1962 – 65

Bogotá

GUYANA
k. A.

Cayenne
FRANZ. GUAYANA

KOLUMBIEN

M19 1974 – 90
FARC 1964 –
ELN 1965 –
ELP 1964 – 90

1986 – 92
SURINAM

Quito

1972 – 79
ECUADOR

PERU

Tupac Amaru
1980 –
Sendero
Luminoso
1983 –

BRASILIEN

Lima

1968 – 80

BOLIVIEN

1964 – 85   Brasilia

La Paz   1971 – 79
1985

Tupamaros 1964 – 85

1985

1954 – 89
PARAGUAY

Rio de Janeiro

CHILE

Asunción

ARGENTINIEN

1973 – 90

1973 – 84
URUGUAY

Santiago   Buenos Aires

Tupamaros-MLN 1963 – 73

Montevideo

Tupamaros-MIR

1966 – 73
1976 – 83

Tupamaros/
PRT-ERP
1963 – 73

Grenzkonflikte

◀▶ um Festlandgebiete

◀▶ um maritime Wirtschaftszonen

Falkland-Inseln
(brit.)

(1984 gelöst)

Militärdiktatur

Guerillaaktivitäten u. -gruppen

ethnische Spannungen; Gewalt im Innern

Staaten mit Kokaanbau

Staaten mit Mohnanbau

0   500   1000 Kilometer

Politische Verhältnisse in Südamerika (1966 – 2004)

Kolumbien (S. 549)
Der Diktatur von Gen. ROJAS PINILLA folgt
1958–74 polit. Stabilität durch aus Konservativen und Liberalen parität. zusammengesetzte »Reg. der Nationalen Front« mit sich abwechselnden Präs.
1974 Präs.-Wahlen, Präs. LÓPEZ MICHELSEN/Lib.: Verstaatlichung aller Erdölvorkommen. Guerillakämpfe gegen rev. Befreiungsbewegungen; rechtsgerichtete Todesschwadronen.
1989 Beginn des verstärkten Kampfes gegen die Drogenmafia (»Kartell von Medellín«). – Versöhnung mit den Guerilla »M19«.
1993–98 Erfolgloser Kampf gegen die Guerilla der kommunist. FARC, prokuban. ELN und maoist. ELP.
1999 Friedensgespräche von Präs. PASTRANA und FARC in einer »neutralen Zone« werden von paramilitär. rechten AUC- sowie linken ELN- und ELP-Guerilla bedroht.
»Plan Columbia« zur Bekämpfung des Drogenanbaus und -handels mit militär. Hilfe der USA und gemeinsam mit Venezuela, Peru, Ecuador und Bolivien.
2000 (Febr.) Human Rights Watch deckt die engen Verbindungen zwischen Armee und ultrarechten Todesschwadronen auf.
2002 (20. 2.) Entführung eines Flugzeugs mit Reg.-Mitgl.; Ermordung des Erzbischofs von Cali I. DURATE durch die FARC.
(Juni) Beendigung der Friedensgespräche und Verschärfung des Bürgerkriegs.
(Aug.) Nach Amtsantritt verhängt Präs. ÁLVARO URIBE den Ausnahmezustand, Einschränkung der Pressefreiheit.
2004 Friedensgespräche mit AUC und ELN.

Ecuador (S. 549)
1968 (2. 6.) Wahl von Präs. VELASCO IBARRA, der nach Studentenunruhen
1970 diktator. Befugnisse übernimmt; abgelöst
1972 durch **gemäßigte Militärherrschaft.**
1979 Re-Demokratisierung.
2000 (22. 1.) Nach Indio- und Gewerkschaftsdemonstrationen Sturz des Präsidenten.
2002 Wahl von Präs. LUCIO EDWIN GUTIÉRREZ, einem der Offiziere, die am Putsch (2000) gegen Präs. MAHUAD beteiligt waren.

Peru (S. 549)
1963–68 Präs. F. BELAÚNDE TERRY; durch Milit.-Putsch gestürzt.
1968 (3. 10.) **Militärregime** führt **Staatssozialismus** ein:
1969–74 Enteignungen, auch von US-Firmen, Bodenreform und Landverteilung.
(28./29. 7.) »**Plan Inca**«: Zeitplan der Revolution für Enteignungen, soz. Maßnahmen.
1977 (28. 8.) Programm zur Machtübergabe an eine zivile Reg.
(9. 10.) »**Tupac-Amaru-Plan**« zur Fortsetzung der Revolution unter Umgehung von Kommunismus und Kapitalismus.
1980 (18. 5.) Rückkehr zur Demokratie durch freie Wahlen: Ende der Verstaatlichung,

Rückgabe der enteigneten Betriebe und wirtschaftl. Annäherung an die USA.
1983 Gründung der marxist.-leninist. Guerilla **Tupac Amaru/MRTA.**
1985–90 Misswirtschaft und Korruption unter Präs. ALAN GARCÍA (APRA-Partei). Terrorismus durch die maoist. Guerilla »**Sendero Luminoso**« (Leuchtender Pfad).
1990 (10. 6.) Wahl von Präs. A. FUJIMORI. Kampf gegen die Guerilla und Drogenmafia.
1992 (5. 4.) **Staatsputsch** FUJIMORIS gegen das von der Opposition beherrschte Parlament; Rechtsdiktatur FUJIMORIS.
(13. 11.) Militärputsch scheitert.
(22. 11.) Wahlen zum Verfassungsgebenden Kongress, der die
1993 (7. 1.) verfassungsgemäße Stellung FUJIMORIS bestätigt und Notstandserlasse billigt.
(4. 9.) Die neue Verfassung stärkt die Stellung des Präs.; Einführung der Todesstrafe.
1996 (Dez.) Tupac Amaru besetzt 4 Monate jap. Botschaft.
2000 (Mai) FUJIMORI nach Wahlmanipulation zum 3. Mal zum Präs. gewählt, dankt
(21. 11.) nach gewalttätigen Protesten ab.
2001 (28. 7.) Wahl von Präs. A. TOLEDO.
2002 (17. 11.) Kommunalwahlen und erstmals Wahlen für die durch Dezentralisation ab
2003 (1. 1.) eingeführten Regionalregierungen.

Chile (S. 549)
1970 Mit Unterstützung der Christdemokraten wird der **Volksfrontkandidat** (Unidad Popular) SALVADOR ALLENDE neuer Präs.
1971 (27. 11.) Verstaatlichung des Bergbaus.
1973 Streik der Transportunternehmer und äußerer polit. Druck, v. a. durch die USA, lähmen das Land und führen zum
(11. 9.) Militärputsch gegen Allende, der durch Selbstmord stirbt.
1974 (Dez.) Der Anführer des Militärputsches, Gen. AUGUSTO PINOCHET, wird Staatspräs.
1974–88 Militärdiktatur unter Präs. Pinochet mit Unruhen, Folterungen und Menschenrechtsverletzungen.
1988 (5. 10.) PINOCHET lässt auf inneren und äußeren polit. Druck Präs.-Wahlen zu und
1989 (14. 12.) verliert gegen das Oppositionsbündnis »Concertación de los Partidos por la Democracia«: **Ende der Militärdiktatur.**
1990–94 durch die Reg. unter Präs. P. AYLWIN/Christdem. Aussöhnung und Stabilität.
1994–2000 Reg. unter Präs. E. FREI: Modernisierung des Staates, Wirtschaftswachstum.
1998 (17. 10.) PINOCHET in London festgenommen, nach
2000 Freilassung Rückkehr nach Chile.
(März) Mitte-links Reg. unter Präs. R. LAGOS.
2004 (Mai) Die Immunität von PINOCHET wird aufgehoben und er wegen seiner Beteiligung an der »Operation Condor« zur Beseitigung lateinamerikan. Intellektueller in den 70er-/80er Jahren angeklagt. – Der Territorialkonflikt mit Bolivien bleibt weiterhin ungelöst.

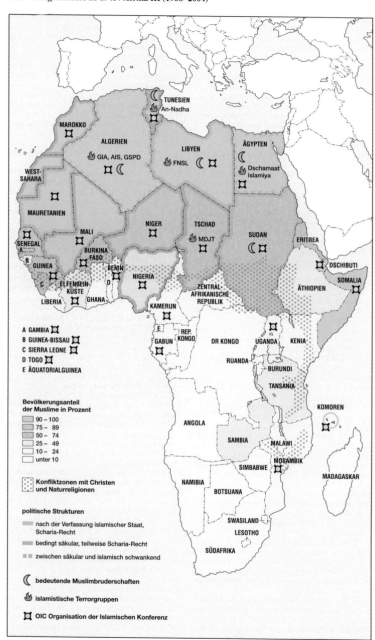

TUNESIEN
An-Nadha

MAROKKO

ALGERIEN

LIBYEN

ÄGYPTEN

GIA, AIS, GSPD

FNSL

Dschamaat
Islamiya

WEST-
SAHARA

MAURETANIEN

NIGER

TSCHAD

SUDAN

ERITREA

MALI

MDJT

DSCHIBUTI

SENEGAL
A

BURKINA
FASO

SOMALIA

B
GUINEA

BENIN

NIGERIA

ÄTHIOPIEN

C
ELFENBEIN-
KÜSTE

D

ZENTRAL-
AFRIKANISCHE
REPUBLIK

LIBERIA   GHANA

KAMERUN

A GAMBIA
B GUINEA-BISSAU
C SIERRA LEONE
D TOGO
E ÄQUATORIALGUINEA

E

REP.
KONGO

GABUN

DR KONGO

UGANDA

KENIA

RUANDA

BURUNDI

TANSANIA

KOMOREN

Bevölkerungsanteil
der Muslime in Prozent

90 – 100
75 – 89
50 – 74
25 – 49
10 – 24
unter 10

ANGOLA

SAMBIA

MALAWI

MOSAMBIK

MADAGASKAR

SIMBABWE

Konfliktzonen mit Christen
und Naturreligionen

NAMIBIA

BOTSUANA

politische Strukturen

nach der Verfassung islamischer Staat,
Scharia-Recht

SWASILAND

LESOTHO

bedingt säkular, teilweise Scharia-Recht

SÜDAFRIKA

zwischen säkular und islamisch schwankend

bedeutende Muslimbruderschaften

islamistische Terrorgruppen

OIC Organisation der Islamischen Konferenz

Der Islam in Afrika (2004)

Tunesien (S. 547)

1974 Vereinigung mit Libyen beschlossen, von Tunesien aufgeschoben.

(Dez.) BOURGUIBA Präs. [seit 1957] auf Lebenszeit, aber

1987 (7. 11.) wegen Amtsunfähigkeit abgesetzt, Nachfolger MP. BEN ALI.

1990 (22. 5.) Putschversuch der islam. fundamentalist. »An-Nadha« (Wiedergeburt).

1994 Parlamentswahlen gewinnt die Reg.-Partei RCD; Wiederwahl BEN ALIs mit 99,9%.

Libyen (S. 547)

1969 (1. 9.) Militärputsch unter Muammar al-Gaddafi stürzt die Monarchie, Revolutionsrat ruft Republik aus;

(8. 9.) AL-GADDAFI wird Staatschef.

1970 Beginn der Verstaatlichung ausländ. Besitzes.

1973 GADDAFI erklärt den Islam zur Alternative zum kapitalist. Materialismus und kommunist. Atheismus (»3. Internat. Theorie«).

1976 Umwandlung der »Libysche Arab. Rep.« in die »Libysche Arab. VR« auf der Grundlage des Koran.

1977 (2. 3.) Proklamation der direkten Demokratie (Volksmacht); Grundlagen: Koran und AL-GADDAFIS »Grünes Buch«.

1979 Revolutionsjunta übergibt die Macht an den »Allgemeinen Volkskongress«.

Nach Zwischenfällen bei US-Manövern

1986 (April) US-Luftangriffe auf Tripolis und Bengasi.

1988 **Lockerbie-Krise:** Libyen beteuert Unschuld am Flugzeugattentat.

1989 Konflikt mit den USA um die Chemiefabrik **Rabta.**

1992 (15. 4.) UN-Sanktionen, ab

1993 (11. 11.) Wirtschaftsblockade.

1999 nach Überstellung zweier Lockerbie-Tatverdächtiger an die Niederlande Aussetzung der UN-Sanktionen.

2003 Schuldanerkenntnis des libyschen Geheimdienstes am Absturz von Lockerbie.

Marokko (S. 547)

1992 Parteien fordern konst. Monarchie mit Verringerung der Machtstellung des Königs; (4. 9.) Referendum bestätigt HASSAN II.

1994 (3. 3.) Von Spanien Rückgabe der Exklaven Ceuta und Melilla gefordert.

1996 (13. 9.) Verfassungsreferendum: 99% für Zweikammersystem und Verf.-Gericht.

1999 (23. 7.) Tod von König HASSAN II., Nachfolger ist sein Sohn MOHAMMED VI.

2002 (27. 9.) Parlamentswahl, drittstärkste Partei wird die gemäßigt islam. Partei »Gerechtigkeit und Entwicklung«.

Konflikt mit Spanien wegen der unbewohnten »Petersilieninsel«.

2003 (16. 5.) Islamist. Selbstmordanschläge in Casablanca; rigide Maßnahmen gegen Islamisten (»Ende der Lauheit«).

2004 Änderung des Familienrechts zugunsten von Frauenrechten.

Mauretanien

1966 Arabisch wird Unterrichtssprache.

1978 Sturz des 1. Staatspräs. M.O. DADDAH durch Militärputsch.

1978–2003 Militärputsche und Instabilität.

1989 Ethn. Konflikt zwischen Mauren und Schwarzafrikanern; 100 000 Schwarzafrikaner werden aus Mauretanien und 250 000 Mauretanier aus Senegal ausgewiesen.

1990 (12. 7.) Mauretanien erklärt sich zur islam. Republik.

1991 nach Referendum demokrat. Verfassung.

2003 (8. 6.) Putschversuch einer Offiziersgruppe scheitert.

Westsahara-Konflikt

1975 (16. 10.) Internat. Gerichtshof lehnt territoriale Souveränität Marokkos über Span.-Sahara ab. – »Grüner Marsch« von 350 000 bewaffneten Marokkanern gegen die Selbständigkeit von Span.-Sahara.

1976 Der provisor. »Nationalrat der Sahrauies« unter Einfluss der Unabhängigkeitsbewegung »Frente Polisario« ruft die »**Demokrat. Arab. Rep. Sahara/DARS«** aus; von Marokko nicht anerkannt. – Spanien übergibt Span.-Sahara gegen den Widerstand der Polisario an Marokko (Norden) und Mauretanien (Süden), die das Gebiet besetzen.

1979 (15. 8.) Friedensvertrag der DARS mit Mauretanien; Besetzung des Südens durch Marokko. Kämpfe mit der »Frente Polisario«.

2003 **Baker-Plan:** Übergangsphase mit Autonomie der W-Sahara innerhalb Marokkos; 2008 3 Wahlmöglichkeiten: Integration in das marokk. Königreich, Weiterführung der Autonomie, Unabhängigkeit (wird von Spanien, Algerien und Polisario unterstützt).

2004 von Marokko abgelehnt.

Ägypten (S. 535)

1967 (5.–10. 6.) 2. Israel.-arab. Krieg, Verlust des Sinai.

1968/69 Kämpfe um den Suezkanal; Ausbau sowjet. Raketenstellungen.

1970 (Okt.) ANWAR AS-SADAT wird Nachfolger NASSERS als Präs.

1971 Umbenennung der VAR in **Arabische Republik Ägypten;** neue Verf.

1973 (Okt.) Yom-Kippur-Krieg gegen Israel.

1975 (Juni) Wiedereröffnung des Suezkanals.

1976 Kündigung des Freundschaftsvertrags mit der UdSSR.

1977 (20. 11.) Sadat besucht Israel.

1978 Camp-David-Konferenz, danach

1979 (März) Friedensvertrag mit Israel.

1981 (6. 10.) Mordanschlag und Tod SADATS; HOSNI MUBARAK neuer Präs., 1987 2., 1993 3., 1999 4. Amtsperiode.

1982 (April) Israel beendet Besetzung des Sinai und der Enklave Taba (1989).

1990–97 Anschläge durch islamist. Terroristen auf Touristen.

1997–2004 durch erfolgreiche Bekämpfung des islamist. Terrorismus keine Anschläge.

Mali

1968 (19. 11.) Sturz von MODIBO KEITA, 1. Präs. der 1. Rep. nach der Unabhängigkeit 1960.
1974 2. Rep.: Zivil.-Reg., Präs.-System.
1991 Putsch, Sturz von Präs. TRAORÉ.
1992/97 3. Rep. mit demokrat. Verfassung unter dem gewählten Präs. KONARÉ.

Niger

1974 Putsch unter Oberst S. KOUNTIE;
1987 nach dessen Tod wird A. SEIBU Präs.
1990 Rebellion der Tuareg; Konfrontation zwischen Armee und Tuareg wird durch
1995 (24. 4.) Friedensabkommen beendet.

Senegal

Auf Präs. SENGHOR [1960–80] folgt
1981 Präs. ABDOU DIOUF.
1982 Union mit Gambia (bis 1989).
1989 Grenzkonflikt mit Mauretanien und ethn. Massaker in Dakar und Nouakchott.
1993 Nach langjährigem Sezessionskrieg in der Casamance Friedensvertrag zwischen den MFDC-Rebellen und der Reg.
2003 (19. 3.) Wahl des lib. A. WADI zum Präs.– Zusammenstöße von Sezessionisten und Armee in der Casamance;
(6. 10.) Rebellen erklären Kriegsende.

Guinea

1970 (22. 1.) Umsturzversuch durch Exilguineer und portugies. Söldner.
1984 Tod von Präs. Sékou Touré, Militär übernimmt die Macht; 2. Republik.
1990 Zeitweise bis zu 700 000 Bürgerkriegsflüchtlinge aus Liberia, Sierra Leone, später Elfenbeinküste.
1993 (19. 12.) 1. demokrat. Präsidentenwahl.
1994 (Jan.) Ausrufung der 4. Republik.
2000/01 Kämpfe mit liberian., sierraleon. RUF- und guineischen UFDG-Rebellen.

Burkina Faso (ehem. Obervolta)

1982–87 marxist.-sozialist. Militärreg.
1984 Umbenennung von Obervolta in **Burkina Faso** (VR).
1985 Grenzkonflikt mit Mali (seit 1974) wird
1986 durch Internat. Gerichtshof beigelegt.
1987 (Okt.) Milit.-Putsch, Präs. wird B. COMPAORÉ; Wahl 1991, 1998.
1991 neue demokrat. Verfassung.
2003 Von Elfenbeinküste und Togo unterstützter militär. Putschversuch der Opposition.

Ghana

1966–81 Wechsel von Militär- und Zivilreg.
1981 (31. 12.) Zweiter erfolgreicher Putsch durch Lt. RAWLINGS, der das Land trotz mehrfacher Umsturzversuche auch
1992, 1996 nach Wahlen als Präs. regiert.
2000 (28. 12.) nach Wahlen Machtwechsel, Präs. JOHN KUFUOR.
2001/02 Stammes-Auseinandersetzungen im N.
2003 Nationale Versöhnungskommission soll die Zeit des Militärregimes aufarbeiten.

Benin (ehem. Dahomey)

1960–72 Militärputsche und Regierungswechsel in rascher Folge (»Krankes Kind Afrikas«).
1972 (26. 10.) Militärputsch durch den zukünftigen Diktator MATHIEU KÉRÉKOU,
1975 (3. 11.) Umbenennung von Dahomey in **Volksrep. Benin.**
1990 wegen katastrophaler Wirtschaftslage Präsidialdemokratie und Marktwirtschaft.
1991 Verfassung mit **Mehrparteiendemokratie.**
1996, 2001 Wahl von Präs. MATHIEU KÉRÉKOU, 1998 auch zum Regierungschef.

Togo

1967–91 Militärdiktatur unter G. EYADÉMA.
1991 Unruhen leiten den Demokratisierungsprozess ein.
1999 (und 2002) Wahlboykott der Opposition wegen des autokrat. Führungsstils des Präs.

Kamerun

1966 Einheitspartei »Union Nationale Camerounaise« regiert den Staat.
1972 (20. 5.) Umwandlung der Bundesrep. in einen **Einheitsstaat.**
1997 Parlaments- und Präsidialwahlen setzen (12. 10.) parlamentar. Demokratie in Kraft.
2002 (10. 10.) Im Streit mit Nigeria um die Bakassi-Halbinsel entscheidet der Internationale Gerichtshof für Kamerun.

Nigeria

1966 Militärputsche gegen die Organisation des föderativen Bundesstaats mit ethn.-religiösen Gegensätzen zw. dem muslim. Norden und christl. Süden.– O-Region verlangt Autonomie:
1967 (Mai) Ausrufung der Rep. Biafra; Bürgerkrieg (1 Mill. Tote); endet
1970 (15. 1.) mit der bedingungslosen Kapitulation der Ostregion Biafra.
1972 »Nigerianisierung« der Wirtschaft.
1976 (7. 10.) Verfassung stärkt Rolle der traditionellen Herrscher im Parlament.
1993–98 Militärdiktatur unter S. ABACHA.
1995 (10. 11.) Militärjunta lässt Mitglieder des »Movement for the Survival of the Ogoni Peoples« hinrichten, die gegen die umweltzerstörerische Ausbeutung des Erdöls im Ogoni-Gebiet durch westl. Konzerne (u. a. Shell, Mobiloil) kämpfen; Ausschluss Nigerias aus dem Commonwealth.
1999 demokrat. Verfassung der 4. Rep.
2001–03 Einführung des Scharia-Rechts in 12 nördl. Bundesstaaten; blutige Auseinandersetzungen zw. Christen und Muslimen.

Gabun

1964 Putsch und innenpolit. Krise; Intervention französ. Truppen.
1967 stirbt Präs. LEON MBA, seitdem A.-B. BONGO Präs. – Nach Unruhen erneut
1990 (23. 5.) französ. Truppeneinsatz.
1991 demokrat. Verfassung.

Republik Kongo (Brazzaville)
1968 Milit.-Putsch unter Ngouabi (1977 ermordet); marxist.-leninist. Militärherrschaft bleibt.
1969 (Dez.) Umbenennung in **VR Kongo.**
1990 Ablösung der Einheitspartei durch Mehrparteiensystem.
1992 Neue Verfassung nach Referendum; Umbenennung in **Rep. Kongo.**
1997 Bürgerkrieg unter Beteiligung von Truppen aus Angola und DR Kongo.
2002 Neue Verfassung: Präsidialrepublik.
2003 (17. 3.) Friedensabkommen mit der letzten verbliebenen Rebellenmiliz (»Ninja«).

Äthiopien
1974 Entmachtung der Monarchie durch die Armee; sozialist. Reg., Verstaatlichung des Bodens. – Absetzung Haile Selassies (gest. 27. 8. 75);
1977 Mengistu Haile Mariam Staats- und Reg.-Chef des sozialist. Äthiopien.
1978 Mit Hilfe sowjet. Waffen und kuban. Truppen Sieg über Westsomalia (Ogaden) und die Eritreische Befreiungsfront.
1987 Neue Verfassung, Staat wird **Demokrat. VR Äthiopien.**
1991 (Mai) Sturz Mengistus; Übergangs-Reg.
1994 (8. 12.) Nationalversammlung ruft die **Demokrat. Bundesrep. Äthiopien** aus.
1998–2000 Äthiop.-eritreischer Grenzkrieg.

Kenia
Präs. Jomo Kenyatta (1891–1978) regiert mit seiner Partei KANU. Nach Kenyattas Tod wird im Einparteiensystem
1978 Daniel Arab Moi Staatspräs., dessen Politik der Korruption
1991 ein Mehrparteiensystem erzwingt.
1992 Moi wiedergewählt.
2002 (27. 12.) Das Oppositionsbündnis »National Rainbow Coalition/NARC« gewinnt die Wahlen; Mwai Kibaki wird Staatspräs.

Uganda
1966–71 Einparteiensystem unter Präs. Milton Obote.
1971 Milit.-Putsch unter Gen.-Major Idi Amin, es folgt eine brutale Militärdiktatur.
1979 Tansan. und exilugand. Truppen besetzen Uganda; Sturz des Diktators Idi Amin und Zivilreg., die erneut
1980 (Mai) durch Milit.-Putsch gestürzt wird.
(Dez.) Diktatur unter Präs. Obote bis zum
1985 (Juli) Milit.-Putsch unter Brigade-Gen. Tito Okello Lutwa, der Präs. wird.
1986 (26. 1.) Sturz Okellos durch die »Nationale Widerstandsarmee/NRA«, neuer
(29. 1.) Präs. Yoweri Kaguta Museveni.
2001 (26. 6.) Parlamentswahlen, Parteien sind von der Teilnahme ausgeschlossen.
2002 Großoffensive gegen die Miliz der LRA-Separatisten in N-Uganda.
2003 (Mai) Abzug der auf Wunsch der MONUC in der DR Kongo stationierten Truppen.

Tansania
1967 »Arusha-Charta« mit den Grundsätzen des tansan. Sozialismus (»Ujamaa«), der
1985 aufgegeben wird. Präs. Nyerere [seit 1962] tritt zurück.
1995 und 2000 Wahlen im Mehrparteiensystem mit Wahlmanipulationen auf Sansibar; deshalb dort faire Nachwahlen (2003).

Sambia
Präs. K. Kaunda [seit 1964] versucht durch pluralist.-demokrat. Strukturen Stammes-Differenzen (72 Stämme) zu überwinden; seit 1972 regiert trotzdem nur seine Partei UNIP den Einparteienstaat.
1991 (2. 8.) Mehrparteienverfassung;
(31. 10.) in freien Wahlen Ablösung der UNIP durch die MMD, die auch
1996, 2001 die Wahlen gewinnt.

Malawi (ehem. Njassaland)
1964 (6. 7.) Unabhängigkeit als konstitutionelle Monarchie; MP. Hastings Banda.
1966 neue Verfassung; Banda Präs. des Einparteienstaats mit diktator. Vollmachten.
1994 (17. 6.) Erste freie Wahlen: Präs. Muluzi löst Banda ab, Wiederwahl 1999.
2004 (18. 5.) Wahl von Präs. Bingu wa Mutharika/UDF (Regionalpartei des Südens).

Madagaskar
1960–72 Reg. des Sozialdem. Tsiranana.
1975–91 D. Ratsiraka Staats- und Reg.-Chef des sozialist.-zentralist. Einheitsstaates.
2001 (Dez.) Wahlsieg von M. Ravalomanana,
2002 (29. 4.) nach erneuter Stimmenauszählung (6. 5.) zum Präs. ernannt.

Südafrika (S. 545)
1966 MP. Balthazar J. Vorster.
1971 Entzug des UN-Mandats über SW-Afrika.
1976 Beginn der Entlassung der Homelands in die staatliche Unabhängigkeit.
(Juni) Einführung von Afrikaans als Unterrichtssprache löst Unruhen in Soweto aus, von der Polizei blutig niedergeschlagen.
1984 Neue Verf. sieht begrenzte Mitspracherechte für Asiaten und Coloureds vor, die schwarze Bev.-Mehrheit aber bleibt weiterhin von der Macht ausgeschlossen; Präs. P. M. Botha. – Wegen Unruhen und Streiks
1986 Ausnahmezustand (bis 1991).
1989 Rücktritt Bothas; Präs. F. W. de Klerk.
1990 (Febr.) Wiederzulassung des ANC und
(11. 2.) Haftentlassung von Nelson Mandela.
1991 (Juni) Aufhebung der Apartheid.
1994 (April) Nach Gewinn der Wahlen bildet der ANC eine »Reg. der Nationalen Einheit«, Mandela wird Präs.
1995–98 Wahrheits- und Versöhnungskommission unter Vorsitz von D. Tutu bereitet die Apartheidsvergangenheit auf.
1999 (Juni) Der ANC gewinnt erneut die Wahlen (auch 2004), Präs. wird Thabo Mbeki.

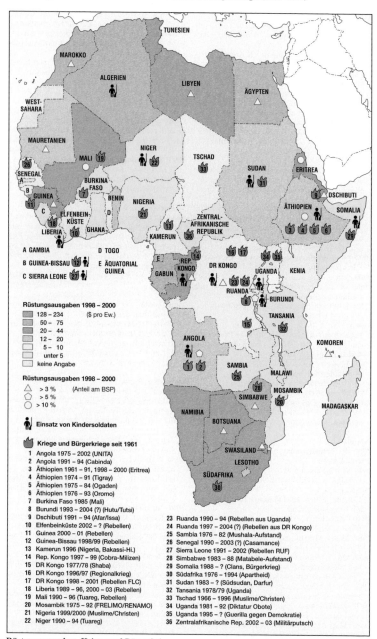

Rüstungsausgaben 1998 – 2000

■ 128 – 234	($ pro Ew.)
■ 50 – 75	
■ 20 – 44	
□ 12 – 20	
□ 5 – 10	
□ unter 5	
□ keine Angabe	

Rüstungsausgaben 1998 – 2000

△ > 3 %   (Anteil am BSP)
⬠ > 5 %
○ > 10 %

🧍 Einsatz von Kindersoldaten

🔥 Kriege und Bürgerkriege seit 1961

1 Angola 1975 – 2002 (UNITA)
2 Angola 1991 – 94 (Cabinda)
3 Äthiopien 1961 – 91, 1998 – 2000 (Eritrea)
4 Äthiopien 1974 – 91 (Tigray)
5 Äthiopien 1975 – 84 (Ogaden)
6 Äthiopien 1976 – 93 (Oromo)
7 Burkina Faso 1985 (Mali)
8 Burundi 1993 – 2004 (?) (Hutu/Tutsi)
9 Dschibuti 1991 – 94 (Afar/Issa)
10 Elfenbeinküste 2002 – ? (Rebellen)
11 Guinea 2000 – 01 (Rebellen)
12 Guinea-Bissau 1998/99 (Rebellen)
13 Kamerun 1996 (Nigeria, Bakassi-Hi.)
14 Rep. Kongo 1997 – 99 (Cobra-Milizen)
15 DR Kongo 1977/78 (Shaba)
16 DR Kongo 1996/97 (Regionalkrieg)
17 DR Kongo 1998 – 2001 (Rebellen FLC)
18 Liberia 1989 – 96, 2000 – 03 (Rebellen)
19 Mali 1990 – 96 (Tuareg, Rebellen)
20 Mosambik 1975 – 92 (FRELIMO/RENAMO)
21 Nigeria 1999/2000 (Muslime/Christen)
22 Niger 1990 – 94 (Tuareg)

23 Ruanda 1990 – 94 (Rebellen aus Uganda)
24 Ruanda 1997 – 2004 (?) (Rebellen aus DR Kongo)
25 Sambia 1976 – 82 (Mushala-Aufstand)
26 Senegal 1990 – 2003 (?) (Casamance)
27 Sierra Leone 1991 – 2002 (Rebellen RUF)
28 Simbabwe 1983 – 88 (Matabele-Aufstand)
29 Somalia 1988 – ? (Clans, Bürgerkrieg)
30 Südafrika 1976 – 1994 (Apartheid)
31 Sudan 1983 – ? (Südsudan, Darfur)
32 Tansania 1978/79 (Uganda)
33 Tschad 1966 – 1996 (Muslime/Christen)
34 Uganda 1981 – 92 (Diktatur Obote)
35 Uganda 1995 – ? (Guerilla gegen Demokratie)
36 Zentralafrikanische Rep. 2002 – 03 (Militärputsch)

Rüstungsausgaben, Kriege und Bürgerkriege

Algerien (S. 547)
1980 Kongress der FLN: Ende der Ära BOUME-
DIENNE.
1984/85 Unruhen und Terror durch muslim.
Fundamentalisten.
1989 Demokrat. Verf. mit Mehrparteiensystem,
Zulassung der islam. Parteien »Al Umma«
und »Front Islamique du Salut/FIS«.
1990 (25. 1.) 50 000 Berber demonstrieren für
ihre kulturelle Eigenständigkeit.
(seit 4. 6.) Demonstrationen und blutige Zusammenstöße mit Anhängern der FIS, die
Kommunal- und Provinzwahlen gewinnt.
1991 (5. 6.) FIS fordert islam. Staat; Gründung
der »Groupe Islamique Armé/GIA«, Bürgerkrieg, Ausnahmezustand.
(28. 10.) Aufgabe des Traditionswahlrech-
tes, nach dem der Ehemann für alle Familienmitglieder das Wahlrecht hatte.
1992 (11. 1.) FIS gewinnt erste Parlamentswahlen seit 1962; Rücktritt von Präs. CHAD-
LI; Militär gründet »Hohes Staatskomitee«;
Annullierung der Wahlergebnisse und Abbruch der Demokratisierung.
(4. 3.) Verbot der FIS.
1993 **Terroranschläge** militanter Islamisten,
v. a. GIA (26–80 000 Opfer), Menschenrechtsverletzungen der Reg.
1994 (13. 5.) Waffenstillstandsverhandlungen
der Reg. mit den Islamisten scheitern an der
Forderung der FIS nach Generalamnestie
und einer »Kalifatsreg.«.
1997 (5. 6.) Parlamentswahlen nach dem Verhältniswahlrecht; Verbot von religiös und
ethn. (Berber) begründeten Parteien.
1999 (5. 4.) Wahl von Präs. A. BOUTEFLIKA:
»Politik der nationalen Versöhnung«.
»Islam. Armee des Heils/AIS« stellt militär.
Aktionen ein; GIA und die FIS-Splittergrup-
pe GSPC setzen den Terror fort.
2001/02 Berberunruhen in der Region Kabylei.
2004 (8. 4.) Überwältigender Wahlsieg des
Präs. BOUTEFLIKA.

Tschad
1966 Beginn des Bürgerkriegs zwischen den
islam.-arab.-berberischen Nord- und christl.-
animist.-schwarzafrikan. Südstämmen. Unterstützung der muslim. Guerilla der FROLI-
NAT durch Libyen, Algerien und den Sudan.
1969 Intervention Frankreichs zugunsten des
schwarzafrikan. Präs. TOMBALBAYE.
1973 **Besetzung des Azouzi-Streifens** im
N-Tschad durch libysche Truppen.
1975 Sturz Präs. TOMBALBAYES [seit 1960]
durch Militärputsch unter Gen. MALLOUM,
der Präs. wird; PM H. HABRÉ.
1978/79 Bürgerkrieg durch Rebellen- und
Kampfgruppen HABRÉS und MALLOUMS.
1982 Truppen HABRÉS erobern Ndjamena; Beginn der 2. Rep. (bis 1990).
1983 **Zweiteilung des Tschad** am 16. Breitengrad, libysche Militärpräsenz im Norden.
1986/87 »Operation Epervier«: Verdrängung libyscher durch Tschad- und französ. Truppen.

1990 (Dez.) Sturz HABRÉS durch »Mouvement
Patriotique du Salut«; Präs. IDRISS DÉBY.
1994 (3. 2.) Der Internationale Gerichtshof
weist die Ansprüche Libyens am Azouzi-
Streifen (Erdöl- und Uranvorkommen) zurück; libyscher Truppenrückzug.
1998 »Tibesti-Konflikt« mit Rebellen; wird
2001 (Dez.) durch Friedensabkommen gelöst.
2004 Flüchtlingsströme aus dem Sudan stellen
das Land vor große Probleme.

Sudan
1965 Bürgerkrieg (seit der Unabhängigkeit
1956) zwischen den Reg.-Truppen des islam.-arab. Nordens und Rebellen des
christl., z. T. animist. schwarzafrikan. Südens. – Die Rebellen der »Sudan African
National Union/SANU« fordern die Teilung
des Landes.
1969 Putsch, Oberst J. NUMEIRI wird Präs.
(9. 6.) Die Zentralreg. kündigt die Selbstverwaltung der 3 Südprovinzen an.
(15. 8.) Im Süden bilden die Rebellen eine
Reg.
1972 (27. 3.) Das Friedensabkommen zwischen Reg. und den Rebellen der 3 Südprovinzen sowie
1978 (15. 4.) ein Versöhnungsabkommen ent-
schärfen die Lage.
1983 Einführung der Scharia als alleingültiges
Recht löst erneut Bürgerkrieg zwischen
Norden und dem Süden aus.
1985 Sturz Numeiris, Milit.-Reg. unter Gen. A.
R. SWAREDDAHAB; abgelöst von der
1986 Zivil-Reg. unter MP. SADIK AL-MAHDI.
1988/89 Der Hungertod von über 500 000
Menschen im Süden verschärft den Bürgerkrieg.
(30. 6.) Militärputsch unter Führung von
OMAR AL-BASHIR.
2002 Waffenstillstand, gilt nur in der zentralsu-
danes. Region der Nuba-Berge.
(27. 7.) **Machakos-Abkommen** zw. Reg. und
SPLA-Rebellen: Friedensverhandlungen
über die Zukunft der 3 erdölreichen Süd-
Provinzen beginnen.
(15. 10.) Durch norweg. Vermittlung erster
Waffenstillstand seit 1983;
2003 (Dez.) in weiteren Verhandlungen wird
der Durchbruch über die Verteilung der Erd-
öl- und Staatseinnahmen erreicht und
2004 (27. 5.) das letzte Teilabkommen des
Friedensvertrags über die Verteilung der polit. Ämter unterzeichnet; das islam. Recht
soll nicht mehr für die christl. Bevölkerungsteil gelten.
2003/04 Nach Kämpfen zwischen SLM-Rebel-
len der schwarzafrikan. Bevölkerung der
Provinz **Darfur** und Reg.-Truppen führen
von der Reg. unterstützte muslim.-arab. Rei-
termilizen »Dschandschawid« einen Ver-
nichtungskrieg gegen die Zivilbevölkerung:
mind. 1 Mill. Binnenflüchtlinge in Darfur,
115 000 Flüchtlinge nach Mali, 120 000 in
den Tschad.

Somalia
1960 Unabhängigkeit; Vereinigung von Brit.- und Italien.-Somaliland zur **Rep. Somalia.**
1969 ruft Gen. SIAD BARRE nach Armeeputsch die sozialist. **»Somal. Demokrat. Rep.«** aus.
1976 (1. 7.) BARRE proklamiert den Sozialist. Einheitsstaat unter Führung seiner Partei SSRP.
1978 Nach verlorenem Ogadenkrieg gegen Äthiopien Bürgerkrieg, zunächst im Norden,
1990 Bürgerkrieg im ganzen Land.
1991 (17. 1.) Sturz BARRES durch clan-gebundene Rebellenarmeen, seitdem keine Zentralreg.; im Norden rufen
(14. 6.) Rebellen der somal. Nationalbewegung SLN im ehem. brit. Protektorat die unabhängige »Rep. Somaliland« aus.
1992 Militäroperation »Operation Restore Hope« durch multinationale UN-Verbände zur Beendigung des Bürgerkriegs, Sicherung der Nahrungshilfe für die Bevölkerung und Aufbau der Infrastruktur.
1995 Die UNISOM-II-Truppen werden nach Kriegsverwicklung und Scheitern der Friedensvermittlungen abgezogen.
1995–2003 Clans setzen den Bürgerkrieg fort.
2004 (29. 1.) Die 42 Konfliktparteien unterzeichnen in Nairobi ein Friedensabkommen.

Elfenbeinküste (Côte d'Ivoire)
1965 Wiederwahl von Präs. FÉLIX HOUPHOUET BOIGNY (in fünfjährigem Turnus).
1983 (9. 6.) Verlegung der Hauptstadt von Abidjan nach Yamoussoukro, Geburtsstadt des Präs. [seit 1960] HOUPHOUET BOIGNY, der
1993 stirbt; sein Nachfolger wird Parlamentspräs. H. K. BÉDIÉ.
1995 Boykott der Präs.-Wahlen durch polit. Gegner BÉDIÉS destabilisiert den Staat.
1999 (23. 12.) 1. Militärputsch der Staatsgeschichte unter Gen. GUEÏ.
2000 (22. 10.) Präs.-Wahlen. Bürgerkrieg zwischen Anhängern des Siegers LAURENT GBAGBO und von Putsch-Gen. GUEÏ.
2002 Muslim. Rebellen beherrschen den Norden und Westen des Landes.
2003 (24. 1.) Auf Drängen Frankreichs: »Linas-Marcoussis-Abkommen« der Parlamentsparteien beendet
(4. 7.) den Bürgerkrieg.
(23. 9.) Rebellen behindern Demobilisierung, kehren aber
(25. 12.) in die Übergangsreg. zurück.
2004 Präs. GBAGBO und regierungstreue Milizen verschärfen die Spannungen;
(25. 3.) Zerschlagung einer Demonstration kostet zahlreiche Menschenleben (»**Blutiger Donnerstag«**).

Liberia
Das **Patronagesystem** der Regierungen führt zu Misswirtschaft und
1973/74 und 1979/80 zu Unruhen in Monrovia.
1980 Militärputsch unter S. DOE, dessen Ethnie (Khran) die Macht übernimmt. Die verfolg-

ten Gio und Mano schließen sich unter C. TAYLOR zur »National Patriotic Front of Liberia/NPFL« zusammen.
1984 (3. 7.) Demokrat. Verfassung.
1985 (15. 10.) Bei Parlamentswahlen gewinnt DOE die absolute Mehrheit.
1989 Angriff der NPFL auf Regierungstruppen: Beginn von 8 Jahren Bürgerkrieg.
1990 Kämpfe zwischen Truppen der Reg., der NPFL unter TAYLOR, der rivalisierenden NPFLI unter PRINCE JOHNSON und ECO-MOG-Truppen, der ersten, von ECOWAS eingesetzten Friedenstruppe. Ermordung DOES.
1991 (13. 2.) Waffenstillstandsabkommen von Lomé hält nicht; Zusammenschluss der Khran und Mandigo.
1997 ECOMOG-Truppen stiften Frieden. Nach gewonnenen Wahlen errichtet TAYLOR autoritär-repressives Präsidialsystem unter Machtausschluss der Khran und Mandigo, die sich zur Rebellenbewegung LURD zusammenschließen.
2002 LURD-Guerilla kontrollieren 60% des Landes und greifen Monrovia an.
2003 (17. 6.) Waffenstillstand.
(Aug.) Einsatz der ECOMIL-Friedenstruppe; TAYLOR geht ins nigerian. Exil.
(Okt.) Ersatz der westafrikan. durch internat. US-unterstützte UN-Truppe, Entwaffnung der 45 000 Milizen.
(5. 12.) Haftbefehl von Interpol gegen TAYLOR, der vor dem
2004 UNO-Kriegsverbrechertribunal in Sierra Leone wegen Verbrechen gegen die Menschlichkeit angeklagt wird.

Sierra Leone
1968 Militärputsch: MP. STEVENS/APC.
1971 Unter ihm wird Sierra Leone Rep. und
1978 Einparteienstaat.
1991 Bürgerkrieg durch aus Liberia eingedrungene Rebellen der »Revolutionary United Front/RUF«.
1996 nach zweimaligem Militärputsch Wahlsieg des Zivilisten A. T. KABBAH,
1997 gestürzt durch Putsch der RUF; Präs. wird J. P. KOROMA, Führer der Rebellengruppe »Armed Forces Revolutionary Council/AFRC«.
1998 Westafrikan. ECOWAS-Truppen stürzen KOROMA und setzen KABBAH wieder ein.
1999 RUF und AFRC greifen Freetown an.
(7. 7.) Nach Eingreifen westafrikan. Truppen Friedensabkommen, das von UN-Soldaten überwacht wird.
2002 Entwaffnung von Rebellen und Milizen, u. a. Kindersoldaten, Abklingen des Bürgerkriegs.
2003 UNO-Kriegsverbrechertribunal nimmt in Freetown seine Arbeit auf.
2004 (3. 6.) Erstes Sondergerichtsverfahren gegen Milizenführer: Anklage wegen Verbrechen gegen die Menschlichkeit und Rekrutierung von Kindersoldaten.

Zentralafrikanische Republik

Präs. D. DACKO [1960–66] gestürzt durch
1966 (1. 1.) Milit.-Putsch unter J. B. BOKASSA.
1976 (Dez.) Erbmonarchie, Kaiser BOKASSA I.
1979 Sturz BOKASSAS durch französ. Truppen;
wieder Rep. unter Präs. D. DACKO.
1981 unblut. Staatsstreich, Gen. A. KOLINGBA
Präs. der Milit.-Reg.
1985 (Sept.) Zivilreg.
1987 (18. 8.) BOKASSA I. zum Tod verurteilt.
1993 (19. 9.) Wahlniederlage KOLINGBAS, neuer Staatschef A.-F. PATASSÉ.
1996 Armeerevolte und ethn. Auseinandersetzungen; Eingreifen französ. Truppen.
1997 (25. 1.) Meuterer und Reg. schließen
Friedensabkommen von Bangui.
1998 Einsatz von UN-Truppen.
2001 (Mai) Putschversuch des ehem. Präs. KO-
LINGBA gegen Präs. PATASSÉ wird mit Hilfe
libyschen Militärs niedergeschlagen.
2003 Nach mehreren Putschversuchen geht
Präs. PATASSÉ ins Exil nach Togo, Über-
gangsregierung unter Präs. F. BOZIZÉ.

Demokratische Rep. Kongo/Zaire (S. 547)

1965 (24. 11.) Zentralist. Präsidialdiktatur mit
Einparteiensystem, Präs. MOBUTO.
1971 (21. 10.) Umbenennung von Kongo/Kin-
shasa in **Rep. Zaire.**
1977 **1. Shaba-Krise:** Kämpfe in der Prov. Shaba (früher Katanga) mit aus Angola einge-
drungenen Exil-Katangesen, die von marokkan. Truppen zurückgedrängt werden.
1978 **2. Shaba-Krise:** Die Invasion von Rebellen der FLNC wird durch belg.-französ.
Luftlandetruppen beendet.
1980–90 Nach wirtschaftl. Niedergang:
1990 (24. 4.) MOBUTO erklärt das Ende der
Einparteienherrschaft.
1995 Ebola-Epidemie in Kikwitt/O-Zaire.
1996 Uganda, Ruanda, Burundi und Angola
unterstützen den Aufstand der Banyamulele-
Tutsi gegen die Zentralreg., die
1997 (17. 5.) Kinshasa einnehmen; Präs. wird
der Führer der Rebellen L.-D. KABILA, der
(20. 5.) die **Demokrat. Rep. Kongo** ausruft.
2001 (16. 1.) Tod KABILAS durch Attentat;
(26. 1.) Nachfolger sein Sohn J. KABILA.
(Aug.) Rückzug der am Bürgerkrieg (5 Jahre, bis zu 4,7 Mill. Tote) beteiligten Truppen
Angolas, Namibias, Ruandas, Simbabwes
und Ugandas.
2002 (30. 7.) Friedensvertrag mit Ruanda und
(6. 9.) mit Uganda.
2003 (Mai) »Artemis-Mission«: 1. Kampfeinsatz von EU-Truppen, von UN-Truppen abgelöst (1. 9.).
2003/04 Bürgerkrieg zwischen den verfeinde-
ten Ethnien der Hema und der Lendu um Bo-
denschätze.

Ruanda

1973 Militärputsch unter J. HABYALIMANA,
[Hutu-Präs. ab 1978]; Einparteiensystem,
Entmachtung der Tutsi (15% der Bev.).

1990 (1. 10.) Angriffe von Tutsi-Rebellen der
»Front Patriotique Rwandais/FPR«, Intervention französ. Truppen.
1993 Friedensvertrag zwischen Reg. und FPR.
1994 (6. 4.) Abschuss des Flugzeugs mit den
Präs. HABYALIMANA und NTARYAMIRA (Burundi) löst Genozid zwischen den Tutsi und
Hutu sowie den verbündeten nördl. Hutu und
Tutsi gegen die südl. Hutu-Stämme aus.; ca.
750 000 Tote.
(4. 7.) Milit. Sieg der FPR: 2 Mill. Hutu
flüchten nach Zaire, 2,5 Mill. Binnenflüchtlinge.
1996 (27. 12.) Beginn der Genozid-Prozesse.
1998 Truppeneinfall in die DR Kongo, um die
mit KABILA verbündeten Hutu-Milizen aus
dem Grenzgebiet zu verdrängen;
2002 (7. 10.) Besetzung offiziell beendet.
2003 (26. 5.) Neue Verfassung per Referendum, durch die die Alleinherrschaft einer
Volksgruppe verhindert werden soll.

Burundi

1966 (28. 11.) Sturz von König NTARÉ V.;
1. Rep., Präs. Hauptmann M. MICOMBERO.
1972 Stammesfehden zwischen Hutu und der
herrschenden Tutsi-Minderheit (14% der
Bev.); Ermordung der gesamten Hutu-Intel-
ligenz.
1974 erste Verfassung des Landes.
1976 (1. 11.) Putsch unter Oberstltn. J.-B. BA-
GAZA, der ab
1979 zunehmend autoritär regiert;
1987 (3. 9.) durch Militärputsch gestürzt.
1988 Niederschlagung eines Hutu-Aufstands.
1993 (1. 6.) 1. gewählter Präs. M. NDADAYE
(Hutu; 85% der Bev.),
(21. 10.) bei Putsch getötet; Bürgerkrieg:
200 000 Opfer durch ethn. Massaker, 10%
der Einwohner fliehen.
1996 (25. 7.) Unblutiger Milit.-Putsch unter
Major P. BUYOYA.
2000 (28. 8.) »Arusha-Abkommen« für Frieden und Versöhnung der Ethnien, Minderheitenschutz für die Tutsi.
2002/03 Trotz Waffenstillstands und Friedens-
vereinbarung zwischen Reg. und Rebellen
schwelt der Bürgerkrieg weiter.

Unabhängigkeit

1966 Botsuana (ehem. Betschuanaland) von
Großbritannien; Präs.-Rep. im Commonwealth.
1966 Lesotho (ehem. Basutoland) von Großbritannien; parlamentar. Monarchie.
1968 Mauritius von Großbritannien; Rep. im
Commonwealth.
1968 Swasiland (kaNgwane) von Großbritannien; Kgr., seit 1973 absolutist. Monarchie.
1975 Kap Verde von Portugal; Republik.
1975 Komoren von Frankreich; 1982 Islam.
Bundesrep., 2001 Bundesrep.
1975 São Tomé und Príncipe von Portugal; Rep.
1976 Seychellen von Großbritannien; Rep. im
Commonwealth.

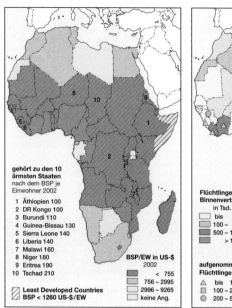

gehört zu den 10 ärmsten Staaten
nach dem BSP je Einwohner 2002

1 Äthiopien 100
2 DR Kongo 100
3 Burundi 110
4 Guinea-Bissau 130
5 Sierra Leone 140
6 Liberia 140
7 Malawi 160
8 Niger 180
9 Eritrea 190
10 Tschad 210

BSP/EW in US-$
2002

- < 755
- 756 – 2995
- 2996 – 9265
- keine Ang.

Least Developed Countries
BSP < 1260 US-$/EW

Armut in Afrika

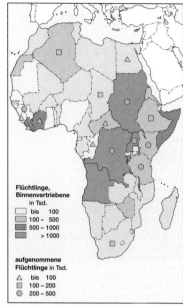

Flüchtlinge, Binnenvertriebene
in Tsd.

- bis   100
- 100 – 500
- 500 – 1000
- > 1000

aufgenommene Flüchtlinge in Tsd.

△ bis   100
   100 – 200
   200 – 500

Menschen auf der Flucht (2003)

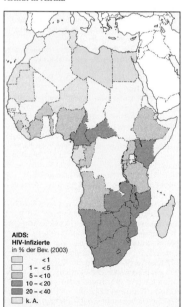

AIDS:
HIV-Infizierte
in % der Bev. (2003)

- < 1
- 1 – < 5
- 5 – < 10
- 10 – < 20
- 20 – < 40
- k. A.

HIV-Infizierte

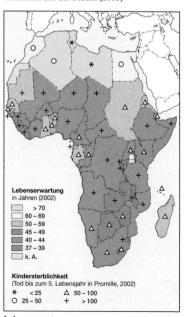

Lebenserwartung
in Jahren (2002)

- > 70
- 60 – 69
- 50 – 59
- 45 – 49
- 40 – 44
- 37 – 39
- k. A.

Kindersterblichkeit
(Tod bis zum 5. Lebensjahr in Promille, 2002)

✳ < 25   △ 50 – 100
○ 25 – 50   + > 100

Lebenserwartung

Gambia
1965 Unabhängigkeit im Commonwealth.
1970 durch Referendum Rep., Präs. JAWARA.
1994 (23. 7.) Militärputsch, seitdem Militärherrschaft unter Präs. Y. JAMMEH.
2001 Einführung des islam. Rechts (Scharia).

Guinea-Bissau
Nach Guerillakampf (seit 1963) gegen die Portugiesen unter AMILCAR CABRAL
1973 Ausrufung der Unabhängigkeit.
1974 1. Präs. LUIS CABRAL, der sein Amt
1980 an J. B. VIEIRA abtreten muss; zunehmende Demokratisierung.
1999 (Mai) VIEIRA gestürzt; neuer Präs. wird
2000 (Jan.) KUMBA YALA/PRS; er löst
2002 (Nov.) das Parlament auf und regiert zunehmend autokratisch. Nach Streiks
2003 (Sept.) unblutiger Militärputsch und
2004 (März) Parlamentswahlen; PM C. GOMES JR. von der linken früheren Reg.-Partei PAIGC.

Eritrea
1960 autonome Provinz Äthiopiens.
1961 beginnen Unabhängigkeitskämpfe.
1991 Die äthiop. Armee kapituliert vor den Befreiungsbewegungen EPLF und TPLF.
1993 (24. 5.) In Referendum Entscheidung für die Unabhängigkeit.
1998/99 Grenzgefechte wegen umstrittener Gebiete mit Äthiopien, dessen Truppen
2000 (18. 6.) in Eritrea einmarschieren (ca. 100 000 Tote und fast 1 Mill. Flüchtlinge).
(12. 12.) Friedensvertrag. – Die von einer unabhängigen Kommission festgelegte Grenze wird überraschend
2003 (März) von Äthiopien abgelehnt.

Dschibuti (ehem. Franz.-Somaliland)
1967 Referendum für den Verbleib bei Frankreich (Territorium der Afar und Issa) und
1977 (8. 5.) für die **Unabhängigkeit,** die am (27. 6.) von Frankreich gewährt wird.
1991–93 Bürgerkrieg im Norden zwischen Anhängern der regierenden Issa und der FRUD, der Guerillaarmee der Afar.
1997 echte Mehrparteienwahl (auch 2003) .
2001 (27. 6.) Friedensvertrag mit der FRUD.

Äquatorialguinea (ehem. Span.-Guinea)
1968 (12. 10.) Die span. Provinz (seit 1959) **wird unabhängig;** Diktatur unter Präs. MACIAS,
1979 (3. 8.) gestürzt durch Militärputsch; Präs. wird Oberst TEODORO OBIANG NGUEMA MBASOGO, auch 2002 wiedergewählt.
1991 Verfassung; Mehrparteiensystem, aber:
1992 Parteiengesetz schränkt Opposition ein.
1999 PDGE gewinnt Parlamentswahlen mit absoluter Mehrheit und behält
2004 nach fragwürdigen Wahlen die Macht.

Angola
1965–75 erkämpfen die Freiheitsbewegungen FNLA, MPLA und UNITA gegen Portugal

1975 (11. 11.) die Unabhängigkeit. Die marxist. MPLA führt den Staat als VR Angola.
1975–91 Bürgerkrieg: die MPLA besetzt mit kuban. Hilfe Luanda und den Nordosten, die UNITA mit südafrikan. Hilfe das zentrale Hochland, die FNLA mit Unterstützung Zaires und der USA den Süden.
1988 (5. 8.) Waffenstillstand zwischen Angola, Kuba und Südafrika und
1991 (31. 5.) allen Bürgerkriegsparteien.
1992 MPLA-Kandidat gewinnt die Wahlen; UNITA löst erneut Bürgerkrieg aus.
1994 (22. 11.) »Protokoll von Lusaka«: der Waffenstillstand wird
1995–2002 durch UNO-Truppen gesichert.
2002 (22. 2.) Dem Tod des UNITA-Führers SAVIMBI folgt neuer Waffenstillstand; Auflösung der UNITA-Kampfverbände, Rückführung von Flüchtlingen (430 000) und Binnenvertriebenen (3,5 Mill.).

Mosambik
1975 (25. 6.) unabhängig. 1. Präs. der sozialist. VR: S. MACHEL/FRELIMO.
1976–92 Bürgerkrieg zwischen der FRELIMO, unterstützt von sozialist. Staaten, und der RENAMO, unterstützt von Südafrika und Simbabwe.
1990 Neue Verf.: Rep. mit Mehrparteiensystem.
1992 (4. 1.) Friedensabkommen und
1994 (Okt.) Wahlen unter UN-Aufsicht.
2004 (Febr.) MP. LUISA DIOGO.

Simbabwe (ehem. Südrhodesien)
1965 (11. 11.) Einseitige Unabhängigkeitserklärung durch die »Rhodesian Front« der Weißen unter IAN SMITH: Bürgerkrieg (bis 1979) fordert 30 000 Tote.
1979 (Dez.) Nach den »Lancaster-House-Verhandlungen« wieder brit. Kolonie.
1980 (Febr.) ROBERT MUGABE/ZANU gewinnt die ersten Wahlen.
(18. 4.) Unabhängigkeit als Simbabwe.
1985–88 Bürgerkrieg im Matabele-Gebiet.
1991 durch Verfassungsänderung Beginn der Enteignung weißer Grundbesitzer.
2000 (ab Febr.) Illegale Landbesetzungen durch Kriegsveteranen und ZANU-Aktivisten, Terror gegen Anhänger der Opposition.
2002 Regierungsultimatum: 2900 von 4000 weißen Farmern müssen ihre Betriebe aufgeben. – Umstrittene Wiederwahl MUGABES.

Namibia
1966 UNO entzieht Südafrika das Mandat; nach Guerillakrieg mit südafrikan. Truppen und polit. Widerstand der bewaffneten Befreiungsbewegung SWAPO
1990 (Febr.) wird Präs., SAMUEL NUJOMA wird der erste Präs.
(21. 3.) Unabhängigkeit.
1999 Aufstand von Caprivi-Sezessionisten wird niedergeschlagen.
2004 (25. 2.) Reg. kündigt Zwangsaufkauf von Farmen gegen Entschädigung an.

Register

Außer den auf den Seiten 8 und 9 des 1. und VIII und IX des 2. Bandes erläuterten Abkürzungen wurden hier auch noch folgende Kürzel verwendet: F = Friede, FSt = Freistaat, K = Konzil, Ko = Konferenz, Kongr = Kongress, Ks = Kaiser, S = Schlacht, V = Vertrag.
Die Ziffern bis 287 verweisen auf Seitenzahlen in Band 1; halbfette Ziffern: Stichwort steht an zentraler Stelle.